- 그림으로 쉽고 가볍게 익히는 **용어**
- 빈틈없이 단단하게 정리된 **내용 정리**
- 어렵고 중요한 내용은 한 번 더 **집중 공략**
- 차근차근 실력을 쌓을 수 있는 **단계별 문제**

개념을 쉽게 풀어 이해가 잘 되는 진도용 교재

Book ❶ 진도책

이 책을 집필하신 선생님

김희정 천천고등학교 교사

안효익 개포고등학교 교사

윤민주 성수중학교 교사

최윤경 청심국제중고등학교 교사

홍철희 대전과학고등학교 교사

개념풀 특강

중학 사회②

교재 구성과 사용법

교재 구성

Book ❶ 진도책

Book ❷ 복습책

Book ❸ 정답과 해설

기초 공사를 탄탄히!!
중학교 개념은 고등까지 연결되기 때문에 중요한 건 다들 알고 있지?
지금 배우는 개념들은 나중에 고등학교 통합사회에서도
유용하게 쓸 수 있는 탄탄한 기초가 되어 줄 거야!

Book ❶ 진도책

1 가볍게 용어로 워밍업!

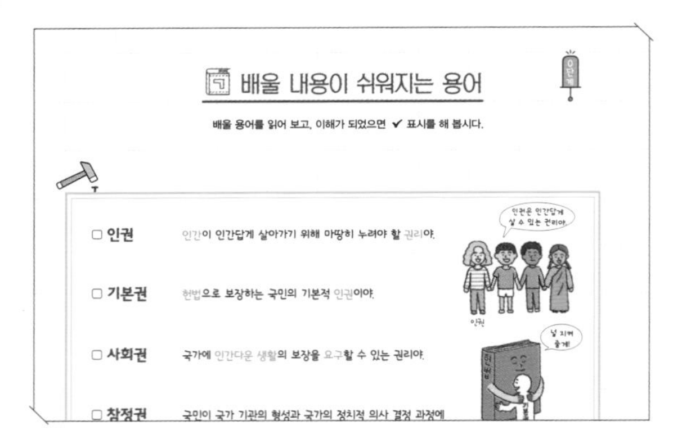

배울 내용이 쉬워지는 용어

공부를 시작하기에 앞서 대단원의 주요 용어들을 체크하면서 가볍게 훑어보자. 뒤에서 배울 내용의 이해가 훨씬 빨라질 거야 ~

2 잘 정리된 내용 정리로 탄탄하게 개념 학습!

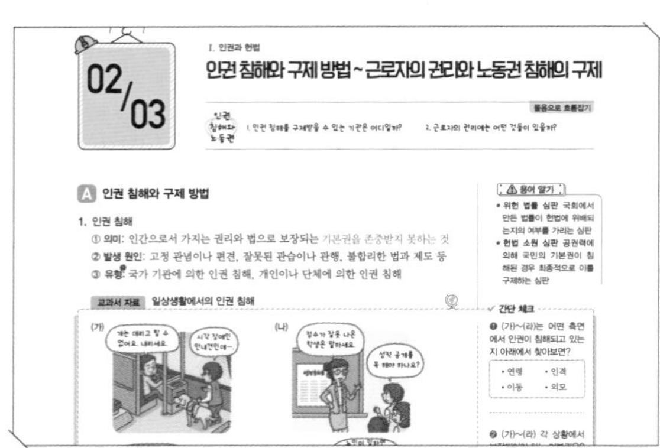

물음으로 흐름잡기

제시된 질문을 먼저 점검하자. 이 단원에서 무엇을 공부해야 하는지 방향을 알려 줄 거야.

개념 정리 & 용어 알기 & 교과서 자료

교과서의 내용과 용어를 차근차근 공부하자. 이때 교과서에 나온 중요한 자료는 꼭 보고 가야 해. 이해하기 쉽게 잘 정리된 교과서 내용을 술술 읽어 나가다 보면 어느새 개념이 쏙쏙 들어올 거야.

Book ❷ 복습책

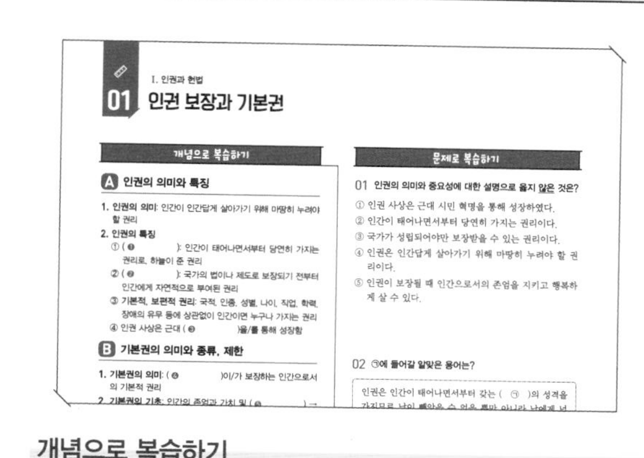

개념으로 복습하기

오랫동안 기억하려면 반복이 중요해! 배운 내용을 정리하고 필수 개념은 스스로 채우면서 개념을 되새겨 보자.

문제로 복습하기

문제로 한 번 더 복습하면서 실전 감각을 익혀 두자.

Book ❸ 정답과 해설

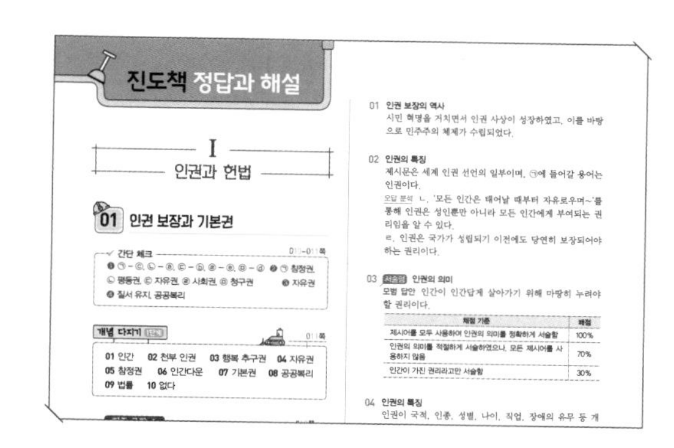

의구심이 남지 않는 친절한 해설

한 번 틀린 문제를 다시 틀리지 않으려면 왜 틀렸는지 아는 게 중요해. 오답 분석과 고난도의 선택지 분석을 통해 잘못 이해하고 있는 내용은 없는지 확인할 수 있도록 도와줄게.

3 까다로운 내용, 어려운 내용은 집중적으로 공략!

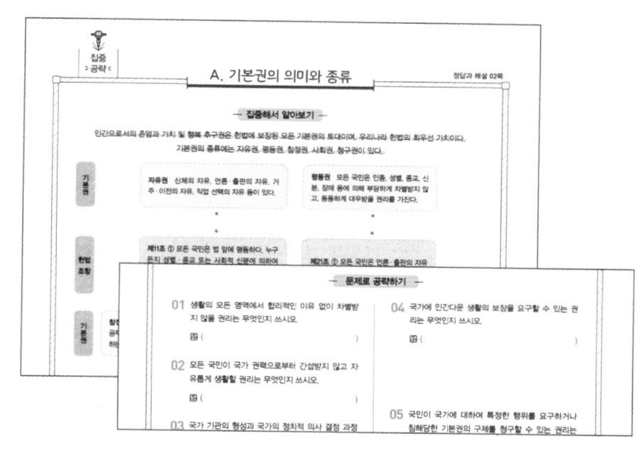

집중 공략

까다로운 내용과 어려운 내용은 꼭 시험에 나오는 법! 시험지에서 마주쳐도 당황하지 않도록 집중해서 알아보자. 내용을 익힌 후 문제까지 풀어보고 나면 두려울 것이 없겠지?

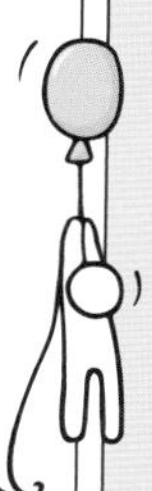

4 계단을 오르듯이 차근차근, 단계별 문제 풀기

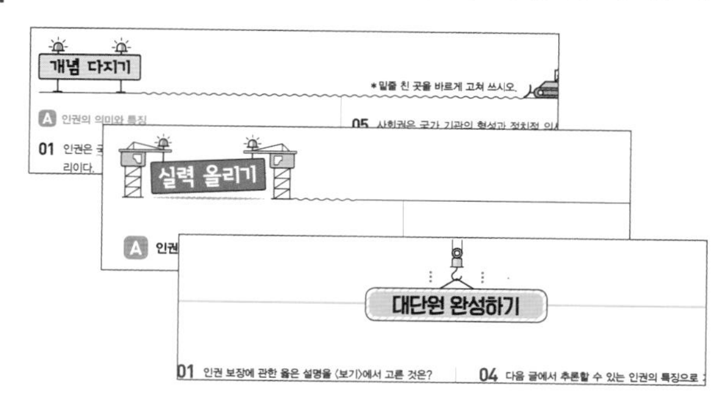

개념 다지기

밑줄 친 부분의 내용이 뭔가 틀렸다고 느낀다면 제대로 공부한 거야. 바르게 고쳐주기까지 한다면 완벽해!

실력 올리기

시험에 자주 출제되는 문제로 실전 연습 좀 해 볼까? 고난도 문제도 있으니 긴장하라고~

대단원 완성하기

대단원 학습을 마쳤으니 한 번 더 점검해 볼 거야. 점차 중요해지는 서술형 문제까지 꽉 잡고 가자.

차례와 학습 진행표

0	25	50	75	100

오늘은 어디까지 공부했어?
공부가 끝난 후 학습한 만큼 형광펜으로 채워서
어디까지 공부했는지 확인해 보자.

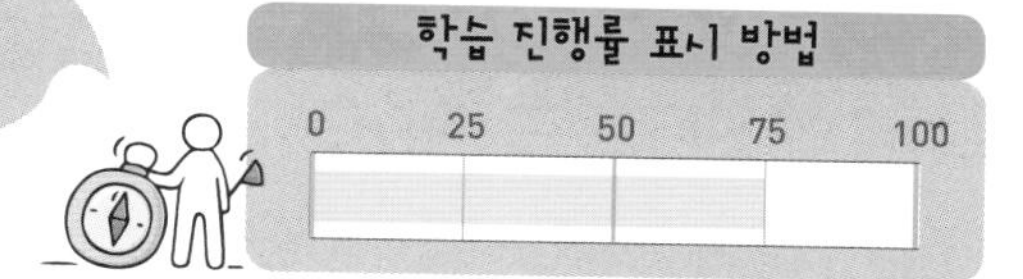

학습 진행률(%)

내 교과서와 비교하기

대단원	중단원	개념풀 특강	지학사	금성	동아	미래엔	박영사	비상	천재 교육	천재 교과서
Ⅰ 인권과 헌법	01. 인권 보장과 기본권	10~15	12~17	12~17	12~15	12~16	10~13	10~15	12~17	12~15
	02. 인권 침해와 구제 방법 ~ 03. 근로자의 권리와 노동권 침해의 구제	16~19	18~25	18~25	16~25	17~25	14~23	16~23	18~27	16~25
Ⅱ 헌법과 국가 기관	01. 국회의 위상과 역할	26~29	32~35	30~33	30~33	30~33	28~31	28~31	32~35	30~35
	02. 대통령과 행정부의 역할	30~33	36~39	34~37	34~37	34~37	32~36	32~35	36~39	36~39
	03. 법원과 헌법 재판소의 역할	34~39	40~45	38~43	38~41	38~43	37~41	36~41	40~45	40~45
Ⅲ 경제 생활과 선택	01. 합리적 선택과 경제 체제	46~51	50~55	48~53	46~53	48~53	46~50	46~51	50~57	50~53
	02. 기업의 역할과 사회적 책임	52~55	56~59	54~57	54~57	54~57	51~54	52~55	58~61	54~57
	03. 바람직한 금융 생활	56~59	60~63	58~61	58~61	58~61	55~59	56~61	62~67	58~63
Ⅳ 시장 경제와 가격	01. 시장의 의미와 종류	66~69	70~73	66~69	66~69	66~69	64~67	66~69	72~75	68~73
	02. 수요 · 공급과 시장 가격의 결정	70~73	74~79	70~75	70~73	70~73	68~71	70~73	76~81	74~77
	03. 시장 가격의 변동	74~79	80~83	76~79	74~79	74~79	72~77	74~79	82~87	78~81
Ⅴ 국민 경제와 국제 거래	01. 국내 총생산과 경제 성장	86~91	88~91	84~87	84~87	84~87	82~85	84~87	92~95	86~89
	02. 물가 상승과 실업	92~95	92~97	88~93	88~91	88~91	86~90	88~93	96~101	90~93
	03. 국제 거래와 환율	96~101	98~101	94~97	92~97	92~97	91~97	94~99	102~107	94~99
Ⅵ 국제 사회와 국제 정치	01. 국제 사회의 특성과 행위 주체	108~111	106~109	102~105	102~105	102~105	102~105	104~107	112~115	106~109
	02. 국제 사회의 모습과 공존을 위한 노력 ~ 03. 우리나라의 국가 간 갈등과 해결	112~115	110~119	106~115	106~115	106~115	106~115	108~117	116~123	110~121

우리 학교 시험 범위가
개념풀 특강의 몇 쪽에 해당하는지
비교해 보자~

대단원	중단원	개념풀 특강	지학사	금성	동아	미래엔	박영사	비상	천재 교육	천재 교과서
Ⅶ 인구 변화와 인구 문제	01. 인구 분포	122~125	124~127	120~123	120~123	120~124	120~123	122~125	128~131	126~129
	02. 인구 이동	126~129	128~131	124~129	124~127	125~129	124~129	126~130	132~134	130~133
	03. 인구 문제	130~133	132~137	130~133	130~133	130~134	130~132	132~137	136~141	136~139
Ⅷ 사람이 만든 삶터, 도시	01. 세계의 매력적인 도시 ~ 02. 도시 내부의 다양한 경관	140~145	142~149	138~147	138~145	140~147	138~145	142~149	146~153	144~153
	03. 선진국과 개발 도상국의 도시화 ~ 04. 살기 좋은 도시	146~149	150~157	148~155	148~155	148~156	146~152	150~157	154~160	154~160
Ⅸ 글로벌 경제 활동과 지역 변화	01. 농업의 세계화와 지역의 변화	156~159	162~167	160~163	160~163	162~165	158~161	162~165	168~171	168~171
	02. 다국적 기업과 생산 지역의 변화	160~165	168~171	164~167	166~169	166~169	164~167	166~169	172~174	174~177
	03. 서비스업의 변화와 주민 생활	166~171	172~175	168~171	170~173	170~173	168~171	170~173	176~179	178~180
Ⅹ 환경 문제와 지속 가능한 환경	01. 전 지구적 차원의 기후 변화	178~183	182~187	178~182	178~181	180~183	176~179	178~183	184~186	186~189
	02. 환경 문제 유발 산업의 이전	184~187	188~191	184~187	182~185	184~187	180~183	184~187	188~191	190~193
	03. 생활 속의 환경 이슈	188~191	192~195	188~191	186~189	188~191	184~187	188~192	192~195	194~197
Ⅺ 세계 속의 우리나라	01. 우리나라의 영역과 독도	198~203	202~207	196~200	196~199	198~203	194~197	198~203	200~203	204~207
	02. 우리나라 여러 지역의 경쟁력	204~207	208~211	202~205	200~203	204~208	199~203	204~207	206~208	210~213
	03. 통일 이후 국토 공간	208~213	212~215	206~209	204~207	210~213	204~206	208~211	210~213	216~219
Ⅻ 더불어 사는 세계	01. 지구상의 다양한 지리적 문제	220~223	222~227	214~217	214~217	218~222	212~216	216~219	218~223	224~227
	02. 발전 수준의 지역 차 ~ 03. 지역 간 불평등 완화를 위한 노력	224~229	228~235	218~226	218~227	223~230	217~223	220~227	224~230	228~235

I

인권과 헌법

01 인권 보장과 기본권

02 인권 침해와 구제 방법

~ 03 근로자의 권리와 노동권 침해의 구제

배울 내용이 쉬워지는 용어

배울 용어를 읽어 보고, 이해가 되었으면 ✔ 표시를 해 봅시다.

- ☐ **인권** 인간이 인간답게 살아가기 위해 마땅히 누려야 할 권리야.
- ☐ **기본권** 헌법으로 보장하는 국민의 기본적 인권이야.
- ☐ **사회권** 국가에 인간다운 생활의 보장을 요구할 수 있는 권리야.
- ☐ **참정권** 국민이 국가 기관의 형성과 국가의 정치적 의사 결정 과정에 참여할 수 있는 권리야.
- ☐ **인권 침해** 다른 사람 또는 국가 기관에 의해 인권을 침해당하거나 보장받지 못하는 거야.
- ☐ **노동권** 누구나 쾌적한 환경에서 합당한 대우를 받으며 일할 근로자의 권리야.
- ☐ **노동조합** 근로 조건의 유지와 개선, 근로자의 지위 향상을 위해 근로자들이 조직한 단체야.
- ☐ **노동 삼권** 근로 조건의 향상을 위하여 헌법에서 보장하는 근로자의 권리로 단결권, 단체 교섭권, 단체 행동권이 있어.
- ☐ **부당 노동 행위** 사용자가 근로자의 노동 삼권 행사를 방해하는 행위야.

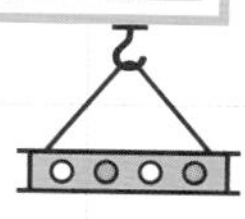

인권 보장과 기본권

물음으로 흐름잡기

인권과 기본권 1. 인권이란 무엇일까? 2. 기본권에는 어떤 것들이 있을까?

A 인권의 의미와 특징

1. 인권의 의미 인간이 인간답게 살아가기 위해 마땅히 누려야 할 권리
└ 인권 사상은 근대 시민 혁명을 통해 성장하였어.

2. 특징

① **천부 인권**: 인간이 태어나면서부터 당연히 가지는 하늘이 준 권리

② **자연권**: 국가의 법이나 제도로 보장되기 전부터 인간에게 자연적으로 부여된 권리

③ **보편적 권리**: 사람이라면 누구나 가지는 기본적인 권리

B 기본권의 의미와 종류, 제한 집중 공략 012쪽

1. 기본권의 의미 헌법에서 보장하는 인간으로서의 기본적 권리

① **인간으로서의 존엄❶과 가치 및 행복 추구권**: 헌법에 보장된 모든 기본권의 토대

② **자유권**: 모든 국민이 국가 권력으로부터 간섭을 받지 않고 자유롭게 생활할 권리

③ **평등권**: 모든 국민이 합리적인 이유 없이 차별받지 않고 동등하게 대우받을 권리

④ **참정권**: 국가 기관의 형성과 국가의 정치적 의사 결정 과정에 참여할 수 있는 권리

⑤ **사회권**: 국민이 국가에 인간다운 생활의 보장을 요구할 수 있는 권리

⑥ **청구권**: 다른 기본권이 침해되었을 때 국가에 이의 구제를 요구할 수 있는 권리

교과서 자료 기본권과 헌법 조항

사례	헌법 조항
㉠ 갑은 국회 의원이 되어 정치에 참여하고자 국회 의원 선거에 후보자로 등록하였다.	ⓐ **헌법 제11조** ① 모든 국민은 법 앞에 평등하다. 누구든지 …… 차별을 받지 아니한다.
㉡ 을은 성별이나 결혼 여부에 의해 차별받지 않고 회사에서 승진하였다.	ⓑ **헌법 제15조** 모든 국민은 직업 선택의 자유를 가진다.
㉢ 병은 자신의 선택에 따라 요리사가 되었고, 지금은 만화가로 활동한다.	ⓒ **헌법 제25조** 모든 국민은 법률이 정하는 바에 의하여 공무 담임권을 가진다.
㉣ 고령과 질병으로 움직임이 불편한 정은 국가의 지원을 받아 방문 간호를 받았다.	ⓓ **헌법 제26조** ① 모든 국민은 법률이 정하는 바에 의하여 국가 기관에 문서로 청원할 권리를 가진다.
㉤ △△아파트 주민들은 아파트 입구에 신호등을 설치해 달라고 국가 기관에 민원을 제기하였다.	ⓔ **헌법 제34조** ② 국가는 사회 보장, 사회 복지의 증진에 노력할 의무를 진다.

용어 알기

- **행복 추구권** 국민이 물질적 풍요뿐만 아니라 정신적 만족을 동시에 충족할 수 있는 권리로, 국민이 행복을 추구하는 데 필요한 모든 자유와 권리의 내용을 담고 있는 포괄적 권리

❶ 인간의 존엄성
모든 인간은 오직 인간이라는 이유만으로 존재 가치가 있으며, 존중받을 권리가 있다. 인간의 존엄성은 인권 보장의 출발점이다.

간단 체크

❶ ㉠~㉤의 사례와 관련 있는 헌법 조항을 연결하시오.

❷ ㉠~㉤의 각 사례와 관련 있는 기본권은?

2. 기본권의 제한과 한계 집중 공략 013쪽

① **필요성**: 어떤 사람의 기본권 행사가 다른 사람의 기본권을 침해하거나 공동체의 이익을 해칠 염려가 있을 때 기본권 행사를 제한할 수 있음

② **목적**: 국가 안전 보장❷, 질서 유지, 공공복리를 위하여 필요한 경우

③ **한계**

- 국회가 제정한 법률에 의해서만 제한할 수 있음
- 기본권을 제한하는 경우에도 자유와 권리의 본질적인 내용을 침해할 수 없음
  - 예를 들어 공공복리와 질서 유지를 위해 집회 및 시위를 할 수 있는 시간이나 장소 등을 제한할 수 있지만, 그 정도가 지나쳐 개인의 권리를 과도하게 제한한다면 이는 기본권을 침해하는 것이으로 헌법에 어긋나.

용어 알기

- **질서 유지** 타인의 권리를 침해하지 않고, 공공질서를 지키는 것
- **공공복리** 사회 구성원 전체에게 공통되는 이익

❷ 국가 안전 보장
국가의 독립, 영토의 보존, 헌법에 설치된 국가 기관의 유지를 의미한다.

교과서 자료 기본권 제한 사례

성범죄자가 성폭력 범죄로 법원에서 신상 공개 명령을 받으면 성범죄자의 거주지를 포함한 인적 사항, 사진 등이 인터넷이나 모바일 애플리케이션을 통해 공개된다. 성범죄자는 신상 정보가 변경되었을 때 그 사유와 변경 내용을 변경 사유가 발생한 날부터 20일 이내에 제출하도록 하고 있으며, 1년마다 관할 경찰서에 출석하여 사진 촬영을 해야 한다.

– 「성폭력 범죄의 처벌 등에 관한 특례법」 제43조 ③, ④ –

성범죄자 신상 공개는 개인의 기본권을 제한하는 제도이다. 성범죄는 일단 발생하면 피해 회복이 어려워 범죄를 예방하는 것이 중요하다. 그러므로 성범죄자 신상 공개는 성범죄가 다시 발생하는 것을 억제하고, 재범 시 수사의 효율성을 높이기 위해 반드시 필요한 제도이다.

간단 체크

❸ 「성폭력 범죄의 처벌 등에 관한 특례법」이 제한하는 기본권은?

❹ 「성폭력 범죄의 처벌 등에 관한 특례법」이 기본권을 제한하는 목적은?

개념 다지기

*밑줄 친 곳을 바르게 고쳐 쓰시오.

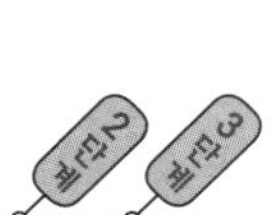

정답과 해설 02쪽

A 인권의 의미와 특징

01 인권은 국민이 인간답게 살아가기 위해 마땅히 누려야 할 권리이다.

02 자연권은 인권이 태어나면서부터 하늘이 부여해 주는 권리라는 특징을 나타내는 말이다.

B 기본권의 종류와 제한

03 인간으로서의 존엄과 가치 및 참정권은 헌법에 보장된 모든 기본권의 토대이다.

04 평등권은 모든 국민이 국가 권력으로부터 간섭을 받지 않고 자유롭게 생활할 권리이다.

05 사회권은 국가 기관의 형성과 정치적 의사 결정 과정에 참여할 수 있는 권리이다.

06 사회권은 국민이 국가에 자유로운 생활의 보장을 요구할 수 있는 권리이다.

07 청구권은 권력이 침해되거나 침해될 우려가 있을 때 이의 구제를 요구할 수 있는 권리이다.

08 국가는 국가 안전 보장, 질서 유지, 경제 성장을 위하여 필요한 경우 기본권을 제한할 수 있다.

09 기본권 제한은 국회가 제정한 명령에 의해서만 가능하다.

10 기본권을 제한하는 경우 자유와 권리의 본질적인 내용을 침해할 수 있다.

A. 기본권의 의미와 종류

정답과 해설 02쪽

집중해서 알아보기

인간으로서의 존엄과 가치 및 행복 추구권은 헌법에 보장된 모든 기본권의 토대이며, 우리나라 헌법의 최우선 가치이다.
기본권의 종류에는 자유권, 평등권, 참정권, 사회권, 청구권이 있다.

기본권

자유권 신체의 자유, 언론·출판의 자유, 거주·이전의 자유, 직업 선택의 자유 등이 있다.

평등권 모든 국민은 인종, 성별, 종교, 신분, 장애 등에 의해 부당하게 차별받지 않고, 동등하게 대우받을 권리를 가진다.

헌법 조항

제11조 ① 모든 국민은 법 앞에 평등하다. 누구든지 성별·종교 또는 사회적 신분에 의하여 정치적·경제적·사회적·문화적 생활의 모든 영역에 있어서 차별을 받지 아니한다.

제21조 ① 모든 국민은 언론·출판의 자유와 집회·결사의 자유를 가진다.

기본권

참정권 선거권, 공직을 맡을 수 있는 공무 담임권, 국가의 중요 정책을 결정하는 국민 투표권 등이 있다.

사회권 인간다운 생활을 할 권리, 교육을 받을 권리, 쾌적한 환경에서 살 권리, 사회 보장을 받을 권리 등이 있다.

청구권 청원권, 재판 청구권, 공무원의 직무상 불법 행위로 입은 손해에 대한 국가 배상 청구권 등이 있다.

헌법 조항

제34조 ① 모든 국민은 인간다운 생활을 할 권리를 가진다.

제24조 모든 국민은 법률이 정하는 바에 의하여 선거권을 가진다.

제27조 ① 모든 국민은 헌법과 법률이 정한 법관에 의하여 법률에 의한 재판을 받을 권리를 가진다.

문제로 공략하기

01 생활의 모든 영역에서 합리적인 이유 없이 차별받지 않을 권리는 무엇인지 쓰시오.

답 (   )

02 모든 국민이 국가 권력으로부터 간섭받지 않고 자유롭게 생활할 권리는 무엇인지 쓰시오.

답 (   )

03 국가 기관의 형성과 국가의 정치적 의사 결정 과정에 참여할 수 있는 권리는 무엇인지 쓰시오.

답 (   )

04 국가에 인간다운 생활의 보장을 요구할 수 있는 권리는 무엇인지 쓰시오.

답 (   )

05 국민이 국가에 대하여 특정한 행위를 요구하거나 침해당한 기본권의 구제를 청구할 수 있는 권리는 무엇인지 쓰시오.

답 (   )

B. 기본권의 제한과 한계

정답과 해설 02쪽

집중해서 알아보기

기본권은 국가 안전 보장, 질서 유지, 공공복리를 위하여 필요한 경우에만 제한할 수 있다.
기본권은 국회가 제정한 법률에 의해서만 제한 가능하고, 자유와 권리의 본질적인 내용을 침해할 수 없다.

「학교 보건법」에서는 유해 환경으로부터 청소년을 보호하기 위하여 학교를 중심으로 일정 구역을 학교 환경 위생 정화 구역으로 정하고, 이 구역 내에서는 일정한 영업 행위를 금지하고 있다. 이와 관련하여 헌법 재판소가 내린 기본권 제한과 침해에 관한 판단을 살펴보자.

기본권의 제한으로 본 경우

헌법 재판소는 중학교 근처에 설치된 학교 환경 위생 정화 구역 내에서 여관 영업을 금지한 조항은 여관이라는 유해 환경으로부터 중학교 학생들을 보호하여 중학 교육의 능률화를 기하려는 것으로 보고 이를 정당한 기본권 제한이라고 결정하였다.

– 헌법 재판소 2006. 3. 30. 2005헌바110 결정 –

기본권의 침해로 본 경우

헌법 재판소는 모든 학교 환경 위생 정화 구역 내에서 당구장 영업을 금지하는 조항은 유치원 주변에 당구장 영업을 허용한다고 하여도 이 때문에 유치원생이 학습을 소홀히 하거나 교육적으로 나쁜 영향을 받을 위험성이 있다고 보기 어려우므로 기본권 침해라고 결정하였다.

– 헌법 재판소 1997. 3. 27. 94헌마 196 결정 –

「학교 보건법」에 따라 중학교 학생의 보호와 중학 교육의 능률화라는 공공복리를 위해 학교 환경 위생 정화 구역 내에서 여관 영업을 금지하는 것은 정당한 기본권(자유권) 제한에 해당한다. 한편, 헌법 재판소는 유치원 주변에서조차 당구장 영업을 금지하는 것은 기본권 제한의 한계를 벗어난 것으로 보아 기본권 침해라고 판단하였다.

문제로 공략하기

01 ㉠에 들어갈 말을 쓰시오.

> 기본권은 국가의 안전 보장, 질서의 유지, (㉠)을/를 위해 필요한 경우에 한하여 제한할 수 있다.

답 (　　　　　　　　　　)

02 도로에서 과속을 하는 차량을 단속하는 것은 어떤 목적으로 기본권을 제한하는 것인지 쓰시오.

답 (　　　　　　　　　　)

03 군사 시설 보호나 통제는 어떤 목적으로 기본권을 제한하는 것인지 쓰시오.

답 (　　　　　　　　　　)

04 기본권 제한의 방법을 서술하시오.

답 (　　　　　　　　　　)

05 기본권 제한과 관련하여 밑줄 친 내용을 바르게 고치시오.

> △△ <u>지방 의회가 제정한 조례</u>에 의해 개발 제한 구역에 토지를 소유한 김○○ 씨의 토지 사용을 공공복리를 위해서 제한할 수 있다.

답 (　　　　　　　　　　)

06 ㉠에 들어갈 말을 쓰시오.

> 기본권은 필요에 따라 제한을 할 수 있다. 그렇다하더라도 자유와 권리의 (㉠)은/는 침해할 수 없다.

답 (　　　　　　　　　　)

A 인권의 의미와 특징

필수

01 다음은 인권 보장의 역사와 관련한 내용이다. ㉠에 들어갈 용어로 적절한 것은?

> 근대 이후에 계몽사상의 영향을 받은 사람들은 절대 군주의 억압에 맞서 인권 보장을 위해 투쟁하였다. (㉠)의 결과 시민의 자유와 평등이 제도적으로 보장되기 시작하였고, 절대 왕정이 무너지고 민주주의 체제가 수립되었다.

① 근대화　② 산업 혁명
③ 시민 혁명　④ 종교 개혁
⑤ 세계 대전

02 ㉠에 들어갈 용어에 관한 옳은 설명을 〈보기〉에서 고른 것은?

> **세계 (㉠) 선언**
> **제1조** 모든 인간은 태어날 때부터 자유로우며 그 존엄과 권리에 있어 동등하다. 인간은 천부적으로 이성과 양심을 부여받았으며 서로 형제애의 정신으로 행동해야 한다.

보기
ㄱ. 기본적이고 보편적인 권리이다.
ㄴ. 성인이 되어야만 부여되는 권리이다.
ㄷ. ㉠ 사상은 근대 시민 혁명을 통해 성장하였다.
ㄹ. 국가가 성립되어야만 보장받을 수 있는 권리이다.

① ㄱ, ㄴ　② ㄱ, ㄷ　③ ㄴ, ㄷ
④ ㄴ, ㄹ　⑤ ㄷ, ㄹ

서술형

03 인권의 의미를 제시어를 사용하여 서술하시오.

> **제시어:** 인간, 권리

04 다음 글을 통해서 알 수 있는 인권의 특징으로 가장 적절한 것은?

> 인권은 국적, 인종, 성별, 나이, 직업, 장애의 유무 등에 상관없이 사람이라면 누구나 가지는 권리이다.

① 하늘이 부여한 권리이다.
② 기본적이고 보편적인 권리이다.
③ 헌법을 통해 보장되는 권리이다.
④ 인간에게 자연적으로 부여된 권리이다.
⑤ 인간이 태어나면서부터 당연히 가지는 권리이다.

B 기본권의 의미와 종류, 제한

05 다음에서 설명하는 개념에 해당하는 것은?

> 헌법에서 보장하는 인간으로서의 기본적 권리이다.

① 인권　② 주권
③ 자연권　④ 기본권
⑤ 천부 인권

고난도

06 다음 헌법 조항에서 규정하고 있는 기본권에 관한 옳은 설명을 〈보기〉에서 고른 것은?

> **제10조** 모든 국민은 인간으로서의 존엄과 가치를 가지며, 행복을 추구할 권리를 가진다. 국가는 개인이 가지는 불가침의 기본적 인권을 확인하고 이를 보장할 의무를 진다.

보기
ㄱ. 우리나라 헌법의 최우선 가치이다.
ㄴ. 헌법에 보장된 모든 기본권의 토대이다.
ㄷ. 국가의 정치적 의사 결정 과정에 참여할 수 있는 권리이다.
ㄹ. 최소한의 인간다운 생활의 보장을 요구할 수 있는 권리이다.

① ㄱ, ㄴ　② ㄱ, ㄷ　③ ㄴ, ㄷ
④ ㄴ, ㄹ　⑤ ㄷ, ㄹ

필수

07 (가), (나)에 해당하는 기본권을 옳게 짝지은 것은?

> (가) 모든 국민이 합리적인 이유 없이 차별받지 않고 동등하게 대우받을 권리이다.
> (나) 기본권이 침해되거나 침해될 우려가 있을 때 국가에 이의 구제를 요구할 수 있는 권리이다.

	(가)	(나)
①	자유권	평등권
②	평등권	사회권
③	평등권	청구권
④	사회권	청구권
⑤	청구권	참정권

08 다음과 같은 내용을 포괄하는 기본권은?

> • 근로의 권리
> • 인간다운 생활을 할 권리
> • 쾌적한 환경에서 살 권리

① 평등권 ② 자유권 ③ 참정권 ④ 사회권 ⑤ 청구권

09 다음 대화의 내용과 가장 관련 있는 기본권은?

① 자유권 ② 평등권 ③ 참정권 ④ 사회권 ⑤ 행복 추구권

10 다음 사례에서 민정이가 침해당한 기본권은?

> 특성화고등학교에서 디자인을 전공한 민정은 고등학교 졸업 이후 대학에 진학하지 않고 바로 ○○회사에 취업하였다. 취업 후 5년까지는 직장에서 능력을 인정받아 우수 사원상을 받았다. 그러나 결혼 이후 출산을 한 다음부터는 여성과 고졸이라는 이유로 매번 승진 대상자에서 제외되었다.

① 평등권 ② 자유권 ③ 참정권 ④ 사회권 ⑤ 청구권

필수

11 우리 헌법에서 규정한 기본권 제한의 목적을 〈보기〉에서 고른 것은?

> 보기
> ㄱ. 질서 유지 ㄴ. 경제 발전
> ㄷ. 국가 안전 보장 ㄹ. 지역 균형 발전

① ㄱ, ㄴ ② ㄱ, ㄷ ③ ㄴ, ㄷ ④ ㄴ, ㄹ ⑤ ㄷ, ㄹ

12 ㉠에 들어갈 용어로 적절한 것은?

> 국회가 제정한 (㉠)에 의해서만 기본권 제한이 가능하다.

① 헌법 ② 법률 ③ 명령 ④ 조례 ⑤ 규칙

서술형

13 기본권 제한의 한계를 제시어를 사용하여 서술하시오.

> **제시어:** 본질적, 자유, 침해, 권리

인권 침해와 구제 방법 ~ 근로자의 권리와 노동권 침해의 구제

물음으로 흐름잡기

인권 침해와 노동권

1. 인권 침해를 구제받을 수 있는 기관은 어디일까?

2. 근로자의 권리에는 어떤 것들이 있을까?

A 인권 침해와 구제 방법

1. 인권 침해

① **의미**: 인간으로서 가지는 권리와 법으로 보장되는 기본권을 존중받지 못하는 것

② **발생 원인**: 고정 관념이나 편견, 잘못된 관습이나 관행, 불합리한 법과 제도 등

③ **유형**❶: 국가 기관에 의한 인권 침해, 개인이나 단체에 의한 인권 침해

교과서 자료 일상생활에서의 인권 침해

(가)

(나)

(다)

(라)

2. 국가 기관을 통한 인권 침해 구제 방법

① **법원**: 재판을 통해 침해된 권리를 구제

② **헌법 재판소**: 위헌 법률 심판, 헌법 소원 심판을 통해 구제

③ **국가 인권 위원회**: 인권 침해 당사자의 진정에 대한 조사, 인권을 침해할 우려가 있는 법이나 제도의 개선 권고

(진정: 국가 기관에 자신의 사정을 말하고 어떤 조치를 취해 달라고 요청하는 것이야.)

B 근로자의 권리와 노동권 침해의 구제

1. 근로자와 노동권

① **근로자**: 임금을 받기 위해 근로를 제공하는 사람

② **노동권**: 근로자가 쾌적한 환경에서 합당한 대우를 받으며 일할 권리

용어 알기

- **위헌 법률 심판** 국회에서 만든 법률이 헌법에 위배되는지의 여부를 가리는 심판
- **헌법 소원 심판** 공권력에 의해 국민의 기본권이 침해된 경우 최종적으로 이를 구제하는 심판

간단 체크

❶ (가)~(라)는 어떤 측면에서 인권이 침해되고 있는지 아래에서 찾아보면?

• 연령 • 인격
• 이동 • 외모

❷ (가)~(라) 각 상황에서 보장되어야 하는 기본권은?

❶ 인권 침해의 사례

장애가 있거나 피부색이 다르다고 놀림을 당하거나, 성별을 이유로 취업과 승진 과정에서 차별을 받는 것은 개인이나 단체에 의해 인권을 침해당한 경우이다. 예술 작품에 관한 국가의 지나친 검열로 표현의 자유를 제한당하는 것은 국가 기관에 의한 인권 침해 사례이다.

2. 헌법에 보장된 근로자의 권리

① **근로자의 권리**: 일할 의사와 능력을 가진 사람이 일할 기회를 보장받을 권리

② **근로 조건**: 근로 조건의 기준을 법률로 정함 → 근로자의 기본적 생활을 보장하기 위함

③ 노동 삼권

- 단결권: 노동조합을 만들고 그에 가입하여 활동할 수 있는 권리 → 노동조합을 통해 사용자와 대등한 위치에서 협상
- 단체 교섭권: 노동조합을 통해 사용자와 근로 조건을 협의할 수 있는 권리 → 노동조합과 사용자는 단체 교섭에 성실하게 임할 의무가 있음
- 단체 행동권: 단체 교섭이 원만하게 이루어지지 않을 경우 쟁의 행위를 할 수 있는 권리

⚠ 용어 알기

- **쟁의 행위** 근로자와 사용자 사이에 분쟁이 일어났을 때 그 주장을 관철하기 위해 정상적인 업무 운영을 방해하는 행위
- **노동 위원회** 노사 문제를 공정하고 신속하게 처리하기 위해 만들어진 기관

3. 노동권의 침해와 구제 방법

① **노동권 침해의 유형**

- 부당 해고: 정당한 이유없는 해고, 정당 해고의 요건❷을 갖추지 않은 해고
- 부당 노동 행위: 사용자가 노동조합의 결성 또는 가입을 방해하거나 정당한 이유 없이 단체 교섭을 거부하는 행위

② **노동권 침해의 구제 방법**: 노동 위원회에 구제 신청, 법원에 재판 신청

❷ 정당한 해고의 요건

해고가 불가피한 경우 합리적이고 공정한 기준을 따라야 한다. 사용자는 적어도 30일 전에 해고 계획을 말해야 하며, 문서를 통해 해고 사유와 시기를 알려야 한다.

교과서 자료 노동권 침해 사례

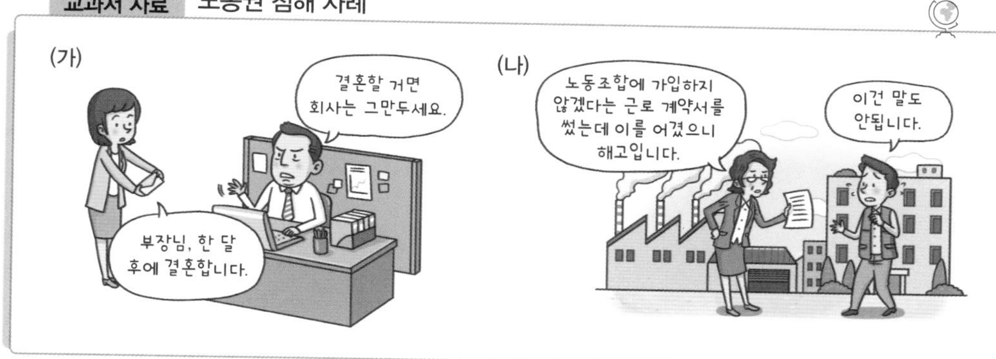

✓ 간단 체크

❸ (가), (나)에 나타난 노동권 침해의 유형은?

❹ (가), (나)에서 침해된 노동권을 구제받을 수 있는 방법은?

개념 다지기

*밑줄 친 곳을 바르게 고쳐 쓰시오.

정답과 해설 03쪽

A 인권 침해와 구제 방법

01 인권 침해란 국민으로서 가지는 권리 또는 법으로 보장되는 기본권을 존중받지 못하는 것이다.

02 침해된 인권을 재판을 통해 구제해 주는 국가 기관은 국가 인권 위원회이다.

03 법원은 위헌 법률 심판, 헌법 소원 심판을 통해 침해된 인권을 구제한다.

B 근로자의 권리와 노동권 침해의 구제

04 단결권은 시민 단체와 같은 단체를 만들고 그에 가입하여 활동할 수 있는 권리이다.

05 단체 행동권은 노동조합을 통해 사용자와 근로 조건을 협의할 수 있는 권리이다.

06 근로자가 부당 해고를 당했을 경우 경찰서에 구제 신청을 할 수 있다.

A 인권 침해와 구제 방법

01 다음에서 설명하는 개념에 해당하는 것은?

> 인간으로서 가지는 권리 또는 법으로 보장되는 기본권을 존중받지 못하는 것

① 권리 남용　② 권력 남용
③ 인권 침해　④ 권리 보장
⑤ 사생활 간섭

02 인권 침해에 대한 옳은 설명을 〈보기〉에서 고른 것은?

> 보기
> ㄱ. 국가 권력에 의해서만 발생한다.
> ㄴ. 국가 기관을 통해 구제받을 수 있다.
> ㄷ. 헌법에 보장된 기본권 침해는 해당하지 않는다.
> ㄹ. 사람들의 고정 관념이나 편견을 원인으로 들 수 있다.

① ㄱ, ㄴ　② ㄱ, ㄷ　③ ㄴ, ㄷ
④ ㄴ, ㄹ　⑤ ㄷ, ㄹ

03 다음 사례에 관한 옳은 설명을 〈보기〉에서 고른 것은?

> 격투기 선수인 최우승 씨가 거주하는 아파트에서 폭행·절도 사건이 발생하였다. 탐문 수사를 하던 경찰관은 최우승 씨가 양팔에 문신을 새기고 인상이 험악하다며 범인으로 지목하고 영장 없이 체포하여 경찰서로 연행하였다.

> 보기
> ㄱ. 최우승 씨는 인권을 침해당하였다.
> ㄴ. 경찰의 정당한 공무 집행이 이루어졌다.
> ㄷ. 국가 기관에 의한 인권 침해가 발생하였다.
> ㄹ. 성별의 차이를 이유로 인권 침해가 발생하였다.

① ㄱ, ㄴ　② ㄱ, ㄷ　③ ㄴ, ㄷ
④ ㄴ, ㄹ　⑤ ㄷ, ㄹ

고난도

04 ㉠에 들어갈 국가 기관으로 적절한 것은?

> 의사 갑은 '최신 수술, 부작용 없음'이라는 현수막 광고를 하였는데, 이 광고가 "의료 광고를 하기 전에 보건복지부 장관의 심의를 받아야 한다."라는 「의료법」 제56조를 위반했다는 이유로 벌금을 물게 되었다. 그러자 갑은 「의료법 제56조」가 헌법에 보장된 기본권을 침해한다며 헌법 소원 심판을 청구하였다. (㉠)은/는 의료 광고의 사전 심의가 표현의 자유를 침해한다는 이유로 관련 법 조항이 헌법에 어긋난다고 결정하였다.

① 법원　② 국회　③ 대통령
④ 검찰청　⑤ 헌법 재판소

필수

05 다음 내용에 해당하는 국가 기관은?

> • 인권 침해와 관련된 진정을 받아 상담한다.
> • 인권을 침해할 우려가 있는 법이나 제도의 개선을 권고한다.

① 법원　② 국회
③ 지방 정부　③ 헌법 재판소
⑤ 국가 인권 위원회

서술형

06 다음 사례에 나타난 문제점을 제시어를 사용하여 서술하시오.

> 김성실 씨는 광고를 보고 거주할 주택을 전세 계약하려고 부동산 중개소를 찾아갔다. 그러나 부동산 중개사와 건물주 모두 김성실 씨가 장애인이라는 이유로 계약을 거부하였다.

> **제시어:** 고정 관념, 편견, 인권 침해

정답과 해설 03쪽

B 근로자의 권리와 노동권 침해의 구제

07 노동권에 대한 설명으로 옳지 않은 것은?

① 헌법에서 보장하는 권리이다.
② 근로자가 쾌적한 환경에서 일할 권리이다.
③ 근로자가 합당한 대우를 받으며 일할 권리이다.
④ 사용자가 근로자보다 불리한 위치에 있으므로 보장이 필요하다.
⑤ 임금, 근로 시간 등 최소한의 근로 조건을 보장받을 권리가 포함된다.

08 ㉠에 들어갈 알맞은 기관은?

> 부당 해고를 당하거나 부당 노동 행위로 노동권을 침해당한 근로자는 (㉠)에 구제를 신청할 수 있다.

① 구청　② 시청
③ 지방 의회　④ 노동 위원회
⑤ 헌법 재판소

필수

09 노동 삼권만을 〈보기〉에서 있는 대로 고른 것은?

> 보기
> ㄱ. 단결권　ㄴ. 직장 폐쇄권
> ㄷ. 단체 행동권　ㄹ. 단체 교섭권

① ㄱ, ㄴ　② ㄱ, ㄷ　③ ㄴ, ㄹ
④ ㄱ, ㄷ, ㄹ　⑤ ㄴ, ㄷ, ㄹ

10 다음에서 설명하는 노동 삼권은?

> 단체 교섭이 원만하게 이루어지지 않을 경우 쟁의 행위를 할 수 있는 권리

① 노동권　② 단결권　③ 근로의 권리
④ 단체 교섭권　⑤ 단체 행동권

고난도

11 다음 사례에서 S전자 사장이 침해한 노동 삼권은?

> S전자의 근로자들은 자신들의 권리를 보장받기 위해 노동조합을 만들기로 하였다. 그러자 S전자 사장은 노동조합에 가입하는 직원을 모두 해고하겠다고 회사 게시판에 공고하였다.

① 사회권　② 참정권
③ 단결권　④ 단체 교섭권
⑤ 단체 행동권

서술형

12 다음 사례에서 부각된 노동 삼권과 그 의미를 제시어를 사용하여 서술하시오.

> 정부 측과 공무원 노동조합 측 교섭 위원이 참석한 가운데 교섭 위원회를 개최하고 단체 협약을 체결하였다. 협약에는 노동조합 활동, 보수, 복지 등에 관한 사항이 포함되었다.

> **제시어:** 노동조합, 근로 조건, 사용자

대단원 완성하기

01 인권 보장에 관한 옳은 설명을 〈보기〉에서 고른 것은?

보기
ㄱ. 민주 국가의 국민에게만 보장되는 권리이다.
ㄴ. 최소한의 인간다운 삶을 살기 위해서는 인권을 보장해야 한다.
ㄷ. 국가 발전을 위해서는 일시적으로 인권을 보장하지 않을 수 있다.
ㄹ. 인권이 보장될 때 인간으로서의 존엄을 지키고 행복하게 살 수 있다.

① ㄱ, ㄴ ② ㄱ, ㄷ ③ ㄴ, ㄷ
④ ㄴ, ㄹ ⑤ ㄷ, ㄹ

02 ㉠에 들어갈 내용으로 가장 적절한 것은?

인권은 국가의 법으로 정하기 이전에 (㉠)이기 때문에 국가가 함부로 침해할 수 없다.

① 개인이 요구한 권리
② 관습적으로 내려온 권리
③ 도덕적으로 합당한 권리
④ 자연적으로 주어진 권리
⑤ 투쟁을 통해서 얻어진 권리

03 ㉠에 들어갈 내용으로 적절한 것은?

인권은 인간이 태어나면서 가지는 것으로, 하늘이 준 권리라는 의미에서 (㉠)이라고도 한다.

① 자연권 ② 기본권 ③ 사회권
④ 천부 인권 ⑤ 행복 추구권

04 다음 글에서 추론할 수 있는 인권의 특징으로 가장 적절한 것은?

일상적인 장소인 화장실에서도 인권의 성장을 엿볼 수 있다. 1950년대 미국에서 흑인은 백인이 사용하는 화장실을 이용할 수 없었다. 그러나 흑인 인권 운동을 통해 인종에 따른 차별 없이 평등하게 화장실을 사용하게 되었다. 또한 비용이 많이 들기 때문에 따로 설치하기 어렵다는 반대에도 불구하고 1980년대 이후 장애인 화장실 설치가 이루어져 장애인의 화장실 접근권이 보장되었다.

① 하늘이 준 권리이다.
② 국가의 법이나 제도로 보장되는 권리이다.
③ 근대 시민 혁명 이후부터 보장된 권리이다.
④ 인간이 태어나면서부터 당연히 가지는 권리이다.
⑤ 인종, 장애의 유무 등에 상관없이 사람이라면 누구나 가지는 기본적이고 보편적인 권리이다.

05 다음 헌법 조항의 내용과 관련한 옳은 설명을 〈보기〉에서 고른 것은?

제10조 모든 국민은 인간으로서의 존엄과 가치를 가지며, 행복을 추구할 권리를 가진다. 국가는 개인이 가지는 불가침의 기본적 인권을 확인하고 이를 보장할 의무를 진다.

보기
ㄱ. 헌법을 통해 기본적 인권을 보장하고 있다.
ㄴ. 인권은 헌법을 통해서만 보장받을 수 있다.
ㄷ. 국민이 기본권을 침해당했을 때 구제받을 수 있는 근거가 된다.
ㄹ. 우리나라에 거주하지만 한국 국적을 취득하지 못한 외국인의 인권은 보장되지 않는다.

① ㄱ, ㄴ ② ㄱ, ㄷ ③ ㄴ, ㄷ
④ ㄴ, ㄹ ⑤ ㄷ, ㄹ

06 다음에서 설명하는 기본권에 속하는 것만을 〈보기〉에서 있는 대로 고른 것은?

> 국민이 국가에 인간다운 생활을 요구할 수 있는 권리이다. 이에 따라 국가는 국민이 인간다운 생활을 할 수 있도록 노력할 의무를 갖는다.

〈보기〉
ㄱ. 근로의 권리
ㄴ. 교육을 받을 권리
ㄷ. 쾌적한 환경에서 살 권리
ㄹ. 공정한 재판을 요청할 권리

① ㄱ, ㄴ ② ㄱ, ㄹ ③ ㄷ, ㄹ
④ ㄱ, ㄴ, ㄷ ⑤ ㄴ, ㄷ, ㄹ

07 다음에서 설명하는 기본권은?

> 기본권이 침해되거나 침해될 우려가 있을 때 이의 구제를 요구할 수 있는 권리

① 자유권 ② 평등권 ③ 참정권
④ 사회권 ⑤ 청구권

08 다음 사례와 관련 있는 기본권은?

> 김○○ 씨는 어릴적 꿈이었던 요리사가 되기 위해 고등학교를 졸업하고 대학 진학을 포기한 뒤 요리 학원에 다녔다. 몇 년의 노력 끝에 한식, 일식, 중식 요리사 자격증을 따고 호텔 주방장으로 취직하여 요리사의 꿈을 이루었다.

① 자유권 ② 평등권 ③ 참정권
④ 사회권 ⑤ 청구권

09 (가), (나) 헌법 조항에 규정된 기본권을 옳게 짝지은 것은?

> (가) 헌법 제72조 대통령은 필요하다고 인정할 때에는 외교·국방·통일 기타 국가 안위에 관한 중요 정책을 국민 투표에 부칠 수 있다.
> (나) 헌법 제35조 ① 모든 국민은 건강하고 쾌적한 환경에서 생활할 권리를 가지며, 국가와 국민은 환경 보전을 위하여 노력하여야 한다.

	(가)	(나)
①	사회권	평등권
②	사회권	자유권
③	참정권	청구권
④	참정권	사회권
⑤	참정권	평등권

10 다음 자료에 관한 옳은 설명 및 추론을 〈보기〉에서 고른 것은?

〈보기〉
ㄱ. 참정권 중 공무 담임권이 나타나 있다.
ㄴ. 자유권 중 직업 선택의 자유가 나타나 있다.
ㄷ. 원하는 국민은 아무나 9급 공무원이 될 수 있음을 알 수 있다.
ㄹ. 인간다운 생활의 보장을 국가에 요구할 수 있는 권리에 해당한다.

① ㄱ, ㄴ ② ㄱ, ㄷ ③ ㄴ, ㄷ
④ ㄴ, ㄹ ⑤ ㄷ, ㄹ

[11-12] 다음 자료를 보고 물음에 답하시오.

11 위 자료에 나타난 조치로 인해 제한받는 기본권은?

① 자유권 ② 평등권 ③ 참정권
④ 사회권 ⑤ 청구권

12 위 자료에서 기본권을 제한하는 목적으로 가장 적절한 것은?

① 공공복리 ② 질서 유지
③ 경제 성장 ④ 민주 정치 발전
⑤ 국가 안전 보장

13 기본권 제한에 관한 옳은 설명을 〈보기〉에서 고른 것은?

보기
ㄱ. 국가 안전 보장을 위해서는 자유와 권리의 본질적인 내용도 침해할 수 있다.
ㄴ. 우리 헌법은 대통령의 명령으로써만 기본권을 제한할 수 있도록 규정하고 있다.
ㄷ. 기본권 제한의 한계를 정한 것은 국민의 자유와 권리를 최대한 보장하기 위해서이다.
ㄹ. 국가 안전 보장, 질서 유지, 공공복리를 위하여 필요한 경우에 한하여 기본권을 제한할 수 있다.

① ㄱ, ㄴ ② ㄱ, ㄷ ③ ㄴ, ㄷ
④ ㄴ, ㄹ ⑤ ㄷ, ㄹ

14 다음 자료에 관한 옳은 설명 및 추론을 〈보기〉에서 고른 것은?

보기
ㄱ. 개인에 의한 인권 침해가 발생하였다.
ㄴ. 수진의 인권보다 현아의 자유권이 우선한다.
ㄷ. 수진이는 인간으로서 가지는 권리를 침해당하였다.
ㄹ. 온라인 공간에서 이루어진 행위이므로 인권 침해에 해당하지 않는다.

① ㄱ, ㄴ ② ㄱ, ㄷ ③ ㄴ, ㄷ
④ ㄴ, ㄹ ⑤ ㄷ, ㄹ

15 ㉠과 ㉡에 들어갈 내용을 옳게 짝지은 것은?

헌법에서 보장하는 인권이 공권력에 의해 침해된 때에는 (㉠)에 (㉡)을 제기할 수 있다. (㉠)의 심판에 따라 공권력의 행사가 헌법에 위반된다고 결정이 나면, 해당 공권력의 행사는 효력을 잃게 되고 침해된 인권을 구제받을 수 있다.

	㉠	㉡
①	법원	재판
②	법원	헌법 소원 심판
③	헌법 재판소	재판
④	헌법 재판소	헌법 소원 심판
⑤	국가 인권 위원회	진정

정답과 해설 04쪽

16 다음 사례의 밑줄 친 내용에 해당하는 근로 3권은?

> □□ 항공 조종사들이 임금 인상안 협상 결렬로 파업에 돌입하였다. □□ 항공 노동조합은 사용자와 의견이 일치하지 않으면, 이에 대항하여 자신들의 주장을 관철하기 위해 <u>일정한 절차를 거쳐 쟁의 행위를 할 수 있는 권리</u>가 있다고 주장하였다.

① 참정권　② 사회권
③ 단결권　④ 단체 교섭권
⑤ 단체 행동권

[17-18] 다음 글을 읽고 물음에 답하시오.

> 병은 ○○ 연구소에서 일하며 노동조합에 가입하여 활동하고 있었다. 이 사실을 알게 된 ○○ 연구소는 병에게 노동조합을 탈퇴할 것을 강요하였다. 병이 이를 따르지 않자 ○○ 연구소는 병의 개인 종합 평가에서 낮은 등급을 주었다.

교사: 위 사례를 분석해 볼까요?
지수: 노동조합에 가입하여 활동했다는 이유로 불이익을 주고 있기 때문에 (㉠)에 해당합니다.
정국: 노동권을 침해당한 병은 (㉡)에 구제 신청을 할 수 있습니다.
교사: 두 학생 모두 옳은 분석을 했네요.

17 ㉠에 들어갈 내용으로 적절한 것은?

① 부당 해고　② 임금 체불
③ 부당 노동 행위　④ 단체 교섭권 침해
⑤ 단체 행동권 침해

18 ㉡에 들어갈 국가 기관으로 적절한 것은?

① 법원　② 경찰서
③ 검찰청　④ 노동 위원회
⑤ 헌법 재판소

서술형 문제

19 다음 자료를 보고 물음에 답하시오.

(1) 위 사례에서 제한하고 있는 기본권을 쓰시오.

(2) 위 사례에서 기본권을 제한하는 사유와 기본권 제한의 한계를 다음의 제시어를 사용하여 서술하시오.

> 제시어: 질서 유지, 자유와 권리, 본질적 내용

20 다음 글을 읽고 물음에 답하시오.

> 병은 3년째 같은 식당에서 일하고 있다. 그런데 어느 날 갑자기 식당 사장으로부터 자신의 친척을 고용해야 한다며 일을 그만두라는 통보를 받았다.

(1) 위 사례에 나타난 노동권 침해 유형을 쓰시오.

(2) 병이 침해당한 노동권을 어떻게 구제받을 수 있는지 제시어를 사용하여 서술하시오.

> 제시어: 법원, 노동 위원회, 소송, 구제 신청

II

헌법과 국가 기관

01 국회의 위상과 역할

02 대통령과 행정부의 역할

03 법원과 헌법 재판소의 역할

배울 내용이 쉬워지는 용어

배울 용어를 읽어 보고, 이해가 되었으면 ✔ 표시를 해 봅시다.

국민들이 뽑아 주셨어.

국회

- ☐ **국회** 국민이 선출한 대표로 구성된 국민의 대표 기관이야.
- ☐ **국정 감사** 매년 국정을 제대로 운영하고 있는지 점검하는 국회의 권한이야.

국정 운영을 잘하고 있는지 잘 살펴야 해.

국정 감사

국정 감사

- ☐ **국무총리** 대통령을 보좌하고, 행정 각부를 관리·감독하는 행정부의 기관이야.
- ☐ **국무 회의** 행정부의 최고 심의 기관으로 정부의 주요 정책을 심의해.

정부 정책은 국민들을 잘 살게 하는 것입니다.

국무 회의

국무 회의

- ☐ **감사원** 국민들이 낸 세금이 제대로 쓰이고 있는지를 검사하고, 행정 기관과 공무원의 직무를 감독하는 행정부의 기관이야.
- ☐ **사법(司法)** 법을 해석하고 적용하여 분쟁을 해결해 주는 국가 작용이야.

이 사건은 법률에 따라 …….

사법

- ☐ **위헌 법률 심판** 재판의 전제가 된 법률이 헌법에 위반되는지를 심판하는 헌법 재판소의 권한이야.

탄핵을 선고합니다!

헌법 재판소

광 광 광

탄핵 심판

- ☐ **탄핵 심판** 고위 공직자가 헌법이나 법률을 어겼을 때 그 자리에서 물러나게 하는 헌법 재판소의 권한이야.
- ☐ **헌법 소원 심판** 국가 권력이 국민의 기본권을 침해했을 때, 침해된 기본권을 구제하는 헌법 재판소의 권한이야.

헌법 소원 심판

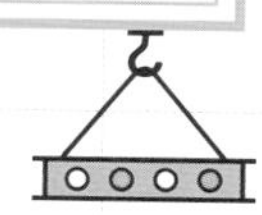

Ⅱ. 헌법과 국가 기관

국회의 위상과 역할

물음으로 흐름잡기

국회 1. 국회는 어떤 국가 기관일까? 2. 국회의 주요 기능은 무엇일까?

A 국회의 의미와 위상

1. 국회 국민이 직접 선출한 대표로 구성된 국민의 대표 기관

2. 구성 4년에 한 번씩 국회 의원 선거 실시, 지역구 국회 의원과 비례 대표 국회 의원으로 구성

3. 국회의 지위

① **국민의 대표 기관**: 국민의 선거로 선출된 대표로 구성 → 대의 민주제에서 국민은 국회를 통해 주권을 행사함

② **입법 기관**: 국민의 의사를 반영하여 법률 제정·개정, 헌법 개정안 제출 및 의결

③ **국정 통제 기관**: 정부를 감시하고 통제함으로써 국가 권력의 남용을 막고, 국민의 다양한 요구와 의사를 정책에 반영

└ 오늘날 행정부의 권한이 점점 더 커짐에 따라 행정부를 비판하고 견제하는 국회의 역할과 중요성이 더욱 커지고 있어.

B 국회의 조직과 기능

1. 국회의 조직

국회 의원	• 임기는 4년이고 연임 가능, 국민이 직접 선출 • 지역구 국회 의원: 각 지역구의 후보자 중 투표를 통해 선출 • 비례 대표 국회 의원❶: 각 정당의 득표율에 비례하여 선출
주요 기관	• 국회 의장 1명, 부의장 2명을 국회 의원 중에서 선출 • 위원회: 효율적이고 전문적인 심의를 위해 본회의에 앞서 관련된 안건이나 법률안 심사(상임 위원회, 특별 위원회) • 교섭 단체: 국회 의사 진행에 필요한 중요 안건을 협의
본회의❷	• 국회의 최종적 의사결정 회의(정기회, 임시회) • 국회 의원들이 모두 모여 국가의 중요한 문제를 논의 • 위원회에서 심사한 안건을 최종적으로 결정

교과서 자료 국회의 주요 조직

• 이곳은 국회 (㉠)장이다. 국회 의원 전체가 모이는 곳이다.

• 이곳은 (㉡) 회의실이다. 국회 의원이 되면 관심 있는 분야의 (㉡)에 소속된다.

• 이곳은 국회 의장실이다. 국회 의장은 국회를 대표하며 본회의를 원활하게 진행한다.

⚠ 용어 알기

• **법률 제정·개정** 법률 제정은 원래는 없었던 법률을 필요에 의해 새로 만드는 것이고, 법률 개정은 원래 있던 법률을 변화된 현실에 맞게 고치는 것

❶ 비례 대표 국회 의원
유권자가 자신이 지지하는 정당에 투표한 '비례 대표 국회 의원 선거 투표 용지'의 개표 결과 각 정당의 득표율에 비례하여 비례 대표 의석이 배분된다. 2016년 선거 결과 제20대 국회는 지역구 국회 의원 253명, 비례 대표 국회 의원 47명 총 300명의 국회 의원으로 구성되었다.

❷ 본회의
국회의 의사를 최종적으로 결정하는 회의로, 특별한 규정이 없는 한 재적 의원 과반수의 출석과 출석 의원 과반수의 찬성으로 의결한다.

✓ 간단 체크

❶ ㉠, ㉡에 들어갈 용어는?

❷ ㉡을 운영하는 까닭은?

2. 국회의 권한과 기능

① **입법에 관한 기능**: 법률의 제정 및 개정, 헌법 개정의 제안 및 의결, 정부가 체결한 조약에 관한 동의권 행사

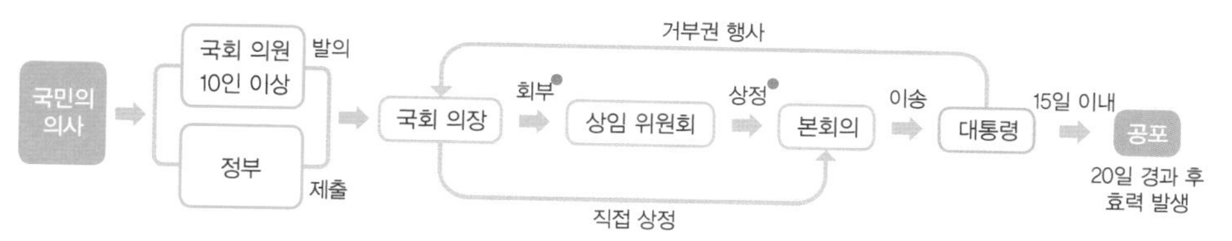

▲ 법률안 제정·개정 절차

② **재정에 관한 기능**: 매년 정부가 제출한 예산안을 심의하여 확정, 정부 예산 집행의 결산 심사

③ **일반 국정에 관한 기능**

- 국정 통제 기능: 국정 감사와 국정 조사권,❸ 대통령의 권한 행사에 대한 동의권
- 국가 기관 구성 기능: 대통령이 국무총리, 대법원장, 헌법 재판소장 등을 임명할 때 동의권 행사
- 탄핵 소추권: 대통령, 국무총리, 국무 위원 등 고위 공직자가 헌법이나 법률을 위반하였을 때 헌법 재판소에 탄핵 심판을 요구할 수 있는 권리

용어 알기

- **조약** 국가 간의 정치적·외교적 사항에 관한 포괄적인 합의
- **회부** 어떤 일의 처리를 맡기려고 넘기는 것
- **상정** 토의할 안건을 내어놓는 것

❸ 국정 감사와 국정 조사
국정 감사는 국회가 매년 정기적으로 국정 전반을 감사하는 권한이고, 국정 조사는 필요한 경우에 특정한 사안을 조사할 수 있는 권한이다.

교과서 자료 국회의 기능

(가) 청소년 복지 지원법 국회 통과

(나) 국회, 국정 감사 시작

(다) 예산안, 국회 본회의 통과

간단 체크

❸ (가)~(다)에 나타난 국회의 기능은?

*밑줄 친 곳을 바르게 고쳐 쓰시오.

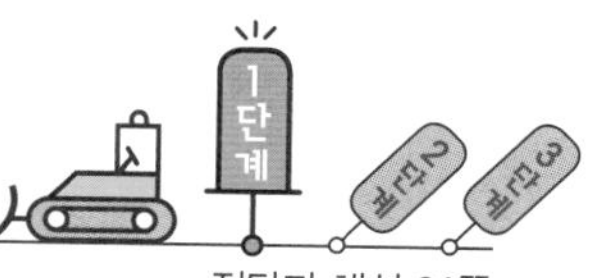

정답과 해설 06쪽

A 국회의 의미와 위상

01 국회 의원의 임기는 5년이다.

02 직접 민주제에서 국민들은 국회를 통해 주권을 행사한다.

03 국회는 국민의 의사를 반영하여 헌법을 제정·개정한다.

B 국회의 조직과 기능

04 비례 대표 국회 의원은 각 지역구의 후보자 중 투표로 선출한다.

05 비례 대표 국회 의원은 각 정당의 당원 수에 비례하여 선출한다.

06 위원회는 국회 의사 진행에 필요한 중요 안건을 협의한다.

07 교섭 단체는 국회 의원들이 모두 모여 국가의 중요한 문제를 논의한다.

08 법률 개정은 원래 없었던 법률을 필요에 의해 새로 만드는 것이다.

09 국정 감사와 국정 조사는 사법부의 정책 결정과 집행을 감시하고 비판하는 기능이다.

10 대통령이 국무총리를 임명할 때 대법원장의 동의를 얻어야 한다.

11 헌법 개정의 제안 및 의결권은 국회의 국정 통제 기능이다.

A 국회의 의미와 위상

01 그림에 나타난 권한을 행사하는 국가 기관은?

① 법원 ② 국회 ③ 대통령
④ 감사원 ⑤ 헌법 재판소

필수

02 국회에 관한 옳은 설명을 〈보기〉에서 고른 것은?

보기
ㄱ. 대통령 직속 기관이다.
ㄴ. 국민의 대표 기관이다.
ㄷ. 국민이 직접 선출한 대표로 구성된다.
ㄹ. 국가 정책의 바탕이 되는 법률을 만드는 사법 기관이다.

① ㄱ, ㄴ ② ㄱ, ㄷ ③ ㄴ, ㄷ
④ ㄴ, ㄹ ⑤ ㄷ, ㄹ

03 국회와 관련된 우리나라 헌법 규정이다. ㉠에 들어갈 내용은?

제40조 (㉠)은 국회에 속한다.

① 입법권 ② 행정권
③ 사법권 ④ 재판권
⑤ 사회권

04 ㉠, ㉡에 들어갈 용어를 옳게 짝지은 것은?

오늘날 대부분의 국가는 선거를 통해 대표자를 선출하고, 그들이 법을 만들거나 나라의 중요한 일을 결정하는 (㉠)을/를 채택하고 있다. 이때 국민이 선출한 대표로 구성된 국가 기관이 (㉡)이며, 우리나라는 국회라고 부른다.

	㉠	㉡
①	군주제	의회
②	군주제	국무 회의
③	간접 민주제	의회
④	간접 민주제	국무 회의
⑤	직접 민주제	의회

고난도

05 국회가 가지고 있는 입법 기관으로서의 지위와 관련한 내용을 〈보기〉에서 고른 것은?

보기
ㄱ. 법률 제정·개정
ㄴ. 헌법 개정안 제출
ㄷ. 정부의 감시 및 통제
ㄹ. 국민의 선거로 선출된 대표로 구성

① ㄱ, ㄴ ② ㄱ, ㄷ ③ ㄴ, ㄷ
④ ㄴ, ㄹ ⑤ ㄷ, ㄹ

서술형

06 국회의 의미를 제시어를 사용하여 서술하시오.

제시어: 국민, 대표, 선출

정답과 해설 06쪽

B 국회의 조직과 기능

07 국회의 조직에 관한 설명으로 옳지 않은 것은?

① 특별 위원회에서 국회의 의사를 최종적으로 결정한다.
② 국회 의장 1명, 부의장 2명을 국회 의원 중에서 선출한다.
③ 교섭 단체는 국회 의사 진행에 필요한 중요 안건을 협의한다.
④ 국회는 지역구 국회 의원과 비례 대표 국회 의원으로 구성된다.
⑤ 본회의에서 국회 의원들이 모두 모여 국가의 중요한 문제를 논의한다.

고난도

08 우리나라 국회를 나타낸 다음 자료에 관한 옳은 설명 및 추론을 〈보기〉에서 고른 것은?

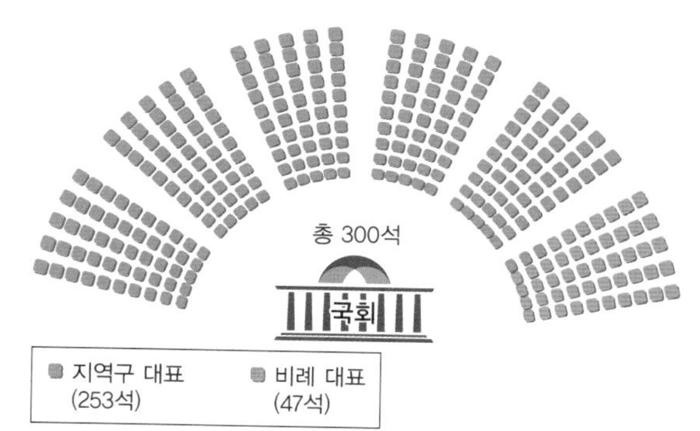

▲ 제20대 국회 의원 의석 수

보기
ㄱ. 지역구 대표의 임기와 비례 대표의 임기는 다르다.
ㄴ. 지역구 대표와 달리 비례 대표는 국회 본회의에 참여할 수 없다.
ㄷ. 각 정당에 대한 유권자의 지지율이 국회 구성에 반영되어 있다.
ㄹ. 우리나라 국회는 지역구 국회 의원과 비례 대표 국회 의원으로 구성되어 있다.

① ㄱ, ㄴ ② ㄱ, ㄷ ③ ㄴ, ㄷ
④ ㄴ, ㄹ ⑤ ㄷ, ㄹ

09 국회가 가지는 가장 대표적인 기능은?

① 입법 기능 ② 탄핵 소추권
③ 국정 통제 기능 ④ 재정에 관한 기능
⑤ 국가 기관 구성 기능

필수

10 다음 글에 나타난 국회의 기능은?

> 「청소년 복지 지원법」 개정 법률안이 국회 본회의에 상정되어 통과되었다. 개정안의 주요 내용은 소년법상 1호 처분을 받은 보호 청소년들을 위탁·보호하는 대안 가정인 청소년 회복 센터에 관한 국비 지원이다. 이는 청소년 회복 센터를 기획하고 설립한 이래 6년 만의 결실이다.

① 입법 기능 ② 사법 기능
③ 국정 통제 기능 ④ 재정에 관한 기능
⑤ 국가 기관 구성 기능

11 다음 글에 해당하는 국회의 권한은?

> 국회는 대통령, 국무총리, 국무 위원 등 고위 공직자가 법률을 위반하였을 때 헌법 재판소에 심판(파면)을 요구할 수 있다.

① 국정 감사 ② 국정 조사
③ 해임 건의 ④ 탄핵 소추
⑤ 헌법 소원

서술형

12 국회의 일반 국정에 관한 기능을 제시어를 사용하여 서술하시오.

> **제시어:** 국정 감사, 국정 조사

대통령과 행정부의 역할

물음으로 흐름잡기

행정부 1. 대통령은 어떤 지위를 갖고 있을까? 2. 행정부는 어떤 역할을 할까?

A 대통령의 지위와 권한

1. 선출
① 국민의 직접 선거로 뽑음
② 임기 5년의 단임제(중임 금지)

2. 지위 및 권한❶

국가 원수로서의 지위 및 권한	행정부 수반으로서의 지위 및 권한
• 대외적 국가 대표: 외국과 조약 체결 및 비준권, 선전 포고와 강화권 등 • 헌법 기관 구성: 대법원장, 헌법 재판소장 등에 대한 임명권 • 국가와 헌법 수호: 긴급 처분 및 명령권, 계엄 선포권 등 • 국정 조정: 국회 임시회 소집 요구, 헌법 개정안 제안 등	• 행정부 구성 및 지휘·감독권 • 국군 통수권 • 공무원 임면권: 공무원을 임명하고 파면할 수 있는 권한 • 대통령령 발포권: 법률을 집행하기 위하여 필요한 사항에 대해 명령할 수 있는 권한 • 국무 회의 의장으로서 국무 회의를 주재하고 국정을 최종적으로 결정 • 법률안 거부권

교과서 자료 대통령의 지위와 권한

(가) 국회의 동의를 얻어 대법원장을 임명하였다.

(나) 미국 대통령과 양국 간 동맹을 강화하기로 하였다.

(다) 국무 회의에서 아동 학대 문제 대책을 심의하였다.

(라) 교육부 장관을 임명한 후 공교육 정상화를 당부하였다.

(마) 국회에서 의결된 법률안에 거부권을 행사하였다.

(바) 독일을 방문하여 G20 정상 회의에 참석하였다.

용어 알기

• **수반** 행정부의 가장 높은 자리에 있는 사람
• **행정** 국회에서 만든 법률을 집행하고, 공익을 실현할 목적으로 정책을 수립하여 실행하는 국가 기관의 작용
• **긴급 명령** 국가 비상사태 시에 국민의 기본권을 제한할 수 있는 법률적 효력을 가진 명령

❶ **대통령의 지위를 규정한 헌법 조항**

제66조 ① 대통령은 국가의 원수이며, 외국에 대하여 국가를 대표한다.
④ 행정권은 대통령을 수반으로 하는 정부에 속한다.

간단 체크

❶ (가)~(바) 중에서 대통령이 행정부 수반으로서 가지는 지위 및 권한은 (　　　　)이다.

❷ (가)~(바) 중에서 대통령이 국가 원수로서 가지는 지위 및 권한은 (　　　　)이다.

B 행정부의 조직과 기능

1. **행정부** 행정을 담당하는 국가 기관으로, 법률에 따라 사회 질서를 유지하고 국민을 보호하며 각종 정책을 세우고 추진함 현대 복지 국가에서는 사회 복지, 교육 등과 관련한 국민의 요구가 늘면서 행정부의 역할이 커지고 있으며, 전문성도 높아지고 있어.
2. **대통령** 행정부를 통솔하고, 국무 회의를 거쳐 국가의 중요한 일을 결정함
3. **국무총리** 대통령이 국회의 동의를 얻어 임명, 대통령을 보좌하며 행정 각부를 지휘하고 감독함 대통령 자리가 공석인 경우 대통령의 권한을 대행해.
4. **행정 각부** 구체적인 행정 사무를 집행, 행정 각부의 장은 대통령이 임명함
5. **국무 회의** 대통령, 국무총리, 국무 위원(행정 각부의 장)으로 구성되며, 행정부의 주요 정책을 심의하는 행정부 최고의 심의 기관
6. **감사원** 대통령 직속 헌법 기관[❷] 국가의 모든 수입과 지출을 검사, 행정 기관과 공무원의 직무 감찰 → 행정 전반에 대한 감시·감독

용어 알기
- **심의** 어떤 안건이나 일을 자세히 조사하고 논의하여 결정하는 것
- **감찰** 공무원의 위법 행위를 조사하여 징계를 내리거나 수사 기관에 고발하는 것

❷ 헌법 기관
국가 기관 중 헌법에 의하여 설치된 기관을 말한다. 법률에 의하여 설치된 기관에 비하여 존속과 독립을 보장받을 수 있다.

교과서 자료 행정부 조직의 구성

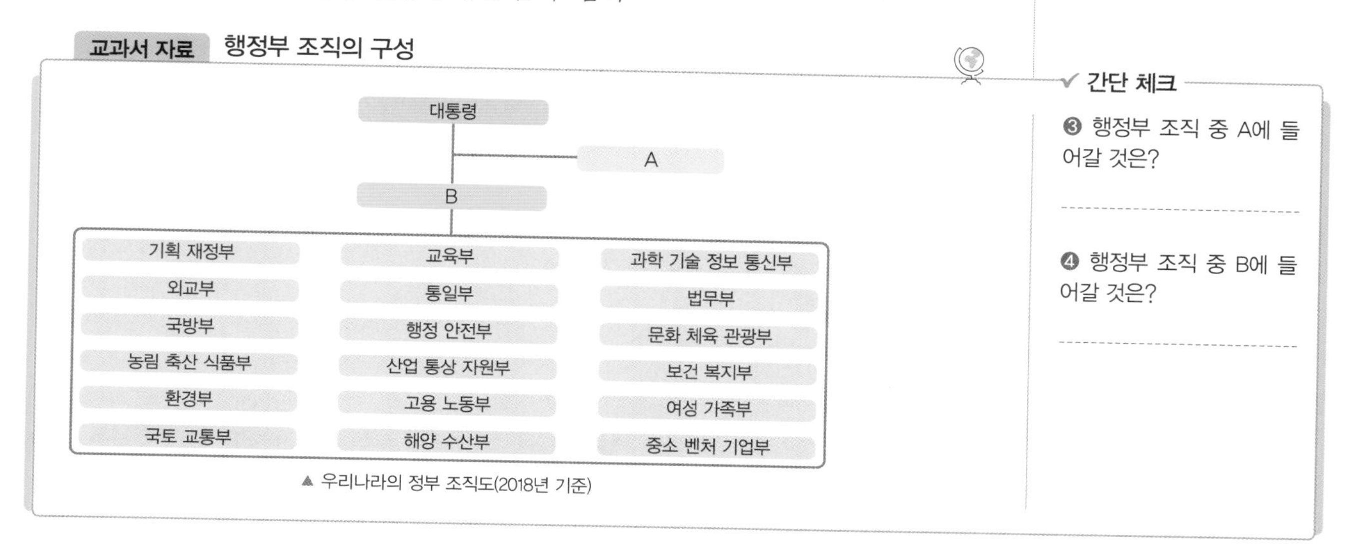

▲ 우리나라의 정부 조직도(2018년 기준)

간단 체크

❸ 행정부 조직 중 A에 들어갈 것은?

❹ 행정부 조직 중 B에 들어갈 것은?

개념 다지기

*밑줄 친 곳을 바르게 고쳐 쓰시오.

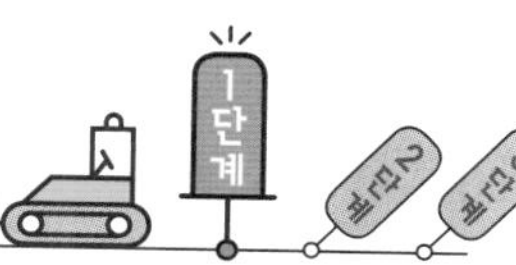

정답과 해설 07쪽

A 대통령의 지위와 권한

01 대통령은 국민의 간접 선거로 선출된다.

02 우리나라 대통령의 임기는 4년이며, 중임할 수 있다.

03 헌법 재판소장은 국회의 동의를 얻어 대법원장이 임명한다.

04 대통령은 국회가 의결한 법률안을 거부할 수 없다.

05 대통령의 계엄 선포권은 행정부 수반으로서의 권한이다.

B 행정부의 조직과 기능

06 국무 회의는 행정부의 주요 정책을 심의하는 행정부 최고의 의결 기관이다.

07 대법원장은 대통령을 보좌하며 행정 각부를 지휘하고 감독한다.

08 행정 각부는 구체적인 행정 사무를 집행하며, 행정 각부의 장은 국무총리가 임명한다.

09 국무총리는 행정 기관과 공무원의 직무를 감찰하는 권한을 가지고 있다.

A 대통령의 지위와 권한

01 우리나라 대통령에 관한 설명으로 옳지 않은 것은?

① 대통령의 임기는 5년이다.
② 대통령은 국민의 직접 선거로 선출된다.
③ 우리나라 대통령은 중임이 금지되어 있다.
④ 대통령은 국가 원수로서의 지위를 갖는다.
⑤ 대통령은 사법부 수반으로서의 지위를 갖는다.

고난도

02 밑줄 친 ㉠, ㉡에 해당하는 대통령의 권한을 옳게 짝지은 것은?

> 대통령은 ㉠ 국가 원수로서 대외적으로 국가를 대표할 뿐 아니라, ㉡ 행정부 수반으로서 행정 작용에 대해 최종적인 책임을 진다. 즉 대통령은 국가 원수와 행정부 수반에 따른 권한을 갖는다.

	㉠	㉡
①	조약 체결권	계엄 선포권
②	국군 통수권	법률안 거부권
③	공무원 임면권	법률안 거부권
④	행정부 지휘·감독권	대통령령 발포권
⑤	긴급 처분 및 명령권	대통령령 발포권

03 대통령의 권한으로 나머지 넷과 성격이 다른 하나는?

① 국군 통수권
② 외국과의 조약 체결권
③ 헌법 기관 구성원 임명권
④ 국가 비상사태 계엄 선포권
⑤ 국가 위기 상황 긴급 명령권

04 그림에 나타난 대통령의 권한에 관한 설명으로 옳은 것은?

① 대통령은 대외적 국가 대표이다.
② 대통령은 헌법 기관을 구성할 수 있다.
③ 대통령은 행정부의 공무원 임면권을 갖는다.
④ 대통령은 행정부 수반으로서의 지위를 갖는다.
⑤ 대통령은 국회가 의결한 법률안을 거부할 수 있다.

05 밑줄 친 내용과 같은 헌법 규정을 둔 목적으로 가장 적절한 것은?

> **제70조** 대통령의 임기는 5년으로 하며, 중임할 수 없다.

① 권력 분립 실현
② 독재 정권의 등장 방지
③ 국민의 의견을 민주적으로 반영
④ 헌법에서 규정한 양성평등 실현
⑤ 국민의 뜻에 맞게 법률안 거부권 행사

서술형

06 대통령이 행정부 수반으로서 갖는 권한 두 가지를 제시어를 사용하여 서술하시오.

> **제시어:** 공무원, 국군

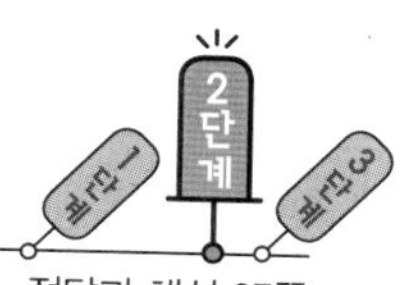

C 행정부의 조직과 기능

필수

07 행정부가 담당하는 역할을 〈보기〉에서 고른 것은?

보기
ㄱ. 각종 정책을 세우고 추진한다.
ㄴ. 공공시설을 만들고 관리한다.
ㄷ. 생활에 필요한 법률을 제정 및 개정한다.
ㄹ. 법률의 내용을 적용하여 재판을 진행한다.

① ㄱ, ㄴ ② ㄱ, ㄷ ③ ㄴ, ㄷ
④ ㄴ, ㄹ ⑤ ㄷ, ㄹ

08 우리나라 행정부 조직에 포함되지 않는 것은?

① 대통령 ② 감사원
③ 대법원 ④ 국무총리
⑤ 국무 회의

09 다음 헌법 조항 내용의 ㉠에 들어갈 국가 기관으로 적절한 것은?

제86조 ② (㉠)은/는 대통령을 보좌하며, 행정에 관하여 대통령의 명을 받아 행정 각부를 통할한다.

① 대법원장 ② 국회의장
③ 국무총리 ④ 감사원장
⑤ 헌법 재판소장

필수

10 ㉠, ㉡에 관한 옳은 설명을 〈보기〉에서 고른 것은?

국민의 복리 증진을 위해 국회가 제정한 법률을 집행하고, 각종 정책을 만들어 실행하는 것을 (㉠)이라고 한다. (㉠) 작용은 (㉡)에서 담당한다.

보기
ㄱ. ㉠은 사법이다.
ㄴ. ㉡의 최고 책임자는 대통령이다.
ㄷ. 국무총리와 달리 감사원은 ㉡ 조직에 포함되지 않는다.
ㄹ. ㉠ 작용은 국회가 제정한 법률의 범위 안에서 이루어져야 한다.

① ㄱ, ㄴ ② ㄱ, ㄷ ③ ㄴ, ㄷ
④ ㄴ, ㄹ ⑤ ㄷ, ㄹ

11 감사원에 관한 설명으로 옳지 않은 것은?

① 행정부 조직에 포함된다.
② 대통령 직속의 헌법 기관이다.
③ 사법 전반에 대해 감시 · 감독한다.
④ 국가의 모든 수입과 지출을 검사한다.
⑤ 행정 기관과 공무원의 직무를 감찰한다.

서술형

12 국무 회의의 주요 기능과 위상을 제시어를 사용하여 서술하시오.

제시어: 행정부, 정책, 심의

법원과 헌법 재판소의 역할

물음으로 흐름잡기

1. 법원은 어떤 역할을 할까? 2. 헌법 재판소의 위상은 무엇일까?

A 사법과 사법권의 독립

1. 사법(司法) 분쟁을 해결하기 위한 법을 해석하고 적용하는 국가 작용

2. 사법권의 독립 (독립: 외부 기관의 간섭과 압력으로부터 법원과 법관을 독립시키는 것이야.)

법원의 독립	법원의 조직이나 운영이 외부의 간섭과 영향을 받지 않아야 한다는 것
법관의 독립	법관이 어떤 외부의 간섭도 받지 않고 오로지 헌법과 법률에 의해 양심에 따라 독립하여 심판할 수 있어야 한다는 것

> **⚠ 용어 알기**
> - **심급 제도** 공정한 재판을 보장하기 위해 법원에 급을 두어 여러 번 재판을 받을 수 있도록 하는 제도
> - **항소** 1심 판결에 불복하여 2심 재판을 청구하는 것

B 법원의 조직[1]과 기능 집중 공략 036쪽

1. 법원의 조직

① **대법원**: 사법부의 최고 법원으로 심급 제도에 따라 최종심(주로 3심) 담당 (대법원: 대법원장을 포함한 14인의 대법관으로 구성돼.)

② **고등 법원**: 1심 판결에 대한 항소 사건(2심) 담당

③ **지방 법원**: 1심 사건 및 지방 법원 단독 판사의 판결에 대한 항소 사건(2심) 담당

④ **특허 법원**: 특허권 분쟁 담당

⑤ **가정 법원**: 가사 사건, 소년 보호 사건 담당

⑥ **행정 법원**: 행정 사건 담당

2. 법원의 주요 기능 재판을 통해 법적 분쟁 해결, 헌법 재판소에 위헌 법률 심판 제청

> **❶ 우리나라 법원의 조직**
> 일반 법원인 대법원, 고등 법원, 지방 법원은 기본적인 3심 구조를 이룬다. 특수 법원 중 특허 법원은 고등 법원과 동급의 법원이고, 가정 법원 및 행정 법원은 지방 법원과 동급의 법원이다.

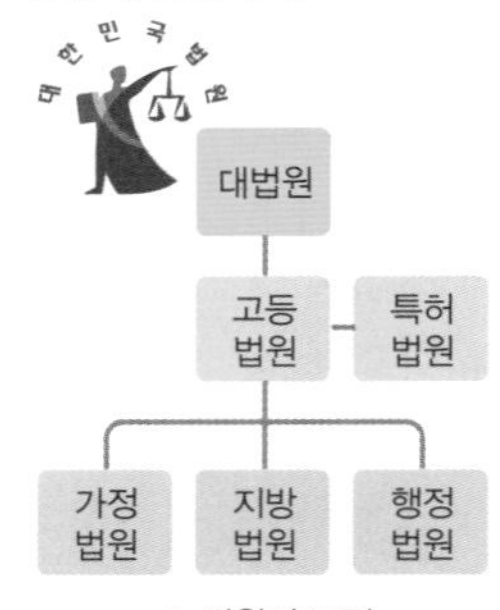

▲ 법원의 조직

교과서 자료 법원의 주요 조직

✓ 간단 체크

❶ (가)~(라) 각 사례의 문제를 해결하기에 적합한 법원은?

C 헌법 재판소의 위상과 역할 집중 공략 037쪽

1. 조직 헌법 재판관 9명으로 구성❷되며, 대통령이 임명함

2. 위상 헌법 수호 기관, 기본권 보장 기관

3. 역할

위헌 법률 심판	법원이 재판의 전제가 된 법률이 헌법에 위반된다고 판단하여 위헌 여부를 심사해 달라고 제청했을 때, 그 법률의 위헌 여부를 심판
헌법 소원 심판	공권력에 의해 국민의 기본권이 침해된 경우 최종적으로 이를 구제하는 심판
탄핵 심판	국회가 대통령, 장관, 법관 등 법률이 정한 공무원에 대한 탄핵 소추• 를 의결했을 때 파면 여부를 심판
권한 쟁의 심판	국가 기관이나 지방 자치 단체 간의 권한 분쟁을 해결하는 심판
정당 해산 심판	정당의 목적이나 활동이 민주적 기본 질서에 위배되는지를 기준으로 정당의 해산 여부를 심판

용어 알기

• **탄핵 소추** 고위 공무원이 직무를 수행하는 과정에서 헌법이나 법률을 위반한 경우 국회에서 그들의 파면을 요구하는 것

❷ 헌법 재판소의 구성
헌법 재판소는 법관의 자격을 가진 9인의 재판관으로 구성된다. 헌법 재판관은 대통령이 임명하는데, 이 중 3인은 국회에서 선출한 자, 3인은 대법원장이 지명한 자를 임명한다.

교과서 자료 사례로 알아보는 헌법 심판

헌법 재판소 전원 재판부는 벌금 납입을 거부하는 노역장 유치 명령을 받아 11일간 구치소에 수용되었다가 형기 만료로 석방된 강○○ 씨가 "지나치게 협소한 구치소 방에 수용한 행위가 인간의 존엄과 가치를 침해한다."라며 제기한 사건에서 위헌 결정을 내렸다. 재판부는 결정문에서 인간으로서 최소한 품위를 유지할 수 없을 정도로 과밀한 공간에서 이루어진 이 수용 행위는 청구인의 인간으로서의 존엄과 가치를 침해한다고 밝혔다.

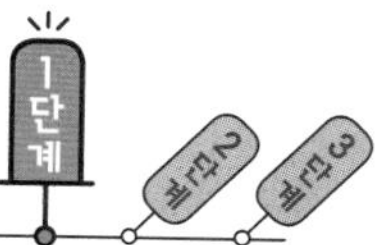

간단 체크

❷ 왼쪽 자료에 나타난 헌법 심판은?

❸ 왼쪽 자료를 통해 알 수 있는 헌법 재판소의 역할은?

개념 다지기

*밑줄 친 곳을 바르게 고쳐 쓰시오.

1단계 2단계 3단계

정답과 해설 08쪽

A 사법과 사법권의 독립

01 입법은 분쟁을 해결하는 과정에서 관련된 법률 내용을 해석하고 적용하는 것이다.

02 사법권의 독립은 외부 기관의 간섭과 압력으로부터 법원과 의원을 독립시키는 것이다.

B 법원의 조직과 기능

03 헌법 재판소는 사법부 최고의 법원이다.

04 지방 법원은 1심 법원의 판결에 대한 항소 사건을 재판한다.

05 법원은 국회에 위헌 법률 심판을 제청한다.

C 헌법 재판소의 위상과 역할

06 대법원은 헌법 수호 기관이자 기본권 보장 기관이다.

07 헌법 소원 심판은 법률이 헌법에 위반되는지 여부를 심판하는 것이다.

08 위헌 법률 심판은 공권력에 의해 국민의 기본권이 침해된 경우 최종적으로 이를 구제하는 심판이다.

09 탄핵 심판은 국가 기관이나 지방 자치 단체 간의 권한 분쟁을 해결하는 심판이다.

정답과 해설 08쪽

A. 법원의 조직과 역할

집중해서 알아보기

대법원은 사법부의 최고 법원으로 최종심을 담당하며, 고등 법원은 주로 1심 법원의 판결에 대한 항소 사건을 재판한다. 지방 법원은 1심 사건을 재판하거나 지방 법원 단독 판사의 판결에 대한 항소 사건을 재판한다.

> 이 씨는 관할 교육청에 피시방 개설을 신청하였다. 하지만 교육청에서는 피시방이 학교 환경 위생 정화 구역 내에 있다며 이를 거부하였다. 이 씨는 피시방 개설 금지 처분을 취소해 달라고 교육청을 상대로 소송을 제기하였다. (가) 재판부에서는 "인근 초등학교로부터 피시방이 속해 있는 건물까지의 최단 거리가 186m로 측정되었기 때문에 개설 금지 처분은 정당하다."라며 교육청의 손을 들어 주었다.
> 이에 이씨는 항소하였고, (나) 재판부에서는 "학교 환경 위생 정화 구역에 포함되는지를 따질 때는 시설이 들어선 건물이 아니라 시설의 전용 출입구까지의 거리를 기준으로 해야 한다. 이 피시방의 출입구에서 학교 까지의 거리는 200m를 넘기 때문에 피시방 개설이 가능하다."라고 판결하였다. 교육청에서는 2심 재판부의 판결에 불복해 상고하였고, (다) 재판부는 "피시방이 학교 환경 위생 정화 구역 안에 있는지를 판단하는 기준은 해당 피시방 건물이 아니라 전용 출입구 등의 경계선으로 보아야 한다며 원심은 정당하다."라고 판결하였다.

(가) 재판부는 1심을 담당하였으므로 지방 법원에 해당한다. (나) 재판부는 이 씨의 항소에 대한 2심 판결을 하였으므로 고등 법원이다. (다) 재판부는 2심 재판부의 판결에 불복한 상고 사건의 최종심(3심)을 담당하였으므로 대법원이다.

문제로 공략하기

01 사법부의 최고 법원으로 최종적인 재판을 담당하는 법원을 쓰시오.

답 (　　　　　　　)

02 다음 사례에서 밑줄 친 ㉠과 ㉡을 담당하는 법원을 각각 쓰시오.

> 김○○ 씨는 박△△ 씨에게 사기를 당했다고 주장하며 소셜 네트워크 서비스(SNS)에 박 씨의 신상을 공개하였다. 이에 박 씨는 김 씨를 사이버 명예 훼손죄로 처벌해 달라고 재판을 청구하였다. 그러나 법원이 증거 불충분을 이유로 1심 재판과 ㉠ 2심 재판에서 모두 무죄 판결을 선고하자 다시 ㉡ 재판을 청구하기로 하였다.

답 (　　　　　　　)

03 1심 재판의 결과에 불복하여 2심 재판을 청구하는 것을 무엇이라고 하는지 쓰시오.

답 (　　　　　　　)

04 2심 재판의 결과에 불복하여 3심재판을 청구하는 것을 무엇이라고 하는지 쓰시오.

답 (　　　　　　　)

05 다음 사례에서 ㉠, ㉡에 알맞은 법원을 쓰시오.

> 선풍기를 만드는 ○○ 회사와 △△ 회사는 음이온 발생 기술과 관련한 특허를 두고 몇 년째 소송을 이어가고 있다. 최근 (㉠)의 판결에서 패소한 △△ 회사는 이번 소송의 결과를 인정할 수 없다며 (㉡)에 상고하려고 한다.

답 (　　　　　　　)

B. 헌법 재판소의 위상과 역할

정답과 해설 08쪽

집중해서 알아보기

헌법 재판소는 헌법 수호 기관인 동시에 기본권 보장 기관이다.
헌법 재판소는 위헌 법률 심판, 헌법 소원 심판, 탄핵 심판, 권한 쟁의 심판, 정당 해산 심판을 담당한다.

[사례 1]에서는 국가 공권력에 의해 기본권 중 하나인 선거권을 침해당하였다. 이처럼 공권력에 의해 국민이 침해당한 기본권을 구제해주는 심판을 '헌법 소원 심판'이라고 한다. [사례 2]에서는 국회가 제정한 법률인 「영화 및 비디오물의 진흥에 관한 법률」이 자유권을 침해하므로 헌법에 위반된다고 주장하고 있다. 이처럼 재판의 전제가 된 법률이 헌법에 위반된다고 판단하여 법원이 헌법 재판소에 위헌 여부를 심사해 달라고 제청했을 때, 그 법률의 위헌 여부를 심판하는 것은 '위헌 법률 심판'이다. 이 외에도 헌법 재판소는 탄핵 심판, 권한 쟁의 심판, 정당 해산 심판을 담당한다.

문제로 공략하기

01 다음 내용에 해당하는 헌법 재판소의 역할을 쓰시오.

> 재판의 전제가 된 법률이 헌법에 위반되는지를 심판하여 위반될 때는 그 효력을 잃게 한다.

답 (　　　　　　　　　　)

02 다음 사례와 관련 있는 헌법 재판소의 역할을 쓰시오.

> 셧다운제는 청소년의 '게임할 권리'를 침해합니다. 다른 취미 활동은 심야 시간 제한이 없는데 인터넷 게임을 취미로 하는 학생들에게만 적용하는 것은 차별입니다.

답 (　　　　　　　　　　)

03 다음 내용의 ㉠, ㉡에 들어갈 용어를 쓰시오.

> 국가 권력의 행사가 국민의 기본권을 침해하였는지에 대해 심판하는 것은 (㉠)이며, (㉡)이/가 청구한다.

답 (　　　　　　　　　　)

04 다음 내용과 관련 있는 헌법 재판소의 심판과 청구권자를 쓰시오.

> 고위 공무원이 공무 수행 중 저지른 위법 행위를 이유로 파면을 청구할 수 있다.

답 (　　　　　　　　　　)

실력 올리기

A 사법과 사법권의 독립

01 ㉠에 들어갈 용어는?

> 사람들 사이에 다툼이 있거나 범죄가 발생했을 때 국가는 분쟁을 해결하고 사회 질서를 유지하기 위해 법을 해석하고 구체적 사건에 적용한다. 이렇게 법을 적용하여 판단하는 국가 활동을 (㉠)이라고 한다.

① 입법 ② 사법 ③ 행정
④ 재판 ⑤ 권력

02 다음은 우리나라 헌법 조항 중 일부이다. ㉠에 들어갈 내용으로 옳은 것은?

> **제101조** ① 사법권은 법관으로 구성된 (㉠)에 속한다.

① 법원 ② 국회 ③ 행정부
④ 대통령 ⑤ 감사원

필수
03 공정한 재판을 위해서 필요한 사항을 <보기>에서 고른 것은?

> 보기
> ㄱ. 모든 재판을 비공개로 진행해야 한다.
> ㄴ. 국회가 매년 법원의 재판 결과를 감사해야 한다.
> ㄷ. 다른 국가 기관의 간섭으로부터 사법권을 독립시켜야 한다.
> ㄹ. 법관은 오직 헌법과 법률에 의하여 양심에 따라 판결해야 한다.

① ㄱ, ㄴ ② ㄱ, ㄷ ③ ㄴ, ㄷ
④ ㄴ, ㄹ ⑤ ㄷ, ㄹ

B 법원의 조직과 기능

04 ㉠에 들어갈 법원은?

> 박○○ 씨는 주차 문제로 이웃인 장△△ 씨와 시비를 벌이다 그를 다치게 했다. 상해 혐의로 기소된 박○○ 씨는 지방 법원 형사 합의부 1심 재판에서 징역 2년을 선고받았다. 박○○ 씨는 자신이 받은 형벌이 과하다고 생각하여 (㉠)에 항소하기로 하였다.

① 대법원 ② 지방 법원
③ 고등 법원 ④ 가정 법원
⑤ 헌법 재판소

05 다음 내용에 해당하는 국가 기관은?

> • 사법부 최고 법원이다.
> • 하급 법원의 최종심을 담당한다.

① 대법원 ② 지방 법원
③ 고등 법원 ④ 가정 법원
⑤ 헌법 재판소

06 가정 법원에 관한 옳은 설명을 <보기>에서 고른 것은?

> 보기
> ㄱ. 특허권 분쟁을 담당한다.
> ㄴ. 지방 법원과 동급 법원이다.
> ㄷ. 가사 사건과 소년 보호 사건을 담당한다.
> ㄹ. 지방 법원 단독 판사의 판결에 대한 항소 사건을 재판한다.

① ㄱ, ㄴ ② ㄱ, ㄷ ③ ㄴ, ㄷ
④ ㄴ, ㄹ ⑤ ㄷ, ㄹ

서술형
07 고등 법원의 역할을 제시어를 사용하여 서술하시오.

> **제시어:** 지방 법원, 판결, 항소

정답과 해설 08쪽

고난도

08 그림에 대한 옳은 설명을 〈보기〉에서 고른 것은?

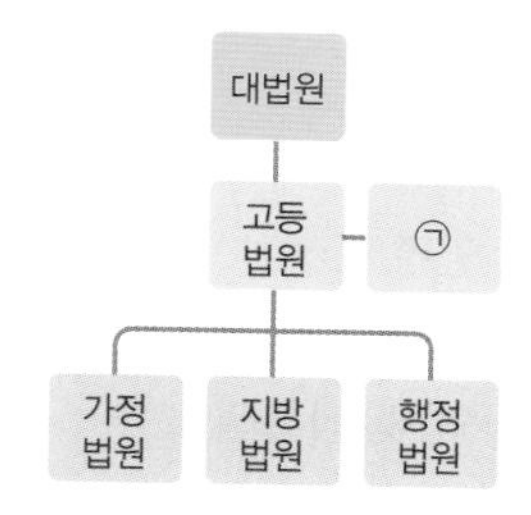

보기

ㄱ. 고등 법원은 3심 재판을 담당한다.
ㄴ. 행정 법원은 지방 법원과 동급 법원이다.
ㄷ. 고등 법원 소속 법관은 대법원의 지시에 따라 판결해야 한다.
ㄹ. ㉠은 특허권 분쟁을 담당한다.

① ㄱ, ㄴ ② ㄱ, ㄷ ③ ㄴ, ㄷ
④ ㄴ, ㄹ ⑤ ㄷ, ㄹ

C 헌법 재판소의 위상과 역할

09 ㉠에 들어갈 국가 기관은?

> 국가 권력이 헌법과 다르게 행사되거나 국회에서 만든 법률이 헌법에 어긋나 국민의 기본권을 침해한다면 헌법 재판을 통해 해결할 수 있는데, 이러한 재판을 담당하는 국가 기관은 (㉠)이다.

① 대법원 ② 지방 법원
③ 특허 법원 ④ 고등 법원
⑤ 헌법 재판소

10 헌법 재판소에 관한 설명으로 옳지 않은 것은?

① 헌법 수호 기관이다.
② 기본권 보장 기관이다.
③ 헌법 재판관 9명으로 구성된다.
④ 헌법 재판관은 대법원장이 임명한다.
⑤ 국회가 만든 법률이 국민의 기본권을 침해하는지를 판단한다.

11 헌법 재판소의 역할에 해당하지 않는 것은?

① 탄핵 심판
② 헌법 소원 심판
③ 권한 쟁의 심판
④ 정당 해산 심판
⑤ 위헌 법률 심판 제청

고난도

12 다음 사례에 관한 옳은 설명을 〈보기〉에서 고른 것은?

> 재혼 등으로 가족 관계가 바뀌었는데도 민법에서는 자녀가 성(姓)을 바꾸지 못하고 아버지의 성(姓)만을 사용하도록 하고 있어요. ㉠ 이 법률이 헌법에 위반되는지를 심판해 달라고 ㉡ 제청했어요.

보기

ㄱ. ㉠은 위헌 법률 심판이다.
ㄴ. ㉠은 헌법 재판소의 역할 중 하나이다.
ㄷ. ㉡의 주체는 국회이다.
ㄹ. ㉡이 받아들여질 경우에 해당 법률은 곧바로 효력을 상실한다.

① ㄱ, ㄴ ② ㄱ, ㄷ ③ ㄴ, ㄷ
④ ㄴ, ㄹ ⑤ ㄷ, ㄹ

서술형

13 탄핵 심판의 의미를 제시어를 사용하여 서술하시오.

> 제시어: 고위 공직자, 법률 위반

대단원 완성하기

01 ㉠, ㉡에 들어갈 말을 옳게 짝지은 것은?

> 민주 국가에서 어떤 정책을 실행할 때에는 관련 법이 있어야 하는데, 이러한 법을 만드는 일을 (㉠)이라고 한다. 우리나라 헌법에서는 "(㉠)권은 (㉡)에 속한다."라고 규정하여 (㉠)에 관한 일이 (㉡) 고유의 권한임을 밝히고 있다.

	㉠	㉡
①	입법	법원
②	입법	국회
③	사법	법원
④	사법	국회
⑤	행정	법원

02 국회에 관한 옳은 설명을 〈보기〉에서 고른 것은?

보기
ㄱ. 헌법 개정안을 제안·의결한다.
ㄴ. 국회가 구성되면 의장 1인과 부의장 3인을 선출한다.
ㄷ. 지역구 국회 의원과 비례 대표 국회 의원으로 구성된다.
ㄹ. 교섭 단체는 본회의에 앞서 관련 안건이나 법률안을 심사한다.

① ㄱ, ㄴ ② ㄱ, ㄷ ③ ㄴ, ㄷ
④ ㄴ, ㄹ ⑤ ㄷ, ㄹ

03 다음 내용과 관련 있는 국회의 위상은?

> 국회는 행정부, 사법부 등 다른 국가 기관을 비판하고 감시함으로써 국가 권력의 남용을 방지하고 국민의 기본권을 보장한다.

① 행정 기관 ② 사법 기관
③ 입법 기관 ④ 국민의 대표 기관
⑤ 국정 통제 기관

04 국회의 권한에 해당하지 <u>않는</u> 것은?

① 국정 감사권
② 헌법 개정안 제출권
③ 헌법 재판소장 임명권
④ 법률의 제정 및 개정권
⑤ 국가 예산안 심의 및 의결권

05 우리나라 국회 의원 선거를 주제로 한 대화 내용이다. 을의 질문에 관한 옳은 답변을 〈보기〉에서 고른 것은?

보기
ㄱ. 우리나라 국회는 상원과 하원으로 구성된 양원제를 채택하기 때문이야.
ㄴ. 국회가 지역구 국회 의원과 비례 대표 국회 의원으로 구성되기 때문이야.
ㄷ. 국회 의원 선거에서 유권자는 지지하는 후보 개인과 정당을 구분해서 선택할 수 있어.
ㄹ. 유권자 개인의 희망에 따라 지역 대표 선거와 비례 대표 선거 중 하나를 선택하여 실시할 수 있기 때문이야.

① ㄱ, ㄴ ② ㄱ, ㄷ ③ ㄴ, ㄷ
④ ㄴ, ㄹ ⑤ ㄷ, ㄹ

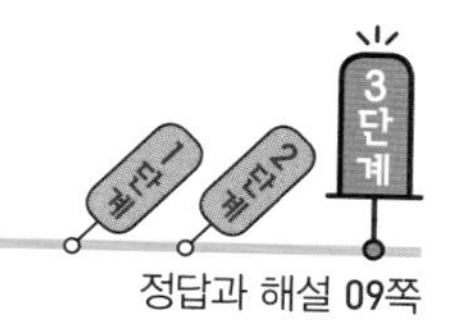

정답과 해설 09쪽

06 다음 자료에 나타난 국회의 역할에 관한 옳은 설명을 〈보기〉에서 고른 것은?

> 국회의 국정 감사가 9월 26일부터 시작된다. 상임 위원회별로 진행되는 이번 국정 감사의 대상 기관은 총 691개이다. 국회는 국정 감사를 통해 국가 안보, 국민 안전 등 올해의 국정 전반을 조사할 예정이다.

보기
ㄱ. 국회가 매년 정기적으로 실시한다.
ㄴ. 국회가 가지는 가장 대표적인 역할이다.
ㄷ. 행정부의 정책 결정과 집행을 감시하고 비판한다.
ㄹ. 해당 상임 위원회에서 정부가 제출한 예산안을 심의하여 확정한다.

① ㄱ, ㄴ ② ㄱ, ㄷ ③ ㄴ, ㄷ
④ ㄴ, ㄹ ⑤ ㄷ, ㄹ

07 국회의 법률 제정·개정 과정을 나타낸 것이다. 밑줄 친 ㉠~㉤에 관한 설명으로 옳지 않은 것은?

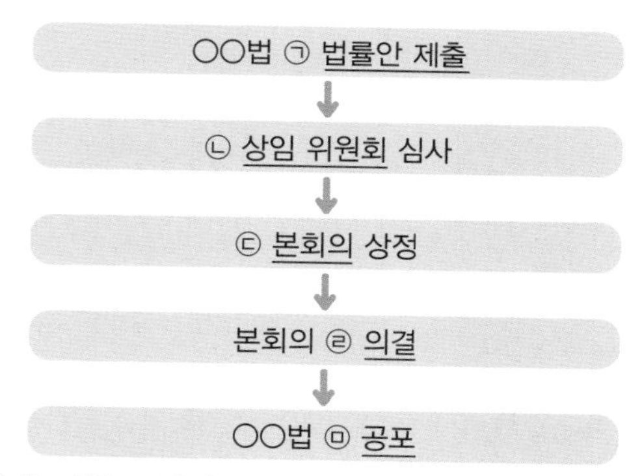

① ㉠은 정부도 할 수 있다.
② ㉡은 효율적이고 전문적인 심의를 위해 설치되었다.
③ ㉢에서 국회의 의사를 최종적으로 결정한다.
④ ㉣을 위해서는 재적 의원 과반수가 출석하고 출석 의원 과반수가 찬성해야 한다.
⑤ ㉤은 국회 의장의 권한이다.

08 ㉠에 대한 옳은 설명을 〈보기〉에서 고른 것은?

> 국회에서 법률을 제정하거나 개정하면 (㉠)은/는 이를 집행하고, 국가의 목적이나 공공의 이익을 위해 여러 정책을 만들어 실행한다. 현대 복지 국가에서는 (㉠)의 역할이 더욱 커지고 있다.

보기
ㄱ. ㉠은 행정부이며 대통령이 수반이다.
ㄴ. 법률에 따라 사회 질서를 유지하고 국민을 보호한다.
ㄷ. 국민이 직접 선출한 대표로 구성된 국민의 대표 기관이다.
ㄹ. 분쟁을 해결하는 과정에서 관련된 법률 내용을 해석하고 적용한다.

① ㄱ, ㄴ ② ㄱ, ㄷ ③ ㄴ, ㄷ
④ ㄴ, ㄹ ⑤ ㄷ, ㄹ

09 (가), (나)는 대통령과 관련된 우리나라 헌법 조항이다. 이에 대한 옳은 설명을 〈보기〉에서 고른 것은?

> (가) **제74조** ① 대통령은 헌법과 법률이 정하는 바에 의하여 국군을 통수한다.
> (나) **제104조** ① 대법원장은 국회의 동의를 얻어 대통령이 임명한다.

보기
ㄱ. (가)는 행정부 수반으로서의 권한이다.
ㄴ. (가)는 헌법 기관의 구성에 관한 권한이다.
ㄷ. (나)는 국가 원수로서의 권한이다.
ㄹ. (나)는 대통령의 권한이 국회나 법원의 권한보다 우월함을 의미한다.

① ㄱ, ㄴ ② ㄱ, ㄷ ③ ㄴ, ㄷ
④ ㄴ, ㄹ ⑤ ㄷ, ㄹ

10 다음 헌법 조항에 해당하는 대통령의 권한이 아닌 것은?

> **제66조** ① 대통령은 국가의 원수이며, 외국에 대하여 국가를 대표한다.

① 계엄 선포권 ② 대법원장 임명권
③ 대통령령 발포권 ④ 선전 포고와 강화권
⑤ 외국과의 조약 체결 및 비준권

11 우리나라 국가 기관의 상호 간 견제와 균형의 원리를 실현하기 위한 제도적 장치를 나타낸 것이다. A, B에 해당하는 권한을 옳게 짝지은 것은?

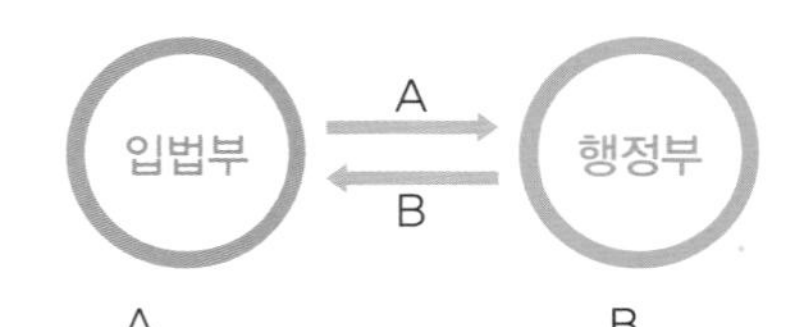

	A	B
①	탄핵 소추권	국정 감사권
②	탄핵 소추권	법률안 거부권
③	국정 감사권	탄핵 소추권
④	대법원장 임명 동의권	탄핵 소추권
⑤	위헌 법률 심사 제청권	법률안 거부권

12 행정과 행정부의 조직에 관한 설명으로 옳지 않은 것은?

① 행정 각부는 구체적인 행정 사무를 처리한다.
② 국무총리는 국무 회의의 의장으로 대통령을 보좌한다.
③ 행정은 국회에서 만든 법률을 집행하는 국가 기관의 작용이다.
④ 감사원은 대통령 직속 기관으로 행정 기관과 공무원의 직무를 감찰한다.
⑤ 대통령은 행정부 최고 책임자로 행정부의 일에 관한 최종적인 권한과 책임을 진다.

13 ㉠에 관한 옳은 설명을 〈보기〉에서 고른 것은?

> (㉠)은/는 공무원의 비리 행위를 조사할 목적으로 77개 기관에 대한 직무 관련 감사를 벌였다. (㉠)은/는 부정부패를 척결하기 위해 앞으로 행정 기관과 공무원의 직무에 대한 감찰을 강화해 나갈 방침이라고 밝혔다.

보기
ㄱ. 국가의 세입, 세출의 결산을 검사한다.
ㄴ. 대통령 직속 기관으로 독립적인 지위를 가진다.
ㄷ. 구체적인 행정 사무를 집행하는 행정부 조직 중 하나이다.
ㄹ. 정부의 중요 정책을 심의하는 행정부의 최고 심의 기관이다.

① ㄱ, ㄴ ② ㄱ, ㄷ ③ ㄴ, ㄷ
④ ㄴ, ㄹ ⑤ ㄷ, ㄹ

14 다음 헌법 조항에 관한 옳은 설명을 〈보기〉에서 고른 것은?

> **제101조** ① 사법권은 법관으로 구성된 법원에 속한다.
> ③ 법관의 자격은 법률로 정한다.
> **제103조** 법관은 헌법과 법률에 의하여 그 양심에 따라 독립하여 심판한다.

보기
ㄱ. 법관은 탄핵 소추 대상에서 제외된다.
ㄴ. 법원에 법률 집행권을 부여하고 있다.
ㄷ. 사법부의 독립을 보장하기 위한 헌법 조항이다.
ㄹ. 법원이 다른 국가 기관의 간섭 없이 독립적으로 재판할 수 있는 근거가 된다.

① ㄱ, ㄴ ② ㄱ, ㄷ ③ ㄴ, ㄷ
④ ㄴ, ㄹ ⑤ ㄷ, ㄹ

정답과 해설 09쪽

15 법원의 조직과 역할에 관한 설명으로 적절하지 <u>않은</u> 것은?

① 특허 법원은 고등 법원과 동급 법원이다.
② 지방 법원도 항소 사건을 재판할 수 있다.
③ 대법원은 하급 법원의 최종심을 담당한다.
④ 가정 법원은 가사 사건과 소년 보호 사건을 담당한다.
⑤ 고등 법원은 지방 법원의 판결에 대해 상고한 사건을 재판한다.

16 헌법 재판소가 담당하는 심판과 청구권자를 옳게 짝지은 것은?

① 탄핵 심판–정부
② 헌법 소원 심판–정부
③ 위헌 법률 심판–법원
④ 권한 쟁의 심판–국민
⑤ 정당 해산 심판–법원

17 밑줄 친 ㉠~㉣에 관한 옳은 설명을 〈보기〉에서 고른 것은?

> ㉠ <u>헌법 재판소</u> 전원 재판부는 ㉡ <u>호주제를 규정한 민법</u>에 대하여 헌법 불합치 결정을 내렸다. 재판부는 결정문에서 "호주제는 남자를 중심으로 가족을 구성하도록 규정하고 있는데, 이는 성 역할에 관한 고정 관념에 기초한 남녀 차별적 제도이며 많은 가족들에게 고통과 불편을 주는 제도로 양성평등과 개인 존엄을 규정한 헌법 제36조 제1항에 위반된다."라고 밝혔다. 이 결정은 2001년 4월 서울 ㉢ <u>서부 지방 법원</u>이 헌법 재판소에 ㉣ <u>심판</u>을 제청하면서 시작되어 4년 만에 결론이 났다.

보기
ㄱ. ㉠은 헌법 수호 기관이자 기본권 보장 기관이다.
ㄴ. ㉡은 국민 투표에 의해 제정되었다.
ㄷ. ㉢은 1심 재판과 2심 재판을 담당한다.
ㄹ. ㉣은 헌법 소원 심판이다.

① ㄱ, ㄴ
② ㄱ, ㄷ
③ ㄴ, ㄷ
④ ㄴ, ㄹ
⑤ ㄷ, ㄹ

서술형 문제

18 다음 자료를 보고 물음에 답하시오.

> ○○신문 ○○○○년 ○월 ○일
>
> 칼 럼
>
> **국방부 예산 낭비, 국정 감사에서 드러나**
>
> 국회 국방 위원회 소속 ○○○ 의원은 국정 감사에서 국방부가 지난해 납품 비리 의혹을 받았던 A 기업으로부터 시중보다 높은 가격으로 사병들의 물품을 구매한 사실을 밝혀냈다.

(1) 위 사례에 나타난 국회의 권한을 쓰시오.

(2) 우리 헌법이 (1)의 권한을 국회에 부여한 목적을 제시어를 사용하여 서술하시오.

제시어: 행정부, 감시, 비판, 견제

19 다음 그림을 보고 물음에 답하시오.

(1) A, B에 들어갈 용어를 쓰시오.

(2) B의 역할 중 하나인 A 심판의 의미를 제시어를 사용하여 서술하시오.

제시어: 공권력, 기본권, 구제

Ⅲ 경제생활과 선택

01 합리적 선택과 경제 체제

02 기업의 역할과 사회적 책임

03 바람직한 금융 생활

배울 내용이 쉬워지는 용어

배울 용어를 읽어 보고, 이해가 되었으면 ✔ 표시를 해 봅시다.

☐ **희소성** 사람의 욕구는 무한한 데 비해, 이를 충족할 자원이 한정된 것을 말해.

☐ **기회비용** 어떤 것을 선택함으로써 포기해야 하는 대안 중에 가장 가치가 큰 것을 말해.

☐ **경제 체제** 경제 문제를 시장의 자율성에 따라 해결하면 시장 경제 체제, 정부의 계획에 따라 해결하면 계획 경제 체제야.

☐ **기업의 사회적 책임** 기업이 이익만 추구하는 것이 아니라 사회 전체의 이익에 부합하도록 의사 결정하는 것을 의미해.

☐ **기업가 정신** 새로운 아이디어로 상품을 개발하고, 새로운 시장을 개척하려는 기업가의 혁신적인 자세를 뜻해.

☐ **자산** 예금, 적금, 주식, 채권, 부동산 등 경제적 가치를 가진 것을 말해.

☐ **안전성** 투자한 원금이 손실되지 않는 정도를 의미해.

☐ **수익성** 투자를 통해 이익을 얻을 가능성이 큰 정도를 의미해.

☐ **유동성** 돈이 필요한 때 바로 현금화할 수 있는 정도를 의미해.

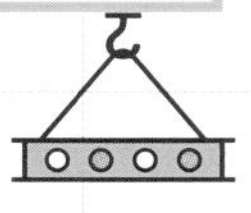

Ⅲ. 경제생활과 선택

합리적 선택과 경제 체제

물음으로 흐름잡기

1. 경제 문제는 왜 발생할까?　　2. 경제 체제는 어떻게 구분할까?

A 경제 활동

1. 경제 활동의 의미 인간이 살아가는 데 필요한 재화나 서비스를 만들어 내고, 나누고 사용하는 모든 활동

└ 우리는 경제 활동을 통해 물질적·정신적 욕구를 충족해.

2. 경제 활동의 종류

① 생산: 재화나 서비스를 만들거나 기존에 있던 상품의 가치를 증대시키는 활동

② 분배: 가계가 생산 요소를 제공하고 그에 대한 대가를 받는 것

③ 소비: 사람들이 필요한 재화나 서비스를 구매하여 사용하는 활동

└ 임금, 지대, 이자 등이야.

용어 알기

- **재화** 책, 휴대 전화 등과 같이 인간의 욕구를 충족해 주는 물건
- **서비스** 교사의 수업, 의사의 진료 등과 같이 인간의 욕구를 충족해 주는 행위
- **생산 요소** 기업이 생산 활동을 하는 데 필요한 노동력, 토지, 자본 등

교과서 자료 경제 활동의 종류

(가) 아이스크림을 사 먹었어요　(나) 머리카락을 잘라줬어요　(다) 급여를 받았어요

- 생산 활동에는 물건을 만들어 내는 제조뿐 아니라 상품의 가치를 증대시키는 운반·저장·판매 활동도 포함된다.
- 생산에 필요한 생산 요소를 제공하고 그 대가를 나누는 활동을 분배 활동이라고 한다.
- 사람들이 필요한 재화나 서비스를 구매하여 사용하는 활동을 소비 활동이라고 한다.

간단 체크

❶ (가)~(다) 중 생산 활동에 해당하는 것은?

❷ (가)~(다) 중에서 생산의 대가를 나누는 활동에 해당하는 것은?

❸ (가)~(다) 중에서 소비 활동에 해당하는 것은?

B 합리적 선택

1. 자원의 희소성 인간의 욕구는 무한하지만 이를 충족할 수 있는 자원은 부족한 상태

교과서 자료 희소성의 상대성

- 과거에는 깨끗한 물이 사람들의 필요와 욕구에 비해 많았기 때문에 물을 사서 마신다는 생각은 전혀 하지 못하였다. 그러나 오늘날에는 환경 오염으로 깨끗한 물을 찾기가 어려워져 돈을 내고 생수를 사서 마시기도 한다. 즉, 시간이 지나면서 깨끗한 물의 희소성이 커진 것이다.
- 무더운 열대 지방에서는 에어컨의 양이 많더라도 그것을 원하는 사람들의 수가 더 많아 에어컨은 희소성을 띤다. 반면 추운 극지방에서는 에어컨의 양이 적더라도 에어컨을 원하는 사람이 거의 없으므로 에어컨은 희소하지 않다.

희소성은 자원의 절대적인 양에 의해서 결정되는 것이 아니라 인간의 욕구 정도에 따라 달라진다.

간단 체크

❹ 공기는 희소한 재화일까? 아닐까?

2. 기회비용 어떤 것을 선택함으로써 포기하게 되는 여러 대안이 갖는 가치 중에서 가장 큰 것

3. 합리적 선택 어떤 것을 선택해서 얻을 수 있는 편익이 선택에 따른 비용보다 크도록 해야 함

합리적 의사 결정하기	1. 문제 인식: 문제를 명확히 인식한다. 2. 대안 탐색: 선택 가능한 여러 대안을 찾는다. 3. 대안 평가: 비용과 편익을 비교하여 각 대안을 평가한다. 4. 대안 선택 및 실행: 평가 결과를 바탕으로 최적의 대안을 선택하여 실행한다. 5. 대안 평가 및 반성: 결정된 대안을 평가하고 반성한다.

⚠ 용어 알기

- **경제 체제** 기본적인 경제 문제들을 해결해 나가는 여러 제도나 방식
- **사유 재산 제도** 재산의 소유와 사용, 처분이 재산 소유주 의사에 따라 자유롭게 이루어지도록 보장하는 제도

C 경제 문제와 경제 체제

1. 기본적인 경제 문제❶

① 무엇을 얼마나 생산할 것인가: 생산물의 종류와 수량의 문제

② 어떻게 생산할 것인가: 생산 방법의 문제

③ 누구를 위하여 생산할 것인가: 분배의 문제

생산 활동에 참여한 사람들에게 생산된 가치를 어떻게 나눌 것인지와 관련한 문제야. '누구를 위하여 생산할 것인가'라고도 표현해.

❶ 기본적인 경제 문제

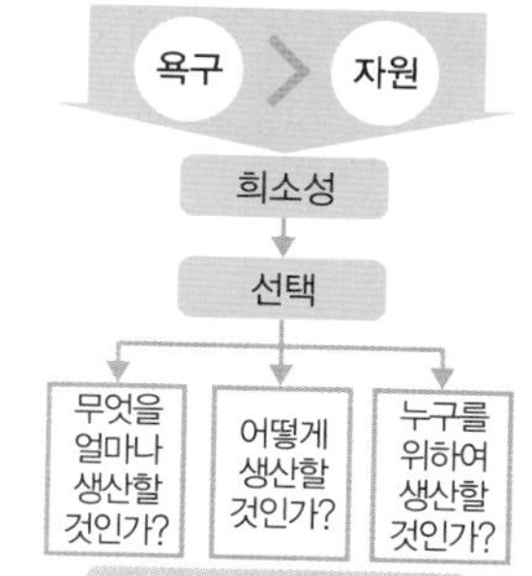

세 가지 기본 경제 문제

교과서 자료 기본적인 경제 문제

① 밀가루를 손으로 반죽할까, 기계로 반죽할까?
② 빵을 만들까, 과자를 만들까, 하루에 몇 개를 만들까?
③ 직원들의 성과급을 어떻게 나누어 줄까?
④ 올해 우리 농장에서는 무엇을 재배할까?
⑤ 우승 상금을 모든 선수와 코치진들이 똑같이 나눌까? 열심히 뛴 선수들에게 더 많은 금액을 줄까?
⑥ 자동차의 생산을 늘리려면 일할 직원을 더 뽑을까, 생산 설비를 더 늘릴까?

기본적인 경제 문제는 생산물의 종류와 수량, 생산 방법, 생산물의 분배를 둘러싼 선택의 문제이다.

✓ 간단 체크

❺ ①~⑥ 중에서 생산물의 종류와 수량의 문제는?

❻ ①~⑥ 중에서 생산 방법의 문제는?

❼ ①~⑥ 중에서 분배의 문제는?

2. 경제 체제 집중 공략 049쪽

① 시장 경제 체제와 계획 경제 체제

구분	시장 경제 체제	계획 경제 체제
경제 문제 해결 기준	시장 가격❷	국가의 계획과 명령
특징	• 사유 재산 제도 인정 • 개인의 자유로운 이익 추구 활동 인정 → 활발한 경쟁	• 생산 수단의 국유화 • 경제 활동의 자유 제한 • 부와 소득의 불평등 완화가 목표
장점	• 창의성 최대한 발휘 • 자원의 효율적 배분 • 생산의 효율성 증대 → 풍족한 생활	• 국가가 채택한 주요 목적을 신속하게 달성 가능 • 분배의 형평성 추구
단점	• 빈부 격차 심화 • 환경 오염 등 시장의 가격 기능으로 해결하기 어려운 문제 발생 • 공동체의 이익 침해 가능성	• 근로자의 근로 의욕 저하 • 개인의 창의성 제한 • 생산성 하락

❷ 애덤 스미스의 보이지 않는 손

영국의 경제학자 애덤 스미스는 경제 문제가 "보이지 않는 손", 즉 시장의 가격 기능에 의해 저절로 해결된다고 『국부론』에서 주장하였다. 스미스의 이러한 주장은 시장 경제 체제의 바탕이 되었다.

② 혼합 경제 체제[3]

- 현실 경제에서 대부분 국가는 각국이 처한 상황에 맞게 시장 경제 체제와 계획 경제 체제를 운영함
- 시장 경제 체제를 기본으로 하면서 정부가 일정 부분 시장에 관여하는 혼합 경제 체제를 택하고 있는 경우가 많음

❸ 계획 경제 체제에서 시장 경제를 도입하는 이유
근로 의욕 저하, 낮은 생산성 등과 같은 문제점을 해결하고 경제를 성장시키기 위해 시장 경제 체제의 요소를 도입하고 있다.

교과서 자료 나라마다 다른 혼합 경제 체제

- 2008년 말, 미국에서는 주택 가격이 하락하면서 많은 은행과 보험 회사들이 파산할 위기에 처했다. 미국 정부는 약 7,000억 달러라는 엄청난 자금을 지원하여 이들의 파산을 막으려고 노력하였다. 시장 경제에 가장 가깝다는 미국이지만 기업의 파산으로 인해 생겨날 문제를 막기 위해 정부가 나선 것이다.
- 과거 중국은 계획 경제 체제하에서 국가가 공장을 소유하고, 생산 품목과 생산량을 결정하였다. 하지만 지금은 토지 거래를 제외한 대부분의 경제 활동이 개인의 자유로운 선택에 따라 이루어지고 있다.

- 시장 경제 체제는 효율적이지만 경쟁으로 나타나는 문제를 해결하고 공공의 이익을 위해서 정부가 시장에 개입하게 되었다.
- 계획 경제 체제는 낮은 생산성 등의 비능률적인 면이 드러나 경제 성장이 어려워지자 이를 해결하기 위해 시장 경제 체제의 요소를 도입하고 있다.

간단 체크

❽ ○, ×로 답하시오.
(1) 혼합 경제 체제는 시장 경제 체제와 계획 경제 체제의 특성이 혼합된 경제 체제이다. (   )
(2) 오늘날 대부분의 나라는 혼합 경제 체제를 채택하고 있다. (   )

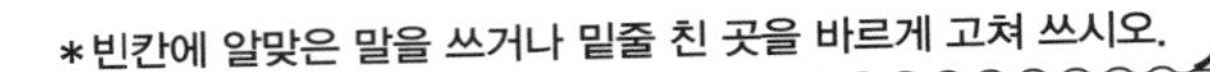

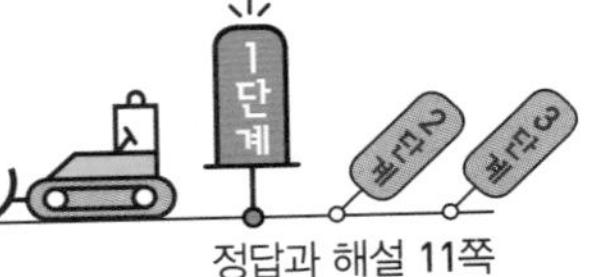

정답과 해설 11쪽

A 경제 활동

01 인간에게 필요한 구체적인 형태가 있는 물건을 서비스라고 하고, 생활에 도움을 주는 인간의 가치 있는 활동을 재화라고 한다.

02 상품을 만들거나 그 가치를 높이는 활동을 소비 활동이라고 한다.

03 분배는 사람들이 필요한 재화나 서비스를 구매하여 사용하는 활동이다.

04 인간의 욕구에 비하여 이를 충족해 줄 자원이 상대적으로 부족한 상태를 자원의 (   )(이)라고 한다.

05 자원의 희소성은 (   )을/를 가져 시대나 장소에 따라 다르게 나타난다.

B 합리적 선택

06 (   )(이)란 어떤 것을 선택함으로써 포기하게 되는 대안의 가치 중 가장 큰 것이다.

07 합리적인 선택을 하려면 비용과 편익의 크기를 비교하여 최대의 비용으로 최소의 편익을 얻을 수 있도록 해야 한다.

08 비용이 같다면 편익이 가장 큰 것을 선택하고, 편익이 같다면 비용이 가장 많이 드는 것을 선택하는 것이 합리적이다.

C 경제 문제와 경제 체제

09 경제 문제 중 '무엇을 얼마나 생산할것인가'는 생산 방법의 선택과 관련된 문제이다.

10 시장 경제 체제는 정부의 계획에 따라 경제 문제를 해결한다.

11 오늘날 대부분의 나라는 시장 경제 체제와 계획 경제 체제의 요소가 섞인 (   )을/를 채택하고 있다.

우리나라의 경제 체제

정답과 해설 11쪽

집중해서 알아보기

혼합 경제 체제는 시장 경제 체제와 계획 경제 체제가 혼합된 형태이다.
우리 헌법은 시장 경제 체제 요소를 기본으로 하면서 계획 경제 체제 요소를 인정하고 있다.

헌법 제119조 ① 대한민국의 경제 질서는 개인과 기업의 경제상의 자유와 창의를 존중함을 기본으로 한다.

- 우리나라는 시장 경제 체제의 특징인 개인의 자유로운 경제 활동을 보장하며, 개인의 생산 수단 소유를 인정하고 있다.

헌법 제119조 ② 국가는 균형 있는 국민경제의 성장 및 안정과 적정한 소득의 분배를 유지하고, 시장의 지배와 경제력의 남용을 방지하며, 경제 주체 간의 조화를 통한 경제의 민주화를 위하여 경제에 관한 규제와 조정을 할 수 있다.

- 우리나라는 소상공인 및 동네 마트 영업자를 보호하기 위해 대형 마트의 영업을 규제하고 있다. 또한 국민 건강 보험의 경우 가입 여부를 개인이 선택하는 것이 아니라 의무적으로 가입하도록 국가가 강제한다. 이처럼 계획 경제 체제의 특징인 정부의 시장 개입을 인정하고 있다.

문제로 공략하기

01 시장 경제 체제와 계획 경제 체제가 혼합된 경제 체제는 무엇인지 쓰시오.

답 (　　　　　　　)

02 우리 헌법의 다음 조항으로 미루어 볼 때 우리나라의 경제 체제가 바탕으로 하고 있는 경제 체제는 무엇인지 쓰시오.

헌법 제119조 ① 대한민국의 경제 질서는 개인과 기업의 경제상의 자유와 창의를 존중함을 기본으로 한다.

답 (　　　　　　　)

03 시장 경제 체제에서 나타나는 문제점을 한 가지만 쓰시오.

답 (　　　　　　　　　　　　　　)

04 (　　　　　) 체제에서는 근로 의욕 저하, 생산성 하락과 같은 문제가 나타났다.

05 우리나라에서 대형 마트의 영업을 규제하거나 국민 건강 보험의 의무 가입을 강제하는 것은 (　　　　　)이/가 시장에 개입하는 모습이다.

A 경제 활동

01 다음 글의 ㉠에 들어갈 알맞은 말은?

> 사람이 생존에 필요한 재화나 서비스를 만들어 내고, 나누고, 사용하는 모든 활동을 (㉠)이라고 한다.

① 경제 활동 ② 분배 활동
③ 생산 활동 ④ 소비 활동
⑤ 운반 활동

필수

02 다음에서 설명하는 경제 활동을 〈보기〉에서 고른 것은?

> 생산 활동에 참여하고 그에 대한 대가를 받는 것이다.

보기
ㄱ. 택배기사가 월급을 받는다.
ㄴ. 은행에서 예금 이자를 받는다.
ㄷ. 병원에서 의사에게 진료를 받는다.
ㄹ. 중국집에 주문한 짜장면을 배달받는다.

① ㄱ, ㄴ ② ㄱ, ㄷ ③ ㄴ, ㄷ
④ ㄴ, ㄹ ⑤ ㄷ, ㄹ

03 (가), (나)에 관한 옳은 설명을 〈보기〉에서 고른 것은?

(가)

(나)

보기
ㄱ. (가)는 분배 활동이다.
ㄴ. (나)는 소비 활동이다.
ㄷ. (가)와 달리 (나)는 경제 활동에 속하지 않는다.
ㄹ. (나)는 (가)와 같은 활동의 대가로 얻은 소득으로 재화를 구매하여 사용하는 활동이다.

① ㄱ, ㄴ ② ㄱ, ㄷ ③ ㄴ, ㄷ
④ ㄴ, ㄹ ⑤ ㄷ, ㄹ

04 민수가 지난 일주일 동안 기록한 용돈 사용 내역이다. 서비스를 소비하는 데 지출한 총비용은?

> • 간식비: 2,000원 • 치과 진료비: 7,000원
> • 교통비: 5,000원 • 영화 관람비: 9,000원
> • 도서 구입비: 9,000원
> • 인터넷 강의 수강료: 18,000원

① 9,000원 ② 25,000원 ③ 34,000원
④ 39,000원 ⑤ 41,000원

고난도

05 (가)~(라)의 사례로 옳은 것을 〈보기〉에서 고른 것은?

구분		경제 활동의 유형	
		생산 활동	소비 활동
경제 객체	재화	(가)	(나)
	서비스	(다)	(라)

보기
ㄱ. (가): 분식점에서 김밥을 만든다.
ㄴ. (나): 갑이 백화점에서 티셔츠를 구입한다.
ㄷ. (다): 을이 인터넷으로 사회 강의를 수강한다.
ㄹ. (라): 변호사가 형사 사건의 의뢰인을 변론한다.

① ㄱ, ㄴ ② ㄱ, ㄷ ③ ㄴ, ㄷ
④ ㄴ, ㄹ ⑤ ㄷ, ㄹ

B 합리적 선택

06 자원의 희소성에 관한 설명으로 옳지 않은 것은?

① 희소할수록 경제적 가치가 높다.
② 시대와 장소에 따라 달라질 수 있다.
③ 자원의 양이 많으면 희소성은 작아진다.
④ 선택의 문제가 발생하는 근본 원인이다.
⑤ 희소성은 사람들의 욕구에 따라 커지거나 작아진다.

필수

07 다음 표는 영우가 재화를 1단위 소비할 때의 만족도이다. 영우가 7,000원으로 만족을 최대화할 수 있는 선택으로 옳은 것은? (단, 1품목당 1개씩만 구입한다고 가정한다.)

메뉴	가격(원)	만족도
김밥	3,000	2
튀김	2,000	4
순대	4,000	6
어묵	3,000	8
떡볶이	4,000	10

① 김밥, 순대
② 김밥, 떡볶이
③ 순대, 어묵
④ 어묵, 떡볶이
⑤ 김밥, 튀김, 어묵

08 다음과 같은 선택에 관한 설명으로 옳은 것은?

> 연우는 이번 달에 남은 용돈으로 티셔츠를 살지, 영화를 관람할지, 저축을 할지 고민 중이다. 오랜 생각 끝에 사회 시간에 배운 '비용-편익 분석'을 통해 영화를 관람하기로 하였다.

① 선택에 따른 기회비용은 누구에게나 동일하다.
② 연우의 선택에 따른 기회비용은 티셔츠 구입 비용이다.
③ 티셔츠 구입에 대한 편익은 영화 관람에 따른 편익과 같다.
④ 연우에게는 영화 관람의 편익이 티셔츠 구입의 편익보다 크다.
⑤ 학생이라면 영화 관람보다 티셔츠 구입을 선택하는 것이 합리적이다.

서술형

09 자원의 희소성이란 무엇인지 제시어를 사용하여 서술하시오.

> **제시어:** 인간의 욕구, 부족, 자원, 무한

C 경제 문제와 경제 체제

10 계획 경제 체제의 문제점에 해당하는 것은?

① 빈부 격차가 커진다.
② 근로 의욕이 상실된다.
③ 소득이 불공평하게 분배된다.
④ 지나친 사익 추구로 공익이 훼손된다.
⑤ 물가 상승과 실업으로 경제가 불안정해진다.

고난도

11 다음은 경제 체제를 구분한 표이다. (가), (나)에 관한 설명으로 옳은 것은?

경제 체제 / 비교 기준	(가)	(나)
생산 수단 소유 형태	사유	국 · 공유
경제 문제 해결 기준	시장 가격	국가
경제 활동 결정 주체	개별 경제 주체	국가
경제 활동 동기	개인의 이익 추구	공동의 목표 추구

① (가)에서는 자원이 효율적으로 배분된다.
② (가)는 생산성이 하락한다는 단점이 있다.
③ (나)는 개인의 능력과 창의성을 중시한다.
④ (나)에서는 공동체의 이익이 침해된다는 문제가 있다.
⑤ (가)는 (나)에 비하여 상대적으로 형평성을 강조한다.

서술형

12 시장 경제 체제에서 정부가 개입하는 목적을 제시어를 사용하여 서술하시오.

> **제시어:** 경제 안정, 빈부 격차, 사회 문제 해결, 환경 오염

Ⅲ. 경제생활과 선택

기업의 역할과 사회적 책임

물음으로 흐름잡기

기업 1. 기업의 역할은 무엇일까? 2. 기업의 사회적 책임이란 무엇일까?

A 기업의 역할

1. 기업 생산을 담당하는 경제 주체 → 이윤의 극대화 추구

2. 기업의 역할 동네 편의점이나 세탁소와 같은 자영업부터 법인 형태의 대기업, 은행, ○○공사와 같은 공기업 모두 기업이라고 할 수 있어. 또한, 여러 나라에서 활동하는 다국적 기업도 있지.

재화나 서비스 생산	소비자에게 필요한 재화나 서비스를 생산하여 소비자에게 제공함
고용과 소득 창출	생산 과정에서 근로자를 고용하며, 일한 대가로 임금을 지급하여 가계에 소득을 제공함
세금 납부	경제 활동으로 벌어들인 수입 중 일부를 세금으로 내 국가 재정에 이바지함
국민 경제 성장 촉진	기술 혁신을 위한 연구 개발에 투자함으로써 경제 성장을 촉진함

용어 알기

- **이윤** 제품을 팔아서 생긴 수입에서 그 제품을 만드는 데 들어간 모든 비용을 뺀 것
- **재정** 국가 또는 지방 자치 단체가 행정 활동이나 공공 정책을 시행하기 위하여 자금을 만들어 관리하고 이용하는 경제 활동

교과서 자료 경제 활동의 참여자들

경제 활동을 이끄는 주체에는 가계, 기업, 정부가 있다. 가계는 노동과 자본을 기업에 제공하고 그 대가로 소득을 얻어 소비한다. 기업은 제공받은 노동과 자본을 이용하여 재화나 서비스를 생산한다. 그리고 정부는 가계와 기업이 낸 세금으로 국방, 치안, 도로, 철도, 교육 등의 재화나 서비스를 생산하거나 기업이 생산한 재화와 서비스를 소비한다.

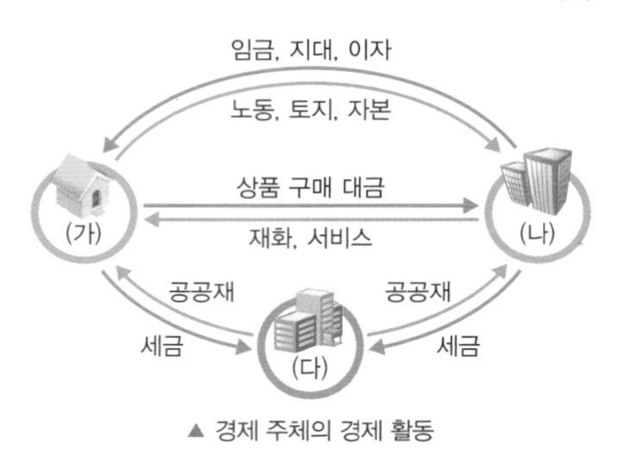

▲ 경제 주체의 경제 활동

간단 체크

❶ (가), (나), (다)에 들어갈 경제 주체는?

B 기업의 사회적 책임과 기업가 정신

1. 기업의 사회적 책임

① **의미**: 기업이 사회 전체의 이익에 부합하는 의사 결정을 해야 한다는 책임 의식

② **내용**

합법적 경제 활동 수행	이윤 추구 활동 외에 경제 활동 관련 법❶ 준수, 공정한 거래, 성실한 세금 납부 등 합법적인 경제생활을 해야 함
환경 문제에 대한 책임	생산 과정에서 생태계를 보호하고, 환경 오염을 최소화해야 함
소비자의 권익 보호	소비자를 위해 안전한 제품을 생산하고, 소비자의 권익을 보호해야 함
노동자의 권리 보호	노동자에게 정당한 임금과 안전한 작업 환경을 제공해야 함
사회 공헌 활동에 참여	이윤 일부를 자선이나 기부 활동, 장학 사업 및 복지 등에 지원하기 위해 노력해야 함

❶ 공정 거래법
「독점 규제 및 공정 거래에 관한 법률」을 말하는 것으로, 시장을 지배하는 기업의 횡포를 막고 기업들의 불공정 거래 등을 규제하도록 정해 놓은 법률이다.

교과서 자료 기업의 사회적 책임

> 기업의 사회적 책임은 일반적으로 다음과 같은 4단계로 구분된다. 제1단계는 경제적인 책임으로, 이윤 극대화와 고용 창출 등이다. 제2단계는 법적인 책임으로, 회계의 투명성, 성실한 세금 납부, 소비자의 권익 보호 등이다. 제3단계는 윤리적인 책임으로, 환경·윤리 경영, 제품 안전, 여성·현지인·소수 인종에 대한 공정한 대우 등을 말한다. 제4단계는 자선적인 책임으로, 사회 공헌 활동 또는 자선·교육·문화·체육 활동 등에 대한 기업의 지원을 의미한다.
>
> – 기획 재정부, 「시사 용어 사전」

기업이 사회 전체의 이익에 부합하도록 의사 결정을 하는 것을 기업의 사회적 책임이라고 한다. 기업이 스스로 사회의 기대에 부응하고 장기적인 관점에서 사회적 책임을 수행할 때, 소비자에게 좋은 인식을 심어줄 수 있으며 기업의 성장을 촉진할 수 있다.

✔ **간단 체크**

❷ 기업이 자연환경을 보존하기 위해 숲 보호 활동을 지속해서 펼치는 것은 기업의 (   ) 책임을 실천하는 활동이다.

2. 기업가 정신❷

① **의미:** 미래의 불확실성과 높은 위험 속에서도 끊임없는 혁신•을 통해 새로운 수익을 창출하고 경쟁력을 확보해 나가려는 기업가의 도전 정신과 의지

② **내용:** 신제품 및 생산 기술 개발, 새로운 시장 개척, 새로운 생산 방식 도입, 새로운 경영 조직을 만드는 것 등

교과서 자료 슘페터의 '혁신'

미국의 경제학자 슘페터는 새로운 생산 방법과 새로운 상품 개발을 기술 혁신으로 규정하고, 기술 혁신을 통해 창조적 파괴에 앞장서는 기업가를 혁신자로 보았다. 그는 혁신자가 갖추어야 할 요소로 신제품 개발, 새로운 생산 방법 도입, 새로운 시장 개척 등을 꼽았다.

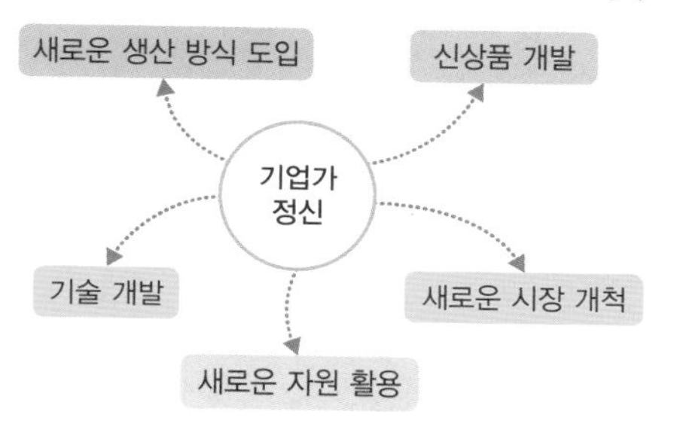

⚠ 용어 알기

• **혁신** 기업가들이 새로운 경영 조직을 만들고, 새로운 시장을 개척하며, 새로운 제품을 개발하는 창조적인 과정

❷ 피터 드러커의 기업가 정신
경영학자 피터 드러커는 자신의 저서 『기업가 정신』에서 기업가를 '변화를 탐구하고, 변화에 대응하며, 변화를 기회로 이용하는 사람'이라고 정의하며 미래에 도래할 사회는 도전적이고 창의적인 기업가, 즉 혁신을 두려워하지 않는 기업가가 이끄는 사회라고 전망하였다.

✔ **간단 체크**

❸ ○, ×로 답하시오.

(1) 위험을 무릅쓰고, 새로운 제품을 개발하는 것은 기업가 정신에 해당한다. (   )

(2) 파격적으로 가격 할인을 단행하는 것은 기업가의 혁신 사례이다. (   )

개념 다지기

*밑줄 친 곳을 바르게 고쳐 쓰시오.

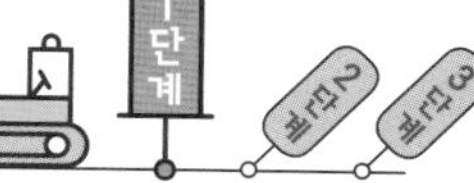

정답과 해설 13쪽

A 기업의 역할

01 재화와 서비스의 생산을 담당하는 경제 주체는 가계이다.

02 기업의 총수입에서 모든 비용을 뺀 차액을 효용이라고 한다.

03 기업은 생산 과정에서 근로자를 고용하며, 일한 대가로 세금을 지급하여 가계에 소득을 제공한다.

B 기업의 사회적 책임과 기업가 정신

04 기업이 이해 관계자와 사회 전반에 걸쳐 져야 할 법적·윤리적·자선적 책임을 기업의 경제적 책임이라고 한다.

05 새로운 제품 개발, 비용을 절감하는 새로운 생산 방식 도입, 새로운 시장 개척을 총칭하는 개념을 수익 창출이라고 한다.

06 새로운 아이디어로 새로운 상품을 개발하고, 새로운 시장을 개척하는 것은 근로자 정신이다.

A 기업의 역할

01 다음 글에서 설명하는 경제 주체가 추구하는 목적으로 적절한 것은?

> 재화와 서비스를 만들어 내는 생산 활동의 주체이며, 생산 과정에서 가계로부터 생산 요소를 제공받고 그에 대한 대가를 지급한다.

① 생태계 보호 ② 이윤의 극대화
③ 사회 복지 증진 ④ 소비자의 권익 보호
⑤ 공정한 경제 질서 유지

02 다음 글에 나타난 기업의 역할로 적절한 것은?

> ○○ 휴대 전화 회사는 휴대 전화를 생산하는 과정에서 노동력을 제공하는 사람들에게 임금을 지급한다. 또한, 휴대 전화를 판매한 수익으로 공장 용지의 주인에게는 지대를, 자본을 제공하는 사람에게는 이자를 지급한다.

① 가계에 소득을 제공한다.
② 국가의 재정에 도움을 준다.
③ 서비스를 생산하여 판매한다.
④ 소비자의 만족감을 증진한다.
⑤ 기술 혁신을 통해 생산 비용을 낮춘다.

필수

03 기업의 경제 활동에 관한 옳은 설명을 〈보기〉에서 고른 것은?

> 보기
> ㄱ. 재화를 생산하고 판매한다.
> ㄴ. 자본을 제공한 대가로 이자를 받는다.
> ㄷ. 사람들을 고용하여 일자리를 제공한다.
> ㄹ. 세금을 바탕으로 공공재를 생산하여 공급한다.

① ㄱ, ㄴ ② ㄱ, ㄷ ③ ㄴ, ㄷ
④ ㄴ, ㄹ ⑤ ㄷ, ㄹ

고난도

04 다음 대화의 밑줄 친 부분을 뒷받침할 수 있는 내용으로 옳은 것은?

> **갑:** 내가 다니는 회사에서 생산하는 제품의 주문량이 계속 늘어나서 내년에는 지방에 공장을 한 곳 더 지을 계획이래.
> **을:** 와! 잘됐네. 너희 회사가 우리나라 경제에 도움을 주겠구나.

① 공장 주변 지역은 환경이 오염될 것이다.
② 공장 주변 지역은 매연으로 사람들이 떠날 것이다.
③ 생산 활동이 활발해져 가계 소득은 감소할 것이다.
④ 생산 시설을 확장하는 과정에서 고용이 줄어들게 될 것이다.
⑤ 이전보다 세금을 더 많이 내게 되어 국가 재정에 이바지할 것이다.

05 ㉠, ㉡에 들어갈 내용을 옳게 짝지은 것은?

> 기업은 생산 과정에서 사람들을 고용하여 일자리를 제공하고, 일한 대가로 (㉠)을/를 지급하여 (㉡)에 소득을 제공한다.

	㉠	㉡
①	이자	정부
②	임금	가계
③	자본	가계
④	자본	정부
⑤	임대료	정부

서술형

06 기업이 국가 재정에 이바지하는 과정을 제시어를 사용하여 서술하시오.

> **제시어:** 생산, 수입, 세금

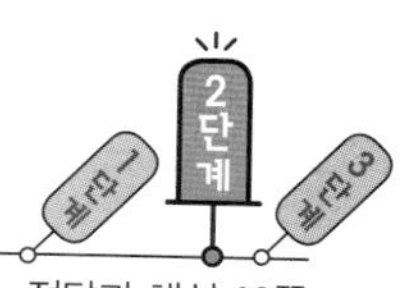

정답과 해설 13쪽

B 기업의 사회적 책임과 기업가 정신

07 기업가의 바람직한 자세로 적절하지 않은 것은?

① 쾌적한 근로 환경을 조성한다.
② 이윤 일부를 사회에 환원한다.
③ 새로운 상품을 개발하고 기술을 혁신한다.
④ 노동자와 동반자 의식을 가지고 서로 협력한다.
⑤ 판매량을 늘리기 위해 고가의 사은품을 제공한다.

고난도

08 □□ 기업의 활동에 관한 옳은 설명을 〈보기〉에서 고른 것은?

> □□ 기업은 신발이 한 켤레 팔릴 때마다 신발 없이 생활하는 제3 세계 어린이에게 한 켤레의 신발을 기부하고 있다. 별다른 광고를 하지 않았는데도 불구하고 소비자에게 양질의 신발과 기부하는 즐거움을 주는 이 판매 방식은 제품의 매출 증대에 크게 이바지하였다.

보기
ㄱ. 기업의 본래 목적을 추구하기 위한 노력이다.
ㄴ. 사회 전체의 복지를 증진하는 데 기여하고 있다.
ㄷ. 장기적 관점에서 소비자에게 좋은 인식을 심어 줄 수 있다.
ㄹ. 경제 환경에 신속하게 대처할 수 있는 경쟁력을 갖추는 데 도움이 된다.

① ㄱ, ㄴ ② ㄱ, ㄷ ③ ㄴ, ㄷ
④ ㄴ, ㄹ ⑤ ㄷ, ㄹ

필수

09 밑줄 친 '이것'이 가리키는 말은?

> '이것'은 이윤 창출을 위해 치열한 경쟁 속에서 창의적, 적극적, 모험적인 정신을 가지고 새로운 사업이나 시장에 도전하는 자세나 태도를 의미한다.

① 기업가 정신 ② 기업의 생산 활동
③ 기업의 소득 증대 ④ 기업의 사회적 책임
⑤ 기업의 이윤 추구 활동

10 기업가 정신을 발휘한 사례로 적절하지 않은 것은?

① 기술 개발을 위해 노력한다.
② 주력 상품의 생산량을 늘린다.
③ 새로운 시장 개척에 앞장선다.
④ 고부가 가치를 갖는 신제품을 개발한다.
⑤ 생산 비용을 줄이기 위한 생산 방법을 연구한다.

11 ◇◇ 기업의 설립자가 강조하는 기업가 정신의 내용에 해당하는 것은?

> ◇◇ 기업의 설립자는 사원들에게 자주 이런 이야기를 하였다.
> "우선 좋은 물건을 값싸게 생산해야 합니다. 그리고 고객이 원하는 상품이 무엇인가를 알아 내야 합니다. 수요 창출을 위해서 항상 기술을 개발하여 고객이 사고 싶도록 새로운 물품들을 생산해 내야 합니다. 새로운 아이디어 없이 기업은 결코 성장할 수 없습니다."

① 고용 창출
② 비용 절감
③ 신제품 개발
④ 새로운 시장 개척
⑤ 새로운 생산 방법 연구

서술형

12 ◎◎ 기업의 활동을 윤리적 책임과 관련지어 제시어를 사용하여 서술하시오.

> ◎◎ 기업은 전국의 우수 대학생을 강사로 선발하여 가정 형편이 어려운 중학생에게 방과 후 학습 기회를 제공하고 있다.

제시어: 사회적 책임, 저소득층, 사회 공헌

Ⅲ. 경제생활과 선택

바람직한 금융 생활

물음으로 흐름잡기

1. 자산 관리는 왜 필요할까?　　2. 자산 관리 방법에는 어떤 것이 있을까?

A 일생 동안의 경제생활

1. 생애 주기에 따른 경제생활 유소년기(소비 활동), 청년기(소득 형성 시기), 장년기(노후 준비 시기), 노년기(은퇴)의 생애 주기에 따라 소득이나 소비가 달라짐

2. 생애 주기에 따른 재무 계획 수립 미리 자신의 소득과 소비의 흐름을 예측하고 재무 계획을 세워야 함

└ 돈의 흐름을 파악하여 필요한 때 돈을 쓸 수 있도록 미리 준비하는 과정이야.

교과서 자료 생애 주기에 따른 경제생활

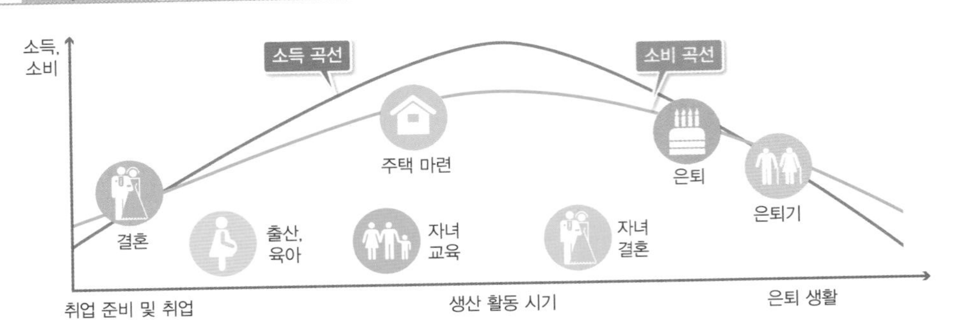

유소년기는 부모의 소득에 의존하여 생활한다. 청년기는 취업하여 경제 활동을 하지만 소득과 소비가 모두 적다. 중·장년기는 소득이 가장 높지만 주택 마련, 자녀 양육, 노후 준비 등으로 소비 또한 많다. 은퇴 이후 노년기에는 소득이 크게 줄지만 소비 생활은 지속한다.

용어 알기

- 생애 주기 시간의 흐름에 따라 개인이나 가족의 삶이 어떻게 변화하는지를 몇 단계로 나타낸 것

간단 체크

❶ 자녀를 양육하는 등 소비가 급증하는 시기는?

❷ 청년기, 중·장년기, 노년기 중 소득이 급격하게 줄어드는 시기는?

B 자산 관리의 필요성과 방법

1. 자산 관리의 필요성❶

① 소비 생활은 평생 꾸준히 이루어지지만, 소득이 발생하는 기간은 한정되어 있음

② 평균 수명이 연장되면서 노년기의 생활에 대비할 필요성이 더욱 커지고 있음

2. 다양한 자산 관리 방법

┌ 개인이 소유하고 있는 경제적 가치가 있는 유·무형의 재산으로 현금, 예금, 주식, 채권 등의 금융 자산과 자동차, 부동산 등의 실물 자산을 말해.

예금, 적금	대표적인 금융 상품으로, 금융 기관에 일정 금액의 돈을 예치하여 이자를 받는 것은 예금, 계약 기간 동안 일정 금액을 납입하여 이자를 받는 것은 적금임
주식	주식회사가 투자자로부터 돈을 받고 발행하는 증서로, 배당금을 받거나 주식을 사고파는 과정에서 이익을 얻을 수 있음
채권	기업이나 정부에 돈을 빌려주는 대가로 일정한 이익을 얻을 수 있는 금융 상품
보험	미래의 위험에 대비하여 보험료를 내고, 사고나 질병이 발생하면 일정 금액을 받는 상품
연금	노후에 대비하여 저축하는 금융 상품으로, 국민연금과 개인 연금이 있음

❶ 자산 관리의 과정

목표 설정
⇩
자산 파악
⇩
자금 마련 계획 수립
⇩
실행
⇩
검토와 평가

3. 자산 관리를 위해 고려해야 할 요소 ┌ 여러 자산에 분산 투자하여 적정한 이익을 얻는 동시에 위험을 줄여나가야 해.

① **수익성**: 투자한 원금의 가치 상승 또는 이자 수익의 발생 정도

② **안전성**: 원금과 이자가 보전되는 정도

③ **유동성**: 자산을 손쉽게 현금화할 수 있는 정도

⚠ 용어 알기

- **분산 투자** 여러 자산에 나누어 투자함으로써 위험을 분산시키는 투자 행동

교과서 자료 **분산 투자의 필요성**

사람들은 안전하면서도 높은 이익을 얻을 수 있도록 자산을 관리하고자 하지만, 그러한 자산 관리 방법을 찾기란 쉽지 않다. 수익이 크면 그만큼 원금 손실의 우려가 커지고, 안전성을 추구하다 보면 고수익을 얻기가 힘들다. 그러므로 가진 돈을 한 금융 상품에만 모두 투자하기보다는 수익성과 안전성, 유동성을 고려하여 다양한 금융 상품에 적절하게 분산하여 투자하는 것이 좋다.

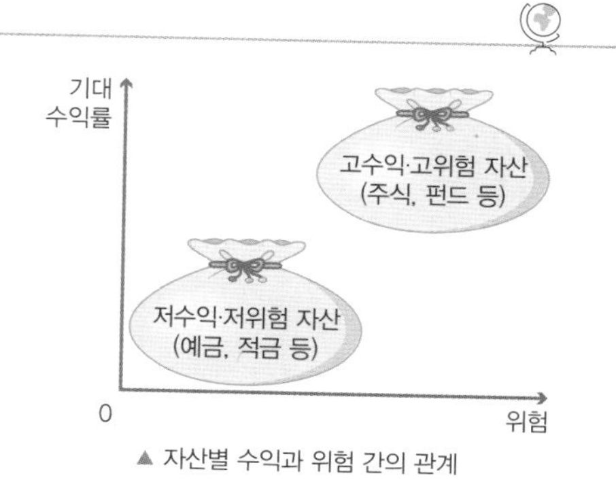

▲ 자산별 수익과 위험 간의 관계

✓ 간단 체크

❸ 수익성이 높지만, 회사가 망하면 원금 손실의 우려가 있는 금융 상품은?

❹ 안전성은 높지만, 수익성이 낮은 금융 상품은?

C 신용 관리

1. 신용 미래의 어느 시점에 갚을 것을 약속하고 상품이나 돈을 얻을 수 있는 능력

2. 신용 거래의 장 · 단점❷

장점	현금이 없어도 편리하게 거래할 수 있고, 현재의 소득보다 더 많은 소비를 할 수 있음
단점	충동 구매나 과소비로 이어질 우려가 있고, 미래의 경제생활에 큰 부담이 됨

3. 신용 관리 방법

① 현재와 미래의 소득과 지불 능력을 고려하여 충분히 갚을 수 있는 범위에서 신용을 이용해야 함

② 돈을 갚기로 하거나 상품 대금을 지불하기로 한 약속을 반드시 지켜야 함

❷ 신용을 바탕으로 이루어지는 경제 활동
한꺼번에 물건값을 지불하기 힘들 때 할부 서비스를 이용하거나, 금융 기관에 가서 큰 돈을 빌릴 수 있으며, 휴대 전화나 인터넷 서비스 등을 이용한 후 나중에 요금을 지불할 수 있는 것은 모두 신용 때문이다.

*빈칸에 알맞은 말을 넣거나, 밑줄 친 곳을 바르게 고쳐 쓰시오.

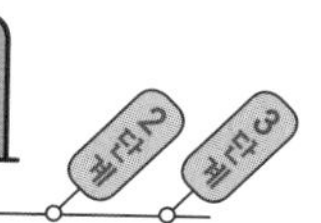

정답과 해설 14쪽

A 일생 동안의 경제생활

01 소득이 가장 높은 시기이지만 주택 마련, 자녀 양육, 노후 준비로 소비 또한 많은 시기는 노년기이다.

02 (　　　　　)에 따른 수입과 지출을 살펴보고 장기적인 관점에서 재무 계획을 세워야 한다.

B 자산 관리의 필요성과 방법

03 자산에는 부동산과 같은 금융 자산과 예금, 주식, 채권과 같은 실물 자산이 있다.

04 (　　　　　)은/는 안전성은 높지만, 수익성이 낮은 자산 관리 방법이다.

05 투자한 원금의 가치 상승 또는 이자 수익의 발생 정도를 안전성이라고 한다.

C 신용 관리

06 미래의 어느 시점에 갚을 것을 약속하고 상품이나 돈을 얻을 수 있는 능력을 대출이라고 한다.

A 일생 동안의 경제생활

01 (가)~(마) 시기에 이루어지는 경제생활의 특징에 관한 설명으로 옳지 않은 것은?

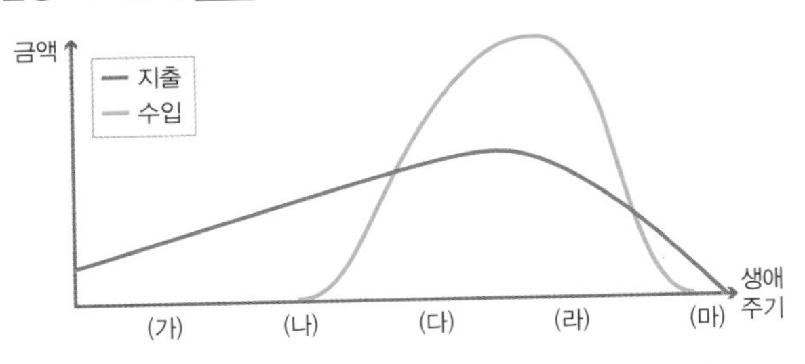

① (가)에서는 소비 활동보다 생산 활동을 많이 한다.
② (나)에서는 취업을 시작하여 소득이 생기기 시작한다.
③ (다)는 소득이 증가하여도 주택 구입과 자녀 교육 등으로 지출이 가장 많은 시기이다.
④ (라)는 은퇴 자금을 준비하고 노후에 대비하기 위한 자산 설계가 필요한 시기이다.
⑤ (마)는 소득 감소와 건강 관리에 따른 지출 증가로 경제적인 어려움을 겪을 수 있는 시기이다.

02 A~C에 관한 설명으로 옳은 것은? (단, A~C는 각각 청년기, 중·장년기, 노년기 중 하나이다.)

생애 주기 단계	특징
A	은퇴 이후의 삶에 적응하고자 건강 관리에 신경을 쓴다.
B	결혼 등 가족생활을 위한 준비 단계이다.
C	자녀 양육, 주택 마련, 노후 대비 등을 수행한다.

① A에서는 자아 정체성을 확립하며 진로를 탐색한다.
② B에서는 주로 부모님의 수입에 의존한다.
③ C에서는 취업과 결혼을 준비한다.
④ A는 B와 달리 시기가 점점 짧아지고 있다.
⑤ 생애 주기의 단계는 B-C-A의 순서로 진행된다.

03 일생 동안의 경제생활에 관한 설명으로 옳지 않은 것은?

① 은퇴하면 소비 생활도 중단된다.
② 아동기에는 대부분 소비 활동만 한다.
③ 소득이 높지만 소비도 많은 시기가 있다.
④ 소득은 주로 청년기부터 중·장년기에 발생한다.
⑤ 소득을 얻을 수 있는 기간은 대개 제한되어 있다.

B 자산 관리의 필요성과 방법

04 다음 글에서 설명하는 자산에 해당하는 것은?

> 기업이 사업 자금을 마련하기 위하여 투자자에게서 돈을 받고 발행한 증표이다.

① 예금 ② 적금 ③ 주식
④ 채권 ⑤ 보험

필수

05 다음 글에서 설명하는 자산 관리의 원칙은?

> 자산을 필요한 시기에 쉽게 현금으로 바꿀 수 있는 정도를 나타내는 것으로, 현금으로 바꿀 수 있다는 의미로 환금성이라고 말하기도 한다.

① 수익성 ② 안전성 ③ 유동성
④ 불변성 ⑤ 저위험성

고난도

06 다음은 금융 상품의 수익성과 위험성 정도를 나타낸 그래프이다. (가), (나)에 관한 설명으로 옳지 않은 것은?

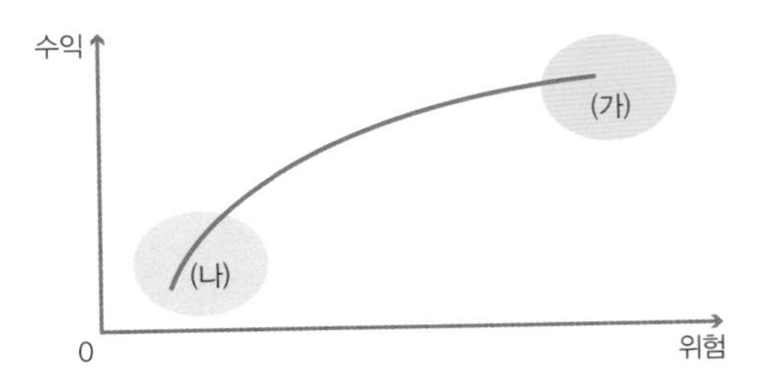

① (가)에는 주식이 속한다.
② (나)에는 정기 예금이 속한다.
③ (가)는 고수익·고위험 상품이 해당한다.
④ (나)는 (가)에 비해 수익성과 위험성이 낮다.
⑤ 투자한 원금을 보장받고자 한다면 (가)에 해당하는 상품을 선택해야 한다.

고난도

07 갑의 자산 관리 방법에 관한 옳은 분석을 〈보기〉에서 고른 것은?

> 갑은 5년 동안 들었던 적금이 만기가 되어 얻은 목돈 5,000만 원을 은행의 예금에 넣을까 생각했지만, 이자가 너무 낮아 주식에 모두 투자하였다. 그러나 주가가 계속 하락하여 1년이 지난 현재 투자한 원금의 절반 이상을 잃은 상태이다.

보기
- ㄱ. 자산을 단기적으로 운용하였다.
- ㄴ. 주식 투자의 위험성을 간과하였다.
- ㄷ. 안전성이 높은 상품에 집중하여 투자하였다.
- ㄹ. 한 가지 자산에만 투자함으로써 위험을 분산시키지 않았다.

① ㄱ, ㄴ ② ㄱ, ㄷ ③ ㄴ, ㄷ
④ ㄴ, ㄹ ⑤ ㄷ, ㄹ

필수

08 합리적인 자산 관리 방법에 관한 옳은 설명을 〈보기〉에서 고른 것은?

보기
- ㄱ. 노후에 대비하기 위해서는 연금을 활용한다.
- ㄴ. 현금이 필요한 때를 대비하여 부동산에 투자한다.
- ㄷ. 사망이나 질병, 사고 등에 대비하여 보험에 가입한다.
- ㄹ. 원금 손실을 막고 안전하게 자산을 관리하려면 주식에 투자한다.

① ㄱ, ㄴ ② ㄱ, ㄷ ③ ㄴ, ㄷ
④ ㄴ, ㄹ ⑤ ㄷ, ㄹ

서술형

09 정기 적금과 주식의 특징을 제시어를 사용하여 비교하시오.

> **제시어:** 안전성, 고수익

10 다음에서 설명하는 자산 관리 방법에 해당하는 것은?

> 은행과 같은 금융 기관에 정해진 이자를 기대하고 일정 금액을 맡기는 것으로, 수익성은 낮지만 원금이 보전되는 안전성이 높은 금융 상품이다.

① 개인 연금 ② 주식 투자
③ 정기 예금 ④ 채권 투자
⑤ 부동산 투자

C 신용 관리

11 다음 글에서 설명하는 경제 용어로 적절한 것은?

> 미래의 어느 시점에 갚을 것을 약속하고 상품이나 돈을 얻을 수 있는 능력이나 이에 대한 사회적 믿음을 말한다.

① 신뢰 ② 대출 ③ 금융
④ 신용 ⑤ 자산

필수

12 밑줄 친 ㉠~㉤ 중 옳지 않은 것은?

> 신용은 ㉠ 약속한 날짜에 갚기로 한 금액을 갚을 수 있는 능력을 말한다. 신용은 ㉡ 돈을 빌려줄 상황에서 필요하며, 채무를 제때 상환하지 못하면 ㉢ 신용은 떨어진다. 현대 사회는 ㉣ 개인의 신용 사용이 일상화되고 있으므로, 원활한 경제생활을 하려면 ㉤ 건전한 소비 생활을 하며 본인의 신용을 꾸준히 정기적으로 관리해야 한다.

① ㉠ ② ㉡ ③ ㉢ ④ ㉣ ⑤ ㉤

서술형

13 신용이 떨어지면 겪을 수 있는 어려움을 제시어를 사용하여 서술하시오.

> **제시어:** 금융 기관, 대출, 높은 이자

대단원 완성하기

01 다음 내용이 설명하는 경제 활동 사례를 〈보기〉에서 고른 것은?

> 재화나 서비스를 만들어 내거나 기존에 있던 상품의 가치를 증대시키는 활동이다.

보기
ㄱ. 은행에서 예금 이자를 받는다.
ㄴ. 택배기사가 택배 물품을 배달한다.
ㄷ. 헤어 디자이너가 손님의 머리를 파마한다.
ㄹ. 영화관에서 요즘 흥행하는 영화를 관람한다.

① ㄱ, ㄴ ② ㄱ, ㄷ ③ ㄴ, ㄷ
④ ㄴ, ㄹ ⑤ ㄷ, ㄹ

02 (가), (나)에 해당하는 경제 활동을 옳게 짝지은 것은?

> (가) 갑은 월급 120만 원을 받았다.
> (나) 을은 유치원에서 발레를 가르치고 있다.

	(가)	(나)
①	분배	소비
②	분배	생산
③	생산	분배
④	생산	소비
⑤	소비	생산

03 대화의 밑줄 친 부분과 관련 있는 경제학 개념은?

> **갑:** 이번 일요일에 친구들과 학교 운동장에서 축구를 하기로 했어.
> **을:** 그런데 큰아버지께서 일요일에 회사 일을 도와주면 용돈 만 원을 준다고 하셨잖니?
> **갑:** 아, 맞다. 축구도 하고 싶고, 용돈도 벌고 싶은데 어떻게 하면 좋을까?

① 상품성 ② 효율성
③ 형평성 ④ 자원의 희소성
⑤ 기업의 생산성

04 다음 글을 토대로 할 때 합리적 선택의 요건으로 보기 어려운 것은?

> 우리는 살면서 수많은 선택 상황에 직면한다. 이는 우리가 가지고 싶어 하는 욕구에 비해 자원이 부족하기 때문이다. 따라서 우리는 어떤 선택을 할 때 합리적으로 판단하고 결정해야 한다. 즉, 선택에 대한 비용과 편익의 크기를 충분히 고민해야 한다.

① 장기적인 관점에서 선택을 신중히 한다.
② 최소의 비용으로 최대의 만족을 추구한다.
③ 기회비용과 편익을 동시에 고려해야 한다.
④ 선택에 따른 편익이 기회비용보다 커야 한다.
⑤ 최대의 만족을 거둘 수 있다면 비용은 고려하지 않아도 된다.

05 합리적 의사 결정 과정 중 다음 내용에 해당하는 단계로 옳은 것은?

> 민수는 운동화를 새로 사기로 하고, 친구들에게 운동화 구매와 사용 경험에 대한 조언을 구하고, 인터넷 쇼핑몰과 상점을 둘러 보며 다양한 운동화들을 찾아보고 있다.

① 문제 인식
② 대안 탐색
③ 대안 평가
④ 대안 선택 및 실행
⑤ 대안 평가 및 반성

06 시장 경제 체제의 문제점에 해당하는 것은?

① 시장의 자율성을 바탕으로 경제 문제를 해결한다.
② 빈부 격차가 심해지고 환경 오염 문제가 발생한다.
③ 생산의 효율성을 강조하여 경제 성장을 추구한다.
④ 개인의 자유로운 이익 추구를 인정하여 경쟁이 활발하다.
⑤ 경쟁에서 이기기 위해 적은 비용으로 많은 생산을 하려고 노력한다.

07 A국은 시장 경제 체제, B국은 계획 경제 체제를 채택하고 있다. A국의 경제 모습에 해당하는 것을 〈보기〉에서 고른 것은?

보기
ㄱ. 태풍으로 배추 수확량이 줄어 배추 가격이 크게 올라갔다.
ㄴ. 정부가 제품이 많이 필요하니 기업에 생산량을 늘리라고 하였다.
ㄷ. 갑 기업은 자사 제품을 찾는 사람이 많아져 생산량을 늘리기로 하였다.
ㄹ. 을 농부는 국가에서 배추를 심으라는 명령을 받고 배추 농사를 짓고 있다.

① ㄱ, ㄴ ② ㄱ, ㄷ ③ ㄴ, ㄷ
④ ㄴ, ㄹ ⑤ ㄷ, ㄹ

08 다음은 우리나라 헌법 조항 중 일부이다. 이에 관한 학생들의 진술로 가장 적절한 것은?

제119조 ② 국가는 균형 있는 국민 경제의 성장 및 안정과 적정한 소득의 분배를 유지하고, 시장의 지배와 경제력의 남용을 방지하며, 경제 주체 간의 조화를 통한 경제의 민주화를 위하여 경제에 관한 규제와 조정을 할 수 있다.

① 갑: 국민과 국가의 이익은 항상 대립 관계에 있어.
② 을: 우리나라의 경제 체제는 계획 경제 체제이구나.
③ 병: 경제 문제의 해결 기준으로 형평성보다 효율성을 중시하고 있어.
④ 정: 정부가 시장의 가격 기능을 최대한 보장해 주려고 노력하고 있어.
⑤ 무: 정부가 기업이 담합하여 가격을 인상할 때 과징금을 부과하는 근거가 될 수 있어.

09 시장 경제에서 기업의 역할을 〈보기〉에서 고른 것은?

보기
ㄱ. 재화와 서비스를 구매하여 시장 경제를 활성화시킨다.
ㄴ. 생산 활동의 주체로 다양한 재화를 만들어 가계에 제공한다.
ㄷ. 세금을 거두어 사회 구성원이 필요로 하는 재화를 제공한다.
ㄹ. 재화를 생산하는 과정에서 일자리를 만들어 고용을 창출한다.

① ㄱ, ㄴ ② ㄱ, ㄷ ③ ㄴ, ㄷ
④ ㄴ, ㄹ ⑤ ㄷ, ㄹ

10 다음 글에 나타난 기업의 역할로 가장 적절한 것은?

☆☆ 기업은 관련 법령에 따라 투명하게 세금을 납부하였으며, 이러한 공을 인정받아 모범 납세자상을 받았다. 기업 관계자는 앞으로도 국가 발전에 보탬이 될 수 있도록 성실하게 세금을 납부하겠다고 소감을 밝혔다.

① 가계에 소득을 제공한다.
② 국가의 재정에 이바지한다.
③ 서비스를 생산하여 판매한다.
④ 기술 혁신을 통해 생산 비용을 낮춘다.
⑤ 새로운 상품을 개발하여 소비자를 만족시킨다.

11 다음 사례에 나타난 기업의 사회적 책임과 관계 깊은 것은?

◎◎ 기업은 저소득층 아이들을 대상으로 무료 학습 지도, 도서 기증 등의 공익 사업과 함께 자원봉사, 기부 및 후원 활동 등을 꾸준히 전개해 오고 있다.

① 이윤 극대화와 고용 창출 등 경제적인 책임
② 환경·윤리 경영, 제품 안전 등 윤리적인 책임
③ 투명한 회계, 소비자의 권익 보호 등 법적인 책임
④ 저소득층 아이들에게 기업이 직접 기부하는 사회 공헌 책임
⑤ 여성·현지인·소수 인종에 대한 공정한 대우 등을 의미하는 자선적인 책임

12 다음에서 설명하는 개념에 해당하는 사례로 적절하지 않은 것은?

> 기업가들이 새로운 경영 조직을 만들고, 새로운 시장을 개척하고, 새로운 제품을 개발하는 창조적인 과정

① A 회사는 소비자의 기호를 고려하여 신제품을 출시하였다.
② B 전자 회사는 1인 가구가 점차 증가함에 따라 다양한 소형 가전 제품을 개발하였다.
③ C 통신사는 가입자 수를 늘리기 위해 행사 기간 동안 가입한 고객에게 고가의 사은품을 지급하였다.
④ D 게임 회사는 직원들의 창의적인 아이디어를 이끌어 내기 위해 사무실 내에 놀이 공간을 마련하였다.
⑤ E 전자 회사는 일반 사원이 곧바로 최고 경영자(CEO)에게 아이디어를 제시할 수 있는 시스템을 구축하였다.

13 다음 사례에서 ◇◇ 오토바이 회사 사장이 강조하고 있는 것은?

> ◇◇ 오토바이 회사 사장은 "세계를 놀라게 할 혁신적인 상품을 개발하고 디지털 시대를 선도해 나가겠다."라며, 주변 국가들을 중심으로 한 새로운 시장의 개척을 올해의 경영 전략으로 제시하였다.

① 기업가 정신 ② 해외 투자 유치
③ 첨단 설비 도입 ④ 기업의 사회적 책임
⑤ 교역 국가와의 관계 개선

14 다음 사례에서 △△ 기업이 간과한 사회적 책임으로 가장 적절한 것은?

> △△ 기업이 생산한 플라스틱 용기에서 기준치 이상의 환경 호르몬 물질이 검출되어 △△ 기업에 과징금 납부 명령 조치가 내려졌다.

① 세금을 성실하게 내야 한다.
② 사회 공헌 활동에 참여해야 한다.
③ 협력 업체와 공정하게 거래해야 한다.
④ 소비자를 위해 안전한 제품을 생산해야 한다.
⑤ 근로자에게 쾌적한 작업 환경을 제공해야 한다.

15 다음은 생애 주기에 따른 소득과 소비 곡선을 나타낸 것이다. 이에 관한 옳은 설명을 〈보기〉에서 고른 것은?

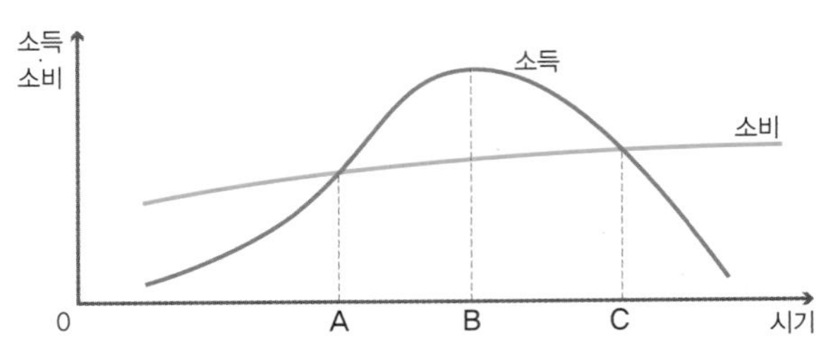

보기
ㄱ. A 시점 이전에는 누군가의 도움을 받아야 생활을 유지할 수 있다.
ㄴ. A ~ C 구간은 저축이 가능하다.
ㄷ. B ~ C 구간에서는 저축 총액이 점점 감소한다.
ㄹ. 정년이 연장되면 B와 C 간의 거리는 점점 짧아진다.

① ㄱ, ㄴ ② ㄱ, ㄷ ③ ㄴ, ㄷ
④ ㄴ, ㄹ ⑤ ㄷ, ㄹ

16 자산 관리를 해야 하는 까닭으로 볼 수 없는 것은?

① 안정적이고 지속 가능한 노후 생활을 유지해야 한다.
② 평균 수명이 늘어나면서 은퇴 이후 시기가 길어졌다.
③ 질병, 사고 등 예기치 못한 상황에 대비할 필요성이 높아졌다.
④ 생산 활동과 달리 소비 활동을 할 수 있는 기간은 제한되어 있다.
⑤ 생애 주기에 따라 시기별로 개인의 소득과 소비 수준이 달라진다.

17 다음 글에서 강조하는 자산 관리 방법으로 가장 적절한 것은?

> 모든 달걀을 한바구니에 담아서 보관하는 것을 권하고 싶지 않습니다. 바구니가 넘어지면 모든 달걀이 한꺼번에 다 깨지기 때문입니다.

① 여러 종류의 자산에 분산하여 투자해야 한다.
② 원금을 안전하게 보장할 상품에 투자해야 한다.
③ 자산 관리는 장기적인 관점에서 접근해야 한다.
④ 안전성이 높은 자산 관리 상품에 투자해야 한다.
⑤ 위험 부담을 감수하고 공격적으로 투자해야 한다.

정답과 해설 15쪽

18 (가), (나)에서 설명하는 자산 관리 방법을 옳게 짝지은 것은?

(가) 정부나 기업이 돈을 빌리면서 발행한 차용 증서이다. 돈을 빌린 채무자가 갚기로 한 약속을 지키지 못하면 채권자는 원금과 이자를 돌려받지 못할 수 있다.
(나) 이 증서를 소유한 사람인 '주주'는 기업의 경영에 참여하며, 기업의 이익을 배당금으로 받을 권리를 갖는다.

	(가)	(나)		(가)	(나)
①	주식	연금	②	연금	예금
③	보험	채권	④	주식	보험
⑤	채권	주식			

19 다음 자료에서 홍보하고 있는 금융 상품에 관한 설명으로 옳지 않은 것은?

직장인의 알짜배기 재테크 방법!!
직장인의 재테크 스타일을 반영하여 급여 이체를 하거나 보너스 등의 부정기적인 자금을 추가로 적립하는 경우 이율을 우대하여 목돈 마련을 지원합니다. 결혼, 출산, 이사 등을 위해 중도 해지를 할 때도 기본 이율을 제공하는 상품입니다.

① 유동성이 높다.
② 위험성이 낮다.
③ 배당금이 지급된다.
④ 안전성이 보장된다.
⑤ 이자 수익을 기대할 수 있다.

20 신용 거래에 관한 설명으로 옳지 않은 것은?

① 현재의 소득보다 더 많이 소비할 수 있다.
② 현금이 없어도 경제생활을 할 수 있는 장점이 있다.
③ 비용을 먼저 지불하고 상품을 나중에 받는 방법이다.
④ 물건을 충동 구매하거나 과소비로 이어질 우려가 있다.
⑤ 은행 대출이나 휴대 전화 요금 납부 등을 예로 들 수 있다.

서술형 문제

21 그림은 경제 활동 주체 간의 상호 작용을 나타낸 것이다. 물음에 답하시오.

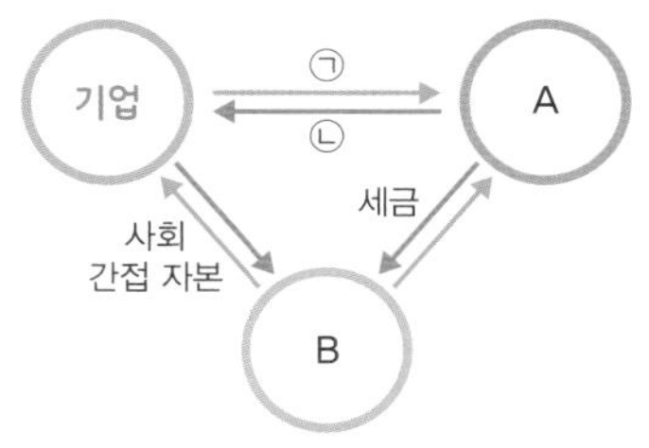

(1) A와 B에 들어갈 경제 활동의 주체를 각각 쓰시오.

A: __________

B: __________

(2) 기업과 A의 상호 작용을 제시어를 사용하여 서술하시오. (단, ㉠, ㉡에 들어갈 내용을 포함해야 함)

제시어: 상품, 상품 대금

22 그림의 A, B는 자산 관리 방법 중에서 예금과 주식 중 하나이다. 물음에 답하시오.

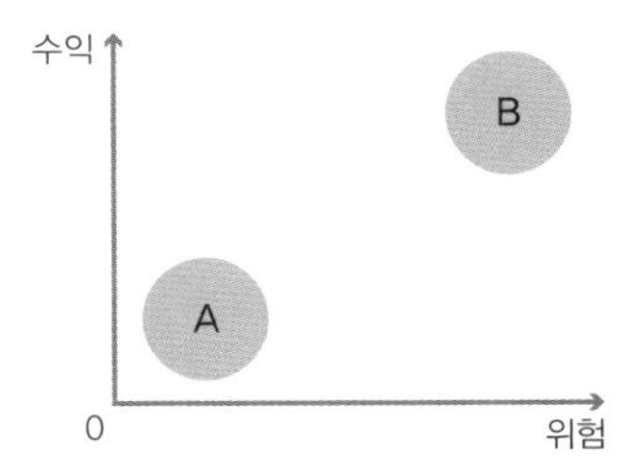

(1) A, B에 해당하는 자산 관리 방법을 쓰시오.

A: __________

B: __________

(2) 원금 보전 가능성에 대해 제시어를 사용하여 A, B를 비교하여 서술하시오.

제시어: 안전성, 원금 보전, 크다

IV

시장 경제와 가격

01 시장의 의미와 종류

02 수요·공급과 시장 가격의 결정

03 시장 가격의 변동

배울 내용이 쉬워지는 용어

배울 용어를 읽어 보고, 이해가 되었으면 ✔ 표시를 해 봅시다.

☐ **생산물 시장** 생활에 필요한 재화와 서비스가 거래되는 시장을 말해.

생산물 시장

☐ **생산 요소 시장** 상품의 생산 과정에서 생산 요소 즉 토지, 노동, 자본이 거래되는 시장을 말해.

생산 요소 시장

☐ **수요, 수요량** 일정한 가격 수준에서 어떤 상품을 사고자 하는 욕구를 수요라 하고, 어떤 가격에서 수요자가 사려는 상품의 구체적인 양을 수요량이라고 해.

☐ **공급, 공급량** 일정한 가격 수준에서 어떤 상품을 판매하고자 하는 욕구를 공급이라 하고, 어떤 가격에서 공급자가 판매하려는 상품의 구체적인 양을 공급량이라고 해.

공급 법칙

☐ **수요 법칙** 가격이 상승하면 수요량이 감소하고, 가격이 하락하면 수요량이 증가하는 현상이야.

수요 법칙

☐ **공급 법칙** 가격이 상승하면 공급량이 증가하고, 가격이 하락하면 공급량이 감소하는 현상이야.

☐ **수요 변동** 가격 이외의 다른 요인의 변동으로 수요자의 구매 계획이 변동하는 것을 말해.

수요 변동

☐ **공급 변동** 가격 이외의 다른 요인의 변동으로 공급자의 판매 계획이 변동하는 것을 말해.

☐ **대체재, 보완재** 용도가 서로 비슷하여 대신 사용할 수 있는 재화를 대체재, 함께 사용할 때 만족감이 더욱 커지는 재화를 보완재라고 해.

공급 변동

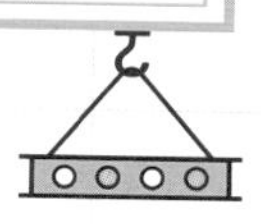

시장의 의미와 종류

물음으로 흐름잡기

1. 시장은 어떤 곳일까?　　2. 시장의 종류는?

A 시장의 의미와 역할

1. 시장의 의미

① **의미**: 상품을 사려는 사람과 팔려는 사람이 만나 이들 간의 상호 작용을 통해 교환과 거래가 이루어지는 곳 → 구체적 장소뿐 아니라 주식 시장, 인터넷 쇼핑몰 등과 같이 가격이 형성되고 교환이 이루어지는 모든 곳을 시장이라고 함

재래시장, 대형 마트와 같이 일정한 장소를 차지하는 거지.

② **시장의 확대**: 전자 통신 매체의 발달로 시장의 의미가 확대되었으며, 인터넷 쇼핑몰과 같은 다양한 형태의 시장이 등장함

2. 시장의 형성과 역할

① 시장의 형성

자급자족 생활	과거에는 생활에 필요한 물건을 스스로 만들어 사용하였음
⬇ 물물 교환	기술이 발달하여 쓰고 남는 생산물이 생기자 필요한 물건과 교환하기 시작함
⬇ 분업과 특화	자신들이 더 잘 만들 수 있는 물건만을 집중적으로 생산하여 교환함
⬇ 시장의 형성	일정한 시간과 장소를 정해 모이는 시장이 생겨나고 화폐❶가 출현함

교과서 자료 시장의 역사

옛날 사람들은 필요한 물건을 스스로 만들어 사용하였다. 그러다가 자신에게는 풍족하지만 상대방에게는 부족한 물건을 서로 바꾸어 쓰기 시작하였고, 시장이 생겨났다.

② 시장의 역할

- 수요자와 공급자를 연결해 주어 거래 비용을 절감함
- 상품의 종류와 가격, 상품별 특징 등의 정보를 제공함
- 질 좋은 제품이 더 효율적으로 생산되어 사회 전체의 생산성이 증대됨

용어 알기

- **상품** 시장에서 거래되는 재화와 서비스를 통틀어 부르는 말
- **분업** 생산 과정을 여러 부문과 과정으로 나누어 서로 다른 사람들이 구분된 특정 부분에서 일하는 것
- **거래 비용** 상품을 거래하기 위해 들이는 시간과 비용

❶ **화폐의 발달**
물물 교환의 불편을 줄이기 위해 쌀, 베, 토기 등이 화폐로 사용되었는데, 조개껍데기가 가장 광범위하게 쓰였다.

간단 체크

❶ 자기에게 필요한 것을 스스로 공급하여 충당하는 것을 무엇이라고 하는가?

❷ 상품을 거래할 때 물건의 가치를 비교하기 위해 등장한 것은?

B 시장의 종류

1. 거래 형태에 따른 구분 — 보이는 시장을 구체적 시장, 보이지 않는 시장을 추상적 시장이라고도 해.

보이는 시장	거래가 이루어지는 모습이 구체적으로 드러나는 시장 예 백화점, 재래시장 등
보이지 않는 시장	거래가 이루어지는 모습이 구체적으로 드러나지 않는 시장 예 외환 시장,❷ 주식 시장, 전자 상거래 시장 등

2. 거래되는 상품의 종류에 따른 구분

생산물 시장	생활에 필요한 재화나 서비스가 거래되는 시장 예 농수산물 시장, 가구 시장 등
생산 요소 시장	상품의 생산 과정에서 필요한 생산 요소가 거래되는 시장 예 부동산 시장, 노동 시장 등

3. 전자 상거래 시장 정보 통신 기술의 발달로 새롭게 등장한 시장으로 홈쇼핑, 인터넷 쇼핑, 모바일 쇼핑 앱을 이용한 쇼핑 등이 해당됨

❷ **외환 시장**
달러화, 유로화, 엔화 등과 같이 외화를 사려는 사람과 팔려는 사람 간에 거래가 이루어지는 시장을 말한다.

교과서 자료 시장의 종류

(가) 재래시장

(나) 노동 시장

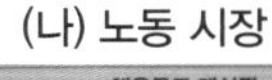

(다) 주식 시장

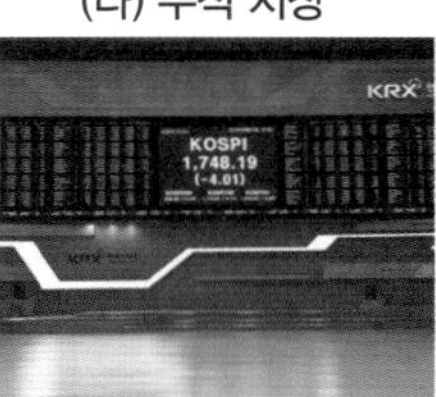

(라) 전자 상거래 시장

- 시장은 거래하는 상품의 종류에 따라 생산물 시장과 생산 요소 시장으로 구분할 수 있다. 생산물 시장에서는 재화와 서비스가 거래되고, 생산 요소 시장에서는 생산물을 만드는 데 필요한 생산 요소인 노동, 토지, 자본 등이 거래된다.
- 시장에는 재래시장, 백화점과 같이 거래하는 모습이 보이는 시장이 있는가 하면 주식 시장, 인터넷 쇼핑몰 등과 같이 거래하는 모습이 보이지 않는 시장도 있다.

✓ 간단 체크

❸ (가)~(다) 중에서 생산물 시장은?

❹ (가)~(다) 중에서 생산 요소 시장은?

❺ (가)~(라) 중에서 보이지 않는 시장은?

개념 다지기

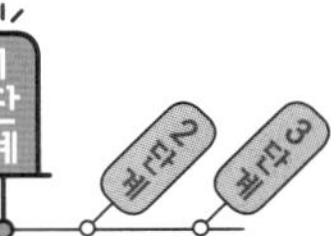

*밑줄 친 곳을 바르게 고쳐 쓰시오.

정답과 해설 17쪽

A 시장의 의미와 역할

01 시장에서 상품을 거래하기 위해 들이는 시간과 비용을 기회 비용이라고 한다.

02 자급자족 생활 전에 이미 물물 교환이 이루어져 교환과 분업에 의하여 생산 활동을 하였다.

03 상품을 거래할 때 물건의 가치를 비교하기 위해 생산 요소가 등장하였다.

04 시장은 거래할 상대방을 일일이 찾아다니지 않아도 되고, 필요한 물건을 한 곳에서 쉽게 살 수 있어 거래 비용을 증가시킨다.

B 시장의 종류

05 거래되는 상품의 종류에 따라 보이는 시장과 보이지 않는 시장으로 구분한다.

06 취업 박람회나 은행은 생산물이 거래되는 시장이다.

07 생활에 필요한 재화나 서비스가 거래되는 시장은 생산 요소 시장이다.

08 현대 사회에서는 정보 통신 기술의 발달로 재래시장 같은 시장의 규모가 점차 확대되고 있다.

A 시장의 의미와 역할

필수

01 시장에 관한 설명으로 옳은 것은?

① 수요와 공급에 대한 정보가 교환되는 곳이다.
② 눈에 보이는 구체적인 장소가 존재해야 형성된다.
③ 주변에서는 정기 시장이 상설 시장보다 활성화되어 있다.
④ 거래 상품의 종류에 따라 구체적 시장과 추상적 시장으로 구분된다.
⑤ 현대 사회에는 상품을 공급하는 공급자가 하나인 독점 시장만 존재한다.

02 시장의 기능으로 보기 어려운 것은?

① 분업을 촉진한다.
② 자급자족 경제를 유지해 준다.
③ 상품에 관한 정보를 제공한다.
④ 거래에 드는 비용을 줄여 준다.
⑤ 교환을 통한 이익을 가져다 준다.

03 다음 내용이 설명하는 경제 용어로 적절한 것은?

> 생산 과정을 여러 부문과 과정으로 나누어 서로 다른 사람들이 구분된 특정 부분에서 일하는 것이다.

① 교환 ② 소비 ③ 분업
④ 특화 ⑤ 화폐

고난도

04 시장의 등장이 가져온 변화를 〈보기〉에서 고른 것은?

> 보기
> ㄱ. 상품을 교환하기 시작하였다.
> ㄴ. 거래할 상대방을 일일이 직접 찾아다니게 되었다.
> ㄷ. 남들보다 더 잘 하는 분야에 전문화하여 생산성을 증대시켰다.
> ㄹ. 하나의 상품을 여러 단계로 나누어 생산함으로써 사회 전체의 생산량이 늘어났다.

① ㄱ, ㄴ ② ㄱ, ㄷ ③ ㄴ, ㄷ
④ ㄴ, ㄹ ⑤ ㄷ, ㄹ

05 다음 글의 (가)에 들어갈 내용으로 적절하지 않은 것은?

> 대형 마트, 극장 매표소, 인터넷 쇼핑몰, 취업 박람회 등 우리 주변에는 매우 다양한 형태의 시장이 존재한다. 이처럼 시장의 형태는 다양하지만 모든 시장은 ______(가)______ 역할을 한다.

① 자급자족을 촉진하는
② 거래 비용을 줄여주는
③ 수요와 공급을 연결하는
④ 상품에 대한 정보를 제공하는
⑤ 분업과 특화를 촉진하여 생산성을 증대하는

서술형

06 대화에서 민수와 아버지가 각자 생각하는 시장에 관해 제시어를 사용하여 서술하시오.

> **제시어:** 구체적인 장소, 보이는 시장, 전자 상거래 시장, 보이지 않는 시장

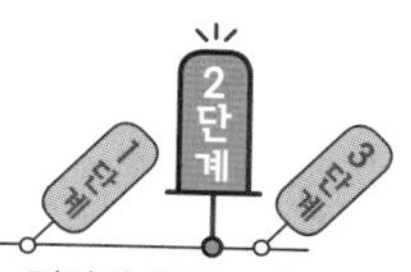

B 시장의 종류

고난도

07 (가), (나) 시장에 관한 옳은 설명을 〈보기〉에서 고른 것은?

(가)

(나)

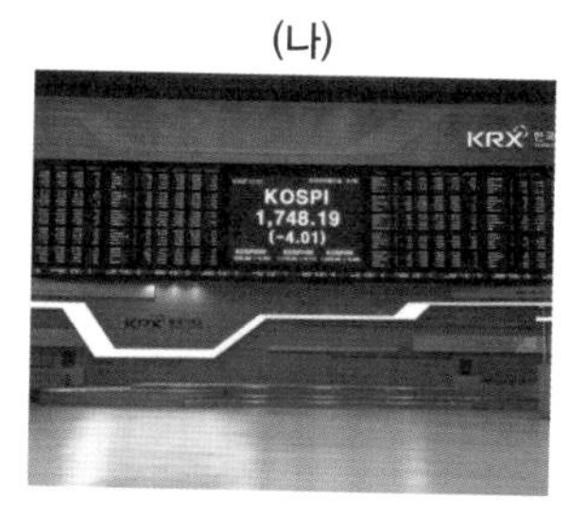

보기

ㄱ. (가)에서는 생산 과정에 필요한 요소가 거래된다.
ㄴ. (가)는 거래 장소와 상품이 눈에 보이는 시장이다.
ㄷ. (나)에서는 거래의 모습이 확실히 드러나지 않는다.
ㄹ. (나)는 생활에 필요한 재화와 서비스가 거래되는 생산물 시장이다.

① ㄱ, ㄴ ② ㄱ, ㄷ ③ ㄴ, ㄷ
④ ㄴ, ㄹ ⑤ ㄷ, ㄹ

08 (가), (나)는 거래되는 상품의 종류에 따라 구분되는 시장이다. 이에 관한 설명으로 옳지 않은 것은?

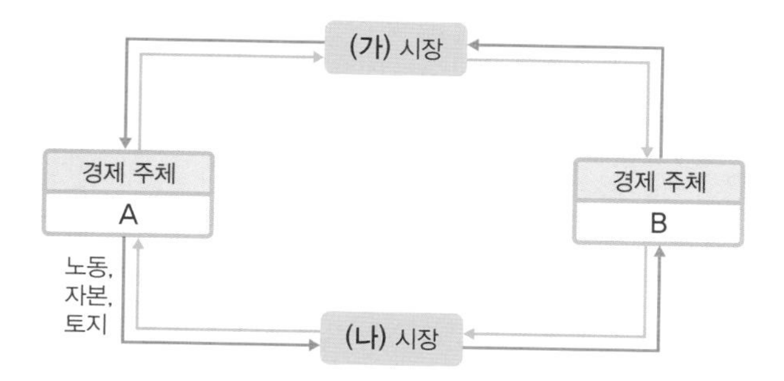

① (가)에서는 재화와 서비스가 거래된다.
② (나)는 생산 요소 시장이다.
③ (나)에서 공급자는 B이다.
④ A는 가계이다.
⑤ B는 이윤 극대화를 추구한다.

09 다음 글의 밑줄 친 시장에 해당하는 것은?

> 우리는 흔히 시장이라고 하면 특정한 형태와 장소를 가지는 시장을 떠올리지만, 특정한 형태와 장소가 없이 거래가 이루어지는 시장도 있다.

① 백화점 ② 재래시장 ③ 대형 마트
④ 수산 시장 ⑤ 외환 시장

필수

10 (가), (나) 시장의 종류를 옳게 짝지은 것은?

(가)

(나)

	(가)	(나)
①	추상적 시장	구체적 시장
②	구체적 시장	추상적 시장
③	생산 요소 시장	추상적 시장
④	생산 요소 시장	전자 상거래 시장
⑤	전자 상거래 시장	추상적 시장

서술형

11 거래 형태에 따라 구분할 때 인터넷 쇼핑몰은 어떤 시장에 해당하는지 그 까닭을 제시어를 사용하여 서술하시오.

제시어: 인터넷, 거래하는 모습

수요·공급과 시장 가격의 결정

물음으로 흐름잡기

가격 1. 수요 공급과 가격의 관계는? 2. 가격은 어떻게 결정될까?

A 수요와 공급

1. 수요와 수요 법칙❶

수요	일정한 가격 수준에서 어떤 상품을 사고자 하는 욕구
수요량	어떤 가격에서 수요자가 사려는 상품의 구체적인 양
수요 법칙	가격이 상승하면 수요량이 감소하고, 가격이 하락하면 수요량이 증가하는 현상

2. 공급과 공급 법칙❷

공급	일정한 가격 수준에서 어떤 상품을 판매하고자 하는 욕구
공급량	어떤 가격에서 공급자가 판매하려는 상품의 구체적인 양
공급 법칙	가격이 상승하면 공급량이 증가하고, 가격이 하락하면 공급량이 감소하는 현상

교과서 자료 수요·공급 법칙 찾기

- 일반적으로 사람들은 어떤 상품의 가격이 올라가면 수요량을 줄이고, 가격이 내려가면 수요량을 늘린다. 예를 들어 가격이 2,000원에서 3,000원으로 올라가면 수요량은 30개에서 20개로 줄어들고, 가격이 3,000원에서 2,000원으로 내려가면 수요량은 20개에서 30개로 늘어난다.

가격(원)	수요량(개)
1,000	40
2,000	30
3,000	20
4,000	10

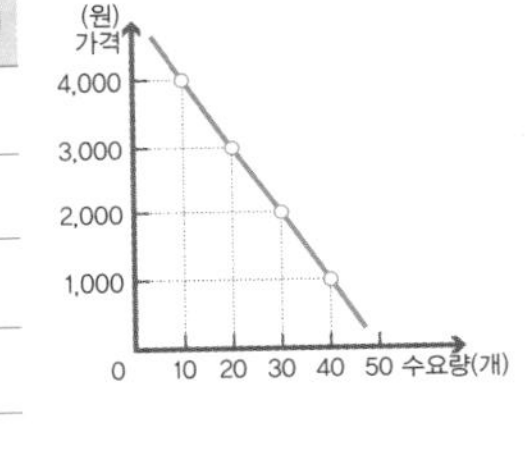

- 일반적으로 사람들은 어떤 상품의 가격이 올라가면 공급량을 늘리고, 가격이 내려가면 공급량을 줄인다. 예를 들어 가격이 3,000원에서 2,000원으로 내려가면 공급량은 40개에서 30개로 줄어들고, 가격이 2,000원에서 3,000원으로 올라가면 공급량은 30개에서 40개로 늘어난다.

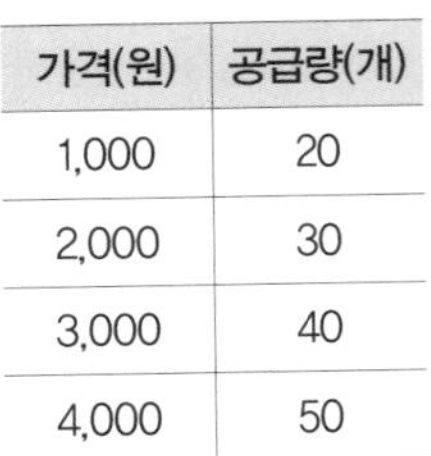

가격(원)	공급량(개)
1,000	20
2,000	30
3,000	40
4,000	50

(원)
가격
4,000
3,000
2,000
1,000
0
10 20 30 40 50 공급량(개)

B 시장 가격의 결정

1. 균형 가격과 균형 거래량❸

균형 가격	시장에서 수요량과 공급량이 일치하여 균형을 이루는 지점의 가격으로, 시장 가격이라고도 함
균형 거래량	시장에서 수요량과 공급량이 일치할 때의 거래량

❶ 수요 곡선

가격
수요 곡선
0
수요량

❷ 공급 곡선

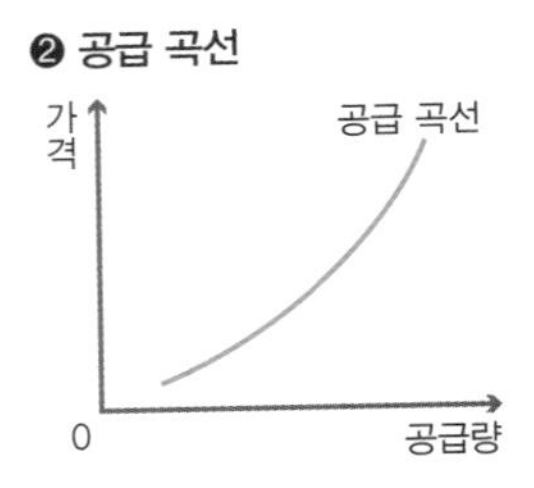

✓ 간단 체크

❶ 가격과 수요량은 서로 (같은 / 반대) 방향으로 움직인다.

❷ 가격과 공급량은 서로 (같은 / 반대) 방향으로 움직인다.

❸ 균형 가격과 균형 거래량

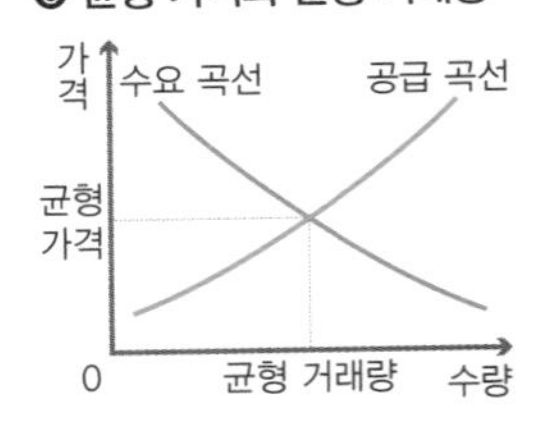

2. 초과 수요와 초과 공급

초과 수요	수요량이 공급량보다 많은 상태 → 수요자 간의 경쟁 발생 → 가격 상승
초과 공급	공급량이 수요량보다 많은 상태 → 공급자 간의 경쟁 발생 → 가격 하락

3. 시장 가격의 기능

① **해당 상품의 정보 제공**: 상품의 가격을 통해 상품이 어느 정도의 가치를 지니는지 알 수 있음

② **경제 활동의 신호등**❹: 소비자와 생산자에게 경제 활동을 어떻게 조절해야 할지를 알려줌

③ **자원의 효율적 배분**: 합리적인 경제 활동의 방향을 알려주어 희소한 자원을 효율적으로 배분하는 역할을 함
(합리적인 경제 활동의 방향 — 시장 가격 수준에서 그 상품을 가장 필요로 하는 소비자가 구매하고, 생산자는 가장 이윤이 많이 남는 상품과 생산 방법을 선택하게 돼.)

❹ 가격의 신호등 역할
가격이 올라가면 수요자는 수요량을 줄이라는 신호로, 공급자는 공급량을 늘리라는 신호로 받아들인다. 반대로 가격이 내려가면 수요자는 수요량을 늘리라는 신호로, 공급자는 공급량을 줄이라는 신호로 받아들인다.

교과서 자료 '보이지 않는 손'의 기능

"우리가 매일 식사를 마련할 수 있는 것은 푸줏간 주인과 양조장 주인, 그리고 빵집 주인의 자비심 때문이 아니다. 그들은 자기 자신의 이익을 위할 뿐이다. 이 경우 그는 많은 다른 경우에서처럼 '보이지 않는 손'에 이끌려 그가 전에 의도하지 않았던 목적을 달성하게 된다."

애덤 스미스 ▶

'경제학의 아버지'라고 불리는 애덤 스미스(Smith, A.)는 『국부론(1776)』에서 시장 가격의 중요성을 강조하였다. 그에 따르면 시장 가격은 경제 주체들에게 합리적인 경제 활동의 방향을 알려주고, 그에 따라 경제 행위를 하도록 이끌어 자원을 효율적으로 배분하는 역할을 한다는 것이다.

✓ 간단 체크

❸ 애덤 스미스가 말한 '보이지 않는 손'이 의미하는 것은?

개념 다지기

*밑줄 친 곳을 바르게 고쳐 쓰시오.

정답과 해설 18쪽

A 수요와 공급

01 수요량은 일정한 가격 수준에서 어떤 상품을 구매하고자 하는 욕구를 말한다.

02 일정 기간 동안 특정 가격 수준에서 판매하고자 하는 수량을 공급이라고 한다.

03 상품의 가격이 상승하면 수요량은 증가한다.

04 상품의 가격과 공급량 간에는 음(−)의 관계가 나타난다.

05 수요 법칙에 따르면 가격과 수요량은 양(+)의 관계이므로 우상향한다.

B 시장 가격의 결정

06 시장에서 수요량과 공급량이 일치하는 지점에서의 시장 가격을 완전 가격이라고 한다.

07 수요량이 공급량보다 많은 상태를 초과 공급이라고 한다.

08 상품의 초과 수요가 발생하면 공급자 간의 경쟁 때문에 가격이 상승한다.

09 초과 공급 상태에서 공급자는 상품을 판매하기 위해 가격을 올릴 것이다.

A 수요와 공급

필수

01 가격과 수요량의 관계에 대한 옳은 설명을 <보기>에서 고른 것은?

보기
ㄱ. 가격과 수요량은 양(+)의 관계이다.
ㄴ. 가격이 하락하면 수요량은 증가한다.
ㄷ. 가격과 수요량의 관계를 나타내는 곡선은 우하향한다.
ㄹ. 상품의 가격에 따라 판매량이 변화하는 것을 수요량의 변동이라고 한다.

① ㄱ, ㄴ ② ㄱ, ㄷ ③ ㄴ, ㄷ
④ ㄴ, ㄹ ⑤ ㄷ, ㄹ

02 그래프에서 가격이 200원에서 100원으로 변할 경우 수요량의 변화로 옳은 것은?

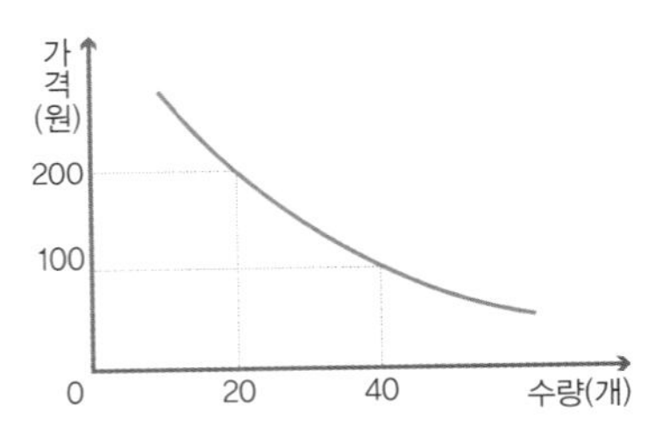

① 변화 없다. ② 20개 감소한다.
③ 20개 증가한다. ④ 40개 감소한다.
⑤ 40개 증가한다.

필수

03 공급과 공급량에 대한 설명으로 옳은 것은?

① 가격과 공급량 사이에는 음(−)의 관계가 있다.
② 가격과 공급량의 관계를 나타낸 곡선은 우상향한다.
③ 공급량은 상품 가격에 따라 변화하는 상품의 구입량이다.
④ 공급은 일정한 가격에 어떤 재화나 서비스를 구입하려는 욕구이다.
⑤ 가격이 상승하면 공급량은 감소하고, 가격이 하락하면 공급량은 증가한다.

필수

04 점 A에서 점 B로의 이동에 관한 설명으로 옳은 것은?

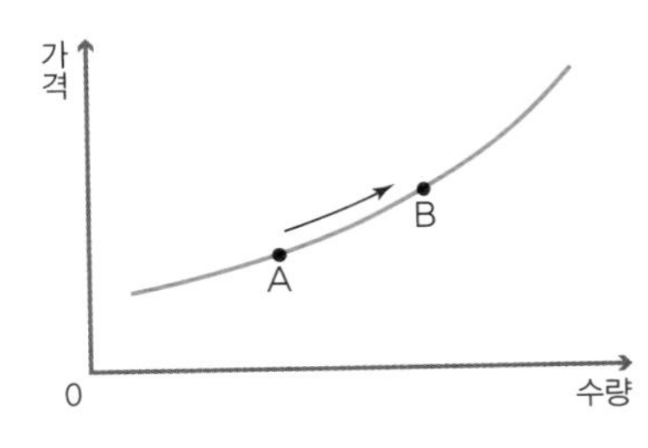

① 가격이 상승하여 수요량이 증가하였다.
② 가격이 하락하여 수요량이 증가하였다.
③ 가격이 상승하여 공급량이 증가하였다.
④ 수요량이 증가하여 가격이 상승하였다.
⑤ 공급량이 증가하여 가격이 상승하였다.

[05-06] 다음 그래프를 보고 물음에 답하시오.

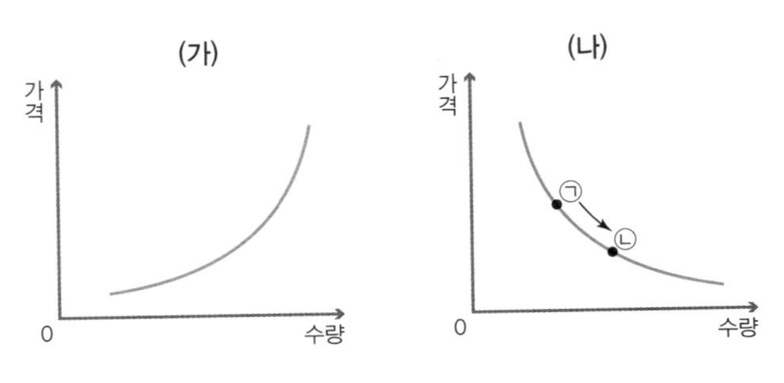

05 (가) 그래프에 관한 설명으로 옳은 것은?

① 공급 법칙을 나타낸다.
② 가격과 수량은 음(−)의 관계에 있음을 나타낸다.
③ 상품을 사고자 하는 욕구와 관련 있는 그래프이다.
④ 수요량의 변화가 가격에 미치는 영향을 보여 준다.
⑤ 수량이 늘어날수록 가격이 올라가는 우상향 그래프이다.

고난도

06 (나) 그래프에 관한 설명으로 옳지 않은 것은?

① 가격과 수요량의 관계를 나타낸다.
② 수요 법칙을 그래프로 나타낸 것이다.
③ 가격이 내리면 수요량은 늘어나는 모양이다.
④ 가격과 수요량은 양(+)의 관계에 있음을 보여 준다.
⑤ ㉠에서 ㉡으로의 이동은 가격이 내려 수요량이 늘어남을 의미한다.

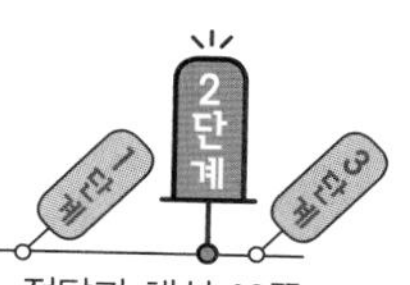

서술형

07 다음 그래프가 보여 주는 경제 법칙을 쓰고, 그 내용을 제시어를 사용하여 서술하시오.

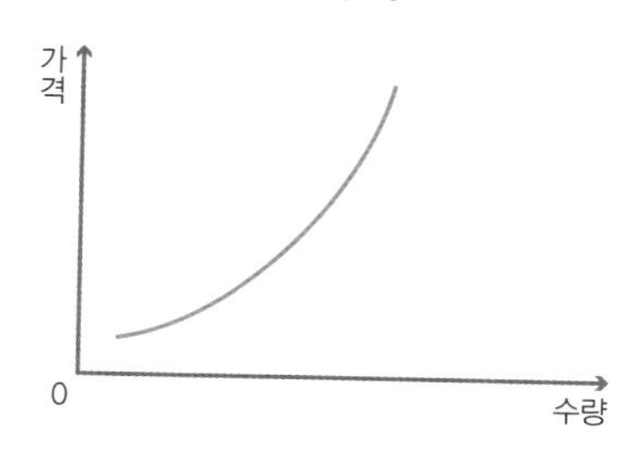

제시어: 공급, 가격, 상승, 하락, 공급량, 증가, 감소

B 시장 가격의 결정

필수

08 균형 가격에 관한 설명으로 옳지 않은 것은?

① 수요량과 공급량이 일치하는 지점의 가격이다.
② 수요자와 공급자 간의 자유로운 경쟁을 통해 형성된다.
③ 시장에서 한번 결정된 균형 가격은 변동하지 않는다.
④ 균형 가격에서 거래되는 수량이 균형 거래량이 된다.
⑤ 초과 수요량과 초과 공급량이 없는 상태에서 균형 가격이 결정된다.

09 아이스크림의 수요 · 공급에 관한 그래프이다. 아이스크림의 균형 가격은?

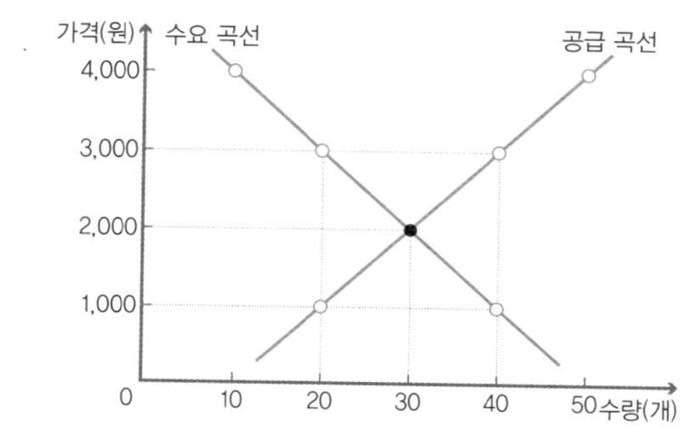

① 1,000원 ② 2,000원 ③ 3,000원
④ 4,000원 ⑤ 5,000원

10 다음 글의 밑줄 친 ㉠~㉤ 중 옳지 않은 것은?

> ㉠수요량이 공급량보다 많은 초과 수요 상태에서는 ㉡공급자끼리 상품을 판매하기 위한 경쟁이 나타나 가격이 상승한다. 한편, ㉢어떤 상품의 가격이 균형 가격보다 높을 때에는 ㉣초과 공급이 발생하여 시장에 상품이 남기 때문에 ㉤가격이 하락한다.

① ㉠ ② ㉡ ③ ㉢ ④ ㉣ ⑤ ㉤

고난도

11 다음 글에서 설명하는 시장 가격의 기능으로 가장 적절한 것은?

> 가격이 올라가면 수요자는 수요량을 줄이라는 신호로, 공급자는 공급량을 늘리라는 신호로 받아들인다. 반대로 가격이 내려가면 수요자는 수요량을 늘리라는 신호로, 공급자는 공급량을 줄이라는 신호로 받아들인다.

① 소득 불균형 문제를 완화한다.
② 경제 활동의 신호등 역할을 한다.
③ 희소한 자원을 효율적으로 배분한다.
④ 공익과 사익의 적절한 조화를 유도한다.
⑤ 시장의 경제 질서를 공정하게 유지한다.

서술형

12 치킨 시장의 수요량과 공급량을 나타낸 표이다. 균형 가격은 얼마이며, 균형 가격은 어떤 상태인지 제시어를 사용하여 설명하시오.

가격(원) / 수량(마리)	8,000	10,000	12,000	14,000	16,000
수요량	1,800	1,700	1,600	1,500	1,400
공급량	1,200	1,300	1,400	1,500	1,600

제시어: 초과 수요량, 초과 공급량

시장 가격의 변동

물음으로 흐름잡기

1. 수요 변동에 따라 가격은 어떻게 변동할까?
2. 공급 변동에 따라 가격은 어떻게 변동할까?

A 수요와 공급의 변동

1. 수요 변동

① **의미**: 상품 가격 이외의 요인에 의해 상품의 수요가 증가하거나 감소하는 것

② **수요 곡선의 이동**: 수요가 증가하면 수요 곡선이 오른쪽으로 이동하고, 수요가 감소하면 수요 곡선이 왼쪽으로 이동함

가격에 따른 수요량의 변동은 수요 곡선상 점의 이동으로 나타나지만 가격 이외의 요인에 의한 수요의 변동은 수요 곡선 자체의 이동으로 나타나.

2. 수요 변동의 원인

소득 변화	소득이 늘어나면 상품의 수요를 늘리는 경향이 있어 수요가 증가하고, 소득이 줄어들면 상품의 수요를 줄이는 경향이 있어 수요가 감소함
기호 변화	소비자의 기호가 증가하면 수요가 증가하고, 소비자의 기호가 감소하면 수요가 감소함
인구수 변화	인구수가 증가하면 수요가 증가하고, 인구수가 감소하면 수요가 감소함
관련 재화의 가격 변동	• **대체재**[1]: 대체재의 가격이 상승하면 수요가 증가하고, 대체재의 가격이 하락하면 수요가 감소함 • **보완재**[2]: 보완재의 가격이 상승하면 수요가 감소하고, 보완재의 가격이 하락하면 수요가 증가함
미래의 가격에 대한 예측	미래에 상품 가격이 오를 것이라고 예측되면 상품에 대한 수요가 증가하고, 미래에 상품 가격이 내릴 것이라고 예측되면 상품에 대한 수요가 감소함

교과서 자료 수요 변동에 따른 수요 곡선의 이동

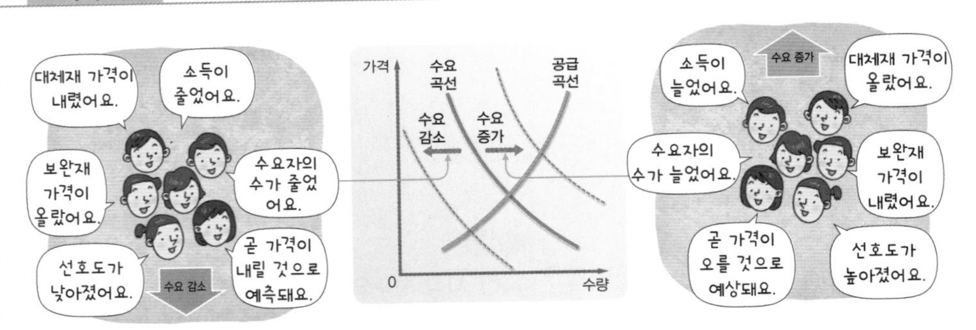

가격 이외의 요인이 변하여 수요가 증가하거나 감소하는 것을 수요 변동이라고 하며, 수요의 변동은 수요 곡선 자체의 이동으로 나타난다.

3. 공급 변동

① **의미**: 상품 가격 이외의 요인에 의해 상품의 공급이 증가하거나 감소하는 것

② **공급 곡선의 이동**: 공급이 증가하면 공급 곡선이 오른쪽으로 이동하고, 공급이 감소하면 공급 곡선이 왼쪽으로 이동함

가격에 따른 공급량의 변동은 공급 곡선 상 점의 이동으로 나타나지만 가격 이외의 요인에 의한 공급의 변동은 공급 곡선 자체의 이동으로 나타나.

용어 알기

• **기호** 어떤 재화나 서비스를 좋아하는 성향

❶ 대체재
콜라와 사이다, 쇠고기와 돼지고기처럼 비슷한 용도로 사용되어 서로 대체하여 사용할 수 있는 재화를 말한다. 두 상품이 대체 관계에 있는 경우 한 재화의 가격 상승은 다른 재화의 수요 증가를 가져온다.

❷ 보완재
커피와 설탕, 치킨과 콜라처럼 같이 소비할 때 더 큰 만족감을 얻을 수 있는 재화이다. 두 상품이 보완 관계에 있는 경우 한 재화의 가격 상승은 다른 재화의 수요 감소를 가져온다.

간단 체크

❶ 수요가 증가하면 수요 곡선은 어느 쪽으로 이동하는가?

❷ 수요가 감소하면 수요 곡선은 어느 쪽으로 이동하는가?

4. 공급 변동의 원인

생산 요소의 가격 변동	생산 요소의 가격이 상승하면 공급 감소로 이어지고, 생산 요소의 가격이 하락하면 공급 증가로 이어짐
생산 기술의 변화	기술이 발달하면 같은 비용으로 더 많은 상품을 생산할 수 있어 공급이 증가함
공급자의 수 변화	공급자들의 절대적인 수가 증가하면 공급이 증가하고, 감소하면 공급이 감소함
미래의 가격에 대한 예측	제품 가격이 오를 것이라고 예상되면 공급이 감소하고, 제품 가격이 내릴 것이라고 예상되면 공급이 증가함

용어 알기

• **생산 요소** 상품을 생산하는 과정에서 필요한 토지(원자재)나 노동, 자본 등을 말한다.

교과서 자료 공급 변동에 따른 공급 곡선의 이동

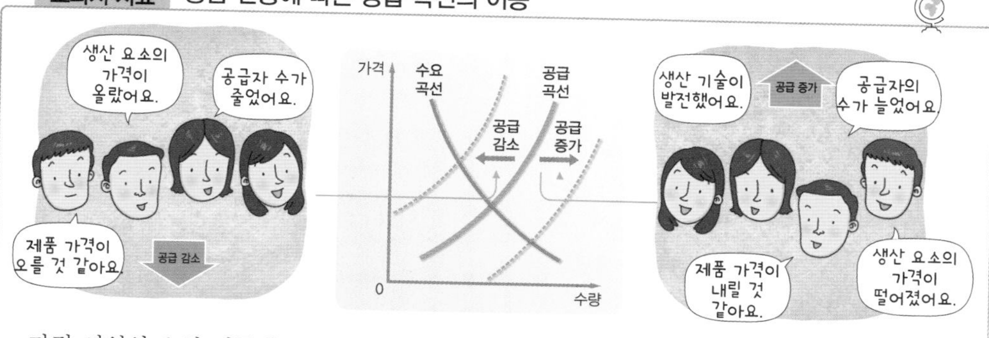

가격 이외의 요인 때문에 공급이 증가하거나 감소하는 것을 공급 변동이라고 하며, 공급의 변동은 공급 곡선 자체의 이동으로 나타난다.

간단 체크

❸ 공급이 증가하면 공급 곡선은 어느 쪽으로 이동하는가?

❹ 공급이 감소하면 공급 곡선은 어느 쪽으로 이동하는가?

B 시장 가격의 변동

1. 수요의 변동과 시장 가격❸ 집중 공략 077쪽

수요 증가	수요 곡선이 오른쪽으로 이동하여 균형 가격이 오르고, 거래량이 증가함
수요 감소	수요 곡선이 왼쪽으로 이동하여 균형 가격이 내리고, 거래량이 감소함

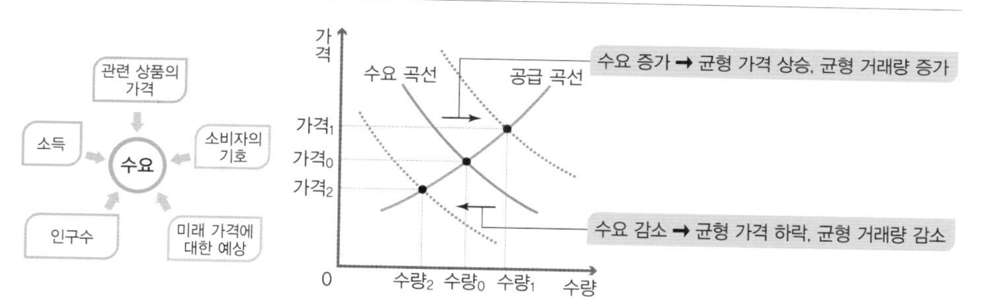

❸ 수요의 변동과 시장 가격

수요 증가	수요 감소
⇩	⇩
수요 곡선의 오른쪽 이동	수요 곡선의 왼쪽 이동
⇩	⇩
균형 가격 상승, 균형 거래량 증가	균형 가격 하락, 균형 거래량 감소

2. 공급의 변동과 시장 가격❹

공급 증가	공급 곡선이 오른쪽으로 이동하여 균형 가격이 내리고, 거래량이 증가함
공급 감소	공급 곡선이 왼쪽으로 이동하여 균형 가격이 오르고, 거래량이 감소함

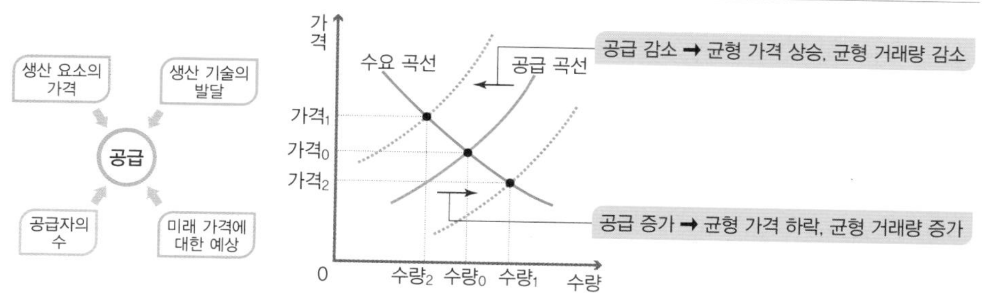

❹ 공급의 변동과 시장 가격

공급 증가	공급 감소
⇩	⇩
공급 곡선의 오른쪽 이동	공급 곡선의 왼쪽 이동
⇩	⇩
균형 가격 하락, 균형 거래량 증가	균형 가격 상승, 균형 거래량 감소

교과서 자료 수요와 공급의 변동이 시장 가격에 미치는 영향

- 상품의 공급이 변하지 않은 상황에서 수요가 증가하면, 수요 곡선이 오른쪽으로 이동하여 시장 가격이 오르고 거래량이 증가한다. 또한, 상품의 수요는 일정한데 공급이 감소하면, 공급 곡선이 왼쪽으로 이동하여 시장 가격이 오르고 거래량이 감소한다.
- 〈상황 1〉에서 컴퓨터 생산 기술의 발달은 공급을 증가시키는 요인이 된다. 컴퓨터 시장의 수요가 일정한 상황에서 공급이 늘어나면 컴퓨터의 가격은 하락한다.
- 〈상황 2〉에서 요구르트에 대한 소비자의 기호 증가는 수요를 증가시키는 요인이 된다. 요구르트 시장의 공급은 일정한 상황에서 수요가 늘어나면 요구르트의 가격은 상승한다.
- 〈상황 3〉에서 미래에 가격이 내릴 것이라고 예상하여 현재 수요를 하지 않았다. 이는 수요를 감소시키는 요인으로 작용하여 가격이 하락하는 데 영향을 준다.

간단 체크

❺ 〈상황 1~3〉 중 수요가 변동한 경우는 무엇이고, 각각의 경우에 수요 곡선은 어느 쪽으로 이동하였을까?

❻ 〈상황 1~3〉 중 공급이 변동한 경우는 무엇이고, 각각의 경우에 공급 곡선은 어느 쪽으로 이동하였을까?

개념 다지기

*밑줄 친 곳을 바르게 고쳐 쓰시오.

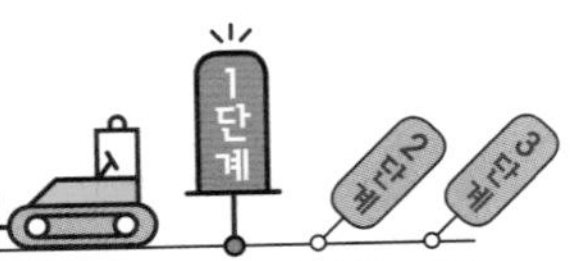

정답과 해설 19쪽

A 수요와 공급의 변동

01 어떤 상품의 선호도가 증가하면 그 상품의 공급이 증가한다.

02 삼겹살과 상추처럼 같이 소비할 때 더 큰 만족을 얻을 수 있는 재화를 대체재 관계에 있다고 한다.

03 콜라와 사이다처럼 비슷한 용도로 사용되어 서로 대체하여 사용할 수 있는 재화를 보완재라고 한다.

04 소득이 감소하면 수요가 감소하여 수요 곡선은 오른쪽으로 이동하게 된다.

05 어떤 상품의 생산비가 늘어나면 그 상품의 수요는 감소한다.

06 반도체 회사가 새로 생겨나 반도체 공급이 늘어나는 것은 수요가 증가하는 경우이다.

07 밀가루 가격이 하락하여 과자 공급이 증가하면 과자 시장의 수요 곡선이 오른쪽으로 이동한다.

B 시장 가격의 변동

08 수요가 증가하면 수요 곡선이 오른쪽으로 이동하여, 균형 가격이 상승하고 균형 거래량이 감소한다.

09 수요가 감소하면 수요 곡선이 왼쪽으로 이동하여, 균형 가격이 상승하고 균형 거래량이 감소한다.

10 공급이 증가하면 공급 곡선이 오른쪽으로 이동하여, 균형 가격이 하락하고 균형 거래량이 감소한다.

11 공급이 감소하면 공급 곡선이 왼쪽으로 이동하여, 균형 가격이 하락하고 균형 거래량이 감소한다.

집중 공략

균형 가격과 균형 거래량의 변동

정답과 해설 19쪽

집중해서 알아보기

수요나 공급의 변화가 생기면 균형 가격과 균형 거래량에 변동이 발생한다.
수요 · 공급이 증가하는 경우 그래프는 오른쪽으로 이동하며, 감소하는 경우 그래프는 왼쪽으로 이동한다.

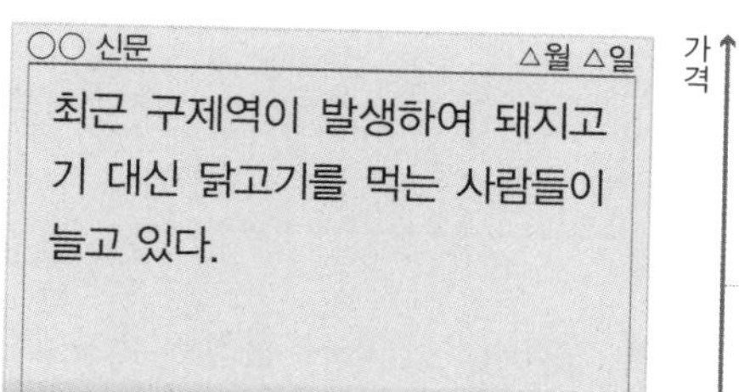
○○ 신문 △월 △일
최근 구제역이 발생하여 돼지고기 대신 닭고기를 먹는 사람들이 늘고 있다.

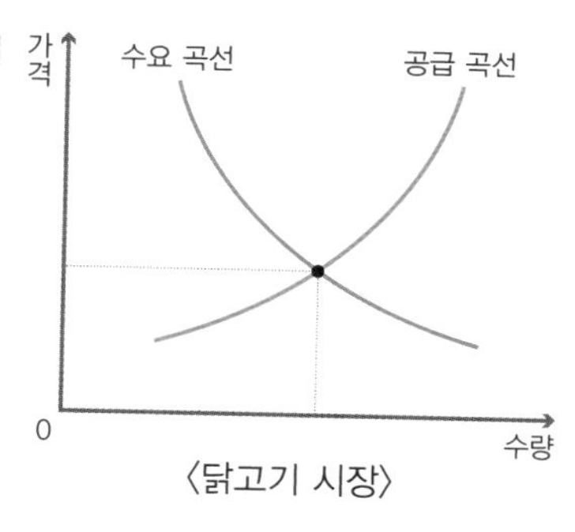

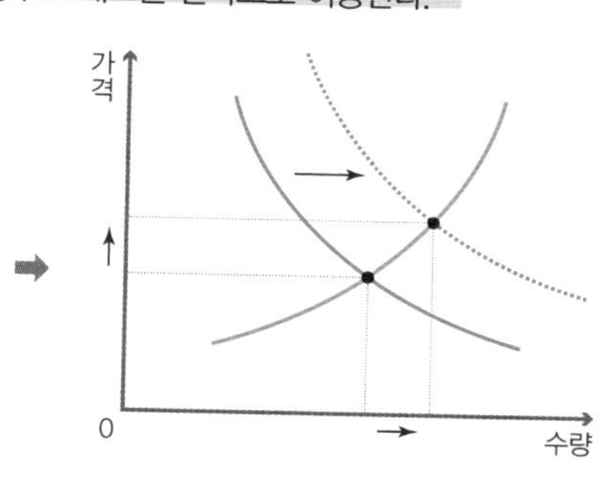

〈닭고기 시장〉

위 신문 기사는 돼지고기 대신 닭고기를 먹는 사람들이 늘어나 닭고기 수요가 늘어났음을 보여 준다. 이러한 상황이 지속되면 수요 곡선이 오른쪽으로 이동하여 닭고기의 시장 가격이 상승하고 거래량이 증가한다.

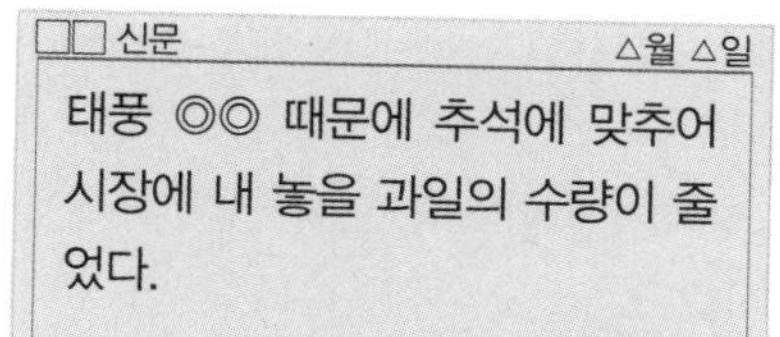
□□ 신문 △월 △일
태풍 ◎◎ 때문에 추석에 맞추어 시장에 내 놓을 과일의 수량이 줄었다.

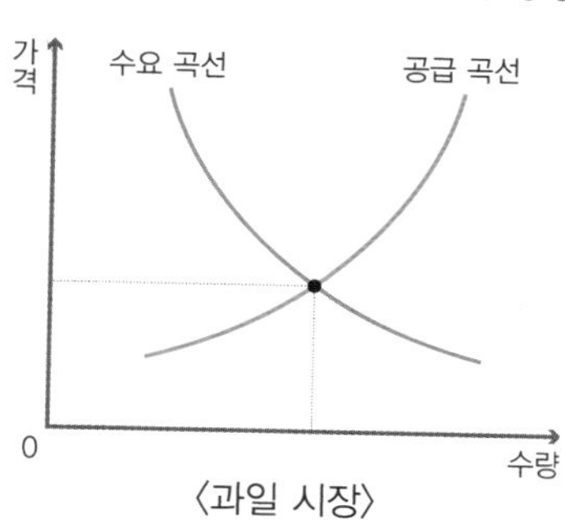

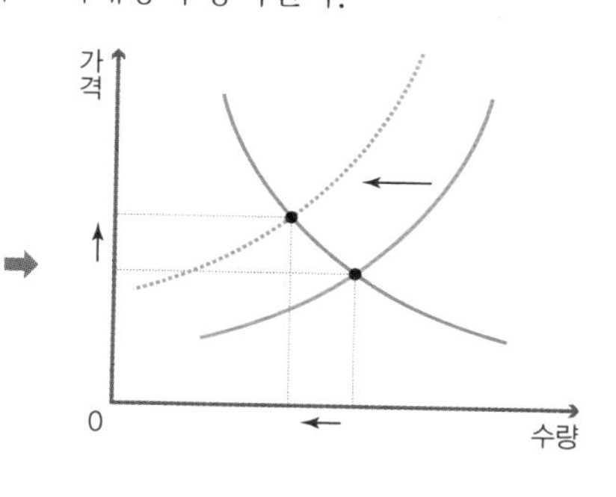

〈과일 시장〉

위 신문 기사는 태풍 때문에 명절에 맞추어 시장에 내 놓을 과일 공급이 줄었음을 보여 준다. 이러한 상황이 지속되면 공급 곡선이 왼쪽으로 이동하여 시장 가격이 상승하고 거래량이 감소한다.

문제로 공략하기

01 수요의 증가를 가져오는 요인을 쓰시오.

답 (   )

02 수요 변동에 따른 수요 곡선의 이동 방향을 설명하시오.

답 (   )

03 수요가 감소하는 경우 균형 가격과 균형 거래량의 변화를 설명하시오.

답 (   )

04 공급의 감소를 가져오는 요인을 쓰시오.

답 (   )

05 공급 변동에 따른 공급 곡선의 이동 방향을 설명하시오.

답 (   )

06 공급이 증가하는 경우 균형 가격과 균형 거래량의 변화를 설명하시오.

답 (   )

A 수요와 공급의 변동

필수

01 ㉠, ㉡에 들어갈 내용을 옳게 짝지은 것은?

> 얼마 전 TV에서 발효 식품이 면역력 강화에 도움을 준다는 내용이 보도된 후로 요구르트에 대한 선호도가 증가하여 (㉠)이/가 늘어나 (㉠) 곡선이 (㉡)으로 이동하였다.

	㉠	㉡
①	수요	왼쪽
②	공급	왼쪽
③	수요	오른쪽
④	공급	오른쪽
⑤	수요	아래쪽

02 그래프와 같이 변화하는 데 영향을 미친 요인은?

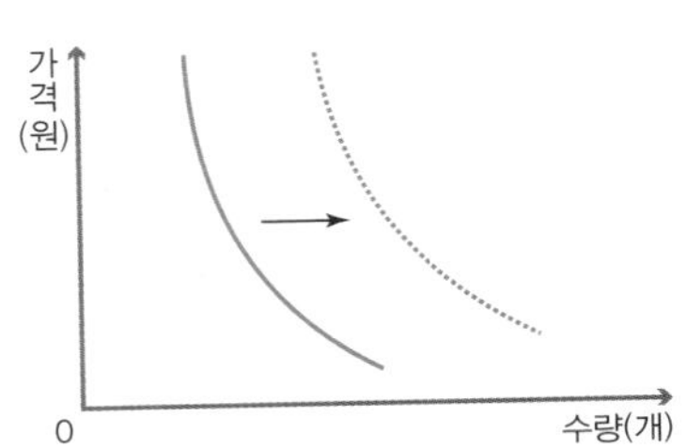

① 소비자의 기호 감소 ② 대체재의 가격 하락
③ 보완재의 가격 하락 ④ 해당 상품의 가격 하락
⑤ 생산 요소 비용의 하락

03 A, B 상품에 관한 옳은 설명을 <보기>에서 고른 것은?

> A 상품의 가격이 하락할 때, B 상품의 수요는 감소한다. (단, 다른 조건은 일정하다고 가정한다.)

보기
ㄱ. 대체재 관계인 재화이다.
ㄴ. 함께 소비할 때 더 큰 만족감을 얻을 수 있다.
ㄷ. 콜라와 사이다, 닭고기와 돼지고기를 사례로 들 수 있다.
ㄹ. 한 재화의 소비가 늘어나면 다른 쪽의 소비 역시 늘어난다.

① ㄱ, ㄴ ② ㄱ, ㄷ ③ ㄴ, ㄷ
④ ㄴ, ㄹ ⑤ ㄷ, ㄹ

고난도

04 그래프의 점 A에서 점 B로의 이동에 해당하는 사례로 적절한 것은?

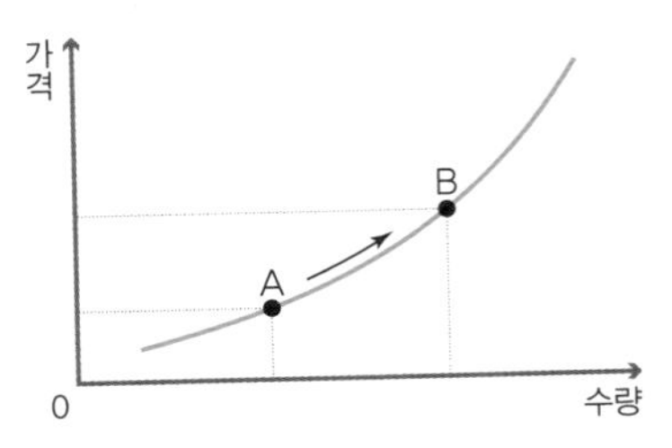

① 돼지고기의 가격이 상승하자 닭고기의 수요가 늘었다.
② 사과 가격이 하락하자 사과를 구입하는 손님이 증가하였다.
③ 밀가루 가격이 상승하자 제과 업체에서 과자 생산량을 줄였다.
④ 배추 가격이 상승하자 농가에서 배추를 시장에 더 많이 내놓았다.
⑤ 휴대 전화 가격이 하락하자 휴대 전화 회사에서 생산량을 감소시켰다.

05 연관재의 가격 변화에 따른 수요 변화를 정리한 표이다. ㉠~㉢에 들어갈 말을 옳게 짝지은 것은? (단, 피자와 햄버거는 대체재 관계이고, 피자와 콜라는 보완재 관계이다.)

구분	햄버거의 수요	콜라의 수요
피자의 가격 (㉠)	(㉡)	(㉢)

	㉠	㉡	㉢
①	상승	증가	감소
②	상승	감소	증가
③	상승	감소	감소
④	하락	증가	증가
⑤	하락	증가	감소

06 공급의 변화에 영향을 주는 요인에 해당하는 것은?

① 소득 수준 ② 소비자의 기호
③ 재화의 가격 ④ 보완재의 가격
⑤ 생산 요소의 가격

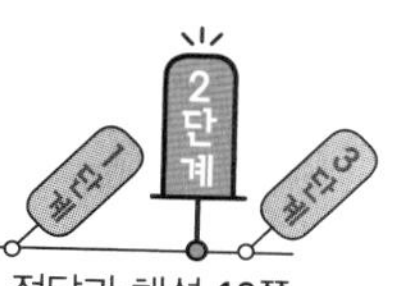

서술형

07 (가), (나)의 상황에서 수요 곡선과 공급 곡선의 이동을 제시어를 사용하여 서술하시오.

(가)

(나)

제시어: 수요, 감소, 공급, 증가, 왼쪽, 오른쪽

B 시장 가격의 변동

필수

08 다음 상황에서 나타날 에어컨 시장의 변화를 옳게 짝지은 것은?

- 에어컨에 사용되는 부품의 가격이 상승하였다.
- 날씨가 더워져서 에어컨을 사려는 사람들이 증가하였다.

	수요	공급	균형 가격
①	증가	증가	상승
②	증가	감소	하락
③	증가	감소	상승
④	감소	증가	상승
⑤	감소	감소	하락

09 어떤 재화나 서비스가 시장에서 가격이 하락하는 경우를 〈보기〉에서 고른 것은?

보기
ㄱ. 소득이 증가할 경우
ㄴ. 선호도가 감소할 경우
ㄷ. 새로운 기술이 개발될 경우
ㄹ. 원자재 가격 상승이 예상되는 경우

① ㄱ, ㄴ ② ㄱ, ㄷ ③ ㄴ, ㄷ
④ ㄴ, ㄹ ⑤ ㄷ, ㄹ

고난도

10 (가), (나)로 인해 휴대 전화 시장에서 나타날 수요, 공급의 변화 모습을 〈보기〉에서 고른 것은?

(가) 최신형 휴대 전화가 출시되어 기존 휴대 전화를 교체하는 소비자들이 늘어나고 있다.
(나) 휴대 전화의 주요 부품인 콜탄 가격이 상승하여 휴대 전화의 생산비가 상승하였다.

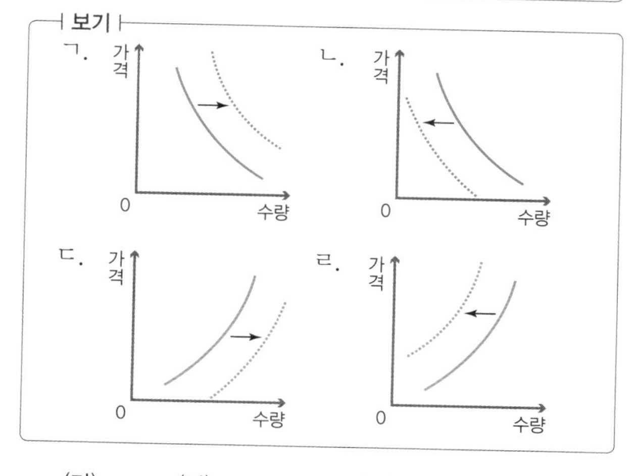

	(가)	(나)
①	ㄱ	ㄴ
②	ㄱ	ㄹ
③	ㄴ	ㄷ
④	ㄷ	ㄹ
⑤	ㄹ	ㄷ

서술형

11 다음 대화로 예측할 수 있는 김밥 시장의 변화를 제시어를 사용하여 서술하시오.

갑: 아침 식사용으로 샌드위치보다 김밥을 찾는 사람들이 늘어나고 있어요.
을: 그런데 김밥의 주재료인 시금치 가격이 폭등하였어요.

제시어: 공급, 수요, 균형 가격

대단원 완성하기

01 시장에 관한 설명으로 옳지 않은 것은?

① 시장을 통해 거래 비용을 줄일 수 있다.
② 수요와 공급에 관한 정보가 교환되는 곳이다.
③ 눈에 보이는 구체적인 장소가 있어야 형성된다.
④ 거래 상품의 종류에 따라 생산물 시장과 생산 요소 시장으로 구분된다.
⑤ 사람들이 필요한 물건을 찾아다니며 서로 교환하는 과정에서 발생하였다.

02 시장의 등장이 가져온 변화를 〈보기〉에서 고른 것은?

보기
ㄱ. 거래할 상대방을 일일이 찾아다니게 되었다.
ㄴ. 교환의 매개 수단인 화폐가 출현하게 되었다.
ㄷ. 분업을 촉진하고 사회 전체의 생산량이 늘어났다.
ㄹ. 필요한 물건을 스스로 만들어 사용하는 사람들이 늘어났다.

① ㄱ, ㄴ ② ㄱ, ㄷ ③ ㄴ, ㄷ
④ ㄴ, ㄹ ⑤ ㄷ, ㄹ

03 밑줄 친 ㉠, ㉡에 해당하는 '시장'을 옳게 짝지은 것은?

우리는 흔히 시장이라고 하면 ㉠ 특정한 형태와 장소를 가지는 시장을 떠올리지만, ㉡ 특정한 형태와 장소가 없이 거래가 이루어지는 시장도 있다.

	㉠	㉡
①	전통 시장	대형 마트
②	외환 시장	증권 시장
③	농수산물 시장	증권 시장
④	금융 시장	전자 상거래
⑤	곡물 시장	의류 시장

04 밑줄 친 ㉠에 관한 설명으로 옳은 것은?

명절이 다가와서 오늘은 아침부터 어머니와 함께 재래시장에 들러 각종 과일과 몸에 좋은 약재를 구입하였다. 집에 오니 이틀 전에 ㉠인터넷 쇼핑몰에서 구매한 신발이 배송되어 있었다. 요즘은 택배 회사 간 경쟁이 치열해서 배송이 매우 빨라져 편리하다.

① 오늘날에는 그 비중이 점차 감소하고 있다.
② 눈에 보이는 일정한 장소를 차지하는 시장이다.
③ 재래시장, 대형 마트처럼 구체적 시장으로 구분된다.
④ 거래 상대방이나 거래 장소가 구체적으로 드러나는 시장이다.
⑤ 전자 통신 매체를 이용하여 거래가 이루어지는 전자 상거래 시장이다.

05 (가), (나) 시장에 관한 옳은 설명을 〈보기〉에서 고른 것은?

(가)

(나)

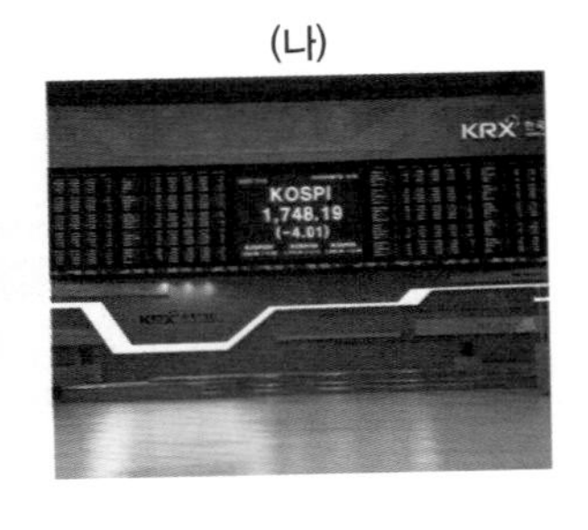

보기
ㄱ. (가)는 거래의 모습이 확실히 드러나지 않는다.
ㄴ. (가)는 재화와 서비스가 거래되는 생산물 시장이다.
ㄷ. (나)는 거래 장소와 상품이 눈에 보이는 시장이다.
ㄹ. (나)에서는 생산 과정에 필요한 요소가 거래된다.

① ㄱ, ㄴ ② ㄱ, ㄷ ③ ㄴ, ㄷ
④ ㄴ, ㄹ ⑤ ㄷ, ㄹ

06 수요와 공급에 관한 설명으로 옳지 않은 것은?

① 수요는 어떤 상품을 사고자 하는 욕구이다.
② 공급은 어떤 상품을 팔고자 하는 욕구이다.
③ 어떤 상품의 가격이 내리면 그 상품에 대한 수요량은 줄어들고, 공급량은 늘어난다.
④ 공급량이 수요량보다 많으면 공급자 사이에 경쟁이 심해져 가격이 내리게 된다.
⑤ 수요량이 공급량보다 많으면 수요자 사이에 경쟁이 심해져 가격이 오르게 된다.

07 다음 글을 그림으로 바르게 나타낸 것은?

어떤 상품의 가격이 오르면 그 상품의 공급량은 증가하고, 가격이 내리면 공급량은 감소한다.

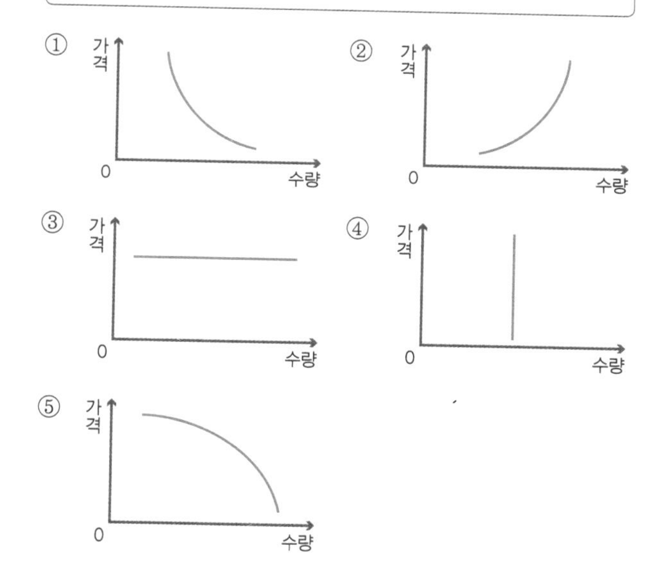

08 수요 · 공급 법칙에 관한 옳은 설명을 〈보기〉에서 고른 것은?

보기
ㄱ. 가격과 수요량은 양(+)의 관계이다.
ㄴ. 가격이 상승하면 수요량은 감소한다.
ㄷ. 균형 가격보다 가격이 낮으면 초과 공급이 발생한다.
ㄹ. 균형 가격보다 가격이 낮으면 수요자 간 경쟁이 나타난다.

① ㄱ, ㄴ ② ㄱ, ㄷ ③ ㄴ, ㄷ
④ ㄴ, ㄹ ⑤ ㄷ, ㄹ

09 아이스크림의 수요량과 공급량을 나타낸 다음 표에 관한 설명으로 옳은 것은?

가격(원)	1,000	1,200	1,400	1,600	1,800
수요량(개)	160	130	110	70	50
공급량(개)	90	130	150	170	220

① 가격이 1,000원일 때 초과 공급이 나타난다.
② 가격이 1,400원일 때 초과 수요가 나타난다.
③ 시장에서의 가격은 1,200원, 거래량은 130개이다.
④ 가격이 1,600원일 경우 수요자 간 경쟁이 나타난다.
⑤ 아이스크림의 수요량은 수요 법칙을 따르지 않고 있다.

10 수요와 공급에 관한 옳은 설명을 〈보기〉에서 고른 것은?

보기
ㄱ. 상품에 대한 판매 욕구를 수요라고 한다.
ㄴ. 가격의 변화에 따라 수요량과 공급량이 변동한다.
ㄷ. 수요량과 공급량이 일치하는 지점에서 균형 가격이 결정된다.
ㄹ. 수요 곡선은 우상향하는 형태이고, 공급 곡선은 우하향하는 형태이다.

① ㄱ, ㄴ ② ㄱ, ㄷ ③ ㄴ, ㄷ
④ ㄴ, ㄹ ⑤ ㄷ, ㄹ

11 튀김 시장의 수요 곡선과 공급 곡선이다. 튀김의 가격이 6,000원일 때 나타나는 현상으로 옳은 것은?

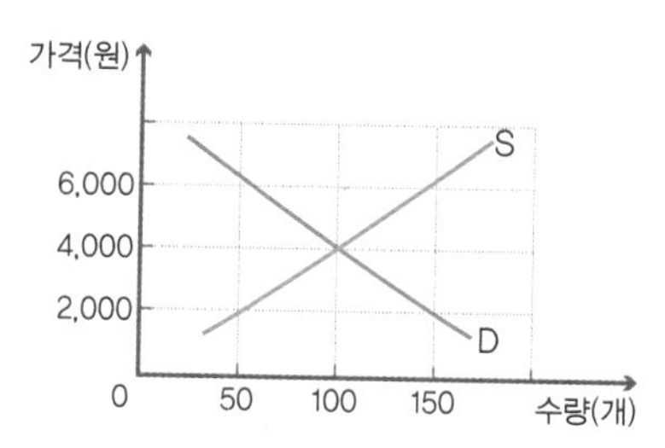

① 튀김의 가격이 상승할 것이다.
② 튀김의 공급량이 수요량보다 100개 더 많다.
③ 수요량이 공급량보다 많은 불균형 상태이다.
④ 튀김을 먼저 구매하기 위한 경쟁이 치열해진다.
⑤ 균형 가격일 때의 공급량과 비교하여 100개 더 많다.

12 다음 그래프의 ㉠, ㉡에 관한 설명으로 옳지 않은 것은?

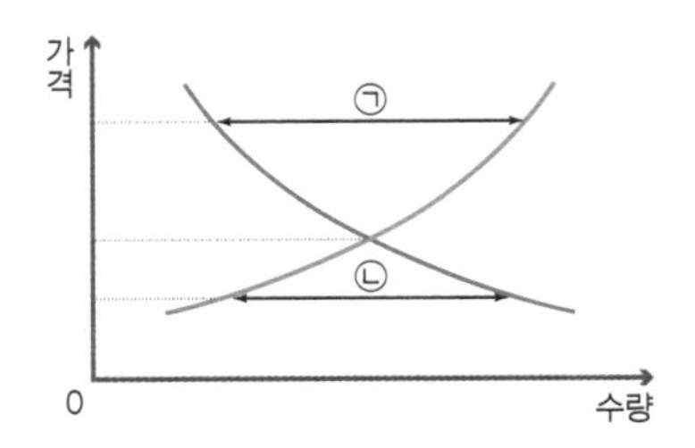

① ㉠은 초과 공급을 나타낸다.
② ㉠에서는 상품을 판매하고자 하는 사람들 간에 경쟁이 나타난다.
③ ㉡에서는 수요량이 공급량보다 많아 가격이 상승한다.
④ ㉡에서는 원하는 만큼의 상품을 살 수 없는 수요자가 발생한다.
⑤ ㉠에서는 수요자 간에, ㉡에서는 공급자 간에 경쟁이 발생한다.

13 아이스크림의 수요 · 공급을 나타낸 그래프이다. 이에 관한 옳은 설명을 〈보기〉에서 고른 것은?

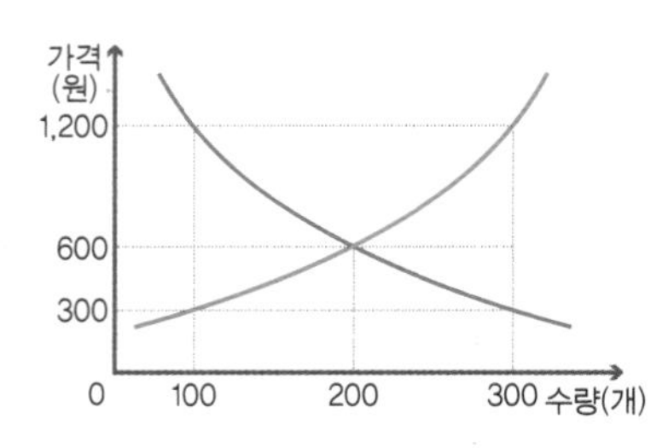

보기
ㄱ. 시장 가격은 600원에서 결정된다.
ㄴ. 균형 거래량은 수요량과 공급량을 더한 400개가 된다.
ㄷ. 가격이 300원일 때에는 수요자 간 경쟁이 나타나 가격이 오르게 된다.
ㄹ. 가격이 600원에서 1,200원으로 오르면, 공급량은 200개 더 늘어난다.

① ㄱ, ㄴ ② ㄱ, ㄷ ③ ㄴ, ㄷ
④ ㄴ, ㄹ ⑤ ㄷ, ㄹ

14 (가), (나)에 관한 옳은 설명을 〈보기〉에서 고른 것은?

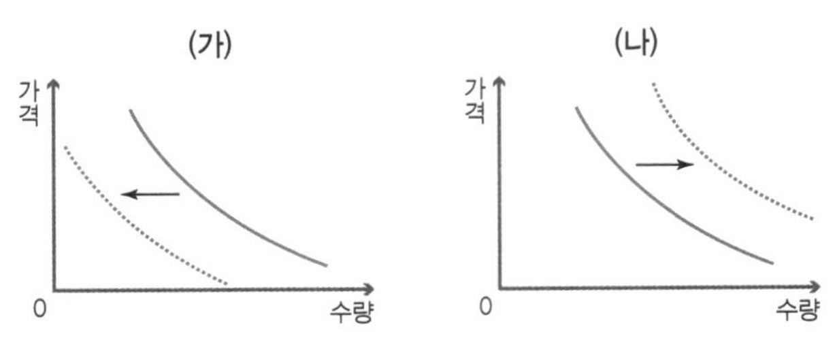

보기
ㄱ. 대체재의 가격이 하락하면 (가)와 같이 이동한다.
ㄴ. 미래에 상품 가격이 상승할 것이라고 예상되면 (나)와 같이 이동한다.
ㄷ. (가)는 생산 요소의 가격이 오를 때 나타난다.
ㄹ. (가)는 상품의 가격 상승, (나)는 상품의 가격 하락에 따른 이동이다.

① ㄱ, ㄴ ② ㄱ, ㄷ ③ ㄴ, ㄷ
④ ㄴ, ㄹ ⑤ ㄷ, ㄹ

15 다음과 같은 변화를 가져오는 요인으로 적절한 것은?

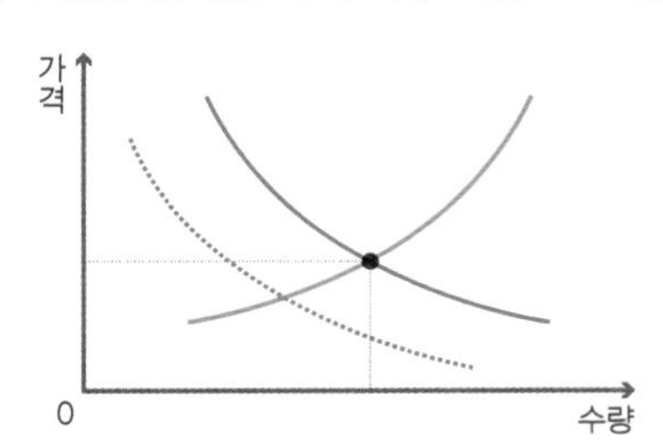

① 인건비 상승 ② 보완재 가격 상승
③ 생산 기술의 향상 ④ 소비자 소득 증가
⑤ 공급자의 수 증가

16 피자의 공급이 증가하는 요인에 해당하는 것을 〈보기〉에서 고른 것은?

보기
ㄱ. 피자 가격이 반값으로 할인되었다.
ㄴ. 피자를 만드는 밀가루의 가격이 하락하였다.
ㄷ. 피자를 빨리 구울 수 있는 기계가 발명되었다.
ㄹ. 간편하게 먹을 수 있어 피자를 먹는 중장년층 고객이 많이 늘어났다.

① ㄱ, ㄴ ② ㄱ, ㄷ ③ ㄴ, ㄷ
④ ㄴ, ㄹ ⑤ ㄷ, ㄹ

정답과 해설 21쪽

17 다음 기사에 나타난 캠핑용 텐트 시장의 변화에 관한 분석으로 옳은 것은?

> ○○신문 ○○○○년 ○월 ○일
> **칼 럼**
> 겨울철 한파가 지속하면서 캠핑을 즐기려는 인구가 줄어든 가운데 텐트에 들어가는 원단값이 내려가 텐트 공급에 변화가 생겼다. 이러한 경향은 앞으로 계속될 것으로 보인다.

① 캠핑용 텐트에 대한 수요가 증가할 것이다.
② 캠핑용 텐트에 대한 공급이 감소할 것이다.
③ 캠핑용 텐트에 대한 소비자들의 기호가 증가하였다.
④ 캠핑용 텐트의 가격은 당분간 하락할 것으로 보인다.
⑤ 캠핑용 텐트의 수요 곡선은 공급 곡선과 달리 오른쪽으로 이동할 것이다.

18 떡볶이 시장에서의 수요 · 공급 곡선의 변화를 나타낸 그래프이다. 이러한 변화 요인을 옳게 짝지은 것은? (단, 떡볶이와 김밥은 대체재, 떡볶이와 어묵은 보완재 관계이다.)

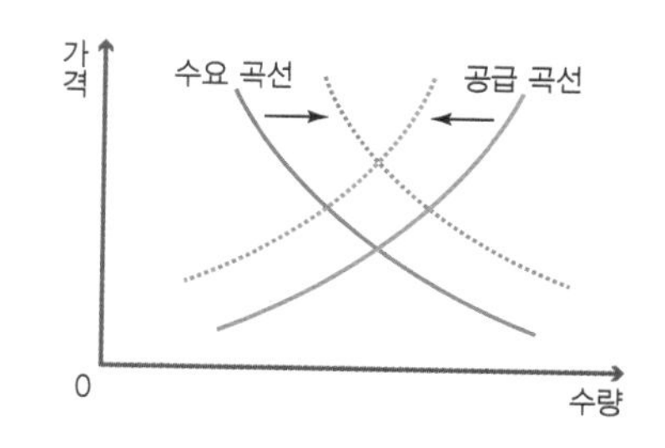

	수요	공급
①	학생들의 용돈 감소	떡볶이 공급자 수 증가
②	어묵 가격 하락	김밥 가격 하락
③	김밥 가격 상승	밀가루 가격 상승
④	떡볶이 선호도 상승	어묵 가격 하락
⑤	어묵 가격 상승	밀가루 가격 하락

서술형 문제

19 다음 사례에서 김◎◎ 씨가 거래하는 시장을 쓰고, 그 시장이 어떤 유형에 속하는지 거래 형태와 거래 상품의 종류를 기준으로 서술하시오.

> 경기가 좋아질 거라는 예상 아래 각 기업의 채용 규모가 늘어난다는 뉴스를 보고, 대학교 4학년인 김◎◎ 씨는 이번 주말에 채용 박람회에 가볼 예정이다.

20 공책의 수요량과 공급량을 나타낸 표이다. 거래가 성립하는 2,000원과 80개의 수량을 무엇이라 하는지 쓰고, 이 지점이 가장 효율적인 상태인 까닭을 서술하시오.

가격(원)	1,000	1,500	2,000	2,500	3,000
수요량(개)	100	90	80	70	60
공급량(개)	60	70	80	90	100

21 밑줄 친 상황이 휴대 전화 시장에 미칠 영향으로 인한 수요 곡선 또는 공급 곡선의 이동 방향을 쓰고, 그에 따른 균형 가격, 균형 거래량의 변동을 서술하시오.

> 휴대 전화는 이제 어른이나 아이 할 것 없이 누구에게나 필요한 생활필수품이 되었다. 그런데 최근 들어 <u>휴대 전화의 주요 부품인 콜탄의 국제 가격이 계속 상승하고 있는 추세이다.</u>

V

국민 경제와 국제 거래

배울 내용이 쉬워지는 용어

배울 용어를 읽어 보고, 이해가 되었으면 ✔ 표시를 해 봅시다.

☐ **국내 총생산**	일정 기간 한 나라 안에서 새롭게 생산한 모든 최종 생산물의 가치를 합한 것이야.
☐ **경제 성장**	국내 총생산이 증가하여 나라의 생산 능력과 경제 규모가 커진 것을 의미해.
☐ **물가**	여러 상품의 가격을 종합하여 평균한 것이야.
☐ **인플레이션**	물가가 지속적으로 오르는 현상이야.
☐ **실업**	일자리가 없어서 일을 못하는 상태를 말해.
☐ **국제 거래**	생산물이나 생산 요소가 국경을 넘어 거래되는 것이야.
☐ **환율**	두 나라 사이의 화폐 교환 비율을 말해.

국내 총생산 / 경제 성장 / 물가 / 인플레이션 / 실업 / 환율

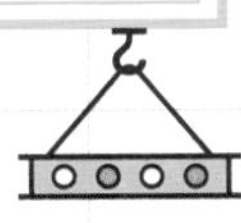

Ⅴ. 국민 경제와 국제 거래

국내 총생산과 경제 성장

물음으로 흐름잡기

1. 국내 총생산은 무엇일까? 2. 경제 성장은 무엇을 의미할까?

A 국내 총생산 집중 공략 089쪽

1. 국내 총생산의 의미

① 국내 총생산(GDP): 한 국가의 국경 안에서 일정 기간 새롭게 생산된 재화와 서비스들의 최종 시장 가치의 합 → 한 나라의 경제 규모와 국민 전체의 소득을 보여 주는 국민 경제 지표임

(국적과 관계없이 한 나라 안에서 생산된 것이 기준이야.)

한 국가의 국경 안에서	생산자의 국적에 관계없이 한 나라 안에서 생산한 것만 포함
일정 기간	보통 1년을 기준으로 함
새롭게 생산된	그해에 새로 생산한 것만 포함하며, 이전에 생산된 중고품은 제외함
재화와 서비스의 최종	중간 생산물의 가치는 포함하지 않고 최종 생산물의 가치만 포함
시장 가치의 합	시장에서 거래되는 최종 생산물의 가치의 합으로, 시장에서 거래되지 않는 것을 포함하지 않음

② 1인당 국내 총생산❶: 국내 총생산을 그 나라의 인구수로 나눈 것 → 한 나라 국민의 평균적인 소득 수준을 보여 주는 지표임

(1인당 국내 총생산이 많은 나라의 국민은 대체로 생활 수준이 높아.)

2. 국내 총생산의 계산❷ 집중 공략 088쪽

① 각 생산 단계에서 창출된 부가 가치를 모두 합하거나 최종 생산물의 시장 가치를 모두 합함

② 국내 총생산(GDP) = 최종 생산물의 시장 가치의 합계 = 총생산물의 가치 − 중간 생산물의 가치 = 각 생산 단계의 부가 가치의 합계

(부가 가치: 한 상품이 완성되는 과정에서 발생하는 여러 단계 중 한 단계에서 다음 단계로 넘어갈 때 새롭게 덧붙여진 가치를 말해.)

3. 국내 총생산의 한계

① 시장에서 거래되지 않는 것들은 포함되지 않음 예 주부의 가사 노동, 봉사 활동, 지하 경제 → 한 나라의 경제 활동 규모를 정확히 반영하지 못함

② 삶의 질을 측정하지 못함

③ 소득 불평등, 빈부 격차에 대한 정확한 정보를 주지 못함

용어 알기

- **국민 경제 지표** 국민 소득, 경제 성장률, 물가 상승률, 실업률 등 한 나라의 국민 경제 활동을 수치로 나타낸 것
- **삶의 질** 사람들이 정신적, 신체적, 경제적, 사회적 상태에서 느끼는 행복한 정도

❶ 국내 총생산과 1인당 국내 총생산

국내 총생산은 한 나라의 경제 규모를 보여 주는 경제 지표로, 국내 총생산이 커도 인구가 많다면 1인당 국내 총생산은 낮다. 한 나라 국민의 평균적인 소득 수준을 파악하기 위해서는 1인당 국내 총생산을 알아야 한다.

❷ 국내 총생산의 계산 방법

- 나무 가격 2,000원
- 목재 가격 5,000원
- 의자 가격 10,000원

- 최종 생산물의 가치의 합: 의자 가격 10,000원
- 각 생산 단계의 부가 가치의 합: 10,000원[나무 생산 단계의 부가 가치 2,000원+목재 생산 단계의 부가 가치 3,000원(5,000원−2,000원)+의자 생산 단계의 부가 가치 5,000원(10,000원−5,000원)]

교과서 자료 국내 총생산에 포함될까?

❶ 우리나라 축구팀에 소속된 외국인 선수가 받는 연봉

❷ 아버지가 가족을 위해 텃밭에서 직접 재배한 상추의 가치

❸ 우리나라의 제과점이 빵을 만들기 위해 사용한 밀가루의 가치

❹ 외국 기업이 우리나라에 세운 공장에서 생산된 자동차의 매출액

- ❶~❹를 국내 총생산에 포함되는 것과 포함되지 않는 것으로 구분할 수 있다.
- 국내 총생산은 한 나라 안에서 생산된 것만 포함하며, 시장에서 거래되지 않은 것을 포함하지 않는다.

간단 체크

❶ ❶~❹ 중에서 국내 총생산에 포함되는 것은?

❷ ❷를 통해 알 수 있는 국내 총생산의 한계는?

B 경제 성장과 삶의 질

1. 경제 성장 (국내 총생산이 커지는 현상을 의미해.)

① **의미**: 국민 경제의 생산 능력과 경제 규모가 커지는 것이며, 경제 성장률로 측정함 (경제 성장률이 양(+)의 값이면 경제가 성장한 것이야.)

② **경제 성장의 요인**: 자원, 생산 기술, 기업가 정신, 정부 정책 등

2. 경제 성장의 영향

① **소득의 증가**: 경제 생산력이 향상하여 소득 증가 → 풍요로운 생활

② **삶의 질 향상**: 질 높은 교육과 의료 혜택, 다양한 문화 생활 등이 가능하여 삶의 질이 향상하나, 빈부 격차 등의 부작용이 발생하기도 함

3. 우리나라의 경제 성장 1960년대 경제 개발 계획을 바탕으로 비약적인 경제 성장을 이룸 → 한강의 기적

⚠ 용어 알기

- **경제 성장률** 한 나라의 경제가 일정 기간에 얼마나 성장했는가를 나타내는 지표
- **한강의 기적** 1960년대 이후 대한민국의 급격한 성장을, 서울 중심부를 흐르는 한강을 통해 상징적으로 일컫는 말이다.

교과서 자료 우리나라의 경제 성장

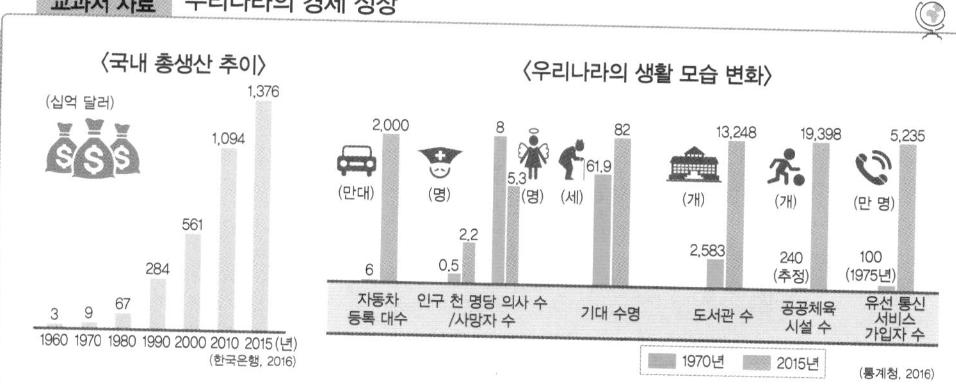

- 국내 총생산은 한 나라의 생산 능력을 나타내므로, 국내 총생산이 커지는 것은 삶의 질이 향상될 수 있는 기반이 된다.
- 우리나라에서는 국내 총생산 규모가 커지면서 기대 수명이 증가하고 의료 서비스가 향상되었으며, 문화 시설이 확대되었다.

✔ 간단 체크

❸ 한 나라의 국내 총생산 규모가 커지는 것은 경제가 (　　　　)하였음을 의미한다.

❹ 우리나라는 1970년에 비해 2015년에 사람들이 느끼는 행복한 정도인 (　　　　)이/가 높아졌다.

개념 다지기

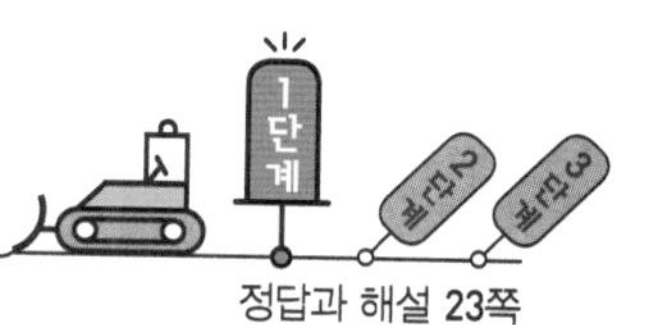

*밑줄 친 곳을 바르게 고쳐 쓰시오.

정답과 해설 23쪽

A 국내 총생산

01 한 국가의 국경 안에서 일정 기간 동안 새롭게 생산된 재화와 서비스들의 최종 시장 가치의 합을 1인당 국내 총생산이라고 한다.

02 한 나라 국민의 평균적인 소득 수준을 파악하는 데는 국내 총생산이 유용하다.

03 국내 총생산은 중간 생산물의 시장 가치를 모두 합하여 계산한다.

04 국내 총생산은 소득 불평등이나 빈부 격차에 대한 정확한 정보를 줄 수 있다는 한계를 가진다.

B 경제 성장과 삶의 질

05 경제 성장이란 경제 생산 능력이 감소하여 경제 규모가 커지는 것을 의미한다.

06 경제 성장은 보통 환율로 측정한다.

07 경제 성장은 인구수 증가를 동반하여 생활이 풍요로워진다.

08 경제 성장의 혜택이 적절하게 분배되지 않으면 환경 오염과 계층 간 갈등이 나타날 수 있다.

09 우리나라는 1980년대 경제 개발 계획을 기점으로 비약적인 경제 성장을 이루었다.

A. 국내 총생산의 의미와 계산

정답과 해설 23쪽

집중해서 알아보기

국내 총생산은 일정 기간 한 나라 안에서 생산한 최종 생산물의 시장 가치의 합이다.
국내 총생산은 최종 생산물의 가치를 모두 합하거나 새로 창출된 부가 가치를 모두 합하여 계산한다.

• 국내 총생산의 의미

일정 기간 동안	한 나라 안에서	새롭게 생산된	최종 생산물의 가치를	시장 가격으로 환산
보통 1년 동안 생산된 것만 포함함	생산자의 국적과 관계없이 그 나라 국경 안에서 생산된 것만 포함함	그해에 새롭게 생산된 것만 포함하며, 그 전에 생산된 중고품은 제외함	생산 과정에서 사용된 중간재는 제외함	시장에서 거래되지 않은 것을 포함하지 않음

• 국내 총생산의 계산

다음은 ☆☆국에서 1년 동안 생산한 것이다. (이 외의 생산물은 없다)

+9만 원

문제로 공략하기

01 국내 총생산의 의미를 쓰시오.

답 (   )

02 국내 총생산에 포함되는 것은?

① 육아 휴직한 아버지의 육아 활동
② 직접 길러 직접 소비한 텃밭 채소
③ 한국에서 교사로 일하는 중국인의 강의
④ 의자를 제작하는 과정에서 사용한 목재
⑤ 정기적으로 참여하는 지역 사회 봉사 활동

답 (   )

03 ☆☆국의 국내 총생산을 쓰시오.

답 (   )만 원

04 ☆☆국의 국내 총생산을 각 생산 단계의 부가 가치의 합계로 계산하시오.

밀 (   )만 원 + 밀가루 (   )만 원
+ 빵 (   )만 원 = (   )만 원

답 (   )만 원

05 ☆☆국의 국내 총생산을 총생산물의 가치에서 중간 생산물의 가치를 뺀 값으로 계산하시오.

총 생산물: 밀 + 밀가루 + 빵 = (   )만 원
중간 생산물: 밀 + 밀가루 = (   )만 원

(   )만 원 – (   )만 원
= (   )만 원

답 (   )만 원

B. 국내 총생산과 1인당 국내 총생산

정답과 해설 23쪽

집중해서 알아보기

국내 총생산을 그 나라의 인구수로 나눈 것은 1인당 국내 총생산이다.
국내 총생산은 한 나라의 경제 규모를, 1인당 국내 총생산은 그 나라 국민의 생활 수준을 나타낸다.

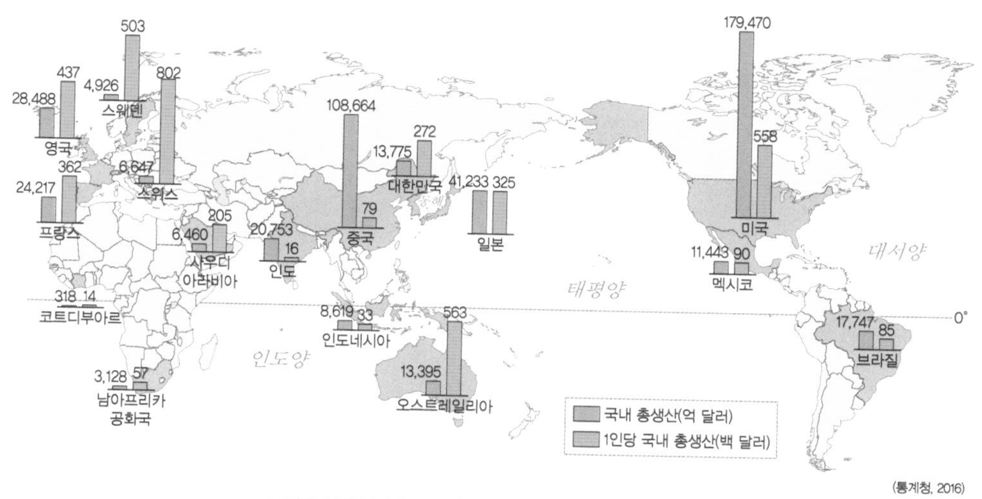

▲ 세계 여러 나라의 국내 총생산과 1인당 국내 총생산(2015년)

문제로 공략하기

01 위 그림을 보고 국내 총생산이 많은 나라를 순서대로 세 나라 쓰시오.

답 (　　　　　　　　　　　　)

02 위 그림을 보고 1인당 국내 총생산이 많은 나라를 순서대로 세 나라 쓰시오.

답 (　　　　　　　　　　　　)

03 위 그림을 보면 경제 규모가 가장 큰 나라는 (　　　　)이고, 국민 개개인의 생활 수준이 가장 높은 나라는 (　　　　)이다.

04 1인당 국내 총생산은 국내 총생산을 그 나라의 (　　　　)(으)로 나눈 것이다.

05 위 그림을 보고 알맞은 말을 쓰거나 고르시오.

(1) 스위스는 사우디아라비아와 (　　　　)은/는 비슷하나 (　　　　)은/는 훨씬 많다. 따라서 국민의 평균적인 소득 수준은 (　　　　) 이/가 더 높다.

(2) 우리나라는 중국보다 경제 규모는 (작고 / 크고) 국민들의 평균적인 소득 수준은 더 (낮다 / 높다).

06 옳은 진술에 ○표, 옳지 않은 진술에 ×표하시오.

(1) 국내 총생산이 크다는 것은 그 나라의 경제 규모가 크다는 것이다. (　　　)

(2) 국내 총생산이 크면 그 나라 국민의 평균 소득 수준이 높다. (　　　)

A 국내 총생산

01 밑줄 친 '이것'을 무엇이라고 하는가?

> 이것은 일정 기간 동안 한 나라 안에서 생산한 최종 생산물의 시장 가치를 모두 합한 것이다.

① 국민 경제 ② 국가 경제
③ 경제 성장률 ④ 국내 총생산
⑤ 1인당 국내 총생산

02 ㉠과 ㉡에 들어갈 금액을 옳게 짝지은 것은?

농부가 밀을 생산하여 제분업자에게 1만 원에 팔았다.	→	제분업자가 밀로 밀가루를 만들어 제빵업자에게 3만 원에 팔았다.	→	제빵업자가 밀가루로 7만 원어치 빵을 만들어 판매하였다.
부가 가치 1만 원		부가 가치 (㉠)		부가 가치 (㉡)

	㉠	㉡
①	1만 원	3만 원
②	2만 원	4만 원
③	2만 원	5만 원
④	3만 원	3만 원
⑤	4만 원	11만 원

03 다음 글의 ㉠에 들어갈 내용으로 가장 적절한 것은?

> 국내 총생산(GDP)을 계산하는 방법의 하나는 각 생산 단계의 (㉠)을/를 합하는 것이다.

① 재료값 ② 외화 가치
③ 최종 가치 ④ 부가 가치
⑤ 생산자 소득

고난도
04 국내 총생산에 포함되는 것은?

① 중고 스마트폰
② 해외 공장에서 생산한 청바지
③ 빵을 만드는 데 사용한 밀가루
④ 가정주부가 가족을 위해 차린 저녁 식사
⑤ 미국 팝가수가 우리나라 공연에서 얻은 수입

필수
05 (가), (나)는 국내 총생산에 포함되지 않는다. 그 이유를 옳게 짝지은 것은?

> (가) 저는 매주 토요일마다 봉사 활동으로 어르신들께 무료로 이발을 해드립니다.
> (나) 저는 작년에 출시된 중고 자전거를 샀습니다.

	(가)	(나)
①	중간 생산물이므로	나라 밖에서 생산된 것이므로
②	새롭게 생산된 것이 아니므로	중간 생산물이므로
③	새롭게 생산된 것이 아니므로	시장에서 거래되지 않았으므로
④	시장에서 거래되지 않았으므로	중간 생산물이므로
⑤	시장에서 거래되지 않았으므로	새롭게 생산된 것이 아니므로

06 다음과 같은 경제 지표를 통해 알 수 있는 것은?

> 국내 총생산을 그 나라의 인구수로 나눈 것

① 한 나라 국민의 경제 규모
② 한 나라 국민의 빈부 격차
③ 한 나라 국민의 소득 분배 정도
④ 한 나라 국민의 교육비 지출 정도
⑤ 한 나라 국민의 평균적인 생활 수준

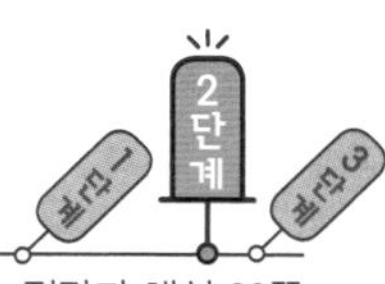

정답과 해설 23쪽

필수

07 여러 나라의 국내 총생산을 나타낸 표이다. 이를 해석한 내용으로 옳은 것은?

국가	미국	중국	일본	독일	대한민국
국내 총생산	20조 4,128억	14조 925억	5조 1,670억	4조 2,116억	1조 6,932억

(2018년 기준, 단위: 달러)

① 중국의 경제 규모는 우리나라보다 크다.
② 독일의 삶의 수준은 일본보다 조금 더 낮다.
③ 우리나라 국민의 평균 소득은 중국보다 낮다.
④ 독일의 빈부 격차는 우리나라보다 큰 편이다.
⑤ 미국 국민의 삶의 질은 일본보다 약 4배 정도 더 높다.

08 국내 총생산의 한계를 〈보기〉에서 고른 것은?

보기
ㄱ. 국민의 삶의 질 수준을 알기 어렵다.
ㄴ. 시장에서 거래되지 않은 것을 포함하지 않는다.
ㄷ. 불법 거래를 통해 벌어들인 소득까지 포함한다.
ㄹ. 환경 오염에 대한 처리 비용을 포함하지 않는다.

① ㄱ, ㄴ ② ㄱ, ㄷ ③ ㄴ, ㄷ
④ ㄴ, ㄹ ⑤ ㄷ, ㄹ

서술형

09 국내 총생산이 갖는 한계를 제시어를 사용하여 서술하시오.

제시어: 총량, 두 나라, 소득 분배, 생활 수준

B 경제 성장과 삶의 질

10 경제 성장의 긍정적인 영향에 해당하지 않는 것은?

① 일자리 증가 ② 질 높은 교육
③ 풍요로운 생활 ④ 환경 오염의 심화
⑤ 더 나은 의료 혜택

11 다음 대화의 빈칸에 들어갈 말로 적절하지 않은 것은?

갑: 경제가 성장하면 국민의 삶의 질이 높아져.
을: 반드시 그렇지는 않아. 왜냐하면 ______________ 때문이야.

① 경제 활동이 급격히 증가하면 자원이 고갈되기
② 경제 성장 과정에서 환경 오염의 문제가 나타나기
③ 경제가 성장하면 국민 경제의 생산 능력이 향상되기
④ 경제 활동 시간이 늘어남에 따라 여가가 부족해져 삶의 질이 떨어지기
⑤ 경제 성장의 혜택이 적절하게 분배되지 않으면 빈부 격차가 나타나기

고난도

12 어느 국가의 경제 성장률 추이를 나타낸 그래프이다. 이에 관한 해석으로 옳은 것은? (단, 전체 인구는 2006년부터 지속하여 감소하였다.)

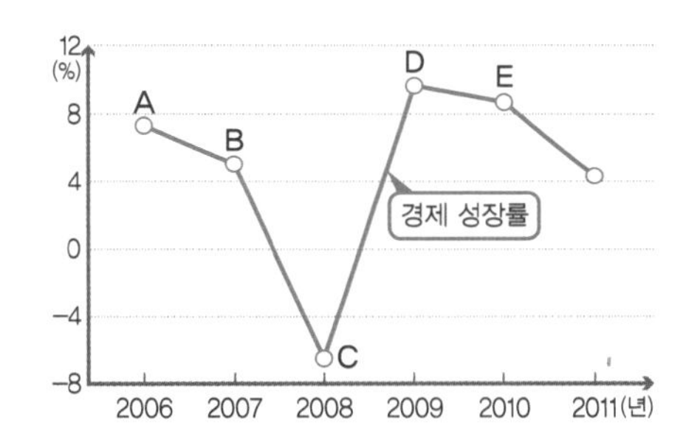

① B 시기의 경제 규모는 A 시기보다 작다.
② B 시기의 소득 분배 불평등 정도는 A 시기보다 심해졌다.
③ E 시기의 경제 규모는 D 시기보다 작다.
④ A~E 시기 중 C 시기에 경제 규모가 가장 작다.
⑤ C~D 시기에 경제 규모가 커졌다가 D~E 시기에 경제 규모가 다시 작아진다.

서술형

13 우리나라 경제 성장의 특징을 제시어를 사용하여 서술하시오.

제시어: 1960년대, 경제 개발 계획, 국민 생활 수준

V. 국민 경제와 국제 거래

물가 상승과 실업

물음으로 흐름잡기

1. 물가 상승은 무엇을 의미할까?　　2. 실업은 무엇을 의미할까?

A 물가 상승

1. 물가와 물가 지수

① 물가: 시장에서 거래되는 상품의 가격을 종합하여 평균한 값

② **물가 지수**❶: 물가의 움직임을 한눈에 알아볼 수 있도록 숫자로 나타낸 지표

— 기준 연도의 물가를 100으로 했을 때, 비교 시점의 물가 수준을 나타낸 값이야.

2. 물가 상승

① 인플레이션: 물가가 지속하여 상승하는 현상

② 물가 상승의 원인

통화량 증가	시중에 공급되는 통화량이 많아지면 화폐 가치가 하락하며 물가 상승
총수요>총공급	재화나 서비스에 대한 전체적인 수요가 전체적인 공급보다 많을 때 물가 상승
생산비 상승	임금이나 원자재 가격 상승 등으로 생산 비용이 오르면 물가 상승

3. 물가 상승의 영향

① 화폐 가치 하락, 실물 자산 가치 상승: 부와 소득의 불공정한 재분배❷(화폐의 구매력 감소, 근로자의 실질 소득 감소 → 화폐 보유자와 실물 소유자 간 소득 격차 확대)

② **무역 적자 증대**: 수출 상품의 가격 경쟁력 저하 → 수입 증가, 수출 감소

교과서 자료 물가 상승으로 울고 웃는 사람들

채무자: 물가가 10% 올라서 내가 갚을 돈의 가치가 10% 떨어졌어.

채권자: 일 년 전에 빌려준 돈을 돌려받고 보니 살 수 있는 물건의 양이 일 년 전보다 줄었어.

근로자: 물가가 오른 만큼 급여도 올라야 생활 수준을 그대로 유지할 수 있어.

기업가: 제품 가격이 올라 판매 수입은 늘고 직원 급여는 그대로라면 이익이 늘어나.

수출업자: 국내 물가 상승으로 제품 가격을 올려야 하는데 수출이 감소할까 걱정이야.

수입업자: 국내 물가 상승으로 상대적으로 가격이 싼 수입품을 찾는 사람들이 많아졌어.

- 돈을 빌린 사람은 돈을 갚을 때의 가치가 돈을 빌렸을 때의 가치보다 낮아져 이득을 본다.
- 임근 근로자는 화폐 가치가 떨어져 월급이 줄어든 것과 같은 효과가 생겨 손해를 본다.
- 수입업자는 외국의 싼 제품을 들여와 팔게 되므로 수입을 늘리고, 수출업자는 수출품의 가격이 비싸져 수출을 줄인다.

4. 물가 상승에 대한 대책

정부	세금 증대 및 정부 지출과 투자 감축, 이자율을 높여 저축 유도 및 통화량 감축, 생활 필수품 가격 상승 규제, 사치성 소비에 세금 부과, 담합 등 불공정 거래 규제
기업	생산비 절감을 위한 기술 및 연구 개발, 경영 혁신을 통한 생산성 향상 노력
소비자	과소비 억제, 건전하고 합리적인 소비 생활, 저축 증대

❶ **물가 지수의 의미**

물가 지수>100	기준 시점보다 물가 상승
물가 지수<100	기준 시점보다 물가 하락

❷ **물가 상승으로 유리한 사람과 불리한 사람**

유리한 사람	불리한 사람
• 실물 자산 소유자 • 사업가 • 채무자 • 수입업자	• 금융 자산 소유자 • 임금 근로자 • 채권자 • 수출업자

간단 체크

❶ 왼쪽의 자료에서 물가가 상승함으로써 유리한 입장에 놓이는 사람은 누구인가?

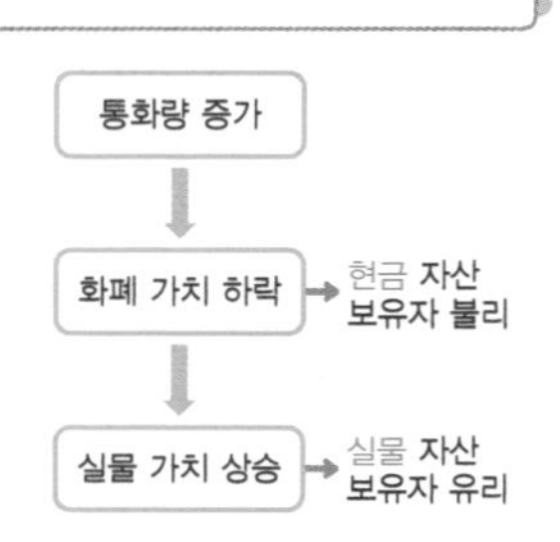

B 실업의 의미와 영향

1. 실업의 의미

학업 중인 학생이나 일할 의사가 없는 전업 주부, 일할 능력이 없는 노약자는 실업자에 해당하지 않아.

① 실업: 일할 능력과 의사가 있으나 일자리가 없어서 일을 못하는 상태

② **실업자**❸: 실업 상태에 있는 사람

③ **실업률**: 경제 활동 인구 중에서 실업자가 차지하는 비율

$$실업률(\%) = \frac{실업자}{경제\ 활동\ 인구(취업자 + 실업자)} \times 100$$

⚠ 용어 알기

- **구직 포기자** 일할 능력과 의사가 있지만, 일자리를 계속 얻지 못하는 상태에서 구직을 포기한 사람들

교과서 자료 경제 활동 인구 분류

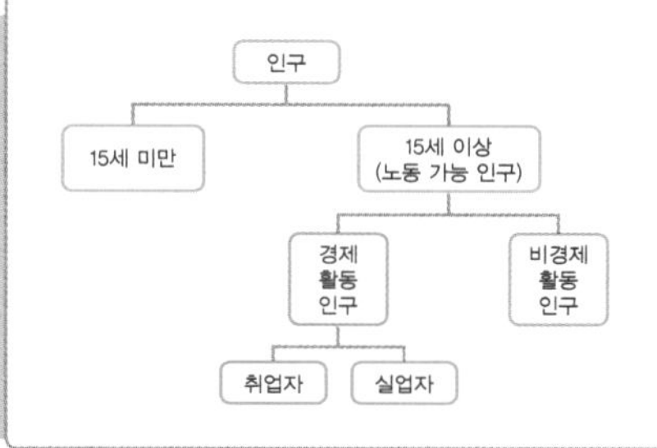

- 노동 가능 인구: 15세 이상 인구
- 경제 활동 인구: 15세 이상 인구(노동 가능 인구) 중 비경제 활동 인구를 제외한 인구
- 비경제 활동 인구: 15세 이상 인구 중 일할 의사가 없거나 일할 능력이 없는 사람들 예 학생, 주부, 노약자, 실망 실업자(구직 포기자)

✓ 간단 체크

❷ 경제 활동 인구를 구성하는 두 집단은?

2. 실업의 유형

유형	내용
경기적 실업	경기 침체, 불황으로 기업의 고용이 감소하여 발생하는 실업 예 세계 대공황 때 실업
구조적 실업	새로운 기술의 도입, 생산 구조의 변화로 발생하는 실업 예 석탄 산업 쇠퇴로 인한 광부들의 실업
계절적 실업	계절의 영향에 따라 발생하는 실업 예 겨울철 농업 종사자 일자리 감소
마찰적 실업	현재보다 나은 일자리를 찾기 위해 직장을 탐색하는 과정에서 발생하는 실업

농업, 건설업, 관광업 등 계절의 영향을 많이 받는 분야에서는 계절에 따라 고용 기회가 줄어들어 실업이 발생해.

3. 실업의 영향

차원	내용
개인적 차원	가계 소득 감소로 인한 경제적 어려움, 직업을 통한 자아실현의 기회 상실
사회적 차원	인적 자원 낭비로 인한 사회 전체의 생산 감소, 기업의 생산과 투자 위축

4. 실업의 해결 방안

주체	내용
정부	새로운 일자리 창출, 직업 훈련 실시 및 인력 개발, 구직 정보 제공
기업	노동자와 동반자적 관계 인식, 새로운 시장 개척을 위한 노력
근로자	자기 계발, 기술 습득 등 생산성과 업무 처리 능력 향상을 위한 노력

❸ 통계청의 고용 통계 조사

(단, 조사 대상은 15세 이상의 인구임)

*밑줄 친 곳을 바르게 고쳐 쓰시오.

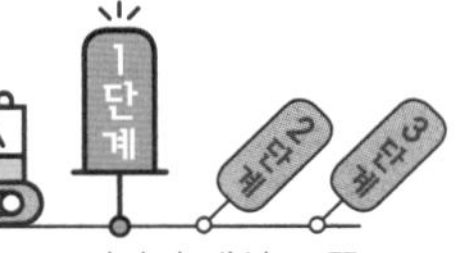

정답과 해설 24쪽

A 물가 상승

01 물가가 지속적으로 오르는 현상을 디플레이션이라고 한다.

02 인플레이션으로 인해 유리해지는 집단은 채권자이다.

03 인플레이션의 대책으로 이자율을 높여 저축을 유도하는 것은 기업의 역할이다.

B 실업의 의미와 영향

04 일할 의사가 없는 전업주부는 실업자에 포함된다.

05 산업 구조 변화로 발생하는 실업을 경기적 실업이라고 한다.

06 실업 대책으로 근로자와 신뢰를 바탕으로 노사 관계를 확립하는 것은 정부의 역할이다.

A 물가 상승

01 다음 글에서 설명하는 경제 개념은?

> 시장에서 거래되는 상품의 가격을 종합하여 평균한 값을 의미하며, 여러 상품의 전반적인 가격이나 가격의 움직임을 알아보고자 만들었다.

① 화폐　　② 물가
③ 통화량　　④ 국제 수지
⑤ 인플레이션

필수
02 물가에 관한 설명으로 옳지 않은 것은?

① 여러 상품의 전반적인 가격 수준과 움직임을 나타낸다.
② 물가가 지속하여 상승하는 현상을 인플레이션이라고 한다.
③ 물가 지수를 통해 물가의 움직임을 한눈에 알아볼 수 있다.
④ 일반적으로 물가는 경기가 활성화될 때 하락하는 경향을 보인다.
⑤ 상품의 가격이 전반적으로 상승하는 것을 물가가 오른다고 한다.

03 (가), (나)에서 물가가 상승한 원인을 옳게 짝지은 것은?

(가)　　(나)

	(가)	(나)
①	수요의 급증	통화량 증가
②	수요의 급증	생산 비용 상승
③	통화량 증가	수요의 급증
④	통화량 증가	생산 비용 상승
⑤	생산 비용 상승	통화량 증가

고난도
04 〈보기〉에서 인플레이션이 발생했을 때 유리해지는 사람을 고른 것은?

보기
ㄱ. 지난해에 건물을 사 두었던 갑
ㄴ. 매월 고정된 연금을 받아 생활하는 을
ㄷ. 외국에서 운동화를 수입해서 국내에서 판매하는 병
ㄹ. 3년 전 친구에게 2백만 원을 빌려주었다가 돌려받은 정

① ㄱ, ㄴ　② ㄱ, ㄷ　③ ㄴ, ㄷ
④ ㄴ, ㄹ　⑤ ㄷ, ㄹ

고난도
05 인플레이션이 경제 성장에 미치는 영향으로 옳지 않은 것은?

① 화폐 가치가 하락하여 저축이 감소한다.
② 기업의 투자가 위축되고 생산이 감소한다.
③ 실물 자산 가치 상승으로 투기 등의 불건전한 거래가 늘어난다.
④ 기업의 생산이 확대되어 경제 성장에 긍정적인 영향을 가져온다.
⑤ 화폐의 구매력 감소로 근로자들의 실질 소득이 감소하여 근로 의욕이 상실된다.

서술형
06 인플레이션으로 인해 국제 수지가 악화하는 까닭을 제시어를 사용하여 서술하시오.

> 제시어: 수출품, 가격 경쟁력

정답과 해설 24쪽

B 실업의 의미와 영향

07 다음 글에서 설명하는 경제 현상은?

> 일을 할 수 있는 능력이 있고 일을 하고자 하는 마음도 있지만, 일자리가 없어서 일을 못 하는 상태이다.

① 물가 ② 실업
③ 경제 성장 ④ 국제 거래
⑤ 경제 개발 계획

08 실업자에 해당하는 사람은?

① 집안일에 전념하는 가정주부 갑
② 구직 활동을 잠시 쉬고 여행 중인 을
③ 일을 쉬면서 다른 회사에 이력서를 내는 병
④ 대학원에 진학하여 공부를 더 하려고 하는 정
⑤ 취업하려고 했으나 뜻대로 되지 않아 일자리 구하기를 포기한 무

고난도

09 다음 대화를 보고 갑, 을이 실업에 처한 원인을 옳게 짝지은 것은?

> **갑**: 올해 대학을 졸업했는데, 경기가 좋지 않아 취업하기가 어려워.
> **을**: 나는 연봉이 더 높은 회사로 옮기는 과정이라서 잠시 실업 중이야.

	갑	을
①	경기 침체	직장의 이동
②	경기 침체	산업 구조 변화
③	계절적 요인	경기 침체
④	산업 구조 변화	경기 침체
⑤	산업 구조 변화	직장의 이동

필수

10 다음 내용과 관련 있는 실업에 해당하는 것은?

> 공장 자동화로 인한 인력 감축과 같이 새로운 기술의 도입으로 산업 구조가 변화하면 기존의 기술이나 생산 방법은 밀려나게 되어 실업이 발생한다.

① 경기적 실업 ② 구조적 실업
③ 계절적 실업 ④ 마찰적 실업
⑤ 계획적 실업

11 실업이 미치는 영향을 〈보기〉에서 고른 것은?

> 보기
> ㄱ. 기업의 생산과 투자 위축
> ㄴ. 소득 재분배로 인한 사회 불평등 완화
> ㄷ. 소득 감소로 인한 경제적 어려움 초래
> ㄹ. 경제 규모 확대로 인한 사회 활력 증대

① ㄱ, ㄴ ② ㄱ, ㄷ ③ ㄴ, ㄷ
④ ㄴ, ㄹ ⑤ ㄷ, ㄹ

서술형

12 경기적 실업이 발생하는 까닭을 제시어를 사용하여 서술하시오.

> **제시어**: 경기 침체, 고용 감소

서술형

13 다음 사례에 나타난 실업의 유형과 대책을 제시어를 사용하여 서술하시오.

> A는 원래 다니던 직장에 만족하지 못하고 퇴사하였다. 더 나은 직장을 알아보기 위해 A는 현재 어쩔 수 없이 실업 상태에 놓여 있다.

> **제시어**: 취업 정보 제공, 취업 박람회 개최

V. 국민 경제와 국제 거래

국제 거래와 환율

물음으로 흐름잡기

국제 거래 / 환율 1. 국제 거래가 발생하는 까닭은 무엇일까? 2. 환율은 어떻게 결정될까?

A 국제 거래의 발생 집중 공략 098쪽

1. 국제 거래[1] 국경을 초월하여 생산물이나 생산 요소의 거래가 이루어지는 것

2. 국제 거래의 발생 원인 국가 간 자연환경, 부존 자원, 생산 요소의 부존량, 기술과 지식 수준의 차이 발생 → 동일한 상품이라도 나라별로 생산비가 서로 다름

3. 국제 거래의 특징

나라마다 법과 제도가 다르므로 재화나 서비스의 수입이 금지되거나 제한될 수 있어.

무역 장벽 존재	국경을 넘어 이동하는 상품 거래 시 관세, 수입 할당제, 통관 절차 등 존재
생산 요소의 이동 제한	각국의 서로 다른 법과 제도의 규제를 받음
사용하는 화폐가 다름	환율 문제가 발생하며, 환율 변동은 국제 거래에 영향을 미침
큰 시장 규모	세계의 모든 사람이 거래 대상이 되어 국내 거래보다 시장 규모가 큼

교과서 자료 세계 무역 규모와 우리나라 무역 구조의 변화

〈세계 무역 규모의 변화〉

(세계 무역 기구, 2016)

〈우리나라 주요 수출품과 수입 품목〉

구분	1위	2위	3위	4위	5위
수출품	반도체	자동차	선박	석유 제품	디스플레이
수입품	원유	마이크로 프로세서	천연가스	석유 제품	석탄

(한국 무역 협회, 2016)

- 전 세계 무역액은 1965년에 비해 2015년에 약 85배가 늘어났다.
- 우리나라의 주요 수출품은 반도체, 자동차 등이며 수입품은 원유, 천연가스 등이다.

4. 국제 거래의 확대 배경

교통 및 통신 수단의 발달	국가 간의 시공간 거리를 축소함으로써 국제 거래 확대에 크게 기여
자유 무역주의 확산	세계 무역 기구(WTO) 주도로 자유 무역이 확대되어 거래 규모 증가
지역 경제 협력체 구축	회원국 간의 자유 무역을 목표로 하는 경제적 노력 증대
개발 도상국의 경제 성장	원자재와 소비재의 교역량 증대, 수출 증가, 교역 대상의 다양화

5. 국제 거래의 영향

긍정적 영향	• 생산 규모 확대 및 국내 기업의 효율성과 생산성 증대 • 소비자의 선택 범위 확대 및 기업의 경쟁력 향상
부정적 영향	• 해외 의존도 심화로 국민 경제의 불안정성 증대 • 국제 경쟁력이 약한 국내 기업이나 산업에 불이익 발생

용어 알기

- **무역 장벽** 자유 무역을 가로막는 모든 정책이나 환경
- **관세** 상품이 국경을 통과할 때 부과하는 세금
- **수입 할당제** 정부가 국내 산업을 보호하기 위해 수입국의 상품 수량 또는 수입액을 직접 정하여 그 범위 내에서 수입하는 제도

간단 체크

❶ (   )이/가 증가하여 세계 무역 규모가 증가하게 되었다.

❷ 우리나라 주요 수출품이 반도체, 자동차, 선박 등인 것은 이 품목에 (   )이/가 있기 때문이다.

❶ 국제 거래의 발생 원리

절대 우위	상대국보다 생산비가 절대적으로 낮은 상품 생산에 갖는 우위
비교 우위	상대적으로 생산비가 낮은 제품에 특화하여 교역하면 양국 모두에 무역의 이익 발생

B 환율

1. 환율 자국 화폐와 외국 화폐의 교환 비율, 즉 우리 화폐로 표시한 외국 돈의 가치

2. 환율의 결정 외환● 시장에서 외화의 수요와 공급에 따라 결정

① **외화의 수요:** 외국 상품의 수입, 국외 여행이나 유학, 국외 투자, 외채 상환 등
외국에서 수입하는 상품의 값을 외국 화폐로 지불해야 하기 때문에 외화 수요가 증가해.

② **외화의 공급:** 자국 상품의 수출, 외국인의 국내 투자, 차관 도입 등
수출한 상품의 값으로 받은 외화는 외환 시장에서 원화로 바꿔야 우리나라에서 사용할 수 있으므로 외화 공급이 증가해.

③ **균형 환율의 결정:** 외화에 대한 수요량과 공급량의 일치

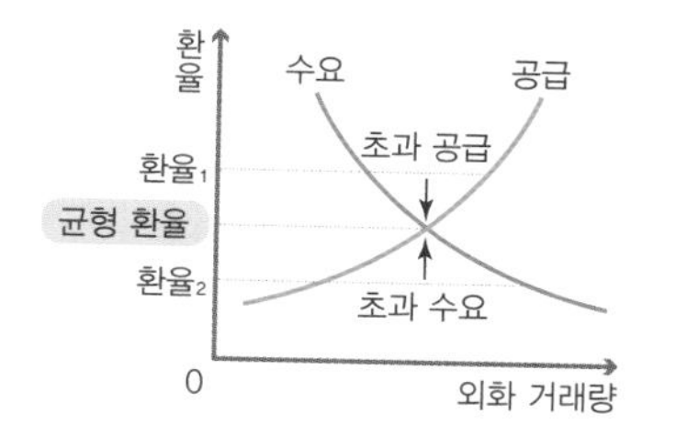

환율₁일 때	외화의 수요량 < 외화의 공급량 → 외화의 초과 공급 발생 → 환율 하락
환율₂일 때	외화의 수요량 > 외화의 공급량 → 외화의 초과 수요 발생 → 환율 상승
균형 환율 결정	외화의 수요량 = 외화의 공급량

3. 환율 변동의 영향 집중 공략 099쪽

환율 변동❷	환율 상승(원화 가치 하락)	환율 하락(원화 가치 상승)
영향	• 수출 증가, 수입 감소 • 유학 감소, 외국인의 국내 여행 증가 • 외채 상환 부담 증가	• 수출 감소, 수입 증가 • 유학 증가, 외국인의 국내 여행 감소 • 외채 상환 부담 감소

교과서 자료 환율 변동이 미치는 영향

⚠ 용어 알기

• **외환** 외국과의 거래에서 사용되는 외국의 화폐(외화)와 외화로 표시된 증권 등을 포함한다.

❷ 환율 변동과 원화 가치

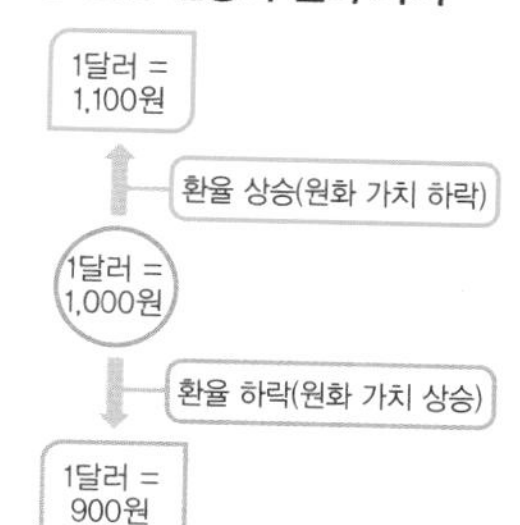

✓ 간단 체크

❸ 자국 화폐의 가치는 환율과 (   ) 방향으로 변동한다.

❹ 환율이 상승할 때 유리한 사람을 고르면?

ㄱ. 수입업자
ㄴ. 수출업자
ㄷ. 유학생

*빈칸에 알맞은 말을 쓰시오.

정답과 해설 26쪽

A 국제 거래의 발생

01 국제 거래가 발생하는 까닭은 국가 간 경제 여건에 따른 (   )의 차이 때문이다.

02 국제 거래가 확대된 배경은 (   )의 주도로 자유 무역이 확대되었기 때문이다.

03 국제 거래의 긍정적 영향 중 하나는 수출입 증대로 고용이나 국민 (   )이/가 증가한다는 것이다.

B 환율

04 자국 화폐와 외국 화폐의 교환 비율을 (   )(이)라고 한다.

05 외국 상품의 수입, 외채 상환은 외화의 (   ) 측면과 관련이 있다.

06 환율이 상승하면 수출 상품의 달러 표시 가격이 하락하면서 수출이 (   )한다.

A. 국제 거래의 필요성

정답과 해설 26쪽

집중해서 알아보기

국제 거래는 나라마다 다른 자연환경, 부존 자원, 기술과 지식 수준으로 인한 생산비 차이 때문에 발생한다. 두 국가가 각각 상대적으로 생산비가 낮은 상품에 특화하여 교역하면 양국 모두에 무역의 이익이 발생한다.

A국은 옷감 1단위를 만드는 데 10명이, 포도주 1단위를 만드는 데 20명이 필요하다.

B국은 옷감 1단위를 만드는 데 20명이, 포도주 1단위를 만드는 데 10명이 필요하다.

문제로 공략하기

01 A국에서 옷감과 포도주 중에 생산비가 더 적게 드는 품목은 무엇인가?

답 (   )

02 B국에서 옷감과 포도주 중에 생산비가 더 적게 드는 품목은 무엇인가?

답 (   )

03 A국과 B국의 사례처럼 동일한 상품이라도 나라별로 생산비가 다른 까닭은 무엇인가?

답 (   )

04 A국에서 옷감과 포도주를 모두 생산하지 않고 (   ) 2 단위를 생산하여 1단위를 B국의 (   )와/과 교환하면 (   )명의 노동력에 해당하는 생산비를 줄일 수 있다.

05 B국에서 옷감과 포도주를 모두 생산하지 않고 (   ) 2 단위를 생산하여 1단위를 A국의 (   )와/과 교환하면 (   )명의 노동력에 해당하는 생산비를 줄일 수 있다.

06 A국과 B국이 서로 국제 거래를 하는 까닭은 무엇인가?

답 (   )

B. 환율의 변동

정답과 해설 26쪽

집중해서 알아보기

환율이란 우리나라 화폐와 외국 화폐의 교환 비율을 의미한다.
환율 변동은 수출과 수입뿐만 아니라 고용과 물가 등 국가 경제에 많은 영향을 끼친다.

▲ 외화의 수요가 증가하면 환율이 상승한다.

▲ 외화의 공급이 증가하면 환율이 하락한다.

- 외화의 수요가 증가하면 외화의 가치가 높아지므로 환율이 상승한다. 외국으로부터 재화나 서비스를 수입할 때, 해외 여행이나 해외 투자가 늘어날 때, 외채를 갚을 때 외화의 수요가 증가한다.
- 외화의 공급이 증가하면 외화의 가치가 낮아지므로 환율이 하락한다. 외국으로 재화나 서비스를 수출할 때, 외국인의 국내 투자와 외국인 관광객이 늘어날 때 외화의 공급이 증가한다.

문제로 공략하기

01 외국 상품 수입에 대한 대가를 지불하기 위해 외화가 필요한 경우는 외화의 수요와 공급 중 어디에 영향을 주는가?

답 외화의 (　　　　　　　)

02 외국인이 우리나라의 재화나 서비스를 구입하는 경우는 외화의 수요와 공급 중 어디에 영향을 주는가?

답 외화의 (　　　　　　　)

03 환율이란 무엇인가?

답 (　　　　　　　　　　　　　　　)

04 외화의 수요가 증가하면 환율에는 어떤 변화가 생기는가?

답 (　　　　　　　　　　　　　　　)

05 외화의 공급이 증가하면 환율에는 어떤 변화가 생기는가?

답 (　　　　　　　　　　　　　　　)

06 1달러 = 1,000원에서 1달러 = 1,200원이 될 경우 국내 화폐의 가치는 외국 화폐의 가치에 비해 어떻게 변화하는가?

답 (　　　　　　　　　　　　　　　)

실력 올리기

A 국제 거래의 발생

01 다음에서 설명하는 개념에 해당하는 것은?

> 국경을 초월하여 생산물이나 생산 요소의 거래가 이루어지는 것을 의미한다.

① 관세
② 환율
③ 국제기구
④ 국내 거래
⑤ 국제 거래

02 ㉠에 들어갈 말로 적절하지 않은 것은?

> 많은 국가가 국제 거래를 하는 까닭은 거래를 통해 서로 이익을 얻을 수 있기 때문이다. 국제 거래를 통한 이익은 각국이 처한 생산 여건의 차이에서 비롯된다. 즉 국가마다 (㉠)이/가 다르기 때문이다.

① 화폐
② 자연 환경
③ 자원의 보유 상태
④ 기술 수준의 차이
⑤ 생산 요소의 보유 상태

필수
03 ㉠, ㉡에 알맞은 말을 옳게 짝지은 것은?

> 각 나라는 생산에 유리한 조건을 갖춘 품목들에 (㉠)하여 수출하고, 생산에 불리한 품목은 수입함으로써 경제적 이익을 추구한다. 이때 각국이 상대적으로 더 효율적으로 생산할 수 있는 품목에 대해 (㉡)가 있다고 말한다.

	㉠	㉡
①	분업	비교 우위
②	분업	절대 우위
③	특화	비교 우위
④	특화	절대 우위
⑤	교역	상대 우위

04 국내 거래와 구별되는 국제 거래의 특징으로 옳지 않은 것은?

① 서로 다른 화폐를 사용한다.
② 거래되는 품목이 한 가지이다.
③ 수출입 과정에서 세금이 부과되기도 한다.
④ 환율의 변동에 따라 수출입 상품의 가격이 달라진다.
⑤ 국가 간에 다른 법이 국제 거래에 영향을 주기도 한다.

필수
05 오늘날 국제 거래 규모가 증가하게 된 배경만을 〈보기〉에서 있는 대로 고른 것은?

> 보기
> ㄱ. 교통·통신 수단의 발달
> ㄴ. 세계화·개방화의 추세
> ㄷ. 나라마다 다른 자연환경
> ㄹ. 세계 무역 기구(WTO)의 출범

① ㄱ, ㄴ
② ㄴ, ㄷ
③ ㄷ, ㄹ
④ ㄱ, ㄴ, ㄹ
⑤ ㄱ, ㄷ, ㄹ

06 국제 거래 확대에 따른 우리의 대응으로 적절하지 않은 것은?

① 경쟁력이 약한 분야의 경쟁력을 기른다.
② 중요한 원자재는 무조건 외국에서 수입한다.
③ 대기업과 중소기업의 경쟁력 강화에 힘쓴다.
④ 해외 시장과 함께 내수 시장의 육성에 힘쓴다.
⑤ 수출 시장 다변화를 위해 신시장 개척에 노력한다.

서술형
07 국제 거래가 가져오는 긍정적 영향을 제시어를 사용하여 서술하시오.

> **제시어:** 생산 규모, 부존 자원, 기술력

정답과 해설 26쪽

B 환율

08 다음에서 설명하는 용어에 해당하는 것은?

> 자국 화폐와 외국 화폐의 교환 비율

① 외환 ② 자금
③ 무역 ④ 환율
⑤ 국제 수지

09 환율 상승과 관련한 내용으로 옳지 않은 것은?

① 원화 가치가 하락했다는 의미이다.
② 달러 가치가 상승했다는 의미이다.
③ 원화가 평가 절하되었다는 의미이다.
④ 통화량이 증가하는 결과를 가져온다.
⑤ 1달러에 1,200원이었던 환율이 1달러에 1,000원이 되었다는 의미이다.

10 외화 수요가 증가하는 원인을 〈보기〉에서 고른 것은?

> 보기
> ㄱ. 차관 도입 ㄴ. 수입 증가
> ㄷ. 수출 증가 ㄹ. 내국인의 외국 여행 증가

① ㄱ, ㄴ ② ㄱ, ㄷ ③ ㄴ, ㄷ
④ ㄴ, ㄹ ⑤ ㄷ, ㄹ

고난도

11 다음과 같이 환율이 변동할 경우 나타나는 현상으로 볼 수 있는 것은?

> 환율이 1달러에 1,100원에서 1,300원으로 올랐다.

① 원화 가치가 상승한다.
② 물가 상승의 원인이 될 수 있다.
③ 해외여행을 가는 것이 쉬워진다.
④ 기업의 외채 상환 부담이 낮아진다.
⑤ 수출이 감소하고, 수입이 증가한다.

필수

12 다음과 같은 상황으로 환율이 변동할 때 유리해지는 사람끼리 옳게 짝지은 것은?

> 우리나라 상품의 수출, 외국인 관광객 유치, 외국인의 국내 투자, 차관 도입

① 외국에서 유학 중인 학생, 해외여행을 떠나려는 부부
② 해외여행을 떠나려는 부부, 우리나라를 여행하는 외국인
③ 우리나라를 여행하는 외국인, 수입 가구를 판매하는 가구점 주인
④ 수입 가구를 판매하는 가구점 주인, 외국에서 활동하는 우리나라 선수
⑤ 외국에서 활동하는 우리나라 선수, 외국에서 유학 중인 학생

서술형

13 환율이 상승하는 경우 수출에 미치는 영향을 제시어를 사용하여 서술하시오.

> **제시어:** 수출 상품, 달러 표시, 가격 하락, 수출 증가

서술형

14 다음에서 묻는 질문에 제시어를 사용하여 답하시오.

> 개인 사업자인 갑은 거액의 외화를 빌려서 해외 투자를 하였다. 이러한 상황에서 환율의 하락은 어떤 영향을 가져올까?

> **제시어:** 환율 하락, 원화 가치 상승, 빚

대단원 완성하기

01 국내 총생산에 관한 설명으로 옳지 않은 것은?

① 국내 기업에 고용된 외국인의 임금이 포함된다.
② 그 나라의 소득 분배 상태에 관한 정보를 제공한다.
③ 시장에서 거래되지 않은 생산물의 가치는 포함되지 않는다.
④ 각 생산 단계에서 창출된 부가 가치를 모두 합산하여 계산한다.
⑤ 일정 기간 한 나라 안에서 생산한 최종 생산물의 시장 가치를 모두 합한 값이다.

02 한 나라 국민들의 평균적인 생활 수준을 파악할 수 있는 지표로 가장 유용한 것은?

① 환율
② 국제 수지
③ 평균 수명
④ 경제 성장률
⑤ 1인당 국내 총생산

03 다음은 국내 총생산의 계산 방법이다. ㉠, ㉡에 들어갈 내용을 옳게 짝지은 것은?

> (㉠)의 시장 가치의 합계
> = 각 생산 단계의 (㉡)의 합계

	㉠	㉡
①	생산 비용	총 생산물
②	총 생산물	부가 가치
③	최종 생산물	생산 비용
④	최종 생산물	부가 가치
⑤	중간 생산물	최종 생산물

04 다음에서 설명하는 현상이 미치는 긍정적인 영향은?

> 한 나라의 국민 경제 규모가 커지는 현상을 의미한다.

① 한 나라의 국내 총생산만 증가한다.
② 경제적으로 풍요로운 삶을 누릴 수 있다.
③ 생활 수준이 높아지고 빈부 격차가 줄어든다.
④ 경제 규모는 커지지만 국민 소득에는 변화가 없다.
⑤ 대기업 중심으로 경제 정책이 만들어지면서 중소기업은 쇠퇴한다.

05 경제 성장의 요인과 가장 거리가 먼 것은?

① 영토 크기
② 생산 기술
③ 정부 정책
④ 기업가 정신
⑤ 천연 자원의 보유

06 다음에서 설명하는 우리나라의 경제 성장을 비유하는 표현으로 적절한 것은?

> 우리나라는 1960년대 경제 개발 계획을 바탕으로 비약적인 경제 성장을 이루었다.

① 버블 경제
② 한국의 봄
③ 새마을 운동
④ 한강의 기적
⑤ 무궁화의 기적

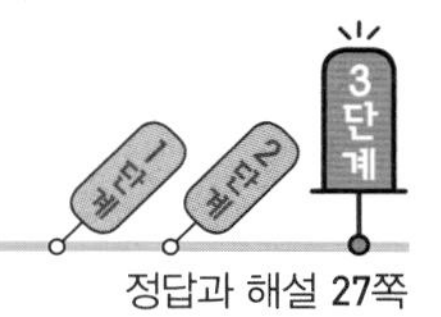

[07-08] 다음 글을 읽고 물음에 답하시오.

> 제1차 세계 대전에서 패한 독일은 전쟁으로 인한 배상금을 치르기 위해 중앙은행이 발행하는 화폐의 양을 크게 늘리고 국채를 대거 발행하기 시작하였다. 그 결과 1923년 7월 독일 국내 물가는 1년 전에 비해 7,500배를 넘어서고 3개월 후에는 75억 배로 뛰었다.

07 위 글에 나타난 경제 문제에 해당하는 것은?

① 실업 ② 외환 위기
③ 물가 하락 ④ 인플레이션
⑤ 화폐 불법 위조

08 위 글에 나타난 경제 문제가 발생하게 된 원인은?

① 초과 공급 ② 통화량 증가
③ 화폐 가치 상승 ④ 정부 지출 축소
⑤ 소득 불평등 심화

09 인플레이션이 발생할 때 유리한 사람은?

① 채권자 ② 수출업자
③ 임금 근로자 ④ 금융 자산 소유자
⑤ 실물 자산 소유자

10 인플레이션에 대한 정부의 대책을 〈보기〉에서 고른 것은?

> 보기
> ㄱ. 생활필수품 가격 상승을 규제한다.
> ㄴ. 세금을 늘리고 정부 지출을 줄인다.
> ㄷ. 생산 비용 절감을 위해 신기술을 개발한다.
> ㄹ. 과소비를 억제하고 합리적인 소비 생활을 한다.

① ㄱ, ㄴ ② ㄱ, ㄷ ③ ㄴ, ㄷ
④ ㄴ, ㄹ ⑤ ㄷ, ㄹ

11 다음 사례에서 파악할 수 있는 실업의 유형과 대책을 옳게 짝지은 것은?

> ○○시에서는 다음 주 월요일부터 일주일 동안 취업 박람회를 개최한다. 총 50개의 기업이 참여하는 이번 취업 박람회는 취업 정보 부족난을 해결하고, 직장을 옮기려는 구직자들에게 좋은 일자리를 연계하고자 기획되었다.

	유형	대책
①	계절적 실업	농공 단지 조성
②	구조적 실업	직업 교육 실시
③	마찰적 실업	맞춤형 취업 정보 제공
④	경기적 실업	사회 간접 자본 확충 공사
⑤	자발적 실업	다양한 직업 탐색 기회 제공

12 실업의 영향을 〈보기〉에서 고른 것은?

> 보기
> ㄱ. 정부의 재정 부담이 감소한다.
> ㄴ. 사회적으로 인적 자원이 낭비된다.
> ㄷ. 소비 증가와 물가 상승이 나타난다.
> ㄹ. 생계유지에 어려움을 겪을 수 있다.

① ㄱ, ㄴ ② ㄱ, ㄷ ③ ㄴ, ㄷ
④ ㄴ, ㄹ ⑤ ㄷ, ㄹ

13 고용 안정을 위한 노력으로 적절하지 <u>않은</u> 것은?

① 노동자는 자기 계발을 위해 노력한다.
② 기업은 더 많은 고용을 창출하기 위해 노력한다.
③ 유망 직업이나 기술에 관한 직업 훈련을 시행한다.
④ 다양한 구직 정보가 마찰적 실업을 유발하므로 이를 규제한다.
⑤ 정부는 재정 지출을 늘려 경기적 실업을 해소하기 위해 노력한다.

14 다음에서 설명하는 국제 거래의 특징은?

> 국경을 넘어 이동하는 상품을 거래할 때 관세 또는 수입 할당제 등이 존재한다.

① 시장의 규모가 크다.
② 생산 요소의 이동이 제한된다.
③ 각국에서 사용하는 화폐가 다르다.
④ 상품의 생산비나 가격 차이가 발생한다.
⑤ 상품 거래를 제한하는 무역 장벽이 존재한다.

15 국제 거래에 관한 설명으로 옳지 않은 것은?

① 자국에 부족한 자원을 확보할 수 있다.
② 환율로 인해 상품의 가격이 변하기도 한다.
③ 상품의 거래가 국경의 범위 내에서만 이루어진다.
④ 국가 간 무역 분쟁이 생겼을 때 해결이 쉽지 않다.
⑤ 자본, 노동 등 생산 요소가 거래될 때 각국이 정해 놓은 과정과 절차에 따라야 한다.

16 밑줄 친 '이것'에 해당하는 개념은?

> 국제 거래가 확대되면서 국내 기업은 넓은 해외 시장을 확보할 수 있게 되었다. 이와 함께 제품을 대규모로 생산할 수 있게 되어 이것에 따른 생산비 절감의 효과도 나타났다. 이것은 상대적으로 생산비가 낮은 제품에 특화하여 교역하면 교역을 하는 두 나라 모두가 무역의 이익을 얻을 수 있다는 원리이다.

① 절대 우위
② 비교 우위
③ 국제 경쟁력
④ 수입 할당제
⑤ 무역 의존도

[17-18] 다음 자료를 보고 물음에 답하시오.

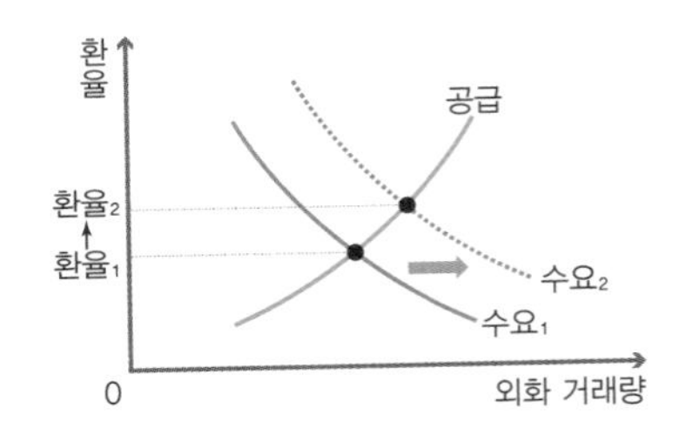

17 위 그래프에서 환율$_1$에서 환율$_2$로 변화된 상황을 표현한 것은?

① 환율 하락
② 원화 가치 하락
③ 달러 가치 하락
④ 원화의 평가 절상
⑤ 자국 화폐와 외국 화폐의 교환 비율

18 위 그래프에서 환율$_1$에서 환율$_2$로 변화한 원인으로 적절한 것은?

① 수출 증가
② 환율 상승
③ 국내 물가 안정
④ 외국인의 국내 여행 감소
⑤ 외국 차관에 대한 이자 상환

19 환율 상승의 영향을 〈보기〉에서 고른 것은?

> 보기
> ㄱ. 외채 상환 부담 감소
> ㄴ. 수출품의 가격 경쟁력 강화
> ㄷ. 수입품의 가격 경쟁력 강화
> ㄹ. 자국민의 외국 여행 경비 증가

① ㄱ, ㄴ
② ㄱ, ㄷ
③ ㄴ, ㄷ
④ ㄴ, ㄹ
⑤ ㄷ, ㄹ

정답과 해설 27쪽

서술형 문제

20 (가)와 (나)가 올해 우리나라의 국내 총생산에 포함되는지 아닌지를 쓰고, 그 까닭을 제시어를 사용하여 서술하시오.

> (가) 올해 우리나라 학원에서 일한 외국인 영어 강사가 받은 연봉
> (나) 올해 우리나라 국적의 배구 선수가 중국 구단에 소속되어 받은 연봉

제시어: 생산자, 국적, 영토

21 다음 내용을 통해 알 수 있는 국내 총생산의 한계를 제시어를 사용하여 서술하시오.

> • 주부의 가사 활동은 국내 총생산에 포함되지 않는다.
> • 봉사 활동과 지하 경제 활동은 국내 총생산에 들어가지 않는다.

제시어: 시장, 거래, 포함

22 다음 글을 읽고 물음에 답하시오.

> 가계의 소비 지출, 기업의 투자 지출, 정부의 재정 지출이 증가하여 재화와 서비스에 대한 경제 전체의 수요가 증가하면서 이 현상이 나타난다.

(1) 위 글의 밑줄 친 '이 현상'에 해당하는 경제 현상을 쓰시오.

(2) 위에 나타난 경제 현상에 소비자가 할 수 있는 대책을 제시어를 사용하여 서술하시오.

제시어: 과소비, 합리적인 소비 생활, 저축

23 다음 사례를 읽고 물음에 답하시오.

> 우리나라 고속도로 요금소에는 원래 통행료를 직접 징수하는 직원들이 많았다. 하지만 최근 많은 차량들이 정차하지 않고도 통행료를 자동 지불하는 하이패스 기계를 달기 시작하면서, 예전에 고속도로 요금소에서 근무하던 요금 징수 직원들이 일자리를 잃게 되었다.

(1) 위 사례에 나타난 실업의 유형을 쓰시오.

(2) 위 사례에 나타난 실업의 원인과 해결 방안을 제시어를 사용하여 서술하시오.

제시어: 생산 구조, 인력 개발, 직업 훈련

24 환율 변화를 나타낸 표이다. 물음에 답하시오.

구분 \ 시기	1/4분기	2/4분기	3/4분기
환율(원/달러)	1,200원	1,150원	1,050원

(1) 위의 상황에서 원화 가치는 어떻게 되었는지 쓰시오.

(2) 위의 상황으로 인해 나타날 수 있는 현상을 제시어를 사용하여 서술하시오.

제시어: 수출품, 가격 경쟁력, 수입품

Ⅵ

국제 사회와 국제 정치

배울 내용이 쉬워지는 용어

배울 용어를 읽어 보고, 이해가 되었으면 ✔ 표시를 해 봅시다.

☐ **국제 사회** 주권을 가진 여러 나라가 교류하며 공존하는 사회를 말해.

국제 사회

☐ **국가** 국제 사회에서 가장 기본적이고 전형적인 행위 주체야.

국제기구

☐ **국제기구** 국가의 범위를 넘어 국제적 영향력을 행사하는 기구야.

☐ **다국적 기업** 세계 여러 나라에서 생산과 판매를 하며 국제적으로 경제 활동을 하는 기업을 말해.

다국적 기업

☐ **외교** 국가가 국제 사회에서 평화적인 방법으로 자국의 이익을 달성하기 위해 하는 활동이야.

영유권

☐ **영유권** 영토에 대해 해당 국가가 가지고 있는 관할권을 의미해.

동북공정

☐ **동북공정** 한국 고대 국가인 고조선, 고구려, 발해가 중국의 지방 정권 중 하나라고 역사를 왜곡하는 것이야.

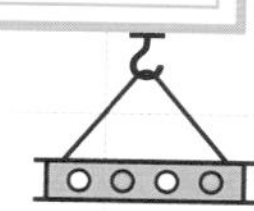

01 국제 사회의 특성과 행위 주체

물음으로 흐름잡기

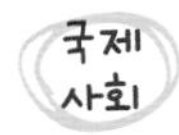

1. 국제 사회는 어떤 사회일까?　　2. 국제 사회의 행위 주체는 누구일까?

A 국제 사회의 특성

1. 국제 사회

① **의미**: 주권을 가진 여러 나라가 교류하며 공존하는 사회

② **영향**: 국제 사회에서 이루어지는 정치, 경제 행위는 한 나라를 넘어서 주변 국가 및 지구촌 전체에 영향을 줌

2. 국제 사회의 특성

① **중앙 정부의 부재**

- 국내 정치와는 달리 국제적 갈등을 해결할 수 있는 통일되고 조직화된 중앙 정부가 존재하지 않음
- 국제법이나 국제기구가 강제력을 행사하는 데 현실적 제한이 따름

② **자국의 이익 최우선**

- 국가의 이념이나 도덕보다 정치, 경제 등 자국의 이익에 따라 행동함
- 오랫동안 협력하던 나라들도 이해관계에 따라 적대국이 되기도 함

③ **힘의 논리**

- 경제력과 군사력이 큰 강대국은 더 많은 영향력을 행사함
- 독립적인 주권 국가로 구성되어 있지만, 현실에서는 강대국의 힘의 논리에 의해 주도되는 경우가 많음 (└ 국제 연합 안전 보장 이사회의 거부권 행사가 대표적이야.)

④ **갈등과 협력의 공존**: 자국의 이익을 최우선으로 하기 때문에 갈등이 일어나기도 하지만, 전 지구적인 문제에 공동 대응하기 위해 협력하기도 함❶

용어 알기

- **주권** 국가의 의사를 최종적으로 결정할 수 있는 권력으로, 국가 간에서는 최고의 힘을 가지고 국가 밖에서는 독립성을 지님
- **국제법** 국가 간의 합의에 따라 국가 간의 관계를 규칙으로 정해 놓은 법

❶ 온실가스 감축 협약
2015년 12월 12일, 195개국이 파리 기후 변화 협정을 채택하였다. 이는 온실가스 배출량을 줄여, 전 세계 기온 상승을 산업화 이전과 비교하여 평균 온도 1.5℃ 이하로 제한하는 것을 목표로 삼고 있다.

교과서 자료 국제 사회의 특성

(가)

국제 연합 안전 보장 이사회의 중요한 결의안은 상임 이사국이 모두 찬성해야 의결된다. 상임 이사국인 미국, 중국, 영국, 프랑스, 러시아 중 한 나라라도 거부권을 행사하면 무산된다.

(나)

유럽 연합은 유럽의 정치와 경제를 통합하기 위한 연합 기구이다. 그런데 영국은 유럽 연합의 지나친 규제와 과도한 분담금이 경제에 나쁜 영향을 미치고 있다며 2016년 유럽 연합 탈퇴를 결정하였다.

국제 사회는 여러 나라가 교류하며 공존하는 사회를 말한다. 국제 사회는 지속 가능한 발전을 위해 공동의 목표를 세워 정보를 공유하고 역할을 분담하며 협력하기도 하고 경쟁과 갈등이 일어나기도 한다.

✓ 간단 체크

❶ (가)를 통해 알 수 있는 국제 사회의 특성은?

❷ (나)를 통해 알 수 있는 국제 사회의 특성은?

B 국제 사회의 행위 주체

행위 주체	특징 및 사례
국가	• 국제 사회에서 가장 기본적이고 전형적인 행위 주체 • 국민의 수, 영토 크기에 상관없이 독립적인 주권 행사 • 국제 사회에서 법적 지위를 가지고 외교 활동 수행
국제기구	• 정부, 민간단체, 개인 등을 회원으로 하며, 국가의 범위를 넘어 국제적 영향력 행사 • 정부 간 국제기구: 정부를 회원으로 하는 국제기구 예 국제 연합(UN), 경제 협력 개발 기구(OECD)❷, 유럽 연합(EU), 국제 통화 기금(IMF)❸ 등 • 국제 비정부 기구: 개인과 민간단체를 회원으로 하는 국제기구 예 국제 적십자사, 그린피스, 국경 없는 의사회 등
다국적 기업	• 세계 여러 나라에서 생산과 판매를 하며 국제적으로 경제 활동을 하는 기업 • 세계화로 인해 그 영향력과 규모가 점점 더 커지고 있음
영향력이 있는 개인	주요 국제기구의 수장, 전·현직 국가 원수, 세계 종교 지도자 등

❷ 경제 협력 개발 기구(OECD)
회원국이 경제 사회 발전을 공동으로 모색하고 나아가 세계 경제 문제에 공동으로 대처하기 위해 조직한 정부 간 정책 연구 및 협력 기구이다. 우리나라는 1996년에 29번째 회원국으로 가입하였다.

❸ 국제 통화 기금(IMF)
국제적인 통화 협력을 보장하고 환율을 안정시키기 위해 세워졌다. 1997년 외환위기 당시 우리나라는 국제 통화 기금으로부터 구제 금융을 받았고 2001년 외채를 모두 변제하였다.

교과서 자료 국제 사회의 다양한 행위 주체

(가)

(나)

(다)

• (가) 국경 없는 의사회는 전쟁, 기아, 질병, 자연재해 등으로 고통받는 전 세계의 사람들을 구호하기 위해 설립한 국제 민간 의료 구호 단체이다.
• (나) 국제 통화 기금(IMF)은 2016년 스리랑카에 차관을 제공하였다. 이는 스리랑카 정부가 경제 정책을 조정하고 취약점을 보완하며, 보유 외환을 늘리고 경제 안정을 유지하는 데 도움이 될 것으로 기대된다.
• (다) 일부 다국적 기업은 해외에서 돈을 벌어 본사로 자본을 이전하여 세금을 줄이고 있다. 이 같은 방법으로 여러 국가에 내야 할 조세를 회피하고 있다고 비난을 받는다.

✓ 간단 체크

❸ (가)의 국경 없는 의사회는 국제 사회의 행위 주체 중 어디에 속하는가?

❹ (나)의 국제 통화 기금은 국제 사회의 행위 주체 중 어디에 속하는가?

❺ (다)와 같은 다국적 기업의 예를 하나만 들면?

개념 다지기

*밑줄 친 곳을 바르게 고쳐 쓰시오.

정답과 해설 29쪽

A 국제 사회의 특성

01 주권을 가진 여러 나라가 교류하며 공존하는 사회를 국내 사회라고 한다.

02 국제 사회에서는 타국의 이익을 최우선한다.

03 국제 사회에는 경제력과 군사력이 큰 약소국이 더 많은 영향력을 행사한다.

04 국제 사회에는 강제력을 가진 중앙 정부가 존재한다.

B 국제 사회의 행위 주체

05 국제 사회에서 가장 기본적인 행위 주체는 개인이다.

06 국제 연합, 유럽 연합은 국제 비정부 기구에 해당한다.

07 국제 비정부 기구는 정부를 회원으로 한다.

08 세계 여러 나라에서 생산과 판매를 하는 다국적 기업은 지역화로 인해 그 영향력과 규모가 점점 더 커지고 있다.

A 국제 사회의 특성

01 다음에서 설명하는 개념에 해당하는 것은?

> 다양한 국가가 서로 교류하고 의존하면서 국제적 공동 생활을 영위하는 사회

① 국내 사회　② 국제 사회
③ 이익 사회　④ 민주 사회
⑤ 국제 연맹

필수

02 국제 사회에 관한 설명으로 옳지 않은 것은?

① 규범과 힘의 논리가 공존한다.
② 개별 주권 국가를 기본 단위로 한다.
③ 원칙적으로 주권 평등의 원칙을 추구한다.
④ 규범을 제정하고 이를 강제하는 중앙 정부가 존재한다.
⑤ 범지구적 문제를 해결하기 위해 상호 의존하고 협력한다.

03 국제 사회의 특성을 〈보기〉에서 고른 것은?

보기
ㄱ. 국제 사회에서는 타국의 이익보다 자국의 이익을 우선한다.
ㄴ. 국제 사회는 약육강식의 정글과 같이 경쟁과 갈등만 존재한다.
ㄷ. 국제 사회에서 이루어지는 정치, 경제 행위는 지구촌 전체에 영향을 미친다.
ㄹ. 국제 사회가 성립되기 위해서는 시장 점유율이 높은 다국적 기업들이 필요하다.

① ㄱ, ㄴ　② ㄱ, ㄷ　③ ㄴ, ㄷ
④ ㄴ, ㄹ　⑤ ㄷ, ㄹ

04 국제 사회를 이루는 가장 기본적이고 전형적인 요소는?

① 개인　② 대통령
③ 국제기구　④ 다국적 기업
⑤ 개별 주권 국가

필수

05 다음 기사를 통해 알 수 있는 국제 사회의 특성으로 가장 적절한 것은?

> ○○신문　○○○○년 ○월 ○일
>
> 칼 럼
>
> 온실가스 배출로 인해 지구 온난화가 심해지자 일부 선진국들은 온실가스를 의무적으로 줄이기로 합의하였으나 몇몇 선진국은 경제 발전을 우선시하며 합의하지 않았다.

① 힘의 논리가 지배한다.
② 갈등과 협력이 공존한다.
③ 중앙 정부가 존재하지 않는다.
④ 자국의 이익을 최우선으로 한다.
⑤ 다국적 기업에 대한 의존도가 높다.

서술형

06 국제 사회에서 이루어지는 정치, 경제 행위가 미치는 영향을 제시어를 사용하여 서술하시오.

> 제시어: 주변 국가, 지구촌 전체

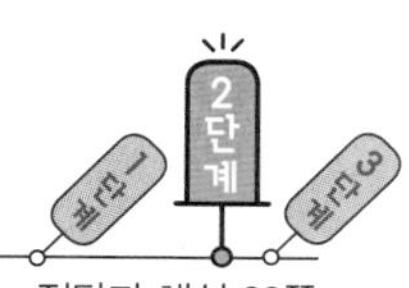

07 ㉠에 들어갈 적절한 것은?

> 국제 사회는 (㉠)을 준수하며 협력 관계를 형성하고 어느 정도 질서가 존재한다.

① 헌법 ② 세법
③ 국내법 ④ 국제법
⑤ 조례와 자치법

고난도

08 다음 자료를 통해 알 수 있는 국제 사회의 특성으로 가장 적절한 것은?

> 국제 연합 안전 보장 이사회는 국제 문제에 대해 논의를 거쳐 15개 이사국이 결정을 한다. 하지만 상임 이사국이 거부권을 행사하면 그 안건은 부결된다.

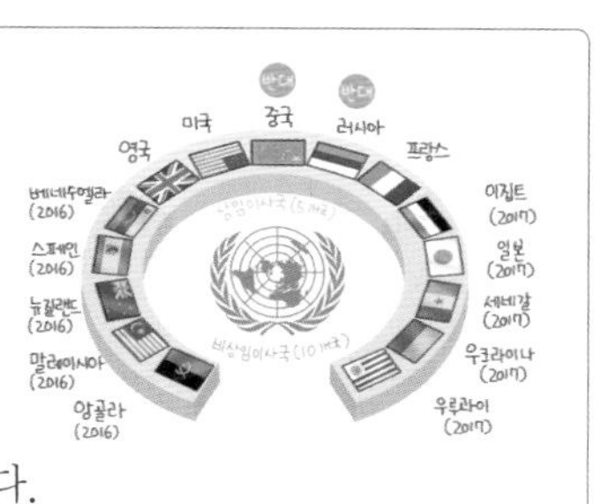

① 자국의 이익을 최우선한다.
② 중앙 정부가 존재하지 않는다.
③ 국제법과 상관없이 의사 결정을 한다.
④ 강대국은 힘의 논리를 앞세워 영향력을 행사한다.
⑤ 분쟁이 해결되지 않으면 무조건 전쟁으로 이어진다.

B 국제 사회의 행위 주체

09 ㉠에 들어갈 국제 사회의 행위 주체는?

> (㉠)은/는 각 나라의 정부를 회원으로 하여 국제 평화를 유지하고 다양한 영역에서 상호 협력하는 국제 사회의 행위 주체이다.

① 개인 ② 국가
③ 노동조합 ④ 국제기구
⑤ 다국적 기업

10 다음에 제시된 국제 사회의 행위 주체에 관한 옳은 설명을 〈보기〉에서 고른 것은?

> 국제 적십자사, 그린피스, 국경 없는 의사회 등

보기
ㄱ. 국제 비정부 기구에 해당한다.
ㄴ. 개인과 민간단체를 회원으로 한다.
ㄷ. 국제적 규모로 상품을 생산하고 판매한다.
ㄹ. 국제 사회에서 가장 기본이 되는 행위 주체이다.

① ㄱ, ㄴ ② ㄱ, ㄷ ③ ㄱ, ㄹ
④ ㄴ, ㄷ ⑤ ㄴ, ㄹ

고난도

11 다음 글에 해당하는 국제 사회의 행위 주체에 관한 설명으로 옳지 않은 것은?

> 경제력을 바탕으로 국제 사회의 행위 주체로 활동하면서, 국제 경제뿐만 아니라 국제 정치에도 영향을 미치고 있다. 때때로 국가의 공공 정책과 시민 생활을 위협하기도 한다.

① 국제적 규모로 상품을 생산하고 판매한다.
② 세계화로 인해 그 규모가 점점 커지고 있다.
③ 국제 사회에서 가장 기본적이고 전형적인 행위 주체이다.
④ 전 세계에 걸쳐 자신들의 경제적 이익을 극대화하고자 한다.
⑤ 보통 어느 한 나라에 본사를 두고 세계 여러 나라에 자회사와 공장을 설립한다.

서술형

12 국제 사회의 행위 주체로서 국가의 역할을 제시어를 사용하여 서술하시오.

> **제시어:** 국제 사회, 법적 지위, 외교 활동

Ⅵ. 국제 사회와 국제 정치

국제 사회의 모습과 공존을 위한 노력 ~ 우리나라의 국가 간 갈등과 해결

물음으로 흐름잡기

공존과 갈등 해결 1. 국제 사회에는 어떤 모습들이 나타날까? 2. 우리나라의 국가 간 갈등을 어떻게 해결할까?

A 국제 사회의 모습과 공존을 위한 노력

1. 국제 사회의 경쟁과 갈등

① **경쟁과 갈등**: 국제 사회는 자유롭게 협력과 경쟁을 하지만 지나친 경쟁은 갈등을 일으키고, 갈등이 심해지면 분쟁 및 전쟁으로 이어지기도 함

② **국제 사회의 경쟁과 갈등의 주요 원인**: 민족과 종교의 차이, 가치관과 역사적 경험의 차이, 제한된 자원과 영토를 둘러싼 대립, 세계 무역 시장에서 우위 확보 추구 등

2. 국제 사회의 다양한 경쟁과 갈등

인종, 민족, 종교, 영토 분쟁	이스라엘과 팔레스타인의 갈등, 중국과 소수 민족의 갈등,❶ 인도 카슈미르 지역의 힌두교와 이슬람교 분쟁 등 → 인종·민족·종교 갈등은 대개 영토 분쟁으로 확대됨
자원 확보	나일강 수자원 이용을 둘러싼 강 상류·하류 국가들의 분쟁, 석유를 차지하기 위한 서남아시아의 국경 분쟁 등
환경 오염 문제	오염 물질 배출 규제와 관련하여 개발 도상국과 선진국의 갈등, 국제 환경 보호 단체(그린피스)와 경제 성장 및 개발을 우선하는 개별 국가 간의 갈등 등
시장 확보	미국과 중국의 무역 분쟁, 다국적 기업들 간의 시장 확보 전쟁 등

교과서 자료 카스피해를 둘러싼 분쟁

• 카스피해 연안에 인접한 국가들 간에 자원 개발과 송유관 건설을 둘러싸고 영유권 분할 분쟁이 일어나고 있다.
• 카스피해를 바다로 볼지, 호수로 볼지에 따라 각국 영역이 달라지는데, 이란과 러시아를 비롯한 주변 국가 간에 합의가 이루어지지 않고 있다.

3. 국제 사회의 공존을 위한 노력

① **국가 간 공존**: 국제 평화를 정착하고 공존하기 위해 상호 합의를 통해 만든 국제법을 준수하고, 다양한 국제기구에 참여함 (국가 간에 발생할 수 있는 갈등을 사전에 조정하고, 상호 협력을 통해 함께 발전할 수 있는 길을 마련할 수 있어.)

② **외교**❷: 한 국가가 국제 사회에서 평화적인 방법으로 자국의 이익을 달성하려는 활동 → 국가의 대외 위상을 높이고 정치·경제적 이익을 얻을 수 있음

• 오늘날의 외교: 공식외교와 더불어 민간 외교의 중요성이 증대됨
• 우리나라의 외교: 냉전 시대에는 이념을 중시하며 미국에 의존하는 외교 정책을 실시하였으나, 냉전 체제 이후 공산권 국가와도 수교를 맺는 등 실리 외교를 추진함

용어 알기
• **영유권** 일정한 영토에 대하여 해당 국가가 가지는 관할권
• **민간 외교** 정부 관계자가 아닌 일반 시민이 예술, 문화, 체육 등의 분야에서 하는 외교

❶ **중국과 소수 민족의 갈등** 현재 중국의 통치 아래 있는 티베트와 위구르 등의 소수 민족이 중국에 대해 독립을 주장하면서 갈등을 빚고 있다.

간단 체크
❶ 국제 사회는 협력과 경쟁을 하지만, 지나친 경쟁은 (　　)을/를 일으킨다.
❷ 카스피해 인근 국가 사이에서 일어나고 있는 분쟁은 (　　)을/를 둘러싼 분쟁으로 볼 수 있다.

❷ **외교 활동의 변화**

과거	주로 외교 사절의 공식적 활동
오늘날	공식 외교 외에 스포츠, 문화 등 다양한 민간 외교가 중시됨

B 우리나라의 국가 간 갈등과 해결

1. 우리나라와 일본의 갈등
우리나라와 일본은 우호적인 관계를 맺고 있지만 과거사 문제로 불편한 관계에 놓여 있기도 해.

① **독도를 둘러싼 갈등**

- 일본의 독도 영유권 주장: 일본이 우리나라 영토인 독도에 대한 영유권을 주장하면서 갈등이 시작
  일본은 독도 문제를 국제 사법 재판소에 회부하여 분쟁 지역으로 만들려고 해.
- 독도는 대한민국의 고유한 영토❸: 삼국 시대 신라 장군 이사부가 우산국(울릉도)을 정벌한 이후 줄곧 우리나라의 영토 → 1905년 일본은 독도를 강제로 침략하여 자신들의 영토인 것처럼 편입 → 제2차 세계 대전 후 연합국 최고 사령부에 의해 독도 반환

② **이 밖의 갈등**: 역사 교과서 왜곡 문제, 야스쿠니 신사 참배 문제, 일본군 위안부 문제, 세계 지도에 동해를 표기하는 문제 등

2. 우리나라와 중국의 갈등

① 중국의 동북공정
중국 내 소수 민족의 독립을 막기 위한 정치적 의도를 가지고 있어.

- 중국의 주장: 한국의 고대 국가인 고조선, 고구려, 발해가 중국의 지방 정권 중 하나라고 역사를 왜곡하고 있음
- 역사적 사실: 고조선, 고구려, 발해는 우리 한민족의 국가이며, 만주는 우리의 활동 무대였음

② **이 밖의 갈등**: 중국 어선의 불법 조업 문제, 한류 저작권 침해 등

3. 우리나라의 국가 간 갈등 해결 방안

① 세계화에 따라 국가 간 협력의 중요성 증대
② 상호 존중의 관점에서 합리적 대화를 통해 문제 해결
③ 문제 해결을 위해 국가뿐 아니라 시민 단체나 개인 등의 적극적인 노력 필요
시민 단체는 영토 주권과 역사적 사실에 관한 홍보 활동을 펼치는 한편, 주변국과의 민간 교류를 통해 해결책을 모색해. 개인 또한 자발적이고 꾸준한 관심을 가지고 노력해야 해.

용어 알기

- **동북공정** '동북 변경 지역의 역사와 현상에 관한 체계적인 연구 과제'를 뜻함. 중국의 동북 3성 지역의 역사, 지리, 민족에 관련된 여러 문제들을 집중적으로 연구하는 국가적인 사업

❸ 독도가 한국의 영토임을 말해 주는 역사적 근거

- '세종 실록 지리지'의 50쪽 셋째 줄에 독도가 한국땅임을 설명하고 있다.
- 1737년 프랑스 지리학자 당빌은 '조선 왕국 전도'에서 독도를 한국의 영토로 강조하여 그렸다.
- 1877년 일본 최고 국가 기관 태정관에서 독도가 한국의 영토임을 알리는 훈령을 발표하였다.
- 1950년 국제 연합군은 독도를 한국 영토로 판정하여 독도 상공을 한국 방공 식별 구역 안에 포함시켰다.

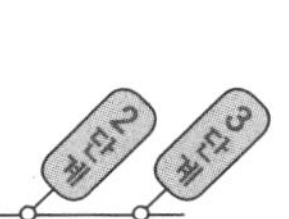

*밑줄 친 곳을 바르게 고쳐 쓰시오.

정답과 해설 30쪽

A 국제 사회의 모습과 공존을 위한 노력

01 국제 사회에서 지나친 경쟁은 갈등을 일으키고, 갈등이 심해지면 평화로 이어진다.

02 국제 사회에서 경쟁과 갈등이 일어나는 까닭은 가치관과 역사적 경험이 동일하기 때문이다.

03 국제 평화를 정착하고 공존하기 위해서는 전쟁을 통한 문제 해결이 중요하다.

04 오늘날의 외교에서는 세계화, 개방화의 진전으로 공식 외교의 중요성이 커지고 있다.

B 우리나라의 국가 간 갈등과 해결

05 중국은 우리나라의 영토인 독도에 대한 영유권을 주장하면서 갈등을 빚고 있다.

06 과거 일본의 지도나 역사책 중 독도를 우리의 영토로 표기한 것은 없다.

07 일본은 동북공정 연구 결과를 바탕으로 고조선, 고구려, 발해가 자신들의 지방 정권 중 하나라고 역사를 왜곡하고 있다.

08 국가 간 갈등을 해결하고 서로 협력하기 위해서는 상호 배타적 자세를 가져야 한다.

A 국제 사회의 모습과 공존을 위한 노력

01 ㉠에 들어갈 내용으로 가장 적절한 것은?

> 국제 사회는 자국의 이해관계에 따라 자유롭게 협력과 경쟁을 하지만 지나친 경쟁은 (㉠)을/를 유발하고, 이것이 심해지면 분쟁 및 전쟁으로 이어지기도 한다.

① 평화　② 화합　③ 타협　④ 갈등　⑤ 재판

고난도
02 국제 사회에서 경쟁과 갈등이 일어나는 주된 원인으로 가장 적절한 것은?

① 국제 사회에서 각 국가의 수장이 대립하기 때문이다.
② 국제 사회에서 각 국가가 냉전 체제에 돌입했기 때문이다.
③ 국제 사회에서 각 국가 간 상호 의존성이 약해지기 때문이다.
④ 국제 사회에서 각 기업이 이윤의 극대화를 추구하기 때문이다.
⑤ 국제 사회에서 각 국가는 자국의 이익을 최우선하기 때문이다.

03 다음 사례에 나타난 국제 사회의 갈등 유형은?

> 서남아시아와 북부 아프리카의 국경에서는 석유를 둘러싼 분쟁이 일어나고 있다.

① 인종 분쟁
② 종교 분쟁
③ 자원 확보 분쟁
④ 환경 오염 분쟁
⑤ 시장 확보 분쟁

필수
04 다음에서 설명하는 개념에 해당하는 것은?

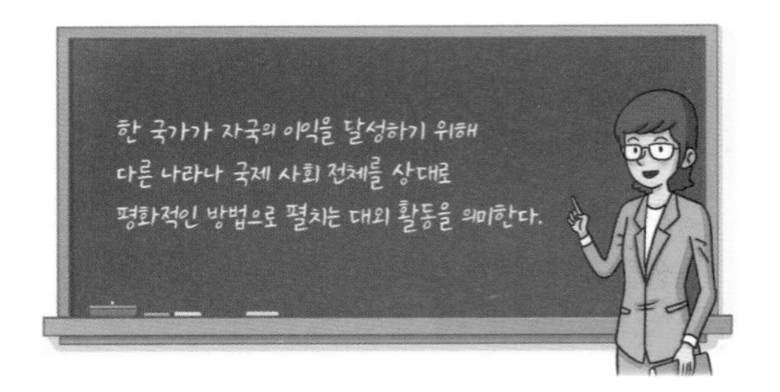

① 전쟁　② 경제　③ 종교　④ 외교　⑤ 정치

05 ㉠에 들어갈 내용으로 가장 적절한 것은?

> 우리나라는 냉전 시대에는 이념을 중시하며 미국에 의존하는 외교 정책을 실시하였으나, 냉전 체제 이후 공산권 국가와도 수교를 맺는 등 (㉠) 외교를 추진하고 있다.

① 민간　② 실리　③ 문화　④ 비공식　⑤ 스포츠

서술형
06 오늘날 외교의 특징을 제시어를 사용하여 서술하시오.

> **제시어**: 세계화, 개방화, 민간 외교

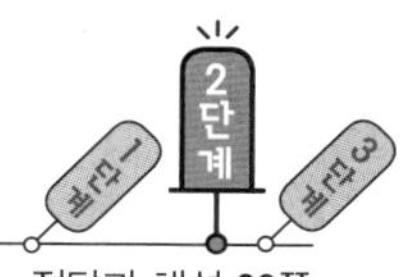

B 우리나라의 국가 간 갈등과 해결

07 독도 문제에 관한 내용으로 옳지 않은 것은?

① 일본은 독도 영유권에 관한 왜곡된 내용을 자기 나라 교과서에 실었다.
② 일본이 독도 영유권을 주장하는 것은 독도에 해양 자원이 풍부하기 때문이다.
③ 우리나라는 독도 영유권 분쟁을 해결하기 위해 국제 사법 재판소에 제소하려고 한다.
④ 일본이 독도 영유권을 주장하는 또 다른 이유는 독도를 군사적으로 이용하려고 하기 때문이다.
⑤ 독도 문제를 해결하기 위한 대책 중의 하나는 국제 사회에 독도가 우리 영토임을 알려 국제적 공감대를 형성하는 것이다.

08 독도에 관한 역사적 사실로 옳지 않은 것은?

① 독도는 조선 시대에 우리나라의 영토로 편입되었다.
② 일본의 역사서에서도 독도가 우리나라 영토임을 나타내는 자료가 있다.
③ 일본이 1905년 독도를 강제로 침략하여 자신들의 영토인 것처럼 편입하였다.
④ 독도는 제2차 세계 대전 후 연합국 최고 사령부에 의해 우리나라로 반환되었다.
⑤ 독도는 국제법상 우리 영토이며, 우리나라가 독도에 대한 주권을 행사하고 있다.

09 다음 내용에서 알 수 있는 우리나라의 국가 간 갈등 문제는?

> 한반도와 일본 열도 사이에 있는 바다의 국제적 통용 명칭을 둘러싸고 우리나라와 일본의 의견이 대립하고 있다. 일본은 '일본해' 이외의 어떠한 명칭도 수용할 수 없다는 태도이다.

① 일본군 위안부 문제
② 중국의 동북공정 문제
③ 야스쿠니 신사 참배 문제
④ 세계 지도에 동해 표기 문제
⑤ 일본의 역사 교과서 왜곡 문제

필수
10 ㉠에 공통으로 들어갈 국가는?

> (㉠)은/는 현재의 국경 안에서 이루어진 모든 민족의 역사를 (㉠)의 역사로 만드는 동북공정을 진행하고 있다. 이 연구를 통하여 (㉠)은/는 우리나라의 역사인 고조선, 고구려, 발해 등을 그들의 지방 정권으로 편입하려 하고 있다.

① 일본 ② 북한
③ 중국 ④ 베트남
⑤ 미얀마

11 우리나라와 주변 국가 간 갈등을 해결하는 방안과 관련한 내용으로 옳지 않은 것은?

① 상호 존중의 자세가 요구된다.
② 평화적이고 합리적으로 문제를 해결해야 한다.
③ 외교적인 노력을 통해 갈등을 해결하는 것이 바람직하다.
④ 시민 단체나 개인이 갈등 해결을 위해 적극적으로 노력해야 한다.
⑤ 대화나 협상을 통한 해결보다는 국가 간의 관계를 단절하는 것이 좋다.

서술형
12 우리나라가 국가 간 갈등을 해결해야 하는 까닭을 제시어를 사용하여 서술하시오.

> **제시어:** 세계화, 상호 의존성, 확대

대단원 완성하기

01 국제 사회에 관한 설명으로 옳지 않은 것은?

① 주권을 가진 국가가 많이 있어야 성립한다.
② 국제법을 준수하며 어느 정도의 질서가 존재한다.
③ 대개 약소국이 영향력을 행사하고 강대국은 이를 인정한다.
④ 이념이나 도덕보다 정치, 경제적 측면에서 자국의 이익을 더 중시한다.
⑤ 국내 정치와 달리 규범을 제정하고 이를 강제할 수 있는 조직화된 세계 정부가 존재하지 않는다.

02 다음 사례를 통해 알 수 있는 국제 사회의 특성은?

> 한국과 타이완은 오랫동안 외교 관계를 유지했지만 중국의 국제적 영향력이 강해지자 한국과 중국이 1992년 국교를 수립하고 타이완과는 외교 관계를 단절하였다.

① 국제 협력이 점점 증가하고 있다.
② 자국의 이익을 우선적으로 추구한다.
③ 규범과 힘의 논리가 약소국으로 쏠린다.
④ 분쟁을 해결하는 중앙 정부가 존재한다.
⑤ 다양한 국제기구의 도움을 받아 국제 질서가 유지된다.

03 ㉠에 들어갈 알맞은 내용은?

> 국제 사회가 성립하려면 (㉠)을/를 가진 여러 국가들이 필요하다.

① 인권　　② 주권　　③ 권력
④ 영해　　⑤ 민족

04 정부 간 국제기구의 특징으로 옳지 않은 것은?

① 각국 정부를 회원으로 한다.
② 자국의 이익을 추구하기 위해 활동한다.
③ 국제 연합, 국제 통화 기금 등이 해당한다.
④ 국가의 범위를 넘어 국제적 영향력을 행사한다.
⑤ 국제 사회가 발전하면서 중요한 역할을 하고 있다.

05 밑줄 친 '국제 사회 행위 주체'에 해당하지 않는 것은?

> 국가를 구성원으로 하거나 국가를 넘어서 국제적으로 영향을 미치는 <u>국제 사회 행위 주체</u>가 활동하고 있다.

① 헌법 재판소
② 다국적 기업
③ 유럽 연합(EU)
④ 국제 연합(UN)
⑤ 국제 적십자사

06 국제 사회의 다양한 행위 주체 중 '영향력 있는 개인'에 해당하는 것은?

① 국가
② 국제 적십자사
③ 세계 종교 지도자
④ 국제적 스포츠 제품 기업
⑤ 경제 협력 개발 기구(OECD)

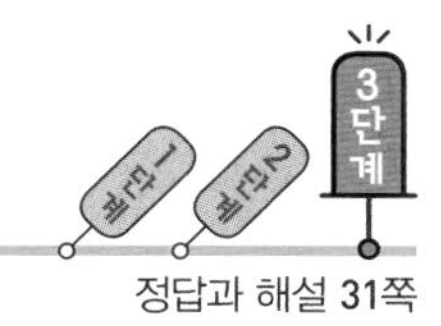

[07-08] 다음 자료를 보고 물음에 답하시오.

> • 자원 확보를 둘러싼 분쟁
> • 세계화에 따른 무역 분쟁
> • 민족 · 인종 차이에 따른 인권 침해

07 국제 사회에서 위와 같은 경쟁과 갈등이 발생하는 까닭으로 가장 적절한 것은?

① 선진국보다 후진국이 더 많기 때문이다.
② 각국마다 영토의 크기가 다르기 때문이다.
③ 각국이 자국의 이익을 최우선하기 때문이다.
④ 각국의 경제 · 정치 체계가 모두 동일하기 때문이다.
⑤ 각국의 통치자가 권력을 유지하려고 하기 때문이다.

08 위와 같은 국제 사회의 경쟁과 갈등을 해결하기 위한 방법으로 가장 적절한 것은?

① 침략　　② 외교
③ 대화 단절　　④ 국제적 고립
⑤ 국가 주권 포기

09 다음 사례와 같은 국제 사회의 갈등이 일어나는 까닭으로 가장 적절한 것은?

> 국제 사회에서는 환경 보호 단체인 '그린피스'와 경제 성장 및 개발을 우선시하는 개별 국가들 간에 끊임없는 갈등이 일어나고 있다.

① 국제 사회가 획일화되고 있기 때문이다.
② 국가 간에 상호 의존성이 약화되기 때문이다.
③ 국제 사회가 갈등을 최우선으로 여기기 때문이다.
④ 자국의 경제적 실리를 추구하려고 하기 때문이다.
⑤ 국제 사회가 타국의 이익을 먼저 배려하기 때문이다.

10 외교에 관한 설명으로 옳지 않은 것은?

① 외교를 통해 국가의 대외 위상을 높일 수 있다.
② 외교를 통해 정치 · 경제적인 이익을 얻을 수 있다.
③ 주로 강대국이 약소국을 대상으로 힘의 논리를 이용해 압력을 가함으로써 이루어진다.
④ 외교 정책이란 한 국가가 외교를 통해 자국의 목적을 달성하기 위해 시행하는 정책을 말한다.
⑤ 한 국가가 다른 나라나 국제 사회 전체를 상대로 평화적인 방법으로 펼치는 대외 활동을 의미한다.

11 다음 글을 통해 알 수 있는 최근 외교 경향의 특징으로 가장 적절한 것은?

> '핑퐁 외교'란 1971년 미국과 중국이 세계 탁구 선수권 대회에 참가하여 탁구를 계기로 적대 관계를 청산하고 역사적인 정상 회담을 이루어 낸 것에서 나온 말이다. 30년이 지나고 미국과 중국은 이를 기념하여 탁구 경기를 다시 진행하기도 하였다.

① 비밀 외교 형태가 보편화되었다.
② 실리보다는 이념을 추구하는 외교가 증가하고 있다.
③ 강대국의 힘의 논리에 좌우되는 경향이 증가하고 있다.
④ 스포츠나 문화 등을 활용한 민간 외교가 증가하고 있다.
⑤ 대화나 타협보다는 스포츠에 의존한 외교가 증가하고 있다.

12 우리나라와 주변국과의 관계에 관한 설명으로 옳은 것은?

① 역사적으로 교류가 이루어지지 않았다.
② 주변국은 우리나라의 외교 대상이 아니다.
③ 중국과는 동해 표기를 둘러싼 갈등을 겪고 있다.
④ 일본, 중국 모두와 역사 문제로 인한 갈등이 있다.
⑤ 일본과는 서해의 배타적 경제 수역 침범 문제로 갈등 중이다.

13 다음과 같은 교과서 왜곡 문제가 발생하는 까닭으로 가장 적절한 것은?

> ○○신문 ○○○○년 ○월 ○일
> **칼 럼**
> 2015년에 검정 통과된 일본 '지유샤' 출판사의 중학교 역사 교과서에 "신라가 일본에 조공을 바쳤다."라는 취지의 기술 등 고대 한일 관계를 왜곡한 내용이 발견되었다.

① 획일화된 교육 방식
② 실리 외교 중심의 경향
③ 일본의 잘못된 역사 인식
④ 국가 안보와 이익의 추구
⑤ 각국이 처한 자연환경의 동일성

14 다음 글에 대한 설명으로 옳지 않은 것은?

> 일본의 야스쿠니 신사는 제2차 세계 대전을 일으킨 전쟁 범죄자들의 위패가 있는 곳으로, 일본 총리를 비롯한 고위 정치인들의 참배가 이루어져 문제가 되고 있다.

① 일본의 오만함을 보여 준다.
② 일본의 군국주의의 망령이 되살아나고 있다.
③ 일본은 과거 제국주의에 대한 반성이 부족하다.
④ 한국과 중국 등 주변국으로부터 비난을 받고 있다.
⑤ 일본 내부의 일이므로 주변국들이 간섭하는 것은 바람직하지 않다.

15 ㉠에 들어갈 내용으로 가장 적절한 것은?

> 우리나라가 국가 간 갈등 문제를 해결하려는 까닭은 (㉠)에 따라 국가 간 협력의 중요성이 증대되기 때문이다.

① 세계화 ② 지역화
③ 민주화 ④ 민족 분쟁
⑤ 보호 무역주의

16 일본의 독도 영유권 주장과 관련한 옳은 설명을 〈보기〉에서 고른 것은?

> 보기
> ㄱ. 제2차 세계 대전 후 연합국 최고 사령부에 의해 독도는 일본으로 반환되었다.
> ㄴ. 우리나라는 독도를 분쟁 지역으로 선포하고 국제 사법 재판소의 판결을 기다리고 있다.
> ㄷ. 일본은 지속적으로 독도 영유권 주장을 하며 국제 사회에서 유리한 여론을 형성하려고 한다.
> ㄹ. 일본은 독도와 그 주변을 군사적 거점으로 활용하고 경제적인 이익을 얻으려는 목적으로 영유권을 주장하고 있다.

① ㄱ, ㄴ ② ㄱ, ㄷ ③ ㄴ, ㄷ
④ ㄴ, ㄹ ⑤ ㄷ, ㄹ

17 다음 자료와 관련 있는 국제 갈등에 해당하는 것은?

> 중국 정부가 고구려 성산산성의 표지석에 '고구려는 중국의 소수 민족 지방 정권이었다.'라는 문구를 새긴 사실이 확인되었다.

① 서북공정 ② 남방공정
③ 동북공정 ④ 서남공정
⑤ 북방공정

18 국제 갈등을 해결하는 방법으로 적절하지 않은 것은?

① 정부의 적극적인 대응과 외교적 노력이 필요하다.
② 논리적인 대응보다는 감정적인 접근 자세를 갖는다.
③ 우리 주장의 정당성을 국제 사회에 널리 알리는 홍보 활동에 힘쓴다.
④ 국가적 차원에서 자료 수집이나 연구를 할 수 있는 기관을 설립하여 운영한다.
⑤ 국제 갈등 문제에 대해 많은 관심을 가지고, 이를 능동적으로 해결하려는 자세를 가진다.

정답과 해설 31쪽

서술형 문제

19 다음 자료를 보고 물음에 답하시오.

국제 평화와 안전 유지를 위해 조직된 국제 연합 안전 보장 이사회는 의사 결정시 15개 이사국 중 상임 이사국이 (㉠)을/를 행사하면 그 안건이 부결된다.

(1) ㉠에 들어갈 내용을 쓰시오.

(2) 위의 자료를 통해 알 수 있는 국제 사회의 특성을 제시어를 사용하여 서술하시오.

제시어: 강대국, 영향력

20 다음 자료를 보고 물음에 답하시오.

(가) (나)

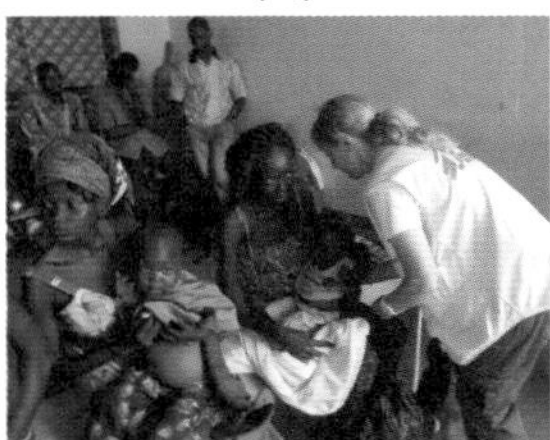

(1) (가)와 (나)에 나타난 국제 사회의 행위 주체를 각각 쓰시오.

(가):

(나):

(2) (가), (나)와 같이 국제 사회에 다양한 행위 주체가 필요한 까닭을 제시어를 사용하여 서술하시오.

제시어: 교류, 공존, 협력, 경쟁

21 다음 자료를 보고 물음에 답하시오.

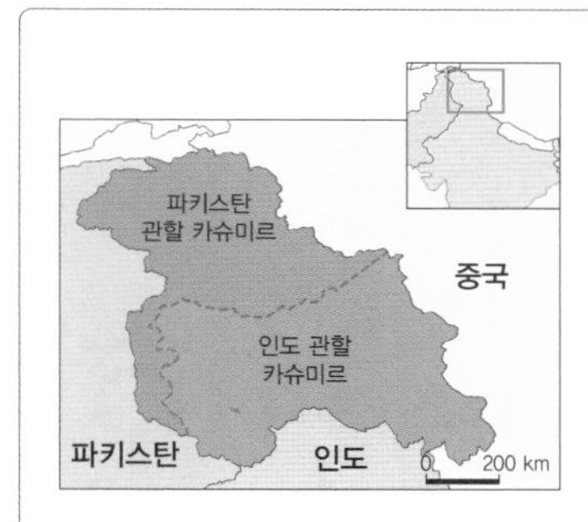

카슈미르 주민의 70%가 이슬람교도이다. 종족·종교 구성상 파키스탄에 속해야 하지만, 영국에서 독립할 때 인도에 편입되었다. 이 때문에 카슈미르를 둘러싸고 인도와 파키스탄 간에 전쟁이 여러 차례 일어났다.

(1) 위 자료에 나타난 국제 사회의 갈등 유형을 쓰시오.

(2) 위와 같은 문제를 해결하기 위한 가장 합리적인 방법을 제시어를 사용하여 서술하시오.

제시어: 국제 평화, 공존, 외교

22 다음 글을 읽고 물음에 답하시오.

중국은 (㉠) 연구 결과를 바탕으로 한국의 고대 국가인 고조선, 고구려, 발해가 중국의 지방 정권 중 하나라고 역사를 왜곡하고 있다.

(1) ㉠에 들어갈 내용을 쓰시오.

(2) 위 내용과 같은 우리나라의 국가 간 갈등을 해결하기 위한 방안을 제시어를 사용하여 서술하시오.

제시어: 상호 존중, 합리적 대화, 시민 단체, 개인

VII

인구 변화와 인구 문제

01 인구 분포

02 인구 이동

03 인구 문제

배울 내용이 쉬워지는 용어

배울 용어를 읽어 보고, 이해가 되었으면 ✔ 표시를 해 봅시다.

- ☐ **인구** ‘사람(인)들의 입(구)’이라는 의미를 지녔지만, 보통 한 지역 안에 사는 사람들의 수를 말해.
- ☐ **인구 밀도** 인구가 밀집한 정도, 즉 어떤 지역에 사람들이 얼마나 모여 있는지를 말해.

여긴 인구 밀도가 높아.
여긴 인구 밀도가 낮아.

인구 밀도

- ☐ **이촌 향도 현상** 촌락을 떠나(이촌), 도시로 가는(향도) 사람들이 많아지는 현상을 말해.

일자리를 구하러 도시로 가자!

이촌 향도 현상

- ☐ **인구 유입** 사람들이 어떤 지역으로 이사 오는(유입) 현상을 말해. 그림에서 B는 인구 유입 지역이야!
- ☐ **인구 유출** 사람들이 어떤 지역에서 떠나는(유출) 현상을 말해. 그림에서 A는 인구 유출 지역이야!

인구 유입·인구 유출

- ☐ **난민** 정치적, 종교적 다툼(전쟁) 등의 어려운 상황(난)을 피해 다른 곳으로 이동하는 사람들(민)을 말해.

난민

- ☐ **저출산** 아이를 조금 낳는 현상으로 계속 진행되면 인구가 감소하게 돼.

저출산

- ☐ **고령화** 높은(고) 나이(령)인 사람, 즉 노인의 비율이 증가하는 현상이야.

고령화

- ☐ **성비** 여성과 남성의 비율로, 보통 여성 인구 100명 당 남성 인구의 수로 나타내.

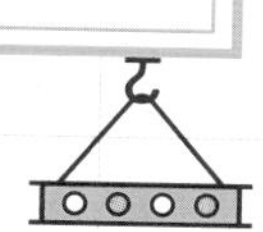

01 인구 분포

물음으로 흐름잡기

1. 인구 분포를 어떻게 파악할까?
2. 인구 분포에 영향을 미치는 요인은 무엇일까?

A 세계의 인구 분포

1. 인구 분포의 특징

① 세계 인구의 90% 이상이 북반구에 거주

② 대륙별로 볼 때 아시아에 가장 많은 인구(전 세계 인구의 60% 이상)가 거주하고, 오세아니아에 거주하는 인구가 가장 적음

2. 인구 분포에 영향을 미치는 요인

자연적 요인❶	• 지형, 기후, 토양 등 자연적으로 주어지는 환경 • 주로 농업에 영향을 주어 인구 밀도가 지역별로 달라짐	농업이 중요했던 과거에는 자연적 요인이 중요했지만, 산업화 이후에는 인문·사회적 요인이 더 크게 작용함
인문·사회적 요인	• 산업, 문화, 경제 발달 정도 등 사회적으로 만들어진 환경 • 주로 일자리, 소득 수준 등과 같은 경제적 상황에 영향을 주어 인구가 집중되거나 흩어지는 원인이 됨	

3. 지역별 인구 밀도

인구 밀집 지역

- **서부 유럽, 미국 북동부, 일본의 태평양 연안:** 산업 발달, 일자리 풍부, 편리한 생활 환경 등으로 인해 인구가 밀집
- **동아시아 지역:** 계절풍의 영향으로 강수량이 많아 벼농사가 발달하여 인구가 밀집

계절에 따라 바람의 방향이 바뀌는 것으로, 주로 여름에 덥고 습한 공기를 몰고 와 벼농사에 유리한 환경을 만들어.

인구 희박 지역

- **사하라 사막:** 연 강수량이 매우 적어 농업과 목축이 불리하여 인구가 희박
- **캐나다 북부:** 연중 기온이 낮아 농업이 불리
- **아마존강 유역:** 연중 고온 다습하고 빽빽한 밀림이 있어 거주에 불리

교과서 자료 세계의 인구 분포

▲ 대륙별 인구 분포

▲ 세계의 인구 분포

- 2015년 기준 전 세계 인구는 약 74억 명 정도이며, 이 중 60% 정도가 아시아에 분포한다.
- 세계 인구의 90% 이상이 북반구에 살고 있고, 이들 대부분이 기후가 온화한 북위 20°~40° 지역에 몰려 있다. 또 대부분의 사람들은 해안 지역이나 평야에 사는 등 인구 분포가 고르지 않고 특정 지역에 밀집해 있다.

⚠ 용어 알기

• **인구 밀도** 어떤 지역이나 나라의 총인구를 총면적으로 나눈 값으로, 보통 1㎢의 면적에 사는 인구수로 나타낸다.

❶ 자연적 요인이 인구 분포에 미치는 영향

- 몽골: 건조 기후로 인해 농작물 재배가 어려워 인구 밀도가 낮다.
- 방글라데시: 국토 대부분이 평야이고 계절풍의 영향을 받아 벼농사가 발달하여 인구 밀도가 높다.

✓ 간단 체크

❶ 인구가 가장 많이 분포하는 대륙은?

❷ 세계 인구의 대부분이 거주하는 위도대는?

B 우리나라의 인구 분포

1. 인구 분포의 특징

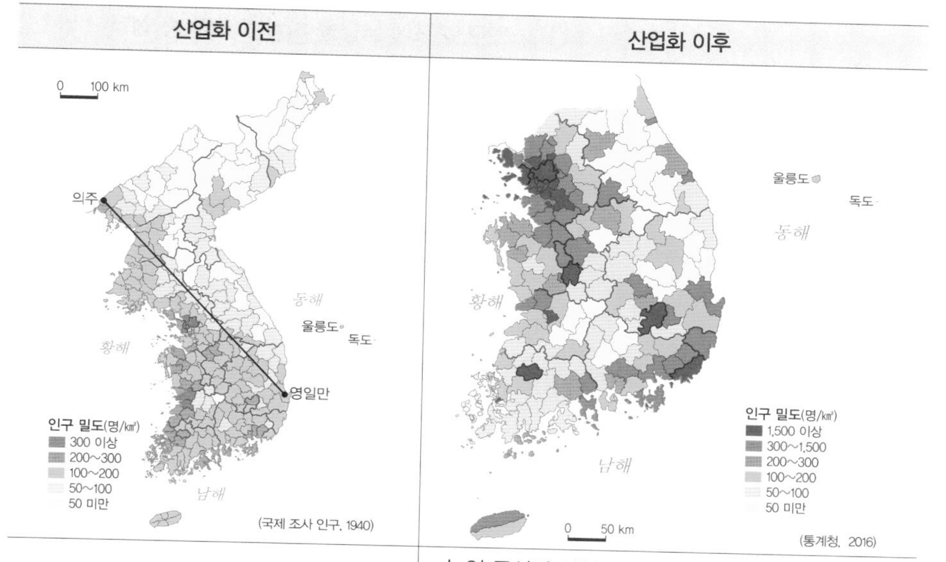

산업화 이전	산업화 이후
• 벼농사 중심의 전통적인 농업 사회 • 농업이 유리한 평야 지역에 인구 밀집 → 산지가 많은 북동부에 비해 남서부 지역에 주로 많은 인구가 집중❷	• 농업 중심의 산업 구조가 공업과 서비스업 중심으로 변함 → 이촌 향도 현상이 나타남 • 대도시, 공업 도시, 위성 도시가 발달 • 태백산맥, 소백산맥 일대의 산지와 농어촌 지역은 인구 감소 → 노동력 부족

2. 인구 분포 변화의 요인

자연적 요인보다 인문 환경에 따라 인구 분포가 달라지는 경향이 강해지고 있음

교과서 자료 수도권의 인구 증가

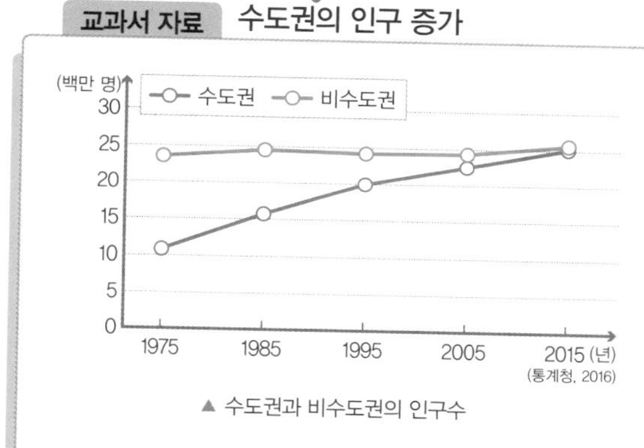

▲ 수도권과 비수도권의 인구수

• 과거에 서울로 몰려들던 인구는 현재 줄거나 감소하고 있지만, 이 인구들이 대부분 인근의 경기도, 인천광역시 등으로 이동하면서 수도권 전체 인구는 오히려 늘어났다.
• 현재 전체 인구의 절반 정도가 수도권에 집중되면서 공간적 불균형이 심화된 상황이다.

용어 알기

• **이촌 향도 현상** 산업화, 도시화로 농촌 인구가 도시로 이동하는 현상을 말한다.
• **수도권** 서울과 그 주변의 경기도, 인천광역시 등의 지역들을 일컫는 말이다.

❷ 우리나라의 지형

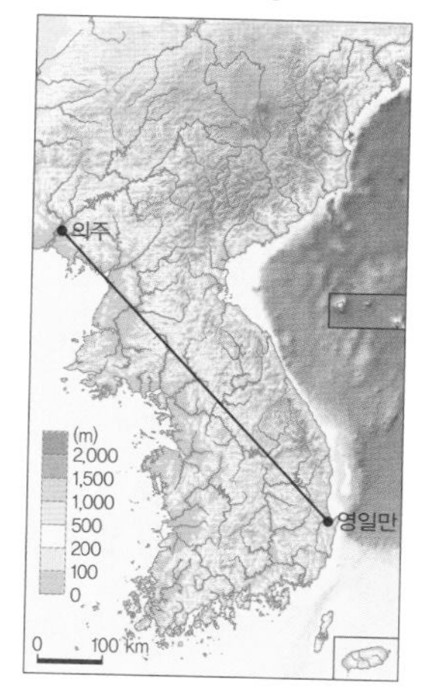

의주～영일만을 잇는 선을 기준으로 남서부 지역은 평야가 넓고, 북동부 지역은 산지나 고원이 많이 분포한다.

간단 체크

❸ 서울과 그 주변의 경기도, 인천광역시 등의 지역을 일컫는 말은?

*밑줄 친 곳을 바르게 고쳐 쓰거나, 빈칸에 알맞은 말을 쓰시오.

정답과 해설 33쪽

A 세계의 인구 분포

01 세계 인구의 대부분이 남반구에 집중되어 있다.

02 세계 인구가 가장 많이 분포하는 대륙은 오세아니아이다.

03 세계 인구는 매우 균등한 분포 상태를 보이고 있다.

B 우리나라의 인구 분포

04 산업화 이전에는 우리나라 인구의 대부분이 (　　　　)에 유리한 평야 지역에 몰려 있었다.

05 산업화 이후 (　　　　) 현상이 나타나면서 도시에 인구가 밀집하고, 농어촌 지역의 인구는 감소하였다.

A 세계의 인구 분포

필수

01 세계 인구 분포에 관한 설명으로 옳지 않은 것은?

① 세계의 인구는 북반구에 집중되어 있다.
② 주로 해안 지역과 평야 지역에 인구가 밀집해 있다.
③ 세계의 인구는 불균등하게 분포하는 모습을 보인다.
④ 인구수는 지역별로 다르지만 인구 밀도는 거의 같다.
⑤ 대륙별로 볼 때 아시아에 인구가 가장 많이 집중해 있다.

[02-03] 세계의 인구 분포를 나타낸 지도이다. 물음에 답하시오.

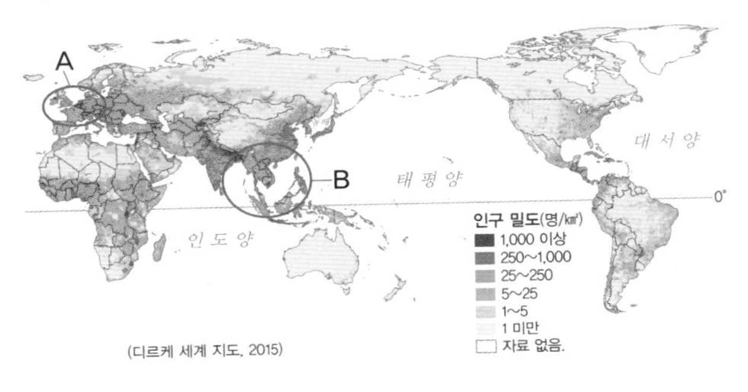

(디르케 세계 지도, 2015)

02 위 지도에 대한 해석으로 옳은 것은?

① 세계적으로 고른 인구 분포가 나타난다.
② 주로 산지 지역에 인구가 밀집되어 있다.
③ 인구 밀도는 인문 환경의 영향이 가장 크다.
④ 중위도의 인구 밀도가 높은 것은 기후 때문이다.
⑤ 대륙별 인구 밀도는 오세아니아가 아시아보다 높다.

03 A, B 지역에 인구가 밀집한 이유를 옳게 짝지은 것은?

	A	B
①	산업 발달	벼농사 발달
②	산업 발달	풍부한 일자리
③	벼농사 발달	풍부한 일자리
④	벼농사 발달	산업 발달
⑤	풍부한 일자리	혼합 농업 발달

필수

04 인구 분포에 영향을 미치는 요인 중 성격이 비슷한 것끼리 묶인 것은?

① 기후, 산업
② 기후, 토양
③ 토양, 문화
④ 지형, 일자리
⑤ 토양, 경제 발달

05 다음 지역들의 공통점으로 옳은 것은?

- 사하라 사막
- 캐나다 북부
- 아마존강 유역

① 인문 환경이 발달하여 인구가 밀집해 있다.
② 열대 기후로 인해 거주가 불편한 지역이다.
③ 벼농사가 발달하여 인구가 밀집한 지역이다.
④ 주변 지역에 비해 인구 밀도가 높게 나타난다.
⑤ 불리한 자연환경으로 인해 인구가 희박한 지역이다.

고난도

06 A~D 지역의 인구 밀도를 나타낸 지도이다. A~D 지역의 대한 설명으로 옳은 것은?

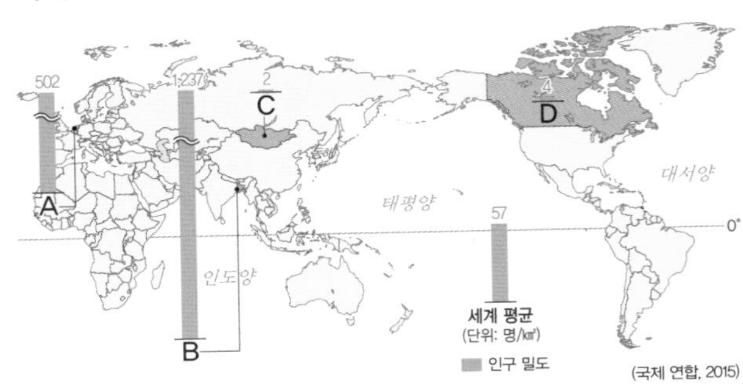

(국제 연합, 2015)

① A~D 지역은 모두 인문 환경이 인구 밀도에 영향을 미친 지역들이다.
② A 지역과 D 지역의 인구 분포 차이는 경제 발달의 차이를 반영한 것이다.
③ A 지역과 B 지역 모두 높은 소득이 보장된 일자리가 풍족하다는 점 때문에 인구 밀도가 높다.
④ B 지역과 C 지역은 농작물의 재배와 관련된 환경의 차이로 인해 인구 밀도가 서로 다르게 되었다.
⑤ C 지역과 D 지역은 경제적으로 낙후된 환경이라는 점이 인구 밀도가 낮아지는 데 큰 영향을 미쳤다.

정답과 해설 33쪽

07 (가), (나) 국가에 대한 설명으로 옳지 않은 것은?

(가)

▲ 방글라데시

(나)

▲ 독일

① (가), (나) 국가 모두 인구 밀집 지역이다.
② (가) 국가의 인구 분포에는 주로 자연환경이 영향을 끼쳤다.
③ (나) 국가의 인구 분포에는 주로 산업 발달이 영향을 끼쳤다.
④ (가), (나) 국가 모두 계절풍이 인구 분포에 큰 영향을 끼쳤다.
⑤ 최근의 인구 분포에는 (나) 국가의 인구 분포에 영향을 끼친 요인이 증가하고 있다.

08 다음과 같은 변화로 인해 최근 중요해 지고 있는 인구 밀집 요인을 〈보기〉에서 고른 것은?

> 산업화 이후 농업보다 공업과 서비스업이 경제 활동에서 중요한 부분을 차지하게 되었다.

보기
ㄱ. 지형　　ㄴ. 기후
ㄷ. 산업　　ㄹ. 소득 수준

① ㄱ, ㄴ　② ㄱ, ㄷ　③ ㄴ, ㄷ
④ ㄴ, ㄹ　⑤ ㄷ, ㄹ

서술형
09 다음 지역들에 인구가 밀집한 공통적인 이유를 제시어를 사용하여 서술하시오.

> 서부 유럽, 미국 북동부, 일본의 태평양 연안

제시어: 산업, 일자리, 소득

B 우리나라의 인구 분포

[10-11] 다음은 우리나라 인구 분포를 나타낸 지도이다. 이를 보고 물음에 답하시오.

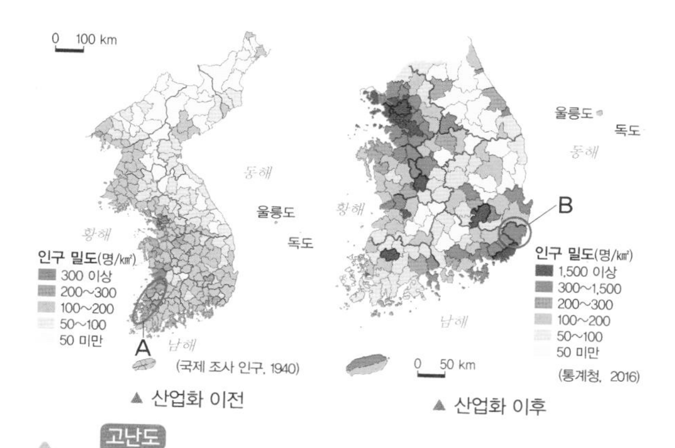

▲ 산업화 이전　　▲ 산업화 이후

고난도
10 A, B 지역에 대한 옳은 설명을 〈보기〉에서 고른 것은?

보기
ㄱ. 두 지역에 인구가 밀집한 이유는 동일하다.
ㄴ. A 지역은 이촌 향도 현상으로 인해 인구가 증가하였다.
ㄷ. 산업 구조의 변화로 인해 B 지역에 인구가 밀집하게 되었다.
ㄹ. A 지역 인구의 평균 연령은 지속적으로 높아지는 경향을 보일 것이다.

① ㄱ, ㄴ　② ㄱ, ㄷ　③ ㄴ, ㄷ
④ ㄴ, ㄹ　⑤ ㄷ, ㄹ

서술형
11 우리나라의 인구 분포 변화에 영향을 주는 요인이 어떻게 변화하였는지 제시어를 사용하여 서술하시오.

제시어: 자연환경, 인문 환경

Ⅶ. 인구 변화와 인구 문제

인구 이동

물음으로 흐름잡기

1. 인구를 이동하게 하는 요인은 무엇일까? 2. 인구 이동이 많아짐에 따라 생기는 문제는 무엇일까?

A 인구 이동

1. 인구 이동 요인

(1) **흡인 요인:** 인구가 유입되도록 만드는 요인 예 풍부한 일자리, 높은 임금, 편안하고 쾌적한 주거 환경 등

(2) **배출 요인:** 인구가 유출되도록 만드는 요인 예 전쟁·분쟁 등 정치적 불안, 높은 실업률, 부족한 편의 시설 등

2. 인구 이동 유형

구분	인구 이동 유형
이동 범위	국내 이동(이사, 국내 여행 등), 국제 이동(이민, 해외 유학 등)
이동 기간	일시적 이동(여행, 유학 등), 영구적 이동(이사, 이민)
이동 동기	자발적 이동(해외 구직 등), 강제적 이동(노예 무역, 망명 등)
이동 목적	정치적 이동(망명, 난민 등), 경제적 이동(일자리), 종교적 이동, 관광을 위한 이동, 교육을 위한 이동(전학, 유학 등)

3. 세계의 인구 이동 교통·통신의 발달과 세계화로 인구 이동 증가 집중 공략 128쪽

국제 이동	종교적 이동	아메리카로 이주한 영국의 청교도
	강제적 이동	노예 무역(아프리카 흑인들이 아메리카 대륙으로 이동)
	정치적 이동	전쟁, 분쟁, 정치적 탄압 등을 피한 이동(난민)
	경제적 이동	일자리를 찾아 이동(개발 도상국 → 선진국), 화교의 이동
	일시적 이동	해외여행, 유학, 파견 등 → 최근 증가 추세
국내 이동		이촌 향도 현상, 역도시화 현상(U턴 현상)

화교: 외국에 살지만 중국 국적을 가지고 중국과 긴밀한 관계를 유지하며 사는 사람들을 말해. 이들이 동남아시아 경제에 미치는 영향은 매우 커.

역도시화 현상: 인구 밀집과 환경 오염, 교통 체증, 주거 노후화 등으로 도시의 생활 환경이 열악해지면서 다시 농촌으로 인구가 빠져나가는 현상을 말해.

4. 우리나라의 인구 이동

국제 이동	• **일제 강점기:** 중국 만주 지역, 구소련의 연해주 지역, 일본 등으로 이동 → 강제 징용, 독립운동 등 다양한 이유로 이동했다가 광복 후 귀국 • **1960년대:** 일자리, 높은 소득 등을 좇아 미국, 독일, 서남아시아 등으로 이동 • **1980년대:** 유학, 여행, 파견 등 일시적 이동 증가 • **1990년대:** 취업, 국제결혼 등으로 외국인 유입 증가 → 다문화 사회
국내 이동❶	• **일제 강점기:** 일자리를 찾아 북부 광공업 지역으로 이동 • **6·25 전쟁:** 북한 주민들과 피난민들이 남부 지역으로 이동 • **1960년대:** 산업화로 인해 이촌 향도 현상이 나타남 • **1990년대 이후:** 대도시를 떠나 신도시, 농어촌 등으로 이동(역도시화 현상)

용어 알기

• **난민** 민족, 인종, 종교, 정치 등의 차이로 인한 박해를 피해 거주지를 떠나 이동하는 사람들을 말한다. 최근 기후 변화로 거주지를 떠나는 기후 난민도 발생하고 있다.

❶ 우리나라의 시기별 인구 이동

◀ 일제 강점기

일자리를 찾아 북부 광공업 지역으로, 일제의 지배를 피해 외국으로 이주

◀ 6·25 전쟁

북한 주민들과 피난민들이 남부 지역으로 이동

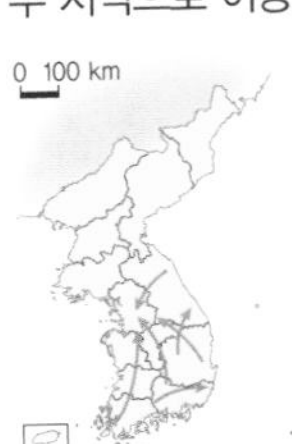

◀ 1960년대

산업화로 인한 이촌 향도 현상

◀ 1990년대

역도시화 현상이 나타남

B 인구 이동의 영향

1. 인구 유입 지역

① **긍정적 영향**: 노동력 증가, 경제 활성화, 문화의 다양성 증가 등

② **부정적 영향**: 이주민과 현지인 간의 종교, 언어 등 문화적 차이로 인한 갈등[❷], 인종 차별, 일자리를 둘러싼 갈등 발생 등

2. 인구 유출 지역

① **긍정적 영향**: 해외 취업으로 인한 실업률 하락, 해외 취업자가 본국으로 송금하는 외화의 증가로 경제 활성화

② **부정적 영향**: 해외 취업으로 인한 노동력 부족, 특정 성별 인구의 유출 증가로 성비[•] 불균형 문제가 발생하기도 함

교과서 자료 우리나라의 인구 이동과 영향

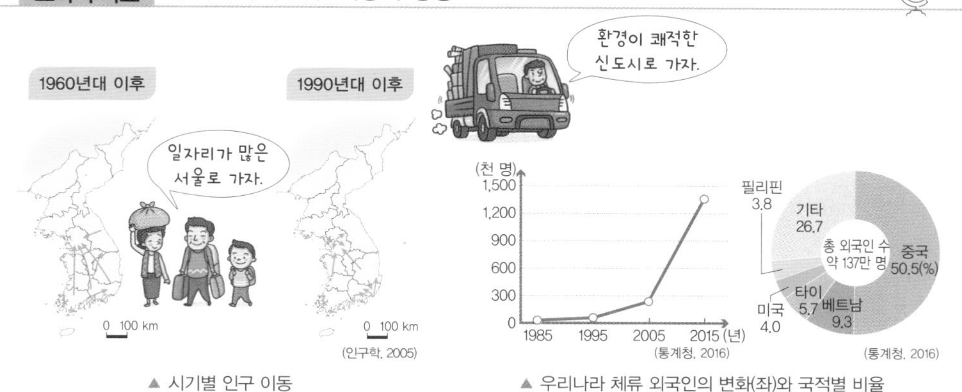

▲ 시기별 인구 이동 ▲ 우리나라 체류 외국인의 변화(좌)와 국적별 비율

- 1960년대 이후 산업화와 함께 이촌 향도 현상이 두드러지게 나타난다. 하지만 이로 인해 대도시의 생활 환경이 악화되면서 1990년 이후에는 대도시 주변으로 이동하거나 농어촌으로 다시 돌아가는 역도시화 현상이 나타나기 시작하였다.
- 과거에는 일자리를 구하기 위해 외국으로 나가는 경우가 많았다. 하지만 지금은 오히려 외국에서 일자리를 구하기 위해 우리나라로 오는 경제적 이동이 많아졌다. 우리나라에 체류하는 외국인이 급증하면서 문화적 갈등, 일자리 갈등 등의 문제가 증가하고 있다.

⚠ 용어 알기

• **성비** 여성 100명 당 남성의 수를 나타내는 것으로, 여성과 남성의 비율을 표현하는 말이다.

❷ 문화 갈등 사례

제2차 세계 대전 이후 프랑스는 북아프리카 이주민을 통해 노동력 부족 문제를 해결하려고 하였다. 그러나 점차 일자리가 부족해지고, 이주민에 대한 차별 문제가 불거지면서 이들과의 갈등이 심화되었다.

✓ 간단 체크

❶ 1960년대 이후 농촌에서 도시로 인구가 몰려드는 현상을 일컫는 말은?

❷ 최근 우리나라로 들어오는 외국인들의 주요한 인구 이동 유형은?

*밑줄 친 곳을 바르게 고쳐 쓰거나, 빈칸에 알맞은 말을 쓰시오.

정답과 해설 34쪽

A 인구 이동

01 인구가 유입되도록 만드는 요인을 배출 요인이라고 한다.

02 이동 동기에 따라 국내 이동과 국제 이동으로 구분된다.

03 최근에는 유학, 여행, 파견 등과 같은 영구적 이동이 증가하고 있다.

04 노예 무역은 자발적 이동에 속한다.

B 인구 이동의 영향

05 인구 유입 지역에서는 다양한 지역의 사람들이 모여들면서 문화의 (   )이/가 증가하게 된다.

06 선진국은 이주민이 증가하면서 현지인과 이주민 사이에 문화적 차이로 인한 (   )이/가 발생하기도 한다.

07 인구 유출 지역에서는 청장년층의 인구가 떠나게 되면서 (   ) 부족 문제를 겪기도 한다.

집중 공략

인구의 국제 이동

정답과 해설 34쪽

집중해서 알아보기

지도는 주요 인구 유출 지역과 인구 유입 지역을 보여 주고 있다.
유럽, 북아메리카, 오스트레일리아 등 경제 선진국들은 인구 유입 지역이고,
중국, 인도, 그리고 개발 도상국에 속하는 인도네시아, 멕시코 등은 인구 유출 지역에 해당한다.
이를 통해 최근 국제 이동에서 경제적 이동이 차지하는 비중이 크다는 것을 알 수 있다.

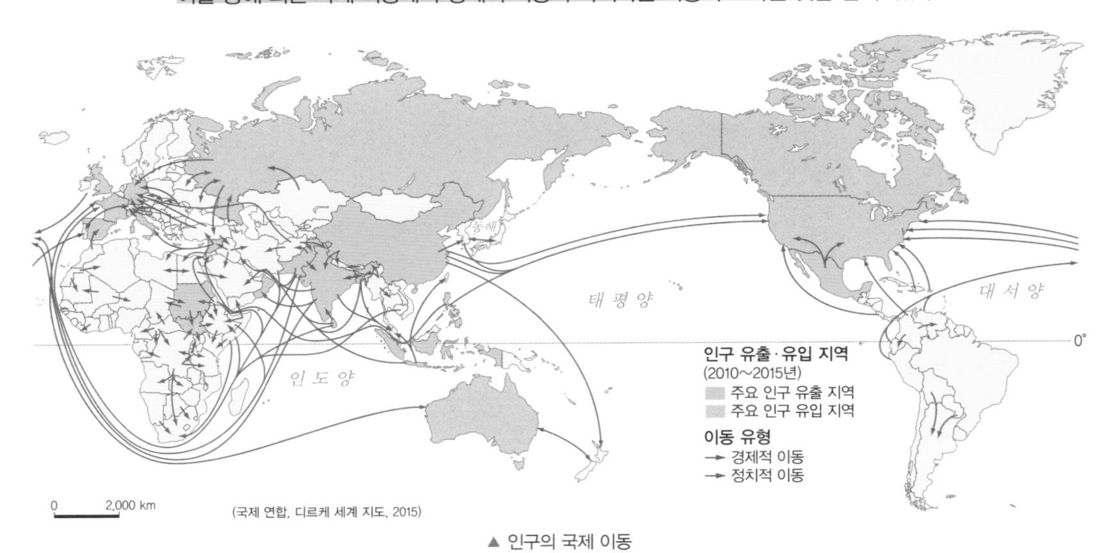

▲ 인구의 국제 이동

- 인구 유입 지역들은 경제적으로 선진국인 경우가 많다.
- 인구 유출 지역들은 개발 도상국이거나 정치적 분쟁 지역인 경우가 많다.
- 개발 도상국에서 선진국으로의 이동은 대부분 경제적 이동이다.
- 아프리카나 서남아시아에서는 내전이나 분쟁으로 인한 정치적 이동이 많다.

문제로 공략하기

01 멕시코 사람들이 가장 많이 이동하는 국가와 이동 원인을 써 보자.

답 ( )

02 개발 도상국에서 선진국으로 이루어지는 인구 이동의 대표적인 유형을 써 보자.

답 ( )

03 유럽으로의 인구 이동이 많아지면서 유럽에서 발생하는 문제를 써 보자.

답 ( )

04 유럽과 북아메리카가 인구 유입 지역이 된 공통적인 흡인 요인을 써 보자.

답 ( )

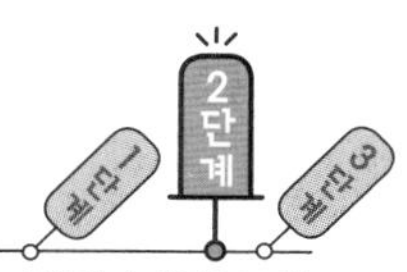

정답과 해설 34쪽

A 인구 이동

01 인구 이동의 흡인 요인에 해당하는 것을 〈보기〉에서 있는 대로 고른 것은?

보기
ㄱ. 높은 소득　　ㄴ. 종교의 자유
ㄷ. 풍부한 일자리　　ㄹ. 열악한 주거 환경

① ㄱ, ㄴ　② ㄱ, ㄷ
③ ㄱ, ㄴ, ㄷ　④ ㄱ, ㄷ, ㄹ
⑤ ㄴ, ㄷ, ㄹ

02 인구 이동의 유형과 그 사례를 옳게 짝지은 것은?

① 종교적 이동 – 전쟁을 피해 이동하는 난민
② 일시적 이동 – 유학을 위해 미국으로 간 한국 학생
③ 경제적 이동 – 종교적 박해를 피해 미국으로 간 영국인
④ 정치적 이동 – 여름 방학 기간 동안 영국의 친척집에 방문한 일본인
⑤ 자발적 이동 – 노예 무역으로 인해 아메리카로 이동한 아프리카 흑인

필수
03 세계의 인구 이동에 대한 옳은 설명을 〈보기〉에서 고른 것은?

보기
ㄱ. 일시적 이동은 감소하고, 영구적 이동이 많아지고 있다.
ㄴ. 최근 이루어지는 이동의 대부분은 경제적 이동에 해당한다.
ㄷ. 대부분의 경제적 이동은 선진국에서 개발 도상국으로 이루어진다.
ㄹ. 정치적 이유로 인한 난민뿐만 아니라 기후 변화로 인한 난민도 발생하고 있다.

① ㄱ, ㄴ　② ㄱ, ㄷ　③ ㄴ, ㄷ
④ ㄴ, ㄹ　⑤ ㄷ, ㄹ

고난도
04 다음 지도에 대한 설명으로 옳은 것은?

(국제 연합, 디르케 세계 지도, 2015)

① 아프리카 대륙에는 정치적으로 불안정한 지역이 비교적 적다.
② 멕시코에서 미국으로의 이동은 대부분 자유를 찾기 위한 정치적 이동이다.
③ 우리나라로 이주하는 중국인들은 대부분 종교적 자유를 찾기 위해 이동한다.
④ 흡인 요인보다 배출 요인이 크게 작용하는 지역은 인구 유입 지역이 될 가능성이 크다.
⑤ 파키스탄 사람들은 종교적인 이유도 함께 고려하여 서남아시아로 경제적 이동을 한다.

B 인구 이동의 영향

05 다음 상황에서 프랑스에 나타날 수 있는 변화로 옳지 않은 것은?

> 프랑스에는 모로코, 알제리 출신의 이주자들이 꾸준히 유입되고 있다.

① 문화의 다양성이 증가하게 된다.
② 일자리를 둘러싼 갈등이 발생할 수 있다.
③ 힌두교 신자들과의 갈등이 부각될 것이다.
④ 사회 전체적으로 노동력이 증가하게 될 것이다.
⑤ 인종 차별 문제를 해결하기 위한 사회적 노력이 강조될 것이다.

서술형
06 인구 유출 지역이 겪는 문제점 두 가지를 제시어를 사용하여 서술하시오.

제시어: 노동력, 성비

인구 문제

물음으로 흐름잡기

1. 세계의 인구가 급격하게 증가한 이유는 무엇일까?
2. 우리나라가 현재 겪고 있는 인구 문제는 무엇일까?

A 세계의 인구 문제 집중 공략 132쪽

1. 세계 인구의 급증

① **인구 성장:** 산업 혁명 이후 빠르게 증가 — 1900년에 16억이었던 인구가 2016년에 73억으로 급증했어.

② **원인:** 의학·과학 기술의 발달과 생활 수준의 향상으로 출생률 증가, 사망률 감소

2. 선진국의 인구 문제

저출산	고령화❶
• **원인:** 여성의 지위 상승 및 사회 활동 증가, 자녀에 대한 가치관 변화, 육아에 따른 경제적 부담 증가 • **결과:** 출산 기피, 아이를 적게 낳으려는 경향 • **영향:** 합계 출산율 하락으로 인구 정체 및 감소 → 노동력 부족	• **원인:** 의료 기술의 발달, 생활 수준의 향상 • **결과:** 평균 수명 연장, 저출산과 맞물려 고령층의 비율 증가 • **영향:** 노인 부양비 증가, 노인 소외, 노인 복지 비용 증가 등

3. 개발 도상국의 인구 문제

급격한 인구 증가	• **원인:** 근대화와 산업화로 인한 생활 수준의 향상, 의학 기술 발달로 인구 급증 • **결과:** 급격한 인구 증가에 비해 경제 수준이 낮아 인구 부양력 부족(식량 부족, 일자리 부족 등) • **영향:** 빈곤, 기아, 실업 등의 문제 부각
대도시의 인구 급증	• **원인:** 산업화로 인한 급격한 이촌 향도 현상 발생 • **영향:** 도시의 주택 부족, 교통 체증, 실업률 증가, 농촌의 노동력 부족
성비 불균형	남아 선호 사상으로 인한 성비 불균형 심화(중국,❷ 인도 등)

4. 인구 문제의 대책

선진국	개발 도상국
• **출산 장려 정책:** 출산 장려금 및 양육 수당 지급, 양육 및 보육 시설 확충, 가사 분담 및 공동 육아를 위한 양성평등 문화 강조 • **고령화 관련 대책:** 일자리 창출, 정년 연장, 다양한 노인 복지 제도 도입, 실버산업 육성 등 (노인에게 필요한 상품이나 서비스를 제공하는 산업을 말해.) • **노동력 확보 방안:** 외국인 근로자 유입 확대 정책	• **산아 제한 정책:** 가족계획 사업 실시 (건강하고 행복한 가족을 위해 자녀를 계획적으로 갖자는 것으로, 보통 출생율을 줄이려는 의도로 이루어졌어.) • **인구 부양력 증대:** 농업 생산력 증대를 위해 노력, 경제 개발 등 • **인구의 지방 분산 정책:** 농촌 지역의 생활 개선 등 • **양성평등 정책:** 여성에 대한 차별 철폐, 성평등 의식 함양을 위한 교육 및 캠페인 실시

용어 알기

- **합계 출산율** 한 여성이 평생 낳을 것으로 예상되는 평균 자녀 수를 말하며, 합계 출산율이 최소 2.1명이 되어야 인구 유지가 가능하다.
- **인구 부양력** 한 나라의 인구가 그 나라의 사용 가능한 자원으로 생활할 수 있는 능력을 말한다.

❶ 고령화 사회의 분류

구분	65세 이상 인구 비율
고령화 사회	7% 이상
고령 사회	14% 이상
초고령 사회	20% 이상

우리나라는 2000년에 고령화 사회로 접어들었고, 현재는 고령 사회로 접어들기 직전인 상태이다.

❷ 중국의 인구 정책

중국은 인구의 급격한 증가를 막기 위해 최근까지 '한 자녀 정책'을 실시하였다. 이 정책은 남아 선호 사상과 맞물리면서 극심한 성비 불균형을 낳았고, 젊은층의 인구 감소로 고령화에 대한 우려까지 불러일으키게 되었다. 결국 2016년 중국 정부는 '두 자녀 정책'을 시행하기 시작하였다.

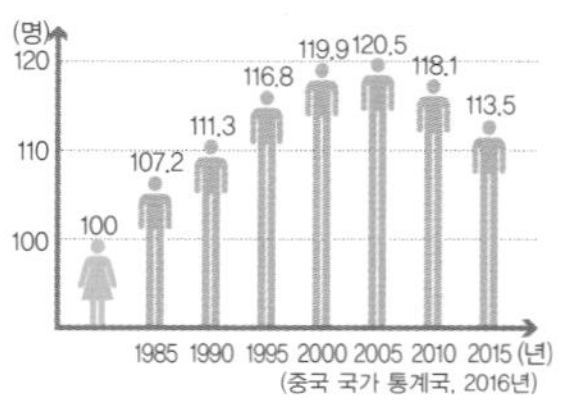

▲ 중국의 성비 변화

B 우리나라의 인구 문제

1. 저출산과 고령화

① 원인

저출산	여성의 사회 진출 증가, 결혼 연령 상승, 자녀 양육비 부담, 결혼 및 가족에 대한 가치관 변화 등
고령화	• 경제 발전과 의학 기술의 발달로 평균 수명 연장 • 저출산으로 인해 상대적으로 출생률이 높았던 고령층의 비율이 급격히 증가

② 영향

• 경제 활동 인구• 감소: 세금 감소, 노인 복지 부담 증가, 경제 침체 등

• 노년층 부양 부담 증가: 청장년층의 경제적 부담 증가, 노인 문제• 발생 등

2. 저출산과 고령화의 대책

저출산	직장 내 보육 시설 설치, 출산 지원금 및 양육비 지급 등
고령화	노인 복지 제도 마련, 정년 연장, 실버산업 확충 등

⚠ 용어 알기

• **경제 활동 인구** 15~64세의 일할 능력과 의사를 가진 인구를 말한다.

• **노인 문제** 경제력이 부족한 노인들이 겪게 되는 빈곤, 질병, 소외 문제 등을 말한다.

교과서 자료 우리나라 인구 정책의 변화

▲ 1970년대

▲ 1980년대

▲ 1990년대

▲ 2000년대

• 우리나라에서는 6 · 25전쟁 이후 '베이비 붐'이라 불릴 정도의 급격한 출생율 증가가 나타났고, 인구 급증을 막기 위해 1970년대에 가족계획 사업을 실시하였다.

• 이후 출산 억제 정책과 성비 불균형을 해결하기 위한 정책도 함께 실시되었다.

• 여성의 사회 진출, 가족에 대한 가치관 변화, 양육에 대한 경제적 부담 증가 등으로 저출산 현상이 나타났고, 결국 정부는 2000년대부터 출산 장려로 정책을 바꾸게 되었다.

✓ 간단 체크

❶ 1970년대에 정부가 실시한 인구 정책은?

❷ 2000년대부터 정부가 실시한 인구 정책은?

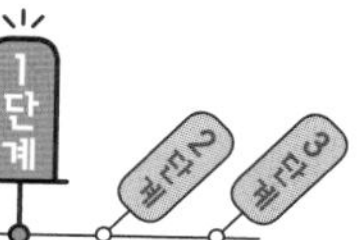

*밑줄 친 곳을 바르게 고쳐 쓰거나, 빈칸에 알맞은 말을 쓰시오.

정답과 해설 35쪽

A 세계의 인구 문제

01 선진국에서는 저출산으로 인한 인구 증가를 겪고 있다.

02 개발 도상국에서는 인구 증가와 인구 부양력 향상으로 빈곤, 기아, 실업 등의 문제가 발생하고 있다.

03 선진국은 적극적으로 출산 억제 정책을 실시해야 한다.

B 우리나라의 인구 문제

04 우리나라는 합계 출산율 감소로 심각한 (   ) 문제를 겪고 있다.

05 저출산과 고령화로 경제 활동 인구가 (   )한다.

06 고령화 사회에 대비하여 노인들을 위한 (   )산업을 육성해야 한다.

선진국과 개발 도상국의 인구 피라미드

정답과 해설 35쪽

집중해서 알아보기

인구 피라미드는 연령별 인구 비율을 나타낸 것으로,
해당 지역이나 국가의 인구 구조와 인구 문제를 파악하는 자료가 된다.

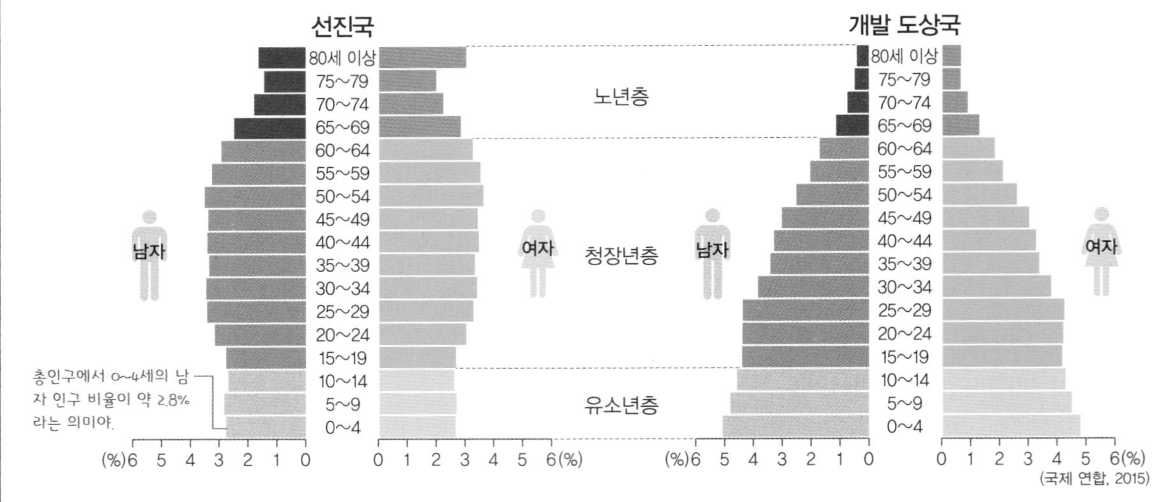

▲ 선진국과 개발 도상국의 인구 피라미드

- 인구 피라미드의 위쪽이 클수록 인구 감소, 아래쪽이 클수록 인구 증가 상태임을 짐작할 수 있다.
- 인구 피라미드는 인구수가 아니라 비율을 나타낸 것이므로 이를 통해 인구가 적고 많음을 파악하기는 어렵다.
- 선진국의 인구 피라미드는 유소년층이 적은 반면, 노년층의 인구가 많음을 보여 주고 있다.
- 개발 도상국의 인구 피라미드는 유소년층의 비율이 높은데, 이는 인구가 증가하고 있음을 보여 주는 것이다.

문제로 공략하기

01 선진국에서 유소년층 비율이 낮은 이유를 써 보자.

답 (　　　　　　　　　　　　　　　　　　　　)

02 선진국에서 위와 같은 인구 구조가 지속될 경우 나타날 수 있는 문제점을 써 보자.

답 (　　　　　　　　　　　　　　　　　　　　)

03 선진국에서 실시해야 할 인구 정책은 무엇인지 써 보자.

답 (　　　　　　　　　　　　　　　　　　　　)

04 개발 도상국의 유소년층 비율이 높은 이유를 써 보자.

답 (　　　　　　　　　　　　　　　　　　　　)

05 개발 도상국에서 위와 같은 인구 구조가 지속될 경우 나타날 수 있는 문제점을 써 보자.

답 (　　　　　　　　　　　　　　　　　　　　)

06 개발 도상국에서 실시해야 할 인구 정책은 무엇인지 써 보자.

답 (　　　　　　　　　　　　　　　　　　　　)

정답과 해설 36쪽

A 세계의 인구 문제

01 다음 그래프와 같이 세계 인구가 증가한 이유로 옳지 <u>않은</u> 것은?

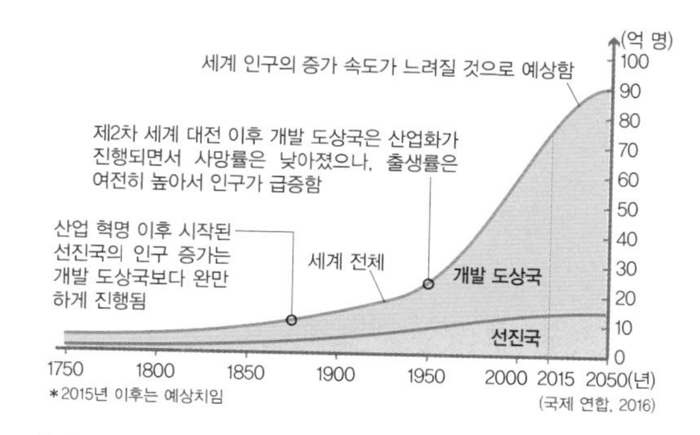

① 의학 기술이 발달하였다.
② 생활 수준이 향상되었다.
③ 영아 사망률이 감소하였다.
④ 식량 생산이 급격히 증가하였다.
⑤ 여성의 사회 진출이 증가하였다.

필수

02 ㉠, ㉡에 들어갈 내용을 옳게 짝지은 것은?

선진국은 (㉠)와/과 고령화 현상으로 경제 활동 인구가 줄면서 (㉡)에 따른 경제 침체를 우려하고 있다.

	㉠	㉡		㉠	㉡
①	저출산	성비 불균형	②	저출산	노동력 부족
③	고출산	노동력 부족	④	고출산	성비 불균형
⑤	고출산	노인 문제			

서술형

03 합계 출산율을 나타낸 그래프이다. 이들 국가들이 겪을 것으로 예상되는 인구 문제를 제시어를 사용하여 서술하시오.

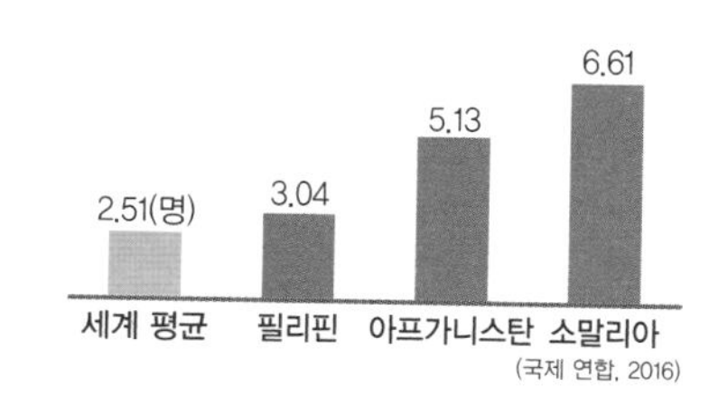

제시어: 인구 부양력, 도시 문제

고난도

04 지도를 보고 옳은 설명을 〈보기〉에서 고른 것은?

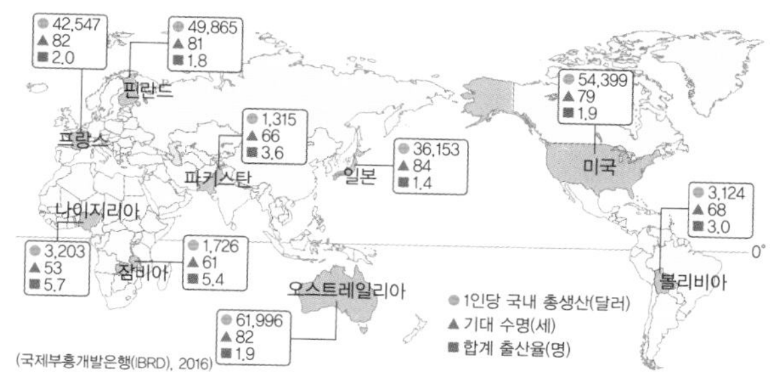

보기
ㄱ. 핀란드는 적극적인 출산 장려 정책이 필요하다.
ㄴ. 인구 증가율이 높을수록 기대 수명도 길어진다.
ㄷ. 경제적 상황이 좋은 국가의 합계 출산율이 더 높다.
ㄹ. 나이지리아는 인구 부양력 향상을 위한 정책이 필요하다.

① ㄱ, ㄴ　② ㄱ, ㄹ　③ ㄴ, ㄷ
④ ㄴ, ㄹ　⑤ ㄷ, ㄹ

B 우리나라의 인구 문제

05 다음과 같은 인구 정책 관련 표어를 사용하는 이유로 옳은 것은?

엄마! 아빠! 혼자는 싫어요.

① 성비 불균형이 심각하다.
② 베이비 붐 현상이 나타났다.
③ 도시의 거주 환경이 악화되었다.
④ 노인 문제가 심각한 사회 문제로 대두되었다.
⑤ 미래의 노동 가능 인구가 감소할 것으로 예상된다.

06 고령화 문제의 해결책이 <u>아닌</u> 것은?

① 정년 연장　② 양육비 지급
③ 실버산업 육성　④ 노인 일자리 마련
⑤ 노인 복지 정책 강화

대단원 완성하기

01 세계의 인구 분포에 대한 설명으로 옳은 것은?

① 북반구에 인구가 많은 이유는 산지가 많기 때문이다.
② 남아메리카 대륙에 가장 적은 인구가 분포하고 있다.
③ 해안 지역보다 내륙 지역에 더 많은 인구가 분포한다.
④ 위도 20°~40°에 해당하는 지역은 온화한 기후로 인해 인구가 밀집한다.
⑤ 아시아에 인구가 많은 이유는 산업 혁명이 최초로 발생한 곳이기 때문이다.

02 인구 분포에 영향을 미치는 요인 중 성격이 같은 것끼리 묶인 것은?

① 소득, 지형
② 소득, 기후
③ 산업, 종교
④ 산업, 토양
⑤ 일자리, 기후

[03-04] 세계의 인구 분포 지도를 보고 물음에 답하시오.

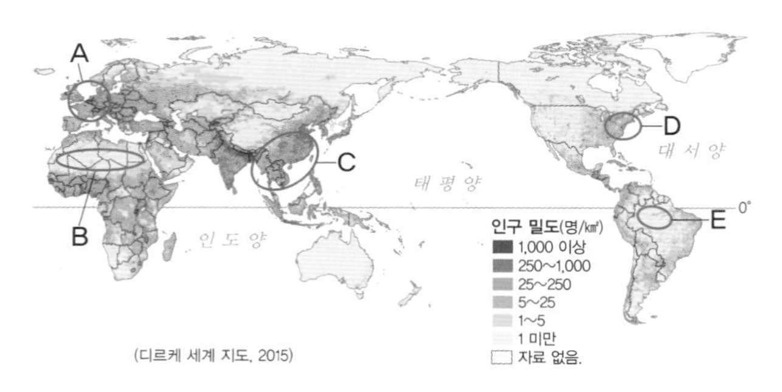

(디르케 세계 지도, 2015)

03 위 지도에 대한 설명으로 옳지 <u>않은</u> 것은?

① 인구의 분포가 고르지 않다.
② 기후가 인구 분포에 큰 영향을 주고 있다.
③ 유럽과 아시아의 인구 밀도가 높게 나타난다.
④ 지형이 인구 분포에 미치는 영향은 거의 없다.
⑤ 오스트레일리아의 인구 밀도는 매우 낮게 나타난다.

04 A~E 지역의 인구 분포에 가장 큰 영향을 미친 원인을 옳게 짝지은 것은?

① A – 종교 갈등
② B – 산업 발달
③ C – 농업 발달
④ D – 잦은 분쟁
⑤ E – 풍부한 일자리

05 다음 두 국가에 대한 설명으로 옳지 <u>않은</u> 것은?

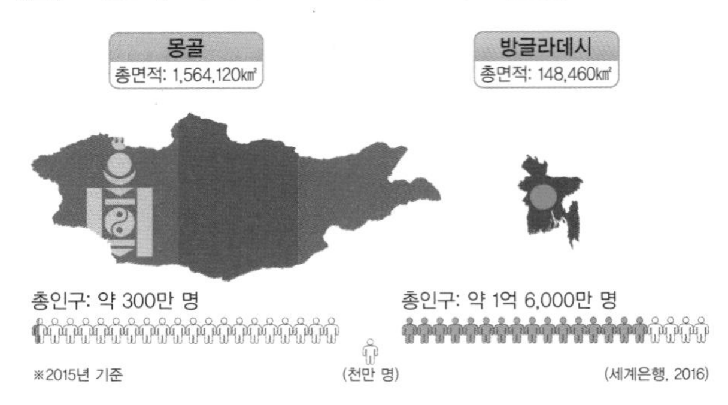

① 자연환경이 이러한 차이를 만들었다.
② 땅 면적과 인구수가 비례하지 않음을 알 수 있다.
③ 방글라데시는 벼농사가 가능하다는 점이 인구 증가에 큰 영향을 주었다.
④ 몽골의 인구수는 방글라데시보다 적지만 인구 밀도는 더 높게 나타난다.
⑤ 이러한 인구 분포의 차이는 인문 환경의 변화에 따라 달라질 수 있다.

06 다음 인구 분포 지도에 대한 설명으로 옳은 것은?

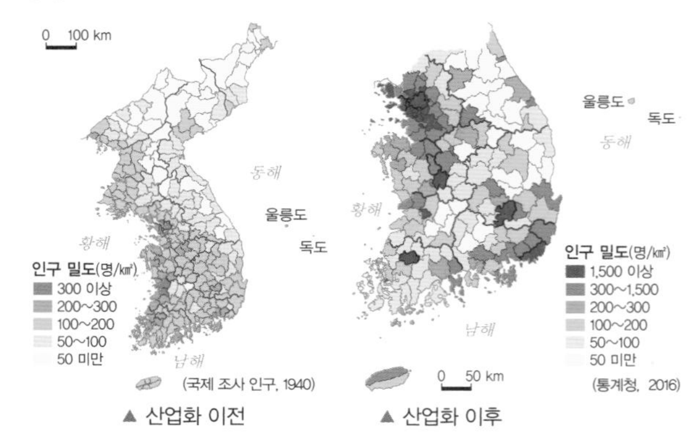

▲ 산업화 이전 ▲ 산업화 이후

① 산업화 이전과 이후의 인구 분포 차이가 거의 없다.
② 산업화 이전에는 이촌 향도 현상이 강하게 나타나고 있다.
③ 산업화 이후에는 농업이 인구 분포에 중요한 영향을 주고 있다.
④ 산업화 이후에는 자연환경보다 인문 환경이 인구 분포에 중요하게 작용하고 있다.
⑤ 벼농사에 유리한 남서부 지역은 산업화 이후에도 높은 인구 밀도를 보이고 있다.

07 그래프와 같은 인구 비율 변화에 대한 옳은 설명을 〈보기〉에서 고르면?

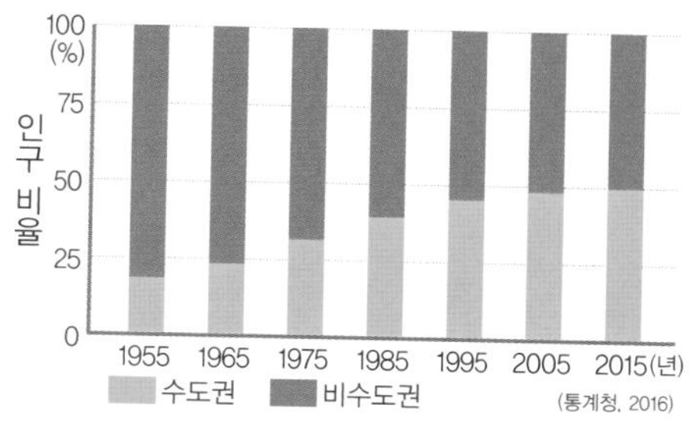

보기
ㄱ. 수도권이 비수도권에 비해 흡인 요인이 많다.
ㄴ. 수도권의 인구는 지속적으로 감소하고 있다.
ㄷ. 인구 분포의 불균형이 매우 심화되고 있다.
ㄹ. 비수도권의 자연환경을 보완하여 인구를 분산시켜야 한다.

① ㄱ, ㄴ ② ㄱ, ㄷ ③ ㄴ, ㄷ
④ ㄴ, ㄹ ⑤ ㄷ, ㄹ

08 그림의 흡입 요인에 들어갈 말로 옳지 않은 것은?

① 고소득 ② 정치적 안정
③ 풍부한 일자리 ④ 높은 주거 비용
⑤ 쾌적한 생활 환경

09 다음 설명에 해당하는 인구 이동 유형은?

과거 일자리를 찾아 동남아시아 지역으로 이주한 중국인들을 '화교'라 부르는데, 이들은 중국과 긴밀한 유대 관계를 유지하며 동남아시아에 큰 영향력을 행사하고 있다.

① 정치적 이동 ② 강제적 이동
③ 일시적 이동 ④ 경제적 이동
⑤ 종교적 이동

10 인구 이동에 대한 설명으로 옳지 않은 것은?

① 최근 여행, 유학 등의 일시적 이동이 증가하고 있다.
② 이동 범위에 따라 국내 이동과 국제 이동으로 구분된다.
③ 이동 동기에 따라 자발적 이동과 강제적 이동으로 구분된다.
④ 최근 일자리를 찾기 위해 다른 나라로 이동하는 경제적 이동이 크게 증가하였다.
⑤ 전쟁, 분쟁, 정치적 억압 등을 피해 다른 지역으로 이동하는 난민들은 종교적 이동의 대표적인 사례이다.

11 ㉠, ㉡에 들어갈 내용을 옳게 짝지은 것은?

• 노예 무역으로 인해 아프리카에서 아메리카 지역으로 이주하게 된 경우를 (㉠) 이동이라 한다.
• 최근 저렴한 가격에 이용할 수 있는 항공기의 증가로 해외여행과 같은 (㉡) 이동이 많아지고 있다.

	㉠	㉡		㉠	㉡
①	정치적	강제적	②	종교적	경제적
③	강제적	종교적	④	강제적	일시적
⑤	일시적	영구적			

12 다음 지도의 인구 이동에 대한 설명으로 옳은 것은?

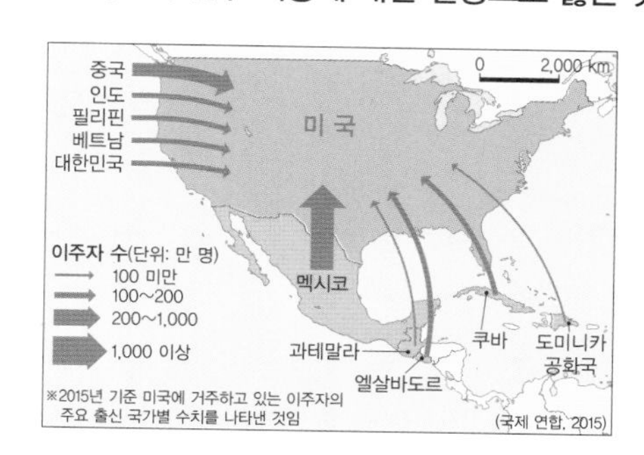

① 대부분이 일시적 이동에 해당한다.
② 종교적 자유를 찾아 미국으로 이동하고 있다.
③ 기후 변화로 인해 발생한 난민들이 모여들고 있다.
④ 자신의 의사와 상관없이 강제적인 이동을 하고 있다.
⑤ 미국에서는 경제적 목적으로 이주한 히스패닉 노동자들을 많이 볼 수 있다.

[13-14] 다음 지도를 보고 물음에 답하시오.

13 위 지도에 대한 설명으로 옳은 것을 〈보기〉에서 고른 것은?

보기
ㄱ. 유출 초과 국가들은 흡인 요인이 강하다. ㄴ. 유입 초과 국가들은 대부분 개발 도상국이다. ㄷ. 북아프리카 지역에서 유럽 지역으로 경제적 이동을 하는 경우가 많다. ㄹ. 전 세계적으로 다문화 사회가 되었거나 그럴 가능성이 큰 지역들이 늘어나고 있다.

① ㄱ, ㄴ ② ㄱ, ㄷ ③ ㄴ, ㄷ
④ ㄴ, ㄹ ⑤ ㄷ, ㄹ

14 인구 이동으로 유입 초과 국가와 유출 초과 국가가 겪을 것으로 예상되는 변화를 옳게 짝지은 것은?

	유입 초과 국가	유출 초과 국가
①	노동력 증가	성비 불균형
②	문화적 갈등	실업률 증가
③	일자리 경쟁	문화의 다양화
④	노동력 감소	문화적 갈등
⑤	문화의 다양화	노동력 증가

15 우리나라의 인구 이동 중 다음에 해당하는 시기는?

> 사람들이 도시를 떠나 주변의 신도시로 이주하거나 농촌 지역으로 다시 돌아가는 현상이 나타나기 시작했다.

① 일제 강점기 ② 광복 직후
③ 6·25 전쟁 ④ 1960년대 이후
⑤ 1990년대 이후

16 (가)~(다)는 우리나라의 인구 이동을 나타낸 지도이다. 시대 순으로 옳게 나열한 것은?

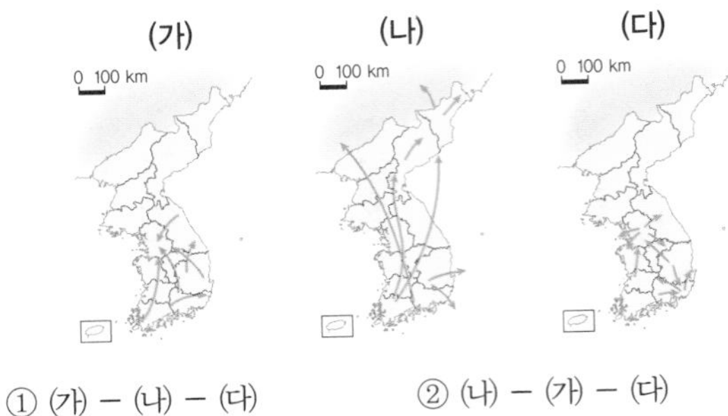

① (가) – (나) – (다) ② (나) – (가) – (다)
③ (가) – (다) – (나) ④ (나) – (다) – (가)
⑤ (다) – (가) – (나)

17 다음은 세계 인구 변화를 나타낸 그래프이다. 이에 대한 설명으로 옳지 않은 것은?

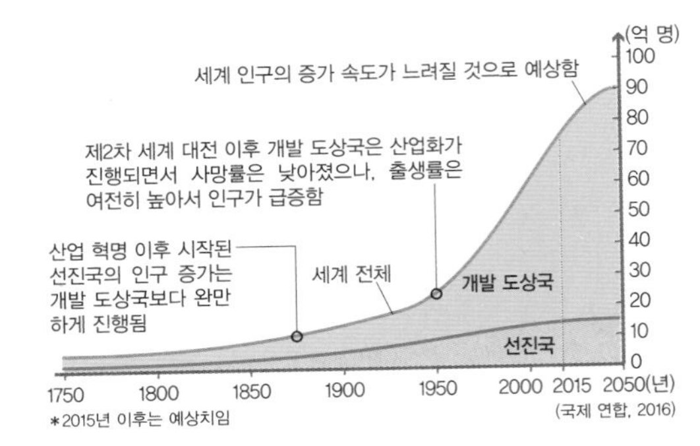

① 산업 혁명 이후 인구가 급격히 증가하였다.
② 생활 수준의 향상이 인구 증가에 영향을 주었다.
③ 인구 증가에서 선진국이 차지하는 비율이 매우 크다.
④ 의학·과학 기술의 발달이 인구 증가에 큰 영향을 주었다.
⑤ 영아 사망률 감소와 평균 수명 연장이 이런 변화에 영향을 주었다.

18 개발 도상국의 인구 문제에 해당하는 것을 〈보기〉에서 고른 것은?

보기	
ㄱ. 도시의 주택 부족	ㄴ. 노동력 부족
ㄷ. 인구 부양력 부족	ㄹ. 낮은 합계 출산율

① ㄱ, ㄴ ② ㄱ, ㄷ ③ ㄴ, ㄷ
④ ㄴ, ㄹ ⑤ ㄷ, ㄹ

정답과 해설 36쪽

19 선진국에서 다음과 같은 현상이 나타난 원인으로 옳지 않은 것은?

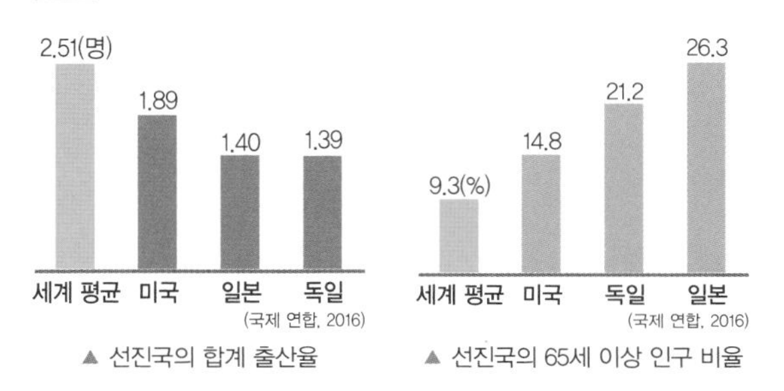

▲ 선진국의 합계 출산율 ▲ 선진국의 65세 이상 인구 비율

① 양육비 부담이 매우 커졌다.
② 여성의 사회 참여가 증가하였다.
③ 결혼과 가족에 대한 가치관이 바뀌었다.
④ 의학 기술의 발달로 평균 수명이 연장되었다.
⑤ 외국인 이주자들이 노동력 부족을 해결해 주었다.

20 다음 그림과 같이 중국이 인구 정책을 바꾼 이유로 옳은 것을 〈보기〉에서 고른 것은?

보기
ㄱ. 성비 불균형이 심해졌다.
ㄴ. 고령화에 대한 우려가 커졌다.
ㄷ. 심각한 이촌 향도 현상 때문이다.
ㄹ. 인구 부양력 향상이 필요하기 때문이다.

① ㄱ, ㄴ ② ㄱ, ㄷ ③ ㄴ, ㄷ
④ ㄴ, ㄹ ⑤ ㄷ, ㄹ

21 다음은 우리나라의 합계 출산율 변화를 나타낸 그래프이다. 이에 대한 대책으로 옳지 않은 것은?

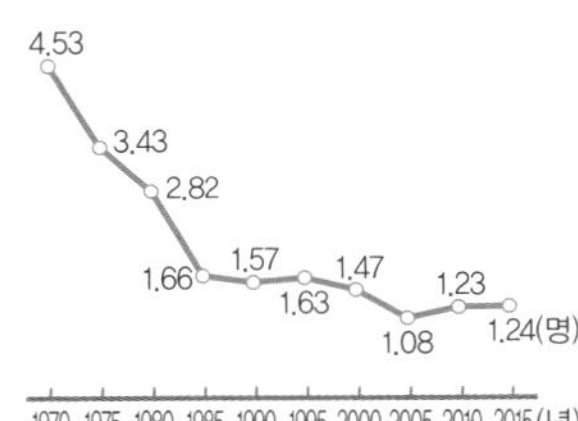

① 양육 수당 지급
② 보육 시설 확충
③ 실버산업 육성
④ 남녀 가사 분담 캠페인
⑤ 출산 휴가 및 육아 휴직 보장

서술형 문제

22 다음 지도를 보고 물음에 답하시오.

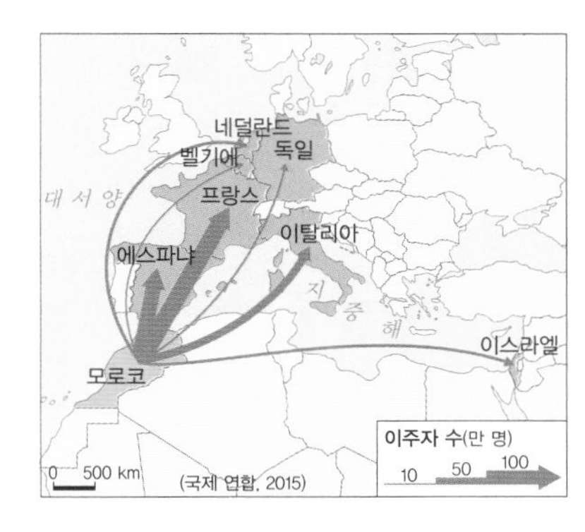

(1) 모로코 이주자들의 인구 이동 유형을 쓰시오.

(2) 모로코 이주자의 유입이 프랑스에 미칠 긍정적 영향 두 가지를 제시어를 사용하여 서술하시오.

제시어: 문화, 노동력, 경제

23 인구 피라미드와 자료를 보고 물음에 답하시오.

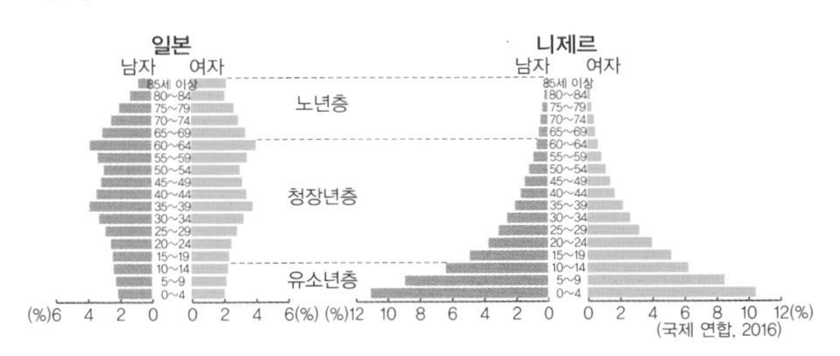

일본은 출생률 감소로 인한 저출산과 평균 수명 연장에 따른 (㉠)(으)로 노동력 부족, 노인 부양 부담 증가 등의 문제를 겪고 있다. 반면 니제르는 현재 인구 구조에 적합한 (㉡)을/를 갖추지 못해 빈곤, 기아 등의 문제를 겪고 있다.

(1) ㉠, ㉡에 들어갈 말을 각각 쓰시오.

㉠: ________ ㉡: ________

(2) 일본이 ㉠ 문제의 해결을 위해 세울 수 있는 대책을 두 가지 서술하시오.

VIII

사람이 만든 삶터, 도시

배울 내용이 쉬워지는 용어

배울 용어를 읽어 보고, 이해가 되었으면 ✔ 표시를 해 봅시다.

- ☐ **도시** 좁은 지역에 많은 사람이 모여 사는 곳으로 정치·경제·문화의 중심이 되는 지역이야.
- ☐ **랜드마크** 지역을 대표하는 상징물이지.
- ☐ **지역 분화** 도시 내부가 상업 지역, 공업 지역, 주거 지역 등으로 나뉘는 거야.
- ☐ **도심** 도시의 중심이란 뜻으로 땅값이 가장 높아.
- ☐ **부도심** 도심과 주변 지역 사이의 교통이 편리한 곳에서 도심의 기능을 분담하지.
- ☐ **개발 제한 구역** 녹지를 보호하고 도시의 무질서한 팽창을 막기 위해 설치해.
- ☐ **인구 공동화 현상** 공동은 텅 비어 있는 굴을 말해. 도심이 낮에는 사람들로 붐비지만 밤에는 한산해지는 현상이야.
- ☐ **도시화** 도시의 인구가 증가하고 도시적 생활 양식이 확대되는 것을 말해.
- ☐ **슬럼** 주거 환경이 나쁜 대도시 내의 빈민 거주 지역이야.

아이고, 복잡해!

도시

나는 파리의 랜드마크!

랜드 마크

나는 땅값이 더 싼 곳으로 갈게.

내 자리는 여기!

지역 분화

내가 제일 잘나가!

기능 중 일부는 나에게 맡겨!

도심 부도심

상가 No! 공장 No!

개발 제한 구역

낮 밤

텅 비었네!

인구 공동화 현상

뉴욕의 할렘이 유명하지!

NEW YORK

슬럼

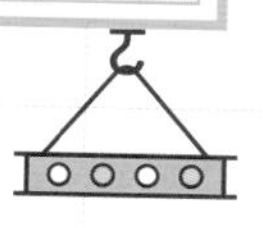

세계의 매력적인 도시~도시 내부의 다양한 경관

물음으로 흐름잡기

1. 촌락과 비교했을 때 도시가 갖는 특징은?
2. 도시 내부의 기능이 분화되는 이유는?

A 세계의 매력적인 도시

1. 도시의 의미 인구가 밀집한 곳으로 사회적 · 경제적 · 정치적 활동의 중심지

2. 도시의 특징❶

① 세계 인구의 절반 이상이 거주하며 인구 밀도가 높아 토지 이용이 집약적임

② 2·3차 산업에 종사하는 인구가 많고, 각종 업무와 상업 기능의 발달로 주변 지역에 재화와 서비스를 제공함

3. 세계적으로 유명한 도시

(세계 도시는 교통과 통신의 발달로 도시 간 상호 작용이 활발해져 등장했어. 인구 규모와는 큰 상관이 없지.)

세계 도시❷	**다국적 기업의 본사가 많고 자본 및 정보가 집중되어 세계 경제에 미치는 영향력이 큰 도시:** 뉴욕(미국), 런던(영국), 도쿄(일본) 등
생태 도시	**자연과 인간이 공존하도록 생태 환경을 잘 가꾼 도시:** 프라이부르크(독일), 쿠리치바(브라질), 고베(일본) 등
관광 도시	• **오랜 세월에 걸쳐 형성되어 역사 유적이 많은 도시:** 로마(이탈리아), 아테네(그리스), 이스탄불(터키), 파리(프랑스), 베이징 · 시안(중국) 등 • **매력적인 문화를 가진 도시:** 바르셀로나(에스파냐), 리우데자네이루(브라질) 등 • **아름다운 항구 도시:** 나폴리(이탈리아), 시드니(오스트레일리아), 홍콩(중국) 등 • **오로라를 감상할 수 있는 도시:** 레이캬비크(아이슬란드), 옐로나이프(캐나다) 등 • **고산 도시:** 키토(에콰도르), 쿠스코(페루) 등

(이스탄불: 동서양의 역사 · 문화 · 종교가 어우러져 독특한 문화 경관이 나타나는 도시야.)
(바르셀로나: 세계적인 건축가 가우디가 건축한 파밀리아 성당과 구엘 공원 등이 있어.)

교과서 자료 세계적인 도시의 랜드마크

① 에펠탑 (프랑스 파리)

② 콜로세움 (이탈리아 로마)

③ 피라미드 (이집트 카이로)

④ 타지마할 (인도 아그라)

⑤ 자금성 (중국 베이징)

⑥ 오페라하우스 (호주 시드니)

⑦ 자유의 여신상 (미국 뉴욕)

⑧ 그리스도상 (브라질 리우데자네이루)

랜드마크는 지역을 대표하는 상징물로 한 지역을 다른 지역과 차별화하고 그 지역을 두드러지게 함으로써 도시 경관을 결정하는 데 중요한 역할을 한다.

✔ **간단 체크**

❶ 한 지역을 상징하는 건축물이나 지형지물을 가리키는 용어는?

⚠ 용어 알기

• **집약적** 집약적인 토지 이용은 좁은 면적에 많은 노동력과 자본을 집중하여 토지의 생산성을 높이려는 방식이다.

• **다국적 기업** 여러 나라에 제조 공장과 판매 회사를 둔 대기업을 말한다.

• **고산 도시** 적도 부근의 고산 지대에서 해발 고도가 높아짐에 따라 기온이 낮아져 연중 봄과 같이 온화한 기후가 나타나는 도시이다.

❶ 도시와 촌락의 비교

구분	도시	촌락
인구 밀도	높음	낮음
주민의 직업	2·3차 산업	1차 산업 위주
건물 높이	높음	낮음
토지 이용	도로와 건물	대부분 농경지

❷ 주요 세계 도시의 기능

뉴욕(미국)	국제 연합(UN)의 본부 위치
도쿄(일본)	아시아 최대의 금융 중심지
런던(영국)	국제 금융 중심지

B 도시 내부의 다양한 경관

1. 도시 내부 기능 지역의 분화❸ 집중 공략 142쪽

① **원인:** 접근성과 지가의 차이 때문에 발생

② **특징:** 도시가 발달함에 따라 상업·업무 지역, 주거 지역, 공업 지역 등으로 분화되고, 도심에는 상업·업무 기능, 외곽 지역에는 주거·공업 기능이 분포

2. 인구 공동화 현상 도심의 주거 기능 약화로 인구가 밤에 빠져나가는 현상❹

도심의 지가가 비싸기 때문에 주택이 도시 외곽으로 이동되면서 도심에 사는 사람들이 크게 감소했어.

교과서 자료 도시 내부의 지역 분화

구분	특징
도심 (중심 업무 지구, CBD)	도시 내에서 접근성과 지가가 가장 높으며 백화점, 기업의 본사, 주요 금융 기관, 정부 기관 등 상업 및 업무 기능이 집중
부도심	도심과 주변 지역을 연결하는 교통의 요지에 위치, 도심의 기능을 분담
중간 지역	도심과 주변 지역 사이에 위치, 오래된 주택·상가·공장이 혼재되어 나타남
주변 지역	도시와 농촌의 모습이 함께 나타남, 학교·공장·주거 기능이 주로 분포
개발 제한 구역	도시의 무질서한 팽창을 막고 녹지 공간을 확보하기 위해 설정

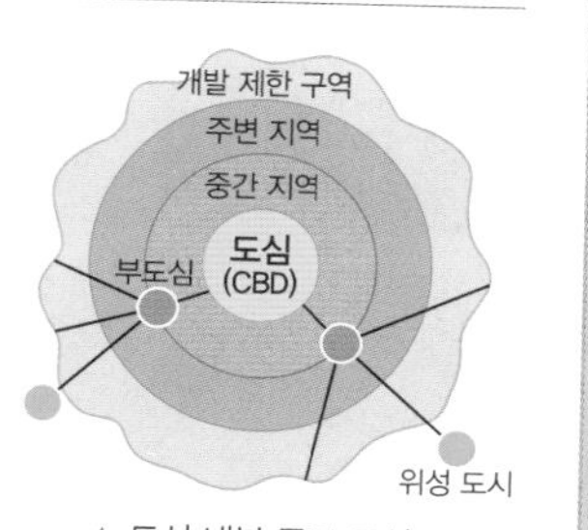

▲ 도시 내부 구조 모식도

✔ 간단 체크

❷ 도시 내부에서 접근성이 가장 높으며 행정·금융 기관, 대기업의 본사가 모여 있는 곳은?

교과서 자료 서울의 도시 경관

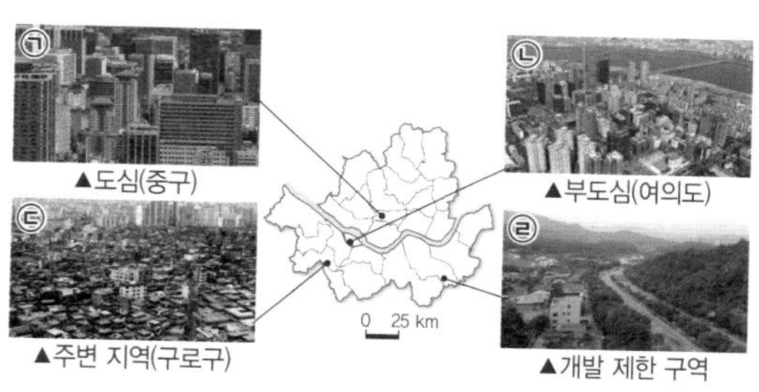

▲ 서울의 도시 경관

(백만 원/㎡)
5, 4, 3, 2, 1, 0
종로구 영등포구 구로구

▲ 서울의 지가

- 서울은 중구와 종로구 일대의 도심 지역이 지가가 가장 높고 고층 빌딩이 밀집해 있다.
- 도시 외곽의 구로구와 노원구는 상대적으로 지가가 저렴하여 공장, 주거 단지가 위치한다.

✔ 간단 체크

❸ ㉠에서 ㉣로 갈수록 수치가 낮아지는 것은?

❹ ㉠~㉣ 중 도시의 무질서한 팽창 방지를 위해 설정한 구역은?

용어 알기

- **접근성** 어느 한 장소에서 다른 장소까지 도달하기 쉬운 정도를 말한다.
- **지가** 땅의 가격, 땅의 임대료 등을 포괄한 땅의 가치이다.

❸ 도시 내부 기능 지역의 분화

상업·업무 기능이 도심으로 집중하는 것을 집심 현상이라 하고, 주택·학교·공장 등이 넓은 토지를 찾아 도심에서 벗어나는 것을 이심 현상이라고 한다.

❹ 도시의 인구 밀도 변화

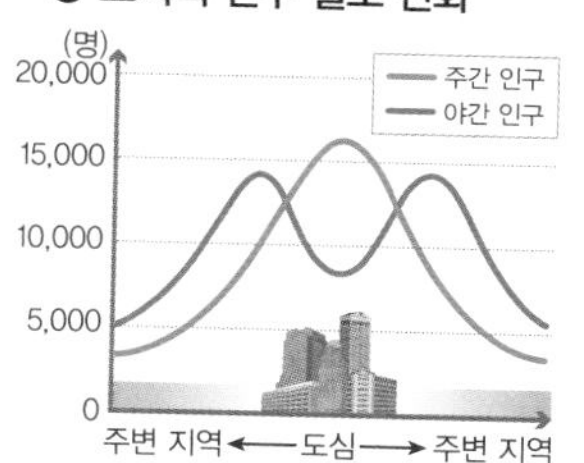

낮에는 도심에 사람이 많이 모이지만, 밤에는 도심이 텅 비게 된다.

*밑줄 친 곳을 바르게 고쳐 쓰거나, 빈칸에 알맞은 말을 쓰시오.

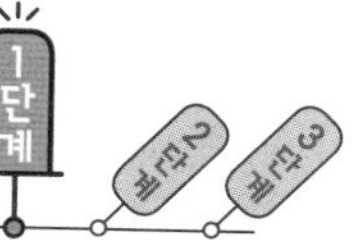

정답과 해설 38쪽

A 세계의 매력적인 도시

01 도시는 인구 밀도가 낮고, 토지 이용이 집약적이다.

02 에콰도르의 키토는 적도상에 위치하지만 해발 고도가 높아 연중 온화한 기후가 나타나는 생태 도시이다.

B 도시 내부의 다양한 경관

03 도심의 인구가 밤에 주변 지역으로 빠져나가면서 텅 비게 되는 현상을 (　　　　　)(이)라고 한다.

04 도시의 무질서한 팽창을 막기 위해 부도심을 설치한다.

집중 공략

도시 내부의 기능 지역 분화

정답과 해설 38쪽

집중해서 알아보기

도시 내에서 기능이 분리되는 이유는 접근성과 지가가 다르기 때문이다.
도시 내부 구조는 중심 지역인 도심, 도심의 기능을 분담하는 부도심, 주거 기능이 발달한 주변 지역, 녹지 공간 확보를 위한 개발 제한 구역 등으로 구분된다.

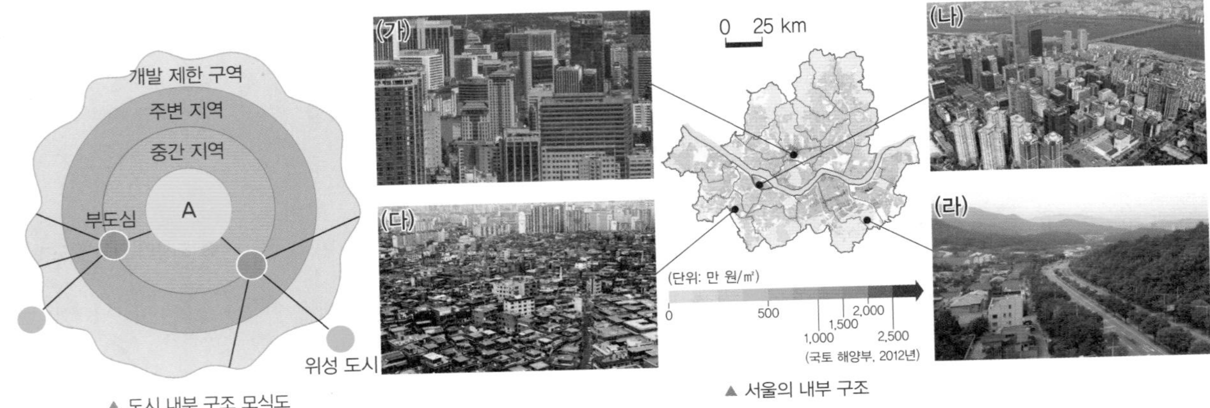

▲ 도시 내부 구조 모식도

▲ 서울의 내부 구조

- 일반적으로 교통이 편리한 지역일수록 접근성이 좋고, 접근성이 좋은 지역은 지가(땅값)가 비싸다.
- 지가가 비싼 도심 지역에는 기업의 본사, 백화점, 관공서 등이 모여 중심 업무 지구(CBD)를 이룬다.
- 도심에서 주변 지역으로 가면서 건물의 높이가 낮아지고, 상업 및 업무 기능보다는 주거 기능이 주로 나타난다.

문제로 공략하기

01 도시 내에서 가장 교통이 편리하고 높은 건물이 밀집되어 있는 A의 명칭을 써 보자.

답 (   )

02 A와 주변 지역을 연결하는 교통의 요지에 위치하며 A의 기능을 분담하는 지역의 명칭을 찾아 써 보자.

답 (   )

03 A 지역에서 낮 동안에는 유동 인구로 인해 인구 밀도가 높은데 비해 밤에는 주변 지역으로 인구가 이동하여 한산해지는 현상을 일컫는 용어를 써 보자.

답 (   )

04 다음 특징이 나타나는 지역을 (가)~(라)에서 골라 기호를 써 보자.

(1) 상업 기능이 발달하여 대체로 지가가 높고 도심과 유사한 경관이 나타난다.

답 (   )

(2) 기업의 본사, 백화점, 은행 본점 등이 입지하며 높은 건물이 밀집되었다.

답 (   )

(3) 대규모 주택 단지와 학교가 많다.

답 (   )

(4) 녹지 확보와 도시의 무질서한 팽창을 방지하기 위해 설정하였다.

답 (   )

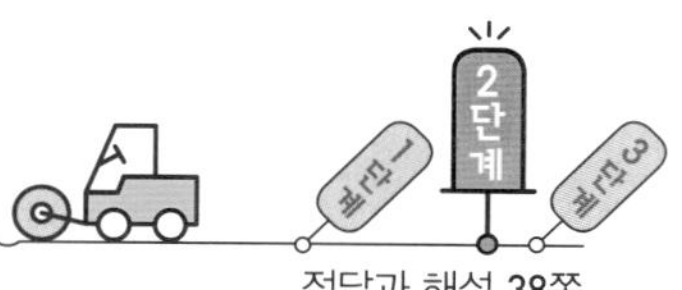

정답과 해설 38쪽

A 세계의 매력적인 도시

01 도시에 대한 설명으로 옳지 않은 것은?

① 토지 이용이 촌락에 비해 집약적이다.
② 제조업과 서비스업 종사자 비중이 높다.
③ 비교적 좁은 공간에 많은 인구가 거주한다.
④ 노년층이 많으며 생활권의 범위가 좁게 나타난다.
⑤ 주변 지역에 재화와 서비스를 제공하는 중심지 역할을 한다.

02 세계의 도시에 대한 설명으로 옳지 않은 것은?

① 뉴욕은 국제 연합(UN)의 본부가 있는 세계 도시이다.
② 홍콩은 세계적인 중계 무역의 중심지로 화려한 야경이 유명하다.
③ 쿠리치바는 역사 유적이 많은 도시로 세계 유산에 등재되어 있다
④ 쿠스코는 열대 고산 기후 지역에 위치한 잉카 문명의 중심지이다.
⑤ 옐로나이프는 고위도에 위치하여 오로라를 보려는 관광객이 많이 방문한다.

03 다음 설명과 같은 유형의 도시로 옳은 것은?

> 독일의 프라이부르크는 세계 환경 수도로 불릴 만큼 친환경 에너지를 주로 사용하는 생태 도시이다.

① 파리 ② 베이징 ③ 아테네
④ 쿠리치바 ⑤ 바르셀로나

[04-05] 다음 지도를 보고 물음에 답하시오.

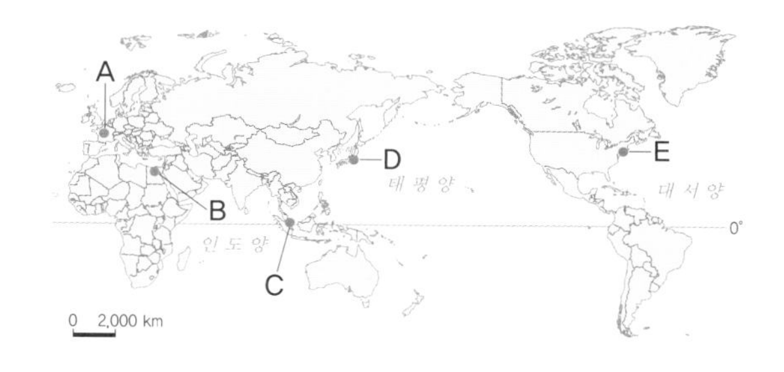

04 그림과 같은 스카이라인과 랜드마크를 볼 수 있는 도시를 A~E에서 고른 것은?

① A ② B ③ C ④ D ⑤ E

05 밑줄 친 '이곳'에 해당하는 도시를 A~E에서 고른 것은?

> 태평양과 인도양을 잇는 해상 교통의 길목에 위치한 이곳은 위치적 장점을 이용하여 국제 교통의 허브로 자리 잡았고, 국제적인 금융 및 물류 중심지가 되었다.

① A ② B ③ C ④ D ⑤ E

06 다음 도시들의 공통점을 〈보기〉에서 고른 것은?

> 미국 뉴욕, 영국 런던, 일본 도쿄

보기
ㄱ. 다국적 기업의 본사가 많이 입지한다.
ㄴ. 자본과 정보가 집중된 세계 도시에 해당한다.
ㄷ. 다양한 역사 유적으로 관광 산업이 발달하였다.
ㄹ. 자연환경과 독특한 경관이 아름다운 휴양 도시이다.

① ㄱ, ㄴ ② ㄱ, ㄹ ③ ㄴ, ㄷ
④ ㄴ, ㄹ ⑤ ㄷ, ㄹ

서술형

07 도시의 특징을 제시어를 사용하여 서술하시오.

> 제시어: 인구 밀도, 토지 이용, 상업·업무 기능, 중심지

B 도시 내부의 다양한 경관

08 도시 내부의 지역 분화에 대한 옳은 설명을 〈보기〉에서 있는 대로 고른 것은?

> 보기
> ㄱ. 도심은 상업·업무 기능이 집중한다.
> ㄴ. 부도심은 행정 기관, 기업의 본사 등 중심 업무 지구가 입지한다.
> ㄷ. 도시가 성장하면서 도시 내에 같은 종류의 기능이 모이는 현상이 나타난다.
> ㄹ. 주택 단지나 공업 단지는 쾌적한 환경이나 넓은 부지를 필요로 하기 때문에 주변 지역에 분포한다.

① ㄱ, ㄴ　② ㄱ, ㄹ　③ ㄱ, ㄴ, ㄷ
④ ㄱ, ㄷ, ㄹ　⑤ ㄴ, ㄷ, ㄹ

09 도심에 대한 설명으로 옳은 것은?

① 중심 업무 지구를 형성한다.
② 대규모 주거 단지가 분포한다.
③ 대도시의 기능을 일부 분담한다.
④ 주택, 학교, 공장 등이 들어서 있다.
⑤ 도시가 성장하면 상업·업무 기능이 축소된다.

필수

10 ㉠~㉢에 들어갈 용어를 옳게 짝지은 것은?

> 도시의 중심은 도시 내부에서 (㉠)이/가 가장 좋기 때문에 땅값이 비싸다. 따라서 이 지역에는 비싼 땅값을 지급하고도 이익을 낼 수 있는 (㉡) 기능이 남게 되고, 비싼 땅값을 지급할 수 없는 (㉢) 기능은 비교적 땅값이 싼 도시 주변 지역으로 이전한다.

	㉠	㉡	㉢
①	환경	주거	업무
②	환경	상업	주거
③	접근성	주거	업무
④	접근성	업무	상업
⑤	접근성	상업	주거

[11-13] 도시의 내부 구조를 나타낸 모식도이다. 물음에 답하시오.

11 A~C에 해당하는 지역을 옳게 짝지은 것은?

	A	B	C
①	도심	부도심	위성 도시
②	도심	위성 도시	개발 제한 구역
③	부도심	도심	위성 도시
④	부도심	위성 도시	개발 제한 구역
⑤	부도심	개발 제한 구역	도심

12 A에서 볼 수 있는 경관으로 옳은 것은?

① 
② 
③ 
④ 
⑤ 

13 (가) 지역을 설정하는 이유를 〈보기〉에서 고른 것은?

> 보기
> ㄱ. 교통 혼잡 완화　ㄴ. 주거 지역 확보
> ㄷ. 녹지 공간 확보　ㄹ. 도시의 무질서한 팽창 방지

① ㄱ, ㄴ　② ㄱ, ㄹ　③ ㄴ, ㄷ
④ ㄴ, ㄹ　⑤ ㄷ, ㄹ

정답과 해설 38쪽

14 도시 내부 구조에서 (가)~(다)의 기능이 입지하기에 적합한 곳을 옳게 짝지은 것은?

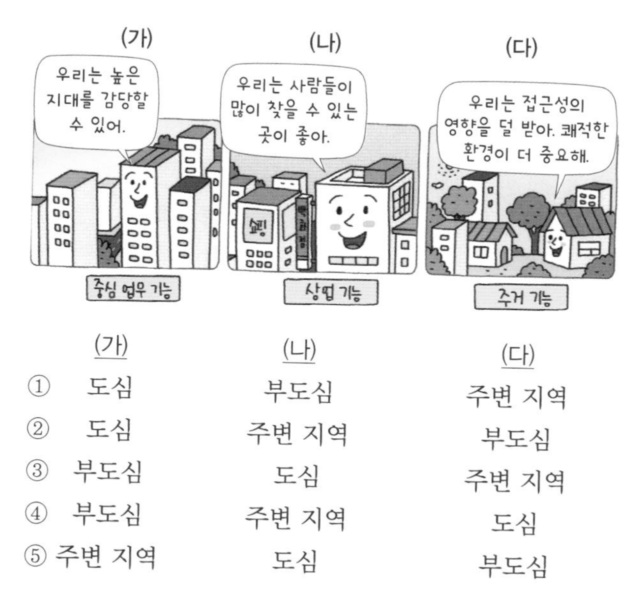

	(가)	(나)	(다)
①	도심	부도심	주변 지역
②	도심	주변 지역	부도심
③	부도심	도심	주변 지역
④	부도심	주변 지역	도심
⑤	주변 지역	도심	부도심

고난도

15 다음은 어떤 도시의 주간 및 야간의 인구 밀도 변화를 나타낸 그래프이다. A, B 지역에 대한 옳은 설명을 〈보기〉에서 있는 대로 고른 것은?

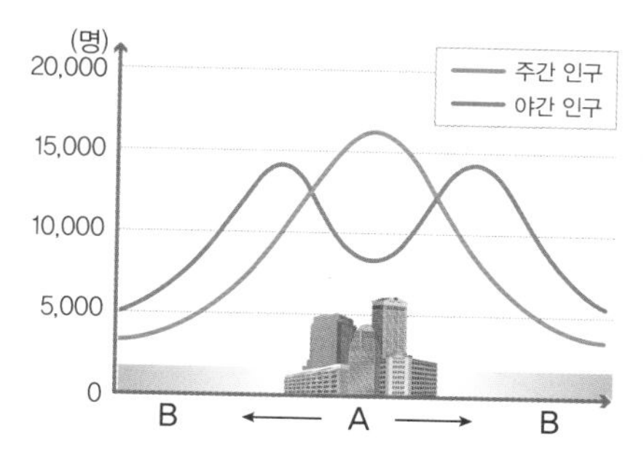

보기
ㄱ. A 지역은 야간에 인구 공동화 현상이 나타난다.
ㄴ. A 지역은 출퇴근 시간대에 교통 체증이 심하다.
ㄷ. B 지역은 고층 빌딩이 밀집되어 있다.
ㄹ. B 지역은 A 지역에 비해 주거 기능이 뚜렷하다.

① ㄱ, ㄴ ② ㄱ, ㄹ ③ ㄱ, ㄴ, ㄷ
④ ㄱ, ㄴ, ㄹ ⑤ ㄴ, ㄷ, ㄹ

16 서울의 지가 분포를 나타낸 지도이다. (가), (나) 지역에 대한 설명으로 옳은 것은?

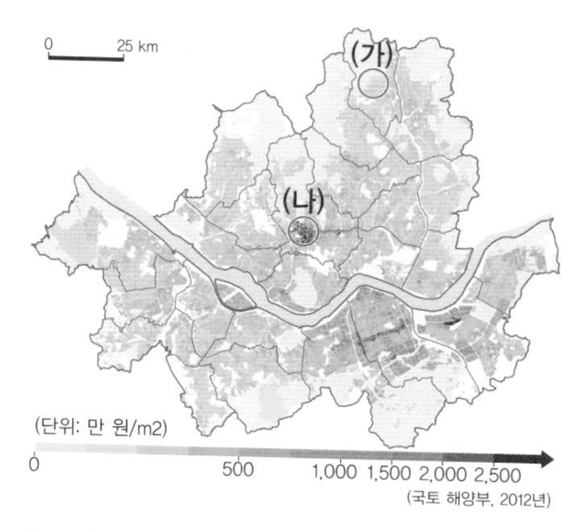

① (가)에는 중심 업무 지구가 형성되어 있다.
② (나)에는 대규모 아파트 단지가 분포한다.
③ (나)에는 도시와 농촌의 모습이 함께 나타나기도 한다.
④ (가)는 (나)보다 건물의 평균 높이가 높다.
⑤ (나)는 (가)보다 대기업의 본사 수가 많다.

[17-18] 다음은 도시의 지역 분화를 나타낸 그림이다. 물음에 답하시오.

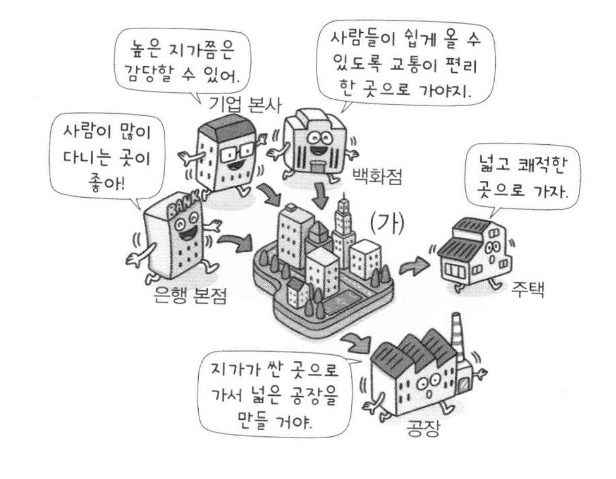

17 (가) 지역의 명칭으로 옳은 것은?

① 도심 ② 부도심 ③ 주변 지역
④ 위성 도시 ⑤ 개발 제한 구역

서술형

18 (가) 지역의 특징을 제시어를 사용하여 서술하시오.

제시어: 접근성, 땅값, 고층 건물, 상업·업무 기능, 중심 업무 지구

선진국과 개발 도상국의 도시화~살기 좋은 도시

물음으로 흐름잡기

1. 도시화란?
2. 선진국과 개발 도상국의 도시화가 시작된 시기는?

A 선진국과 개발 도상국의 도시화

1. 도시화의 의미 도시 수와 인구 비율이 높아지고, 도시적 생활 양식이 확산되는 현상

2. 도시화의 과정❶

초기 단계	농업 중심 사회, 낮은 도시화율, 도시화의 진행 속도 느림 (도시화율로 특정 국가의 산업, 경제 발전 수준을 파악할 수 있어.)
가속화 단계	산업화 사회로 도시 인구 급증, 이촌 향도 현상 활발, 도시화의 진행 속도 빠름
종착 단계	도시 간 인구 이동 활발, 역도시화 현상, 도시화의 진행 속도 느림 (도시 인구가 농촌으로 이동하여 도시 인구가 감소하는 현상이야.)

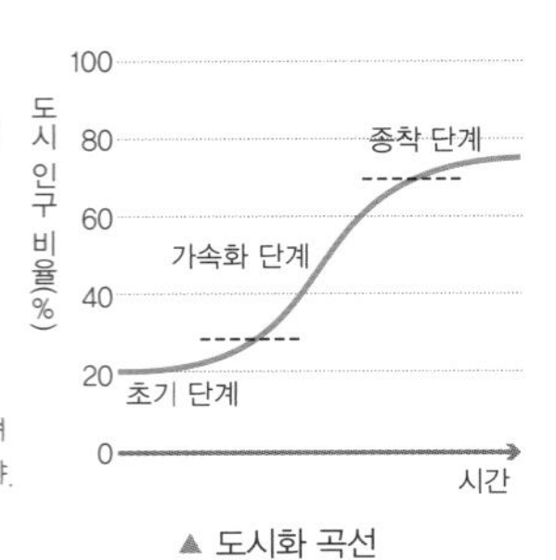

▲ 도시화 곡선

3. 선진국과 개발 도상국의 도시화와 도시 문제❷ 집중 공략 148쪽

선진국

- **도시화 시기:** 산업 혁명 이후
- **현재:** 종착 단계, 역도시화 현상 발생
- **도시 문제**
  - ① 각종 시설의 노후화로 도심의 슬럼화
  - ② 교외화로 인한 도시 성장 정체
  - ③ 도심 과밀화에 따른 땅값 상승
- **해결 방안:** 도시 재개발 사업 추진, 산업 구조 개편으로 도시 내 일자리 창출 (재개발로 임대료가 상승하여 기존 거주자들이 다른 지역으로 밀려나는 현상이 나타나기도 해.)

개발 도상국

- **도시화 시기:** 제2차 세계 대전 이후
- **현재:** 가속화 단계, 과도시화 현상 발생
- **도시 문제**
  - ① 주택 등 각종 시설 및 일자리 부족
  - ② 열악한 위생, 불량 주거 지역 형성
  - ③ 환경 오염과 도시 내 빈부 격차
- **해결 방안:** 선진국의 자본·기술 도입으로 일자리 창출, 주거 환경 개선

교과서 자료 세계의 도시화율

73.4% 유럽, 47.5% 아시아, 81.5% 북아메리카, 40.0% 아프리카, 70.8% 오세아니아, 79.5% 남아메리카

도시화율(%): 75 이상, 50~75, 25~50, 25 미만, 자료 없음.

(국제 연합 세계 도시화 전망 보고서, 2014)

▲ 대륙별 및 국가별 도시화율

도시화율(%) — 선진국, 세계, 개발 도상국 (1950, 2000, 2050(예상)(년))

▲ 도시화율의 변화

- 유럽과 북아메리카, 오세아니아와 같은 선진국의 도시화율이 70% 이상인 것에 비해 개발 도상국이 모여 있는 아시아와 아프리카의 도시화율은 50%를 넘지 않는다.
- 도시화율은 선진국이 높지만, 도시화의 속도는 개발 도상국이 더 빠르다.

⚠ 용어 알기

- **도시화율** 전체 인구 중 도시에 거주하는 인구가 차지하는 비율을 의미한다.
- **슬럼** 대도시 내에서 빈민이 주로 거주하고 주거 환경이 열악한 지역이다.

❶ 우리나라의 도시화율 변화

1960년대 이후 이촌 향도로 인한 급격한 도시화가 진행되었고, 1990년대 이후 종착 단계에 이르렀다.

❷ 도시화의 유형

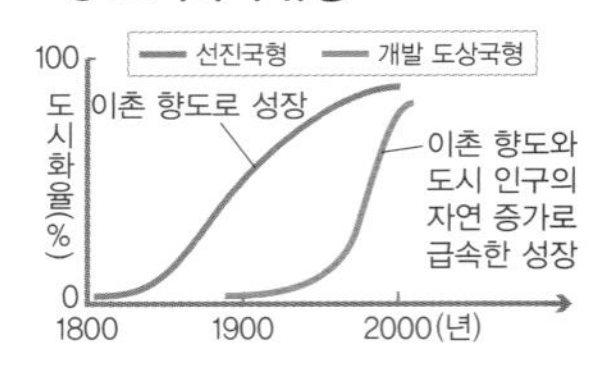

✓ 간단 체크

❶ 도시화율이 80% 이상인 대륙은?

❷ 선진국과 개발 도상국 중 도시화의 속도가 더 빠른 지역은?

B 살기 좋은 도시

1. 도시 문제 해결 - 도시에는 많은 인구와 기능이 집중해 다양한 도시 문제가 발생하고 있어.

도시 문제	해결 방법
주택 문제	도시 재생 사업 추진, 신도시 건설
교통 문제	도로 환경 개선, 대중교통 이용 장려 예 쿠리치바(브라질)
쓰레기 문제	분리수거와 재활용 정책 추진 예 예테보리(스웨덴)
지역 격차 문제	지역 교류 확대로 균형 개발 예 그라츠(오스트리아)
일자리 부족 문제	글로벌 기업 유치, 인재 양성 예 벵갈루루(인도)

└ 세계 IT 산업의 중심지로 성장했어.

2. 살기 좋은 도시의 조건❸ 아름다운 자연환경, 개성 있는 문화 공유, 여유롭고 안전한 생활, 각종 도시 기반 시설이 잘 갖추어진 도시 → 삶의 질이 높은 도시

└ 도로, 전기, 상하수도 등 도시의 기능을 수행하는 데 바탕이 되는 시설을 말해.

3. 살기 좋은 도시를 만들기 위한 노력

① **도시와 문화의 조화:** 에스파냐의 빌바오(1980년대 철강 산업의 쇠퇴로 도시 침체 → 문화, 예술 사업으로 구겐하임 미술관을 유치하여 관광객을 끌어들임)

② **생태 도시:** 브라질의 쿠리치바, 독일의 프라이부르크, 우리나라의 순천

③ **도시와 산업의 조화:** 스웨덴의 시스타, 핀란드의 오울루(첨단 산업과 연구 기관 집중)

⚠ 용어 알기

• **도시 재생** 도시의 산업 구조 변화로 지역의 산업이 쇠퇴하거나 기능을 상실하는 문제를 해결하기 위한 도시 활성화 정책을 말한다.

❸ 살기 좋은 도시 순위

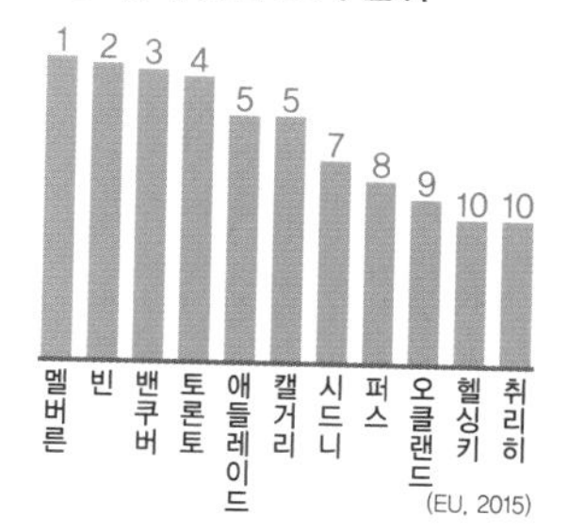

교육, 안전성, 기반 시설, 문화 및 환경, 의료 등의 항목을 평가하여 순위를 정하였다.

교과서 자료 세계의 살기 좋은 도시

빈 (오스트리아)	밴쿠버 (캐나다)	헬싱키 (핀란드)	멜버른 (오스트레일리아)
문화와 예술의 도시로 박물관, 오페라 하우스 등 문화 시설이 발달함	인종, 언어, 종교와 관계 없이 시민의 평등을 실현하는 대표적인 다문화 도시임	자투리땅을 이용한 도시 농업을 장려하는 등 자연 친화적 도시를 추구하고 있음	2011년 부터 5년 연속 '세계에서 가장 살기 좋은 도시'에 선정됨

✓ 간단 체크

❸ 캐나다의 대표적인 다문화 도시는?

❹ 세계에서 가장 살기 좋은 도시로 손꼽히는 오스트레일리아의 도시는?

개념 다지기

*밑줄 친 곳을 바르게 고쳐 쓰거나, 괄호 안에 알맞은 말을 고르시오.

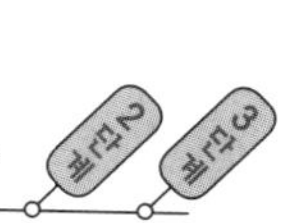

정답과 해설 39쪽

A 선진국과 개발 도상국의 도시화

01 도시 인구가 증가하고 도시적 생활 양식이 확대되는 과정을 (도시화, 도시 문제)라고 한다.

02 도시화의 (초기 단계, 가속화 단계)에는 이촌 향도로 도시의 인구가 급격히 증가한다.

03 현재 대부분의 선진국은 도시화 단계의 가속화 단계에 해당한다.

B 살기 좋은 도시

04 도시의 쓰레기 문제를 해결하기 위해서는 (재활용 정책, 신도시 건설)이 필요하다.

05 오스트리아의 빈은 지역 격차가 나는 두 지역을 잇는 다리를 건설하여 동서 지역 간의 교류를 확대하였다.

06 (신도시 건설, 도시 재생 사업)은 지역 고유의 역사와 문화적 특성을 살리는 도시 정책이다.

집중 공략

선진국과 개발 도상국의 도시화

정답과 해설 39쪽

집중해서 알아보기

선진국과 개발 도상국의 도시화는 공통적으로 이촌 향도 현상에 의해 이루어졌다.
그러나 선진국과 개발 도상국의 도시화 양상은 서로 다르게 전개되어 왔다.

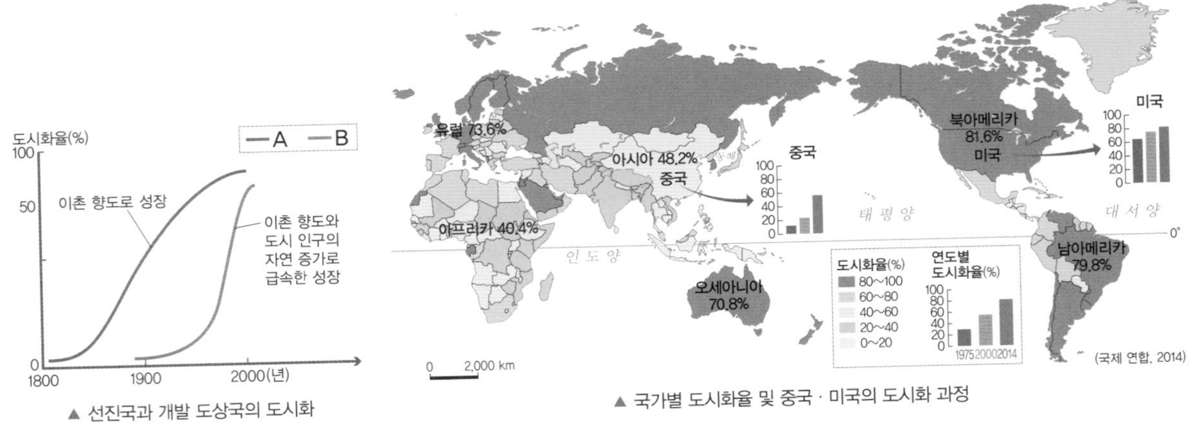

▲ 선진국과 개발 도상국의 도시화

▲ 국가별 도시화율 및 중국 · 미국의 도시화 과정

- 선진국은 산업 혁명 이후 도시화가 천천히 진행되었으며, 현재는 도시화의 종착 단계에 속한다. 도시화의 역사가 길어 도시화의 정체 또는 역도시화 현상이 나타나고 있다.

- 개발 도상국은 제2차 세계 대전 이후 산업화가 진행되면서 도시화가 급속히 이루어지고 있다. 인구의 자연 증가와 이촌 향도 현상이 더해져 수도를 비롯한 일부 도시로 많은 인구가 집중하는 현상이 나타나기도 한다.

문제로 공략하기

01 선진국과 개발 도상국 중 A에 해당하는 것을 써 보자.

답 (　　　　　　　　)

02 선진국과 개발 도상국 중 B에 해당하는 것을 써 보자.

답 (　　　　　　　　)

03 A, B 지역 도시화의 공통적인 원인을 써 보자.

답 (　　　　　　　　)

04 현재 A 지역에서 나타나는 현상으로 인구가 도시를 떠나 농촌으로 분산되는 현상을 써 보자.

답 (　　　　　　　　)

05 세계에서 도시화율이 가장 높은 대륙을 써 보자.

답 (　　　　　　　　)

06 세계에서 도시화율이 가장 낮은 대륙을 써 보자.

답 (　　　　　　　　)

07 미국과 중국 중 1975년에서 2014년 사이에 더 빠른 속도로 도시화가 진행된 국가를 써 보자.

답 (　　　　　　　　)

08 미국이 현재 속해 있는 도시화 단계를 써 보자.

답 (　　　　　　　　)

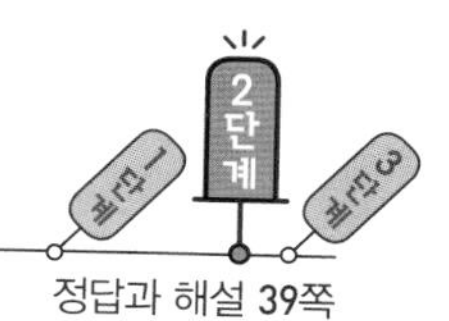

정답과 해설 39쪽

A 선진국과 개발 도상국의 도시화

01 도시화 과정의 A~C 단계에 대한 설명으로 옳은 것은?

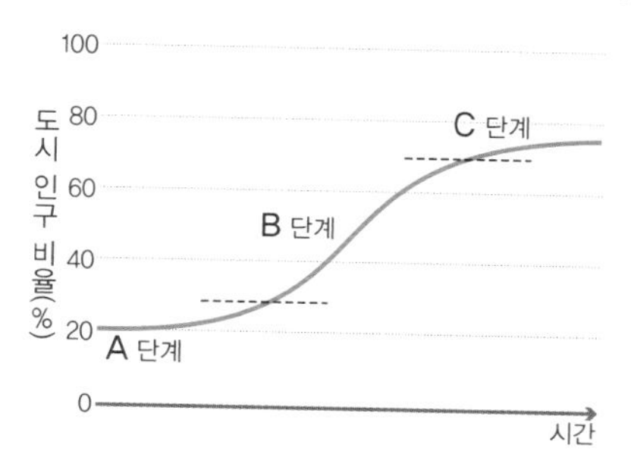

① A 단계는 도시의 규모와 수가 급격하게 증가한다.
② B 단계는 전 국토에 걸쳐 인구가 고르게 분포한다.
③ B 단계는 전 산업화 단계로 인구 이동이 매우 적다.
④ C 단계는 도시에서 도시로의 인구 이동이 활발하다.
⑤ A 단계에 속하는 국가는 C 단계에 속하는 국가들에 비해 경제 수준이 높다.

필수

02 다음은 선진국과 개발 도상국의 도시화 과정을 나타낸 그래프이다. 이에 대한 설명으로 옳지 않은 것은?

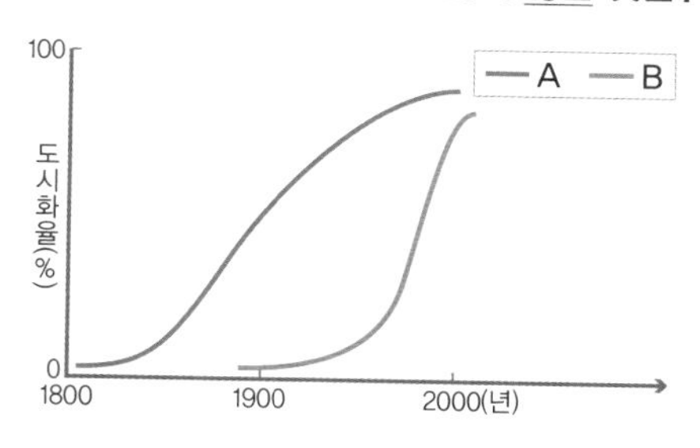

① 현재 A가 B보다 도시화율이 높다.
② A는 선진국, B는 개발 도상국이다.
③ 단기간에 도시화가 이루어진 지역은 B이다.
④ B의 도시화는 산업 혁명 이후 천천히 이루어졌다.
⑤ A, B는 모두 이촌 향도에 의해 도시화가 이루어졌다.

서술형

03 선진국과 개발 도상국의 도시화 시기와 특징을 제시어를 사용하여 서술하시오.

> **제시어:** 선진국, 산업 혁명, 천천히, 개발 도상국, 제2차 세계 대전, 급속히

B 살기 좋은 도시

04 다음과 같은 도시 문제가 나타나는 근본적인 원인은?

> 극심한 교통 혼잡, 넘치는 쓰레기, 대기 오염 등으로 도시민의 삶의 질이 하락하였다.

① 도시에 인구와 기능이 집중되었다.
② 도시 내부의 녹지 공간이 감소하였다.
③ 무분별한 도시 개발로 환경이 파괴되었다.
④ 지역 경제 침체로 주민의 소득이 감소하였다.
⑤ 교통과 통신의 발달로 대도시권이 형성되었다.

05 다음과 같은 도시 문제를 해결하기 위한 방안을 〈보기〉에서 고른 것은?

> 도시로 이주해 온 사람들의 상당수는 실업자로 도시 빈민층이 되어 집값이 싼 불량 주택 지구에 살게 된다.

> **보기**
> ㄱ. 도시 내에 바람길을 만든다.
> ㄴ. 산업을 육성하여 일자리를 창출한다.
> ㄷ. 도심에 진입하는 차량에 혼잡 통행료를 부과한다.
> ㄹ. 도시 재개발 사업을 추진하여 주거 환경을 개선한다.

① ㄱ, ㄴ　② ㄱ, ㄹ　③ ㄴ, ㄷ
④ ㄴ, ㄹ　⑤ ㄷ, ㄹ

06 (가), (나)에 해당하는 도시를 옳게 짝지은 것은?

> (가) 무어강을 기준으로 동쪽은 소득이 높고 서쪽은 소득이 낮은 사람들이 주로 거주하였는데, 시에서 강을 가로지르는 다리를 건설하여 두 지역 간의 교류를 확대시키고 지역 격차를 줄였다.
> (나) 과거 철강 산업이 발달한 공업 도시였으나 산업의 쇠퇴로 지역 경제가 침체되었다. 그러나 구겐하임 미술관을 유치하면서 연 100만 명 이상의 관광객이 찾는 예술과 관광의 도시가 되었다.

	(가)	(나)		(가)	(나)
①	그라츠	빈	②	그라츠	빌바오
③	멜버른	밴쿠버	④	멜버른	쿠리치바
⑤	캔버라	벵갈루루			

대단원 완성하기

01 ㉠~㉢에 들어갈 말을 옳게 짝지은 것은?

> 도시는 촌락과 함께 인간이 살아가는 대표적인 거주 공간으로 비교적 좁은 공간에 많은 인구가 살기 때문에 인구 밀도가 (㉠), 토지 이용이 (㉡)이다. 또 (㉢) 산업에 종사하는 사람들이 많으며 주변 지역에 재화와 서비스를 제공하는 중심지 역할을 한다.

	㉠	㉡	㉢
①	높고	집약적	1차
②	높고	집약적	2,3차
③	높고	조방적	2,3차
④	낮고	집약적	1차
⑤	낮고	조방적	2,3차

[02-03] 다음 지도를 보고 물음에 답하시오.

02 밑줄 친 '이 도시'를 A~E에서 고른 것은?

> 20세기 최고의 건축가로 칭송받는 가우디가 건축한 사그라다 파밀리아 성당, 구엘 공원 등은 이 도시 주민들의 보물이자 자랑으로 시대를 앞선 인류의 유산으로 간직되고 있다.

① A ② B ③ C ④ D ⑤ E

03 다음 설명에 해당하는 도시를 A~E에서 고른 것은?

> 유럽과 아시아의 중간에 위치하여 동서양의 역사, 종교, 문화 등이 자연스럽게 어우러져 독특한 경관이 나타나며 매년 수많은 관광객이 이 도시를 찾는다.

① A ② B ③ C ④ D ⑤ E

04 밑줄 친 도시의 사례로 옳은 것은?

> 도시는 주로 넓은 평지에 발달한다. 그러나 사람들이 살기에 적합하지 않은 높은 산지나 고원 위에도 자연환경에 적응하면서 건설된 독특한 도시가 있다.

① 영국 런던 ② 중국 시안
③ 일본 도쿄 ④ 에콰도르 키토
⑤ 이탈리아 베네치아

05 다음 도시들의 공통점으로 옳은 것은?

> 브라질 쿠리치바, 독일 프라이부르크, 일본 고베

① 생태 환경이 우수한 도시이다.
② 자연 경관이 독특한 도시이다.
③ 오랜 역사와 문화가 있는 도시이다.
④ 불리한 자연환경을 극복하고 건설된 도시이다.
⑤ 자본과 정보가 집중한 세계 경제의 중심지이다.

06 (가), (나)를 볼 수 있는 도시를 지도의 A~E에서 찾아 옳게 짝지은 것은?

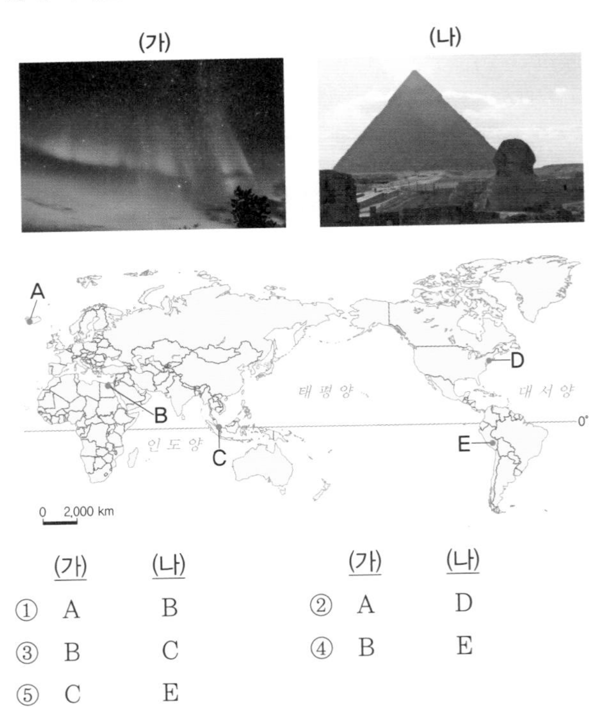

	(가)	(나)		(가)	(나)
①	A	B	②	A	D
③	B	C	④	B	E
⑤	C	E			

07 다음과 같은 스카이라인과 랜드마크를 볼 수 있는 도시는?

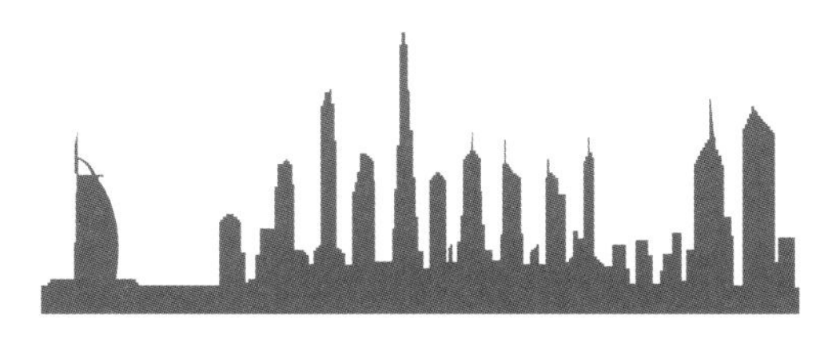

① 런던 ② 뉴욕 ③ 파리
④ 두바이 ⑤ 시드니

08 도시 내부의 토지 이용별 지가를 나타낸 그래프이다. A~D 지역의 특징으로 옳은 것을 〈보기〉에서 고른 것은?

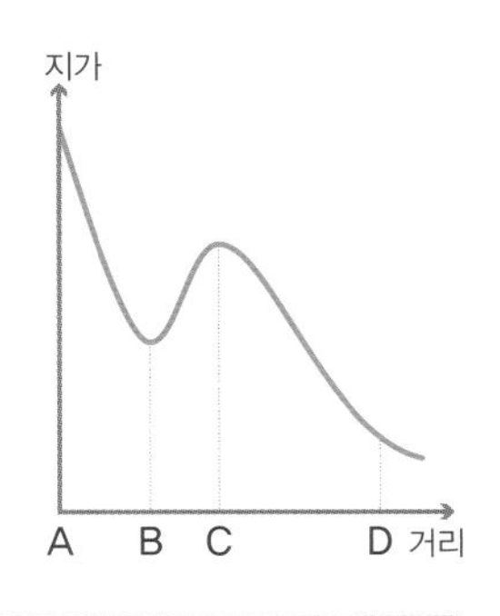

보기
ㄱ. A는 접근성이 좋고 중심 업무 지구를 형성한다.
ㄴ. B는 오래된 주택과 학교, 공장이 섞여 나타난다.
ㄷ. C는 대도시의 공업, 주거 등의 기능을 분담한다.
ㄹ. D는 행정·금융 기관, 대기업의 본사가 모여 있다.

① ㄱ, ㄴ ② ㄱ, ㄹ ③ ㄴ, ㄷ
④ ㄴ, ㄹ ⑤ ㄷ, ㄹ

09 도시 내부 구조 중 다음 사진에 해당하는 지역에서 나타나는 현상으로 옳은 것은?

① 교통이 편리하며 도심의 기능을 분담한다.
② 대기업의 본사와 금융 기관이 밀집해 있다.
③ 주간 활동 인구가 야간 활동 인구보다 더 많다.
④ 도시의 무질서한 팽창을 방지하기 위해 조성되었다.
⑤ 학교, 공장 등 넓은 부지가 필요한 시설이 입지한다.

[10-11] 도시 내부 구조의 모식도를 보고 물음에 답하시오.

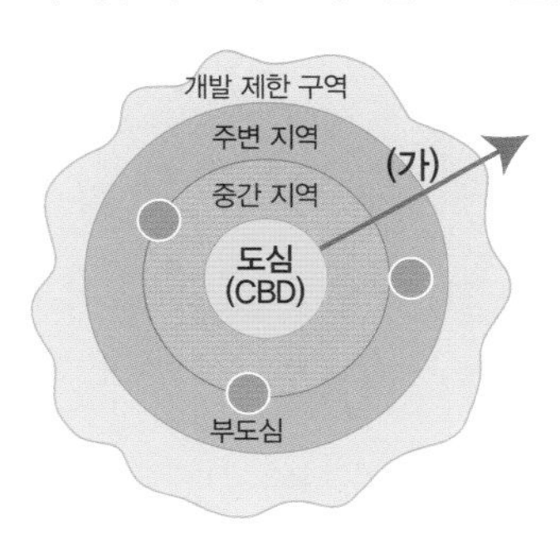

10 (가) 방향으로 이동하면서 상대적으로 수치가 감소하는 것을 〈보기〉에서 있는 대로 고른 것은?

보기
ㄱ. 지가 ㄴ. 접근성
ㄷ. 건물의 높이 ㄹ. 야간 인구 밀도

① ㄱ, ㄴ ② ㄱ, ㄹ ③ ㄱ, ㄴ, ㄷ
④ ㄱ, ㄴ, ㄹ ⑤ ㄴ, ㄷ, ㄹ

11 도시가 성장하면서 (가) 방향으로 이동하는 시설로 보기 어려운 것은?

① 학교 ② 주택 단지
③ 고급 상가 ④ 화훼 단지
⑤ 공업 단지

12 (가), (나) 지역에 대한 설명으로 옳은 것을 〈보기〉에서 고른 것은?

(가) (나)

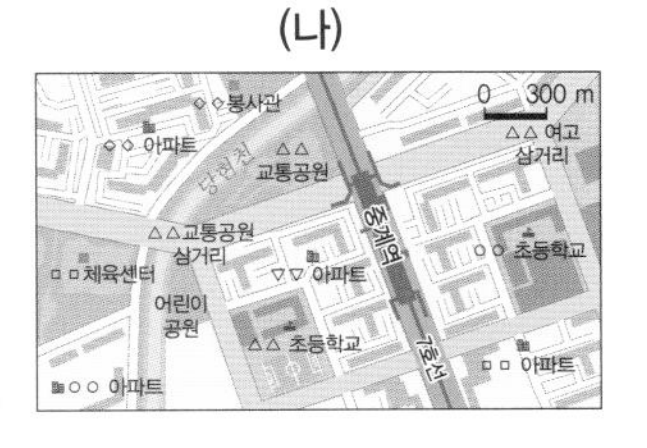

보기
ㄱ. (가)는 (나)보다 주간 인구 밀도가 높다.
ㄴ. (가)는 (나)보다 상업 지구의 평균 지가가 비싸다.
ㄷ. (나)는 (가)보다 업무 기능과 상업 기능이 강하다.
ㄹ. (나)는 (가)보다 거주자의 평균 통근 거리가 가깝다.

① ㄱ, ㄴ ② ㄱ, ㄹ ③ ㄴ, ㄷ
④ ㄴ, ㄹ ⑤ ㄷ, ㄹ

13 도시 내부 구조를 나타낸 모식도이다. A~E 지역에 대한 설명으로 옳지 않은 것은?

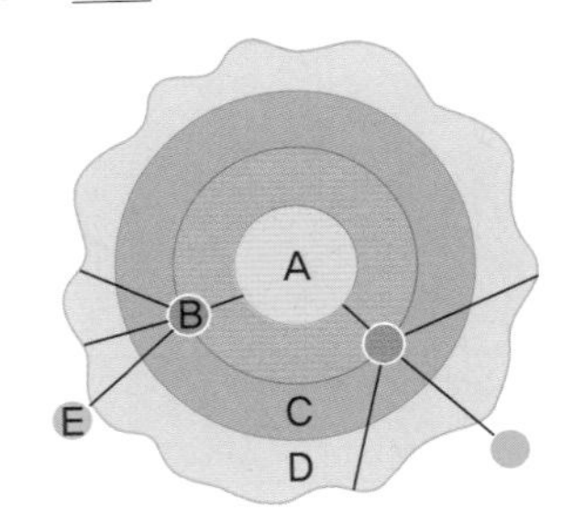

① A – 중심 업무 지구가 나타난다.
② B – 도심의 기능을 일부 분담한다.
③ C – 업무 기능, 공장과 저급 주택이 혼재되어 있다.
④ D – 도시의 무질서한 팽창을 방지한다.
⑤ E – 대도시의 인구 및 기능이 분산된 도시이다.

14 도시화에 대한 설명으로 옳지 않은 것은?

① 도시화로 도시의 중심지 기능이 확대된다.
② 도시 인구의 자연 증가와 가장 관련이 있다.
③ 도시적 생활 양식이 확대되는 현상을 말하기도 한다.
④ 대부분의 선진국은 도시화의 종착 단계에 해당한다.
⑤ 초기 단계는 1차 산업이 발달한 농업 사회에 해당한다.

15 다음은 도시화 곡선을 나타낸 그래프이다. A~C 단계에 대한 옳은 설명을 〈보기〉에서 고른 것은?

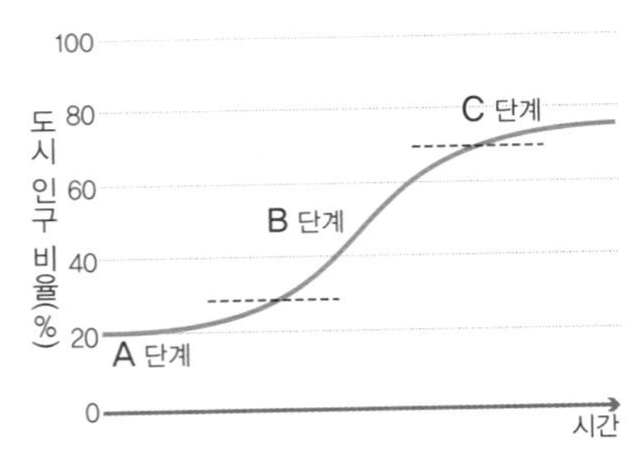

| 보기 |
ㄱ. 공업이 발달한 국가는 A 단계에 해당된다.
ㄴ. B 단계는 이촌 향도로 도시 인구가 급증한다.
ㄷ. C 단계에서는 역도시화 현상이 나타나기도 한다.
ㄹ. 아시아의 개발 도상국들은 대부분 C 단계에 속한다.

① ㄱ, ㄴ ② ㄱ, ㄹ ③ ㄴ, ㄷ
④ ㄴ, ㄹ ⑤ ㄷ, ㄹ

16 (가)~(다) 국가의 도시화율 변화를 나타낸 그래프이다. (가)~(다) 국가를 지도의 A~C와 옳게 짝지은 것은?

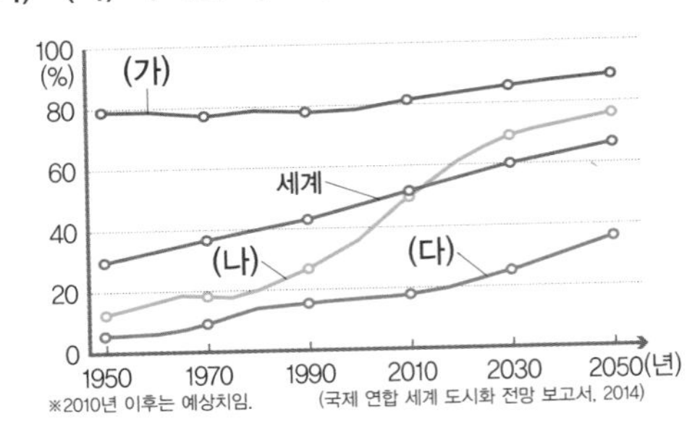

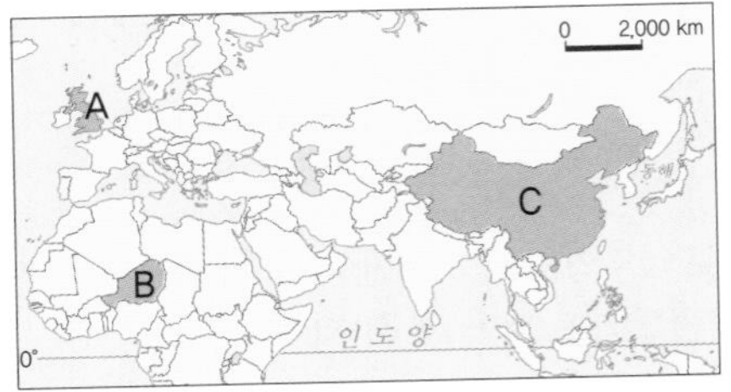

	(가)	(나)	(다)		(가)	(나)	(다)
①	A	B	C	②	A	C	B
③	B	A	C	④	B	C	A
⑤	C	B	A				

17 다음과 같은 인구 이동이 활발한 지역의 도시 문제에 대한 옳은 설명을 〈보기〉에서 고른 것은?

| 보기 |
ㄱ. 도심의 건물이 대부분 오래되어 낙후된 지역이 많다.
ㄴ. 도심 재개발 과정에서 주민과 갈등이 발생할 수 있다.
ㄷ. 특정 도시로 인구가 집중해 도시 기반 시설이 부족해진다.
ㄹ. 도시로 이주한 많은 사람들이 안정적인 일자리를 얻지 못한다.

① ㄱ, ㄴ ② ㄱ, ㄷ ③ ㄴ, ㄷ
④ ㄴ, ㄹ ⑤ ㄷ, ㄹ

정답과 해설 40쪽

18 다음과 같은 도시 문제를 해결하기 위한 방안을 〈보기〉에서 고른 것은?

선진국과 개발 도상국의 도심 주변에는 불량 주택 지구가 형성된다. 선진국은 도시 성장 초기 도심에 건설되었던 건물들이 시간이 지나 낡고 허름해지면서 형성되는데 비해, 개발 도상국은 기반 시설이 갖춰지지 않은 상태에서 많은 사람들이 무작정 촌락에서 도시로 이동하면서 무허가 주택과 빈민촌이 형성된다.

보기
ㄱ. 신도시 건설　　ㄴ. 산업 구조의 개편
ㄷ. 대중교통 이용 장려　　ㄹ. 도시 재개발 사업 추진

① ㄱ, ㄴ　② ㄱ, ㄹ　③ ㄴ, ㄷ
④ ㄴ, ㄹ　⑤ ㄷ, ㄹ

19 다음 도시들에 대한 설명으로 옳은 것은?

캐나다 밴쿠버, 오스트레일리아 멜버른, 오스트리아 빈

① 인구 규모가 천만 명이 넘는 대도시이다.
② 첨단 산업을 바탕으로 산업을 개편한 도시이다.
③ 정치·경제적으로 국제 사회에 미치는 영향력이 크다.
④ 삶의 질이 매우 높아 살기 좋은 도시로 손꼽히는 도시이다.
⑤ 과거의 도시 문제를 극복하고 친환경적인 도시로 변화하였다.

20 다음 설명에 해당하는 도시는?

이 도시는 심각한 일자리 부족과 빈곤 문제를 겪고 있었다. 정부는 이 문제를 해결하기 위해 1980년대 중반 소프트웨어 산업 육성 정책을 시행하였고, 그 결과 이 도시는 인도뿐만 아니라 세계 IT 산업의 중심 도시가 되었다.

① 그라츠　② 빌바오　③ 멜버른
④ 쿠리치바　⑤ 벵갈루루

서술형 문제

21 다음 어떤 도시의 주간 및 야간의 인구 밀도 변화를 나타낸 그래프이다. 이를 보고 물음에 답하시오.

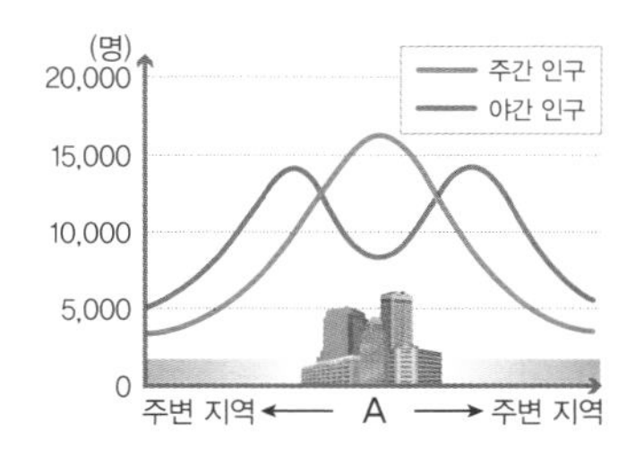

(1) A 지역의 인구 현상을 가리키는 용어를 쓰시오.

(2) A 지역의 특징을 제시어를 사용하여 세 가지 서술하시오.

제시어: 접근성, 지가, 고층 빌딩, 업무·상업 기능, 중심 업무 지구

22 도시화 곡선의 A, B 단계에서 활발하게 나타나는 인구 이동 현상에 대해 각각 서술하시오.

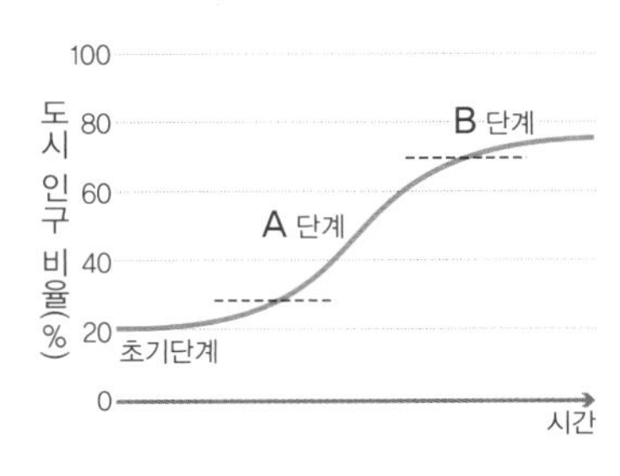

글로벌 경제 활동과 지역 변화

배울 내용이 쉬워지는 용어

배울 용어를 읽어 보고, 이해가 되었으면 ✔ 표시를 해 봅시다.

☐ **자급적 농업** 필요한 먹을거리를 자체적으로 생산·공급하는 농업 형태야.

☐ **상업적 농업** 시장에 판매해 이윤을 얻으려고 농산물을 생산하는 농업 형태야.

벼농사 지어서 팔지 않고 식구 끼리만 먹어.

이 파프리카는 전국의 마트에서 판매되지.

자급적 농업 상업적 농업

☐ **플랜테이션** 열대 기후 지역에서 선진국의 자본, 개발 도상국의 값싼 노동력이 결합하여 상품 작물을 대규모로 재배하는 상업적 농업이야.

우리가 플랜테이션의 대표 작물들 이야!

플랜테이션

☐ **식량 자급률** 국가의 식량 총 소비량 중 국가 내에서 생산된 식량이 차지하는 비율을 의미해.

☐ **산업 공동화** 공동(空洞)은 동굴처럼 비어 있다는 뜻으로 산업 공동화 현상이 발생하면 지역의 기반 산업이 다른 지역으로 이전하면서 지역의 경제가 쇠퇴해.

산업 공동화

☐ **푸드 마일 (food miles)** 농산물 등의 식재료가 생산지에서 소비자의 식탁에 오르기까지의 이동 거리를 의미해.

나는 칠레에서 왔어. 12,000km를 넘게 이동했지!

푸드 마일

☐ **다국적 기업** 어떤 기업의 국적이 세계 각지에 다양하게 존재하는 기업을 의미해. 국적을 뛰어넘어 세계에서 활동하므로 세계 기업이라고도 불러.

개발 기획은 미국, 생산은 중국, 판매는 전 세계!

☐ **공간적 분업** 기업이 하는 일을 성격에 따라 나누고(분업) 서로 다른 공간에서 맡은 일을 하는 것을 의미해.

공간적 분업

☐ **전자 상거래** 인터넷을 통해 상품을 사고파는 행위를 의미해.

오늘도 주문이 많이 들어왔네!

주문완료

주문목록

전자 상거래

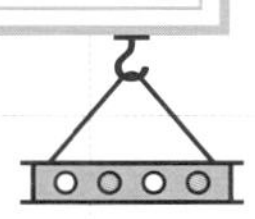

Ⅸ. 글로벌 경제 활동과 지역 변화

01 농업의 세계화와 지역의 변화

물음으로 흐름잡기

1. 농업의 기업화와 세계화가 왜 나타났을까?　　2. 농업의 기업화와 세계화가 어떤 변화를 가져왔을까?

A 농업의 세계화와 기업화

1. 농업 생산의 세계화 - 우리가 먹는 음식이 세계 각지에서 재배되어 유통되는 것을 농업의 세계화라고 해.

의미	세계 여러 지역에서 농산물의 생산 및 판매가 이루어지는 현상
배경	• 교통과 통신의 발달로 지역 간 교류 증가 • 세계 무역 기구(WTO) 체제 출범 및 자유 무역 협정(FTA) 체결 • 경제 성장으로 생활 수준이 향상되면서 세계 여러 곳의 농산물 수요 증가 • 세계적인 생산 체계와 유통망을 가진 다국적 농업 기업의 등장

용어 알기

• **세계 무역 기구(WTO)** 1995년 세계 무역의 관리 및 자유화를 기본 목표로 하여 설립된 국제기구이다.

2. 농업 생산의 기업화

① **배경**: 농업 기술 발달로 농산물의 생산량 증가 → 자급적 농업에서 시장 판매를 목적으로 하는 상업적 농업 확대

② **특징**: 대규모의 기업화된 농업 방식, 다국적 농업 기업이 생산과 유통을 독점

- 기업은 이윤을 극대화하기 위해 많은 자본과 기술을 농업에 투입 → 넓은 토지, 대형 농기계, 품종 개량 등을 통해 생산량 증대
- 미국, 캐나다, 오스트레일리아 등 넓은 농업 지역 → 밀, 옥수수 등 곡물 생산
- 아프리카, 아시아 등 개발 도상국으로 기업적 농업 확대 → 커피, 카카오, 바나나 등 열대작물을 플랜테이션❶의 형태로 생산·유통

❶ **플랜테이션** 열대 기후 지역에서 선진국의 자본과 기술이 개발 도상국의 저렴한 노동력과 결합하여 상품 작물을 대규모로 재배하는 상업적 농업 방식이다.

교과서 자료 다국적 기업의 농산물 생산과 판매

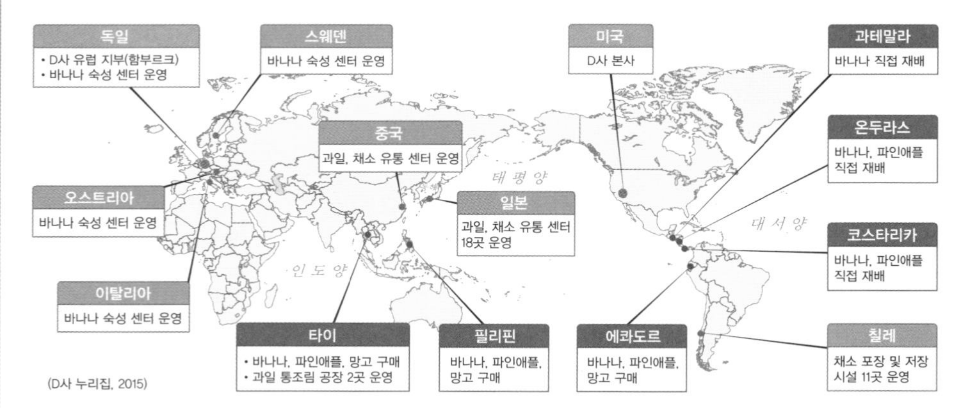

(D사 누리집, 2015)

- 위 지도는 세계적인 농식품 기업인 D사의 생산과 유통을 나타낸 것이다.
- D사는 적도 인근에 위치한 타이, 필리핀, 에콰도르 등에서 플랜테이션 방식으로 재배된 바나나, 파인애플 등의 열대 과일을 구매하여 전 세계로 수출한다.
- D사의 본사는 미국에 있으며 세계 각지에 과일 숙성 센터, 유통 센터를 운영하면서 과일을 판매하고 있다.

간단 체크

❶ 전 세계를 대상으로 농산물의 생산과 유통이 이루어지는 현상은?

❷ 농업 생산의 변화로 아시아, 아프리카 등의 개발 도상국에서 대규모로 상품 작물을 재배하는 농업 방식은?

B 농업의 세계화로 인한 변화

1. 생산 지역의 변화 집중 공략 158쪽

① **농업 방식의 변화**: 자영농 중심의 소규모 농업 → 기업농 중심의 대규모 농업 (예 플랜테이션)

② **재배 작물의 변화**: 자급적 곡물 농업 → 상품 작물 및 사료 작물의 재배

③ **주민 생활의 변화**: 전통 농업 종사자 감소, 대규모 농업 기업 취업자 수 증가

농업 기업은 주민들에게 새로운 일자리를 마련해 주기 때문에 지역 경제를 활성화하는 데 도움이 되지만 열악한 노동 조건과 정당한 노동의 대가를 받지 못하는 경우도 많아. 공정 무역 운동이 일어나게 된 이유가 여기에 있어.

④ **변화에 따른 문제**

- 경작지 확보를 위한 삼림 제거, 농약·비료 과다 살포 → 환경 오염, 생태계 파괴
- 상품 작물 중심의 대량 생산 → 식량 작물의 생산량 감소
- 단일 작물 재배로 국제 가격이 하락하는 경우 지역 경제가 위기를 겪음

2. 소비 지역의 변화

① **식생활의 변화**: 수입 육류와 기호 작물의 소비 증가

② **변화에 따른 문제**

- 유통 과정에서 과도한 농약과 방부제 사용 → 소비자의 건강을 위협함
- 곡물을 생산하는 국내 농가의 소득 감소 → 국내 농가의 농산물 생산량 감소
- 외국산 농산물 의존도 증가(식량 자급률 감소) → 안정적인 식량의 확보가 어려움

③ **대책**: 로컬 푸드 운동, 지역 내 우수 농산물의 생산과 홍보 등

⚠ 용어 알기

- **자영농** 자신이 소유한 땅에서 농사를 짓는 사람들을 말한다.
- **식량 자급률** 식량의 국내 소비량에서 국내 생산량이 차지하는 비율이다.
- **로컬 푸드 운동** 특정 지역에서 생산한 먹거리를 그 지역 안에서 소비하자는 운동이다.

교과서 자료 농업의 세계화로 인한 변화

▲ 우리나라 곡물 자급률 변화

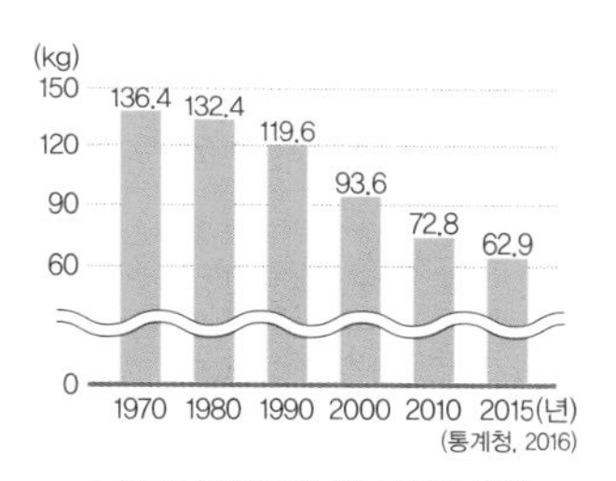

▲ 우리나라 1인당 쌀 소비량 변화

- 농업의 세계화로 우리 식탁에서 수입 농산물의 비중이 늘어나 우리나라의 곡물 자급률이 감소하여 현재 20%대에 머무르고 있다.
- 쌀의 소비량 감소는 수입 곡물, 육류·기호 작물의 소비 증가와 관련이 있다.

✓ 간단 체크

❸ 농산물의 수입이 증가하면 식량 자급률의 변화는?

❹ 수입 곡물 및 육류와 기호 작물의 소비 증가로 우리나라에서 소비가 감소하고 있는 대표적인 곡물은?

개념 다지기

*빈칸에 알맞은 말을 쓰거나, 괄호 안에 알맞은 말을 고르시오.

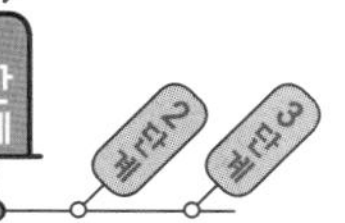

정답과 해설 43쪽

A 농업의 세계화와 기업화

01 세계 무역 기구(WTO) 체제와 자유 무역 협정(FTA) 체결은 농업의 (   )을/를 활발하게 해 주는 원인이 되었다.

02 커피, 카카오와 같은 열대 작물은 선진국의 자본과 개발 도상국의 노동력이 결합된 (   ) 방식으로 생산된다.

03 미국, 캐나다, 오스트레일리아 등 넓은 농업 지역에서는 농업의 (가족화, 기업화) 현상이 나타난다.

B 농업의 세계화로 인한 변화

04 농업이 세계화 되면서 (기업농, 자영농)의 비율이 증가하고 있다.

05 특정 지역에서 생산한 먹거리를 그 지역 안에서 소비하자는 운동을 (   )(이)라고 한다.

06 국내 식량 소비량 중 국내에서 생산된 식량의 비율을 의미하는 용어를 식량 (   )(이)라고 한다.

집중 공략

농업 생산의 세계화와 기업화의 영향

정답과 해설 42쪽

집중해서 알아보기

팜유는 식물성 기름으로 과자, 마가린, 화장품, 세제 등 일상생활에 다양하게 쓰이고 있다.
인도네시아는 팜유의 생산과 수출로 큰 이익을 얻고 있지만, 오랑우탄의 서식지 파괴, 대기 오염 등 생태계의 위기도 함께 겪고 있다.

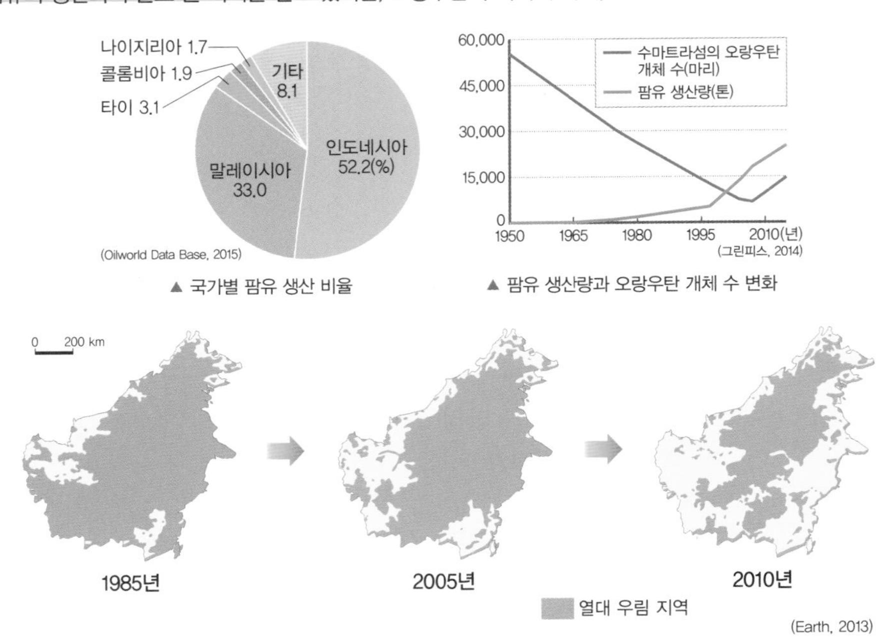

▲ 국가별 팜유 생산 비율

▲ 팜유 생산량과 오랑우탄 개체 수 변화

▲ 인도네시아 보르네오섬의 열대 우림 면적 변화

인도네시아 팜유 생산의 긍정적 영향	인도네시아 팜유 생산의 부정적 영향
• 인도네시아는 세계 1위의 팜유 생산국임 • 과자, 세제, 화장품 등에 사용되는 팜유는 최근 바이오 에너지로서의 가치까지 주목받고 있음 • 세계적 농업 기업들이 인도네시아에 투자를 시작하면서 팜유는 인도네시아의 경제 성장을 이끌고 있음	• 인도네시아는 팜유 생산을 위한 경작지 확보를 위해 열대 우림을 불태웠고, 이 과정에서 다량의 이산화탄소와 수질 및 토양 오염이 발생함 • 원주민의 거주 환경과 인권에 악영향을 미침 • 생태계 파괴로 희귀종인 오랑우탄이 멸종 위기에 놓임

문제로 공략하기

01 팜유 생산량이 증가하면서 인도네시아의 농업 방식은 어떻게 변화했을지 써 보자.

답 (　　　　　　　　　　　　　　　　　　　　)

02 팜유 생산이 인도네시아에 주는 긍정적인 영향을 써 보자.

답 (　　　　　　　　　　　　　　　　　　　　)

03 보르네오섬의 열대 우림이 파괴된 곳은 어떠한 용도로 이용되고 있는지 써 보자.

답 (　　　　　　　　　　　　　　　　　　　　)

04 팜유의 가격 하락과 더불어 세계 곡물 가격의 상승은 인도네시아에 어떤 영향을 줄지 써 보자.

답 (　　　　　　　　　　　　　　　　　　　　)

실력 올리기

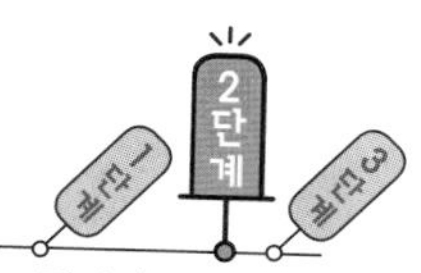

정답과 해설 42쪽

A 농업의 세계화와 기업화

01 농업의 세계화를 알아보기 위한 조사 과제로 적절하지 않은 것은?

① 농산물의 수입 통계 조사
② 라면의 주원료에 대한 원산지
③ 바나나 유통 회사의 유통 과정
④ 정보 통신을 활용한 최첨단 농업
⑤ 가공 식품을 만드는 기업 본사의 국적

고난도

02 지도와 같이 먹거리의 원산지가 다양해지고 이동 거리가 멀어지게 된 원인을 〈보기〉에서 있는 대로 고른 것은?

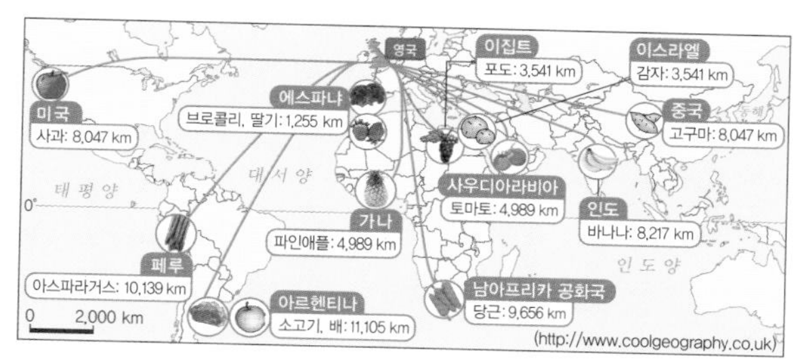

▲ 영국 런던에서 소비되는 각종 먹거리의 원산지와 이동 거리

보기
ㄱ. 교통과 통신의 발달
ㄴ. 다국적 농업 기업의 등장
ㄷ. 기후 변화로 인한 농업 생산력 감소
ㄹ. 세계 무역 기구(WTO) 출범 및 자유 무역 협정(FTA) 체결

① ㄱ, ㄴ ② ㄱ, ㄹ ③ ㄱ, ㄴ, ㄷ
④ ㄱ, ㄴ, ㄹ ⑤ ㄴ, ㄷ, ㄹ

서술형

03 자급적 농업과 비교한 상업적 농업의 상대적 특성을 제시어를 사용하여 서술하시오.

제시어: 자본과 기술의 투입 비중, 농업의 경영 규모

B 농업의 세계화로 인한 변화

04 농업의 세계화로 인해 나타날 수 있는 생산 지역의 변화로 옳지 않은 것은?

① 자영농의 수가 감소한다.
② 식량 작물의 생산량이 감소한다.
③ 상품 작물의 재배 비중이 증가한다.
④ 재배되는 작물의 다양성이 증가한다.
⑤ 대규모 농업 기업의 취업자 수가 증가한다.

05 ㉠, ㉡에 들어갈 내용을 옳게 짝지은 것은?

과거 전통적 농업은 가족 노동력을 중심으로 쌀, 밀과 같은 작물을 (㉠) 농업의 형태로 재배하였다. 하지만 산업화와 도시화로 도시 인구가 증가하면서 채소, 과일, 원예 작물 등 여러 농산물을 생산하여 판매하는 (㉡) 농업이 발달하고 있다.

	㉠	㉡		㉠	㉡
①	자급적	상업적	②	자급적	플랜테이션
③	상업적	자급적	④	상업적	플랜테이션
⑤	플랜테이션	상업적			

서술형

06 다음은 필리핀 농업의 변화를 나타낸 그래프이다. 이러한 추세가 계속될 때 필리핀이 겪을 수 있는 문제점을 제시어를 사용하여 서술하시오.

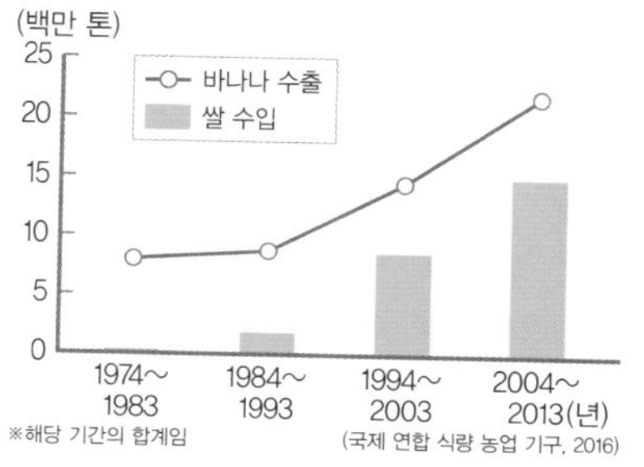

▲ 필리핀의 쌀 수입과 바나나 수출

제시어: 식량 자급률, 식량 확보

IX. 글로벌 경제 활동과 지역 변화

다국적 기업과 생산 지역의 변화

물음으로 흐름잡기

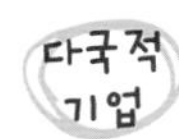

1. 다국적 기업의 본사와 생산 공장이 공간적으로 분리되어 위치하는 이유는 무엇일까?
2. 다국적 기업이 들어선 지역은 어떠한 변화가 있을까?

A 다국적 기업과 공간적 분업•

1. 다국적 기업

① **의미**: 국경을 넘어 전 세계를 대상으로 제품 기획과 생산, 판매 활동을 하는 기업

② **성장 배경**: 교통과 통신의 발달, 세계 무역 기구(WTO)의 등장과 자유 무역 협정(FTA의) 확대

2. 다국적 기업의 성장 과정 집중 공략 162쪽

국내 대도시에 본사와 공장 설립 ➡ 국내 지방 도시에 영업 지점과 생산 공장 확충 ➡ 해외 대도시에 지사 및 영업 지점 설치 ➡ 해외 지방 도시에 생산 공장 건설

3. 다국적 기업의 공간적 분업

구분	내용
본사	• 기업을 경영하고 관리하는 기능을 담당 • 경영과 관련된 주요 정보 수집과 자본 확보가 필요 → 선진국에 위치
연구소	• 기업의 핵심 기술과 디자인 등을 개발하는 기능을 담당 • 고급 기술 인력 확보가 쉬운 곳 → 선진국에 위치
생산 공장	• 제품을 생산하는 기능을 담당 • 공장 부지의 지가가 낮고 저렴한 노동력이 풍부한 곳 → 개발 도상국에 위치 예 베트남❶ – 인건비가 저렴하여 다국적 기업의 진출이 활발 • 무역 장벽을 피하고 판매 시장을 개척하기 위해 생산 공장이 선진국에 위치하는 경우도 있음 (무역 장벽: 제품이 수입되는 경우 제품의 가격을 높이기 위해 관세를 매기거나 수입되는 양을 제한하는 등의 조치야.)

교과서 자료 다국적 기업의 공간 분포와 입지 특성

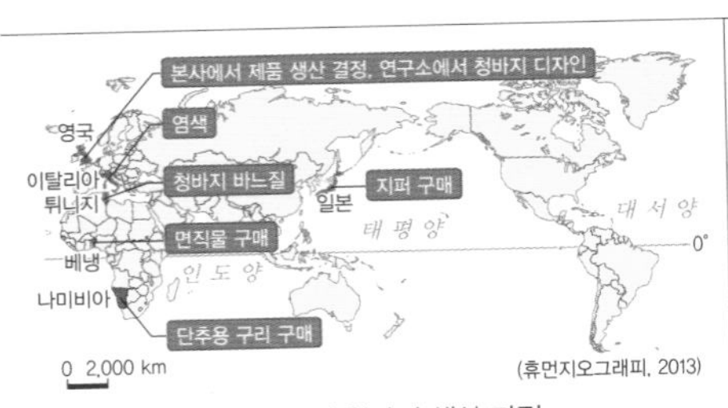

(휴먼지오그래피, 2013)

▲ L 기업의 청바지 생산 과정

(○○ 자동차 누리집, 2016)

▲ ○○ 자동차 회사의 공간 분포

• L 기업의 본사 및 연구소는 영국에 위치하며 제품 생산 및 청바지 디자인 기능을 담당함
• 세계 각지에서 원료를 구매하고, 바느질과 같이 단순 노동력을 필요로 하는 생산 공장은 비교적 인건비가 저렴한 튀니지에 위치함

• ○○ 자동차 회사의 연구소는 일본, 미국, 독일 등 전문 기술 인력을 확보하기 쉽고 교육 시설이 잘 갖추어진 곳에 위치함
• 생산 공장은 멕시코, 브라질, 중국 등 노동력이 풍부하고 지가가 싼 개발 도상국에 주로 위치함

용어 알기

• **공간적 분업** 기업의 본사, 연구소, 생산 공장 등이 각각의 기능을 수행하는 데 적합한 지역에 분산되어 입지하는 것을 말한다.

❶ 다국적 기업의 베트남 진출

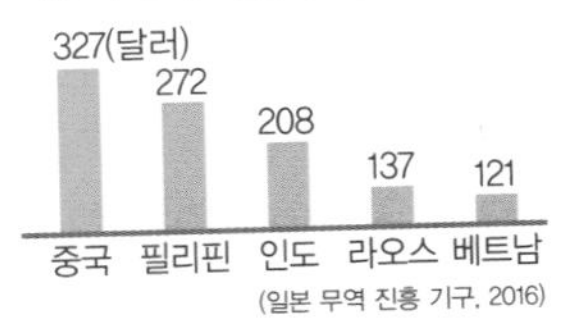

(일본 무역 진흥 기구, 2016)

▲ 단순 노동력의 월평균 기본 급여

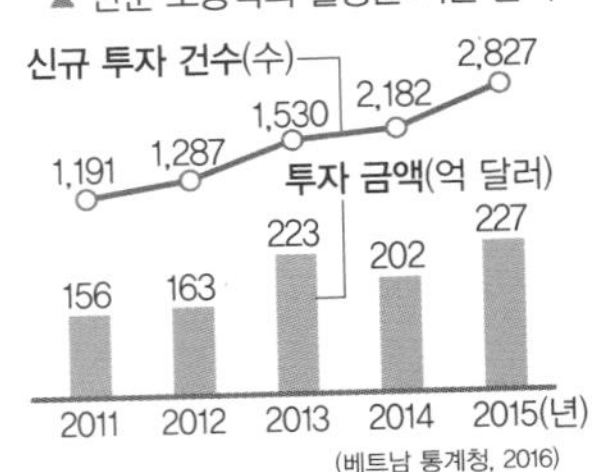

(베트남 통계청, 2016)

▲ 베트남 신규 투자 건수와 금액

중국의 인건비 상승으로 다국적 기업의 생산 공장이 인건비가 저렴한 베트남으로 이동하고 있다.

✓ 간단 체크

❶ 두 개 이상의 국가에서 생산과 판매 활동을 하는 기업은?

❷ 기업의 본사, 연구소, 생산 공장 등이 서로 다른 공간에 위치하는 것을 가리키는 용어는?

B 다국적 기업의 이동과 생산 지역의 변화 집중 공략 163쪽

1. 다국적 기업 생산 공장 유출 지역의 변화 기업의 생산비 절감을 위해 국내 생산 공장을 해외로 이전(해외 투자의 확대) → 본국에서의 생산과 투자 감소, 생산 공장이 있던 기존 지역 경제 침체(산업 공동화) ─ 공장의 이전에 따른 산업 공동화는 선진국뿐만 아니라 개발 도상국에서도 나타날 수 있는 문제야.

2. 다국적 기업 생산 공장 유입 지역의 변화

긍정적 영향	• 생산 공장이 유치되어 많은 일자리가 생김 • 자본 투자 및 기술 이전으로 관련 산업이 발달하고 경제 활성화에 도움이 됨
부정적 영향	• 다국적 기업에 비해 경쟁력이 약한 국내 기업은 어려움을 겪을 수 있음 • 다국적 기업이 벌어들인 이윤이 본국으로 이동될 경우 투자 진출국의 경제 성장을 기대하기 어려움 • 다국적 기업의 생산 공장이 철수하면 실업자가 발생하고 지역 경제가 침체됨 • 다국적 기업의 생산 공장이 들어서면서 수질 · 대기 오염 등 환경 문제가 발생함

> **⚠ 용어 알기**
> • **산업 공동화** 지역의 기반을 이루던 산업이 다른 지역으로 이전하면서 해당 산업이 쇠퇴하여 지역 경제가 침체되는 현상을 말한다.
> • **북아메리카 자유 무역 협정(NAFTA)** 미국, 캐나다, 멕시코 3국이 서로 간의 무역 장벽을 제거하여 자유롭게 무역하기 위해 맺은 협정이다.

교과서 자료 멕시코로 몰려드는 다국적 자동차 기업들

▲ 멕시코 내 다국적 자동차 기업의 생산 공장

(%) 80, 60, 40, 20, 0
미국: 73.6, 67.1, 65.7
멕시코: 9.4, 18.8, 25.4
캐나다: 17.0, 14.1, 8.9
2004 2008 2012 2014 2020(예상)(년)
(WardsAuto, 2015)

▲ 미국 · 멕시코 · 캐나다의 자동차 생산 비율 변화

• 멕시코는 근로자의 임금이 낮고 최대 소비 시장인 미국과 지리적으로 인접해 있다.
• 북아메리카 자유 무역 협정(NAFTA)에 따라 멕시코에서 생산된 자동차는 관세 없이 미국 및 캐나다로 수출할 수 있게 되었다.
• 그 결과 멕시코에 세계 자동차 업체의 생산 공장이 진출하게 되어 자동차 산업이 급성장하게 되었고, 미국은 자동차 공장의 해외 이전으로 산업 공동화가 나타나 기존의 자동차 공업 중심 지역이었던 디트로이트 지역은 경제가 쇠퇴하게 되었다.

> **✓ 간단 체크**
> ❸ 지역의 기반을 이루던 산업이 다른 지역으로 이전되면서 해당 산업이 쇠퇴하는 현상은?
>
> ❹ 멕시코에서 생산된 자동차를 관세 없이 미국과 캐나다로 수출할 수 있도록 한 무역 협정은?

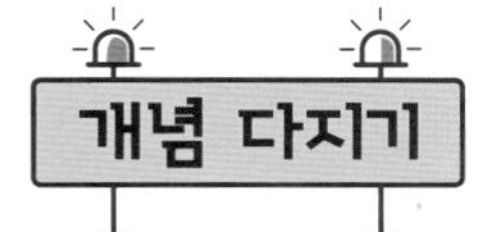

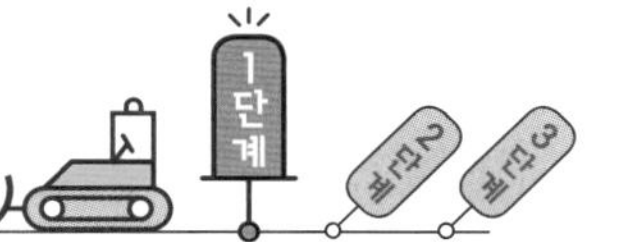

*빈칸에 알맞은 말을 쓰거나, 괄호 안에 알맞은 말을 고르시오.

정답과 해설 44쪽

A 다국적 기업과 공간적 분업

01 (　　　　)은/는 국경을 넘어 전 세계를 대상으로 제품 기획과 생산, 판매 활동을 하는 기업이다.

02 기업이 성장하면서 본사, 연구소, 생산 공장 등은 각 기능을 수행하는 데 적합한 지역으로 분리되어 위치하게 되는데 이를 (　　　　)(이)라고 한다.

03 다국적 기업의 생산 공장은 생산 비용을 줄이기 위해 지가와 임금이 저렴한 (　　　　)에 들어선다.

04 다국적 기업의 생산 공장이 선진국에 위치하는 경우는 (　　　　)을/를 피하고 판매 시장을 개척하기 위해서이다.

B 다국적 기업의 이동과 생산 지역의 변화

05 다국적 기업의 생산 공장이 진출한 지역에서는 (산업 공동화, 일자리 증가) 현상이 나타나며 관련 산업이 성장한다.

06 다국적 기업의 성장 과정에서 발생하는 산업 공동화 현상은 지역 경제를 (발전, 침체)시킨다.

집중 공략

정답과 해설 43쪽

A. 다국적 기업의 성장 과정과 공간적 분업

집중해서 알아보기

다국적 기업은 세계 시장에서 경쟁력을 갖추고 여러 나라에서 생산과 판매 활동을 하는 기업이다.

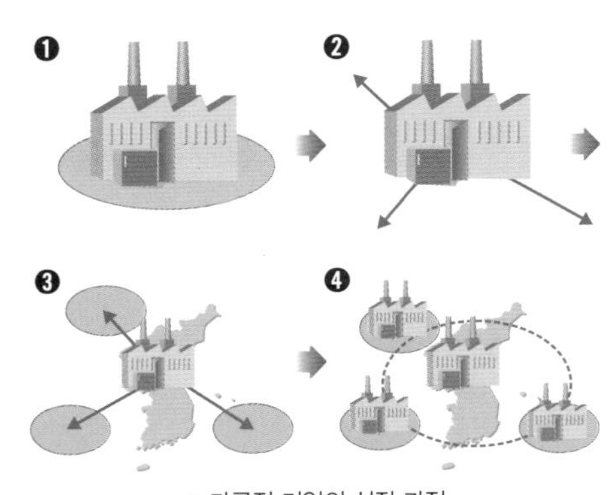
▲ 다국적 기업의 성장 과정

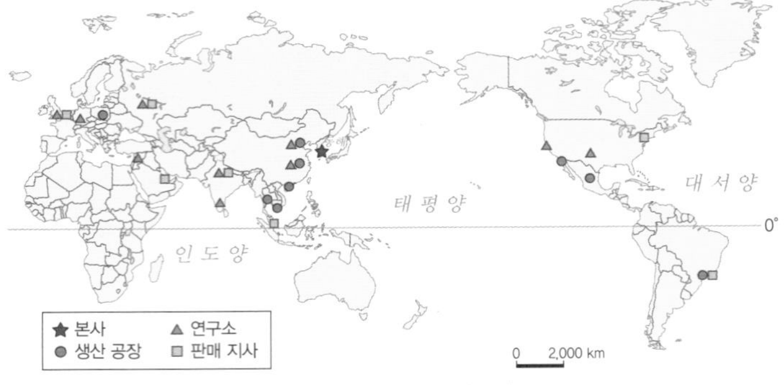

▲ 다국적 기업의 공간적 분업

❶ 국내 대도시에 본사와 공장 설립
❷ 국내 지방 도시에 영업 지점과 생산 공장을 확충(공간적 분업 시작)
❸ 해외 대도시에 지사 및 영업 지점 설치(해외 시장 개척)
❹ 해외 지방 도시에 생산 공장 건설(다국적 기업 형성)

- 지도에 한 개만 있는 것은 본사이고, 영국·독일·미국 등 주로 선진국에 위치한 것은 연구소이며, 중국·멕시코·브라질 등 개발 도상국에 위치한 것은 생산 공장이다.
- 본사는 정보와 자본을 쉽게 얻을 수 있는 곳(선진국), 연구소는 고급 기술 인력이 풍부한 곳(선진국)에 위치한다.
- 생산 공장은 인건비가 저렴한 곳(개발 도상국)에 위치하지만 무역 장벽을 피하고 판매 시장을 확대하기 위해 선진국에 위치하기도 한다.

문제로 공략하기

01 다음은 다국적 기업의 성장 과정을 정리한 내용이다.

(가) 해외 지방 도시에 생산 공장 건설
(나) 국내 대도시에 본사와 공장 설립
(다) 해외 대도시에 지사 및 영업 지점 설치
(라) 국내 지방 도시에 영업 지점과 생산 공장을 확충

(1) (가)~(라)를 순서대로 나열해 보자.

답 (   )

(2) (가)~(라) 중 다국적 기업의 공간적 분업이 시작되는 단계에 해당하는 것을 써 보자.

답 (   )

02 다국적 기업의 생산 공장이 위치한 국가 세 곳을 지도에서 찾아 써 보자.

답 (   )

03 다국적 기업의 연구소가 위치한 국가 세 곳을 지도에서 찾아 써 보자.

답 (   )

04 다국적 기업의 생산 공장은 대체로 개발 도상국에 위치하지만 간혹 선진국에 위치하는 경우도 있는데, 그 이유를 써 보자.

답 (   )

집중 공략

B. 다국적 기업의 생산 활동과 영향

정답과 해설 43쪽

집중해서 알아보기

다국적 기업의 생산 공장이 다른 지역으로 이전하는 경우 지역 경제에 큰 변화가 나타난다.

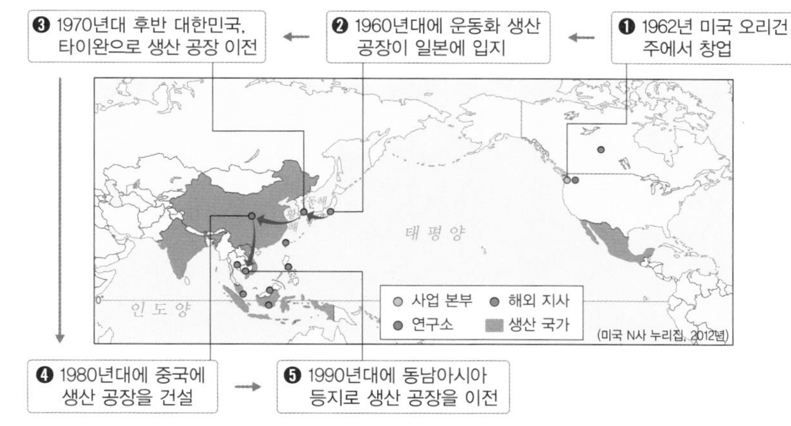

▲ 신발 · 의류 기업인 미국 ○○사의 신발 공장 이전 과정

▲ 다국적 기업 생산 지역의 변화

- ○○사의 생산 공장은 시기별로 일본 → 대한민국, 타이완 → 중국 → 동남아시아로 이동하였는데 이는 보다 저렴한 노동력을 구하기 위해서이다.
- 중국은 유출되는 공장의 수가 더 많은데 이는 중국보다 인건비가 저렴한 지역으로 공장이 이전했기 때문이다.
- 동남아시아에도 인건비가 저렴한 베트남에는 다국적 기업의 생산 공장이 많이 유입되고 있다.

생산 공장 유출 지역 예 중국	생산 공장 유입 지역 예 베트남
• 지역의 산업 기반과 일자리가 없어짐 • 산업 공동화로 지역 경제가 침체됨	• 일자리 창출 및 관련 산업 발달, 경제 활성화 • 대기 오염, 수질 오염 등 환경 문제 발생

문제로 공략하기

01 다국적 기업의 생산 공장이 다른 지역으로 이동하는 이유를 써 보자.

답 (　　　　　　　　　　)

02 기존의 생산 공장이 해외로 빠져나가 지역의 일자리가 감소하고 지역 경제가 침체하는 현상을 써 보자.

답 (　　　　　　　　　　)

03 기존의 생산 공장이 빠져나간 지역에서 나타나는 실업률과 인구 변화를 써 보자.

답 (　　　　　　　　　　)

04 위 지도에서 유입 기업 수가 유출 기업 수보다 많은 국가를 써 보자.

답 (　　　　　　　　　　)

05 중국에서는 다국적 기업의 유출이 많지만 베트남에서는 다국적 기업의 유입이 많은 이유를 써 보자.

답 (　　　　　　　　　　)

06 다국적 기업의 생산 공장이 들어선 지역에 나타나는 긍정적인 변화를 써 보자.

답 (　　　　　　　　　　)

A 다국적 기업과 공간적 분업

01 다국적 기업에 대한 설명으로 옳지 않은 것은?

① 교통과 통신의 발달이 영향을 주었다.
② 여러 국가에서 생산 및 판매 활동을 한다.
③ 기업의 생산 품목은 공산품에만 한정된다.
④ 본사와 생산 공장이 공간적으로 분리되어 있다.
⑤ 무역 장벽이 낮아지면서 기업 수가 증가하고 있다.

02 다국적 기업의 성장으로 나타날 수 있는 사회·경제적 변화로 옳은 것은?

① 국가 간 교역을 둘러싼 갈등이 해소된다.
② 제품 생산 및 판매의 대상 지역이 확대된다.
③ 기업 간 이익 추구를 위한 경쟁이 감소한다.
④ 재화, 서비스, 자본 등의 이동량이 감소한다.
⑤ 한 국가가 다른 국가에 미치는 영향이 줄어든다.

03 다음은 다국적 기업의 성장 과정이다. (가)~(라)를 순서대로 바르게 나열한 것은?

> (가) 해외 지방 도시에 생산 공장 건설
> (나) 국내 대도시에 본사와 공장을 설립
> (다) 해외 대도시에 지사 및 영업 지점 설치
> (라) 국내 지방 도시에 영업 지점, 생산 공장 확충

① (나) – (가) – (다) – (라)
② (나) – (다) – (가) – (라)
③ (나) – (라) – (다) – (가)
④ (라) – (나) – (다) – (가)
⑤ (라) – (다) – (가) – (나)

고난도

04 다음은 다국적 기업의 공간적 분업을 나타낸 지도이다. A~C에 대한 설명으로 옳은 것은?

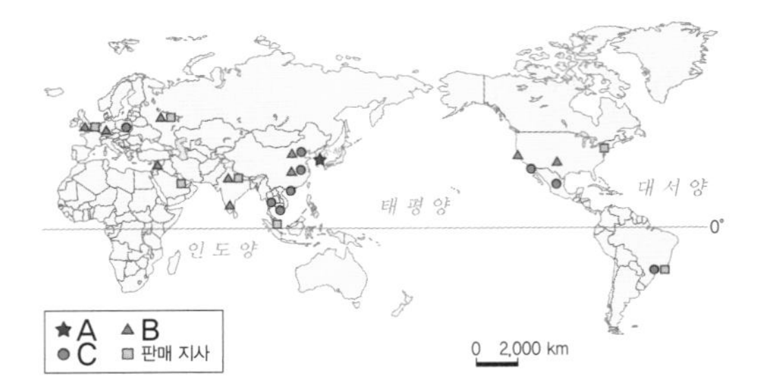

① A는 핵심 기술과 디자인을 개발한다.
② B는 기업의 경영 및 관리 기능을 담당한다.
③ C는 고급 기술 인력의 확보가 중요하다.
④ A는 C에 비해 기업 경영에 대한 권한이 크다.
⑤ B는 C에 비해 근로자 1인당 평균 임금이 적다.

05 밑줄 친 '이 지역'에 주로 입지하는 다국적 기업의 조직을 〈보기〉에서 고른 것은?

> <u>이 지역</u>은 다양한 정보를 수집하고 자본을 확보하는 데 유리하고, 우수한 교육 시설과 전문 기술 인력이 풍부하다는 장점이 있다.

보기
ㄱ. 본사　　ㄴ. 연구소
ㄷ. 생산 공장　　ㄹ. 판매 지사

① ㄱ, ㄴ　② ㄱ, ㄷ　③ ㄴ, ㄷ
④ ㄴ, ㄹ　⑤ ㄷ, ㄹ

서술형

06 다국적 기업의 생산 공장이 저렴한 노동력이 풍부한 개발 도상국이 아닌 선진국에 위치하는 경우, 그 이유를 제시어를 사용하여 서술하시오.

> **제시어:** 무역 장벽, 판매 시장

B 다국적 기업의 이동과 생산 지역의 변화

필수

07 다음 대화의 주제로 가장 적절한 것은?

> 현우: 이 지역은 한때 세계적인 신발 생산지였어. 우리나라 근로자들의 섬세한 작업 솜씨는 일품이었지. 비록 외국 브랜드의 상품이었지만 말이야.
> 수지: 그런데 지금은 왜 운영 중인 신발 공장들이 보이지 않는 걸까?
> 현우: 80년대 후반 임금이 높아지면서 외국 기업들이 하청 회사를 동남아시아로 옮기게 되었어. 그 결과 이 지역에 수만 명의 실업자가 생겼지.

① 한류 콘텐츠의 세계화
② 상품 판매의 지역화 전략
③ 선진국과 개발 도상국의 불평등
④ 산업 공동화로 인한 지역의 변화
⑤ 다국적 기업 진출의 긍정적 효과

08 다음 지역의 변화를 추론한 것으로 옳지 않은 것은?

▲ 미국 앨라배마주의 자동차 회사

앨라배마주 등 미국 남부 지역이 새로운 자동차 메카로 떠오르고 있다. 독일의 B사가 1997년 생산 공장을 세운 이래 일본의 H사와 T사 등 외국 자동차 업체들의 조립 공장들이 잇따라 들어서고 있다.

① 인구가 증가하고 도시가 성장할 것이다.
② 대기 오염 물질 발생량이 증가할 것이다.
③ 부품 업체 등 관련 산업이 성장할 것이다.
④ 일자리가 늘어나고 지역 경제가 활성화될 것이다.
⑤ 다국적 기업의 본사가 이 지역으로 이전될 것이다.

서술형

09 다국적 기업 생산 공장의 유출과 유입이 지역에 미치는 영향을 제시어를 사용하여 각각 서술하시오.

> 제시어: 산업 공동화, 일자리, 지역 경제

고난도

10 다음은 미국 ○○사의 생산 공장 이전 과정을 나타낸 지도이다. 이 기업에 대한 설명으로 옳은 것은?

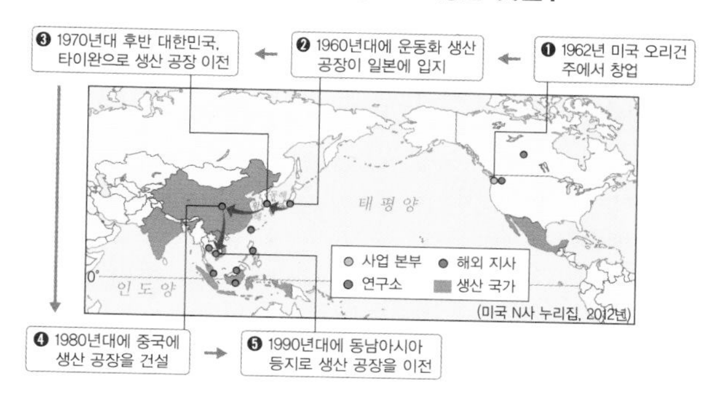

① 1960년대에 다국적 기업으로 성장했다.
② 생산 공장의 이전은 판매 시장 확보 때문이다.
③ 해외 지사의 수는 아시아보다 아메리카에 많다.
④ 현재 일본, 대한민국에는 생산 공장이 위치한다.
⑤ 생산 공장이 입지한 곳은 모두 해외 지사가 있다.

서술형

11 자료를 보고 다국적 기업 생산 지역의 변화와 그 이유를 제시어를 사용하여 서술하시오.

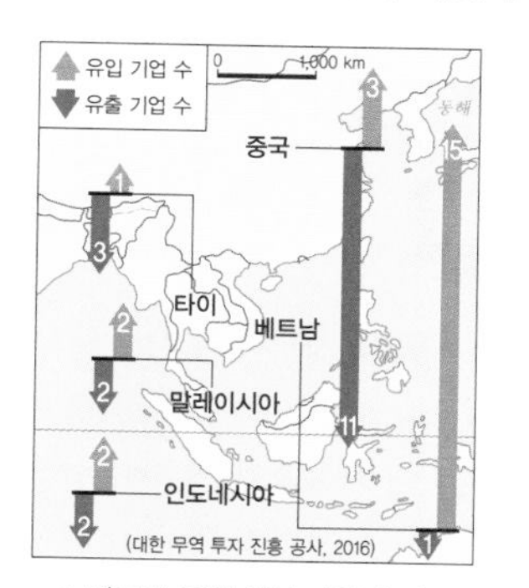

▲ 다국적 기업 생산 지역의 변화

> 제시어: 중국, 베트남, 저렴한 노동력

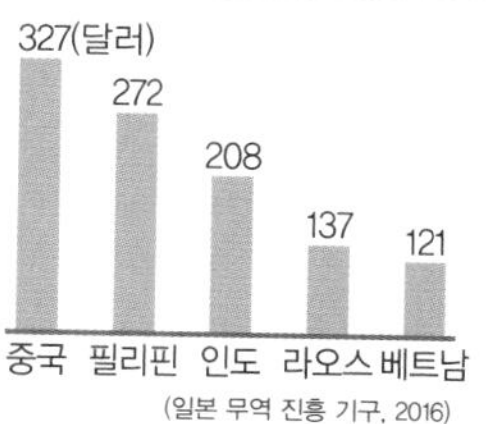

▲ 단순 노동력의 월평균 급여

서비스업의 변화와 주민 생활

물음으로 흐름잡기

1. 세계화는 서비스업에 어떠한 변화를 가져왔을까? 2. 서비스업의 세계화는 주민 생활에 어떠한 영향을 미칠까?

A 서비스업의 세계화

1. 서비스업 경제 활동 주체에게 필요로 하는 재화나 용역•을 공급하는 산업

① **특성**: 기계로 대신할 수 없는 일이 많아 다른 산업에 비해 고용 창출 효과가 크고, 경제가 성장하면서 각 나라에서 서비스업이 차지하는 비중이 증가하고 있음

② **유형**

소비자 서비스업	소비자에게 직접 제공하는 서비스 예 음식 및 숙박업, 도·소매업 등
생산자 서비스업	기업 활동에 도움을 주는 서비스 예 금융, 법률, 광고, 시장 조사 등

2. 서비스업의 세계화

① **배경**
- 교통과 통신의 발달로 국가 간 교류 활성화
- 경제 활동의 시·공간 제약 완화 → 서비스업이 전 세계로 확대 (정보 통신 기술의 발달로 서비스 제공자와 소비자가 직접 만나지 않아도 서비스를 제공할 수 있게 되었기 때문이야.)
- 탈공업화•: 기계화·자동화로 공업 종사자 비중 감소 → 노동력이 서비스업으로 이동
- 소득 수준 향상으로 교육, 의료, 관광 등 서비스에 대한 수요 증가

② **세계화에 따른 서비스업의 입지**
- 세계 여러 지역으로 진출하여 유사한 상품과 서비스를 제공 예 편의점, 대형 마트
- 접근성이 좋고 정보가 풍부한 지역에 집중 예 의료, 광고, 금융 등 전문 서비스업
- 기업의 비용 절감을 위해 업무 일부를 개발 도상국으로 분산 운영 예 콜센터❶

⚠ 용어 알기
- **용역** 미용사, 금융 종사자 등 물건의 형태가 아닌 노동력을 제공하는 서비스이다.
- **탈공업화** 2차 산업 비중이 감소하고 3차 산업 비중이 증가하는 현상이다.

❶ 필리핀의 콜센터
필리핀과 인도는 영어를 공용어로 쓰고 있고, 인건비가 저렴하여 다국적 기업의 콜센터가 많이 들어서 있다.

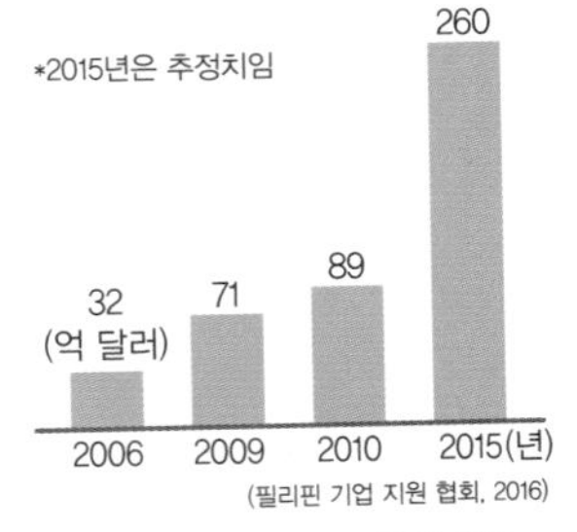

▲ 필리핀 콜센터의 매출액 변화

교과서 자료 국가별 서비스업이 차지하는 비중

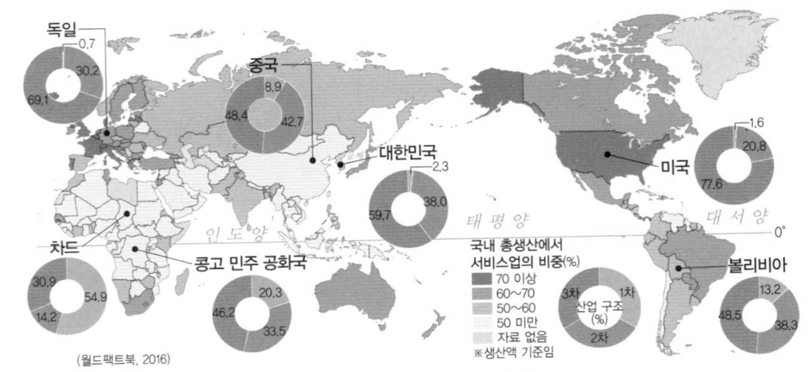

▲ 국가별 서비스 산업의 비중과 산업 구조

- 경제 수준이 높은 지역의 경우 서비스업의 비중이 높다. 예 미국, 독일
- 경제 수준이 낮은 아프리카는 서비스업의 비중이 낮은 편이다. 예 차드
- 지역에 따라 차이가 있으나 서비스업의 비중은 다른 산업에 비해 대체로 높게 나타난다.

✓ 간단 체크

❶ 경제 활동 주체에게 필요로 하는 재화나 용역을 공급하는 산업은?

❷ 경제 수준이 높은 지역과 낮은 지역 중 서비스업의 비중이 높은 곳은?

B 서비스업의 변화에 따른 영향

1. 유통업의 변화와 영향 집중 공략 168~169쪽

① **변화**

- 전자 상거래❷ 활성화로 해외 직접 구매• 증가 → 상품 구매의 세계화
- 다국적 유통 업체들이 세계 각 지역에 진출 → 유통의 세계화

② **영향**: 상품의 유통 단계 감소, 택배 산업 발달, 국가 간 상품 교역 비중이 크게 증가, 다국적 유통 업체의 시장 확대로 현지 영세 유통 업체들이 피해를 입음

2. 관광업의 변화와 영향

① **변화**: 소득 수준 향상, 여가 시간의 증대, 교통·통신의 발달, 소셜 네트워크 서비스(SNS) 등을 통한 관광 정보 공유 증가 등 → 해외 관광객 수 증가

② **영향**

긍정적 영향	• 지역의 고용 창출로 지역 주민의 소득 증가 • 교통 및 숙박 산업과 같은 연관 산업 발전으로 지역 경제 활성화
부정적 영향	• 쇼핑 공간, 각종 편의 시설 건설, 도로 확장 등으로 자연환경 파괴 • 지나친 상업화로 지역의 고유문화 상실 → '지속 가능한 관광'의 필요성 증대 예 공정 여행 (환경을 파괴하지 않고 지역 주민의 실질적인 소득 증대에 도움을 주는 여행이야.)

교과서 자료 지역별 관광객 수의 변화

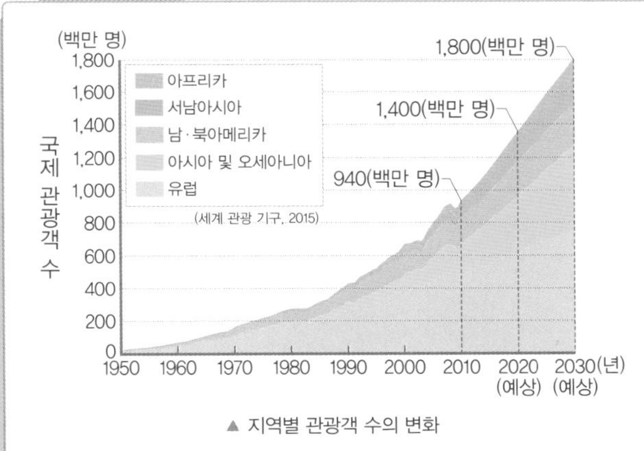

▲ 지역별 관광객 수의 변화

- 세계의 관광객 수는 꾸준히 증가하고 있고, 유럽 중심의 관광에서 관광 지역이 점차 다변화되고 있다.
- 아프리카, 서남아시아의 관광객이 증가하고 있는데, 이는 현지 문화를 존중하고 생태계에 미치는 영향을 최소화하는 지속 가능한 관광에 대한 관심이 커졌기 때문이다.

용어 알기

- **해외 직접 구매** 소비자가 해외 온라인 쇼핑몰에 직접 접속하여 필요한 상품을 구매하는 것을 말한다.

❷ **전자 상거래**
온라인에서 주문과 결제를 할 수 있고 원하는 곳에서 상품을 받을 수 있어 기존 상거래와 달리 시간과 공간에 대한 제약이 적다.

✓ 간단 체크

❸ 관광객이 가장 많이 방문하는 지역(대륙)은?

❹ 현지 문화를 존중하고 생태계에 미치는 영향을 최소화하는 것과 관계 깊은 관광은?

개념 다지기

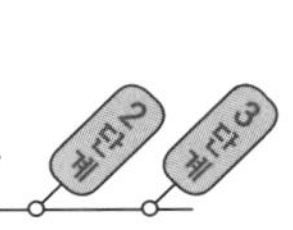

*빈칸에 알맞은 말을 쓰거나, 밑줄 친 곳을 바르게 고쳐 쓰시오.

정답과 해설 45쪽

A 서비스업의 세계화

01 서비스업은 소비자 서비스와 ( ) 서비스로 나뉜다.

02 ( )와/과 통신의 발달은 서비스업이 전 세계로 확대되는 데 큰 영향을 미쳤다.

03 2차 산업의 비중이 감소하고 3차 산업의 비중이 증가하는 현상을 ( )(이)라고 한다.

B 서비스업의 변화에 따른 영향

04 직접 상거래의 영향으로 택배 산업이 활성화되고 있다.

05 수입 업체를 통하지 않고 인터넷 쇼핑몰에서 상품을 직접 구매하는 것을 해외 간접 구매라고 한다.

06 환경을 파괴하지 않고 지역 주민의 실질적 소득 증대에 도움을 주는 여행을 불공정 여행이라고 한다.

집중 공략

A. 해외 직접 구매 증가의 영향

정답과 해설 44쪽

집중해서 알아보기

정보 통신 기술의 발달로 전자 상거래라는 새로운 서비스업이 발달하였다.
인터넷을 이용하여 해외 상품을 구매하는 해외 직접 구매는 여러 사회적 변화를 가져오고 있다.

▲ 해외 직접 구매의 규모 변화

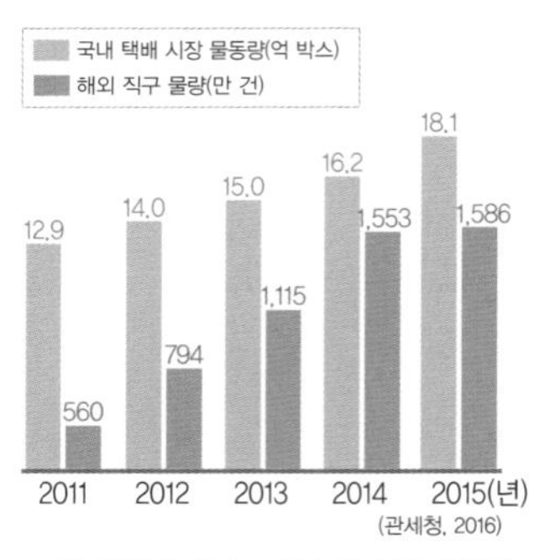

▲ 국내 택배 시장 · 해외 직구 물량 변화

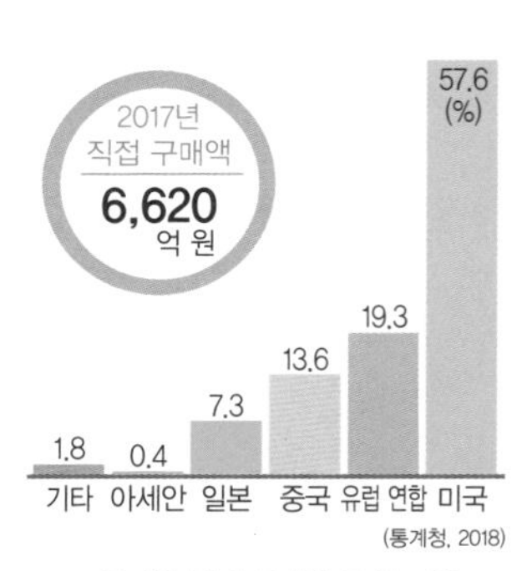

▲ 국가별 직접 구매액 구성 비율

해외 직접 구매를 하는 이유는?	해외 직접 구매가 대중화된 원인은?
• 세계의 다양한 제품을 구매할 수 있음 • 국내에서 제품을 구입하는 것보다 저렴함 • 국내에서 구하기 어려운 제품을 구매할 수 있음	• 국제 물류 시장 확대로 상품 배송이 편리해졌기 때문 • 해외 인터넷 쇼핑몰에서 상품을 직접 구매할 수 있기 때문 • 미국, 유럽 연합과의 자유 무역 협정으로 일정 물품은 세금이 면제됨
해외 직접 구매의 단점은?	**해외 직접 구매로 인한 영향은?**
• 배송이 느리고 배송비가 비쌈 • 온라인 쇼핑몰 이용에 있어 언어의 제약이 큼 • 구매 제품에 문제가 생겨도 사후 서비스를 받기 어려움	• 해외 소비자들이 우리나라 상품을 구매하는 역직구 증가 • 화물 운송(택배)업, 구매(배송) 대행업 등 관련 산업 매출액 증가 • 해외 상품과 비슷한 상품을 파는 국내 기업들의 시장 점유율 하락

문제로 공략하기

01 인터넷을 이용하여 해외 상품을 직접 구매하여 국내로 배달 받는 것을 무엇이라고 하는지 써 보자.

답 (　　　　　　　　)

02 해외 직접 구매가 늘어나는 이유를 가격 측면에서 써 보자.

답 (　　　　　　　　)

03 해외 직접 구매로 구매한 상품의 배송 기간과 배송비는 국내에 비해 어떤지 써 보자.

답 (　　　　　　　　)

04 해외 직접 구매의 대중화로 인해 성장하고 있는 대표적인 서비스 산업을 써 보자.

답 (　　　　　　　　)

05 해외 직접 구매의 대중화로 인해 피해가 예상되는 업체를 써 보자.

답 (　　　　　　　　)

06 해외 소비자들이 우리나라의 온라인 쇼핑몰을 이용하여 우리나라 상품을 직접 구매하는 것을 무엇이라고 하는지 써 보자.

답 (　　　　　　　　)

집중 공략

B. 기존 상거래와 전자 상거래의 유통 구조

정답과 해설 44쪽

집중해서 알아보기

교통과 정보 통신의 발달, 유통 시장 개방, 전자 상거래 급증으로 상품을 구매하는 방식이 달라지고 있다.

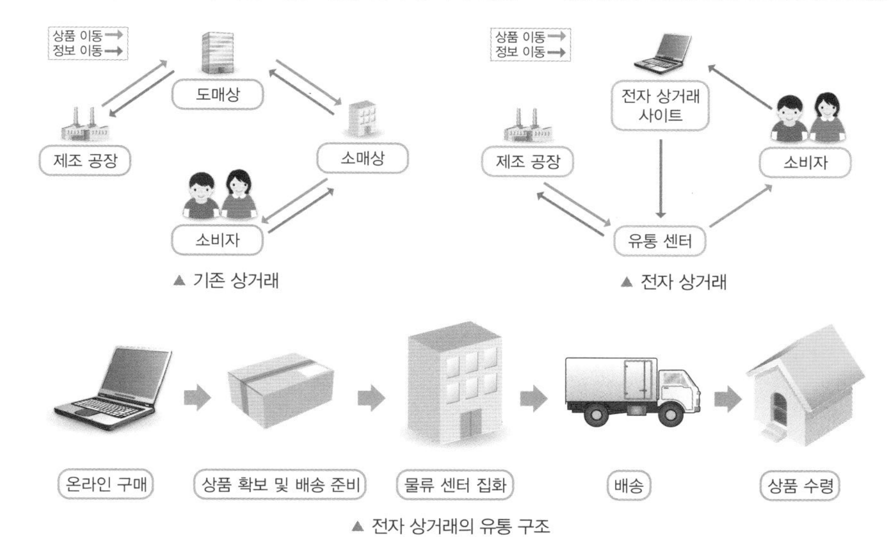

▲ 기존 상거래 ▲ 전자 상거래

▲ 전자 상거래의 유통 구조

기존 상거래	전자 상거래
• 상품 이동과 정보 이동이 독립되어 있지 않음 • 소비자가 방문 가능한 범위의 소매상에서 구매함 • 유통 과정이 복잡하고 상거래의 시간적 제약이 큼 • 상품 구매를 위해 소비자는 소매상으로 이동해야 함 • 소매상은 소비자가 접근하기 좋은 곳에 위치해야 함	• 상품 이동과 정보 이동이 독립되어 있음 • 소비자가 방문 가능한 범위의 공간적 제약이 없음 • 유통 과정이 단순하고 상거래의 시간적 제약이 작음 • 전자 상거래 사이트 운영 업체의 위치는 비교적 자유로움 • 소비자는 집에서 전자 상거래 사이트를 통해 구매를 결정함

문제로 공략하기

01 유통 과정이 상대적으로 복잡한 상거래를 써 보자.

답 (　　　　　　) 상거래

02 구매의 시간적·공간적 제약이 적은 상거래를 써 보자.

답 (　　　　　　) 상거래

03 소비자가 직접 제품의 실물을 보고 구매하는 상거래를 써 보자.

답 (　　　　　　) 상거래

04 택배 산업의 발달에 크게 기여한 상거래를 써 보자.

답 (　　　　　　) 상거래

05 상품이 도매상과 소매상을 거쳐 소비자로 전달되는 상거래를 써 보자.

답 (　　　　　　) 상거래

06 운영 업체의 입지가 비교적 자유로운 상거래를 써 보자.

답 (　　　　　　) 상거래

A 서비스업의 세계화

01 서비스업의 특징으로 옳지 않은 것은?

① 경제 활동 주체에게 재화나 용역을 공급한다.
② 다른 산업에 비해 고용 창출 효과가 크다.
③ 기업의 활동에 도움을 주는 역할을 담당한다.
④ 경제가 성장하면서 차지하는 비중이 증가한다.
⑤ 활동 범위는 국경의 영향으로 국내로 제한된다.

필수

02 기업의 활동에 도움을 주는 서비스업에 해당하는 것을 〈보기〉에서 고른 것은?

보기
ㄱ. 금융업 ㄴ. 광고업 ㄷ. 음식업 ㄹ. 소매업

① ㄱ, ㄴ ② ㄱ, ㄷ ③ ㄴ, ㄷ
④ ㄴ, ㄹ ⑤ ㄷ, ㄹ

03 서비스업이 세계 여러 지역으로 확대되게 된 배경으로 적절하지 않은 것은?

① 소득 수준의 향상 ② 교통과 통신의 발달
③ 공업 종사자 비중 감소 ④ 자본, 노동력 이동 증가
⑤ 경제 활동의 공간적 제약 증가

04 다음 글의 내용을 조사하기 위한 자료로 적절한 것을 〈보기〉에서 고른 것은?

교통·통신의 발달로 경제 활동이 세계화되면서 서비스업의 활동 범위도 국경을 넘어 세계로 확대되고 있다.

보기
ㄱ. 미국의 농업 종사자
ㄴ. 필리핀의 콜센터 종사자
ㄷ. 한국을 방문한 러시아 의료 관광객
ㄹ. 일본 다국적 기업의 해외 생산 공장

① ㄱ, ㄴ ② ㄱ, ㄷ ③ ㄴ, ㄷ
④ ㄴ, ㄹ ⑤ ㄷ, ㄹ

05 다음 대화의 ㉠에 들어갈 말로 적절한 것은?

기자: 왜 인도에 있던 기업의 콜센터를 필리핀으로 옮기셨나요?
사장: 미국 고객들이 인도 사람들의 영국식 발음을 알아듣기 힘들다는 불만이 많았어요. 하지만 필리핀 콜센터 직원들은 미국식 영어를 구사해 의사소통이 원활합니다. 또한 무엇보다도 필리핀은 (㉠)

① 임금 수준이 낮습니다.
② 무역 장벽이 낮습니다.
③ 제품 구매자가 많습니다.
④ 고급 기술 인력이 풍부합니다.
⑤ 정치적으로 안정되어 있습니다.

06 최근 서비스업의 변화를 〈보기〉에서 있는 대로 고른 것은?

보기
ㄱ. 서비스업의 비중 증가
ㄴ. 서비스업의 국가 간 분업
ㄷ. 서비스업의 자동화, 단순화
ㄹ. 서비스업의 전 세계적 확대

① ㄱ, ㄴ ② ㄴ, ㄷ ③ ㄱ, ㄴ, ㄷ
④ ㄱ, ㄴ, ㄹ ⑤ ㄴ, ㄷ, ㄹ

서술형

07 서비스업의 세계화에 영향을 준 요인을 제시어를 사용하여 서술하시오.

제시어: 교통·통신, 탈공업화, 소득 수준 향상

B 서비스업 변화에 따른 영향

필수

08 (가)와 비교하여 (나)의 특성으로 옳은 것은?

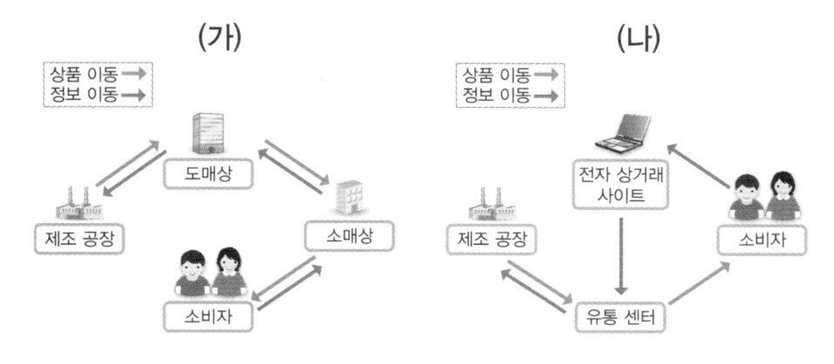

① 유통 과정이 복잡하다.
② 구매의 시간적 제약이 크다.
③ 상품의 도달 시간이 빠르다.
④ 소비자의 이동 거리가 길다.
⑤ 구매 상품의 종류가 다양하다.

고난도

09 다음 자료는 상품 구매의 세계화 현상에 관한 것이다. 이와 같은 변화로 인해 나타날 수 있는 현상으로 옳지 않은 것은?

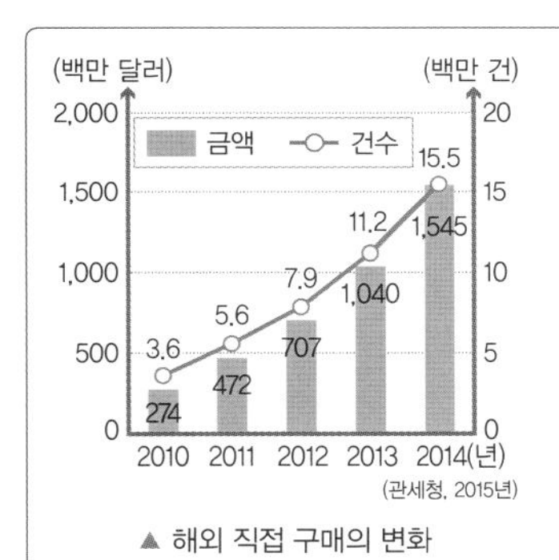

▲ 해외 직접 구매의 변화

직장인 이 모 씨(여·34)는 최근 백화점이나 마트에 가는 것보다 해외 인터넷 사이트를 검색하는 데 더 시간을 보낸다. 의류나 가방은 물론 주방과 육아 용품까지 해외 직접 구매를 통해 구매하는 사례가 늘었기 때문이다. 이 씨는 "손품만 팔면 국내 최저가보다 더 저렴하게 여러 물건을 살 수 있다."며 뿌듯해했다. 온라인을 통해 해외에서 직접 물건을 구매하는 해외 직접 구매가 이제 일상이 되었다.

– ○○ 신문, 2015. 6. 9. –

① 택배 산업이 지속적으로 성장할 것이다.
② 해외 배송 업체의 매출이 증가할 것이다.
③ 구매자들의 상품 선택의 폭이 넓어질 것이다.
④ 국내 수입 업체의 가격 경쟁력이 강화될 것이다.
⑤ 온라인 결제를 통한 해외 송금액이 증가할 것이다.

10 밑줄 친 (가), (나)에 해당하는 내용을 〈보기〉에서 골라 옳게 짝지은 것은?

교통의 발달로 네팔을 연결하는 항공 노선이 많아졌고, 인터넷의 발달로 네팔의 관광 정보를 쉽게 얻을 수 있게 되면서 네팔 관광객 수가 증가하고 있다. 네팔에 방문하는 관광객의 증가는 이 지역에 (가) 큰 혜택을 가져다주었지만 (나) 해결해야 할 문제점들도 적지 않다.

보기
ㄱ. 자연환경 파괴 ㄴ. 관련 산업 발달
ㄷ. 주민 소득 증가 ㄹ. 지역 문화 상실

	(가)	(나)		(가)	(나)
①	ㄱ, ㄴ	ㄷ, ㄹ	②	ㄱ, ㄷ	ㄴ, ㄹ
③	ㄴ, ㄷ	ㄱ, ㄹ	④	ㄴ, ㄹ	ㄱ, ㄷ
⑤	ㄷ, ㄹ	ㄱ, ㄴ			

11 다음은 지역별 관광객 수의 변화를 나타낸 그래프이다. 이에 대한 설명으로 옳지 않은 것은? (단, 1980년과 2010년의 시기만 고려함.)

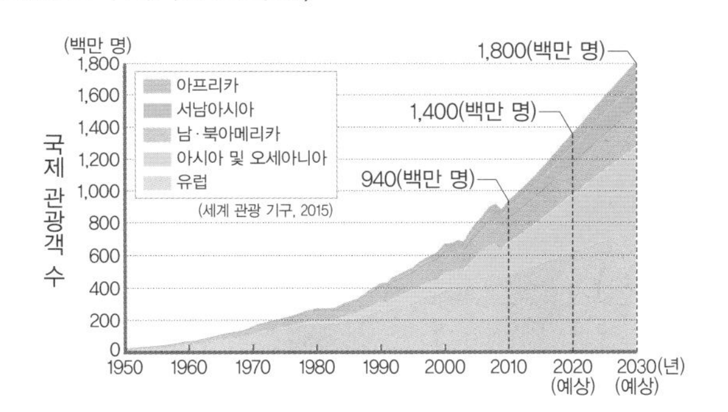

① 국제 관광객 수가 증가하였다.
② 유럽 관광객의 비율이 증가하였다.
③ 관광 지역의 다변화 경향이 나타났다.
④ 유럽 관광객 수는 2배 이상 증가했다.
⑤ 아프리카 방문 관광객의 수가 증가했다.

서술형

12 해외 직접 구매가 대중화된 원인과 그 영향을 제시어를 사용하여 서술하시오.

제시어: 교통·통신 발달, 해외 배송 업체의 매출, 수입 업체의 매출

대단원 완성하기

01 다음은 주요 농산물의 생산지에서 소비지인 우리나라까지 이동한 거리를 나타낸 지도이다. 이를 통해 파악할 수 있는 것으로 가장 적절한 것은?

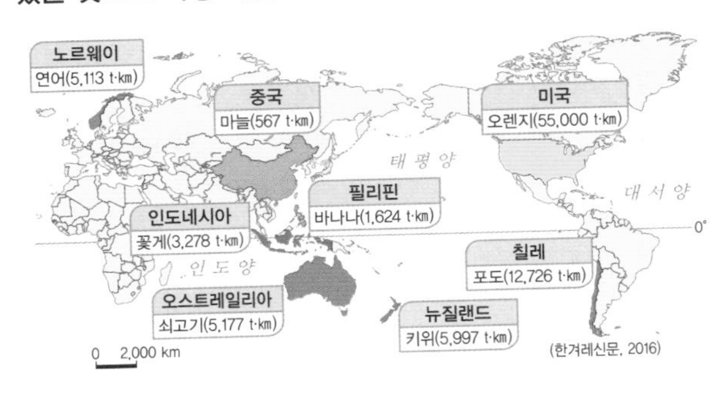

① 농업의 현대화가 이루어졌다.
② 농업의 세계화가 이루어졌다.
③ 농업의 자급률이 증가하였다.
④ 농업의 기계화가 진행되었다.
⑤ 농업의 경영 규모가 확대되었다.

02 다음은 농업의 세계화 단원의 수업 장면이다. 교사의 질문에 잘못 답변한 학생은?

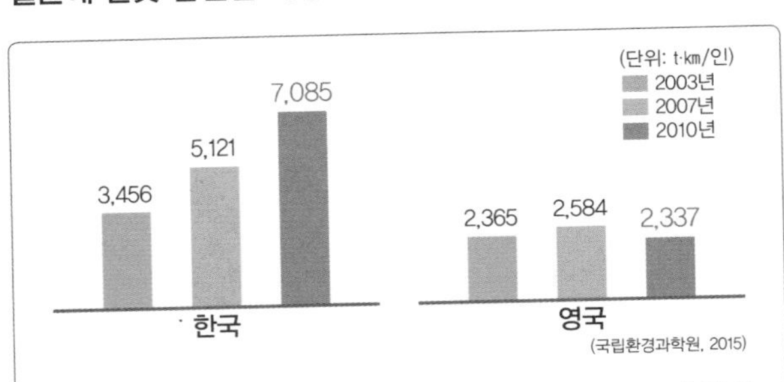

교사: 그래프는 우리나라와 영국의 1인당 푸드 마일의 변화를 나타낸 것입니다. 1모둠에서 그래프를 분석한 내용을 발표해 볼까요?
가연: 우리나라의 푸드 마일은 영국보다 높고 지속적으로 증가하고 있습니다.
나영: 영국의 푸드 마일은 우리나라에 비해 낮습니다.
병수: 따라서 영국은 우리나라에 비해 1인당 식료품 소비량이 적다고 할 수 있습니다.
정수: 우리나라의 푸드 마일이 높은 것은 외국산 농산물의 소비 비중이 높기 때문입니다.
무진: 따라서 푸드 마일을 낮추기 위해서는 식량 자급률을 높이는 것이 중요합니다.

① 가연 ② 나영 ③ 병수 ④ 정수 ⑤ 무진

03 다음은 기자와 식당 사장의 인터뷰 내용이다. 밑줄 친 문제에 해당하는 것으로 적절하지 않은 것은?

기자: 점심 시간 직장인들로 붐비는 서울 여의도의 식당가, 식당에서 밥을 먹을 때마다 기분이 개운치 않다고 말하는 사람들이 많습니다. 사실 수지를 맞춰야 하는 식당에서 값싼 수입 재료를 사용하는 것은 흔한 일입니다.
사장: 국내산 재료로 김치 한 번 담그면 십만 원이 넘어가요. 근데 수입산은 일 년 내내 배추 값이 오르건 말건 가격이 똑같아요.
기자: 중국산 고춧가루로 만든 양념장, 수입 콩으로 만들어진 식용유와 두부, 김에 발린 참기름은 중국산, 먼 바다에서 온 해산물, 이러한 <u>해외 농산물의 증가가 가져올 문제는 무엇일까요?</u>

① 국내 농가의 소득 감소
② 우리나라 식량 자급률의 하락
③ 외국산 농산물의 의존도 증가
④ 공급량 조절을 통한 농산물 가격 안정
⑤ 저품질 농산물 수입으로 국민 건강 위협

04 필리핀의 쌀 수입과 바나나 수출 변화를 나타낸 그래프이다. 이와 같은 추세가 계속될 때 필리핀에 나타날 수 있는 변화로 옳은 것은?

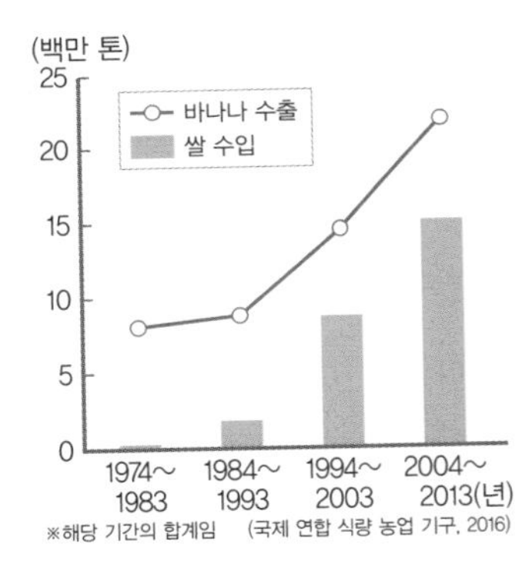

① 식량 작물의 생산량이 크게 증가할 것이다.
② 자영농 중심의 소규모 농업이 발달할 것이다.
③ 농업의 세계화로 수입 농산물의 비중이 줄어들 것이다.
④ 식량 자급률이 낮아져 안정적인 식량 확보가 어려워질 것이다.
⑤ 상품 작물을 대량으로 생산하는 플랜테이션 농업이 쇠퇴할 것이다.

05 다음과 같은 변화로 인해 인도네시아에서 증가하는 것과 감소하는 것을 옳게 짝지은 것은?

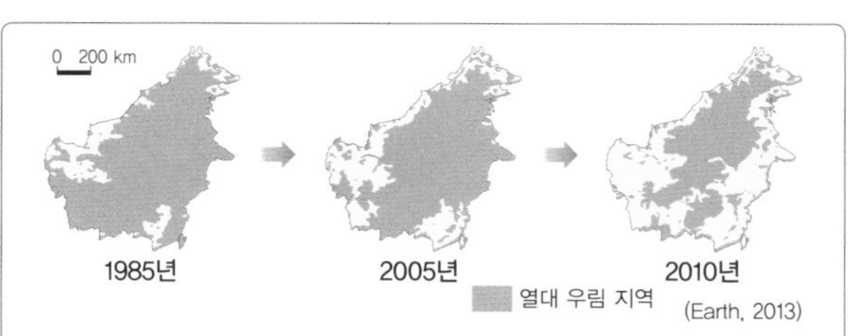

▲ 인도네시아 보르네오섬의 열대 우림 면적 변화

세계 3위 열대 우림 보유국이자 세계 최대 팜유 생산국인 인도네시아는 열대 우림 파괴 속도가 가장 빠른 국가 중 하나로 꼽힌다. 팜유는 기름야자에서 나오는 기름인데 저렴하고 생산적이라는 이유로 음식, 화장품, 바이오 연료 등 다양한 분야에서 사용되고 있다.

	증가	감소
①	원주민의 거주지	농업 기업의 매출
②	원주민의 거주지	오랑우탄 개체 수
③	오랑우탄 개체 수	농업 기업의 매출
④	농업 기업의 매출	원주민의 거주지
⑤	농업 기업의 매출	플랜테이션 농장 수

06 다국적 기업의 형성 과정을 나타낸 그림이다. (가)~(다)에 해당하는 내용을 A~C와 옳게 짝지은 것은?

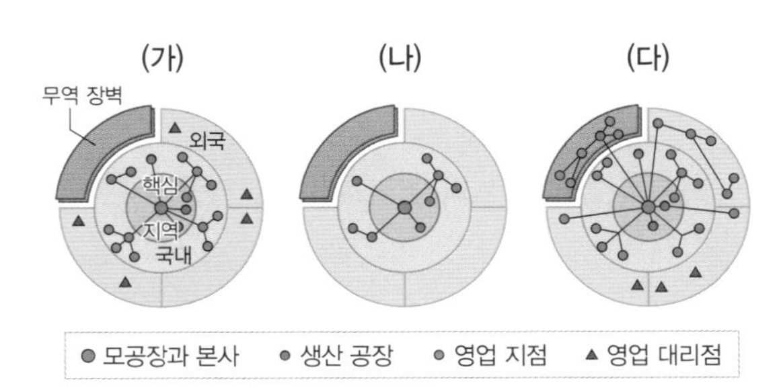

A	해외에까지 생산 공장을 세우고 무역 장벽이 설치된 외국에까지 진출하였다.
B	해외에 영업 대리점을 설치하고 자국 내 지방에 생산 공장을 설립하였다.
C	모공장과 본사 주변에 생산 공장을 세우고 지방 영업 지점을 설치하였다.

	(가)	(나)	(다)		(가)	(나)	(다)
①	A	B	C	②	A	C	B
③	B	A	C	④	B	C	A
⑤	C	A	B				

07 ㉠~㉢에 해당하는 지역을 지도의 A~C와 옳게 짝지은 것은?

다국적 기업은 활동 범위가 전 세계적이어서 기업의 공간적 분업이 세계적인 규모에서 이루어지고 있다. 다국적 기업의 (㉠)은/는 경영 전략을 세우고 기업 전체를 관리한다. (㉡)은/는 전문 인력이 많고 정보 수집이 유리한 지역에 입지한다. (㉢)은/는 임금이 저렴하고 시장이 넓으며 현지 정부가 적극적으로 지원하는 곳에 입지하는 경우가 많다.

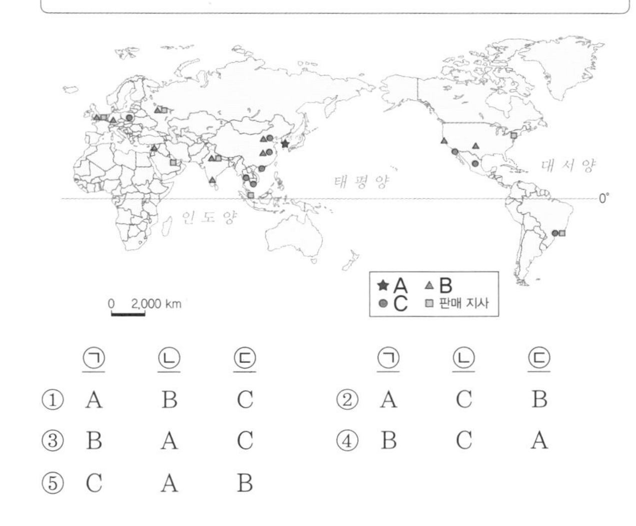

	㉠	㉡	㉢		㉠	㉡	㉢
①	A	B	C	②	A	C	B
③	B	A	C	④	B	C	A
⑤	C	A	B				

08 지도의 A~C에 대한 설명으로 옳지 않은 것은?

▲ ○○ 자동차 기업의 공간 조직 분포

① A는 본사이다.
② B는 생산 공장이다.
③ C는 연구소이다.
④ A와 C는 주로 선진국에 위치한다.
⑤ A의 기능을 분담하기 위해서 B가 선진국에 위치하기도 한다.

09 다국적 기업 생산 공장의 해외 이전에 대한 수업 중 학생이 필기한 내용이다. 적절하지 않은 것을 고른 것은?

유출 지역	㉠ 실업률이 낮아지게 되어 경기가 활성화된다. ㉡ 국외에서 얻은 수익을 본국에 재투자할 수 있다.
유입 지역	㉢ 다국적 기업에 대한 경제 의존도가 감소한다. ㉣ 고용이 창출되고 선진 경영 기법을 습득할 수 있다.

① ㉠, ㉡ ② ㉠, ㉢ ③ ㉡, ㉢
④ ㉡, ㉣ ⑤ ㉢, ㉣

10 다음 글과 관련하여 다국적 기업의 생산 공장이 유출된 지역의 변화로 옳은 것을 〈보기〉에서 고른 것은?

> '세계의 공장'으로 불리던 중국은 많은 다국적 기업의 공장이 위치하고 있다. 그런데 최근 들어 많은 기업들이 중국을 떠나고 있다. 2009년 미국의 N사는 장쑤성의 공장을 철수하였고, 2012년 독일의 A사는 쑤저우의 공장을 폐쇄하였다.

보기
ㄱ. 지역 경제의 침체
ㄴ. 산업 단지 종사자의 증가
ㄷ. 현지 근로자의 인건비 상승
ㄹ. 기업 협력 업체의 매출 감소

① ㄱ, ㄴ ② ㄱ, ㄹ ③ ㄴ, ㄷ
④ ㄴ, ㄹ ⑤ ㄷ, ㄹ

11 밑줄 친 부분과 관련된 내용으로 옳은 것은?

> 다국적 기업은 생산 비용을 줄이기 위해 자국의 생산 공장을 다른 국가로 이전한다. 이로 인해 자국에서는 산업 공동화가 나타난다. 한편, 생산 공장이 들어선 국가는 긍정적인 영향도 나타나지만 문제점이 발생하기도 한다.

① 경쟁력 약한 현지 기업의 쇠퇴
② 공장 철수의 경우 대규모 실업 발생
③ 수질 오염, 대기 오염 등 환경 오염 발생
④ 산업 기술 제공에 대한 기술 이전료 요구
⑤ 이윤의 일부를 근로자의 기술 향상에 재투자

[12-13] 다음 그림을 보고 물음에 답하시오.

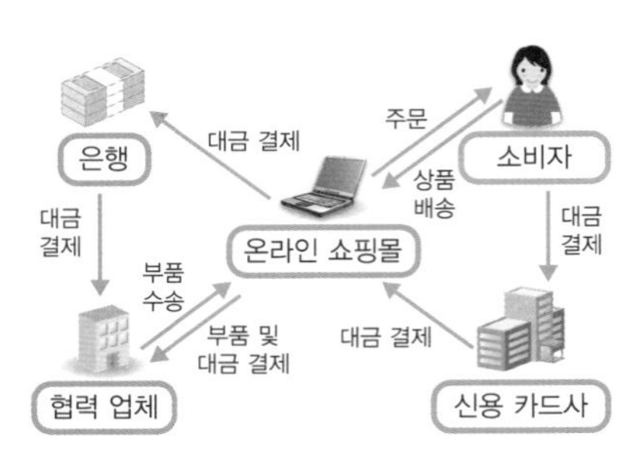

12 위 그림에 나타난 구매 방식이 기존의 상거래 방식보다 좋은 점으로 옳은 것은?

① 상품의 유통 단계 수가 많다.
② 전 세계의 다양한 상품을 구매할 수 있다.
③ 상품 구매 방식은 현금 지불이 일반적이다.
④ 구매는 직원의 근무 시간 내에서만 가능하다.
⑤ 판매자, 소비자가 함께 있어야만 구매가 이루어진다.

13 위 그림과 같은 구매 방식이 활성화될 수 있었던 배경으로 적절하지 않은 것은?

① 정보 통신 기술의 발달
② 교통 발달로 시간·거리 축소
③ 온라인 가격 비교 서비스의 제공
④ 휴대용 컴퓨터, 스마트폰의 보급 증가
⑤ 소매상의 유통 단계 축소로 가격 경쟁력 확보

14 다음과 같은 유형의 서비스업이 발달하게 된 배경으로 가장 적절한 것은?

> 필리핀 전화·화상 영어의 장점을 살펴보겠습니다. 먼저 우리나라와 필리핀의 시차는 한 시간밖에 나지 않아 수업 시간에 큰 장애가 없습니다. 또한 아시아의 정서를 함께 공유하고 있으며 미국 선생님들보다 한국에 관심이 많아, 관심사에 대한 토론이 용이합니다. 따라서 미국 선생님들보다 의사소통이 원활합니다.

① 한류 문화의 확산
② 인공 지능 기술의 발달
③ 정보 통신 기술의 발달
④ 필리핀 농산물의 수입 확대
⑤ 필리핀 근로자의 임금 수준 상승

정답과 해설 45쪽

15 다음 글의 주제로 가장 적절한 것은?

> 제주 속의 작은 중국이라 일컬어졌던 '바오젠 거리'의 명칭은 중국의 한 기업이 2011년 1만 4천여 명의 관광단을 보내오기로 한 데 따른 화답 차원이었다. 그동안 중국인 관광객 유치에 일조했다고 평가하기도 하지만 일각에서는 중국 관광객이 큰 폭으로 줄어든 지금 중국 기업의 이름을 딴 거리의 명칭이 적절한가에 대한 의문이 제기되고 있다.

① 중국 관광객의 관광 문화
② 관광의 세계화와 지역 변화
③ 지속 가능한 관광의 필요성
④ 세계 주요 관광 지역의 다변화
⑤ 제주의 대중국 관광 수입 증가

16 다음 자료와 같은 변화로 인해 나타날 수 있는 현상을 추론한 것으로 적절하지 않은 것은?

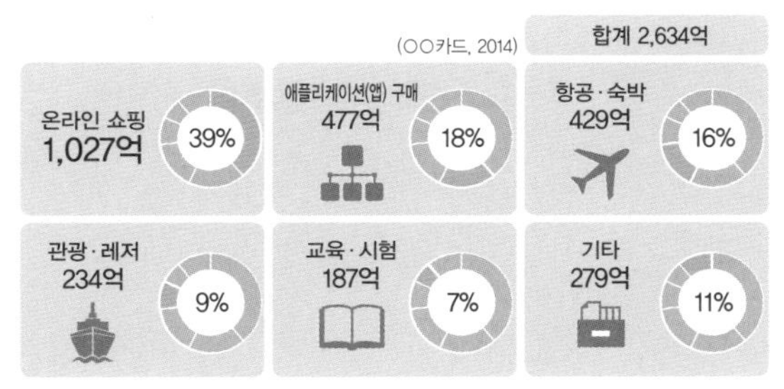

▲ 신용 카드 해외 온라인 이용액의 업종별 비중

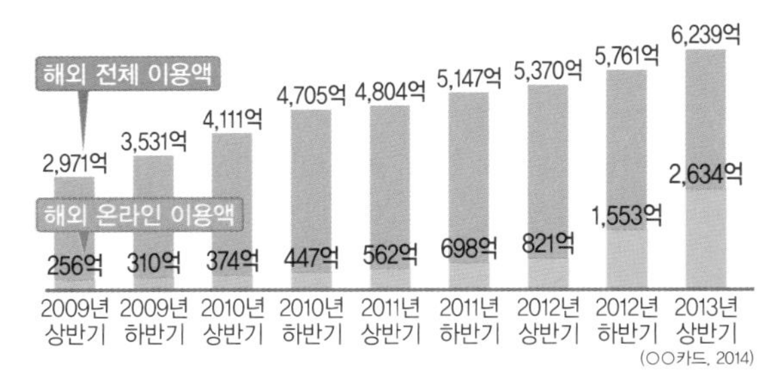

▲ 신용 카드 해외 이용액 및 온라인 이용액 변화

① 택배 및 물류업이 성장할 것이다.
② 구매 대행 서비스업이 발달할 것이다.
③ 국내 전통 시장의 매출이 감소할 것이다.
④ 상품의 평균 배송 기간은 단축될 것이다.
⑤ 구매자들의 상품 선택의 폭이 넓어질 것이다.

서술형 문제

17 다음은 멕시코 내 다국적 자동차 기업의 분포를 나타낸 지도이다. 이를 보고 물음에 답하시오.

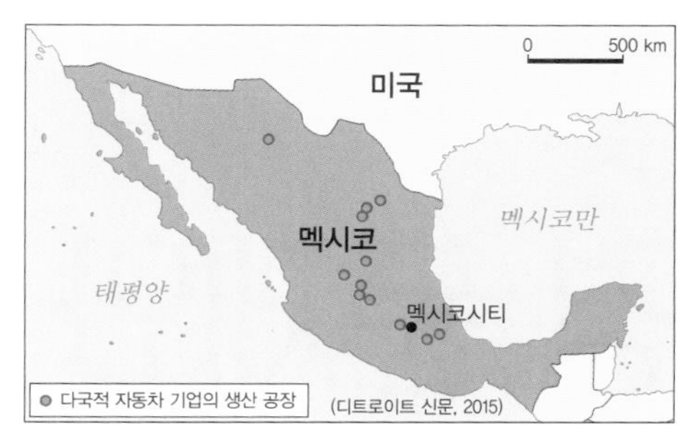

(1) 다국적 기업의 생산 공장이 들어선 지역의 긍정적인 변화를 간단히 쓰시오.

(2) 멕시코의 자동차 산업이 발달할 수 있었던 이유를 제시어를 사용하여 서술하시오.

> **제시어:** 근로자의 임금, 미국과 인접, 북아메리카 자유 무역 협정(NAFTA)

18 다음은 학생이 사회 수업 시간에 정리한 학습 노트이다. 이를 보고 물음에 답하시오.

주제	(㉠) 대중화의 원인과 영향
원인	(㉡)
영향	• 해외 배송 업체의 증가 • 수입 업체의 매출 감소

(1) 온라인을 통해 해외 상품을 직접 구매하는 것으로 ㉠에 해당하는 용어를 쓰시오.

(2) ㉡에 들어갈 말을 제시어를 사용하여 서술하시오.

> **제시어:** 전자 상거래, 국제 물류 서비스

X

환경 문제와 지속 가능한 환경

01 전 지구적 차원의 기후 변화

02 환경 문제 유발 산업의 이전

03 생활 속의 환경 이슈

배울 내용이 쉬워지는 용어

배울 용어를 읽어 보고, 이해가 되었으면 ✔ 표시를 해 봅시다.

☐ **온실 효과** 화초를 기르는 온실처럼 만드는 효과로, 지구가 따뜻하게 유지되는 현상을 말해.

☐ **지구 온난화** 온실가스의 증가로 온실 효과가 과도해지면서 지구의 평균 기온이 상승하는 현상을 말해.

☐ **이상 기후 현상** 기후가 예상을 벗어날 정도로 기온과 강수량이 변하는 현상을 말해.

☐ **전자 쓰레기** 고장이 났거나, 쓸모가 없어지거나, 유행이 지나서 버리게 된 전자 제품을 말해.

☐ **환경 이슈** 환경 문제 중 개인이나 단체에 따라 원인과 해결 방안을 다르게 주장하는 것들을 말해.

☐ **유전자 재조합 식품(GMO)** 새로운 유전자를 결합시켜 기존의 단점을 보완하고 장점을 더욱 강화시킨 식품이야.

☐ **미세 먼지** 공기 중의 먼지 중 입자가 작은 것을 말하는데, 더 작은 것은 '초미세 먼지'라고 해.

☐ **로컬 푸드** 우리가 사는 지역(로컬)에서 생산된 식품(푸드)을 말해.

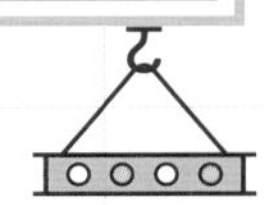

X. 환경 문제와 지속 가능한 환경

전 지구적 차원의 기후 변화

물음으로 흐름잡기

1. 지구 온난화는 왜 점점 심해질까?

2. 지구 온난화로 인한 피해는 무엇일까?

A 기후 변화의 이해

1. 기후 변화의 의미 일정한 지역에서 장기간에 걸쳐서 나타나는 기후의 평균적인 상태가 변화하는 것을 말함

홍수나 가뭄, 폭염 등과 같은 비정상적인 기상을 일으켜.

2. 기후 변화의 원인

자연적 요인	화산 활동에 따른 화산재 분출, 태양 활동의 변화, 태양과 지구의 상대적 위치 변화 등
인위적 요인	화석 연료 사용에 따른 온실가스 배출, 도시화, 무분별한 토지 및 삼림 개발 등

3. 기후 변화의 인위적 요인에 의한 지구 온난화

기후 변화의 자연적 요인보다 인위적 요인이 더 큰 영향을 미쳐서 온실 효과가 심화되었어.

① **지구 온난화의 의미**: 대기 중 온실가스의 양이 많아지면서 온실 효과❶가 과도하게 나타나 지구의 평균 기온이 높아지는 현상

② **지구 온난화의 가속화 요인**: 온실가스 중 지구 온난화에 가장 큰 영향을 미치는 이산화 탄소를 흡수하고 저장하는 기능을 가진 숲의 파괴

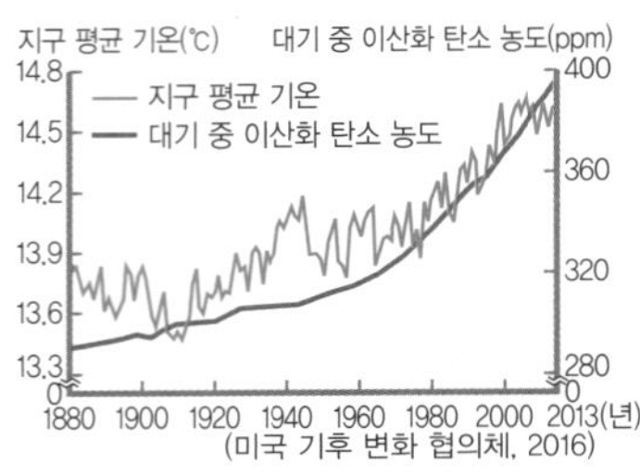

▲ 세계 연평균 기온과 이산화 탄소 농도 변화

4. 기후 변화의 영향 집중 공략 180쪽

빙하 감소와 해수면 상승	• 극지방과 고산 지역의 빙하가 녹아 해수면이 상승함 • 북극해의 빙하가 감소하면서 북극해를 이용한 무역이 활발해질 것으로 예상됨 • 해수면 상승으로 인해 저지대 침수(방글라데시), 국토 침수로 인한 기후 난민(투발루❷, 몰디브, 나우루) 등이 발생함
기상 이변	• 태풍, 홍수, 가뭄 등 자연재해가 예상된 수준을 벗어나 큰 피해를 주며, 그 빈도도 증가하고 있음 • 기온 상승에 의한 물 증발 증가 → 건조 지역 증가(사막화)의 원인이 됨 • 해수면 상승으로 바닷물의 염분 농도가 낮아져 해류의 순환 방해 → 지구 곳곳에서 태풍, 홍수, 폭우, 가뭄, 폭설과 같은 기상 이변이 빈번해짐 • 여름철 고온 현상 증가 → 폭염과 열대야 증가의 원인이 됨 (한여름 밤의 가장 낮은 기온이 25℃ 이상인 상태를 말해.)
생태계 변화	• 수온 상승으로 인한 해양 생태계의 변화 → 특정 어류의 증가와 감소 • 식생 분포의 변화 → 고산 식물의 분포 범위 축소와 멸종 위험 • 재배 환경의 변화 → 기존 식량 작물의 생산량 감소, 아열대 과일의 재배 지역 확대 • 식물의 개화 시기가 빨라지면서 동식물의 서식 환경이 변화하고, 전염병을 옮기는 해충 증가 • 산호초의 백화(白化) 현상 → 바닷물의 온도가 올라가 조류(藻類)가 살 수 없게 되고, 조류와 공생하던 산호초가 죽어 하얗게 변함

용어 알기

• **기상** 대기 중에 일어나는 바람, 구름, 비, 눈, 더위, 추위 따위를 말한다.

• **화석 연료** 지각에 파묻힌 동식물의 유해가 오랜 세월에 걸쳐 변화하여 만들어진 연료로 석유와 석탄, 천연가스 등이 화석 연료에 해당한다.

❶ 온실 효과

실제 대기에 의해 일어나는 온실 효과는 지구의 온도를 유지해 주는 매우 중요한 현상이지만, 일부 온실 효과를 일으키는 온실가스들이 과다하게 대기 중에 방출됨으로써 과도한 온실 효과를 일으켜 지구 온난화 현상이 발생한다.

❷ 해수면 상승으로 수몰 위기에 처한 투발루

투발루는 국토가 침수되고 있는 대표적인 국가로, 기후 변화가 국가의 존립을 위협하고 있다.

교과서 자료 과도한 온실가스의 배출

• 삼림 개발과 에너지 사용 등의 인간 활동으로 대기 중에 온실가스 배출량이 늘어난다. 대표적인 온실가스로는 이산화 탄소와 메탄, 아산화 질소 등이 있다. 그중 이산화 탄소는 온실가스의 70% 이상을 차지한다.
• 온실가스가 많아지면 과도한 온실 효과가 나타나고, 과도한 온실 효과는 지구 온난화를 일으키게 된다.

✓ 간단 체크

❶ 온실 효과가 과도하게 나타나 지구의 평균 기온이 높아지는 현상은?

❷ 온실가스 중 지구 온난화에 가장 큰 영향을 미치는 것은?

B 기후 변화에 대응하기 위한 노력

1. 전 지구적 대응의 필요성

① 기후 변화는 온실가스 배출량이 많은 선진국과 급속한 산업화가 진행 중인 개발도상국들(중국, 인도 등)에게만 해당하는 문제가 아님 → 아프리카, 동남아시아, 라틴 아메리카 등 온실가스의 배출량이 적은 저개발 국가에서 그 피해가 더 크게 나타남

② 특정 지역에 한정되지 않은 전 지구적 차원의 노력이 필요함

2. 전 지구적 차원의 노력 집중 공략 181쪽

개인	친환경 제품 사용, 대중교통 이용, 걷기 또는 자전거 타기, 자원 재활용, 에너지 절약 운동 참여 등
지역 · 국가	신·재생 에너지 개발, 탄소 배출권 거래제 시행, 온실가스 감축을 위한 제도 마련(지구촌 불끄기 행사 등을 통해 기후 변화에 관한 인식을 확산시킬 필요가 있어.), 저탄소 제품에 대한 지원 정책 마련 등
국제 사회	기후 변화 협약(1992년), 교토 의정서❸(1997년), 파리 협정❹(2015년) → 일부 국가들의 노력과 참여가 부족한 상황이고, 이를 강제적으로 제한할 방법도 없어서 적극적인 시행에 어려움을 겪고 있음

❸ 교토 의정서
기후 변화 협약을 이행하기 위해 온실가스 배출량을 감축하기로 한 국가 간 협약으로 주요 선진국들의 온실가스 감축을 목표로 하고 있다.

❹ 파리 협정

제21차 국제 연합 기후 변화 당사국 총회(2015년)에서 채택된 것으로, 2020년 이후의 기후 변화 대응을 담고 있다. 이 협정에 따라 선진국뿐만 아니라 개발 도상국도 온실가스 배출량을 감축해야 한다.

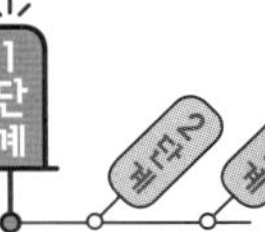

*밑줄 친 곳을 바르게 고쳐 쓰거나, 빈칸에 알맞은 말을 쓰시오.

정답과 해설 47쪽

A 기후 변화의 이해

01 과도한 온실 효과로 지구의 평균 기온이 낮아지는 현상을 지구 온난화라고 한다.

02 지구 온난화는 화석 연료 사용에 따른 온실가스 배출, 도시화, 무분별한 삼림 개발 등 자연적 요인에 의해 심화되고 있다.

03 지구 온난화로 인해 빙하가 녹으면서 해수면이 하강하고 있다.

B 기후 변화에 대응하기 위한 노력

04 지구 온난화를 해결하기 위해서는 특정 국가만이 아니라 (　　　　) 차원의 노력이 필요하다.

05 (　　　　) 배출을 줄이기 위해 자전거 타기, 자원 재활용 등을 생활화해야 한다.

06 기후 변화를 해결하기 위한 국제 사회의 노력으로 2015년 (　　　　) 협정이 채택되었다.

A. 기후 변화의 영향

정답과 해설 47쪽

집중해서 알아보기

기후 변화는 지구에 다양한 영향을 미친다.
기온 상승으로 빙하가 녹아 해수면이 상승하고, 이상 기후 현상과 생태계 변화가 나타나고 있다.

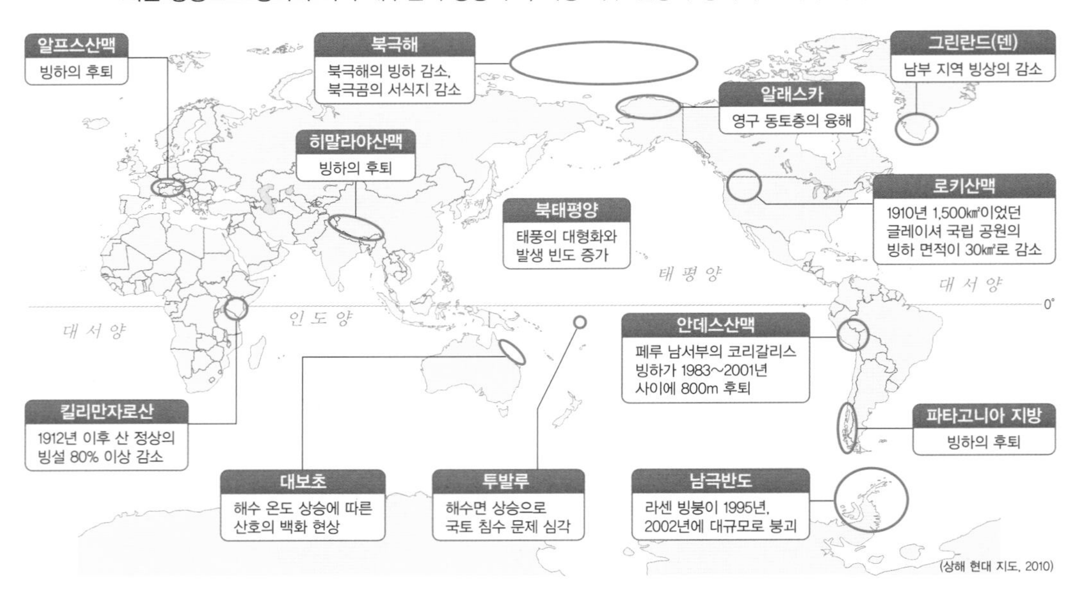

▲ 20세기 이후 기후 변화로 나타난 주요 현상

- 극지방과 고산 지역의 빙하가 녹아 해수면이 상승하면서 해발 고도가 낮은 곳이 바닷물에 잠기는 경우가 발생한다.
- 집중 호우와 홍수가 잦아지거나 가뭄과 사막화가 심해지는 등 다양한 기후 변화 현상으로 어려움을 겪는 지역이 나타나고 있다.

문제로 공략하기

01 위와 같은 현상들이 나타나는 공통된 원인이 되는 환경 문제를 써 보자.

답 (　　　　　　　　)

02 위와 같은 현상이 발생하게 된 인위적인 요인을 써 보자.

답 (　　　　　　　　)

03 빙하가 녹으면서 바다에서 발생하게 되는 문제를 써 보자.

답 (　　　　　　　　)

04 기후 변화로 해수 온도가 상승하면서 발생하는 환경 문제를 써 보자.

답 (　　　　　　　　)

05 기후 변화로 인해 육지의 생태계에 발생할 수 있는 변화를 써 보자.

답 (　　　　　　　　)

06 빙하 감소로 인해 새로운 항로가 형성될 수 있게 된 곳을 써 보자.

답 (　　　　　　　　)

집중 공략

B. 기후 변화에 대응하기 위한 국제 사회의 노력

정답과 해설 47쪽

집중해서 알아보기

국제 사회는 1992년 국제 연합 환경 개발 회의(UNCED)에서 기후 변화 협약에 합의하였고, 이후 교토 의정서(1997년), 파리 협정(2015년)을 채택하는 등 기후 변화를 해결하기 위해 많은 노력을 하고 있다.

▼ 온실가스 배출량 감축을 둘러싼 여러 국가의 입장

의장

현재 지구 온난화의 진행 속도를 보세요. 지구의 앞날이 정말 걱정됩니다. 우리 모두 머리를 맞대고 해결 방안을 모색해 봅시다.

중국 대표

선진국은 산업 혁명 이후 오늘날까지 많은 양의 이산화 탄소를 배출하면서 성장해 왔습니다. 이제 경제 성장을 하려는 우리에게 온실가스 규제를 가하는 것은 발전을 가로막는 처사입니다. 선진국이 앞장서서 온실가스 감축에 나서는 것이 맞습니다.

프랑스 대표

선진국이 앞장서서 온실가스 감축에 나서는 것에 결코 책임을 회피하지 않겠습니다. 하지만 최근 온실가스 배출량이 급증하고 있는 중국과 인도만이라도 적극적으로 참여해야 합니다.

말리 대표

우리는 지구 온난화의 영향으로 극심한 가뭄을 겪고 있습니다. 지금 이 순간에도 아이들이 굶어 죽고 있는데, 누구의 책임이냐를 따질 여유가 없어요.

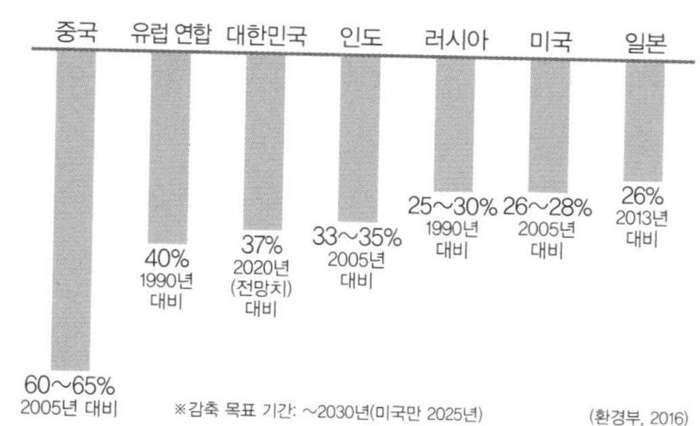

▲ 국가·지역별 온실가스 배출량 감축 목표

- 기후 변화를 해결하기 위한 노력은 온실가스 배출량 감축에 초점이 맞춰져 있다.
- 각국의 이해관계와 산업 구조, 기술 수준이 다르므로 지구 전체의 환경을 지키기 위한 전 지구적 합의를 끌어내는 데는 어려움이 많다.
- 온실가스 배출량과 상관없이 그 피해는 전 지구적으로 발생하므로 전 세계가 함께 해결을 위한 노력을 해야 한다.

문제로 공략하기

01 주요 선진국들의 온실가스 배출량 감축을 목표로 1997년에 맺은 협약을 써 보자.

답 (　　　　　　　　　　)

02 온실가스 배출량 감축 의무를 선진국과 개발 도상국 모두에게 부과한 협정을 써 보자.

답 (　　　　　　　　　　)

03 기후 변화를 해결하기 위한 노력은 무엇에 초점이 맞춰져 있는지 써 보자.

답 (　　　　　　　　　　)

04 온실가스 중 가장 큰 비중을 차지하여 배출량 감소의 주요 대상이 되는 것을 써 보자.

답 (　　　　　　　　　　)

A 기후 변화의 이해

01 다음 글의 ㉠에 들어갈 말로 옳은 것은?

> (㉠)은/는 과거에는 자연적인 요인 때문에 주로 발생했지만, 최근에는 인간 활동이 주요 원인이 되고 있다. (㉠)(으)로 나타나는 대표적인 환경 문제는 지구 온난화이다.

① 온실가스　② 자연재해　③ 화석 연료　④ 기후 변화　⑤ 열대 저기압

[02-03] 다음 그림을 보고 물음에 답하시오.

(가)

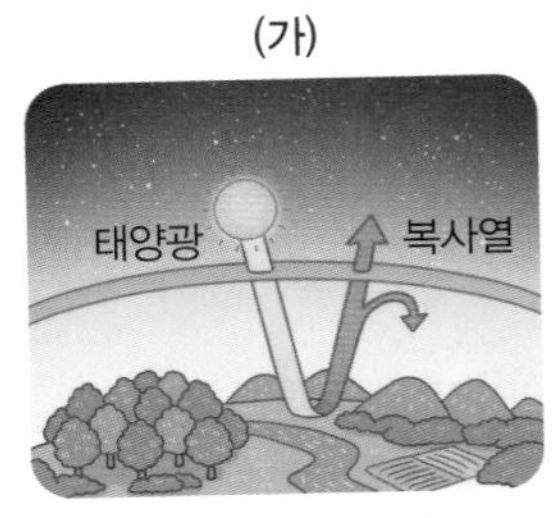

▲ 적정한 온실 효과

(나)

▲ 과도한 온실 효과

02 위와 같은 현상에 대한 설명으로 옳지 않은 것은?

① (가)로 인해 지구가 일정 온도를 유지할 수 있다.
② (가)와 같은 상태는 자연적으로 늘 존재하던 것이다.
③ (나) 현상은 20세기 초부터 점차 심해지고 있다.
④ (나) 현상은 주로 자연적 요인에 의해 나타난다.
⑤ (가), (나)의 원인으로 이산화 탄소, 메탄 등이 있다.

03 (가), (나) 중 환경 문제를 유발하는 온실 효과와 이와 같은 현상을 나타내는 말을 옳게 연결한 것은?

① (가) − 이상 기후　② (가) − 지구 온난화　③ (나) − 빙하 감소　④ (나) − 지구 온난화　⑤ (나) − 생태계 변화

필수

04 다음 그림의 인간 활동에 속하는 것을 〈보기〉에서 고른 것은?

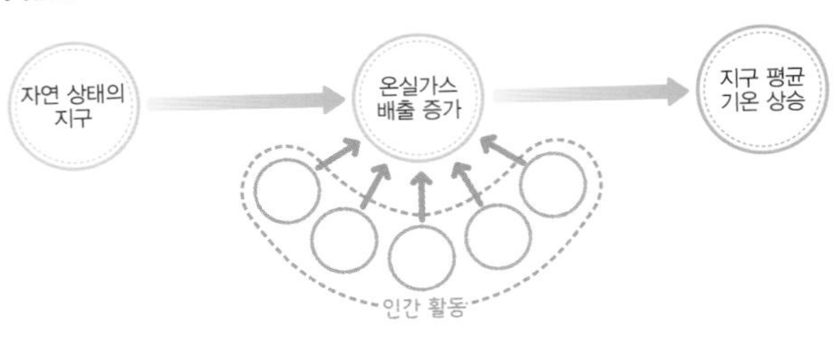

보기
ㄱ. 삼림 벌채　ㄴ. 화산재 분출
ㄷ. 화석 연료의 사용　ㄹ. 태양 활동의 변화

① ㄱ, ㄴ　② ㄱ, ㄷ　③ ㄴ, ㄷ　④ ㄴ, ㄹ　⑤ ㄷ, ㄹ

고난도

05 다음 그래프와 같은 변화로 인한 현상과 관련된 설명으로 옳지 않은 것은?

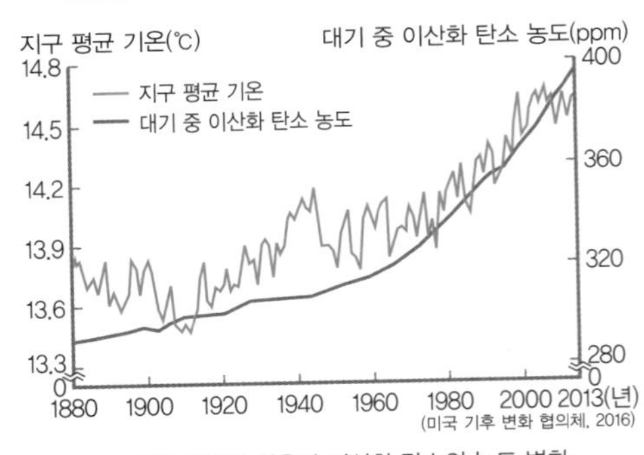

▲ 세계 연평균 기온과 이산화 탄소의 농도 변화

① 메탄, 아산화 질소 등도 이와 유사한 변화를 만들어 낼 수 있다.
② 석유, 석탄 등의 사용 증가는 이 현상의 원인으로 지목되고 있다.
③ 도시화와 산업화가 진행될수록 이 현상은 더욱 심화될 것으로 보인다.
④ 최근 세계적으로 여름철 고온 현상이 심해지는 것도 이 현상의 영향을 받은 것이다.
⑤ 이산화 탄소는 온실가스 중에서 배출량이 가장 적지만, 이 현상에 가장 큰 영향을 미치고 있다.

06 기후 변화의 영향에 대한 설명으로 옳지 않은 것은?

① 봄에 피는 꽃들의 개화 시기가 점차 빨라지고 있다.
② 해수 온도 상승으로 인해 산호초의 백화 현상이 나타난다.
③ 태풍의 위력이 강해지고 발생 빈도가 증가하는 경향을 보인다.
④ 눈이 내리는 양이 증가하면서 스키장을 이용하는 기간이 길어졌다.
⑤ 여름철 고온 현상이 증가하면서 폭염과 열대야 일수도 증가하고 있다.

07 다음 글의 밑줄 친 '이곳'에 해당하는 지역은?

> 지구 온난화로 인해 빙하가 녹으면서 이곳의 항해 가능 일수가 점점 늘어나고 있다. 아시아와 유럽을 잇는 이곳의 항로는 수에즈 운하를 통과하는 기존의 항로에 비해 무려 10일을 아낄 수 있어 그 변화가 주목되고 있다.

① 몰디브 ② 북극해 ③ 대보초
④ 인도양 ⑤ 그린란드

서술형
08 다음 신문 기사 내용과 같은 상황이 나타나게 된 이유를 제시어를 사용하여 서술하시오.

△△일보 201○년 ○월 ○일

'수몰 위기' 남태평양 섬나라 투발루를 구하라!

▲ 해수면 상승으로 수몰 위기에 처한 투발루

9개 산호섬으로 이루어진 투발루는 해발 고도가 5m 정도에 불과하다. 지구 온난화의 영향으로 해수면이 매년 약 5mm씩 상승해 전 국토가 물에 잠길 위기에 처했다. 투발루에 사는 약 1만 명의 주민은 곧 국토를 떠나야 할 것이다.

제시어: 지구 온난화, 빙하, 해수면

B 기후 변화에 대응하기 위한 노력

09 기후 변화에 대응하기 위한 개인적 차원의 노력에 해당하는 것을 〈보기〉에서 고른 것은?

보기
ㄱ. 기후 변화 협약을 체결한다.
ㄴ. 저탄소 인증 제품을 사용한다.
ㄷ. 신·재생 에너지 개발에 힘쓴다.
ㄹ. 가까운 거리는 자전거로 이동한다.

① ㄱ, ㄴ ② ㄱ, ㄷ ③ ㄴ, ㄷ
④ ㄴ, ㄹ ⑤ ㄷ, ㄹ

10 다음 ㉠, ㉡의 국제 협약에 대한 설명으로 옳지 않은 것은?

㉠ 교토 의정서 ㉡ 파리 협정

① ㉠은 1992년에 맺어진 기후 변화 협정을 이행하기 위한 것이다.
② ㉡은 2015년 국제 연합 기후 변화 당사국 총회에서 채택된 것이다.
③ ㉡은 ㉠과 달리 선진국들의 의무만을 규정하고 있다.
④ ㉠과 ㉡은 모두 온실가스 배출량 감축을 목표로 한다.
⑤ ㉠과 ㉡은 일부 국가들의 참여가 부족하고 강제력이 거의 없다는 한계점을 지닌다.

서술형
11 지구 온난화에 대해 다음과 같은 대응이 필요한 이유를 제시어를 사용하여 서술하시오.

> 한 국가나 지역이 아닌 전 세계, 모든 국가와 지역이 함께 지구 온난화 해결에 힘써야 한다.

제시어: 온실가스 배출량, 전 세계, 피해

X. 환경 문제와 지속 가능한 환경

환경 문제 유발 산업의 이전

물음으로 흐름잡기

1. 환경 문제를 유발하는 산업은 어디로 이동할까?

2. 개발 도상국들이 전자 쓰레기를 수입하는 이유는 무엇일까?

A 환경 문제 유발 산업의 국제적 이동

1. 산업의 국제적 이동이 나타나게 된 배경

① 자원 소비의 증가에 따른 환경 문제

- 산업화 → 인구 급증 → 자원 소비 및 폐기량 증가로 각종 오염 발생
- 도시화 → 교통량 증가, 오염 물질의 대량 방출 → 환경 문제의 심화
- 산업화와 도시화를 겪은 선진국은 환경 문제에 대한 규제를 강화함

② 세계화에 따른 국제 분업

- 교통과 통신의 발달로 각 기업의 공장이 자유롭게 이동할 수 있게 됨
- 직접 투자, 국제 분업 등으로 환경 문제 유발 산업을 개발 도상국으로 이전시킴

국제 분업: 다국적 기업들이 본사와 연구소는 주로 선진국에 두고, 인건비와 시설비가 저렴한 개발 도상국에 공장을 두어 생산비 절감을 꾀하는 방식으로 이루어지고 있어.

2. 환경 문제 유발 산업의 이전

구분	내용
공해 유발 공장의 이전	환경 오염을 유발하는 오래된 제조 설비를 이전시킴 → 환경 규제가 강한 선진국에서 상대적으로 규제가 느슨한 개발 도상국으로 이전 [지도] 1981년, 독일의 석면 기업이 한국 J사로 석면 방직 기계 수출 / 1970년대, 미국의 석면 시멘트 공장이 일본으로 진출 / 1970년대 초, 일본의 석면 기업이 한국 J사로 석면 방직 기계 수출 / 1990~2000년 한국의 공장 J사가 인도네시아, 말레이시아, 중국으로 석면 방직 기계 수출 / 독일, 중국, 일본, 미국, 말레이시아, 인도네시아, 태평양, 대서양, 인도양 (중앙 시사 매거진, 2014. 9. 17.) ▲ 석면 공장의 이동: 석면의 유해성이 알려지면서 주요 선진국들은 석면의 사용을 금지하였고, 석면 생산 공장들은 석면의 사용이 허락된 개발 도상국으로 이동하였음
전자 쓰레기의 이전	• 기술 발달로 제품 교체 주기가 빨라지면서 전자 쓰레기의 양이 증가함 • 전자 쓰레기를 재사용 또는 일부 부품의 재활용을 위해 개발 도상국들이 수입함 • 개발 도상국들은 일자리 창출, 경제 성장 등의 목적으로 선진국들의 전자 쓰레기를 지속적으로 수입하면서 환경 오염이 심화됨 ▲ 가나의 전자 쓰레기 처리장
농장과 농업 기술의 이전❶	• 선진국의 임금 및 시설 비용, 땅값 등의 상승으로 농작물의 재배 비용이 상승하고, 환경 규제가 강화되면서 점차 효율적인 생산이 어려워짐 → 임금이 저렴하고 땅값이 저렴한 개발 도상국으로 농장 이전, 플랜테이션이 개발 도상국에서 증가 • 이러한 농업의 이전은 지역 경제에 큰 도움을 주지만 화학 비료 및 농약 사용으로 인한 토양과 식수의 오염, 관개용수 남용에 따른 물 부족 문제 등이 발생

환경 오염이 심화됨: 전자 쓰레기에는 환경 오염을 유발하는 중금속 물질이 많이 포함되어 있기 때문이야.

용어 알기

- **환경 문제 유발 산업** 제품의 생산, 폐기물 처리 등의 과정에서 많은 양의 오염 물질이 발생하는 산업을 말한다.
- **전자 쓰레기(e-waste)** 사용하고 난 전자 제품에서 나오는 폐기물을 말한다.

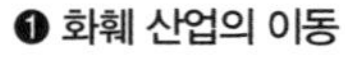

❶ 화훼 산업의 이동

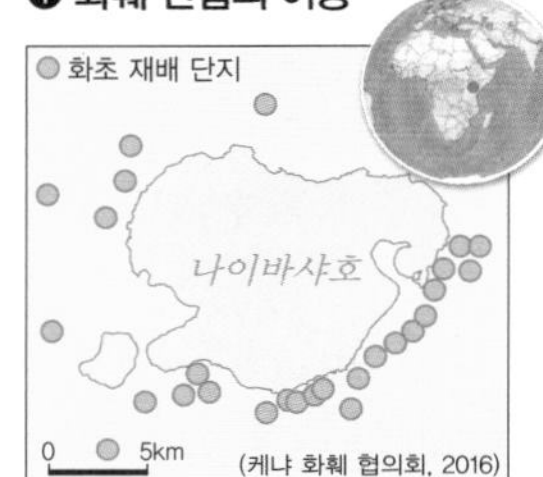

▲ 나이바샤호 주변 화초 재배 단지

유럽의 환경 규제 강화와 인건비 상승으로 화훼 산업이 네덜란드에서 케냐로 이동하였다. 이로 인해 케냐의 나이바샤호에서는 호수의 수량이 감소하고 수질도 악화되어 주민들의 생활이 위협 받고 있다.

교과서 자료 전자 쓰레기의 이동

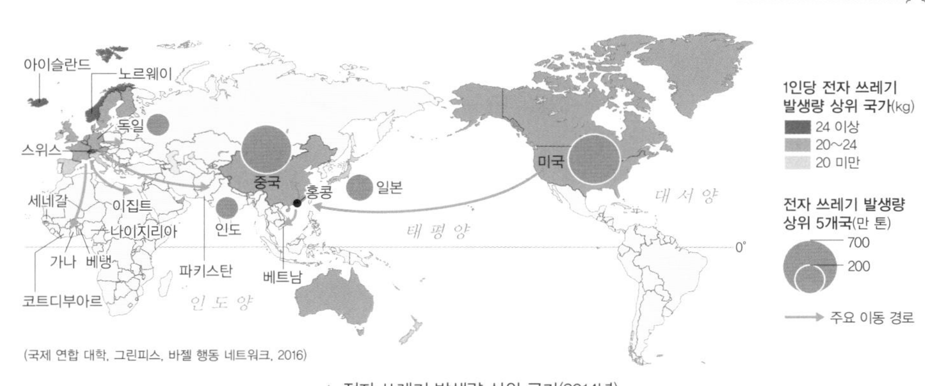

▲ 전자 쓰레기 발생량 상위 국가(2014년)

- 선진국들은 전자 쓰레기를 아프리카, 아시아 등의 개발 도상국으로 불법 수출을 하거나 기부한다는 명분으로 보내고 있다.
- 개발 도상국들은 전자 쓰레기의 수입으로 일자리 증가, 소득 발생 등 경제적 이득은 얻고 있지만 환경 오염, 주민들의 건강 악화 등의 문제를 겪고 있다.

✔ 간단 체크

❶ 사용하고 난 전자 제품에서 나오는 폐기물을 부르는 말은?

❷ 선진국과 개발 도상국 중에서 전자 쓰레기가 주로 이동하는 지역은?

B 환경 문제의 공간적 불평등

1. 환경 문제에 대한 인식 차이

① **선진국**: 일찍 산업화를 겪어 환경 문제의 심각성을 깨닫고 각종 규제를 강화함 → 환경 문제 유발 산업에 부과하는 규제가 강화되면서 관련 비용 상승

② **개발 도상국**: 환경 문제에 대한 인식 부족과 경제 성장을 우선시하여 환경 문제 유발 산업을 적극적으로 유치함 → 개발 도상국에서 생산된 제품을 선진국들은 환경적 부담 없이 소비하고 있어.

③ 각종 환경 문제와 관련 재해가 개발 도상국에 집중되어 주민들의 건강을 위협함

2. 환경 불평등 완화를 위한 노력

① 환경 문제 유발 산업 이전에 따른 문제를 선진국이 분담함 → 환경 오염을 줄이는 설비에 대한 기술적·경제적 지원, 개발 도상국의 경제 성장 지원 등

② 불법적인 유해 폐기물, 공해 산업의 이동을 방지함 → 바젤 협약의 이행

③ 환경 문제가 전 세계적 문제임을 인식하고 함께 대안을 마련함

⚠ 용어 알기

- **바젤 협약** 국가 간 유해 폐기물 이동을 규제하기 위해 스위스 바젤에서 체결된 협약을 말한다.

*밑줄 친 곳을 바르게 고쳐 쓰거나, 빈칸에 알맞은 말을 쓰시오.

정답과 해설 49쪽

A 환경 문제 유발 산업의 국제적 이동

01 전자 쓰레기의 주요 수입국들은 선진국들이다.

02 최근 네덜란드는 화훼 산업으로 인한 호수의 수량 감소로 어려움을 겪고 있다.

03 전자 제품의 교체 주기가 느려지면서 전자 쓰레기가 늘어나고 있다.

B 환경 문제의 공간적 불평등

04 일찍 산업화를 겪은 (   )은/는 환경 문제에 대한 규제를 강화하였다.

05 (   ) 유발 산업은 선진국에서 개발 도상국으로 이전하고 있다.

06 개발 도상국은 경제 성장을 위해 환경 오염을 유발하는 중금속 물질이 포함되어 있는 (   )을/를 수입하고 있다.

A 환경 문제 유발 산업의 국제적 이동

01 전 세계에서 환경 문제가 심화되고 있는 이유로 옳지 않은 것은?

① 산업화에 따른 인구 급증
② 자원 소비 및 폐기량 급증
③ 도시화에 따른 교통량 증가
④ 도시에서의 오염 물질 대량 방출
⑤ 선진국들의 환경 관련 규제 완화

필수

02 세계화가 환경 문제 유발 산업의 이동에 미친 영향으로 가장 적절한 것은?

① 환경에 대한 인식이 높아졌다.
② 산업화로 인해 인구가 급증하였다.
③ 도시화로 인해 오염 물질의 배출량이 증가하였다.
④ 교통의 제약으로 공장의 이동이 자유롭지 않았다.
⑤ 국제 분업이 이루어지면서 공장들을 개발 도상국으로 이전시켰다.

03 다음 그림과 관련된 문제점의 원인으로 가장 적절한 것은?

① 석면 공장
② 화훼 산업
③ 플랜테이션
④ 전자 쓰레기
⑤ 공해 유발 산업

필수

04 다음 지도를 통해 알 수 있는 사실로 옳은 것은?

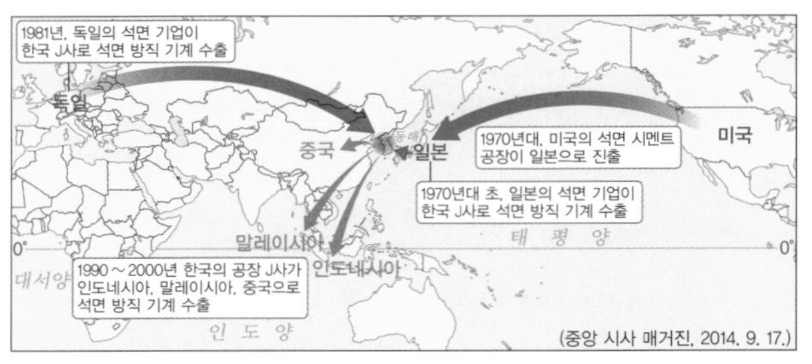

▲ 석면 공장의 이동

① 최근에는 주로 선진국으로 이동하고 있다.
② 석면 생산 비용의 상승 때문에 이동하고 있다.
③ 개발 도상국에서는 석면 사용을 금지하고 있다.
④ 환경에 대한 인식이 낮은 지역으로 이동하고 있다.
⑤ 환경 문제에 대한 규제가 강한 곳으로 이동하고 있다.

고난도

05 다음 글에 나타난 환경 문제의 공간적 불평등에 관한 설명으로 옳지 않은 것은?

> 과거 유럽에서 소비되던 장미는 대부분 네덜란드에서 재배되었으나, 유럽의 환경 규제 강화와 인건비 상승으로 생산지가 케냐로 이동하였다. 케냐는 장미 재배로 높은 외화 수입과 고용 효과를 보고 있지만, 나이바샤호의 수량 감소와 수질 악화 등 문제점도 발생하고 있다.

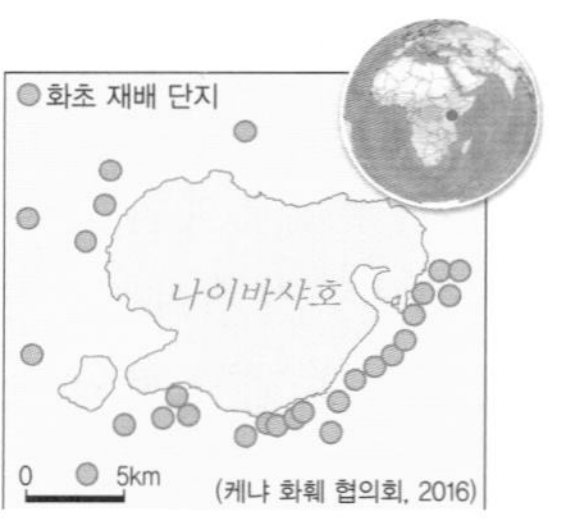

▲ 나이바샤호 주변 화초 재배 단지

① 환경 문제의 공간적 불평등이 점차 약화되고 있다.
② 케냐는 이로 인해 물 부족 문제를 겪고 있을 것이다.
③ 환경 문제에 대한 인식 차이가 이런 변화에 영향을 주었다.
④ 생산비를 절감하기 위한 화훼 산업의 이동이 잘 나타나 있다.
⑤ 앞으로 케냐에서는 경제와 환경을 두고 많은 갈등이 생길 것이다.

06 다음 글에 대한 설명으로 옳지 않은 것은?

> 최근 조사에 따르면 스마트폰의 평균 교체 주기가 고작 1년 2개월이라고 한다. 특히 10대 미만의 평균 사용 기간은 10개월로 가장 짧게 나타난다.

① 기술의 발달에 따른 변화이다.
② 전자 쓰레기 문제의 직접적인 원인이 된다.
③ 개발 도상국의 환경 문제를 발생시킬 수 있다.
④ 환경 규제가 심한 지역에서만 큰 문제가 될 것이다.
⑤ 자원 소비의 증가는 물론 폐기물도 증가시키게 된다.

서술형
07 다음 지도에 표시된 전자 쓰레기 처리 지역의 긍정적 변화와 부정적 변화를 제시어를 사용하여 서술하시오.

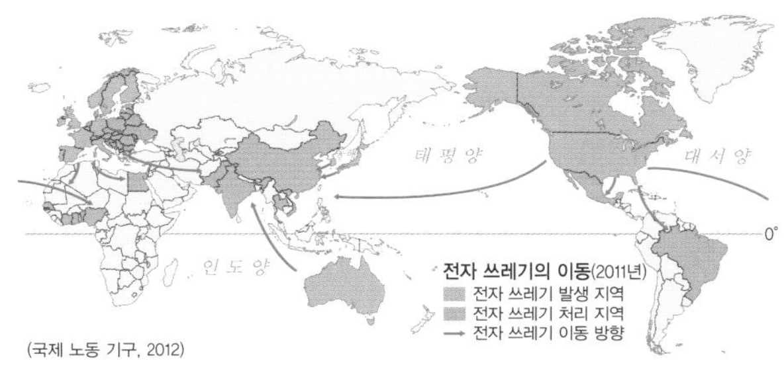

▲ 전자 쓰레기의 국제적 이동

> **제시어**: 개발 도상국, 일자리, 경제 성장, 환경 오염

08 다음 사건에 대한 설명으로 옳은 것은?

> 1984년 12월 2일 밤, 미국 석유 화학 기업인 ○○가 인도 보팔에 세운 살충제 공장에서 엄청난 양의 유해 화학 물질이 쏟아져 나왔다. 이 사고로 2,259명이 사망하고, 사고 후유증으로 2만여 명이 더 사망하였다.

① 이와 유사한 사건은 주로 선진국에서 발생한다.
② 이 사건에 대해 선진국에게는 아무런 책임이 없다.
③ 경제적인 것만을 고려했기 때문에 발생한 사고이다.
④ 환경 규제가 강한 지역에서 발생할 수 있는 사고이다.
⑤ 인구의 증가로 인한 자원 소비 증가가 직접적인 원인이다.

B 환경 문제의 공간적 불평등

09 다음 설명과 관련된 나라가 아닌 것은?

> 일찍 산업화를 겪어 환경 문제의 심각성을 깨닫고 각종 규제를 강화하였다.

① 영국 ② 미국 ③ 중국
④ 프랑스 ⑤ 스위스

10 다음과 같은 내용을 담은 국제 협약은?

> • 각 나라는 유해 폐기물의 발생을 최소화해야 한다.
> • 가능한 한 유해 폐기물이 발생한 장소 가까운 곳에서 처리해야 한다.
> • 유해 폐기물을 적절히 관리할 수 없는 국가에 수출해서는 안 된다.
> • 각 국가는 유해 폐기물의 수입을 금지할 수 있는 주권을 가지고 있다.
> • 유해 폐기물의 국가 간 이동은 협약에 규정된 방법에 따라 이루어져야 한다.

① 바젤 협약 ② 교토 의정서
③ 람사르 협약 ④ 기후 변화 협약
⑤ 몬트리올 의정서

11 국제 사회에서 환경 관련 협약을 체결하는 이유로 옳은 것은?

① 환경 문제는 비교적 좁은 지역에 피해를 주기 때문이다.
② 환경은 스스로 회복하는 자정 능력을 지니고 있기 때문이다.
③ 환경 문제로 인한 피해는 단기간에 회복이 가능하기 때문이다.
④ 환경 문제가 발생하는 지역에서만 그 피해가 나타나기 때문이다.
⑤ 환경 문제는 지구상의 대부분 지역에 동시에 영향을 미칠 수 있기 때문이다.

X. 환경 문제와 지속 가능한 환경

생활 속의 환경 이슈

물음으로 흐름잡기

1. 환경 문제에 대한 갈등이 심한 이유는 무엇일까? 2. 환경 이슈는 어떻게 대처해야 할까?

A 생활 속의 환경 이슈

1. 환경 이슈

① **의미**: 환경 문제 중 그 원인과 해결 방법이 입장별로 다르게 나타나는 것으로 개인, 기업, 국가, 각종 시민 단체 등에 따라 다른 견해가 나타남

② **특징**: 시대별로 다르며, 지역적인 것에서 세계적인 것으로 규모가 다양함

2. 주요 환경 이슈

① **쓰레기 문제** - 소음 문제, 갯벌 간척 문제 등도 있어.

- 원인: 자원 소비 증가, 일회용품 사용 증가 등
- 영향: 쓰레기의 급격한 증가 → 처리가 곤란해지면서 새로운 매립지를 정하는 과정에서 각종 분쟁이 발생함
- 해결 방안: 쓰레기 종량제 시행, 쓰레기 분리 배출 의무화(자원 재활용과 연계) 등

▲ 북태평양의 쓰레기 섬

태평양 한가운데에 비닐과 플라스틱이 뒤엉켜 거대한 쓰레기 섬이 만들어졌는데, 그 면적이 우리나라 영토의 14배야.

② 유전자 재조합 식품(GMO)

긍정적 측면	식품의 영양소를 증가시키고, 생산성을 높인다는 측면에서 식량 부족 문제의 해결 방안으로 강조됨 → 식물은 물론 동물에도 적용
부정적 측면	안전성이 검증되지 않았고, 생태계를 교란시키는 경우가 다수 발생하고 있으며, 이를 공급하는 다국적 기업들이 농업과 식품 산업을 마음대로 통제하게 된다는 우려도 있음

③ 미세 먼지[1]

- 원인: 공장 지대 및 화력 발전소에서 발생하는 매연, 자동차의 배기가스 등으로 발생
- 영향: 호흡기를 통해 폐로 침투하고, 피부를 통해서도 인체로 침투하여 각종 질환을 유발할 수 있음
- 해결 방안: 친환경 자동차 보급, 저탄소 산업 육성, 신·재생 에너지 개발 및 사용 확대, 미세 먼지 예보 및 경보 체계 마련, 주변국과 협력 강화 등

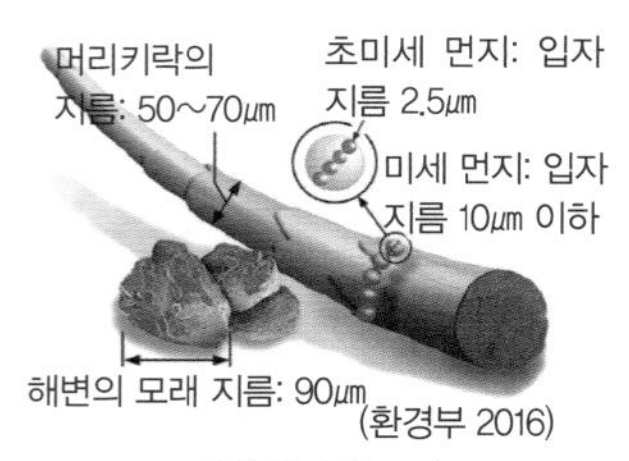

▲ 미세 먼지의 크기

용어 알기

- **쓰레기 종량제** 자신이 배출한 쓰레기 양에 따라 처리 금액을 부담하는 제도이다.
- **유전자 재조합 식품(GMO)** 생물체의 유용한 유전자를 다른 생물체의 유전자와 결합하여 특정 목적에 맞도록 일부를 변형시킨 것이다.

❶ 황사와 미세 먼지

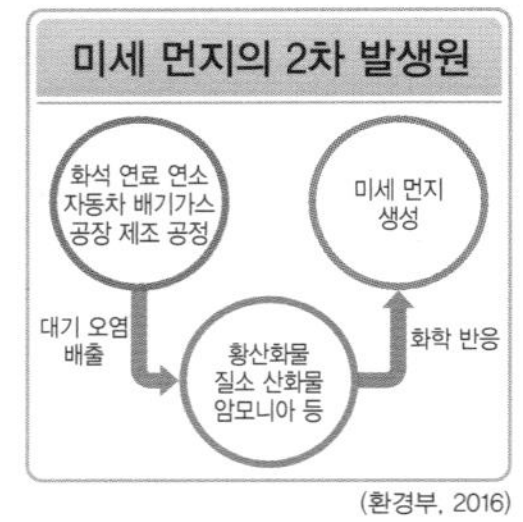

(환경부, 2016)

▲ 미세 먼지 발생의 다양한 원인

미세 먼지는 공장이나 건설 현장 등에서 고체 상태로 배출되기도 하고(1차적 발생), 가스 상태로 방출된 물질이 공기 중의 다른 물질과 화학 반응을 일으켜 생성되기도 한다(2차적 발생).

B 환경 이슈를 바라보는 다양한 입장

1. 유전자 재조합 식품(GMO)에 대한 상반된 의견

안전하다	• 저렴한 비용으로 많은 양의 식량 생산이 가능함 → 식량 부족 문제 해결 • 농작물의 부족한 영양분을 증대할 수 있음
안전하지 않다	• 변형된 유전자가 환경 질서를 파괴할 수 있음 • 인체에 관한 안정성을 충분히 확보하지 못함 • 유전자 재조합 식품을 재배할 때 사용하는 농약의 유해성이 매우 높음

└ 종자를 가진 국제 곡물 도매상에게 많은 돈을 지불해야 하는 문제도 있어.
└ 제초제의 주성분인 글리포세이트의 독성이 매우 강해 암, 당뇨, 우울증 등을 유발한다고 알려져 있어.

2. 쓰레기 처리 문제

쓰레기 매립지나 소각장 설립 문제	• 시설이 들어설 지역들은 혐오 시설이라며 반대함 • 시설이 필요한 주변 지역에서는 경제적 보상을 약속하며 해당 시설이 들어가게 해달라고 요구하여 갈등이 발생함 – 환경 문제에 대해 개인이나 단체의 이해관계와 가치관이 다르기 때문에 갈등이 생기고 있어.
쓰레기봉투에 개인 정보를 기재하는 문제	쓰레기봉투에 버린 사람의 정보를 기재하도록 하여 쓰레기 분리 배출을 더 엄격하게 하자는 주장과, 인권 침해와 개인 정보 유출 등의 문제를 제기하며 반대하는 주장이 있음❷

⚠ 용어 알기

• **푸드 마일리지** 먹을거리가 생산되어 소비자에게 도달하기까지 총 몇 km가 소요되었는지를 나타낸 것으로, 식품의 수송량(t)과 수송 거리(km)를 곱하여 계산한다.

❷ 환경 이슈로 인한 갈등을 해결하기 위한 노력

• 집단 간의 다른 의견을 검토하고 대안을 모색하는 토의와 토론 과정이 필요하며, 이 과정은 합리적 · 민주적 절차를 따라야 한다.
• 환경 정책에 지속적으로 관심을 갖고 환경 단체 활동에 참여하거나 후원한다.

교과서 자료 푸드 마일리지와 로컬 푸드

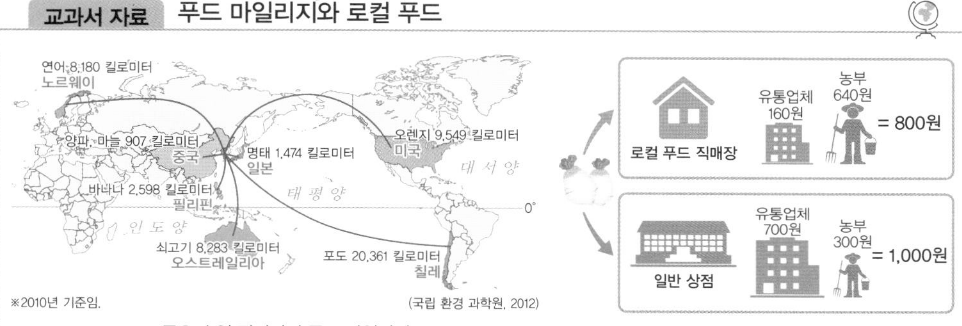

▲ 주요 수입 먹거리의 푸드 마일리지
▲ 로컬 푸드 직매장과 일반 상점의 무 가격

푸드 마일리지가 낮을수록 안전한 식품이라는 의미를 지니게 되는데, 이로 인해 '로컬 푸드'가 더욱 강조된다. 자신이 사는 지역에서 생산된 식품을 소비함으로써 안전한 식생활 유지와 지구 온난화 해결에 함께 하고, 농민과 지역 경제에 보탬이 될 수 있다는 측면에서 로컬 푸드 운동이 크게 주목받고 있다.

✓ 간단 체크

❶ 식품의 이동 거리를 나타내는 것으로, 농산물의 안전성과 온실가스 배출량을 알 수 있게 해 주는 지표는?

❷ 농산물을 지역에서 생산하여 그 지역에서 소비하자는 운동은?

*밑줄 친 곳을 바르게 고쳐 쓰거나, 빈칸에 알맞은 말을 쓰시오.

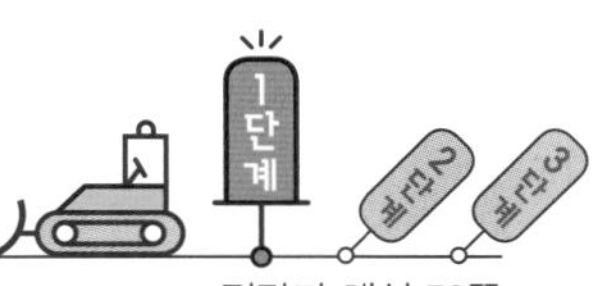

정답과 해설 50쪽

A 생활 속의 환경 이슈

01 환경 이슈는 시대별로 동일하며, 지역적인 것에서 세계적인 것까지 다양한 규모에서 나타난다.

02 쓰레기 문제는 자원 소비의 감소 때문에 발생한다.

03 미세 먼지는 주로 자연적 요인에 의해 발생한다.

B 환경 이슈를 바라보는 다양한 입장

04 (   )은/는 인체 유해성 및 생태계 교란 여부가 명확하게 밝혀지지 않아 논란이 되고 있다.

05 (   )이/가 낮을수록 안전한 식품이라는 의미이다.

06 (   ) 운동은 농민과 지역 경제에 보탬이 된다.

A 생활 속의 환경 이슈

01 다음 사진과 같은 환경 문제들이 증가하는 이유를 〈보기〉에서 있는 대로 고른 것은?

▲ 공사 현장의 소음과 먼지

▲ 공장 매연에 의한 대기 오염

▲ 생활 쓰레기에 의한 수질 오염

▲ 산업 폐수에 의한 토양 오염

보기	
ㄱ. 인구 증가	ㄴ. 일회용품 사용
ㄷ. 산업화와 도시화	ㄹ. 쓰레기 분리배출

① ㄱ, ㄴ　② ㄴ, ㄷ
③ ㄱ, ㄴ, ㄷ　④ ㄴ, ㄷ, ㄹ
⑤ ㄱ, ㄴ, ㄷ, ㄹ

02 다음 사진과 같은 환경 이슈에 대한 설명으로 옳은 것은?

① 환경 문제는 모두 환경 이슈가 된다.
② 원인에 대한 의견이 하나로 통일되어 있다.
③ 환경 문제에 대해 공동 해결책을 제시하고 있다.
④ 환경 이슈는 위 사진처럼 지역적인 것에만 해당한다.
⑤ 환경 문제에 대해 다양한 의견들이 제시되고 충돌하면서 형성된다.

03 쓰레기 문제에 대한 설명으로 옳지 않은 것은?

① 자원 소비 증가, 일회용품 사용 증가 등이 원인이다.
② 쓰레기의 급격한 증가는 다양한 환경 이슈를 만들고 있다.
③ 한 나라만의 문제이므로 제도 개선과 법률 개정을 통해 해결할 수 있다.
④ 우리나라에서는 쓰레기 종량제, 쓰레기 분리배출 의무화 등의 노력을 하고 있다.
⑤ 태평양 한가운데에는 우리나라 영토의 14배에 달하는 쓰레기 섬이 만들어졌다고 한다.

[04-05] 다음 그림을 보고 물음에 답하시오.

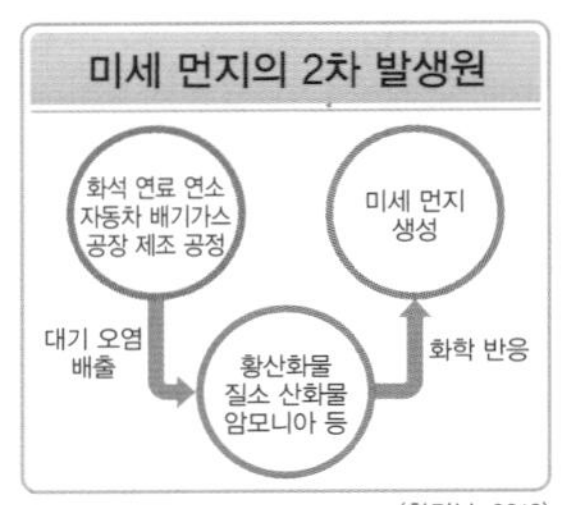

(환경부, 2016)

▲ 미세 먼지 발생의 다양한 원인

04 고난도 위 그림을 보고 최근 우리나라의 미세 먼지 농도가 높게 나타난 이유를 분석한 내용으로 옳지 않은 것은?

① 화력 발전소의 영향을 분석해 볼 필요가 있다.
② 주로 자연적 요인의 영향이 크다는 것을 알 수 있다.
③ 여름철에만 비가 많이 오는 것도 영향을 주었을 것이다.
④ 도시의 심각한 교통 체증과 경유 차 운행 비율을 따져 본다.
⑤ 중국 공장에서 발생한 미세 먼지를 원인으로 생각해 볼 수 있다.

05 위 그림을 보고 미세 먼지에 대처하는 노력으로 옳지 않은 것은?

① 주변국과 협력 강화
② 저탄소 산업 육성 정책
③ 친환경적 신·재생 에너지 개발
④ 미세 먼지 예보 및 경보 체계 마련
⑤ 연료 효율이 높은 경유 차의 사용 확대

06 다음 그림과 같은 운동을 통해 얻을 수 있는 효과를 〈보기〉에서 고른 것은?

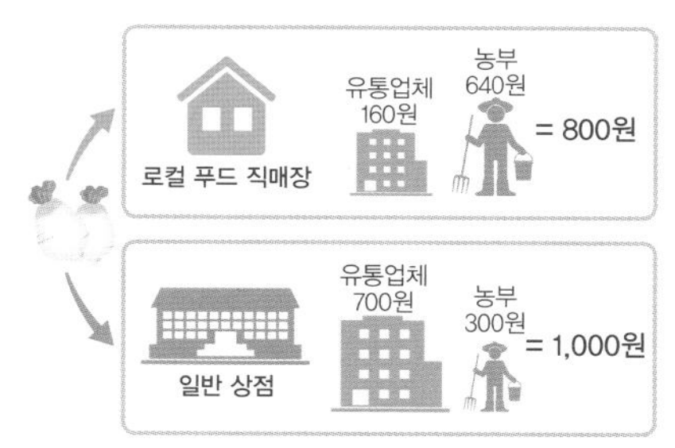

▲ 로컬 푸드 직매장과 일반 상점의 무 가격

보기
ㄱ. 택배 산업이 발달할 수 있다.
ㄴ. 다양한 음식 문화가 발전할 수 있다.
ㄷ. 이산화 탄소 배출량을 줄일 수 있다.
ㄹ. 운송 과정에서 발생할 수 있는 화석 연료의 소비를 줄일 수 있다.

① ㄱ, ㄴ ② ㄱ, ㄷ ③ ㄴ, ㄷ
④ ㄴ, ㄹ ⑤ ㄷ, ㄹ

서술형
07 다음 글과 같은 갈등이 생기는 이유를 제시어를 사용하여 서술하시오.

원자력 발전소 설립에 대해 전력 문제 해결을 주장하는 측과 이로 인한 환경 오염을 걱정하는 지역 주민들 사이에 마찰이 생기고 있다.

제시어: 환경 문제, 이해관계, 가치관

B 환경 이슈를 바라보는 다양한 입장

08 환경 이슈를 대하는 태도로 옳지 않은 것은?

① 토의를 통해 의견의 차이를 좁혀 나간다.
② 지구촌의 지속 가능성을 최우선으로 여긴다.
③ 대안을 모색하는 토론이 이루어지도록 한다.
④ 타당한 근거가 없더라도 환경은 무조건 보호하자고 주장한다.
⑤ 토론과 토의 과정은 합리적이고 민주적인 절차를 따라야 한다.

[09-10] 다음 사진을 보고 물음에 답하시오.

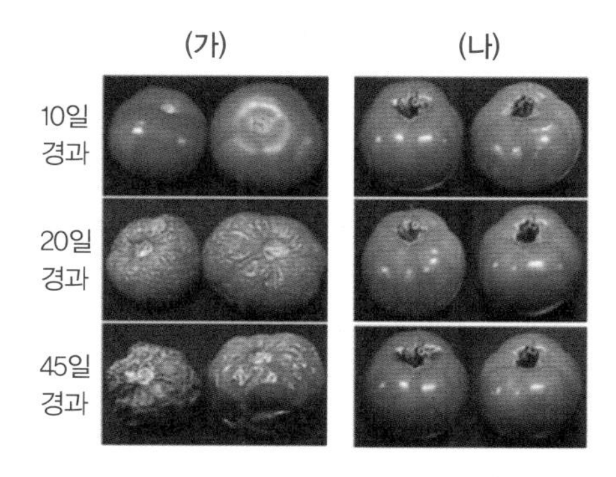

09 (가) 작물과 비교한 (나) 작물의 특징으로 옳지 않은 것은?

① 유전자 재조합 식품에 해당한다.
② 콩, 옥수수 등에도 이런 작물이 있다.
③ 식물뿐만 아니라 동물에도 적용되고 있다.
④ 유전자 변형이 토마토의 보존 기간을 늘려 준 것이다.
⑤ (나)와 같은 작물들은 모두 안전하게 사람들이 먹을 수 있다.

10 (나)와 같은 재배 방식의 변화에 대한 옳은 설명을 〈보기〉에서 있는 대로 고른 것은?

보기
ㄱ. 생태계를 교란시킬 수 있다.
ㄴ. 식량 부족 문제의 해결 방안이 될 수 있다.
ㄷ. 지구 온난화 문제의 해결에도 도움이 된다.
ㄹ. 종자를 가진 국제 곡물 도매상에게 많은 돈을 지급해야 한다.

① ㄱ, ㄴ ② ㄴ, ㄷ
③ ㄱ, ㄴ, ㄹ ④ ㄴ, ㄷ, ㄹ
⑤ ㄱ, ㄴ, ㄷ, ㄹ

서술형
11 쓰레기 배출자의 이름을 표기하는 제도에 대한 반대 입장을 제시어를 사용하여 서술하시오.

제시어: 인권, 개인 정보

대단원 완성하기

01 다음 (가), (나) 그림에 대한 설명으로 옳지 않은 것은?

(가)

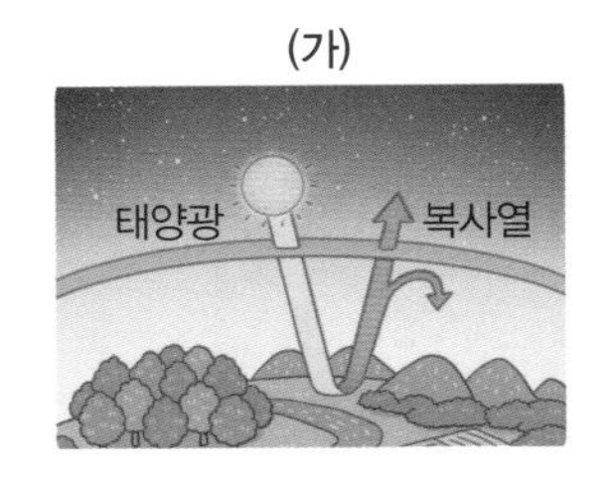

(나)

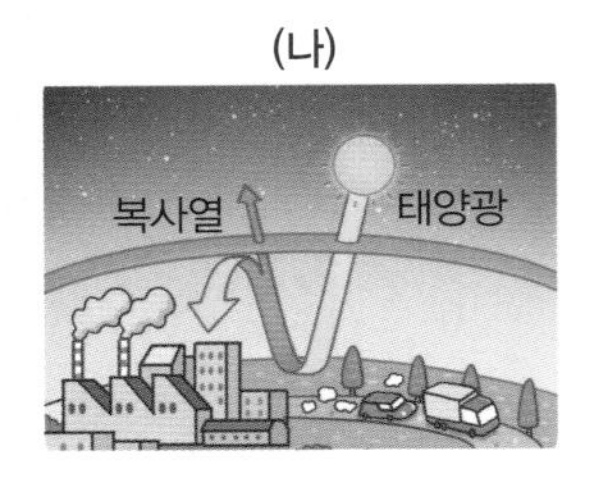

① (가)는 자연 상태에서 발생한다.
② (가)는 이산화 탄소, 메탄의 증가로 나타난다.
③ (나)는 주로 인위적 요인에 의해 나타난다.
④ (나)가 지속될 경우 이상 기후 현상이 심화될 수 있다.
⑤ (가)에서 (나)로 변한 이유에는 화석 연료의 사용 증가가 큰 원인으로 작용한다.

02 다음 그림과 같은 현상들이 계속되면서 나타날 수 있는 변화로 옳지 않은 것은?

① 지구의 평균 기온이 높아진다.
② 온실가스의 발생량이 감소한다.
③ 온실 효과가 과도하게 이루어진다.
④ 생태계에 급격한 변화를 줄 수 있다.
⑤ 기후 변화로 인한 자연재해가 증가한다.

03 지구 온난화에 대한 옳은 설명을 〈보기〉에서 고른 것은?

보기
ㄱ. 이산화 탄소의 증가가 영향을 주었다.
ㄴ. 가뭄, 사막화 심화의 원인으로 지목되고 있다.
ㄷ. 북극해의 항로가 막히는 부작용이 발생하고 있다.
ㄹ. 꽃의 개화 시기가 늦어지는 문제가 발생하고 있다.

① ㄱ, ㄴ ② ㄱ, ㄷ ③ ㄴ, ㄷ
④ ㄴ, ㄹ ⑤ ㄷ, ㄹ

[04-06] 다음 그림을 보고 물음에 답하시오.

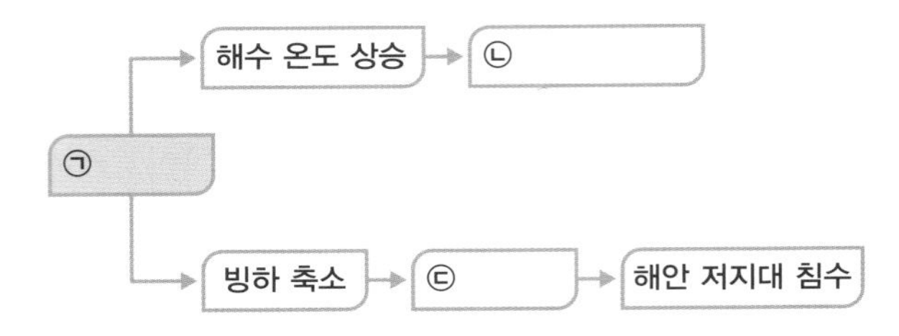

04 ㉠의 원인이 될 수 없는 것은?

① 화산재의 분출 ② 도시화와 산업화
③ 태양 활동의 변화 ④ 가축 사육의 증가
⑤ 농업 생산량의 감소

05 ㉡에 들어갈 내용으로 가장 적절한 것은?

① 전 세계 산호초가 급격히 증가하였다.
② 태풍의 위력이 강해지고, 발생 빈도도 증가하였다.
③ 명태와 같은 한류성 어류의 생존 환경이 넓어졌다.
④ 봄에 피는 꽃들의 개화 시기가 점점 빨라지고 있다.
⑤ 강수량의 증가로 홍수는 증가한 반면, 가뭄은 감소하였다.

06 ㉢에 들어갈 말로 가장 적절한 것은?

① 해수면 상승 ② 생태계의 변화
③ 만년설의 증가 ④ 이상 기후 현상 감소
⑤ 전염병의 위험성 증가

07 다음 설명에 해당하는 지역은?

산호초로 이루어진 섬으로, 남태평양에 위치해 있다. 해발 고도가 낮은 이 섬은 지구 온난화의 피해를 가장 극심하게 겪고 있다. 바닷물이 서서히 차오르면서 이곳을 버리고 기후 난민이 되는 경우까지 발생하고 있다.

① 북극해 ② 몰디브 ③ 투발루
④ 알래스카 ⑤ 방글라데시

08 다음과 같은 문제를 발생시키는 환경 문제에 대한 적절한 대응 방안을 〈보기〉에서 고른 것은?

- 알래스카의 땅이 녹아 집이 무너진다.
- 주요 해안 지역이 침수 피해를 입게 된다.

보기
ㄱ. 신·재생 에너지 사용을 줄이도록 한다.
ㄴ. 다른 나라의 농산물 수입을 늘리도록 한다.
ㄷ. 친환경 제품 사용, 자전거 타기 등을 생활화한다.
ㄹ. 지구촌 불 끄기 행사 등을 통해 기후 변화에 관한 인식을 확산시킨다.

① ㄱ, ㄴ ② ㄱ, ㄷ ③ ㄴ, ㄷ
④ ㄴ, ㄹ ⑤ ㄷ, ㄹ

09 다음 글의 빈칸에 들어갈 말로 가장 적절한 것은?

온실가스 배출에 있어 가장 책임이 큰 것은 당연히 선진국들이다. 이들은 오랜 세월 산업화를 거치면서 경제 성장을 이루었고, 이로 인해 자원 소모가 커지면서 지금의 지구 온난화가 발생하도록 만들었기 때문이다. 그럼에도 불구하고 온실가스 배출량 감축에는 개발 도상국들도 함께 해야 한다. 그 이유는 ____________
____

① 개발 도상국들이 더 많은 혜택을 누리기 때문이다.
② 개발 도상국들의 온실가스 배출이 더 많기 때문이다.
③ 선진국들이 개발 도상국들을 경제적으로 돕고 있기 때문이다.
④ 선진국들은 더 이상 온실가스 배출량을 감축할 수 없기 때문이다.
⑤ 지구 온난화로 인한 피해는 전 지구적으로 발생하고 있기 때문이다.

10 기후 변화에 대응하기 위한 개인적 노력에 해당하지 않는 것은?

① 자전거 타기 ② 자원 재활용
③ 대중교통 이용 ④ 기후 변화 협약 체결
⑤ 저탄소 인증 제품 사용

11 환경 문제의 증가에 대한 옳은 설명을 〈보기〉에서 고른 것은?

보기
ㄱ. 인구 증가보다 인구 감소로 인한 환경 문제가 더 심각하다.
ㄴ. 산업화와 도시화로 인해 환경 문제가 발생하고 더 심화되었다.
ㄷ. 환경 문제는 자연의 자정 능력을 벗어나지 않는 수준의 환경 오염을 말한다.
ㄹ. 소비의 증가는 곧 자원 소비의 증가와 폐기물의 증가를 가져와 환경 문제를 심화시킨다.

① ㄱ, ㄴ ② ㄱ, ㄷ ③ ㄴ, ㄷ
④ ㄴ, ㄹ ⑤ ㄷ, ㄹ

[12-13] 다음 지도를 보고 물음에 답하시오.

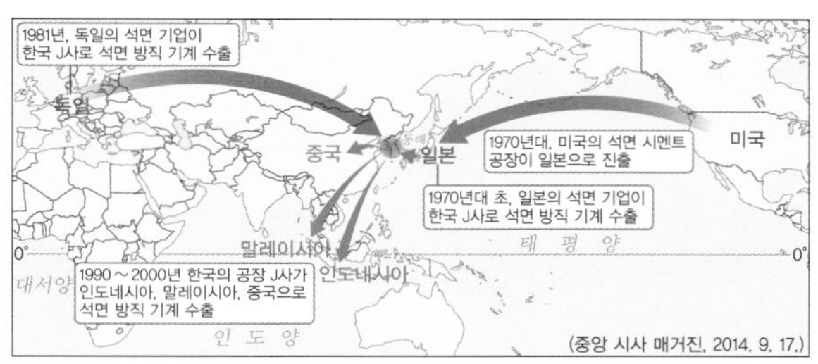

▲ 석면 공장의 이동

12 위 지도와 관련된 옳은 설명을 〈보기〉에서 고른 것은?

보기
ㄱ. 석면은 유해 물질에 해당된다.
ㄴ. 보통 개발 도상국에서 선진국으로 이전한다.
ㄷ. 환경 문제를 유발하는 산업이 이동하고 있다.
ㄹ. 대부분 환경 규제가 약한 지역에서 강한 지역으로 이전한다.

① ㄱ, ㄴ ② ㄱ, ㄷ ③ ㄴ, ㄷ
④ ㄴ, ㄹ ⑤ ㄷ, ㄹ

13 석면 공장의 이동에 가장 큰 영향을 준 것은?

① 인건비 ② 환경 규제 ③ 기술 발전
④ 인구 증가 ⑤ 생태계 파괴

14 다음 지도와 같이 전자 쓰레기가 이동하는 이유로 옳은 것은?

▲ 전자 쓰레기의 국제적 이동

① 기술 발전이 느려졌기 때문이다.
② 세계가 경제적으로 평등한 상태가 되었기 때문이다.
③ 개발 도상국의 환경에 대한 인식이 높아졌기 때문이다.
④ 열대 기후 지역에서 플랜테이션이 발달했기 때문이다.
⑤ 개발 도상국에서 경제 성장을 환경 보호보다 우선시하기 때문이다.

15 다음과 같은 상황이 반복되는 이유로 옳은 것은?

> 쓸모가 없어진 전자 제품을 선진국들은 기부라는 명분으로 아프리카에 보내고 있지만, 아프리카의 나라들은 이 사실을 알면서도 이 물건들을 받아들일 수밖에 없다.

① 전 세계적으로 환경에 대한 인식이 높아졌다.
② 지구 온난화에 대한 위협이 커졌기 때문이다.
③ 개발 도상국을 돕겠다는 의식이 점차 강해졌다.
④ 전 지구가 하나의 마을이라 생각하기 때문이다.
⑤ 개발 도상국은 경제 성장이 꼭 필요하기 때문이다.

16 네덜란드에 다음과 같은 변화가 발생한 가장 큰 이유로 옳은 것은?

> 네덜란드는 더 이상 화훼 생산의 중심지가 아니다. 유럽에 공급되는 대부분의 장미가 아프리카의 케냐에서 생산되고 있기 때문이다.

① 꽃 판매 감소　② 인건비의 감소
③ 생태계의 변화　④ 환경 규제 강화
⑤ 세계 경제의 악화

17 다음과 같은 사건을 막기 위해 만들어진 국제 협약은?

1976년 이탈리아 세베소의 농약 공장 폭발 사고로 오염된 토양이 프랑스에서 처리된 사건

1988년 이탈리아의 유해 폐기물이 대량으로 나이지리아에 반입·투기된 사건

① 바젤 협약　② 교토 의정서
③ 람사르 협약　④ 기후 변화 협약
⑤ 몬트리올 의정서

18 환경 이슈에 대한 설명으로 옳지 <u>않은</u> 것은?

① 시대별로 다르게 나타난다.
② 주로 지역적인 문제에서만 나타난다.
③ 입장에 따라 다양한 원인과 해결 방안이 제시된다.
④ 개인, 지역, 국가, 시민 단체 등이 서로 다른 의견을 낼 수 있다.
⑤ 최근 유전자 재조합 식품(GMO)을 둘러싼 논쟁이 대표적인 사례이다.

19 다음과 같은 환경 문제들이 증가하는 이유로 옳지 <u>않은</u> 것은?

▲ 공장 매연에 의한 대기 오염

▲ 생활 쓰레기에 의한 수질 오염

① 산업화　② 도시화
③ 인구 증가　④ 자원 재활용
⑤ 일회용품 사용

정답과 해설 51쪽

20 다음 사진에 대한 설명으로 옳은 것은?

▲ 황사로 인한 대기 오염

▲ 미세 먼지로 마스크를 쓴 사람들

① 황사는 여름철에 주로 나타난다.
② 황사와 미세 먼지는 같은 것이다.
③ 미세 먼지는 호흡기에만 영향을 준다.
④ 황사와 미세 먼지 모두 외국에서 날아 온 것이다.
⑤ 미세 먼지는 황사에 비해 오염 물질을 많이 포함한다.

21 유전자 재조합 식품(GMO)에 대한 대화 중 다른 의견을 주장하고 있는 사람은?

① 찬웅: 식량 부족 문제를 해결할 수 있어요.
② 재은: 병충해에 강한 작물을 재배할 수 있어요.
③ 인서: 추위에 잘 견디고 잘 무르지 않아 좋아요.
④ 지현: 안전성이 검증된 경우에는 실제 작물에 적용할 수 있어요.
⑤ 재혁: 새로운 생물체를 인위적으로 만드는 것은 위험할 수 있어요.

22 다음과 같은 주장과 관련된 옳은 설명을 〈보기〉에서 고른 것은?

> 우리 몸과 지구의 건강을 위해 푸드 마일리지가 적게 쌓인 농산물을 먹어야 한다.

보기
ㄱ. 푸드 마일리지가 높을수록 농산물의 안전성이 높다.
ㄴ. 푸드 마일리지는 농산물의 이동 거리를 나타내는 지표이다.
ㄷ. 푸드 마일리지가 적을수록 온실가스의 배출량이 적었다는 의미이다.
ㄹ. 우리나라에 있는 유전자 재조합 식품(GMO)은 푸드 마일리지가 매우 적게 쌓인 농산물들이다.

① ㄱ, ㄴ ② ㄱ, ㄷ ③ ㄴ, ㄷ
④ ㄴ, ㄹ ⑤ ㄷ, ㄹ

서술형 문제

23 다음 글을 읽고 물음에 답하시오.

> 국제 사회는 기후 변화의 심각성을 인식하고 해결을 위해 꾸준히 노력하였다. 그 결과 1992년에 기후 변화 협약을 맺게 되었고, 이를 이행하기 위한 구체적인 방안을 1997년에 (㉠)을/를 통해 합의하였다. 2015년에는 (㉡)을/를 통해 2020년 이후 적용할 새로운 기후 체제를 수립하였다.

(1) ㉠과 ㉡에 들어갈 국제 협약을 각각 쓰시오.

㉠: ____________________

㉡: ____________________

(2) ㉠과 ㉡의 차이점을 제시어를 사용하여 서술하시오.

> 제시어: 선진국, 개발 도상국, 온실가스 감축

____

____

24 다음 사진을 보고 물음에 답하시오.

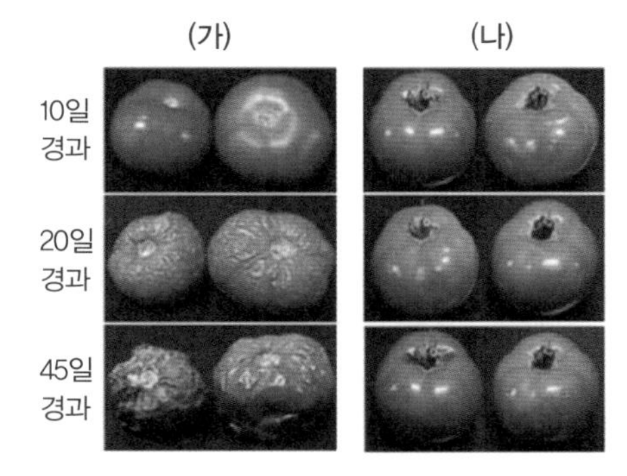

(1) (나)와 같은 식품을 무엇이라고 하는지 쓰시오.

____

(2) (가) 식품을 (나)와 같이 변화시킨 식품을 반대하는 사람들의 주장은 무엇인지 제시어를 사용하여 서술하시오.

> 제시어: 안전성, 생태계

____

____

세계 속의 우리나라

01 우리나라의 영역과 독도

02 우리나라 여러 지역의 경쟁력

03 통일 이후 국토 공간

배울 내용이 쉬워지는 용어

배울 용어를 읽어 보고, 이해가 되었으면 ✔ 표시를 해 봅시다.

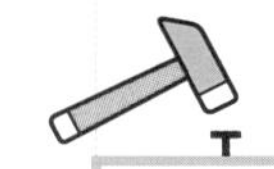

☐ **영역** 한 국가의 주권이 미치는 지리적 범위야.

영역

☐ **통상 기선** 일반적인(통상적인) 영해의 기준선(기선)으로, 썰물로 해수면이 가장 낮아졌을 때의 해안선을 말해.

통상 기선

☐ **직선 기선** 해안선이 복잡한 해안에서는 통상 기선을 사용하기가 어려워. 그래서 육지로부터 가장 먼 섬을 직선으로 연결한 선을 사용하지.

☐ **배타적 경제 수역** 경제와 관련된 권한에 대해 배타적(남을 배척) 권리를 누릴 수 있는 바다의 구역이야.

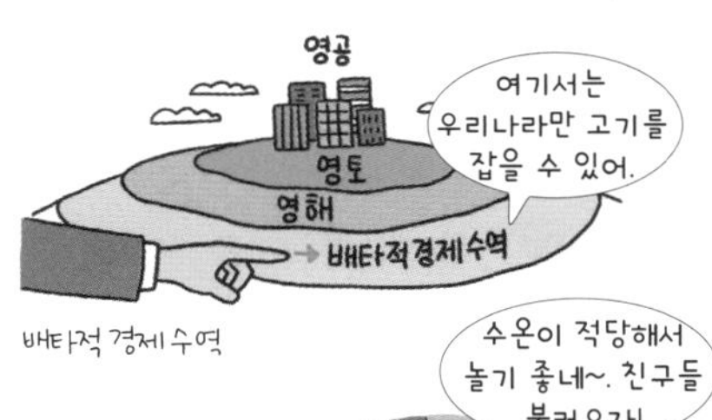

배타적 경제 수역

☐ **조경 수역** 한류와 난류가 교차하여 어류가 풍부한 어장을 형성하는 수역이야.

조경 수역

☐ **장소 마케팅** 한 지역의 고유한 특징을 이용해 장소 자체를 매력적인 상품으로 발전시키는 거야.

☐ **지리적 표시** 특정 상품의 우수성이 인정될 때 그 지역의 이름을 상표권으로 인정해 주는 제도야.

☐ **분단 비용** 분단으로 인해 발생하는 군사비, 이산가족 등 경제적·비경제적 비용을 말해.

장소 마케팅

지리적 표시

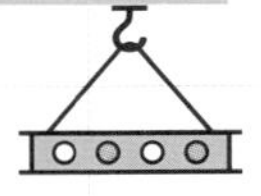

XI. 세계 속의 우리나라

우리나라의 영역과 독도

물음으로 흐름잡기

영역 1. 한 국가의 영역은 어떻게 구분할까? 2. 독도의 경제적 가치는 무엇일까?

A 우리나라의 영역

1. 영역의 의미 한 국가의 주권이 미치는 범위로 국민 생활이 이루어지는 생활 터전이며 외부의 침입으로부터 보호해야 하는 공간

2. 영역의 구성❶ 영토와 영해, 영공으로 구성

3. 우리나라의 영역 집중 공략 200쪽

영토	한반도와 그 부속 섬 — 우리나라 영토의 총면적은 약 22.3만 ㎢로, 그중 남한 면적은 약 10만 ㎢야.	
영해	동해, 제주도, 울릉도, 독도	통상 기선으로부터 12해리까지
	황·남해	직선 기선으로부터 12해리까지
	대한 해협	직선 기선으로부터 3해리까지
영공	• 우리나라 영토와 영해의 상공 — 영공의 수직 한계는 대기권까지야. • 최근 항공 교통과 우주 산업의 발달로 중요성이 커짐	

교과서 자료 우리나라의 4극과 영해

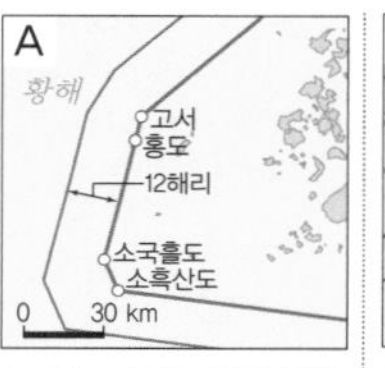

▲ 황·남해: 섬이 많은 황·남해는 가장 외곽의 섬들을 연결한 직선 기선으로부터 12해리까지가 영해임

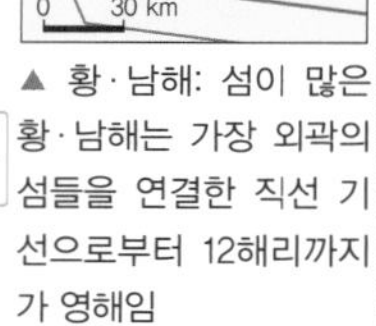

▲ 대한 해협: 일본과 거리가 가까운 대한 해협은 직선 기선에서 3해리까지만 영해로 설정됨

▲ 동해, 제주도, 울릉도, 독도: 해안선이 단조로운 동해와 제주도 일대는 최저 조위선에서 12해리까지가 영해임 — 통상 기선과 일치해.

◀ 우리나라의 4극과 영해

✔ 간단 체크

❶ 일본과 가까워 직선 기선에서 3해리까지만 영해로 설정된 곳은?

❷ 우리나라에서 통상 기선을 기준으로 영해를 설정하는 곳은?

4. 배타적 경제 수역❷

범위	기선으로부터 200해리에 이르는 수역 중 영해를 제외한 수역
특징	• 연안국은 수산·광물·에너지 자원 등 해양 자원을 탐사·개발할 수 있고, 인공 섬을 만들거나 바다에 시설물을 설치·활용할 수 있음 예 이어도 종합 해양 과학 기지 • 연안국 외 다른 국가의 선박과 항공기 등이 자유롭게 통행할 수 있음

이어도는 우리나라 최남단인 마라도에서 서남쪽으로 149km 떨어진 곳에 위치한 수중 암초야. 이곳은 우리나라 배타적 경제 수역에 포함되어 있어.

용어 알기

• **기선** 영해를 정하는 기준선이다.

• **최저 조위선** 썰물로 바닷물이 가장 많이 쓸려 나갔을 때 육지와 바다가 만나는 선이다.

❶ 영역의 구성

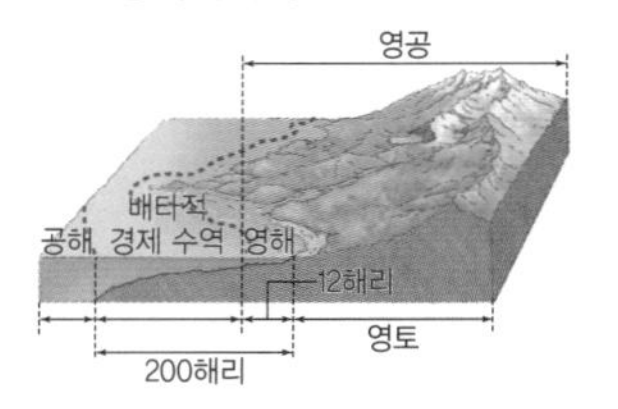

• 영토: 한 국가에 속한 육지의 범위로, 국토 면적과 일치한다.

• 영해: 영토 주변의 바다로 대부분 국가에서 최저 조위선으로부터 12해리까지로 정한다.

• 영공: 영토와 영해의 수직 상공이다.

❷ 배타적 경제 수역

우리나라와 일본, 중국은 지리적으로 가까워 배타적 경제 수역이 겹치기 때문에 어업 질서의 혼란을 막기 위해 한·일 어업 협정과 한·중 어업 협정을 맺어 어족 자원을 공동으로 관리하고 있다.

B 소중한 우리 영토, 독도

1. **독도의 위치**[3] 우리나라에서 가장 동쪽에 있는 영토로, 경상북도 울릉군 울릉읍 독도리에 위치함
2. **독도의 지리적 특성** 동해의 해저에서 형성된 화산섬으로 동도와 서도 두 개의 큰 섬과 89개의 바위섬으로 이루어져 있고, 난류의 영향으로 해양성 기후가 나타남
   기후가 온화하고 일 년 내내 강수가 고른 편이야.
3. **독도가 우리 영토인 근거**
   ① **지리적 근거:** 일본의 오키섬보다 울릉도에 가까움
   ② **역사적 근거:** 신라가 우산국을 편입(512년)하면서 우리 영토가 되었으며 『삼국사기』, 『세종실록지리지』, 『신증동국여지승람』 등 다양한 고문서에서 우리 영토임을 확인할 수 있음

❸ 독도의 위치

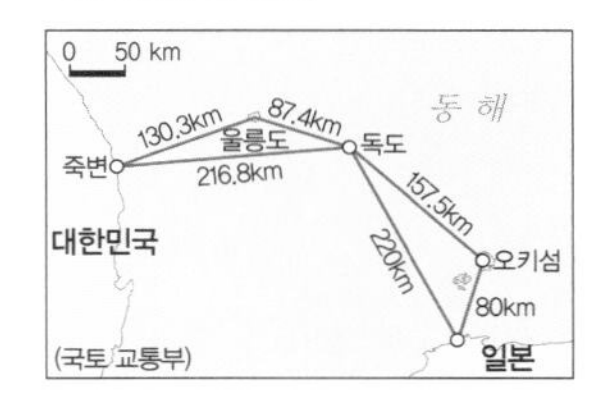

울릉도와 독도 간의 거리는 87.4km, 오키섬과 독도 간의 거리는 157.5km로 울릉도와 독도 사이가 더 가깝다.

교과서 자료 독도의 가치 집중 공략 201쪽

영역적 가치	경제적 가치		환경 · 생태적 가치
• 주변의 바다는 영해이며, 배타적 경제 수역 설정의 기준점이 될 수 있음 • 태평양을 향한 해상 전진 기지 역할도 할 수 있음	▲ 동해의 조경 수역: 난류와 한류가 만나 조경 수역을 형성하는 곳으로 어족 자원이 풍부함	▲ 독도의 해저 자원: 해저에 메탄하이드레이트와 해양 심층수가 풍부하게 매장됨	▲ 독도의 해저 화산 지형: 화산 활동으로 다양한 화산 지형이 나타나며, 다양한 동식물이 서식하여 섬 전체가 천연 보호 구역으로 지정됨

천연가스와 물이 결합하여 형성된 자원이야. 주로 수심이 300m 이상인 깊은 바다에서 발견되는데, '불타는 얼음'이라는 별명으로 불리기도 해.

서도
동도

✓ 간단 체크

❸ 우리나라 최동단의 섬으로, 배타적 경제 수역 설정의 기준점이 되는 곳은?

❹ 독도 주변 바다의 수심 300m 이상에 매장되어 있는 차세대 에너지원은?

＊빈칸에 알맞은 말을 쓰거나, 밑줄 친 곳을 바르게 고쳐 쓰시오.

정답과 해설 53쪽

A 우리나라의 영역

01 한 나라의 주권이 미치는 범위인 (　　　　)은/는 영토, 영해, 영공으로 이루어져 있다.

02 우리나라 영해에서 제주도, 울릉도, 독도는 (　　　　) 기선으로부터 12해리, 대한 해협은 (　　　　) 기선으로부터 3해리까지이다.

B 소중한 우리 영토, 독도

03 독도는 해저에서 형성된 화산섬으로 우리나라 최남단에 위치한다.

04 독도 주변의 해저에는 석유와 해양 심층수가 풍부하게 매장되어 있다.

A. 우리나라의 영역

정답과 해설 53쪽

집중해서 알아보기

국가의 영역은 국민이 생활하는 삶터이자 국가가 존재하기 위한 기본 조건이다.
따라서 우리나라를 비롯한 세계 각국은 영역을 안정적으로 보호하기 위해 노력하고 있다.

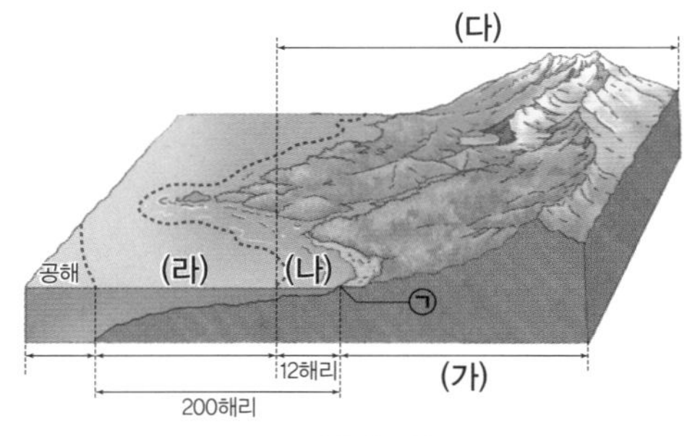

▲ 영역의 구성

- 영역은 국제법상 한 국가가 다른 국가의 간섭을 받지 않고 지배할 수 있는 공간으로 육지의 범위인 영토, 영토 주변의 바다인 영해, 영토와 영해의 수직 상공인 영공으로 이루어진다.
- 배타적 경제 수역은 영해를 설정한 기선으로부터 200해리에 이르는 수역 중 영해를 제외한 바다이다. 연안국의 어업 활동과 천연자원의 탐사·개발·이용·관리 등에 관한 경제적 권리가 보장된다.

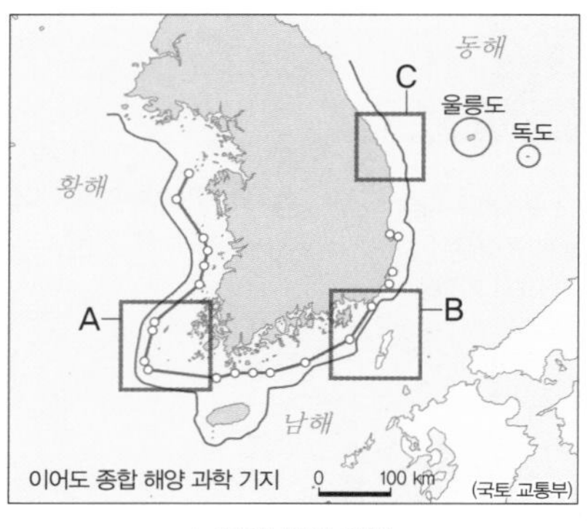

▲ 우리나라의 영해

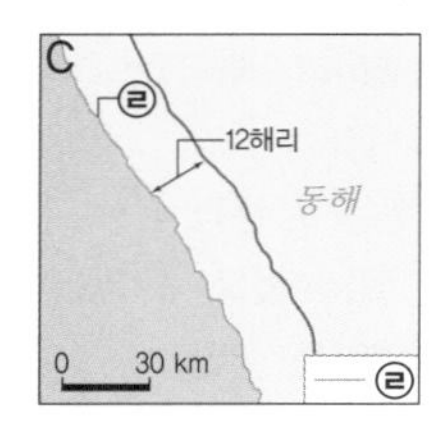

삼면이 바다인 우리나라는 해안선이 복잡하고 섬이 많은 황·남해는 직선 기선을 적용하고, 해안선이 단조로운 동해는 통상 기선을 적용한다. 또한 일본과 가까운 대한 해협은 직선 기선으로부터 12해리가 아닌 3해리를 적용하고 있다.

문제로 공략하기

01 영역의 구성 요소인 (가)~(다)에 해당하는 말을 각각 써 보자.

답 (   )

02 영해의 기준선인 ㉠의 명칭을 써 보자.

답 (   )

03 연안국의 자원 개발과 어업 활동에 관한 경제적 권리를 인정하는 (라)의 명칭을 써 보자.

답 (   )

04 황해와 남해의 영해 설정 기준인 ㉡의 명칭을 써 보자.

답 (   )

05 일본과 가까운 대한 해협의 영해 범위인 ㉢의 거리는 얼마인지 써 보자.

답 (   )

06 해안선이 단조롭고 섬이 적은 동해안의 영해 설정 기준인 ㉣의 명칭을 써 보자.

답 (   )

집중 공략

B. 독도의 가치와 중요성

정답과 해설 53쪽

집중해서 알아보기

독도는 우리나라 최동단에 위치하여 배타적 경제 수역 설정의 기준이 될 수 있다.
독도 주변은 조경 수역을 이루고 해저에 메탄하이드레이트, 해양 심층수가 매장되어 있어 경제적 가치가 크다.
또한 다양한 동식물이 서식하는 섬 전체가 천연 보호 구역으로 지정되어 있다.

독도는 해저에서 솟아오른 용암이 굳어져 형성된 (㉠)(으)로, 화산 연구에 좋은 사례 지역입니다.

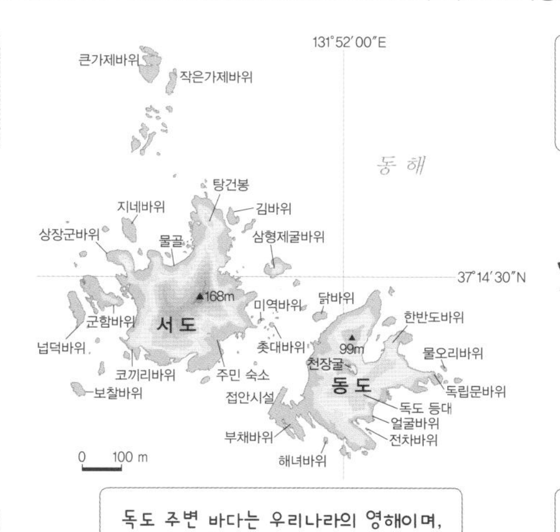

독도 주변의 바다는 (㉡)을/를 형성하여 오징어 등 어족 자원이 풍부합니다.

독도 부근의 해저에는 (㉢)와/과 해양 심층수 등의 자원이 풍부합니다.

독도 주변 바다는 우리나라의 영해이며, 독도는 (㉣) 설정의 기준점이 될 수 있어 영역적 가치가 큽니다.

독도에는 괭이갈매기, 해국, 괭이밥 등이 서식하고 있어 섬 전체가 (㉤)(으)로 지정되었습니다.

문제로 공략하기

01 독도는 우리나라 최동단과 최서단 중 어디에 위치하는지 써 보자.

답 (   )

02 위 대화의 ㉠에 들어갈 알맞은 말을 써 보자.

답 (   )

03 한류와 난류가 교차하는 수역인 ㉡의 명칭을 써 보자.

답 (   )

04 '불타는 얼음'이라는 별명을 가지고 있는 ㉢ 에너지 자원의 명칭을 써 보자.

답 (   )

05 연안국의 경제적 권리를 인정하는 수역으로, ㉣에 들어갈 말을 써 보자.

답 (   )

06 독도의 생태적 가치가 높아 1999년에 지정된 것으로, ㉤에 들어갈 말을 써 보자.

답 (   )

A 우리나라의 영역

01 영역에 대한 설명으로 옳지 않은 것은?

① 영공은 영토의 수직 상공이다.
② 영토, 영해, 영공으로 이루어진다.
③ 한 국가의 주권이 미치는 지리적 범위이다.
④ 내륙 국가는 영공과 영토로만 이루어져 있다.
⑤ 영해는 영토에서 일정한 거리까지의 바다를 말한다.

[02-03] 다음 모식도를 보고 물음에 답하시오.

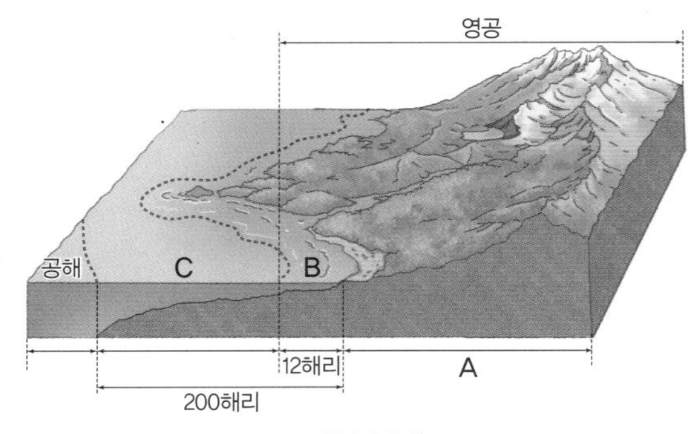

▲ 영역의 구성

필수

02 A~C에 대한 옳은 설명을 〈보기〉에서 고른 것은?

보기
ㄱ. A는 남한과 그 부속 섬으로 규정한다.
ㄴ. B는 일반적으로 최저 조위선에서 12해리까지이다.
ㄷ. B는 대한 해협의 경우 직선 기선에서 3해리까지로 설정하였다.
ㄹ. C는 영해로부터 200해리까지의 수역이다.

① ㄱ, ㄴ ② ㄱ, ㄹ ③ ㄴ, ㄷ
④ ㄴ, ㄹ ⑤ ㄷ, ㄹ

03 B, C의 공통점에 대한 설명으로 옳은 것은?

① 국가마다 마음대로 범위를 정할 수 있다.
② 한 국가의 주권이 미치는 지리적 범위이다.
③ 연안국의 어업 활동과 천연자원의 권리가 보장된다.
④ 중복되는 범위가 있으면 두 국가가 공동으로 관리한다.
⑤ 연안국 외 다른 국가의 선박과 항공기 등이 자유롭게 통행할 수 있다.

04 우리나라의 영해 설정과 관련하여 ㉠~㉤에 들어갈 내용이 바르게 연결된 것은?

우리나라 주변 바다에서 기준선으로부터 12해리까지의 범위가 영해이다. 해안선이 단조로운 동해와 (㉠), 울릉도, 제주도 등지에서는 (㉡)이 적용되고, 섬이 많은 황·남해는 가장 외곽에 있는 섬들을 연결한 (㉢)을 적용한다. 일본과 인접한 대한 해협에서는 (㉣)에서 (㉤)까지만 우리나라의 영해로 설정한다.

① ㉠ - 독도 ② ㉡ - 직선 기선
③ ㉢ - 통상 기선 ④ ㉣ - 통상 기선
⑤ ㉤ - 5해리

고난도

05 다음 지도에 대한 옳은 설명을 〈보기〉에서 고른 것은?

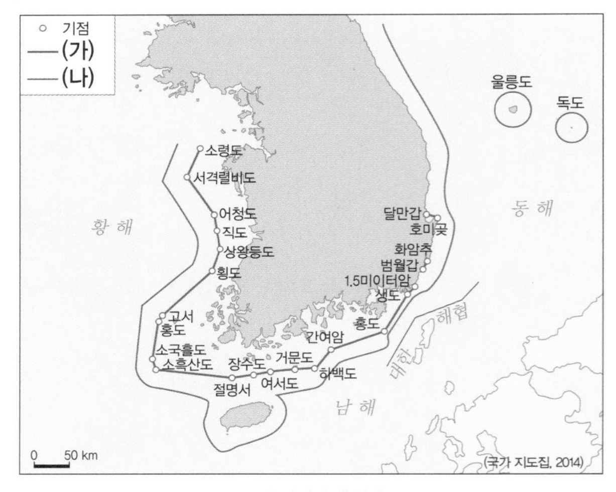

▲ 우리나라의 영해

보기
ㄱ. (가)는 영해선, (나)는 직선 기선이다.
ㄴ. 울릉도, 독도는 통상 기선이 적용된다.
ㄷ. 모든 해역에서 기선으로부터 12해리를 적용하고 있다.
ㄹ. 황·남해는 영해 설정 시 가장 외곽의 섬을 직선으로 연결한 직선 기선이 적용된다.

① ㄱ, ㄴ ② ㄱ, ㄹ ③ ㄴ, ㄷ
④ ㄴ, ㄹ ⑤ ㄷ, ㄹ

정답과 해설 53쪽

06 다음 지도의 A~E에 대한 설명으로 옳지 않은 것은?

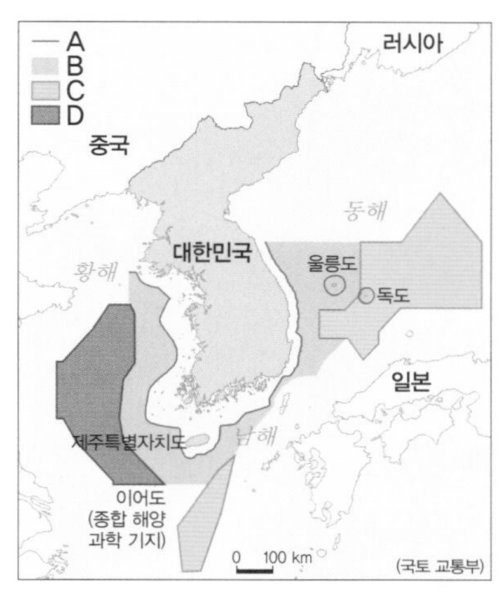

▲ 우리나라의 배타적 경제 수역

① A – 우리나라는 해안에 따라 설정하는 기준이 다르다.
② B – 미국과 일본 등의 무역선이 자유롭게 통과할 수 있다.
③ C – 일본과 중국의 어선이 조업 활동을 할 수 있다.
④ C – 우리나라와 일본의 어선이 조업 활동을 할 수 있다.
⑤ D – 중국과 우리나라의 어선이 조업 활동을 할 수 있다.

서술형

07 우리나라의 동해와 황·남해에서 영해 설정 기준이 다른 이유를 제시어를 사용하여 서술하시오.

제시어: 해안선, 통상 기선, 직선 기선

B 소중한 우리 영토, 독도

08 다음에서 설명하는 섬은 어디인가?

우리나라 영토의 가장 동쪽에 위치하며 동도와 서도 등 두 개의 큰 섬과 89개의 바위섬으로 이루어져 있다.

① 독도 ② 울릉도 ③ 제주도
④ 이어도 ⑤ 거제도

필수

09 다음 지도의 섬에 대한 옳은 설명을 〈보기〉에서 있는 대로 고른 것은?

보기
ㄱ. 종합 해양 과학 기지가 있다.
ㄴ. 천연 보호 구역으로 지정되어 있다.
ㄷ. 해양의 영향으로 기온의 연교차가 작다.
ㄹ. 제주도와 울릉도보다 먼저 형성된 화산섬이다.

① ㄱ, ㄴ ② ㄱ, ㄹ ③ ㄱ, ㄴ, ㄷ
④ ㄱ, ㄷ, ㄹ ⑤ ㄴ, ㄷ, ㄹ

10 다음 자료를 통해 알 수 있는 지역에 대한 설명으로 옳지 않은 것은?

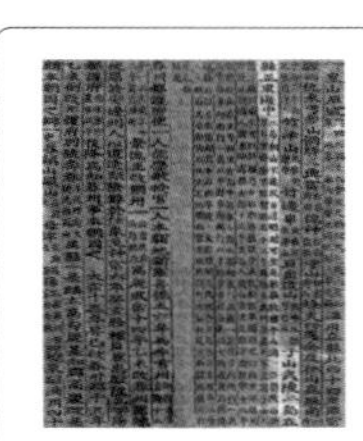

▲ 세종실록지리지

『세종실록지리지』에는 "우산(于山)과 무릉(武陵) 두 섬은 울진현의 정동쪽 바다 가운데에 있다. 두 섬 간의 거리가 멀지 않아 날씨가 맑으면 서로 바라볼 수 있다."라고 기록되어 있다.

① 화산 활동에 의해 형성되었다.
② 행정 구역 상 경상북도에 속한다.
③ 세계 자연 유산으로 지정되어 있다.
④ 영해 설정에는 통상 기선을 적용한다.
⑤ 우리나라에서 해가 가장 먼저 떠오른다.

XI. 세계 속의 우리나라

우리나라 여러 지역의 경쟁력

물음으로 흐름잡기

지역화 1. 지역성이란 무엇일까? 2. 지역화 전략의 종류에는 무엇이 있을까?

A 세계화 시대의 지역화

1. 지역과 지역성

① **지역**: 지역성이 다른 곳과 구분되는 지표상의 범위를 말함

② **지역성**: 지역의 자연환경과 그곳에서 거주해 온 주민이 오랜 시간에 걸쳐 상호 작용하여 형성된 것으로, 다른 지역과 구별되는 특성을 말함

교과서 자료 독특한 지역성을 지닌 지역 ─ 국제적 가치를 인정받고 있는 지역이야.

▲ 제주도: 한라산과 성산 일출봉, 거문오름 용암동굴계는 세계 자연 유산으로 등재되었음

세계 자연 유산과 세계 문화유산은 유네스코(UNESCO)에서 지정하고 있어.

▲ 서울, 수원, 경주: 서울의 종묘, 수원의 화성, 경주의 문화 유적 지구는 세계 문화유산으로 등재되었음

2. 지역화

① **의미**: 특정 지역이 세계의 정치·경제·사회·문화의 주체로 등장하는 현상

② **등장 배경**: 세계화로 인한 지역 간의 교류 증가 → 지역 간 경쟁이 치열해짐

③ 지역화 전략[❶]의 의미와 영향

의미	지역의 경쟁력을 높이기 위해 경제적·문화적 측면에서 다른 지역과 차별화할 수 있는 계획을 마련하는 것 → 지역 브랜드, 장소 마케팅, 지리적 표시 등이 대표적임
영향	• 주민들의 정체성을 다지고 자긍심을 높일 수 있음 • 기업 유치를 통해 일자리를 늘리고 관광 산업으로 소득을 높일 수 있음

⚠ 용어 알기

- **정체성** 상당 기간 동안 일관되게 유지되는 고유한 실체를 말한다.
- **자긍심** 스스로의 능력을 믿음으로써 가지는 당당한 마음을 말한다.

✓ 간단 체크

❶ 한라산, 성산 일출봉, 거문오름 용암동굴계가 세계 자연 유산으로 등재된 지역은?

❷ 세계 문화유산인 화성이 있는 도시는?

❶ 지역화 전략을 성공시키기 위한 조건

- 지역의 정체성을 확인하고, 그 정체성을 바탕으로 지역만이 가지고 있는 지역 고유의 특징을 반영한다.
- 이미 성공한 사례를 살펴보고 지역화 전략을 세운다.
- 지역화 전략의 효과를 높이기 위해서는 지역 주민의 참여와 협조가 중요하다.

B 다양한 지역화 전략

1. 지역 브랜드 지역만의 독특한 이미지를 상품화하는 것 → 지역의 고유한 특성과 매력이 잘 드러나도록 로고나 슬로건, 캐릭터 등을 활용함 예 평창의 'HAPPY 700' 미국 뉴욕의 'I♥NY', 독일 베를린의 'Be Berlin' 등
해발 고도 700m에 위치한 지리적 특색을 표현한 거야.

2. 지리적 표시❷ 특정 상품을 생산지의 기후와 지형, 토양 등 지역의 자연환경과 독특한 재배 방법으로 생산하고 품질이 우수할 때 그 원산지의 지명을 상표권으로 인정하는 제도 – 우리나라는 2002년에 보성 녹차가 최초로 지리적 표시 상품으로 등록되었어.

3. 장소 마케팅

① **의미**: 랜드마크 등 특정 장소가 가지고 있는 자연환경이나 역사적·문화적 특성을 드러내어 장소를 매력적인 상품으로 만들어 이를 판매하는 활동
순천은 갯벌과 염전, 습지가 공존하는 생태 관광지임을 홍보하고 있어.

② **장소 마케팅의 가장 대표적인 전략**: 지역의 상징성을 이용한 축제 → 지역의 독특한 정체성과 이미지를 창출함
파주는 '책의 도시'라는 이미지를 홍보하고 있어.

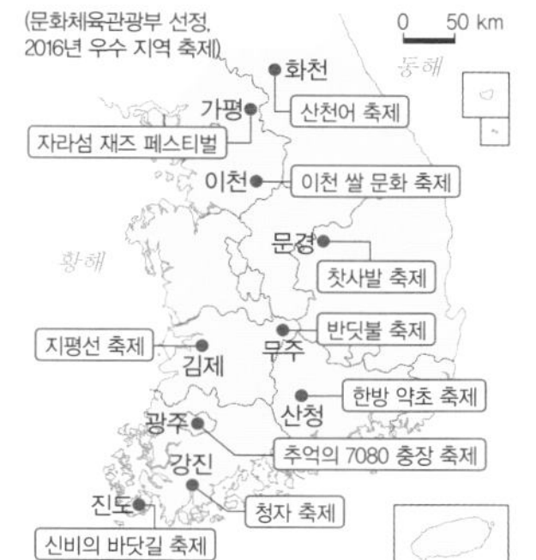

우리나라의 지역 축제 ▶

⚠ 용어 알기
• **창출** 전에 없던 것을 처음으로 생각하여 지어내거나 만들어 내는 것을 말한다.

❷ 지리적 표시(PGI) 인증 마크

우수한 지리적 특성을 가진 농산물과 가공품을 보호하여 지리적 특산품의 품질 향상과 지역 특화 산업으로의 육성을 도모할 수 있다.

교과서 자료 지역 이미지를 활용한 지역 브랜드와 캐릭터

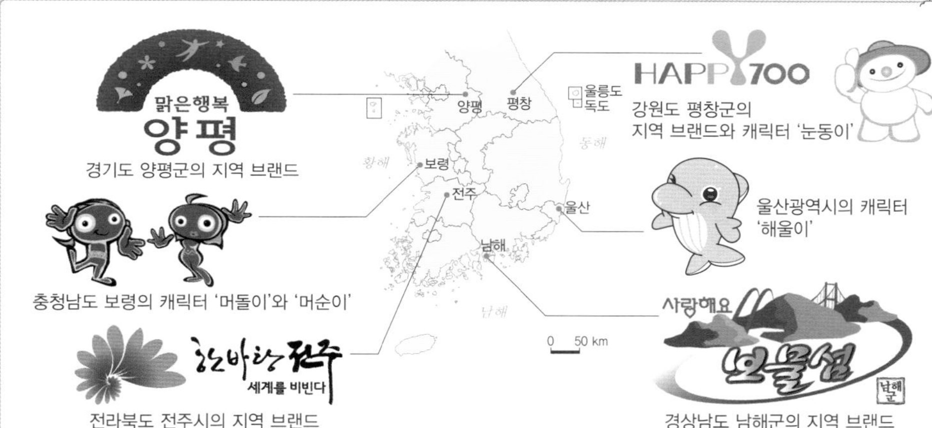

경기도 양평군의 지역 브랜드
강원도 평창군의 지역 브랜드와 캐릭터 '눈동이'
울산광역시의 캐릭터 '해울이'
충청남도 보령의 캐릭터 '머돌이'와 '머순이'
전라북도 전주시의 지역 브랜드
경상남도 남해군의 지역 브랜드

• 지역 브랜드를 개발할 때 각 지역은 자연환경과 역사, 문화, 산업, 인물 등을 활용한다.
• 각 지역은 지역 자체를 브랜드로 만드는 것은 물론이고 지역에서 생산되는 농산품을 브랜드로 만들기도 한다.

✓ 간단 체크

❸ 갯벌의 깨끗한 진흙을 홍보하는 캐릭터를 만든 지역은?

❹ 지역의 해발 고도와 겨울의 풍부한 눈을 홍보하는 지역 브랜드와 캐릭터를 만든 지역은?

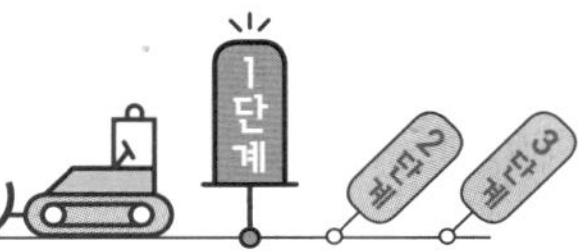

* 빈칸에 알맞은 말을 쓰거나, 밑줄 친 말을 바르게 고쳐 쓰시오.

정답과 해설 54쪽

A 세계화 시대의 지역화

01 (   )은/는 다른 지역과 구별되는 특성으로 지역의 자연환경과 그곳에 거주해 온 주민들이 오랜 시간에 걸쳐 상호 작용하여 형성된다.

02 특정 지역이 세계의 정치·경제·사회·문화의 주체로 등장하는 현상을 (   )(이)라고 한다.

B 다양한 지역화 전략

03 강원도 영월군은 사람과 동식물이 가장 건강하고 행복하게 지낼 수 있는 고지대의 특성을 담은 'HAPPY 700'이라는 지역 브랜드를 개발하였다.

04 특정 장소의 특성을 드러내어 매력적인 상품으로 만들어 이를 판매하는 활동 전략을 지리적 표시라고 한다.

A 세계화 시대의 지역화

01 지역성과 우리나라 지역의 특성에 대한 설명으로 옳지 않은 것은?

① 자연환경과 인문 환경에 따라 지역성이 달라진다.
② 제주도의 한라산은 유네스코 지정 세계 자연 유산이다.
③ 지역은 지역성이 다른 곳과 구분되는 지표상의 범위이다.
④ 우리나라 동해안에서는 넓은 갯벌과 다도해를 볼 수 있다.
⑤ 세계화 시대에 지역성은 그 지역의 경쟁력을 높일 수 있게 해 준다.

고난도

02 다음 글의 ㉠에 해당하는 지역을 A~E에서 있는 대로 고른 것은?

> 우리나라가 지닌 독특한 지역성은 국제적으로도 그 가치를 인정받아 유네스코(UNESCO)는 (㉠) 등을 세계 문화유산으로 등재하였다.

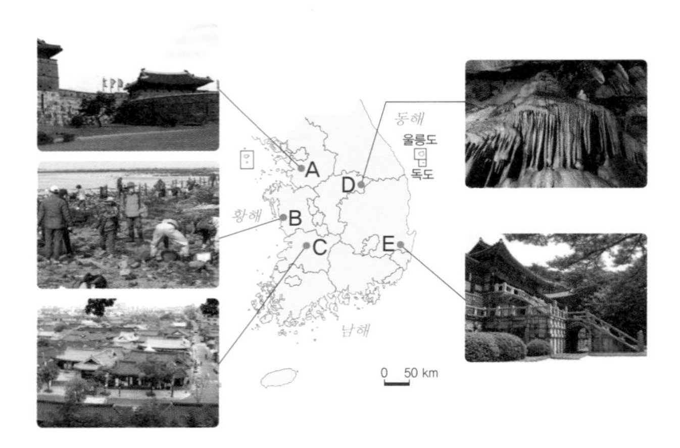

① A, B ② A, E ③ A, C, E
④ B, C, D ⑤ E, D, E

서술형

03 지역화의 의미를 제시어를 사용하여 서술하시오.

> 제시어: 특정 지역, 세계, 정치 · 경제 · 사회 · 문화, 주체

04 세계화 시대의 지역화에 대한 옳은 설명을 〈보기〉에서 있는 대로 고른 것은?

> 보기
> ㄱ. 각 지역의 특성이 국가를 넘어 세계로 알려지는 것이다.
> ㄴ. 교통 · 통신의 발달에 따른 지역 간 경쟁의 심화가 원인이다.
> ㄷ. 각 지역은 지역의 고유성을 바탕으로 한 지역의 특성을 상품화한다.
> ㄹ. 지역화 전략을 통해 지역의 경제가 활성화되지만, 지역의 고유문화는 훼손될 우려가 크다.

① ㄱ, ㄴ ② ㄱ, ㄹ ③ ㄱ, ㄴ, ㄷ
④ ㄱ, ㄴ, ㄹ ⑤ ㄴ, ㄷ, ㄹ

05 성공적인 지역화 전략의 특징으로 옳지 않은 것은?

① 지역의 고유한 특성을 반영하여야 한다.
② 다른 지역과 차별화된 이미지를 구축한다.
③ 중앙 정부 차원의 지역화 전략 계획을 수립한다.
④ 새롭게 긍정적인 이미지를 창출하여 상품화하기도 한다.
⑤ 지역 주민, 기업, 지방 자치 단체가 긴밀하게 협력하여야 한다.

B 다양한 지역화 전략

06 지역 브랜드에 대한 옳은 설명을 〈보기〉에서 있는 대로 고른 것은?

> 보기
> ㄱ. 지역을 홍보하고 경쟁력을 높일 수 있는 수단이다.
> ㄴ. 해당 지역의 고유한 특성과 가치를 잘 반영하여야 한다.
> ㄷ. 뉴욕의 'I♥NY', 베를린의 'Be Berlin'이 대표적 사례이다.
> ㄹ. 지역의 공장에서 생산되는 제품의 판매만을 위해서 만든다.

① ㄱ, ㄴ ② ㄱ, ㄹ ③ ㄱ, ㄴ, ㄷ
④ ㄱ, ㄴ, ㄹ ⑤ ㄴ, ㄷ, ㄹ

07 다음과 같은 지역 브랜드를 가진 지역의 특성을 〈보기〉에서 고른 것은?

보기
ㄱ. 지형이 평탄하여 벼농사가 발달한다.
ㄴ. 해발 고도가 높아 여름에도 서늘하다.
ㄷ. 스키장, 휴양 시설 등 관광 산업이 발달하였다.
ㄹ. 과거 광산이었던 동굴을 테마파크로 활용하고 있다.

① ㄱ, ㄴ ② ㄱ, ㄹ ③ ㄴ, ㄷ
④ ㄴ, ㄹ ⑤ ㄷ, ㄹ

08 사회 수업 중 교사의 질문에 틀리게 답한 학생은?

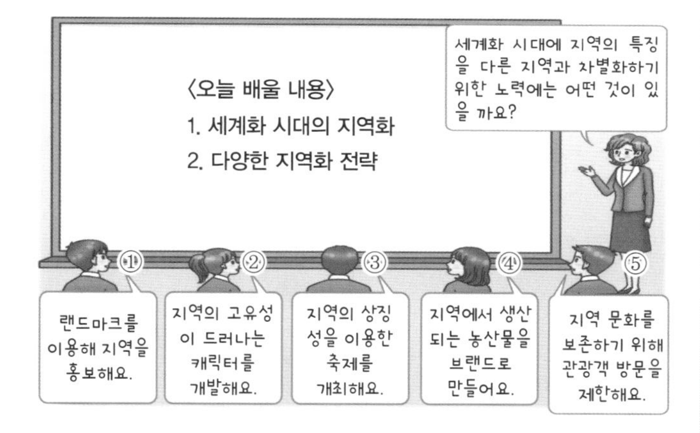

09 다음 글의 ㉠, ㉡에 들어갈 말을 옳게 짝지은 것은?

• (㉠)에서는 매년 여름에 서해안의 갯벌을 이용한 머드 축제가 열린다.
• 함평은 (㉡) 축제를 개최하여 지역 경제 활성화와 친환경적 지역 이미지를 만드는 데 성공하였다.

	㉠	㉡		㉠	㉡
①	횡성	나비	②	보령	나비
③	횡성	고인돌	④	보령	고인돌
⑤	진주	지평선			

10 지역과 지역화 전략이 옳게 연결된 것을 〈보기〉에서 고른 것은?

보기
ㄱ. 문경 – 곡창 지대를 배경으로 지평선 축제를 개최한다.
ㄴ. 순천 – 갯벌과 염전·습지가 공존하는 생태 관광지로 유명하다.
ㄷ. 김제 – 폐광 시설을 석탄 박물관으로 만들어 관광객을 불러 모으고 있다.
ㄹ. 파주 – 과거 군사 도시의 이미지를 벗고 문화와 산업이 어우러진 '책 도시'로의 이미지 변화를 추진하고 있다.

① ㄱ, ㄴ ② ㄱ, ㄹ ③ ㄴ, ㄷ
④ ㄴ, ㄹ ⑤ ㄷ, ㄹ

11 다음 표시와 관련된 지역화 전략에 대한 설명으로 옳지 않은 것은?

① 보성 녹차가 최초로 등록되었다.
② 다른 곳에서 임의로 상표권을 사용할 수 없다.
③ 우수한 지리적 특성을 가진 농산물을 보호한다.
④ 지역의 특산물로 농산물에만 적용되는 인증이다.
⑤ 생산자에게 안정적인 생산 활동을 할 수 있게 한다.

서술형
12 장소 마케팅의 의미를 제시어를 사용하여 서술하시오.

제시어: 장소, 자연환경, 역사적·문화적 특성

통일 이후 국토 공간

물음으로 흐름잡기

통일 1. 우리나라 위치의 지리적 특징은 무엇일까? 2. 남북 분단으로 인한 문제점은 무엇일까?

A 우리 국토 위치의 중요성과 통일의 필요성

1. 우리나라 국토 위치의 중요성

① **동아시아 교통의 요지**❶: 유라시아 대륙 동쪽에 있는 반도국으로 북쪽으로는 대륙으로 진출할 수 있고, 남쪽으로는 태평양에 진출할 수 있음

② **통일 후 국토의 장점**: 동아시아 교통의 요지라는 위치적 장점을 살릴 수 있으며, 동아시아뿐 아니라 세계의 중심으로 도약할 수 있음

제2차 세계 대전 이후 우리나라는 강대국의 이해관계에 따라 분단되었고, 그 결과 대륙으로 진출하는 통로가 단절되었어.

교과서 자료 국토 위치의 장점과 통일의 필요성 

◀ 대륙과 해양 진출에 유리한 위치

- 우리나라는 유라시아 대륙과 태평양을 잇는 반도국으로 대륙과 해양 양방향으로의 인적·물적·문화적 교류에 유리하다.
- 국토 분단으로 남한은 대륙으로 통하는 육로 단절, 북한은 해양 진출에 제약이 발생하게 되었다.

2. 국토 통일의 필요성 집중 공략 210쪽

집중 공략 210쪽

대륙으로의 육로가 없기 때문에 우리나라는 마치 섬과 같아.

분단으로 인한 문제점

- **지리적 위치의 장점 활용 제한**: 국토 공간을 효율적으로 이용하지 못함
- **남북 간의 군사적 긴장**: 한반도의 위상 약화, 세계 평화의 위험 요소로 작용
- **분단 비용 증가**: 남북 대립으로 국방비 지출
- **민족 동질성 약화**: 남북 문화의 이질화, 이산가족과 실향민 발생

통일의 필요성

- **국토의 균형 발전**: 반도국의 이점 회복
- **분단 국가의 부정적 이미지 해소**: 국제 사회에서 위상 강화, 세계 평화에 이바지
- **분단 비용 감소**: 경제, 교육, 복지, 문화 분야 투자 가능
- **민족의 동질성 회복**: 남북 간의 이질감 극복, 이산가족 문제 해결

교과서 자료 남북한 경제 지표

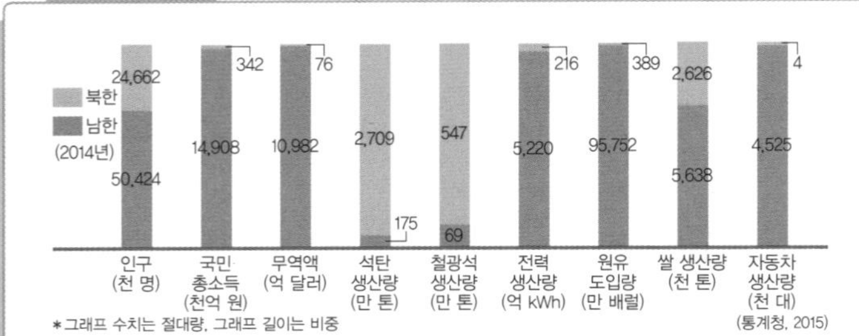

국토 통일로 남한의 앞선 기술과 자본, 북한의 풍부한 천연자원 및 노동력을 결합하면 국토의 잠재력이 극대화되어 큰 경제적 효과가 나타날 수 있다.

용어 알기

- **분단 비용** 분단으로 소요되는 국방비, 외교적 경쟁 비용, 이산가족, 국군 포로 등으로 인한 비용을 말한다.
- **이산가족** 재해, 전쟁 등으로 본의 아니게 흩어져 서로 만날 수 없게 된 가족을 말한다.

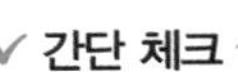

❶ 반도국인 우리나라의 지리적 장점은?

❶ 동아시아의 중심, 우리나라

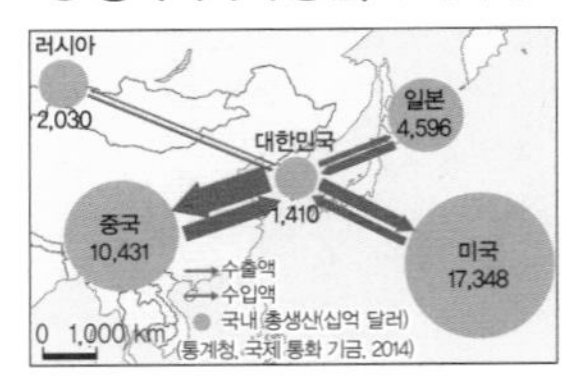

▲ 우리나라와 주변국의 국내 총생산

동아시아의 국제적 영향력 증대로 중계 무역에 유리한 우리나라의 위치적 장점을 살리는 것이 매우 중요하다.

간단 체크

❷ 남한과 북한 중 국민 총소득이 더 많은 곳은?

❸ 남한과 북한 중 석탄, 철광석 생산량이 더 많은 곳은?

B 통일 한국의 미래

1. 국토 공간의 변화 집중 공략 211쪽

① **반도국의 지리적 이점 회복:** 동아시아의 물류• 중심지로 성장할 수 있음

② **경제적 발전:** 남한의 자본과 기술, 북한의 지하자원과 노동력을 결합하여 국토를 효율적으로 이용할 수 있음

③ **매력적인 국토 공간 조성:** 백두산, 금강산, 비무장 지대(DMZ)❷ 등 생태 지역과 남북한의 역사 문화유산을 결합하여 생태·환경·문화가 어우러진 매력적인 국토 공간을 조성할 수 있음

2. 생활 모습의 변화 자유 민주주의 이념 확대, 생활권의 확대로 새로운 직업과 일자리 창출, 군사비를 경제·복지 분야에 투자하여 삶의 질이 향상될 수 있음

3. 통일을 위한 노력 남북한 경제 협력 및 교류 확대, 단절된 교통로 연결 등

교과서 자료 위치적 이점을 살리는 국토 통일

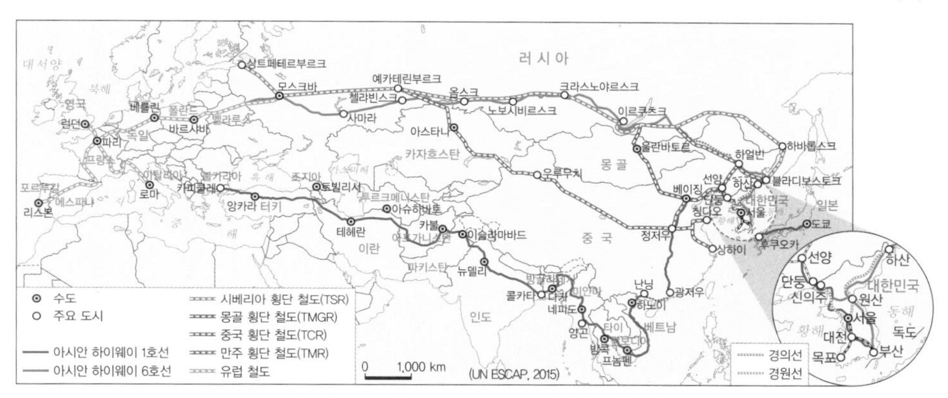

▲ 아시안 하이웨이 예상 노선과 유라시아 횡단 철도망

- 아시안 하이웨이 예상 노선: 아시아 대륙을 동서로 잇는 아시안 하이웨이가 연결되면 아시아 지역의 인적·물적 교류의 중심지가 될 수 있다.
- 유라시아 횡단 철도망: 우리나라와 유럽 간의 물자 수송을 육로로도 할 수 있다.

용어 알기

• **물류** 생산자로부터 소비자까지의 상품의 흐름을 말한다.

❷ 비무장 지대(DMZ)

군사 분계선을 기준으로 남북 2km 범위 내에 군사 시설이나 인원을 배치하지 않은 완충 지역으로, 60여 년 간 일반인의 출입이 통제되어 자연 생태계가 잘 보존되어 있다.

✓ 간단 체크

❹ 아시아 32개국을 연결하는 도로의 이름은?

❺ 부산~북한~러시아~유럽 대륙을 연결하는 철도는?

*괄호 안의 알맞은 말을 고르거나, 밑줄 친 곳을 바르게 고쳐 쓰시오.

정답과 해설 55쪽

A 우리 국토 위치의 중요성과 통일의 필요성

01 우리나라는 유라시아 대륙과 (대서양, 태평양)을 연결하는 반도국이다.

02 우리나라는 중국, 일본 등이 위치한 서아시아 지역에서도 중심 역할을 할 수 있는 곳에 자리하고 있다.

03 남북 분단으로 문화적 이질화가 (약화, 심화)되고, 군사비 지출이 (감소, 증가)하는 등 문제점이 나타나고 있다.

B 통일 한국의 미래

04 통일로 북한의 자본과 기술, 남한의 지하자원과 노동력을 결합하면 경제가 발전될 것이다.

05 비무장 지대는 분단 후 일반인의 출입이 엄격히 통제되어 (생태계, 산업 시설)이/가 잘 보존되어 있다.

06 통일로 인해 아시안 하이웨이가 완공되면 아시아 대륙이 (동서, 남북)(으)로 연결되어 육로로 유럽까지 갈 수 있다.

집중 공략

A. 자료로 보는 통일의 필요성

정답과 해설 55쪽

집중해서 알아보기

현재 우리나라는 분단으로 인해 국토를 효율적으로 이용하기 어렵다.
통일이 되면 남한과 북한의 장점을 결합하여 우리나라의 발전 잠재력을 향상시킬 수 있다.

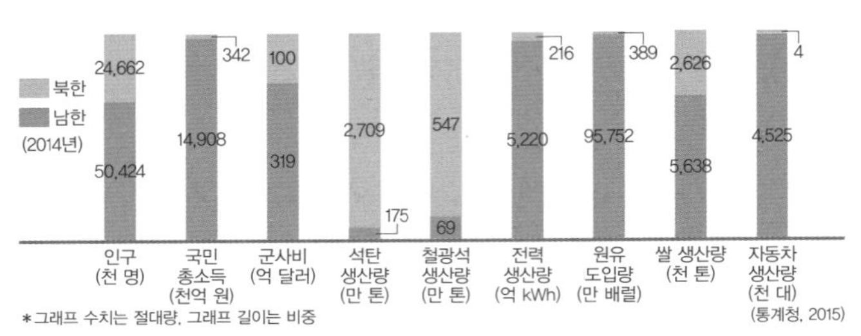

▲ 남한과 북한의 경제 지표 비교

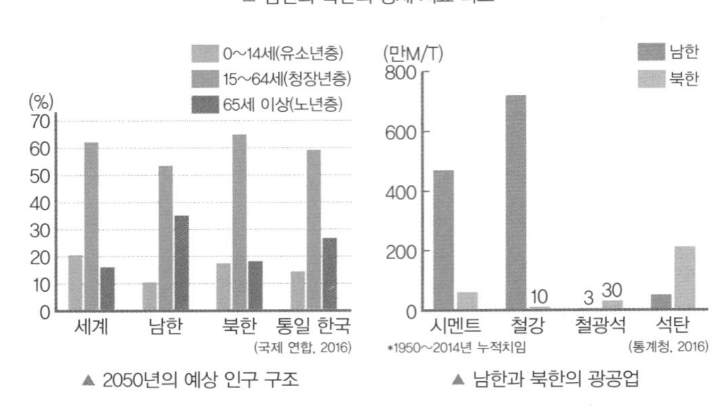

▲ 2050년의 예상 인구 구조

▲ 남한과 북한의 광공업

- 통일을 하면 우리나라의 평균 연령은 낮아지고 국내 총생산은 증가한다.
- 국토 통일을 통해 군사비 부담이 감소하면 국토에 효율적 투자가 가능해진다.
- 국토 통일로 남한의 자본과 기술, 북한의 풍부한 천연자원이 결합하면 큰 경제적 효과가 나타날 것이다.

문제로 공략하기

01 남한과 북한의 경제 지표를 비교한 그래프를 보고 알맞은 부등호를 표시해 보자.

(1) 인구수 답 남한 (　　) 북한
(2) 국민 총소득 답 남한 (　　) 북한
(3) 석탄 생산량 답 남한 (　　) 북한
(4) 철광석 생산량 답 남한 (　　) 북한
(5) 전력 생산량 답 남한 (　　) 북한
(6) 쌀 생산량 답 남한 (　　) 북한

02 군사비와 같이 분단으로 인해 남한과 북한이 부담해야 하는 비용을 무엇이라고 하는지 써 보자.

답 (　　)

03 2050년의 예상 인구 구조를 비교하였을 때 북한보다 남한에서 비중이 높은 연령층을 써 보자.

답 (　　)

04 남한과 북한이 통일되면 비중이 증가하게 되는 연령층을 모두 써 보자.

답 (　　)

05 남한과 북한 중 철강 기술이 발달한 곳과 원료인 철광석이 풍부한 곳을 각각 써 보자.

답 (　　)

B. 통일 이후의 국토 공간

정답과 해설 55쪽

집중해서 알아보기

남한과 북한이 통일이 되면 삶의 터전이 확대되고 균형 있는 국토 개발이 가능해진다. 그리고 지리적 이점을 활용하여 우리 국토는 정치·경제·관광의 중심지가 될 수 있다.

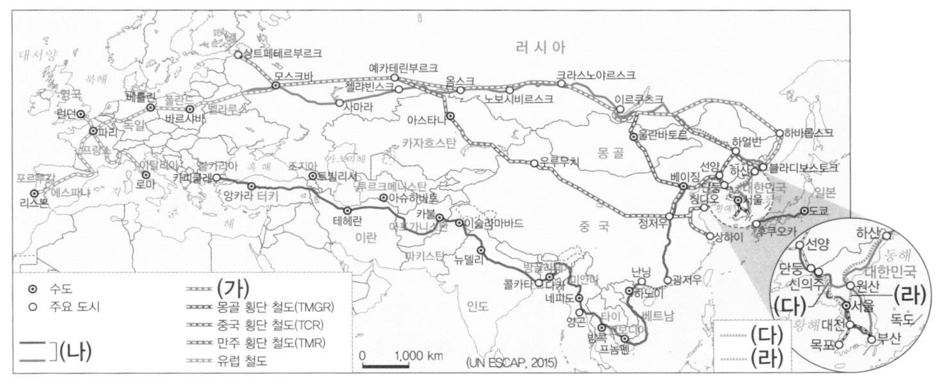

▲ 유라시아 횡단 철도와 도로

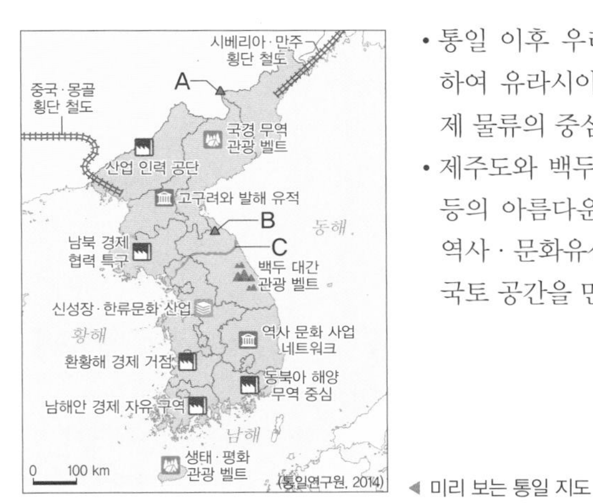

◀ 미리 보는 통일 지도

- 통일 이후 우리나라는 반도국의 이점을 회복하여 유라시아 대륙과 태평양을 연결하는 국제 물류의 중심지로 성장할 수 있을 것이다.
- 제주도와 백두산, 금강산, 비무장 지대(DMZ) 등의 아름다운 생태 지역과 서울, 개성 등의 역사·문화유산 지역 등이 결합하여 매력적인 국토 공간을 만들 수 있다.

문제로 공략하기

01 유라시아 대륙을 횡단하는 (가)의 이름을 써 보자.

답 (　　　　　　　)

02 아시아 국가 간의 물적·인적 교류 확대를 위해 건설이 추진되고 있는 (나) 도로의 이름을 써 보자.

답 (　　　　　　　)

03 남한과 북한을 연결하는 (다), (라)의 이름을 써 보자.

답 (　　　　　　　)

04 북한과 중국의 국경에 있는 A 산의 이름을 써 보자.

답 (　　　　　　　)

05 백두대간 관광 벨트의 중심을 이루는 B 산의 이름을 써 보자.

답 (　　　　　　　)

06 남한과 북한 간의 군사적 완충 지역으로 자연 생태계가 잘 보존되어 있는 C의 이름을 써 보자.

답 (　　　　　　　)

A 우리 국토 위치의 중요성과 통일의 필요성

01 다음 지도를 통해 알 수 있는 우리나라의 위치에 대한 옳은 설명을 〈보기〉에서 있는 대로 고른 것은?

보기
ㄱ. 대륙과 해양 양방향으로 진출하기에 유리하다.
ㄴ. 동아시아의 주변부에 위치하여 교류에 불리하다.
ㄷ. 반도국으로 태평양을 비롯한 해양 진출에 유리하다.
ㄹ. 유라시아 대륙과 태평양을 잇는 다리 역할을 한다.

① ㄱ, ㄴ ② ㄱ, ㄹ ③ ㄱ, ㄴ, ㄷ
④ ㄱ, ㄷ, ㄹ ⑤ ㄴ, ㄷ, ㄹ

02 다음과 같은 현상이 나타나는 원인으로 옳은 것은?

우리나라는 반도국이지만 남한은 대륙으로 가는 육로가 가로막혀 대륙 진출에 큰 어려움을 겪고 있고, 북한은 해양 진출에 제약을 받고 있다.

① 주변 국가들과 적대 관계에 있기 때문에
② 해외 진출을 위한 자본이 부족하기 때문에
③ 다양한 교통수단이 발달하지 못했기 때문에
④ 남북한이 분단되어 대립, 갈등하고 있기 때문에
⑤ 남북한 주민의 생활 수준과 문화 격차가 크기 때문에

03 분단이 지속되면서 나타나는 문제로 옳지 않은 것은?

① 국토가 균형 있게 발전하지 못하고 있다.
② 남북한 간의 경제적 격차가 심화되고 있다.
③ 경제적·비경제적 분단 비용이 감소하고 있다.
④ 국제 사회에서 국가 신용이 낮게 평가되고 있다.
⑤ 군사적 대립으로 과도한 군사비를 지출하고 있다.

04 다음 표를 통해 알 수 있는 남북 분단의 영향으로 옳은 것은?

남한 말	북한 말	남한 말	북한 말
볶음밥	기름밥	도넛	가락지빵
달걀	닭알	주스	과일단물
달걀찜	닭알두부	도시락	곽밥
달걀말이	색쌈	족발	발쪽찜
양계장	닭공장	잡곡밥	얼럭밥
수제비	뜨더국	아이스크림	얼음보숭이

(통일교육원, 2016)

① 전통문화가 훼손되었다.
② 문화의 이질성이 심화되었다.
③ 문화의 지역화 현상이 강화되었다.
④ 지역 문화의 다양성이 줄어들었다.
⑤ 공통된 가치관이 나타나게 되었다.

필수
05 국토 통일의 장점을 〈보기〉에서 있는 대로 고른 것은?

보기
ㄱ. 분단 비용을 줄일 수 있다.
ㄴ. 민족의 동질성을 회복할 수 있다.
ㄷ. 국토 공간의 균형을 회복할 수 있다.
ㄹ. 분단국가라는 부정적 이미지를 해소할 수 있다.

① ㄱ, ㄴ ② ㄱ, ㄷ ③ ㄱ, ㄴ, ㄷ
④ ㄱ, ㄴ, ㄹ ⑤ ㄱ, ㄴ, ㄷ, ㄹ

서술형
06 우리나라의 지리적 위치와 이러한 위치의 이점을 제시어를 사용하여 서술하시오.

제시어: 유라시아 대륙, 태평양, 반도국, 대륙과 해양

정답과 해설 56쪽

B 통일 한국의 미래

07 통일 이후 달라질 생활 모습으로 보기 어려운 것은?

① 명절에 북한의 고향을 그리워하는 실향민들
② 국가 대표가 되기 위해 협동하는 남북 운동선수들
③ 새로운 일자리를 찾아 북한으로 이동하는 남한 청년들
④ DMZ 평화 공원과 고구려 유적지로 체험 학습을 가는 학생들
⑤ 시베리아 횡단 열차를 우리나라에서 타고 유럽으로의 육로 여행을 계획하는 대학생들

08 남북한의 경제 협력을 통해 남한이 얻을 수 있는 이점을 〈보기〉에서 고른 것은?

| 보기 |
ㄱ. 높은 기술력　　ㄴ. 풍부한 자본
ㄷ. 풍부한 자원　　ㄹ. 저렴한 노동력

① ㄱ, ㄴ　② ㄱ, ㄷ　③ ㄴ, ㄷ
④ ㄴ, ㄹ　⑤ ㄷ, ㄹ

09 다음 그래프를 보고 통일 국토의 미래를 옳게 예측한 것은?

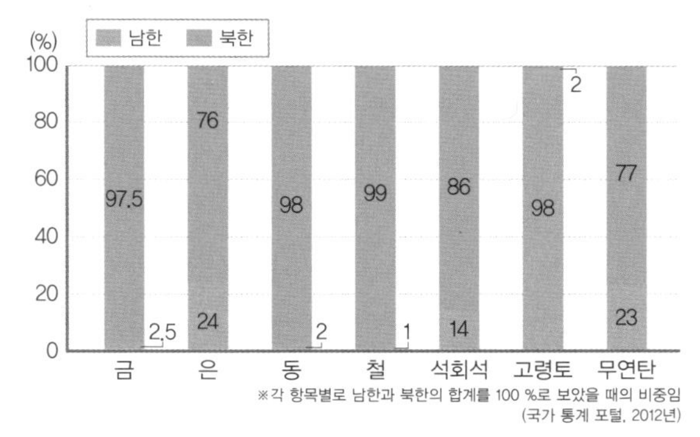

▲ 남북한 자원 매장량

① 국토의 상호 보완성이 약화될 것이다.
② 남북한 주민의 이질화가 심화될 것이다.
③ 국제적으로 우리나라의 신뢰도가 하락할 것이다.
④ 막대한 통일 비용이 발생하여 삶의 질이 저하될 것이다.
⑤ 북한의 천연자원을 활용하여 국토의 잠재력이 커질 것이다.

고난도

10 다음 그래프를 통해 예측할 수 있는 일을 〈보기〉에서 고른 것은?

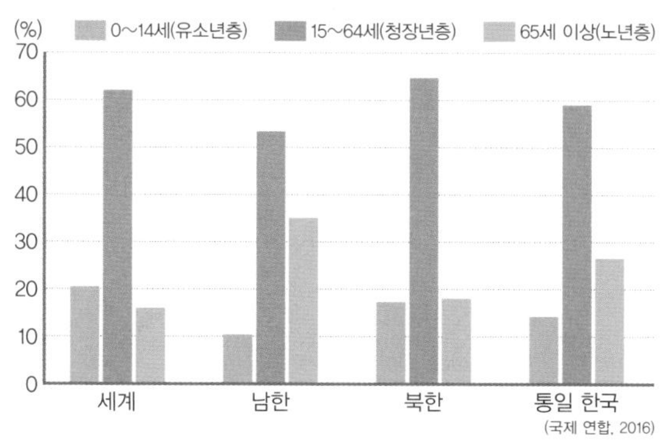

▲ 통일 이후 인구 구조의 변화

| 보기 |
ㄱ. 노동력 부족 문제가 심화될 것이다.
ㄴ. 생산 가능 인구가 증가하게 될 것이다.
ㄷ. 남한의 고령화 현상을 완화시키는 효과가 있다.
ㄹ. 저출산 현상으로 인구 증가율이 감소할 것이다.

① ㄱ, ㄴ　② ㄱ, ㄷ　③ ㄴ, ㄷ
④ ㄴ, ㄹ　⑤ ㄷ, ㄹ

필수

11 다음 지도의 (가) 지역에 대한 옳은 설명을 〈보기〉에서 고른 것은?

| 보기 |
ㄱ. 군사적 대립을 방지하기 위한 완충 지역이다.
ㄴ. 일반인 출입이 통제되어 환경 보존 상태가 뛰어나다.
ㄷ. 북한의 개방화 정책에 따라 일부 지역이 개발되었다.
ㄹ. 남한과 북한의 경제 협력으로 공업 단지가 건설되었다.

① ㄱ, ㄴ　② ㄱ, ㄷ　③ ㄴ, ㄷ
④ ㄴ, ㄹ　⑤ ㄷ, ㄹ

대단원 완성하기

01 다음 지도에 대한 옳은 설명을 〈보기〉에서 고른 것은?

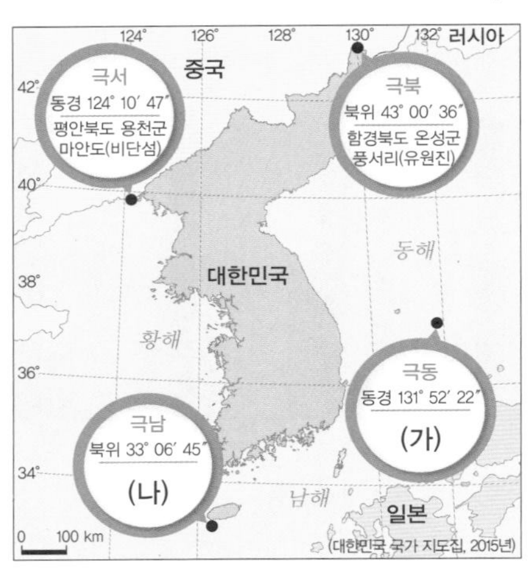

▲ 우리나라의 4극

보기
ㄱ. (가)는 독도, (나)는 이어도이다.
ㄴ. 삼면이 바다로 둘러싸인 반도국이다.
ㄷ. 가장 남쪽은 평안북도 용천군의 마안도이다.
ㄹ. 우리나라는 북위 33°~43°, 동경 124°~132°에 있다.

① ㄱ, ㄴ ② ㄱ, ㄹ ③ ㄴ, ㄷ
④ ㄴ, ㄹ ⑤ ㄷ, ㄹ

[02-03] 다음 모식도를 보고 물음에 답하시오.

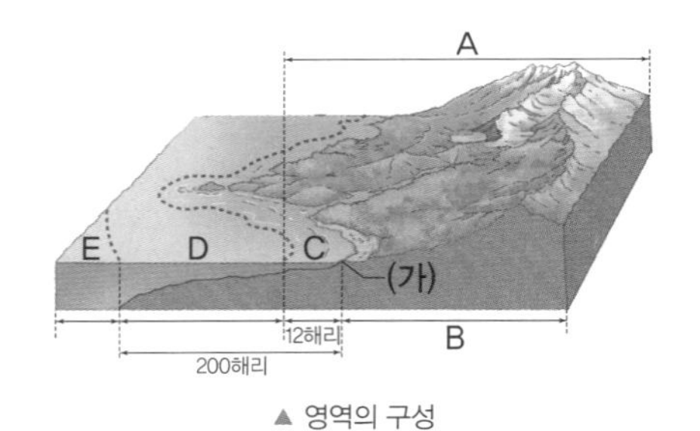

▲ 영역의 구성

02 A~E에 대한 설명으로 옳지 않은 것은?

① A: 최근 항공 교통의 발달로 중요성이 커지고 있다.
② B: 우리나라는 한반도와 부속 섬으로 규정하고 있다.
③ C: 간척 사업으로 황해의 영해 범위가 넓어지고 있다.
④ D: 기선으로부터 200해리 중 영해를 제외한 수역이다.
⑤ E: 세계의 항공기와 선박이 자유롭게 운항할 수 있다.

03 우리나라의 영해 설정 시 (가)를 기준으로 하는 곳을 〈보기〉에서 있는 대로 고른 것은?

보기
ㄱ. 독도 ㄴ. 황해
ㄷ. 울릉도 ㄹ. 제주도

① ㄱ, ㄴ ② ㄱ, ㄷ ③ ㄱ, ㄴ, ㄷ
④ ㄱ, ㄷ, ㄹ ⑤ ㄴ, ㄷ, ㄹ

04 다음 대화의 ㉠에 들어갈 내용으로 옳은 것은?

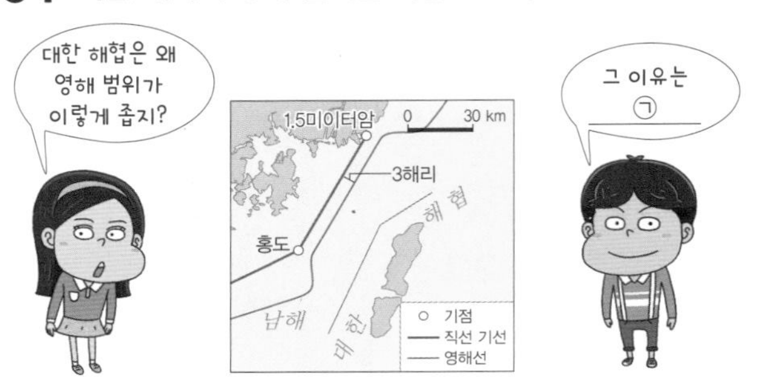

① 섬이 없기 때문이야.
② 해안선이 단조롭기 때문이야.
③ 해안선이 복잡하기 때문이야.
④ 일본과 거리가 가깝기 때문이야.
⑤ 수심이 얕고 갯벌이 넓기 때문이야.

05 배타적 경제 수역에 대한 설명으로 옳지 않은 것은?

① 영해로부터 200해리까지의 수역에 해당된다.
② 오늘날 이 수역에 대한 중요성이 더욱 커지고 있다.
③ 외국의 선박과 항공기가 허락 없이 통행할 수 있다.
④ 연안국은 인공 섬 및 시설물을 설치·활용할 수 있다.
⑤ 연안국은 해당 수역에서 자원 개발 및 이용에 관한 배타적 권리를 행사할 수 있다.

[06-07] 다음 학습 노트를 보고 물음에 답하시오.

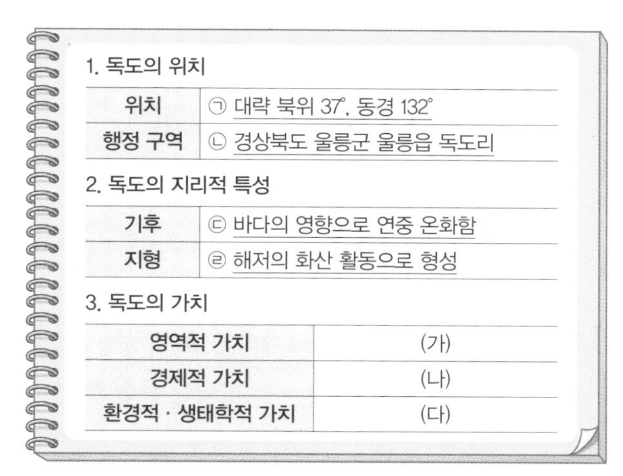

1. 독도의 위치

위치	㉠ 대략 북위 37°, 동경 132°
행정 구역	㉡ 경상북도 울릉군 울릉읍 독도리

2. 독도의 지리적 특성

기후	㉢ 바다의 영향으로 연중 온화함
지형	㉣ 해저의 화산 활동으로 형성

3. 독도의 가치

영역적 가치	(가)
경제적 가치	(나)
환경적 · 생태학적 가치	(다)

06 ㉠~㉣에 대한 설명이 옳게 연결된 것을 〈보기〉에서 고른 것은?

보기
ㄱ. ㉠ – 우리나라 최동단에 해당한다.
ㄴ. ㉡ – 우리나라에서 해가 가장 늦게 진다.
ㄷ. ㉢ – 기온의 연교차가 크고 강수량이 많다.
ㄹ. ㉣ – 제주도와 울릉도보다 먼저 형성된 화산섬이다.

① ㄱ, ㄴ ② ㄱ, ㄹ ③ ㄴ, ㄷ
④ ㄴ, ㄹ ⑤ ㄷ, ㄹ

07 (가)~(다)에 들어갈 내용이 잘못 연결된 것은?

① (가) – 배타적 경제 수역의 기준점이 될 수 있다.
② (가) – 동해 중앙에 위치해 군사적 요충지 역할을 한다.
③ (나) – 해양 심층수와 메탄하이드레이트가 풍부하다.
④ (나) – 주변 해역은 조경 수역으로 수산 자원이 풍부하다.
⑤ (다) – 유네스코 세계 자연 유산으로 지정되어 있다.

08 지역화 현상의 원인을 〈보기〉에서 고른 것은?

보기
ㄱ. 문화의 획일화
ㄴ. 지역 간의 경쟁 심화
ㄷ. 외래문화 유입으로 인한 지역 문화 훼손
ㄹ. 교통과 통신의 발달로 인한 지역 간 교류 증가

① ㄱ, ㄴ ② ㄱ, ㄹ ③ ㄴ, ㄷ
④ ㄴ, ㄹ ⑤ ㄷ, ㄹ

[09-10] 다음 지도를 보고 물음에 답하시오.

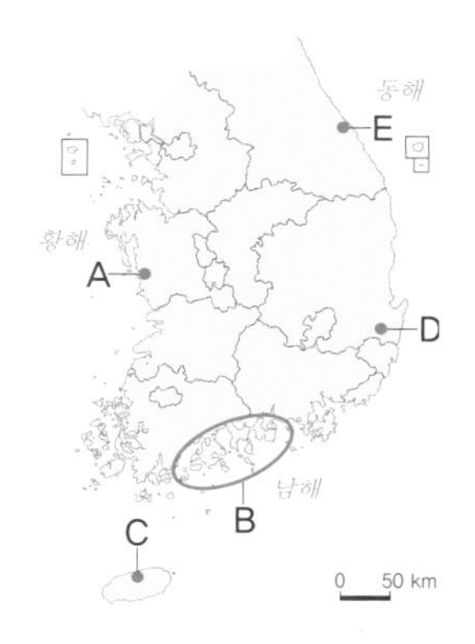

09 다음 사진을 촬영한 지역을 A~E에서 고른 것은?

① A
② B
③ C
④ D
⑤ E

10 다음 글에 해당하는 지역을 A~E에서 고른 것은?

성산 일출봉, 거문오름 용암동굴계 등 화산 활동에 의해 형성된 다양한 화산 지형이 2007년 유네스코 지정 세계 자연 유산으로 등재되었다.

① A ② B ③ C ④ D ⑤ E

11 지역 브랜드와 관련된 설명으로 옳지 않은 것은?

① 지역의 특정 이미지를 상품화한 것이다.
② 지역의 자연환경과 역사, 문화 등을 활용한다.
③ 다른 지역과의 차별성을 높일 수 있는 수단이다.
④ 이미 유명한 지역은 새 브랜드 개발에 소극적이다.
⑤ 지역 주민들의 정체성을 다지고 자긍심을 높일 수 있다.

12 다음 (가), (나)를 지도의 A～E와 옳게 짝지은 것은?

(가) 한옥, 한지, 비빔밥, 영화 등 다양한 문화 콘텐츠를 개발하여 우리나라의 대표적인 관광지로 발전하였다.
(나) '지리적 표시 1호'임을 강조하면서 우리나라 대표적인 녹차 생산지로 발전한 지역이다.

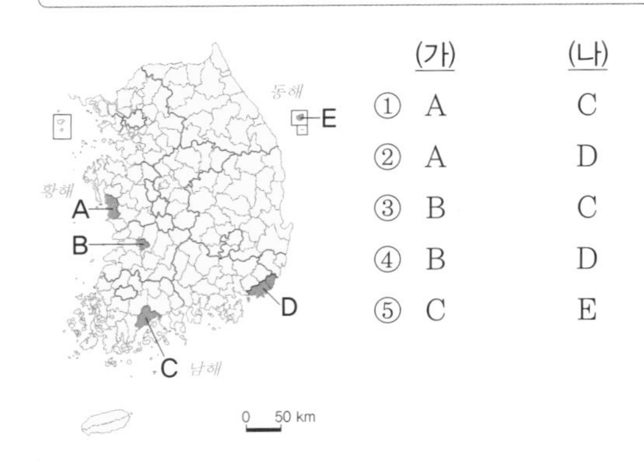

	(가)	(나)
①	A	C
②	A	D
③	B	C
④	B	D
⑤	C	E

13 다음 (가), (나) 지역 브랜드를 보유하고 있는 지역을 옳게 짝지은 것은?

(가)

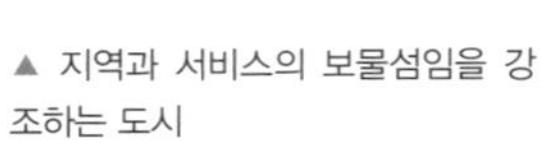

▲ 지역과 서비스의 보물섬임을 강조하는 도시

(나)

▲ 왕관과 첨성대가 유명한 우리나라의 역사 문화 도시

	(가)	(나)
①	김제	공주
②	김제	경주
③	남해	공주
④	남해	경주
⑤	남해	김제

[14-15] 다음 지도를 보고 물음에 답하시오.

14 우리나라의 위치와 관련된 대화 중 옳지 않은 것은?

① 갑: 대륙과 해양을 연결하는 다리 역할을 할 수 있어.
② 을: 동북아시아의 물류 중심지로 성장할 가능성이 커.
③ 병: 일본이 가로막고 있어 해양으로 진출하기 어려워.
④ 정: 철도와 도로가 연결되면 육상 교통으로 유럽까지 갈 수 있어.
⑤ 무: 대륙으로의 진출이 수월해지려면 남북 관계의 개선이 필요해.

15 위 지도를 바탕으로 통일이 이루어질 경우 기대할 수 있는 우리나라 위치와 관련된 효과로 가장 적절한 것은?

① 한민족으로서의 정체성 회복
② 이산가족과 실향민의 아픔 해소
③ 대륙과 해양의 연결로 물류비용 절감
④ 군사적 긴장의 종결 및 세계 평화에 기여
⑤ 인구 및 국토 증대로 인한 국제적 위상 강화

16 분단으로 인한 영향을 〈보기〉에서 고른 것은?

보기
ㄱ. 이산가족의 아픔 심화
ㄴ. 국토의 불균형한 개발
ㄷ. 남북한의 경제 격차 축소
ㄹ. 남북한 주민들의 문화적 동질화

① ㄱ, ㄴ ② ㄱ, ㄹ ③ ㄴ, ㄷ
④ ㄴ, ㄹ ⑤ ㄷ, ㄹ

정답과 해설 56쪽

17 다음은 경제적 측면에서 통일의 필요성을 설명한 것이다. (가)~(라)로 인한 변화 모습이 옳게 연결된 것을 〈보기〉에서 고른 것은?

(가) 북한의 천연자원과 관광 자원을 활용하여 관광객을 유치할 수 있다.
(나) 군사비 등 소모적 분단 비용을 줄이고 복지 분야에 투자가 확대된다.
(다) 유라시아 대륙과 태평양을 연결하는 물류의 중심지로 성장할 수 있다.
(라) '전쟁 위험국'이라는 부정적 이미지가 해소되어 경제 성장에 도움이 된다.

보기

ㄱ. (가) – 백두산, 금강산 등에 많은 사람들이 방문할 것이다.
ㄴ. (나) – 국내 건설업체들이 성장할 것이다.
ㄷ. (다) – 에너지 자원의 해외 의존도를 낮출 수 있다.
ㄹ. (라) – 외국인 투자가 증가하여 일자리가 창출될 것이다.

① ㄱ, ㄴ ② ㄱ, ㄹ ③ ㄴ, ㄷ
④ ㄴ, ㄹ ⑤ ㄷ, ㄹ

18 다음 지도를 보고 통일 국토의 미래 모습을 예측한 것으로 옳지 않은 것은?

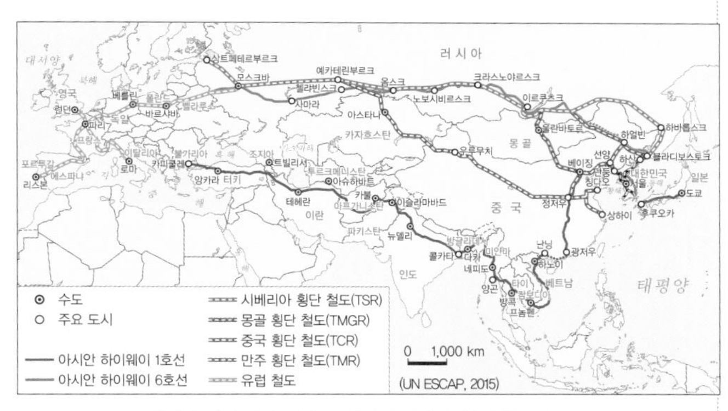

▲ 아시안 하이웨이 예상 노선과 유라시아 횡단 철도망

① 육로를 통한 물류 운송이 더욱 활발해질 것이다.
② 유럽까지의 운송비와 운송 기간이 감소될 것이다.
③ 육로의 이용 증가로 해상 운송이 급격히 감소될 것이다.
④ 한반도 종단 철도가 시베리아 횡단 철도와 연결될 것이다.
⑤ 우리나라는 유라시아 대륙과 태평양을 연결하는 물류의 중심지가 될 것이다.

서술형 문제

19 다음 지도를 보고 물음에 답하시오.

▲ 우리나라의 영해

(1) 우리나라 영해 설정의 기준선을 두 가지 쓰시오.

(2) 황해와 동해의 영해 기준선이 다른 이유를 제시어를 사용하여 서술하시오.

제시어: 섬, 해안선, 직선 기선, 통상 기선

20 다음 사진을 보고 물음에 답하시오.

▲ 충청남도 보령

(1) 위 사진에 나타난 해안 지형의 명칭을 쓰시오.

(2) (1)을 활용한 보령의 지역화 전략을 제시어를 사용하여 서술하시오.

제시어: 지역 캐릭터, 머드 축제, 지역 브랜드

더불어 사는 세계

01 지구상의 다양한 지리적 문제

02 발전 수준의 지역 차

~ 03 지역 간 불평등 완화를 위한 노력

배울 내용이 쉬워지는 용어

배울 용어를 읽어 보고, 이해가 되었으면 ✔ 표시를 해 봅시다.

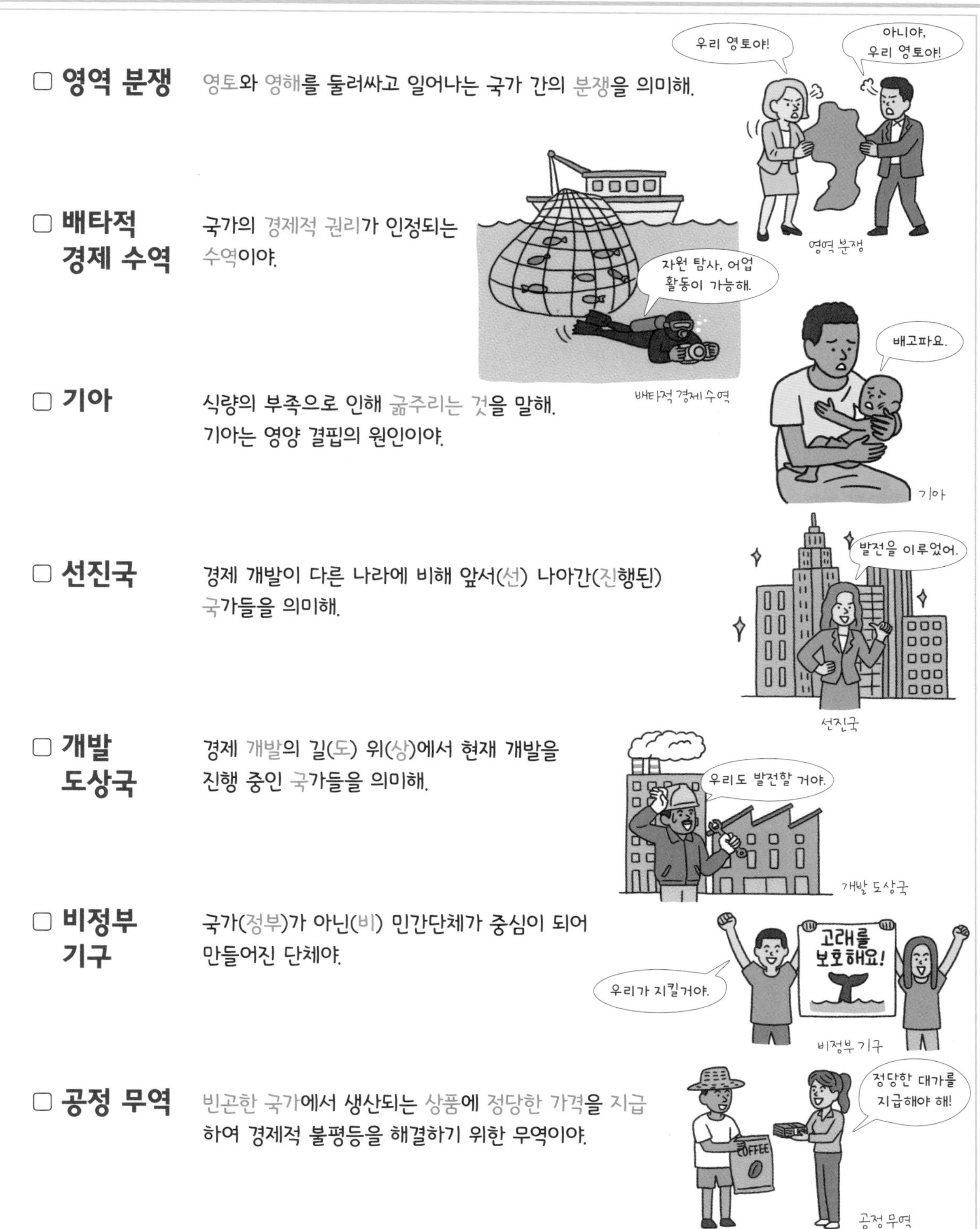

□ **영역 분쟁** 영토와 영해를 둘러싸고 일어나는 국가 간의 분쟁을 의미해.

영역 분쟁

□ **배타적 경제 수역** 국가의 경제적 권리가 인정되는 수역이야.

배타적 경제 수역

□ **기아** 식량의 부족으로 인해 굶주리는 것을 말해. 기아는 영양 결핍의 원인이야.

기아

□ **선진국** 경제 개발이 다른 나라에 비해 앞서(선) 나아간(진행된) 국가들을 의미해.

선진국

□ **개발 도상국** 경제 개발의 길(도) 위(상)에서 현재 개발을 진행 중인 국가들을 의미해.

개발 도상국

□ **비정부 기구** 국가(정부)가 아닌(비) 민간단체가 중심이 되어 만들어진 단체야.

비정부 기구

□ **공정 무역** 빈곤한 국가에서 생산되는 상품에 정당한 가격을 지급하여 경제적 불평등을 해결하기 위한 무역이야.

공정 무역

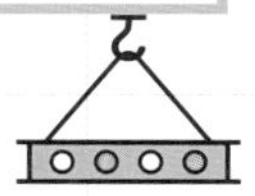

XII. 더불어 사는 세계

지구상의 다양한 지리적 문제

물음으로 흐름잡기

1. 세계 곳곳에서 나타나는 지리적 문제에는 어떠한 것이 있을까?
2. 다양한 지리적 문제를 해결하는 데 중요한 것은 무엇일까?

A 영역 분쟁 집중 공략 222쪽

1. 원인 역사적 배경, 민족·종교 차이, 자원을 둘러싼 이권 다툼 등으로 발생

└에티오피아는 국경과 부족 경계가 달라서 분쟁이 계속 발생해.

2. 발생 지역 국경선 설정이 모호한 지역(아프리카, 카슈미르 지역❶), 한 국가가 다른 국가 영역을 무력으로 점령한 지역(크림반도), 배타적 경제 수역의 자원 확보 및 군사적 거점 확보와 관련된 지역(카스피해❷ 연안국) 등

└카스피해는 석유, 천연가스가 많이 매장되어 있어.

교과서 자료 동아시아의 영해 분쟁 지역

쿠릴(지시마) 열도 러시아와 일본의 영유권 분쟁 지역
센카쿠 열도(댜오위다오) 중국과 일본의 영유권 분쟁 지역
난사(스프래틀리, 쯔엉사) 군도 중국, 필리핀, 베트남, 말레이시아, 브루나이 등의 영유권 분쟁 지역
러시아 대한민국 일본 중국 베트남 필리핀 말레이시아

쿠릴(지시마) 열도	쿠릴 열도 남부에 위치한 4개의 섬을 둘러싼 러시아와 일본 간의 영유권 분쟁
센카쿠 열도(댜오위다오)	지리적 위치의 장점과 자원 개발을 둘러싼 중국과 일본 간의 영유권 분쟁
난사(스프래틀리, 쯔엉사) 군도	남중국해 남부의 난사 군도 주변 바다를 둘러싼 중국, 필리핀, 베트남, 말레이시아, 브루나이 등의 영유권 분쟁

└현재 러시아가 실효적 지배를 하고 있어.

B 기아 문제

1. 원인 기아는 식량 부족으로 주민들이 충분한 영양을 섭취하지 못하여 발생

자연적 요인	기후 변화로 인한 가뭄 및 홍수, 병충해 등에 의한 식량 부족 문제 등
인위적 요인	급격한 인구 증가, 식량 분배의 국제적인 불균형, 잦은 분쟁 등으로 인한 식량 공급의 어려움 등

2. 발생 지역 경제 발전 수준이 낮은 개발 도상국, 저개발국에서 주로 발생

교과서 자료 세계의 기아 현황

(세계 식량 계획, 2016)

◀ 각국의 인구 대비 기아 현황

저개발국이 많이 분포하고 있는 아프리카는 영양 부족 인구 비율이 가장 높으며, 선진국이 주로 분포하는 유럽, 북아메리카, 오세아니아는 영양 부족 인구 비율이 낮다.

❶ 카슈미르 분쟁
카슈미르 지역은 1947년 인도가 영국으로부터 독립할 때 주민 대부분이 이슬람교를 믿기 때문에 파키스탄에 귀속될 예정이었다. 하지만 이곳을 통치하던 힌두교 지도자가 인도에 통치권을 넘겨 파키스탄과 인도의 갈등이 시작되었다.

✓ 간단 체크
❶ 쿠릴(지시마) 열도와 센카쿠 열도(댜오위다오) 영해 분쟁 지역에 공통으로 관련되는 국가는?

❷ 카스피해 분할 문제
카스피해를 바다로 보면 긴 해안선을 가진 러시아와 카자흐스탄이 유리하지만, 호수로 보면 연안국들이 20%씩 나누어 가져야 하므로 이란이 유리하여 분할을 두고 갈등이 발생하고 있다.

✓ 간단 체크
❷ 영양 부족 인구 비율이 가장 높은 대륙은?

C 생물 다양성의 감소 집중 공략 222쪽

1. 생물 다양성의 의미와 가치

① **의미**: 다양한 생명체가 서로 영향을 주고받는 생태계 내의 생물과 서식 환경의 다양성

② **가치**: 생물 다양성은 생태계가 변화에 적응하고 스스로 회복할 수 있도록 하는 기본 조건으로, 지속 가능한 자원의 확보와 인류의 삶의 질 개선에 매우 중요함

2. 생물 다양성 감소 — 적도 주변의 열대 우림 지역은 생물 다양성이 가장 풍부한 지역이지만 최근 개발로 삼림이 크게 파괴되고 있어.

① **원인**: 농경지 확대로 동식물 서식지 파괴, 무분별한 남획, 환경 오염 등
예 열대 우림, 산호초 해안, 맹그로브 해안 등지의 개발로 인한 자연환경 파괴

② **영향**: 인간이 이용 가능한 생물 자원의 수 감소, 생태계 파괴와 자정 능력 감소, 인류의 삶의 질 저하 등
(자정 능력: 미생물이 오염 물질을 분해하여 원래의 깨끗한 상태로 되돌리는 능력이야.)

③ **대책**: 생물 다양성 협약 채택(국제 연합, 1992년)

용어 알기

- **남획** 짐승이나 물고기 등을 마구 잡는 것을 의미한다.
- **생물 다양성 협약** 생물 다양성 보전과 생물 자원의 지속 가능한 이용을 통해 얻는 이익을 공정하고 공평하게 분배할 것을 목적으로 한 협약이다. 국제 연합 환경 계획(UNEP) 회의에서 채택되었다.

교과서 자료 열대 우림의 파괴

(필립스 세계 지도, 2015)

- 생물 다양성이 가장 풍부한 지역은 '지구의 허파'로 불리는 열대 우림 지역이다.
- 열대 우림 파괴는 생물 종 감소의 주요 원인이 되고 있으므로 개발을 중단해야 하지만, 개발 도상국들은 경제 발전을 위해 열대 우림을 개발할 수밖에 없다는 입장이다.

간단 체크

❸ 생물 다양성이 가장 풍부한 지역은?

❹ 열대 우림이 가장 많이 남아 있는 대륙은?

*빈칸에 알맞은 말을 쓰거나, 밑줄 친 곳을 바르게 고쳐 쓰시오.

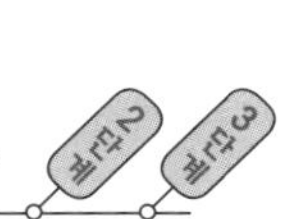

정답과 해설 58쪽

A 영역 분쟁

01 영토 또는 영해를 둘러싼 국가 사이의 분쟁을 (　　　　) 분쟁이라고 한다.

02 쿠릴(지시마) 열도는 현재 일본이 실효적 지배를 하고 있다.

03 아프리카의 영역 분쟁은 모호한 (　　　　) 설정이 원인인 경우가 많다.

B 기아 문제

04 기아 문제는 경제 발전 수준이 낮은 개발 도상국, 그리고 (　　　　)국에서 주로 발생한다.

05 기아 문제의 자연적 원인으로는 가뭄과 홍수, 병충해 등으로 인한 (　　　　) 부족 문제가 있다.

06 기아 문제의 (　　　　) 원인으로는 급격한 인구 증가, 잦은 분쟁 등으로 인한 식량 공급의 어려움을 들 수 있다.

C 생물 다양성의 감소

07 농경지를 확대하는 과정에서 생물 다양성이 증가하게 되어 인류의 삶의 질은 높아질 것이다.

08 생물 다양성 감소 문제를 해결하기 위하여 국제 연합은 1992년 (　　　　) 협약을 채택하였다.

집중 공략

영역 분쟁과 생물 다양성의 감소

정답과 해설 58쪽

집중해서 알아보기

세계의 주요 분쟁은 자원, 민족 및 종교, 역사적 배경 등 다양한 원인이 복합적으로 작용하여 발생한다.

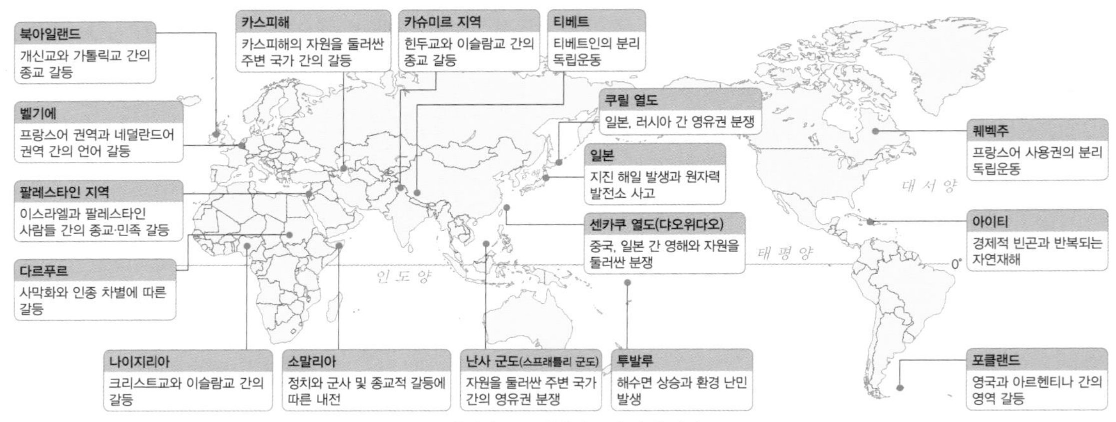

▲ 세계의 주요 지리적 문제 발생 지역

- 카스피해, 난사(스프래틀리) 군도, 센카쿠 열도(댜오위다오)는 공통적으로 자원 확보를 위한 분쟁 지역이다.
- 팔레스타인 분쟁, 티베트인의 독립운동 등은 서로 다른 종교 또는 민족 간의 대립이 분쟁의 원인이다.
- 쿠릴(지시마) 열도, 포클랜드 제도의 경우에는 역사적 배경으로 인한 국경 분쟁이 일어난 지역이다.

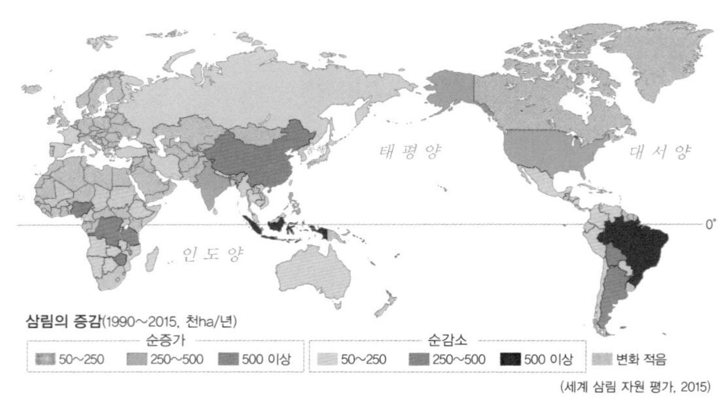

▲ 세계 삼림의 변화

- 삼림 감소가 가장 크게 나타나는 국가는 적도 부근에 위치한 인도네시아·브라질로, 이들 국가에 발달한 열대 우림은 최근 경작지 확대를 위해 빠르게 파괴되고 있다.
- 열대 우림의 감소는 생물 다양성 감소의 주요 원인으로 생물 다양성이 감소하면 인간이 이용 가능한 생물 자원의 수가 감소하고 생태계가 빠르게 파괴된다.

문제로 공략하기

01 위 지도에서 자원 확보를 위한 분쟁 지역을 두 곳을 찾아 써 보자.

답 (   )

02 중국이 관련된 분쟁 지역을 모두 찾아 써 보자.

답 (   )

03 1990~2015년 동안 삼림이 가장 많이 증가한 국가를 찾아 써 보자.

답 (   )

04 삼림의 감소가 가장 큰 국가 두 곳을 찾아 써 보자.

답 (   )

정답과 해설 58쪽

A 영역 분쟁

01 영역 분쟁의 원인으로 옳지 않은 것은?

① 무분별한 열대 우림의 파괴
② 국가 간 역사적 배경의 차이
③ 국가 간 민족과 종교의 차이
④ 국가 간 자원 확보를 위한 노력
⑤ 군사적 요충지를 확보하려는 노력

고난도

02 (가), (나) 지역에서 나타나는 분쟁에 대한 설명으로 옳은 것은?

(가)

동해
대한민국
황해
일본
중국
동중국해
중·일 중간 수역
오키나와
센카쿠 열도 (댜오위다오)
0 500 km

(나)

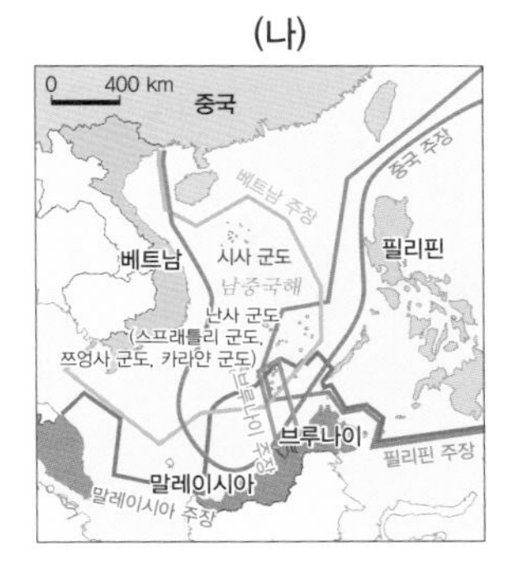

① (가)는 현재 중국이 실효적 지배를 하고 있다.
② (가)는 국가 간 종교의 차이가 분쟁의 원인이다.
③ (나)의 분쟁은 당사국 간 협상을 통해 해결되었다.
④ (가)는 (나) 보다 분쟁 당사국의 수가 많다.
⑤ (가), (나) 모두 분쟁 당사국에 중국이 포함되어 있다.

서술형

03 동아시아의 센카쿠 열도(댜오위다오)를 둘러싼 분쟁의 원인을 제시어를 사용하여 서술하시오.

제시어: 자원, 중국, 일본, 영유권

B 기아 문제

04 기아 문제를 심화시키는 원인으로 옳지 않은 것은?

① 높은 출생률로 인한 급격한 인구 증가
② 교통 발달로 인한 곡물 운송 비용 감소
③ 기후 변화로 인한 병충해 발생 피해 증가
④ 국가 간 분쟁으로 인한 식량 공급의 어려움
⑤ 농업 생산 비용 증가로 인한 국제 곡물 가격 상승

서술형

05 다음 지도에서 기아 비율이 가장 높은 대륙의 기아 발생 원인을 제시어를 사용하여 서술하시오.

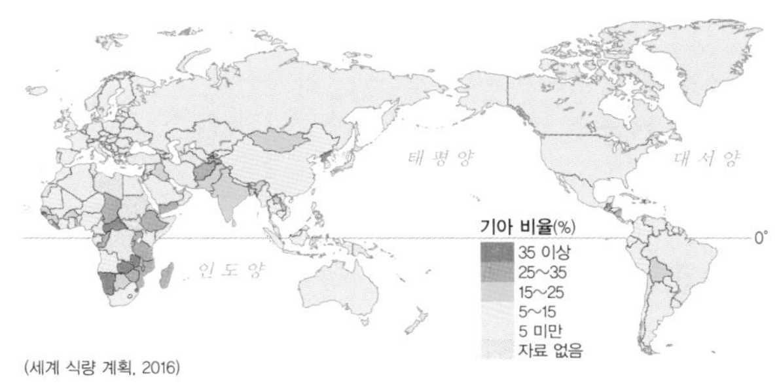

▲ 각국의 인구 대비 기아 현황

제시어: 경제 수준

C 생물 다양성의 감소

필수

06 열대 우림의 파괴가 일어나고 있는 지역의 지리적 문제에 대한 설명으로 옳은 것은?

① 생물 종의 다양성이 점차 증가한다.
② 장기간의 가뭄 피해가 주로 나타난다.
③ 농경지 확대를 위한 벌목이 원인이다.
④ 해수면 상승으로 인한 침수 피해가 나타난다.
⑤ 오존층 파괴로 인한 자외선 증가로 발생한다.

XII. 더불어 사는 세계

발전 수준의 지역 차 ~지역 간 불평등 완화를 위한 노력

물음으로 흐름잡기

1. 지역 간 발전 수준의 차이를 파악할 수 있는 지표에는 어떠한 것이 있을까?

2. 지역 간 불평등 완화를 위한 노력에는 어떠한 것이 있을까?

A 지역별 발전 수준의 차이

1. 지역별 경제 발전의 수준 차이 국가마다 다른 자연환경 및 자원, 산업화 시기, 기술 및 교육 수준의 차이 등이 원인

선진국	경제가 발전하여 소득과 생활 수준이 높은 국가 예 서부 유럽, 앵글로아메리카 등
개발 도상국	소득이 비교적 적고 산업화가 진행 중인 국가 예 동남아시아, 라틴 아메리카, 아프리카 등

2. 지역별 발전 수준을 보여 주는 다양한 지표 집중 공략 226쪽

1인당 국내 총생산(GDP)[1], 인간 개발 지수(HDI), 성인 문자 해독률, 기대 수명, 행복 지수 등	선진국이 높게 나타남
영·유아 사망률, 교사 1인당 학생 수 등	개발 도상국이 높게 나타남

교과서 자료 발전 지표로 파악할 수 있는 지역 차

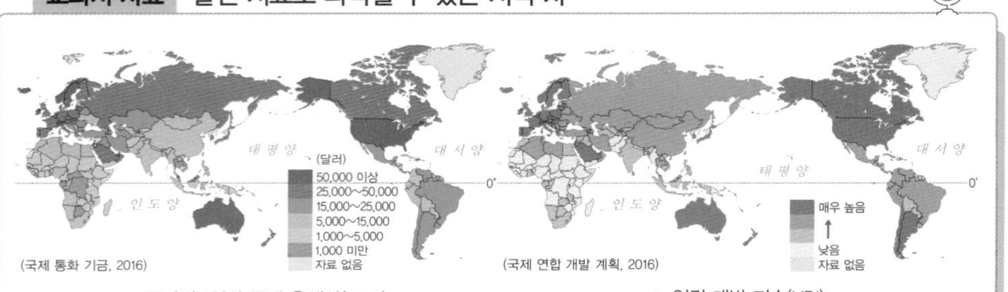

▲ 국가별 1인당 국내 총생산(GDP) ▲ 인간 개발 지수(HDI)

국가별 1인당 국내 총생산과 인간 개발 지수(HDI)는 대체로 유럽, 북아메리카 등이 높고, 아프리카, 남부 아시아 등은 낮다.

✓ 간단 체크

❶ 1인당 국내 총생산, 인간 개발 지수가 높게 나타나는 대륙은?

B 빈곤 문제 해결을 위한 저개발 지역의 노력[2]

산업 발전	• 경제 발전을 위한 사회 간접 자본 확충 • 관개 시설 확충, 품종 개발 등을 통한 식량 생산량 증대 • 광물 자원 개발 확대, 해외 자본과 기술 투자의 유치 등
인적 자원 확보	• 교육 기회 확대를 통한 인적 자원의 개발 • 위생 및 보건 환경의 개선을 통한 질병 문제 해결
사회 정의 실현	• 공공 투자와 사회적 약자를 위한 사회 복지 정책 • 정치적 불안정, 부정부패 문제의 해결, 여성의 권리 신장

사회 간접 자본: 산업을 발전시키는 데 바탕이 되는 공공시설로 도로, 철도, 공항, 발전소, 전력, 통신망 등을 의미해.

용어 알기

• **인간 개발 지수** 국제 연합 개발 계획(UNDP)이 매년 각국의 1인당 국내 총생산, 건강·교육 수준 등을 기준으로 하여 국가별로 삶의 질을 평가한 지수이다.

• **행복 지수** 국내 총생산, 기대 수명, 사회적 자본, 부패 지수, 관용의 총 다섯 개 지표를 종합한 지수이다.

❶ 1인당 국내 총생산 상·하위 3개 국가(2015년)

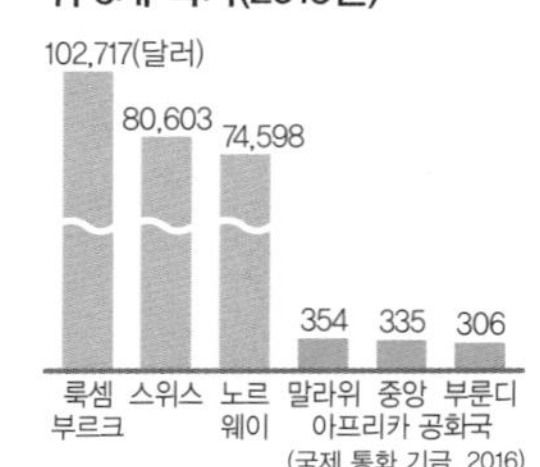

1인당 국내 총생산은 일정 기간 동안 한 나라 안에서 새로이 생산된 최종 생산물의 시장 가치의 합인 국내 총생산을 총인구로 나눈 것이다. 경제가 지속적으로 성장하면서 대부분 국가는 발전하고 있지만, 일부 국가 및 지역은 여전히 극도로 빈곤하다.

❷ 빈곤 문제 해결을 위한 노력

국제 연합은 세계의 빈곤 문제를 해결하기 위해 2016년부터 17가지의 지속 가능한 발전 목표(SDGs)를 정하여 국제적인 지원과 협력을 확대해 나가고 있다.

C 지역 간 불평등 완화를 위한 노력 집중 공략 227쪽

1. 국가 및 국제기구의 노력

① **공적 개발 원조(ODA)**[❸]: 저개발국의 빈곤 문제 해결을 위해 정부나 국제 기구가 공식적으로 재정 및 기술, 물자 등을 지원 ─ 단기적인 성과 위주의 지원보다 지역의 문화적·경제적 특성을 고려하여 지속적인 생산·소비가 가능한 '적정 기술'의 지원이 중요해.

② **국제 연합(UN)**: 국제 평화와 안전의 유지, 인권 및 자유 확보를 위해 노력하며 산하 기관으로 국제 연합 아동 기금(UNICEF), 국제 연합 난민 기구(UNHCR), 세계 보건 기구(WHO), 국제 부흥 개발 은행(IBRD) 등이 있음

❸ 개발 원조
정부 및 국가 기관이 공식적으로 지원하는 공적 개발 원조(ODA)와 비정부 기구와 민간 재단이 지원하는 민간 개발 원조가 있다. 개발 원조는 경제 협력 개발 기구(OECD) 산하의 개발 원조 위원회(DAC)가 주도하고 있다.

교과서 자료 공적 개발 원조 수여국과 수혜국

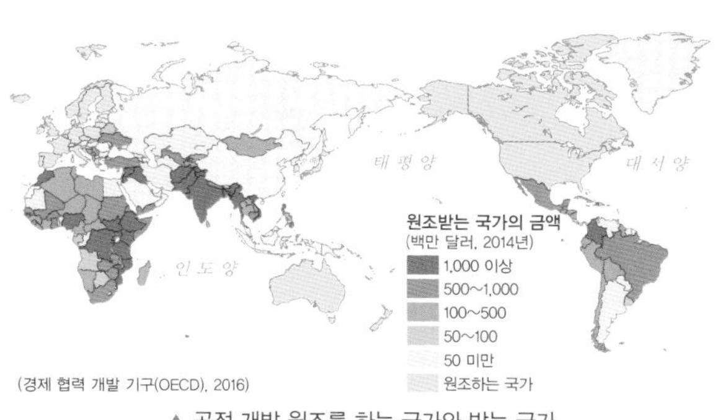

(경제 협력 개발 기구(OECD), 2016)

▲ 공적 개발 원조를 하는 국가와 받는 국가

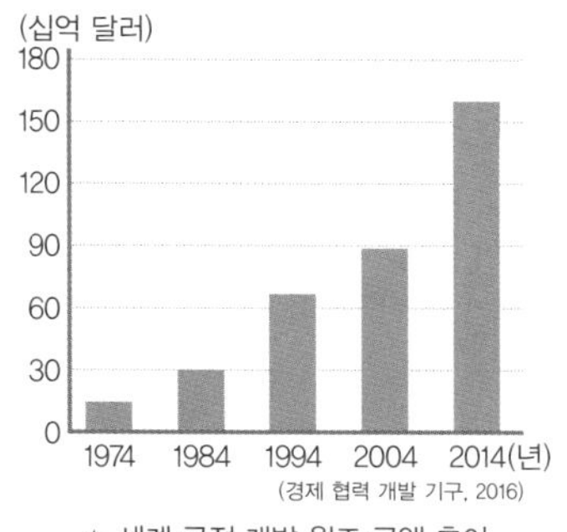

(경제 협력 개발 기구, 2016)

▲ 세계 공적 개발 원조 금액 추이

- 공적 개발 원조를 하는 국가는 북아메리카, 유럽 등의 선진국이고, 원조를 받는 국가는 아프리카, 남부 아시아, 남아메리카 등의 저개발국이다.
- 우리나라는 경제 성장으로 원조 수혜국에서 수여국으로 바뀐 최초의 국가가 되었으며, 한국 국제 협력단(KOICA)을 통한 개발 도상국 원조액의 규모도 꾸준히 증가하고 있다.
  └ 1991년 설립한 대외 무상 원조 전담 기관으로 우리나라와 저개발국 간에 우호적인 협력 관계 증진을 목적으로 해.

✓ 간단 체크

❷ 공적 개발 원조를 하는 국가가 많은 대륙은?

❸ 우리나라가 1991년에 설립한 대외 무상 원조 전담 기관은?

2. 비정부 기구와 공정 무역[❹]

① **비정부 기구(NGO)**: 인도주의적 차원에서 구호 활동을 하는 자발적 시민 단체로 옥스팜(빈곤 퇴치 운동), 그린피스(환경 보호 운동), 국경 없는 의사회(분쟁 지역 의료 지원), 세이브 더 칠드런(아동 긴급 구호 사업) 등이 대표적임

② **공정 무역**: 선진국과 저개발국 사이의 불공정한 무역을 개선하여 저개발국 생산자에게 정당한 가격을 지급함 → 생산 지역 빈곤 완화에 도움

❹ 공정 무역
생산자의 건강한 노동 환경과 경제적 독립, 환경 보전 등을 중시하며 소비자에게 어떤 환경에서 생산한 제품인지 안내하여 생산자와 소비자는 물론 환경에도 이로운 지속 가능한 발전을 추구한다.

＊밑줄 친 곳을 바르게 고쳐 쓰거나, 빈 칸에 알맞은 말을 쓰시오.

정답과 해설 59쪽

A 지역별 발전 수준의 차이

01 선진국은 개발 도상국에 비해 인간 개발 지수가 낮다.

02 영·유아 사망률은 개발 도상국이 선진국보다 낮다.

B 빈곤 문제 해결을 위한 저개발 지역의 노력

03 저개발 국가들의 빈곤 문제 해결을 위해서는 산업 발전의 토대가 되는 도로, 철도 등 (　　　　　) 확충이 필요하다.

C 지역 간 불평등 완화를 위한 노력

04 (　　　　　)은/는 저개발국의 빈곤 해결을 위해 정부나 국제기구가 공식적으로 재정, 물자 등을 지원하는 것이다.

05 국경 없는 의사회, 그린피스 등의 단체는 인도주의적 차원에서 구호 활동을 하는 정부 기구이다.

06 (　　　　) 무역은 선진국의 소비자가 정당한 가격을 지급하여 생산자들에게 무역의 혜택이 돌아가도록 한다.

집중 공략

A. 지역별 발전 수준 지표

정답과 해설 59쪽

집중해서 알아보기

지역별 발전 수준을 보여 주는 지표는 매우 다양하며 서로 연관되어 있다.

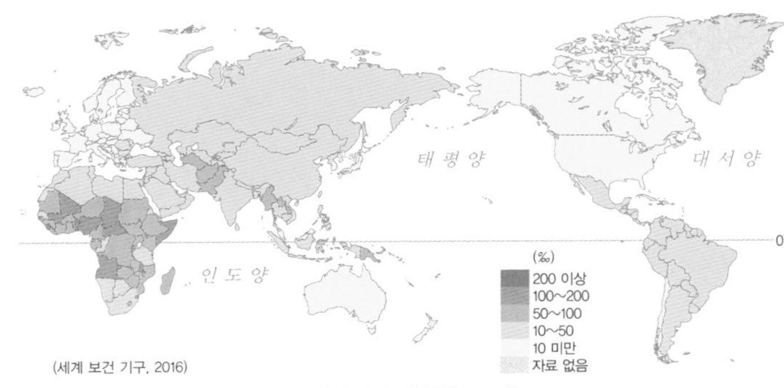

▲ 세계 영아 사망률(2015년)

- 지도는 인구 천 명당 3세 미만 영아 사망자 수를 나타낸 것이다. 영아의 사망률(‰)은 국가의 보건 복지 수준을 파악할 수 있는 대표적인 지표이다.
- 영아 사망률이 높은 지역은 아프리카 및 일부 아시아 지역으로 경제 수준이 낮은 빈곤한 국가들이 대부분이다.

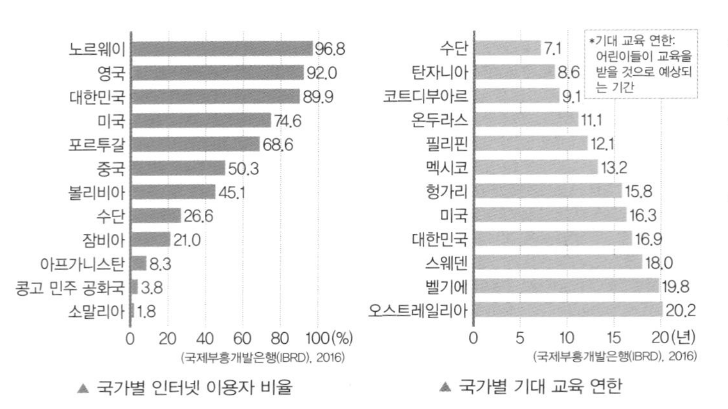

▲ 국가별 인터넷 이용자 비율 ▲ 국가별 기대 교육 연한

- 인터넷 이용자 비율과 기대 교육 연한의 값이 클수록 경제가 발달한 선진국이다.
- 인터넷 이용자 비율과 기대 교육 연한이 낮은 나라는 대부분 개발 도상국이다.
- 인터넷 이용자 비율이 낮은 소말리아, 콩고 민주 공화국, 아프가니스탄과 기대 교육 연한이 낮은 수단, 코트디부아르, 온두라스의 영아 사망률은 높게 나타날 것이다.

문제로 공략하기

01 영아 사망률이 높게 나타나는 국가들은 주로 어떤 대륙에 위치하는지 써 보자.

답 (　　　　　　　　　　)

02 영아 사망률이 높은 국가일수록 대체로 낮아지는 지표 두 가지를 위에서 찾아 써 보자.

답 (　　　　　　　　　　)

03 영아 사망률이 높은 국가일수록 대체로 높아지는 지표 두 가지를 써 보자.

답 (　　　　　　　　　　)

04 다음 표의 빈칸에 지표별 값의 크기가 높으면 '↑' 낮으면 '↓'로 표시해 보자.

지표	선진국	개발 도상국
(1) 교사 1인당 학생 수		
(2) 행복 지수		
(3) 기대 수명		
(4) 부패 지수		
(5) 문맹률		
(6) 인간 개발 지수		
(7) 1인당 국내 총생산		
(8) 영양 부족 인구 비율		
(9) 국가 경쟁력 순위		
(10) 성 불평등 지수		

집중 공략

B. 지역 간 불평등 완화를 위한 노력

정답과 해설 59쪽

집중해서 알아보기

지역 간 불평등 완화를 위한 노력으로는 공적 개발 원조, 공정 무역 등이 있다.

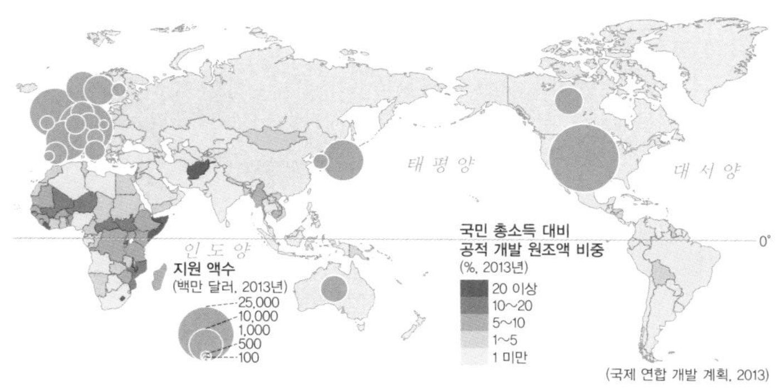

▲ 공적 개발 원조를 하는 국가와 받는 국가

- 선진국은 개발 원조 위원회(DAC)를 통해 저개발국에 공적 개발 원조(ODA)를 제공하고 있다.
- 우리나라도 한국 국제 협력단(KOICA)을 통해 저개발국에 많은 지원을 하고 있다.
- 공적 개발 원조를 하는 국가(수여국)는 선진국이고, 원조를 받는 국가(수혜국)들은 주로 아프리카, 남부 아시아, 남아메리카에 분포하고 있다.

▲ 공정 무역 제품의 주요 생산 국가와 소비 국가

- 공정 무역은 유통 비용을 낮추고, 생산자에게 일정한 이익을 보장하기 때문에 저개발국의 빈곤 완화에 도움을 준다.
- 공정 무역 제품은 친환경으로 생산되며 수익의 일부는 제품의 품질 개선에 사용된다.
- 유럽, 오스트레일리아, 북아메리카 등의 선진국은 공정 무역 제품을 소비하는 국가이고, 아프리카, 동남아시아, 남아메리카 등의 저개발국은 공정 무역 제품을 생산하는 국가이다.

문제로 공략하기

01 국민 총소득 대비 공적 개발 원조액 비중이 20% 이상인 국가가 가장 많은 대륙을 써 보자.

답 ( )

02 공적 개발 원조 지원액이 많은 대륙 두 곳을 써 보자.

답 ( )

03 우리나라는 공적 개발 원조 수혜국과 수여국 중 어디에 해당하는지 써 보자.

답 ( )

04 선진국과 저개발국 사이의 불공정한 무역을 개선하여 저개발국 생산자에게 정당한 가격을 지급하는 무역을 무엇이라고 하는지 써 보자.

답 ( )

05 다음 표의 빈칸에 '예' 또는 '아니요'를 써 보자.

구분	공정 무역 제품을 소비하는가?	공적 개발 원조를 받고 있는가?
(1) 선진국		
(2) 저개발국		

실력 올리기

A 지역별 발전 수준의 차이

01 국가별 발전 수준을 파악할 수 있는 지표로 옳지 않은 것은?

① 인구 밀도 ② 영아 사망률
③ 성 불평등 지수 ④ 1인당 국내 총생산
⑤ 인터넷 이용자 비율

고난도

02 (가) 국가들과 비교하여 (나) 국가들의 특성으로 옳은 것은?

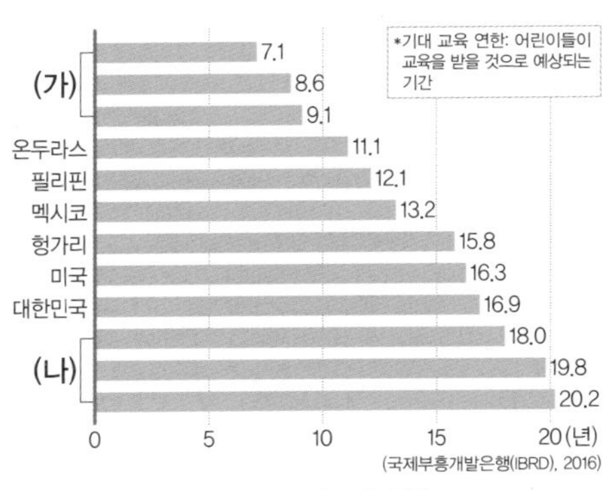

▲ 국가별 기대 교육 연한

① 기대 수명이 짧다.
② 영아 사망률이 높다.
③ 성 불평등 지수가 높다.
④ 1인당 국내 총생산이 많다.
⑤ 인터넷 이용자 비율이 낮다.

필수

03 다음 글의 ㉠보다 ㉡에 해당하는 국가에서 높게 나타나는 지표를 〈보기〉에서 있는 대로 고른 것은?

> 일반적으로 경제가 발전하여 소득과 생활 수준이 높은 국가들은 (㉠)으로, 소득이 비교적 적고 산업화가 진행중인 국가들은 (㉡)으로 분류한다.

보기
ㄱ. 성인의 문맹률 ㄴ. 영아 사망률
ㄷ. 교사 1인당 학생 수 ㄹ. 여성의 사회 참여율

① ㄱ, ㄴ ② ㄱ, ㄹ ③ ㄱ, ㄴ, ㄷ
④ ㄱ, ㄴ, ㄹ ⑤ ㄴ, ㄷ, ㄹ

04 다음 그래프의 (가) 대륙과 (나) 대륙의 특성을 추론한 것으로 옳지 않은 것은?

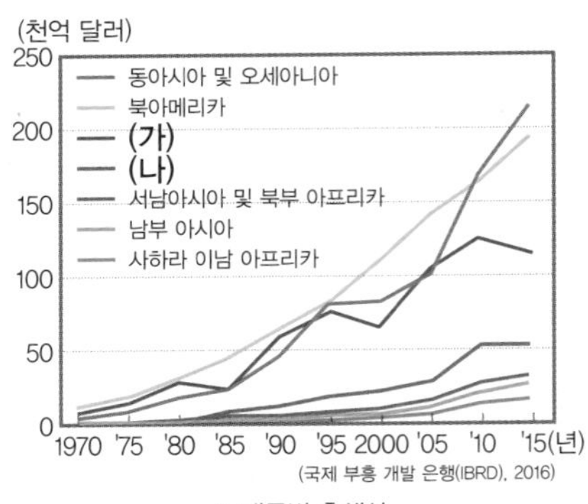

▲ 대륙별 총생산

① (가)는 (나)보다 남녀 평등 지수가 높을 것이다.
② (가)는 (나)보다 1인당 국민 소득이 높을 것이다.
③ (가)는 (나)보다 1인당 에너지 소비량이 많을 것이다.
④ (나)는 (가)보다 문맹률이 낮을 것이다.
⑤ (나)는 (가)보다 영아 사망률이 높을 것이다.

서술형

05 다음 자료를 바탕으로 개발 도상국이 주로 위치하는 대륙을 쓰고, 개발 도상국의 특징을 제시어를 사용하여 서술하시오.

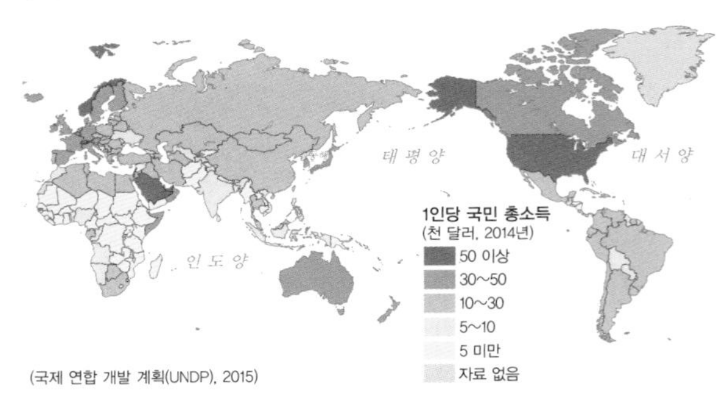

▲ 1인당 국민 총소득

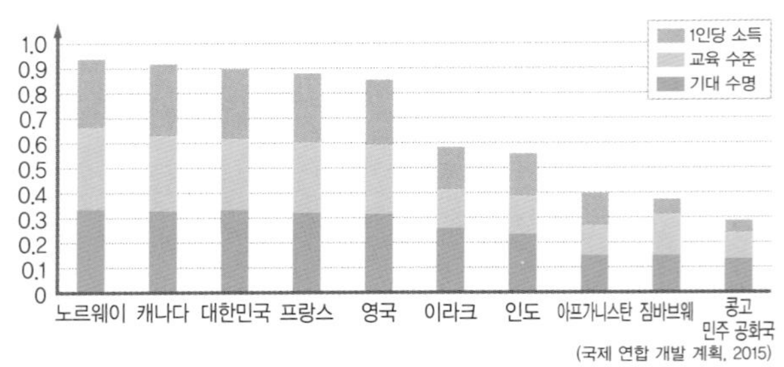

▲ 국가별 인간 개발 지수

제시어: 소득 수준, 삶의 질

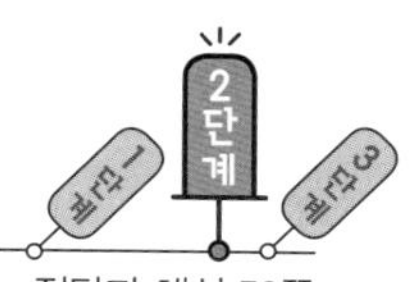

B 빈곤 문제 해결을 위한 저개발 지역의 노력

06 다음 글의 밑줄 친 부분과 관련된 내용으로 옳지 않은 것은?

> 최근 저개발국은 경제 개발 과정을 통해 빈곤을 퇴치하기 위해 노력하고 있다. 빈곤을 해결하는 방법에 대한 시각이 달라지면서 빈곤 해결을 위한 노력이 과거보다 다양하게 이루어지고 있다.

① 해외의 자본과 기술 투자의 유치
② 선진국의 원조에 의존한 경제 개발
③ 교육 기회 확대를 통한 인적 자원 개발
④ 경제 발전을 위한 사회 간접 자본 확충
⑤ 관개 시설 확충을 통한 식량 생산량 증대

07 저개발국의 빈곤을 해결하기 위한 노력에 대해 옳은 의견을 말한 학생을 <보기>에서 고른 것은?

> 보기
> 지유: 그들이 가진 자연환경을 활용해 관광 수입을 늘릴 수 있어요.
> 준호: 빠른 경제 성장을 위해 일당 독재 체제를 유지할 필요가 있어요.
> 선우: 저개발국들의 공동 발전을 위해 경제 협력 체제를 구성해요.
> 민아: 경제 발전에 있어 선진국의 공적 개발 원조 의존도를 높여 나가요.

① 지유, 준호 ② 지유, 선우 ③ 준호, 선우
④ 준호, 민아 ⑤ 선우, 민아

서술형

08 다음 글과 같은 변화를 위한 정책을 인적 자원 확보와 사회 정의 실현의 측면에서 제시어를 사용하여 서술하시오.

> 최근 아프리카 경제는 2000년 이후 경제 규모 면에서 3배 이상 성장하였다. 2011년부터 2015년까지 세계 경제 성장률 상위 10개국 중 7개국이 아프리카 국가이다.

> 제시어: 교육 기회, 정치 개혁, 부정부패

C 지역 간 불평등 완화를 위한 노력

09 (가), (나)에 대한 설명으로 옳은 것은?

> (가) 공적 개발 원조(ODA)를 통해 긴급 구호 사업 등을 추진하고, 사회 기반 시설을 구축하여 저개발국의 발전과 지역 주민들의 복지 증진을 돕고 있다.
> (나) 인도주의적 차원에서 구호 활동을 하고, 국가 간의 이해관계를 넘어 활동을 하며 국제기구를 보조하기도 하는데, 최근 이들의 기여도가 높아지고 있다.

① (가) 주체는 비정부 조직에 해당한다.
② (나) 주체는 정부 조직에 해당한다.
③ (가) 주체는 (나)의 주체보다 원조 금액이 적다.
④ (가) 주체는 국제 연합, (나)의 주체는 비정부 기구이다.
⑤ (가), (나)의 주체는 모두 지역 간 불평등 완화에 기여한다.

필수

10 사회 수업 시간에 학생이 필기한 내용이다. ㉠~㉤ 중 옳지 않은 것은?

학습 주제	공정 무역
정의	㉠ 생산자의 노동에 정당한 대가를 지불하는 무역
특징	㉡ 많은 유통 과정을 통해 소비자에게 전달
주요 상품	㉢ 커피, 차, 카카오, 바나나 등의 농산물
효과	㉣ 생산국 – 빈곤 완화, 삶의 질 개선
	㉤ 소비국 – 믿을 수 있는 친환경 제품 소비

① ㉠ ② ㉡ ③ ㉢ ④ ㉣ ⑤ ㉤

서술형

11 (가), (나)의 국제 원조 방법을 비교하고, 바람직한 국제 원조 방법을 제시어를 사용하여 서술하시오.

> (가) 세계의 여러 구호 단체들은 캄보디아의 영·유아 사망률을 낮추기 위해 '우물 만들기' 사업을 추진하였지만, 인적·물적 자원 부족으로 현재 이 우물의 대부분이 말라 버렸다.
> (나) 구호 단체가 만든 미용 센터에서는 캄보디아의 청소년들에게 무료로 미용 기술을 가르치고 있다. 또 센터 내의 미용실은 수익 일부를 미용 기술 교육에 투자하고 정기적으로 미용 봉사 활동을 하고 있다.

> 제시어: 일회성 원조, 기술 이전, 지속 가능한 원조

대단원 완성하기

01 다음 자료와 같이 아프리카에서 영역 분쟁이 일어나는 원인으로 옳은 것은?

아프리카의 에티오피아와 소말리아, 에리트레아, 지부티 지역은 과거 유럽 강대국의 이해관계에 따라 국경선이 선정되었는데 독립 이후 국경과 부족 경계가 달라서 분쟁과 내전, 그리고 난민 발생이 끊이지 않고 있다.

① 각국의 군사적 거점 확보 때문이다.
② 국가 간 민족과 종교의 차이 때문이다.
③ 배타적 경제 수역의 확보 문제 때문이다.
④ 식민지의 영향에 따른 종교의 차이 때문이다.
⑤ 유럽 열강의 인위적인 국경선 설정 때문이다.

02 다음 글의 ㉠~㉢에 들어갈 국가를 옳게 짝지은 것은?

유엔 지명 표준화 회의(UNCSGN)에서는 영역 분쟁 지역에 대하여 실효적 지배 국가를 우선하여 지명을 표시한다는 원칙을 가지고 있다. 이런 관점에서 보면 쿠릴 열도는 (㉠)이/가, 센카쿠 열도는 (㉡)이/가, 시사 군도는 (㉢)이/가 실효적 지배를 하고 있다고 파악할 수 있다.

	㉠	㉡	㉢
①	일본	중국	러시아
②	일본	러시아	중국
③	중국	일본	러시아
④	러시아	일본	중국
⑤	러시아	중국	일본

03 다음 책의 저자가 생각하는 기아 문제의 주된 원인으로 옳은 것은?

『굶주리는 세계』라는 책에서 저자는 굶주림이 자연재해 때문이 아니라 식량에 대한 접근성에 문제가 생길 때 일어난다고 진단하였다. 지금 세계는 먹을 것으로 가득하기 때문에 굶주림의 원인은 식량과 토지의 부족이 아니라 민주주의의 부족이라는 것이다.

① 도시화로 인한 경작지의 감소
② 생산된 곡물의 불평등한 분배
③ 지구 온난화로 인한 기후 변화
④ 높은 출생률로 인한 급격한 인구 증가
⑤ 곡물을 원료로 하는 바이오 에너지 소비 증가

04 (가), (나) 질문에 대한 답변을 옳게 짝지은 것은?

(가) 굶주리는 세계, 어떻게 구할 것인가?
(나) 왜 음식물의 절반이 버려지는 데 누군가는 굶어 죽는가?

	(가)	(나)
①	인구 증가를 억제한다.	인구의 폭발적 증가 때문이다.
②	식량 생산량을 감소시킨다.	식량의 가격이 계속 하락하기 때문이다.
③	국가별 식량의 자급도를 높인다.	식량 분배가 잘 이루어지지 않고 있기 때문이다.
④	친환경 농산물 재배를 장려한다.	환경 오염이 심화되었기 때문이다.
⑤	병충해에 강한 유전자 변형 농산물을 재배한다.	기후 변화로 병충해 피해가 증가했기 때문이다.

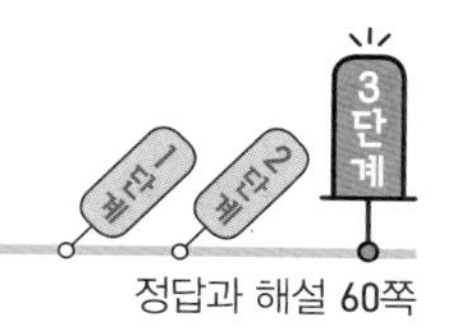

[05-06] 다음 지도를 보고 물음에 답하시오.

▲ 열대 우림 파괴 현황

05 위 지도와 같은 변화가 나타난 원인으로 옳지 않은 것은?

① 농경지의 확보
② 대규모의 목축
③ 사막화의 진행
④ 목재 생산을 위한 벌목
⑤ 주택, 도로 등 도시 건설

06 위 지도에 표시된 지역에 나타날 수 있는 지리적 문제에 대한 옳은 설명을 〈보기〉에서 고른 것은?

보기
ㄱ. 생물의 다양성이 점차 감소한다.
ㄴ. 장기간의 가뭄 피해가 주로 나타난다.
ㄷ. 열대 우림 파괴로 토양 침식이 증가한다.
ㄹ. 오존층 파괴로 인한 피해가 주로 나타난다.

① ㄱ, ㄴ
② ㄱ, ㄷ
③ ㄴ, ㄷ
④ ㄴ, ㄹ
⑤ ㄷ, ㄹ

07 다음 글의 밑줄 친 부분에 해당하는 지표로 옳은 것은?

선진국은 고도의 산업 및 경제 발전을 이룬 국가를 가리키는 용어로, 국민의 생활 수준이나 삶의 질이 높은 국가들이 이에 해당한다. 선진국으로 분류하는 기준은 다소 모호하지만 선진국에서 높은 값을 보이는 몇몇 지표들에 의해 파악해 볼 수 있다.

① 인구 밀도
② 성인의 문맹률
③ 성 불평등 지수
④ 영·유아 사망률
⑤ 1인당 에너지 소비량

08 다음 그래프의 상위 3개국보다 하위 3개국에서 더 높게 나타나는 항목으로 옳은 것은?

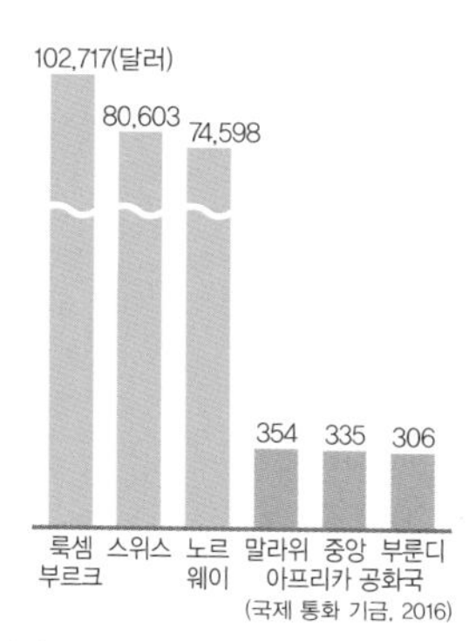

▲ 1인당 국내 총생산 상·하위 3개 국가(2015년)

① 성 평등 지수
② 기대 교육 연한
③ 영·유아 사망률
④ 성인 문자 해독률
⑤ 인터넷 이용 인구 비율

09 다음은 선진국과 개발 도상국의 도시화 과정의 차이를 설명한 것이다. ㉡과 비교하여 ㉠의 특징을 추론한 것으로 옳은 것은?

(㉠)은 산업 혁명 이후 오늘날까지 오랜 시간에 걸쳐 완만하게 도시화가 진행되는 반면에, (㉡)은 제2차 세계 대전 이후 산업화와 더불어 급속한 도시화가 진행되는 특징이 있다.

① 성 평등 지수가 높을 것이다.
② 기대 교육 연한이 짧을 것이다.
③ 영·유아 사망률이 높을 것이다.
④ 1인당 국내 총생산이 적을 것이다.
⑤ 인터넷 이용 인구 비율이 낮을 것이다.

정답과 해설 60쪽

10 다음 글의 제목으로 가장 적절한 것은?

- 보츠와나는 1960년대 1인당 국민 총생산이 70달러 정도로 가난한 국가였으나 현재는 6,000달러가 넘는 국가로 발전하였다. 정부와 민간의 협력으로 다이아몬드 광산 개발에 성공하였고, 수출로 얻은 소득을 교육 시설과 도로, 철도 등 기반 시설에 투자하였다.
- 볼리비아는 천연자원이 많은 국가임에도 불구하고 남아메리카에서 빈곤한 국가 중 하나이다. 그러나 에너지 자원 주권 운동으로 많은 자원을 국유화하면서 그 이익을 저소득 계층에게 나누어 주어 빈곤 문제 완화에 많은 도움이 되었다.

① 저개발국의 빈곤 해결을 위한 노력
② 공정 무역을 통한 불평등 완화 노력
③ 빈곤 문제 해결을 위한 선진국의 지원
④ 빈곤 문제를 해결하기 위한 적정 기술
⑤ 지역 간 불평등 완화를 위한 국제 사회의 노력

11 다음 대화에서 ㉠과 관련된 내용으로 옳은 것은?

학생: (㉠)(이)란 무엇인가요?
교사: 저개발 국가의 빈곤 문제 해결을 위해 정부나 국제기구가 공식적으로 재정 및 기술, 물자 등을 지원하는 것을 말한단다.

① 국제 연합의 산하 기관에서 주관한다.
② 난민의 권리와 복지를 보호하고자 한다.
③ 우리나라도 현재 이 사업에 참여하고 있다.
④ 자유 무역을 통한 세계 경제의 발전을 추구한다.
⑤ 저개발국 생산자에게 정당한 가격을 지급하고자 한다.

12 공정 무역에 대한 설명으로 옳지 않은 것은?

① 전자, 기계 등 공산품이 주로 거래된다.
② 유통 과정을 줄여 소비자에게 전달한다.
③ 생산 과정에서 생태계 파괴를 최소화한다.
④ 생산자의 노동에 정당한 대가를 지불한다.
⑤ 저개발국 주민의 삶의 질 개선에 기여한다.

서술형 문제

13 다음 지도를 보고 물음에 답하시오.

(가) (나)

(1) (가), (나) 영역 분쟁 지역의 명칭을 찾아 쓰시오.
- (가): ______
- (나): ______

(2) (가), (나) 영역 분쟁에 공통적으로 해당하는 국가를 쓰고, 이 영역 분쟁의 원인을 서술하시오.

14 다음은 일반 커피와 공정 무역 커피의 이익 분배 구조를 나타낸 것이다. 이를 보고 물음에 답하시오.

(가) (나)

(1) (가), (나) 중 공정 무역 커피에 해당하는 것과 이유를 쓰시오.

(2) 공정 무역의 활성화가 가져올 긍정적인 측면을 제시어를 사용하여 서술하시오.

제시어: 생산자, 삶의 질, 소비자, 믿을 수 있는 제품

지학사

개념을 쉽게 풀어 주는 기본서

개념폴 빠작

중학 사회 ②

진도책과 1:1 맞춤 복습용 교재

Book ② 복습책

중요한 내용을 스스로 채워 보는 개념으로 복습하기 •

학교 시험 유형의 실전 문제를 풀어 보는 문제로 복습하기 •

개념풀 특강

중학 사회②

Book ❷ 복습책

I. 인권과 헌법

01 인권 보장과 기본권

개념으로 복습하기

A 인권의 의미와 특징

1. 인권의 의미: 인간이 인간답게 살아가기 위해 마땅히 누려야 할 권리

2. 인권의 특징

① (❶): 인간이 태어나면서부터 당연히 가지는 권리로, 하늘이 준 권리

② (❷): 국가의 법이나 제도로 보장되기 전부터 인간에게 자연적으로 부여된 권리

③ **기본적, 보편적 권리**: 국적, 인종, 성별, 나이, 직업, 학력, 장애의 유무 등에 상관없이 인간이면 누구나 가지는 권리

④ 인권 사상은 근대 (❸)을/를 통해 성장함

B 기본권의 의미와 종류, 제한

1. 기본권의 의미: (❹)이/가 보장하는 인간으로서의 기본적 권리

2. 기본권의 기초: 인간의 존엄과 가치 및 (❺) → 헌법에 보장된 모든 기본권의 토대, 우리나라 헌법의 최우선의 가치

3. 기본권의 종류

종류	의미
자유권	모든 국민이 국가 권력으로부터 간섭을 받지 않고 자유롭게 생활할 권리
평등권	모든 국민이 합리적인 이유 없이 차별받지 않고 동등하게 대우받을 권리
(❻)	국가 기관의 형성과 국가의 정치적 의사 결정 과정에 참여할 수 있는 권리
사회권	국민이 국가에 인간다운 생활의 보장을 요구할 수 있는 권리
(❼)	기본권이 침해되거나 침해될 우려가 있을 때 이의 구제를 요구할 수 있는 권리

4. 기본권의 제한과 한계

① **필요성**: 어떤 사람의 기본권 행사가 다른 사람의 기본권을 침해하거나 공동체의 이익을 해칠 염려가 있을 때 기본권 행사를 제한할 수 있음

② **목적**: 국가 안전 보장, (❽), 공공복리를 위하여 필요한 경우에 제한함

③ **형식**: 국회가 제정한 (❾)에 의해서만 제한 가능함

④ **한계**: 기본권을 제한하는 경우에 있어서도 자유와 권리의 (❿)은/는 침해할 수 없음

문제로 복습하기

01 인권의 의미와 중요성에 대한 설명으로 옳지 않은 것은?

① 인권 사상은 근대 시민 혁명을 통해 성장하였다.
② 인간이 태어나면서부터 당연히 가지는 권리이다.
③ 국가가 성립되어야만 보장받을 수 있는 권리이다.
④ 인권은 인간답게 살아가기 위해 마땅히 누려야 할 권리이다.
⑤ 인권이 보장될 때 인간으로서의 존엄을 지키고 행복하게 살 수 있다.

02 ㉠에 들어갈 알맞은 용어는?

> 인권은 인간이 태어나면서부터 갖는 (㉠)의 성격을 가지므로 남이 빼앗을 수 없을 뿐만 아니라 남에게 넘겨줄 수도 없다.

① 권력 ② 주권
③ 의무 ④ 군주권
⑤ 천부 인권

03 다음은 근대 시민 혁명 과정에서 선포된 문서의 일부이다. 이에 대한 옳은 설명을 〈보기〉에서 고른 것은?

> 인간과 시민의 권리 선언(1789)
> 제1조 인간은 자유롭고 평등하게 태어나 생활할 권리를 가진다. 사회적 차별은 공익을 위해서만 가능하다.

보기

ㄱ. 인권은 기본적이고 보편적인 권리이다.
ㄴ. 인권은 시민 혁명 과정을 거쳐야 인정받는다.
ㄷ. 인권 사상은 근대 시민 혁명을 통해 성장하였다.
ㄹ. 인권은 문서로 작성하고 선언해야 보장받을 수 있는 권리이다.

① ㄱ, ㄴ ② ㄱ, ㄷ ③ ㄴ, ㄷ
④ ㄴ, ㄹ ⑤ ㄷ, ㄹ

04 다음 설명에 해당하는 기본권은?

> 국가 기관의 형성과 국가의 정치적 의사 결정 과정에 참여할 수 있는 권리이다.

① 자유권 ② 평등권
③ 참정권 ④ 사회권
⑤ 청구권

05 그림에 나타난 기본권에 대한 옳은 설명을 〈보기〉에서 고른 것은?

보기

ㄱ. 소극적 권리, 방어적 권리이다.
ㄴ. 그림에 나타난 기본권은 사회권이다.
ㄷ. 국민이 국가에 인간다운 생활의 보장을 요구할 수 있는 권리이다.
ㄹ. 모든 국민이 합리적인 이유 없이 차별받지 않고 동등하게 대우받을 권리이다.

① ㄱ, ㄴ ② ㄱ, ㄷ ③ ㄴ, ㄷ
④ ㄴ, ㄹ ⑤ ㄷ, ㄹ

06 다음은 수업의 한 장면이다. ㉠에 들어갈 기본권은?

> 교사: (㉠)의 내용에 대해서 발표해 볼까요?
> 학생: 선거권, 공무 담임권, 국민 투표권이 있습니다.
> 교사: 옳은 내용을 발표했네요.

① 자유권 ② 평등권
③ 참정권 ④ 사회권
⑤ 청구권

07 그림에 나타난 기본권 제한의 목적으로 적절한 것은?

① 평등 실현 ② 공공복리
③ 질서 유지 ④ 경제 발전
⑤ 국가 안전 보장

08 기본권 ㉠, ㉡에 대한 옳은 설명을 〈보기〉에서 고른 것은?

기본권	헌법 조항
㉠	제24조 모든 국민은 법률이 정하는 바에 의하여 선거권을 가진다.
㉡	제29조 ① 공무원의 직무상 불법 행위로 손해를 받은 국민은 …… 국가 또는 공공 단체에 정당한 배상을 청구할 수 있다.

보기

ㄱ. ㉠은 평등권, ㉡은 청구권이다.
ㄴ. ㉠과 ㉡ 모두 적극적 권리이다.
ㄷ. ㉡의 내용으로는 재판 청구권, 국가 배상 청구권을 들 수 있다.
ㄹ. ㉠과 달리 ㉡은 성인만 보장받을 수 있는 권리이다.

① ㄱ, ㄴ ② ㄱ, ㄷ ③ ㄴ, ㄷ
④ ㄴ, ㄹ ⑤ ㄷ, ㄹ

서술형

09 기본권 제한의 형식을 서술하시오.

I. 인권과 헌법

02~03 인권 침해와 구제 방법 ~ 근로자의 권리와 노동권 침해의 구제

개념으로 복습하기

A 인권 침해와 구제 방법

1. 인권 침해: 인간으로서 가지는 권리나 법으로 보장되는 기본권을 존중받지 못하는 것

2. 인권 침해의 발생 원인

① 사람들의 고정 관념이나 편견

② 사회의 잘못된 관습이나 관행, 불합리한 법과 제도

3. 인권 침해의 유형

① 국가 기관에 의한 인권 침해

② 개인이나 단체에 의한 인권 침해

4. 국가 기관을 통한 인권 침해 구제 방법

① **법원을 통한 구제**: 침해된 인권을 재판을 통해 구제

② (❶)**을/를 통한 구제**: 위헌 법률 심판, 헌법 소원 심판을 통해 구제

③ (❷)**을/를 통한 구제**: 인권을 침해당한 당사자가 상담을 요청하거나 진정을 넣어 구제 요청 → 인권을 침해할 우려가 있는 법이나 제도 개선 권고

B 근로자의 권리와 노동권 침해의 구제

1. 근로자와 근로의 권리

① (❸): 임금을 받기 위해 근로를 제공하는 사람

② **근로의 권리**: 일할 의사와 능력을 가진 사람이 일할 기회와 인간다운 생활의 보장을 요구할 권리

2. 근로 조건

① 근로 계약의 내용이 (❹)의 기준보다 낮으면 안 됨

② 사용자는 최저 임금 제도를 준수해야 함

3. 노동 삼권

① (❺): 노동조합과 같은 단체를 만들고 그에 가입하여 활동할 수 있는 권리

② (❻): 노동조합을 통해 사용자와 근로 조건을 협의할 수 있는 권리

③ (❼): 단체 교섭이 원만하게 이루어지지 않을 경우 쟁의 행위를 할 수 있는 권리

4. 노동권의 침해와 구제

구분	(❽)	부당 노동 행위
의미	• 정당한 이유 없는 해고 • 정당한 해고의 요건을 갖추지 않은 해고	사용자가 노동조합의 결성 또는 가입을 방해하거나 정당한 이유 없이 단체 교섭을 거부하는 행위
구제	(❾)에 구제 신청, 법원에 재판 신청	

문제로 복습하기

01 인권 침해에 대한 설명으로 옳지 않은 것은?

① 불합리한 법과 제도로 인권 침해가 발생할 수 있다.

② 개인이나 단체에 의한 인권 침해가 발생하기도 한다.

③ 사람들의 고정 관념이나 편견으로 인권 침해가 발생할 수 있다.

④ 민주 국가에서 국가 기관에 의한 인권 침해는 발생하지 않는다.

⑤ 인권 침해가 발생할 경우 국가 기관을 통해 인권 침해에 대한 구제를 받을 수 있다.

02 다음 사례에 대한 설명으로 옳은 것은?

> • 연예인 나최고 씨는 사람들이 자신의 사진을 몰래 찍어 대는 통에 밖으로 나가는 것이 괴롭다. 친구를 만나거나 물건을 사러갈 때도 누군가 몰래 자신의 사진을 찍고 있는 것 같아 일상생활을 제대로 하기 어려울 지경이다.
> • 몸이 불편하여 휠체어를 이용하고 있는 나불편 양은 집에서 학교로 갈 때마다 진땀을 흘린다. 수많은 계단과 버스 등을 이용하기가 너무 힘들기 때문이다.

① 나최고 씨의 사례만 인권 침해에 해당된다.

② 나최고 씨는 연예인이므로 모든 것을 감수해야 한다.

③ 나불편 양은 사회적 소수자이기 때문에 어쩔 수 없다.

④ 인권 침해가 발생하면 국가 인권 위원회를 통한 구제만 허용된다.

⑤ 인권 침해란 인간으로서 가지는 권리나 법으로 보장되는 기본권을 존중받지 못하는 것이다.

03 다음 방법으로 인권 침해를 구제하는 국가 기관은?

> • 위헌 법률 심판 • 헌법 소원 심판

① 국회 ② 법원

③ 감사원 ④ 헌법 재판소

⑤ 국가 인권 위원회

04 근로자와 근로자의 권리에 대한 설명으로 옳지 <u>않은</u> 것은?

① 사용자는 최저 임금 제도를 준수해야 한다.
② 근로자는 임금을 받기 위해 근로를 제공하는 사람이다.
③ 임금, 근로 시간과 달리 휴가는 근로 조건에서 제외된다.
④ 근로 계약의 내용이 근로 기준법의 기준보다 낮으면 안 된다.
⑤ 근로자는 일할 기회와 인간다운 생활 보장을 요구할 권리가 있다.

05 그림 (가), (나)에 나타난 노동 삼권을 옳게 짝지은 것은?

(가)

(나)

	(가)	(나)
①	단결권	단체 교섭권
②	단결권	단체 행동권
③	단체 교섭권	단결권
④	단체 교섭권	단체 행동권
⑤	단체 행동권	단결권

06 단체 교섭이 원만하게 이루어지지 않을 경우 쟁의 행위를 할 수 있는 권리는?

① 사회권
② 참정권
③ 단결권
④ 단체 교섭권
⑤ 단체 행동권

07 밑줄 친 ㉠, ㉡에 대한 옳은 설명을 〈보기〉에서 고른 것은?

> ㉠ '<u>이것</u>'은 정당한 이유 없이 해고하는 것으로, ㉡ <u>정당 해고의 요건</u>을 갖추지 않은 해고이다.

보기

ㄱ. ㉠은 부당 해고이다.
ㄴ. ㉠을 당한 근로자는 법원을 통해서만 구제받을 수 있다.
ㄷ. ㉡을 갖추려면 사용자는 적어도 30일 전에 해고 계획을 알려야 한다.
ㄹ. 전화나 휴대 전화 문자 메시지로 해고 사유와 시기를 알려주면 ㉡을 갖추게 된다.

① ㄱ, ㄴ ② ㄱ, ㄷ ③ ㄴ, ㄷ
④ ㄴ, ㄹ ⑤ ㄷ, ㄹ

08 다음 사례에 대한 옳은 분석을 〈보기〉에서 고른 것은?

> 갑 사장은 최근 회사의 노동조합이 자신의 비리를 폭로하여 골머리를 앓고 있다. 그러던 차에 직원들에게 성과급을 지급할 시기가 되었다. 갑 사장은 직원들의 노동조합 탈퇴를 유도하고자 노동조합에 가입한 직원들을 제외하고 성과급을 지급하였다.

보기

ㄱ. 근로자들은 단결권을 침해당하였다.
ㄴ. 갑 사장은 부당 노동 행위를 하였다.
ㄷ. 갑 사장은 노동조합 가입자를 부당 해고하였다.
ㄹ. 근로자들은 법원이 아닌 노동 위원회를 통해서만 침해된 노동권을 구제받을 수 있다.

① ㄱ, ㄴ ② ㄱ, ㄷ ③ ㄴ, ㄷ
④ ㄴ, ㄹ ⑤ ㄷ, ㄹ

서술형

09 노동 삼권 중 단체 교섭권의 의미를 서술하시오.

Ⅱ. 헌법과 국가 기관

01 국회의 위상과 역할

개념으로 복습하기

A 국회의 의미와 위상

1. 국회의 의미: 국민이 직접 선출한 대표로 구성된 국민의 대표 기관

2. 국회의 구성: (❶)에 한 번씩 국회 의원 선거 실시, 지역구 의원과 (❷) 의원으로 구성됨

3. 국회의 지위

① **국민의 대표 기관**: 국민의 다양한 의견 반영 → 대의 민주제에서 국민들은 국회를 통해 주권을 행사함

② (❸): 국민의 의사를 반영하여 법률 제정 · 개정, 헌법 개정안의 제출 및 의결

③ **국정 통제 기관**: 정부를 감시하고 통제함으로써 국가 권력의 남용을 막고, 국민의 다양한 요구와 의사를 정책에 반영함

B 국회의 조직과 기능

1. 국회의 조직

국회 의원	• 임기는 4년이고 국민이 직접 선출 • 지역구 국회 의원(지역 대표) + 비례 대표 의원(비례 대표)
주요 기관	• 국회 의장 1명, 부의장 2명을 국회 의원 중에서 선출 • (❹): 국회의 최종적 의사 결정 회의 • (❺): 효율적이고 전문적인 심의를 위해 본회의에 앞서 관련된 안건이나 법률안 심사(상임 위원회, 특별 위원회) • 교섭 단체: 국회 의사 진행에 필요한 중요 안건을 협의

2. 국회의 기능

① **입법에 관한 기능**: 국회가 가지는 가장 대표적인 기능
- 법률의 제정 및 개정권
- 헌법 개정안 제출
- 조약의 체결에 관한 동의권

② (❻)**에 관한 기능**: 매년 정부가 제출한 예산안을 심의하여 확정, 결산 심사

③ (❼) **기능**: 국정 감사와 국정 조사권, 대통령의 권한 행사에 대한 동의권

④ **국가 기관 구성 기능**: 대통령이 국무총리, 헌법 재판소장 등을 임명할 때 (❽) 행사

⑤ (❾): 대통령, 국무총리, 국무 위원 등 고위 공직자가 법률을 위반하였을 때 헌법 재판소에 심판(파면)을 요구할 수 있음

문제로 복습하기

01 국회에 대한 설명으로 옳지 않은 것은?

① 정부를 감시하고 통제한다.
② 국민의 다양한 의견을 반영한다.
③ 국민이 직접 선출한 대표로 구성된다.
④ 국회 의원의 임기는 4년이며 연임이 불가능하다.
⑤ 헌법 개정안을 제출하고 의결하는 입법 기관이다.

02 국회의 조직과 기능에 대한 옳은 설명을 〈보기〉에서 고른 것은?

보기

ㄱ. 지역구 의원과 비례 대표 의원으로 구성된다.
ㄴ. 비례 대표 의원은 각 선거구의 인구에 비례해서 선출된다.
ㄷ. 본회의는 위원회에서 심사한 안건을 최종적으로 결정한다.
ㄹ. 교섭 단체는 본회의에 앞서 관련된 안건이나 법률안을 심사한다.

① ㄱ, ㄴ ② ㄱ, ㄷ ③ ㄴ, ㄷ
④ ㄴ, ㄹ ⑤ ㄷ, ㄹ

03 ㉠에 공통으로 들어갈 국회의 조직은?

국회에 20인 이상의 소속 의원을 가진 정당 또는 다른 (㉠)에 속하지 아니하는 20인 이상의 의원으로 구성된 단체를 (㉠)(이)라고 한다. (㉠)의 대표들은 국회의 원활한 의사 진행을 위하여 다양한 의사를 사전에 통합 · 조정하는 역할을 한다.

① 교섭 단체 ② 국회 사무처
③ 국회 의장단 ④ 상임 위원회
⑤ 특별 위원회

04 밑줄 친 ㉠~㉤에 대한 설명으로 옳지 않은 것은?

> ○○신문 ○○○○년 ○월 ○일
>
> **칼 럼**
>
> 국회가 ㉠ 본회의를 열어 428조 8339억 원 규모의 내년도 ㉡ 정부 예산안을 확정해 통과시켰다. 내년도 예산안은 국회 ㉢ 예산 결산 특별 위원회 조정과 정부의 세부 수정 등을 거쳐 최종 규모가 확정된 것이다. 이날 국회를 통과한 ㉣ 정부의 예산안은 국회 심의를 거치며 당초 ㉤ 정부가 제출했던 원안(429조 원 상당)에서 1375억 원이 감소되었다.

① ㉠에서 국회 의원들이 모두 모여 국가의 중요한 문제를 논의한다.
② ㉡은 국회에서 제정된 법률을 집행한다.
③ ㉢은 국회 의사 진행에 필요한 중요 안건을 협의하는 교섭 단체이다.
④ ㉣은 재정에 관한 기능이다.
⑤ ㉤은 입법부가 행정부를 견제한 사례에 해당한다.

05 다음 사례에 나타난 국회의 기능으로 가장 적절한 것은?

> 국회는 2017년 9월 21일 본회의에서 김OO 대법원장 임명 동의안을 표결에 부쳐 가(可) 160, 부(否) 134, 기권 1, 무효 3표로 가결됐다. 이날 대법원장 임명 동의안 가결은 대통령이 지난 8월 25일 국회에 김 후보자에 대한 임명 동의안을 제출한 지 한 달 만이다.

① 입법 기능 ② 탄핵 소추권
③ 국정 통제 기능 ④ 재정에 관한 기능
⑤ 국가 기관 구성 기능

06 국회의 국정 통제 기능에 해당하는 것은?

① 법률의 제정 및 개정권
② 정부 예산안 심의·의결권
③ 헌법 개정 제안 및 의결권
④ 조세의 종목 및 세율 결정
⑤ 국정 감사권 및 국정 조사권

07 밑줄 친 ㉠, ㉡에 대한 옳은 설명을 〈보기〉에서 고른 것은?

> 국회는 신용카드 회사의 개인 정보 유출과 관련하여 ㉠ 국정 조사를 실시하였다. 이후 국회는 본회의를 열고 이 사태의 후속 조치 법안 중 하나인 ㉡ 「개인 정보 보호법」 개정안을 통과시켰다. 이 법안은 주민 등록 번호를 보관하는 개인 정보 처리자에게 의무적으로 주민 등록 번호를 암호화하도록 하는 내용을 담고 있다.

> **보기**
>
> ㄱ. ㉠은 국회의 국정 통제 기능에 해당한다.
> ㄴ. ㉠은 국회가 매년 정기적으로 국정 전반을 감사하는 권한이다.
> ㄷ. ㉡은 국회가 가지는 가장 대표적인 기능이다.
> ㄹ. ㉡이 완료되면 법률로 확정된다.

① ㄱ, ㄴ ② ㄱ, ㄷ ③ ㄴ, ㄷ
④ ㄴ, ㄹ ⑤ ㄷ, ㄹ

08 다음은 우리나라 법률 제·개정 절차를 나타낸 것이다. ㉠~㉤에 들어갈 내용으로 옳지 않은 것은?

> 국회 의원 또는 (㉠)이/가 법률안을 제안할 수 있다. 국회 의장은 제안된 법률안을 (㉡)에 넘겨 전문적인 심사를 받게 한다. (㉡)을/를 통과한 법률안은 본회의를 거쳐 재적 의원 과반수 출석과 (㉢) 찬성으로 의결된다. 그리고 국회에서 법률안이 의결되면 (㉣)은/는 15일 이내에 공포해야 하는데, 만약 법률안에 이의가 있을 경우 (㉣)은/는 (㉤)을/를 행사할 수 있다.

① ㉠ – 정부 ② ㉡ – 상임 위원회
③ ㉢ – 출석 의원 2/3 ④ ㉣ – 대통령
⑤ ㉤ – 거부권

서술형

09 국회의 입법 기능을 세 가지 서술하시오.

02 대통령과 행정부의 역할

개념으로 복습하기

A 대통령의 지위와 권한

1. 선출
① 국민의 직접 선거로 뽑음
② 임기 5년의 단임제(중임 금지)

2. 지위 및 권한

(❶)(으)로서의 지위 및 권한	• 대외적 국가 대표: 외국과 조약 체결 및 비준권, 선전 포고와 강화권 등 • 헌법 기관 구성: (❷), 헌법 재판소장, 국무총리에 대한 임명권 등 • 국가와 헌법 수호: 긴급 처분 및 명령권, 계엄 선포권 등 • 국정 조정: 국회 임시회 소집 요구, 국회에 출석하여 발언, 헌법 개정안 제안 등
(❸)(으)로서의 지위 및 권한	• 행정부 지휘 · 감독: 행정부를 구성하고 지휘 · 감독할 권한 • (❹): 국군을 통솔할 권한 • 행정부의 공무원 임면권: 행정부 소속 공무원에 대한 임명과 파면권 • (❺): 법률을 집행하기 위하여 필요한 사항에 대해 명령할 수 있는 권한 • (❻): 대통령이 국회에서 이송된 법률안에 이의를 달아 국회로 되돌려 보내 재의를 요구할 수 있는 권한

B 행정부의 조직과 기능

1. 행정부: 행정을 담당하는 국가 기관
① 법률에 따라 사회 질서를 유지하고 국민을 보호함
② 각종 정책을 세우고, 공공시설을 만들고 관리함

2. 대통령: 행정부를 통솔하고, 국무 회의를 거쳐 국가의 중요한 일을 결정함

3. (❼): 대통령이 국회의 동의를 얻어 임명, 대통령을 보좌하며 행정 각부를 지휘하고 감독함

4. 행정 각부: 구체적인 행정 사무를 집행, 행정 각부의 장은 대통령이 임명

5. 국무 회의: 대통령 · 국무총리 · 국무 위원(행정 각부의 장)으로 구성, 행정부의 여러 가지 주요 정책을 심의하는 행정부 최고의 (❽)

6. (❾): 대통령 직속의 헌법 기관, 국가의 모든 수입과 지출 검사, 행정 기관과 공무원의 직무 감찰 → 행정 전반에 대한 감시

문제로 복습하기

01 ㉠~㉢에 들어갈 용어를 옳게 짝지은 것은?

> 우리 주변을 살펴보면 도로 건설, 화재 진압, 교통 질서 유지 등 국민을 위해 국가가 하는 다양한 활동들이 있다. 이러한 활동들은 모두 국회에서 만들어진 법률에 근거하여 이루어지는데, 이처럼 법률을 (㉠)하고 여러 정책을 만들어 실행하는 것을 (㉡)이라고 한다. (㉢)은/는 (㉡)을/를 담당하는 국가 기관을 말한다.

	㉠	㉡	㉢
①	제정	사법	법원
②	제정	사법	행정부
③	집행	행정	행정부
④	집행	행정	법원
⑤	개정	행정	행정부

02 다음은 우리나라 헌법 조항의 일부이다. ㉠에 대한 설명으로 옳지 않은 것은?

> 제66조 ① (㉠)은/는 국가의 원수이며, 외국에 대하여 국가를 대표한다.
> ④ 행정권은 (㉠)을/를 수반으로 하는 정부에 속한다.

① ㉠은 대통령이다.
② ㉠은 대외적으로 국가를 대표한다.
③ ㉠은 국민의 직접 선거로 선출된다.
④ ㉠은 법률안 거부권을 행사할 수 있다.
⑤ ㉠의 임기는 5년이며 중임이 가능하다.

★ 정답과 해설 63쪽

03 다음 사례에 대한 옳은 설명을 〈보기〉에서 고른 것은?

> 대통령은 2018년 8월 29일 유OO을 신임 헌법 재판소장 후보자로 지명하였다. 2018년 9월 20일 열린 국회 본회의에서 유OO 헌법 재판소장 후보자 임명 동의안이 총투표 수 229표 중 찬성 185표, 반대 40표, 무효 4표로 가결됐다.

보기

ㄱ. 대통령의 헌법 기관 구성 권한이 나타나 있다.
ㄴ. 대통령이 국가 원수로서의 권한을 행사하였다.
ㄷ. 대통령이 행정부의 공무원 임면권을 행사하였다.
ㄹ. 입법부가 사법부를 견제할 수 있는 권한이 있음을 알 수 있다.

① ㄱ, ㄴ ② ㄱ, ㄷ ③ ㄴ, ㄷ
④ ㄴ, ㄹ ⑤ ㄷ, ㄹ

04 ㉠~㉣에 대한 설명으로 옳지 않은 것은?

> (㉠)은/는 대통령을 보좌하여 (㉣)을/를 총괄하며, 대통령 자리가 공석일 경우 대통령의 권한을 대행한다. (㉡)은/는 대통령, (㉠), 국무 위원으로 구성되며, 정부의 중요한 정책을 논의하는 행정부의 최고 (㉢)이다. 구체적인 행정 사무는 교육부, 법무부, 외교부 등과 같은 (㉣)에서 담당한다.

① ㉠은 '국무총리'이다.
② ㉠은 대통령이 국회의 동의를 얻어 임명한다.
③ ㉡은 '국무 회의'이다.
④ ㉢에는 '의결 기관'이 들어갈 수 있다.
⑤ ㉣은 '행정 각부'이다.

05 대통령의 행정부 수반으로서의 권한이 아닌 것은?

① 국군 통수권 ② 계엄 선포권
③ 법률안 거부권 ④ 대통령령 발포권
⑤ 행정부 공무원 임면권

06 그림은 국가 기관의 회의 장면이다. 이 회의에 대한 옳은 설명을 〈보기〉에서 고른 것은?

보기

ㄱ. 이 회의에서 법률을 만든다.
ㄴ. 행정부의 주요 정책을 심의하고 있다.
ㄷ. 대통령이 의장, 국무총리가 부의장이다.
ㄹ. 국회의 동의가 있어야 회의를 개최할 수 있다.

① ㄱ, ㄴ ② ㄱ, ㄷ ③ ㄴ, ㄷ
④ ㄴ, ㄹ ⑤ ㄷ, ㄹ

07 ㉠에 대한 옳은 설명을 〈보기〉에서 고른 것은?

> (㉠)은/는 공무원의 비리 행위를 조사할 목적으로 77개 기관에 대한 직무 관련 감사를 벌였다. (㉠)은/는 부정부패를 척결하기 위해 앞으로 행정 기관과 공무원의 직무에 대한 감찰을 강화해 나갈 방침이라고 밝혔다.

보기

ㄱ. 대통령 직속의 헌법 기관이다.
ㄴ. 구체적인 행정 사무를 집행한다.
ㄷ. 국가의 모든 수입과 지출을 검사한다.
ㄹ. 정부가 제출한 예산안을 심의하고 의결한다.

① ㄱ, ㄴ ② ㄱ, ㄷ ③ ㄴ, ㄷ
④ ㄴ, ㄹ ⑤ ㄷ, ㄹ

서술형

08 국무 회의의 기능을 서술하시오.

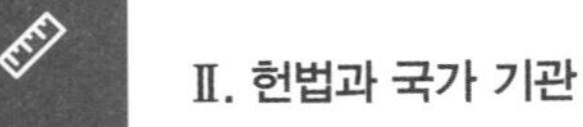

03 법원과 헌법 재판소의 역할

개념으로 복습하기

A 사법과 사법권의 독립

1. 사법의 의미: 분쟁을 해결하는 과정에서 관련된 법률 내용을 해석하고 적용하는 것

2. 사법권의 독립: 외부 기관의 간섭과 압력으로부터 법원과 법관을 독립시킴 → (❶)을/를 보장하여 국민의 기본권 보장

B 법원의 기능과 구성

1. 법원의 주요 기능: 재판을 통해 법적 분쟁을 해결, 헌법 재판소에 위헌 법률 심판을 제청함

2. 법원의 구성과 역할

① (❷): 사법부 최고 법원, 심급 제도에 따라 하급 법원의 최종심(주로 3심)을 담당함

② (❸): 지방 법원의 판결에 대한 항소 사건(2심)을 담당함

③ (❹): 1심 사건을 재판, 지방 법원 단독 판사의 판결에 대한 항소 사건(2심)을 담당함

④ **특허 법원**: 특허권 분쟁을 담당함

⑤ **가정 법원**: 가사 사건, 소년 보호 사건을 담당함

⑥ **행정 법원**: 행정 사건을 담당함

C 헌법 재판소의 위상과 역할

1. 위상: 헌법 수호 기관, (❺) 기관

2. 역할

역할	내용
(❻) 심판	법원이 재판의 전제가 된 법률이 헌법에 위반된다고 판단하여 위헌 여부를 심사해 달라고 제청했을 때, 그 법률의 위헌 여부를 심판
(❼) 심판	공권력에 의해 국민의 기본권이 침해된 경우 최종적으로 이를 구제하는 심판 → 기본권이 침해된 국민이 직접 헌법 재판소에 요청
탄핵 심판	(❽)이/가 대통령, 장관, 법관 등 법률이 정한 공무원에 대한 탄핵 소추를 의결했을 때 파면 여부를 심판
(❾) 심판	국가 기관이나 지방 자치 단체 간의 권한 분쟁을 해결하는 심판
(❿) 심판	정당의 목적이나 활동이 민주적 기본 질서에 위배되는지를 기준으로 정당의 해산 여부를 심판(정부가 청구)

문제로 복습하기

01 다음 헌법 조항에 대한 옳은 설명을 〈보기〉에서 고른 것은?

> 제101조 ① 사법권은 법관으로 구성된 법원에 속한다.
> 제103조 법관은 헌법과 법률에 의하여 그 양심에 따라 독립하여 심판한다.

〈보기〉

ㄱ. 사법권의 독립을 보장하고 있다.
ㄴ. 공정한 재판을 보장하기 위해서이다.
ㄷ. 법관에 대한 탄핵 소추를 금지하는 근거가 된다.
ㄹ. 법원에 국민의 의사를 반영한 법률 제정 권한을 부여하고 있다.

① ㄱ, ㄴ ② ㄱ, ㄷ ③ ㄴ, ㄷ
④ ㄴ, ㄹ ⑤ ㄷ, ㄹ

02 그림은 우리나라 법원의 조직을 나타낸 것이다. ㉠, ㉡에 대한 옳은 설명을 〈보기〉에서 고른 것은?

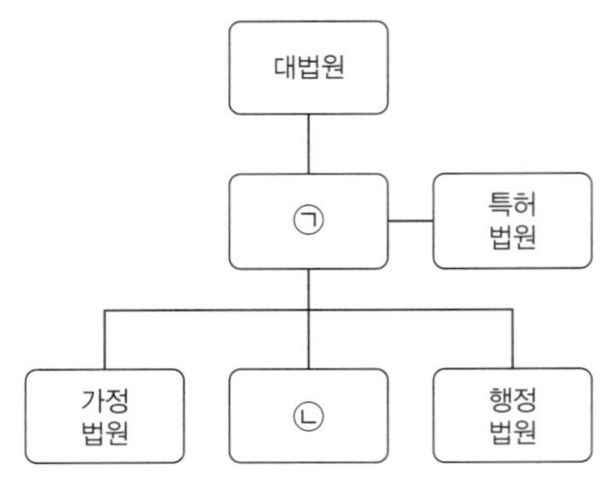

〈보기〉

ㄱ. ㉠은 고등 법원, ㉡은 지방 법원이다.
ㄴ. ㉠은 심급 제도에 따라 상고 사건을 담당한다.
ㄷ. ㉡은 항소 사건을 재판하기도 한다.
ㄹ. ㉡과 달리 ㉠은 주로 가사 사건과 소년 보호 사건을 재판한다.

① ㄱ, ㄴ ② ㄱ, ㄷ ③ ㄴ, ㄷ
④ ㄴ, ㄹ ⑤ ㄷ, ㄹ

✱ 정답과 해설 64쪽

03 다음 헌법 조항의 ㉠에 해당하는 법원은?

제107조 ② 명령·규칙 또는 처분이 헌법이나 법률에 위반되는 여부가 재판의 전제가 된 경우에는 (㉠)은 이를 최종적으로 심사할 권한을 가진다.

① 대법원 ② 고등 법원
③ 지방 법원 ④ 행정 법원
⑤ 가정 법원

04 그림에 나타난 재판을 담당하는 법원은?

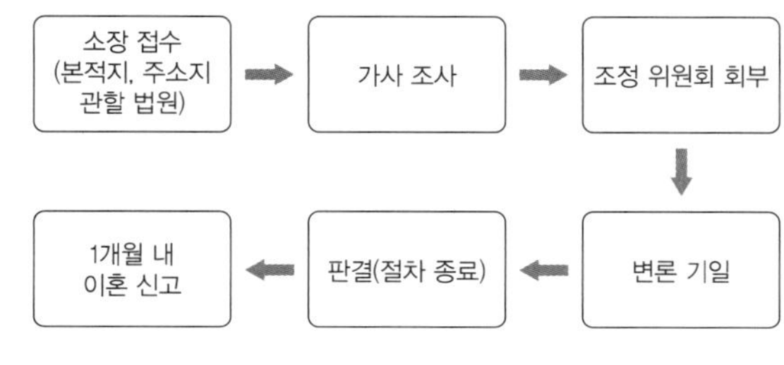

① 대법원 ② 고등 법원
③ 지방 법원 ④ 행정 법원
⑤ 가정 법원

05 ㉠, ㉡에 들어갈 용어를 옳게 짝지은 것은?

A 군은 3년 전 어머니가 재혼을 하면서 새아버지의 호적에 올랐다. A 군은 새아버지의 성으로 바꾸려고 법원에 호적 정정 신청을 했고, 재판 과정에서 해당 법률이 헌법에 위배된다고 주장하였다. 법원은 법률의 위헌 여부가 재판의 전제가 되자 (㉠)에 (㉡)을 제청하였다. (㉠)은/는 해당 법 조항이 자녀의 인격권과 양성평등권을 침해하여 헌법에 합치되지 않는다는 결정을 내렸다.

	㉠	㉡
①	대법원	위헌 법률 심판
②	대법원	헌법 소원 심판
③	고등 법원	위헌 법률 심판
④	헌법 재판소	위헌 법률 심판
⑤	헌법 재판소	헌법 소원 심판

06 다음 글에 대한 옳은 설명을 〈보기〉에서 고른 것은?

(A)이/가 박OO 대통령에 대한 ㉠ 탄핵 소추안을 가결한 지 3개월여 만에 (B)은/는 2017년 3월 10일 ㉡ 재판관 전원 일치로 박OO 대통령 파면을 결정했다.

보기
ㄱ. A는 대법원, B는 헌법 재판소이다.
ㄴ. B는 헌법 수호 기관이자 기본권 보장 기관이다.
ㄷ. ㉠은 입법부가 행정부를 견제할 수 있는 권한이다.
ㄹ. ㉡은 국회의 동의를 얻어 대법원장이 임명한다.

① ㄱ, ㄴ ② ㄱ, ㄷ ③ ㄴ, ㄷ
④ ㄴ, ㄹ ⑤ ㄷ, ㄹ

07 다음 글에 대한 옳은 설명을 〈보기〉에서 고른 것은?

○○씨는 인터넷 뉴스 게시판에 익명으로 댓글을 쓰려다가 본인 인증을 해야만 댓글을 쓸 수 있도록 규정이 바뀐 것을 발견하였다. 해당 게시판은 ㉠ '정보 통신망 이용 촉진 및 정보 보호 등에 관한 법률'에 따라 인터넷 실명제를 시행하고 있었다. 이에 ○○씨는 이 제도가 표현의 자유를 침해한다며 (A)을/를 청구하였다. 헌법 재판소는 인터넷 실명제가 건전한 인터넷 문화를 조성하려는 목적이 있지만 이용자의 ㉡ 표현의 자유를 과도하게 침해한다며, ㉢ 관련 법 조항에 대해 위헌 결정을 내렸다.

보기
ㄱ. A는 '위헌 법률 심판'이다.
ㄴ. A는 기본권이 침해된 국민이 직접 헌법 재판소에 청구한다.
ㄷ. ㉢에 의해 ㉠은 효력을 상실하였다.
ㄹ. ㉡은 사회권에 해당한다.

① ㄱ, ㄴ ② ㄱ, ㄷ ③ ㄴ, ㄷ
④ ㄴ, ㄹ ⑤ ㄷ, ㄹ

서술형

08 헌법 재판소의 권한 중 권한 쟁의 심판의 의미를 서술하시오.

01 합리적 선택과 경제 체제

개념으로 복습하기

A 경제 활동

1. 의미: 사람에게 필요한 재화나 서비스를 생산하고 분배하며 소비하는 모든 활동

2. 종류

(❶)	재화나 서비스를 만들어 내거나 기존에 있던 상품의 가치를 증대시키는 활동
분배	가계가 (❷)을/를 제공하고 그에 대한 대가를 받는 것
소비	사람들이 필요한 재화나 서비스를 구매하여 사용하는 활동

B 합리적 선택

1. 자원의 (❸): 인간의 욕구는 무한한 데 비해 이를 충족해 줄 자원은 한정되어 있는 것

2. (❹): 어떤 것을 선택함으로써 포기하게 되는 여러 대안이 갖는 가치 중 가장 큰 것

3. 합리적 선택: 가장 적은 비용으로 가장 큰 (❺)을 얻을 수 있는 대안을 선택하는 것

C 경제 문제와 경제 체제

1. 기본적인 경제 문제

① **무엇을 얼마나 생산할 것인가**: 생산물의 종류와 수량의 선택 문제

② **어떻게 생산할 것인가**: (❻)의 선택 문제

③ **누구를 위하여 생산할 것인가**: 분배의 문제

2. 경제 체제

구분	(❼)	계획 경제 체제
경제 문제 해결	시장의 가격 기구	국가의 계획과 명령
특징	개인의 자유로운 경쟁과 이익 추구 활동을 인정함	사회주의와 결합하여 부와 소득의 불평등 완화를 목표로 함

→ 오늘날 대부분 국가는 시장 경제 체제를 바탕으로 정부가 경제에 어느 정도 개입하는 (❽)을/를 운영함

문제로 복습하기

01 경제 활동 중 소비 활동에 해당하는 사례를 〈보기〉에서 고른 것은?

보기

ㄱ. 의사가 환자를 진료한다.
ㄴ. 시험이 끝난 후 영화를 관람한다.
ㄷ. 주식에 투자하고 배당금을 받는다.
ㄹ. 패스트푸드점에서 주문한 햄버거를 배달받는다.

① ㄱ, ㄴ ② ㄱ, ㄷ ③ ㄴ, ㄷ
④ ㄴ, ㄹ ⑤ ㄷ, ㄹ

02 (가), (나)에 해당하는 경제 활동을 옳게 짝지은 것은?

(가)

▲ 미용실 주인이 손님의 머리를 잘라줌

(나)

▲ 회사원이 급여를 받음

	(가)	(나)
①	생산 활동	소비 활동
②	생산 활동	분배 활동
③	소비 활동	생산 활동
④	소비 활동	분배 활동
⑤	분배 활동	생산 활동

03 다음 글의 ㉠에 들어갈 말로 적절한 것은?

무더운 열대 지방에서는 에어컨의 양이 많아도 그것을 원하는 사람들의 수가 더 많아 에어컨은 (㉠)을 가진다.

① 상대성 ② 절대성 ③ 희소성
④ 희귀성 ⑤ 다양성

★ 정답과 해설 64쪽

04 다음 글을 통해 알 수 있는 희소성의 특징으로 적절한 것은?

> 과거에 깨끗한 물은 무한하게 존재하였기 때문에 특별한 비용을 지불하지 않고도 이용할 수 있었다. 그러나 산업화로 환경 오염이 심해지면서 깨끗한 물이 점차 희소해졌다. 그 결과 오늘날에는 물을 깨끗하게 걸러 주는 정수기가 등장하였고, 생수가 판매되고 있다.

① 희소할수록 경제적 가치가 높다.
② 시대와 장소에 따라 달라질 수 있다.
③ 선택의 문제가 발생하는 근본 원인이다.
④ 무상재와 경제재를 구분하는 기준이 된다.
⑤ 양이 적은 재화는 희소성의 문제가 발생한다.

05 그림은 경제 문제에 대한 수업의 일부이다. (가)~(라)에 대한 설명으로 옳은 것은?

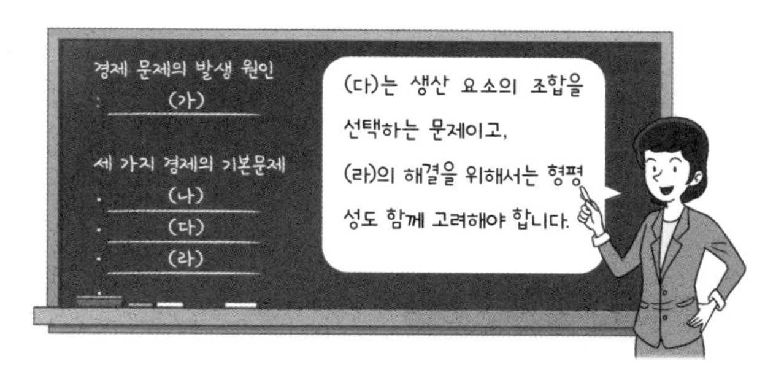

① (가)는 자원의 절대적인 수량이 부족한 상태를 의미한다.
② (나)는 생산 요소의 제공에 대한 대가를 결정하는 문제이다.
③ 생산비 절감을 위한 설비 자동화는 (다)와 관련된 문제이다.
④ 사업 품목의 결정은 (나)보다 (라)와 관련 있다.
⑤ (다)의 해결과 달리 (나)의 해결에서는 효율성을 고려하지 않아도 된다.

06 기회비용에 대한 설명으로 옳지 않은 것은?

① 합리적 선택의 기준이 된다.
② 돈뿐만 아니라 시간도 해당된다.
③ 기회비용은 사람마다 다를 수 있다.
④ 선택에 따라 포기하는 것의 가치를 모두 합한 것이다.
⑤ 기회비용을 편익보다 작게 하는 것이 합리적인 선택이다.

07 갑국이 A 경제 체제에서 B 경제 체제가 될 경우 예상되는 변화를 〈보기〉에서 고른 것은?

> • A 경제 체제는 생산 수단의 국가 소유와 경제 활동에 대한 정부의 통제를 중시한다.
> • B 경제 체제는 사유 재산을 보장하고 경제 주체들 간 자율적인 의사 결정을 중시한다.

보기

ㄱ. 자원 배분의 효율성이 높아질 것이다.
ㄴ. 개인 간 소득 불평등 문제가 줄어들 것이다.
ㄷ. 실업 문제 등이 발생할 가능성이 커질 것이다.
ㄹ. 정부의 계획과 통제에 따라 가격 결정 과정이 이루어질 것이다.

① ㄱ, ㄴ ② ㄱ, ㄷ ③ ㄴ, ㄷ
④ ㄴ, ㄹ ⑤ ㄷ, ㄹ

서술형

08 다음 사례에서 추론할 수 있는 오늘날 경제 체제의 특징을 서술하시오.

> • 미국에서는 많은 은행과 보험 회사들이 파산 위기에 처하자 정부가 이들의 파산을 막으려고 하였다.
> • 과거 중국은 국가가 공장을 소유하고, 생산 품목, 생산량을 결정하였지만, 지금은 대부분 경제 활동이 개인의 자유로운 선택에 따라 이루어지고 있다.

Ⅲ. 경제생활과 선택

02 기업의 역할과 사회적 책임

개념으로 복습하기

A 기업의 역할

1. 기업: (❶)을/를 담당하는 경제 주체 → (❷)의 극대화를 추구함

2. 기업의 역할

재화나 서비스 생산	소비자에게 필요한 재화나 서비스를 생산하여 제공함
고용과 (❸) 창출	생산 과정에서 근로자를 고용하며, 일한 대가로 임금을 지급하여 가계에 소득을 창출함
세금 납부	경제 활동으로 벌어들인 수입 중 일부를 세금으로 납부하여 국가 재정에 이바지함
국민 경제 성장 촉진	기술 혁신을 위한 연구 개발에 투자함으로써 경제 성장을 촉진함

B 기업의 사회적 책임과 기업가 정신

1. 기업의 사회적 책임

① **의미:** 기업이 사회 전체의 이익에 부합하도록 의사 결정을 해야 한다는 (❹) 책임 의식

② **내용**

합법적 경제 활동 수행	이윤 활동 추구 외에 경제 활동 관련 법 준수, 공정한 거래, 성실한 세금 납부 등 합법적인 경제생활을 해야 함
(❺) 문제에 대한 책임	생산 과정에서 생태계를 보호하고, 환경 오염을 최소화해야 함
소비자의 권익 보호	소비자를 위해 안전한 제품을 생산하고, 소비자의 권익을 보호해야 함
(❻)의 권리 보호	노동자에게 정당한 임금과 안전한 작업 환경을 제공해야 함
사회 공헌 활동에 참여	이윤 일부를 자선이나 기부 활동, 장학 사업 및 복지 등에 지원하기 위해 노력해야 함

2. 기업가 정신

① **의미:** 미래의 불확실성과 높은 위험 속에서도 끊임없는 (❼)을/를 통해 새로운 수익을 창출하고, 경쟁력을 확보해 나가려는 기업가의 도전 정신과 의지

② **내용:** 신제품 및 생산 기술 개발, 새로운 시장 개척, 새로운 생산 방법 도입 등

문제로 복습하기

01 기업에 관한 설명으로 옳지 않은 것은?

① 생산 활동의 주체이다.
② 재화와 서비스를 생산하여 공급한다.
③ 생산 요소를 제공받아 경제 활동을 한다.
④ 노동력을 제공한 가계에 소득을 제공한다.
⑤ 세금으로 시장에 필요한 재화를 만들어 공급한다.

[02-03] 그림은 경제 주체의 경제 활동을 나타낸다. 물음에 답하시오.

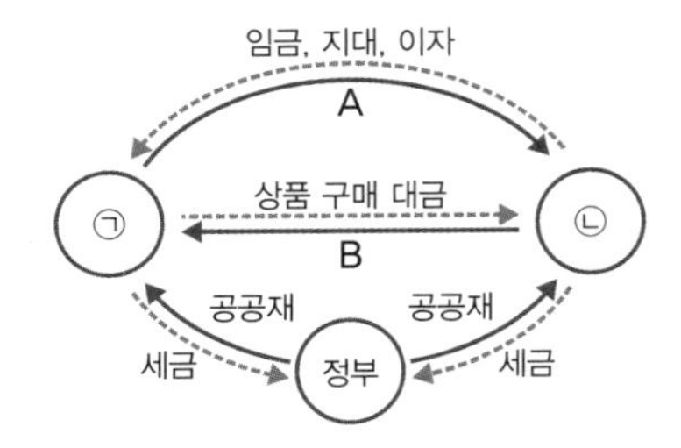

02 경제 주체 ㉠, ㉡에 대한 설명으로 옳은 것은?

① ㉠은 이윤 극대화를 추구한다.
② ㉠은 재화와 서비스를 소비하는 주체이다.
③ ㉡은 효율성보다 형평성을 중시하여 선택한다.
④ ㉠은 ㉡에 임금을 지급하여 소득을 창출한다.
⑤ ㉠과 달리 ㉡은 재화의 희소성 문제를 고민한다.

03 A, B에 들어갈 수 있는 것을 옳게 짝지은 것은?

	A	B
①	노동	재화
②	자본	토지
③	토지	자본
④	재화	서비스
⑤	서비스	노동

04 다음 글에서 설명하는 개념으로 적절한 것은?

> 오늘날에는 기업의 활동이 사회적으로 큰 영향을 미치고 있으므로 기업은 사회 전체의 이익에 부합하도록 의사 결정을 내려야 한다.

① 기업가 정신　② 기업의 생산 활동
③ 기업의 소득 증대　④ 기업의 사회적 책임
⑤ 기업의 이윤 추구 활동

05 다음 글에서 강조하는 기업의 역할로 옳은 것은?

> △△사는 인도, 미국, 러시아 등 7개국에 현지 공장을 가동하고 있는데, 공장이 건설된 이후 각 지역 경제는 몰라보게 달라졌다. 고용 창출 효과와 주변 상업 시설 건설, 주택 건설 등으로 지역 경제가 활성화되었다.

① 세금을 납부한다.
② 고용과 소득을 창출한다.
③ 재화와 서비스를 생산한다.
④ 세금을 바탕으로 공공재를 공급한다.
⑤ 기술 혁신을 위한 연구 개발에 투자한다.

06 밑줄 친 '이것'의 사례로 적절하지 않은 것은?

> '이것'은 이윤 창출을 위해 치열한 경쟁 속에서 창의적, 적극적, 모험적인 정신을 가지고 새로운 사업이나 시장에 도전하는 자세나 태도를 의미한다.

① A 전자 회사는 1인 가구가 점차 증가함에 따라 다양한 소형 가전제품을 개발하였다.
② B 식품 회사는 바쁜 현대인들을 위해 데우기만 하면 한 끼 식사가 되는 신제품을 출시하였다.
③ C 통신사는 가입자 수를 늘리기 위해 행사 기간 휴대 전화 구매자에게 사은품을 주었다.
④ D 게임 회사는 직원들의 아이디어가 곧바로 최고 경영자에게 전달되는 온라인 결재 시스템을 개발하였다.
⑤ E 가구 회사는 고객들이 직접 만들어서 즐거움과 성취감을 느낄 수 있는 조립식 가구 시장을 개척하였다.

07 기업의 사회적 책임 중 ◎◎ 기업의 활동과 관계 깊은 것은?

> ◎◎ 기업은 각종 유해 물질이 검출되지 않는 깨끗하고 안전한 제품을 만들기 위해 끊임없이 연구하며 설비 투자를 아끼지 않고 있다.

① 소비자의 권익 보호
② 노동자의 권익 보호
③ 합법적 경제 활동 수행
④ 사회 공헌 활동에 참여
⑤ 환경 문제에 대한 책임

08 다음은 신문 기사의 제목이다. △△ 기업이 간과한 사회적 책임으로 가장 적절한 것은?

> 축구공 생산에 제3 세계 아동 노동력 착취
> △△ 기업, 기업 이미지 실추로 판매 부진

① 세금을 성실하게 납부해야 한다.
② 사회 공헌 활동에 참여해야 한다.
③ 협력 업체와 공정하게 거래해야 한다.
④ 생태계를 보호하고, 환경 오염을 최소화해야 한다.
⑤ 근로자에게 안전한 작업 환경을 제공하며 정당한 대가를 지불해야 한다.

서술형

09 다음 사례에서 □□ 기업이 추구한 정신을 쓰고, 이와 연관하여 이 기업이 성공한 원인을 서술하시오.

> □□ 기업은 1996년 세계 최초로 상용 체성분 분석기를 개발하였다. 최근에는 손목에 차고만 있으면 근육량, 체지방량, 체질량 지수 등을 알려 주는 시계를 개발하여 세계 각국에 수출하고 있다.

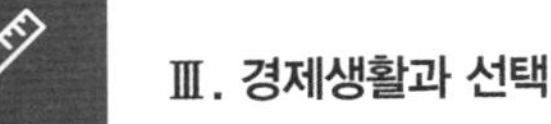

Ⅲ. 경제생활과 선택

03 바람직한 금융 생활

개념으로 복습하기

A 일생 동안의 경제생활

1. 생애 주기에 따른 경제 생활

유소년기	대부분 부모의 소득에 의존하여 생활을 함
청년기	취업하여 경제 활동을 하는 시기로 소득이 발생함
중 · 장년기	(❶)이/가 가장 높으나 주택 마련, 자녀 양육, 노후 준비 등으로 소비 또한 많음
노년기	은퇴 이후 소득이 크게 줄지만 (❷)는 지속하여 이루어짐

B 자산 관리의 필요성과 방법

1. 자산 관리 방법

예금, 적금	대표적인 금융 상품으로, 금융 기관에 이자 등을 목적으로 맡긴 자산임
(❸)	주식회사가 투자자로부터 돈을 받고, 투자자에게 발행하는 증서를 말함
(❹)	기업이나 정부에 돈을 빌려주는 대가로 일정한 이익을 얻을 수 있는 금융 상품
보험	정기적으로 보험료를 납부하고, 사고나 질병이 발생하면 일정 금액을 받는 상품
연금	노후에 대비하여 저축하는 금융 상품으로, 국민 연금, 개인 연금 등이 있음

2. 합리적인 자산 관리에서 고려해야 할 요소

① 수익성: 투자한 원금의 가치 상승 또는 이익의 발생 정도
② (❺): 원금과 이자가 보전되는 정도
③ (❻): 자산을 손쉽게 현금화할 수 있는 정도

C 신용 관리

1. (❼): 미래의 어느 시점에 갚을 것을 약속하고 상품이나 돈을 얻을 수 있는 능력

2. 신용 거래의 장단점

장점	• 현금이 없어도 편리하게 거래할 수 있음 • 현재의 소득보다 더 많은 소비를 할 수 있음
단점	• 충동 구매나 과소비로 이어질 우려가 있음 • 미래의 경제생활에 큰 부담이 됨

문제로 복습하기

01 그림은 나이에 따라 달라지는 경제생활을 나타낸다. 이에 대한 설명으로 옳은 것은?

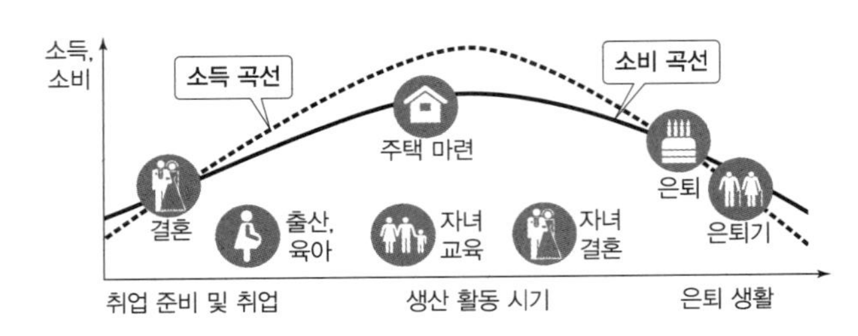

① 결혼 전에는 소득이 소비에 비해 많다.
② 은퇴 이후에는 소득이 소비보다 많다.
③ 소득과 소비가 가장 높은 시기는 중·장년기이다.
④ 청년기 이전의 자산 관리가 노후 생활을 결정한다.
⑤ 소득은 소비와 달리 일생 동안 꾸준히 증가하게 된다.

02 자산과 그 관리 방법에 대한 설명으로 옳은 것은?

① 예금, 주식, 현금, 채권은 실물 자산이다.
② 건물, 토지와 같은 부동산은 현금 자산이다.
③ 자산이 적은 청년기에는 자산 관리의 필요가 없다.
④ 현재의 만족감을 극대화하는 자산 관리가 중요하다.
⑤ 최근에는 기대 수명의 연장으로 노후 대비를 고려한 자산 관리가 더욱 중요해지고 있다.

03 자산 관리 시 고려 요소 (가)~(다)를 옳게 짝지은 것은?

> (가) 투자한 원금에 손실을 주지 않는 정도
> (나) 필요할 때 쉽게 현금으로 바꿀 수 있는 정도
> (다) 투자한 금액의 가치 상승 또는 수익의 발생 정도

	(가)	(나)	(다)
①	안전성	유동성	수익성
②	안전성	수익성	유동성
③	유동성	안전성	수익성
④	위험성	수익성	유동성
⑤	수익성	안전성	유동성

04 다음 금융 상품에 대한 설명으로 옳은 것은?

> ○○ 은행에서 판매하는 목돈 모으기 상품으로, 계약 기간은 1년 이상에서 10년 이하입니다. 매월 2만 원 이상 적립할 수 있으며, 연 이자율은 3%입니다.

① 유동성이 낮다.
② 배당금이 지급된다.
③ 시세 차익을 누릴 수 있다.
④ 자산 가치의 변동이 심하다.
⑤ 안전성이 보장되는 상품이다.

05 표에 대한 설명으로 옳은 것은? (단, A~C는 각각 주식, 채권, 예금 중 하나이다.)

질문 \ 금융 상품	A	B	C
원금을 손실할 가능성이 큽니까?	아니요	예	아니요
시세 차익을 기대할 수 있나요?	예	예	아니요

① A는 기업만 발행한다.
② B의 소유자는 주주이다.
③ C는 유동성이 낮은 상품이다.
④ B는 C와 달리 원칙적으로 만기가 있는 상품이다.
⑤ C는 A와 달리 이자가 지급된다.

06 밑줄 친 원칙에 따라 투자할 때 나이가 들수록 투자 비중을 줄여야 하는 상품으로 가장 적절한 것은?

> '100-나이의 원칙'이란, 투자 자금 중 100에서 나이를 뺀 숫자만큼을 비율로 정하여, 위험성은 높지만 수익이 큰 자산에 투자하는 것이 적절하다는 원칙이다.

① 주식　② 국채　③ 정기 예금
④ 보험　⑤ 개인연금

07 다음의 우화가 시사하는 내용으로 가장 적절한 것은?

> 한여름에 개미들이 땀을 흘리며 일을 할 때 베짱이는 시원한 그늘에서 노래를 부르며 놀았다. 이윽고 추운 겨울이 오자 먹을 것이 없어진 베짱이는 여름내 모아 둔 먹이로 겨울을 지내고 있는 개미에게 도움을 요청하였다.

① 경제생활에는 신용 관리가 중요하다.
② 과소비는 경제생활의 혼란을 초래한다.
③ 생애 주기를 고려한 자산 관리가 필요하다.
④ 사회적 약자를 위한 복지 정책이 중요하다.
⑤ 합리적인 소비는 경제를 활성화하는 역할을 한다.

08 신용을 이용한 거래에 관한 설명으로 옳지 않은 것은?

① 비용을 나중에 내고 상품을 먼저 받는 방식이다.
② 물건을 충동 구매하거나 과소비로 이어질 우려가 있다.
③ 신용이 나빠지면 은행 대출을 받을 때 높은 이자를 내야 한다.
④ 현금이 없어도 물품을 구매할 수 있어서 충동 구매를 할 우려가 존재한다.
⑤ 신용은 돈을 빌려줄 상황에서 필요하며, 채무를 제때 상환하지 못하면 다음 번 대출이 어려워질 수 있다.

서술형

09 다음 글에서 갑이 초조한 이유를 갑이 투자한 상품의 특징과 연결하여 서술하시오.

> 갑(65세)은 늘 초조하다. 퇴직금 전부로 주식을 샀는데, 이 돈이 언제 사라질지 몰라서이다. 가끔 수익이 나기도 하지만 실패할 때도 많다. 요즘은 자꾸 투자한 회사의 평가가 떨어지는 것 같아 걱정이 많다.

IV. 시장 경제와 가격

01 시장의 의미와 종류

개념으로 복습하기

A 시장의 의미와 역할

1. 시장의 의미

① 상품을 사려는 사람과 팔려는 사람이 만나 이들 간의 상호 작용을 통해 거래가 이루어지는 곳

② 전자 통신 매체의 발달로 시장의 의미가 확대됨 → 전자 상거래 시장

2. 시장의 형성과 역할

① 시장의 형성

자급자족 생활	과거에는 생활에 필요한 물건을 스스로 만들어 사용하였음
물물 교환	자신이 쓰고 남은 생산물이 생기자 이를 자신에게 필요한 물건과 (❶)하기 시작함
분업과 특화	사람들은 자신이 더 잘 만들 수 있는 물건을 집중적으로 생산하고 교환함
시장의 형성	일정한 시간과 장소를 정해 모이는 시장이 생겨나고 교환 매개 수단인 (❷)이/가 출현함

② 시장의 역할

- (❸)와/과 공급자를 연결해 줌
- (❹) 비용을 감소시킴
- 상품에 대한 정보를 제공해 줌

B 시장의 종류

1. (❺)에 따른 구분

보이는 시장	거래가 이루어지는 모습이 구체적으로 드러나는 시장
보이지 않는 시장	거래가 이루어지는 모습이 구체적으로 드러나지 않는 시장

2. 거래 상품의 종류에 따른 구분

(❻) 시장	생활에 필요한 재화나 서비스가 거래되는 시장
(❼) 시장	상품의 생산 과정에서 필요한 생산 요소가 거래되는 시장

3. (❽) 시장

① 정보 통신 기술의 발달로 새롭게 등장한 시장

② 홈쇼핑, 인터넷 쇼핑, 모바일 쇼핑 앱을 이용한 쇼핑 등이 해당됨

문제로 복습하기

01 시장에 대한 설명으로 옳지 않은 것은?

① 수요자와 공급자가 거래하는 곳이다.
② 시장을 통해 거래 비용을 줄일 수 있다.
③ 수요와 공급에 대한 정보가 교환되는 곳이다.
④ 눈에 보이는 구체적 장소가 존재해야 형성된다.
⑤ 시장은 사람들이 필요한 물건을 서로 교환하는 과정에서 발생하였다.

02 (가), (나)에 해당하는 용어를 옳게 짝지은 것은?

> (가) 생산 과정을 여러 부문과 과정으로 나누어 서로 다른 사람들이 구분된 특정 부분에서 일하는 것
> (나) 각자 잘하는 일에 전념하여 전문화하는 것

	(가)	(나)
①	분업	특화
②	특화	분배
③	분업	생산
④	소비	특화
⑤	생산	소비

03 밑줄 친 시장의 사례를 〈보기〉에서 고른 것은?

> 우리는 흔히 시장이라고 하면 특정한 형태와 장소를 가지는 시장을 떠올리지만, <u>특정한 형태와 장소가 없이 거래가 이루어지는 시장</u>도 시장이라고 할 수 있다.

보기

ㄱ. 전자 상가에서 최신 노트북을 샀다.
ㄴ. 수산물 시장에서 갈치를 구매하였다.
ㄷ. 인터넷 쇼핑몰에서 신상품 운동화를 주문하였다.
ㄹ. 게임 사이트에서 게임 아이템을 상대방과 거래하였다.

① ㄱ, ㄴ ② ㄱ, ㄷ ③ ㄴ, ㄷ
④ ㄴ, ㄹ ⑤ ㄷ, ㄹ

04 다음 시장에 대한 설명으로 옳지 않은 것은?

① 생산 요소가 거래된다.
② 노동 시장에 해당한다.
③ 거래되는 상품은 재화이다.
④ 이 시장에서 사고자 하는 주체는 기업이다.
⑤ 이 시장에서 팔고자 하는 주체는 가계이다.

05 생산물 시장에 해당하는 것을 〈보기〉에서 고른 것은?

보기
ㄱ. 토지를 거래하는 부동산 시장
ㄴ. 스마트폰을 판매하는 전자제품 시장
ㄷ. 문화생활을 즐기기 위해 찾은 영화관
ㄹ. 기업과 구직자 간에 노동을 거래하는 노동 시장

① ㄱ, ㄴ ② ㄱ, ㄷ ③ ㄴ, ㄷ
④ ㄴ, ㄹ ⑤ ㄷ, ㄹ

06 표는 일정한 기준에 따라 시장을 A, B로 분류한 것이다. 이에 대한 옳은 설명을 〈보기〉에서 고른 것은?

구분	A	B
거래 모습이 구체적으로 드러나는가?	예	아니요

보기
ㄱ. 대형 마트, 편의점 등은 A에 해당한다.
ㄴ. 정보 통신 기술이 발달하면서 B가 증가하고 있다.
ㄷ. 전통사회의 구성원들은 A보다 B에서 활동하였다.
ㄹ. 재화나 서비스가 거래되는 시장은 모두 A에 해당한다.

① ㄱ, ㄴ ② ㄱ, ㄷ ③ ㄴ, ㄷ
④ ㄴ, ㄹ ⑤ ㄷ, ㄹ

07 다음 시장들의 공통점을 〈보기〉에서 고른 것은?

외환 시장, 인터넷 쇼핑몰

보기
ㄱ. 구체적인 장소가 없다.
ㄴ. 재화가 아닌 서비스가 거래된다.
ㄷ. 눈에 보이지 않는 추상적 시장이다.
ㄹ. 거래할 상대방을 직접 찾아다녀야 한다.

① ㄱ, ㄴ ② ㄱ, ㄷ ③ ㄴ, ㄷ
④ ㄴ, ㄹ ⑤ ㄷ, ㄹ

08 다음 시장에 대한 설명으로 옳지 않은 것은?

① 정보 통신기기의 발달로 규모가 확대되었다.
② 인터넷 등 정보 통신망을 이용하는 거래이다.
③ 기존의 시장에 비해 거래 비용이 적게 드는 편이다.
④ 오늘날 상품의 거래에서 차지하는 비중이 커지고 있다.
⑤ 수요자와 공급자가 직접 대면하여 거래가 이루어지는 시장이다.

서술형
09 사진에 나타난 시장의 종류를 쓰고, 거래 형태와 거래 상품의 종류에 따라 이 시장이 어떤 유형에 속하는지 설명하시오.

02 수요 · 공급과 시장 가격의 결정

개념으로 복습하기

A 수요와 공급

1. 수요와 수요 법칙

수요	일정한 가격 수준에서 어떤 상품을 사고자 하는 욕구
(❶)	어떤 가격에서 수요자가 사려는 상품의 구체적인 양
수요 법칙	가격이 상승하면 수요량은 감소하고, 가격이 하락하면 수요량이 증가하는 현상
수요 곡선	가격과 수요량의 관계를 나타내는 그래프 → (❷) 곡선

2. 공급과 공급 법칙

공급	일정한 가격 수준에서 어떤 상품을 판매하고자 하는 욕구
(❸)	어떤 가격에서 공급자가 판매하려는 상품의 구체적인 양
공급 법칙	가격이 상승하면 공급량은 증가하고, 가격이 하락하면 공급량이 감소하는 현상
공급 곡선	가격과 공급량의 관계를 나타내는 그래프 → (❹) 곡선

B 시장 가격의 결정

1. 균형 가격과 균형 거래량

균형 가격	시장에서 수요량과 공급량이 일치하여 균형을 이루는 지점의 가격으로 (❺)(이)라고도 함
균형 거래량	시장에서 수요량과 공급량이 일치할 때의 거래량

2. 초과 수요와 초과 공급

초과 수요	수요량이 공급량보다 많은 상태 → (❻) 간의 경쟁 발생 → 가격 (❼)
초과 공급	공급량이 수요량보다 많은 상태 → (❽) 간의 경쟁 발생 → 가격 (❾)

3. 시장 가격의 기능

① 해당 상품에 대한 정보 제공
② 경제 활동의 신호등 역할
③ 자원의 (❿) 배분: 희소한 자원을 효율적으로 배분하는 역할을 함

문제로 복습하기

01 ㉠, ㉡에 들어갈 용어를 옳게 짝지은 것은?

> (㉠)(이)란 일정한 가격 수준에서 소비자가 어떤 상품을 사고자 하는 욕구이며, 일정한 가격에서 소비자들이 사려는 상품의 구체적인 양을 (㉡)(이)라고 한다.

	㉠	㉡
①	공급	공급량
②	공급	균형 거래량
③	수요	수요량
④	수요	균형 거래량
⑤	수요량	수요

02 그래프에 대한 설명으로 옳지 않은 것은?

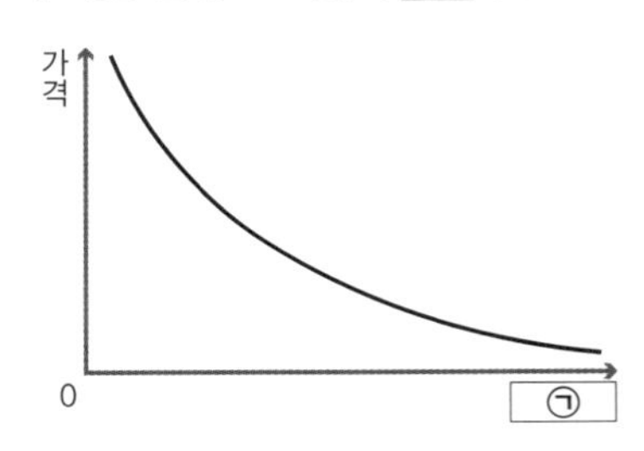

① 수요 곡선을 나타낸 것이다.
② ㉠에는 수요량이 들어갈 수 있다.
③ ㉠의 변화에 따른 가격의 변화를 알 수 있다.
④ 가격과 ㉠의 관계는 음(−)의 관계를 나타내고 있다.
⑤ 어떤 가격에서 수요자가 사려는 상품의 구체적인 양을 알 수 있다.

03 수요 · 공급 법칙에 대한 설명으로 옳은 것은?

① 가격과 공급량은 음(−)의 관계이다.
② 가격이 오르면 수요량은 감소한다.
③ 가격이 내리면 공급량은 증가한다.
④ 수요 법칙을 나타낸 곡선은 우상향하는 모양이다.
⑤ 공급 법칙을 나타낸 곡선은 우하향하는 모양이다.

★ 정답과 해설 66쪽

04 **표는 볼펜의 가격에 따른 수요량을 나타낸다. 이에 대한 옳은 설명을 〈보기〉에서 고른 것은?**

가격(원)	2,000	2,400	2,800	3,200
수량(개)	20	16	12	8

보기

ㄱ. 수요 법칙이 나타나 있다.
ㄴ. 가격과 수량 간 양(+)의 관계가 나타나 있다.
ㄷ. 그래프로 나타내면 우하향하는 곡선이 된다.
ㄹ. 2,000원에서는 초과 수요가 2,800원에서는 초과 공급이 나타난다.

① ㄱ, ㄴ ② ㄱ, ㄷ ③ ㄴ, ㄷ
④ ㄴ, ㄹ ⑤ ㄷ, ㄹ

05 **시장에서 재화의 가격이 내려갈 때 나타나는 변화를 〈보기〉에서 고른 것은?**

보기

ㄱ. 수요량이 증가한다. ㄴ. 수요량이 감소한다.
ㄷ. 공급량이 감소한다. ㄹ. 공급량이 증가한다.

① ㄱ, ㄴ ② ㄱ, ㄷ ③ ㄴ, ㄷ
④ ㄴ, ㄹ ⑤ ㄷ, ㄹ

06 **그래프에 대한 설명으로 옳지 않은 것은?**

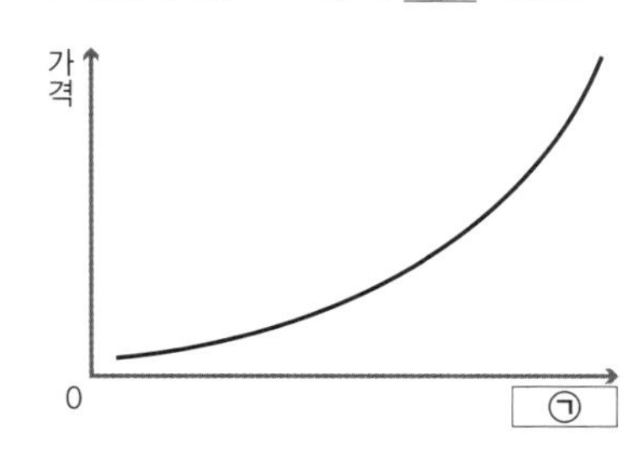

① 공급 곡선을 나타낸 것이다.
② ㉠에는 공급량이 들어갈 수 있다.
③ 가격에 따른 ㉠의 변화를 알 수 있다.
④ ㉠은 일정한 가격 수준에서 어떤 상품을 판매하고자 하는 욕구이다.
⑤ 가격이 상승하면 수량은 증가하고, 가격이 하락하면 수량이 감소하는 법칙을 보여 주고 있다.

07 **사회 수행평가의 학생 답안이다. ㉠~㉤ 중 잘못된 것은?**

문제: 초과 수요 상태에 관하여 서술하시오.
답안: 시장에서 ㉠ 상품이 부족하여 수요자들은 돈을 더 내고서라도 상품을 사고자 할 것이다. 이러한 ㉡ 수요자들 간의 경쟁으로 ㉢ 상품의 가격이 하락하면 ㉣ 수요량은 줄어들고 ㉤ 공급량은 늘어나 초과 수요가 감소한다.

① ㉠ ② ㉡ ③ ㉢ ④ ㉣ ⑤ ㉤

08 **다음은 가방의 수요 · 공급 곡선을 나타낸 것이다. 이에 대한 옳은 분석을 〈보기〉에서 고른 것은?**

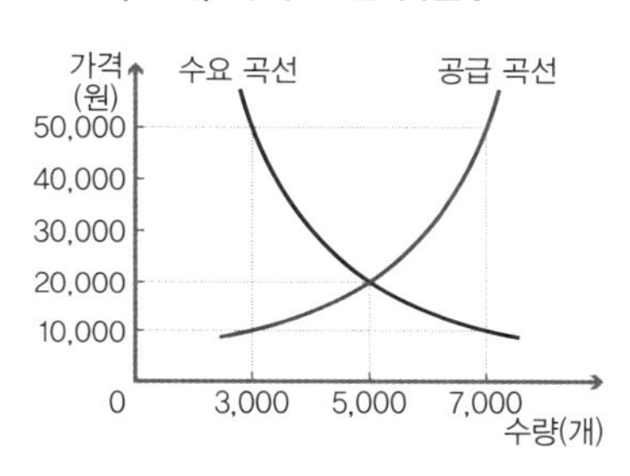

보기

ㄱ. 가격이 10,000원일 때 공급량이 수요량보다 많다.
ㄴ. 균형 가격은 20,000원, 균형 거래량은 5,000개이다.
ㄷ. 가격이 30,000원일 때에는 초과 공급이 발생한다.
ㄹ. 가격이 40,000원일 때 공급자 간의 경쟁이 발생하여 가격은 올라간다.

① ㄱ, ㄴ ② ㄱ, ㄷ ③ ㄴ, ㄷ
④ ㄴ, ㄹ ⑤ ㄷ, ㄹ

서술형

09 **그래프를 보고 가격과 수요량, 가격과 공급량 사이의 관계를 설명하시오.**

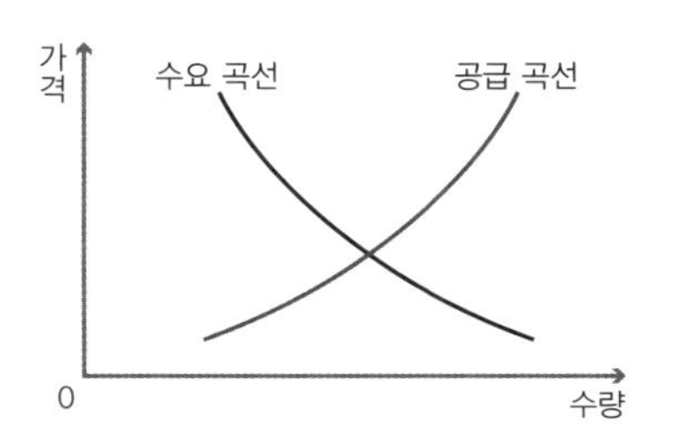

03 시장 가격의 변동

개념으로 복습하기

A 수요와 공급의 변동

1. 수요 변동

① **의미:** 상품 (❶) 이외의 요인에 의해 상품의 수요가 증가하거나 감소하는 것

② **요인**

수요 증가의 요인	수요 감소의 요인
• 소득 (❷) • 기호 증가 • 수요자 수 증가 • 대체재 가격 (❹) • 보완재 가격 하락 • 미래 가격의 상승 예측	• 소득 감소 • 기호 (❸) • 수요자 수 감소 • 대체재 가격 하락 • 보완재 가격 (❺) • 미래 가격의 하락 예측

③ **수요 곡선의 이동**
- 수요 (❻) → 수요 곡선의 오른쪽 이동
- 수요 감소 → 수요 곡선의 왼쪽 이동

2. 공급 변동

① **의미:** 상품 가격 이외의 요인에 의해 상품의 공급이 증가하거나 감소하는 것

② **요인**

공급 증가의 요인	공급 감소의 요인
• 생산 요소의 가격 (❼) • (❽) 발달 • 공급자 수 증가 • 미래 가격의 하락 예측	• 생산 요소의 가격 상승 • 공급자 수 감소 • 미래 가격의 상승 예측

③ **공급 곡선의 이동**
- 공급 증가 → 공급 곡선의 오른쪽 이동
- 공급 (❾) → 공급 곡선의 왼쪽 이동

B 시장 가격의 변동

1. 수요의 변동과 시장 가격

수요 증가	• 수요 곡선이 오른쪽으로 이동함 • 균형 가격 (❿), 균형 거래량 증가
수요 감소	• 수요 곡선이 왼쪽으로 이동함 • 균형 가격 (⓫), 균형 거래량 감소

2. 공급의 변동과 시장 가격

공급 증가	• 공급 곡선이 오른쪽으로 이동함 • 균형 가격 (⓬), 균형 거래량 증가
공급 감소	• 공급 곡선이 왼쪽으로 이동함 • 균형 가격 (⓭), 균형 거래량 감소

문제로 복습하기

01 다음과 같이 그래프가 이동하는 데 영향을 미친 요인으로 가장 적절한 것은?

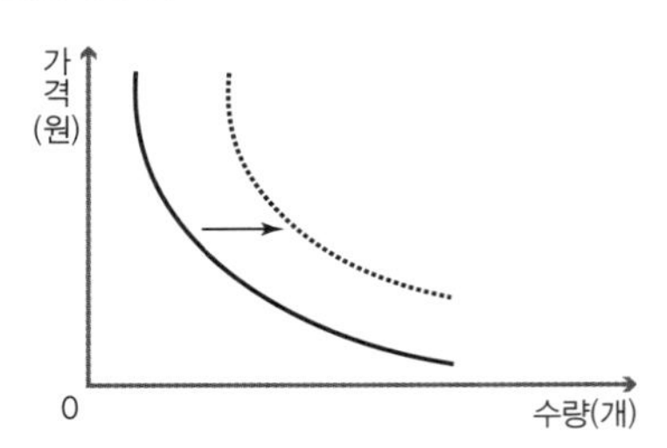

① 소비자의 기호 증가　② 대체재의 가격 하락
③ 보완재의 가격 상승　④ 해당 상품의 가격 상승
⑤ 미래의 가격 하락 예측

02 다음과 같은 상황에서 피자 시장이 어떻게 변동할지 바르게 예측한 것은? (단, 다른 조건의 변화는 없다.)

> • 햄버거 가격이 큰 폭으로 하락하였다.
> • 피자를 좋아하는 사람이 피자 대신 햄버거를 먹어도 같은 만족감을 얻는다.

① 피자의 수요가 증가한다.
② 피자의 수요가 감소한다.
③ 피자의 수요량이 증가한다.
④ 피자의 수요량이 감소한다.
⑤ 피자의 공급량은 감소하고 수요량은 증가한다.

03 다음 사례에 나타난 공급의 변동 요인으로 가장 적절한 것은?

> 단팥빵의 주원료인 팥의 가격이 큰 폭으로 상승하였다.

① 공급자의 수　② 단팥빵의 가격
③ 생산 기술 발달　④ 수요자의 선호도
⑤ 생산 요소의 가격

04 어느 상품의 시장 가격과 거래량의 변동에 대한 설명으로 옳은 것은?

① 수요가 증가하면 균형 가격이 하락한다.
② 수요가 감소하면 균형 거래량이 증가한다.
③ 보완재의 가격이 상승하면 균형 가격은 하락한다.
④ 대체재의 가격이 하락하면 균형 거래량은 증가한다.
⑤ 공급이 증가하면 균형 가격이 오르고 거래량이 늘어난다.

05 그래프는 커피 시장의 변화를 나타낸 것이다. 이와 같은 변화의 발생 요인으로 옳은 것은? (단, 커피와 녹차는 대체재 관계, 커피와 설탕은 보완재 관계이다.)

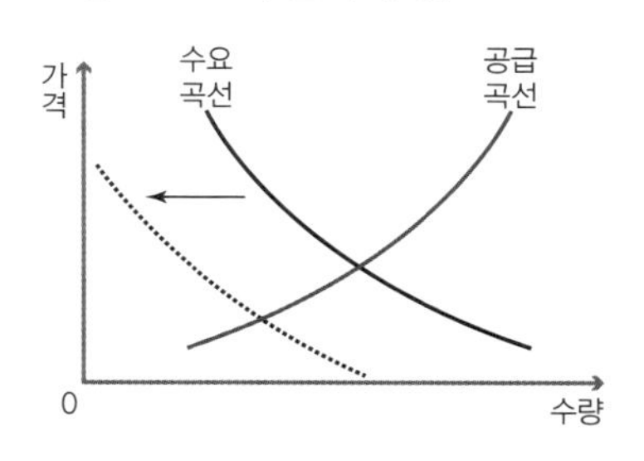

① 설탕의 가격이 하락하였다.
② 커피의 가격이 상승하였다.
③ 커피의 수요자 수가 늘었다.
④ 녹차의 가격이 하락하였다.
⑤ 커피를 재배하는 나라가 늘었다.

06 다음 사례에 대한 옳은 분석을 〈보기〉에서 고른 것은?

> 자전거의 가격이 크게 올라 자전거 구매에 부담을 느끼는 사람들이 많아졌다. 이에 롤러브레이드를 구입하고자 하는 소비자들이 많아졌다.

보기

> ㄱ. 자전거의 수요는 감소한다.
> ㄴ. 롤러브레이드의 공급은 증가한다.
> ㄷ. 자전거와 롤러브레이드는 대체재 관계이다.
> ㄹ. 롤러브레이드의 수요 곡선은 오른쪽으로 이동할 것이다.

① ㄱ, ㄴ ② ㄱ, ㄷ ③ ㄴ, ㄷ
④ ㄴ, ㄹ ⑤ ㄷ, ㄹ

[07-08] 사과 시장에 나타난 변화이다. 물음에 답하시오.

> • 재배자 수가 감소하여 사과의 수확량이 줄었다.
> • 추석 명절을 맞아 사과를 찾는 소비자가 증가하였다.

07 위의 변화를 그래프로 적절하게 나타낸 것은?

①
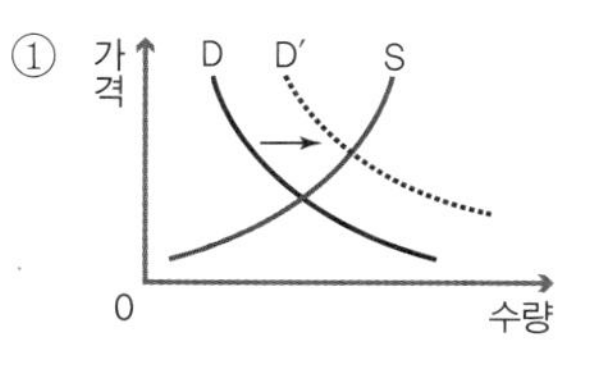

②
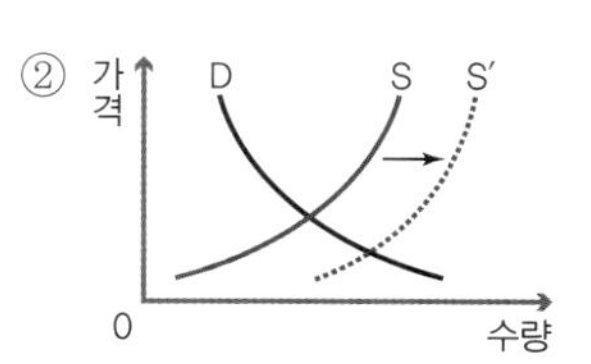

③
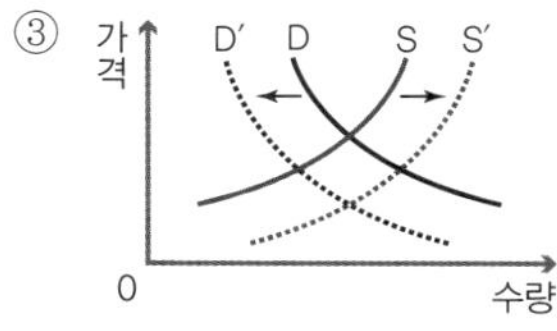

④
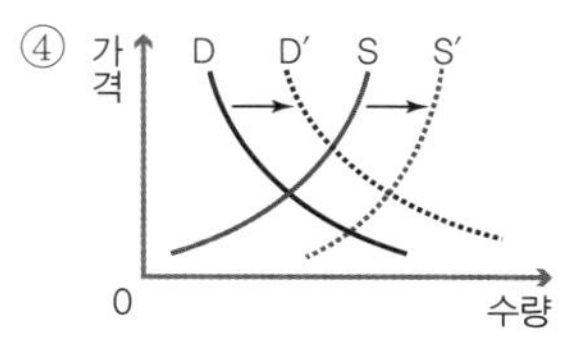

⑤
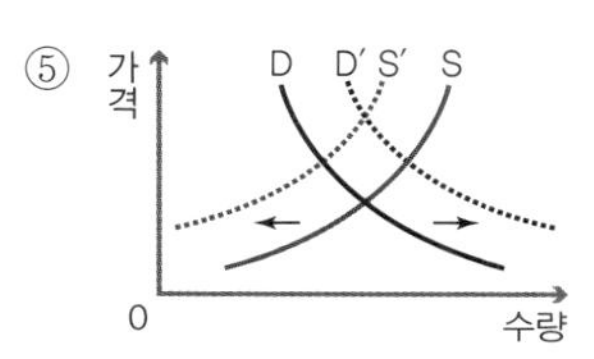

08 사과 시장의 균형 가격과 균형 거래량의 변화를 옳게 짝지은 것은? (단, 수요의 변화 폭이 공급량의 변화 폭보다 크다.)

	균형 가격	균형 거래량
①	상승	감소
②	하락	증가
③	상승	증가
④	유지	증가
⑤	하락	감소

09 다음의 변화가 삼겹살 시장에 미치는 영향을 서술하시오. (단, 삼겹살과 상추는 보완재 관계이다.)

> • 삼겹살의 선호도가 높아졌다.
> • 상추 재배량이 늘어 상추 가격이 하락하였다.

V. 국민 경제와 국제 거래

01 국내 총생산과 경제 성장

개념으로 복습하기

A 국내 총생산

1. 의미: 한 국가의 국경 안에서 일정 기간 새롭게 생산된 재화와 서비스들의 (❶)의 합

한 국가의 국경 안	국적에 관계 없이 한 나라의 영토 안을 기준으로 함
일정 기간 동안	보통 1년을 기준으로 함
새롭게 생산된 재화와 서비스	그해에 새로 생산된 것만을 포함함
최종 시장 가치의 합	시장에서 거래된 것만 포함하며 최종 생산물 가치의 합을 의미함

2. 계산: 각 생산 단계에서 창출된 (❷)을/를 모두 합하거나 최종 생산물의 시장 가치를 모두 합함

※ 국내 총생산(GDP) = 최종 생산물의 시장 가치의 합계 = 총생산물의 가치 − 중간 생산물의 가치 = 각 생산 단계의 부가 가치의 합계

3. 의의: 한 나라의 경제 규모나 국민 전체의 소득 수준을 나타내는 경제 지표임

4. 국내 총생산의 한계

① 삶의 질을 측정하지 못함

② 소득 불평등, (❸)에 대한 정확한 정보를 주지 못함

③ (❹)에서 거래되지 않는 것들은 국내 총생산에 포함되지 않음

5. 1인당 국내 총생산

① **의미**: 국내 총생산을 그 나라의 인구수로 나눈 것

② **의의**: 한 나라 국민의 평균적인 소득 수준을 나타냄

B 경제 성장률

1. 의미: 국민 경제의 생산 능력이 증가하여 (❺) 이/가 커지는 현상

2. 경제 성장의 요인: 자원, 생산 기술, 기업가 정신, 정부 정책 등

3. 경제 성장의 영향

① (❻)**의 향상**: 국민 경제의 생산력 증가로 국민들의 소득 증가

② **삶의 질 향상**: 일반적으로 삶의 질이 향상하나, (❼) 등의 부작용이 발생하기도 함

③ **우리나라의 경제 성장**: 1960년대 (❽)을/를 바탕으로 비약적인 경제 성장을 이룸 → 한강의 기적

문제로 복습하기

01 국내 총생산에 대한 옳은 설명을 〈보기〉에서 고른 것은?

보기

ㄱ. 서비스의 가치는 포함되지 않는다.
ㄴ. 외국인이 국내에서 생산한 부가 가치는 제외된다.
ㄷ. 인구 규모가 같다면 국내 총생산이 클수록 그 나라 국민의 평균 소득 수준도 높다.
ㄹ. 일정 기간 한 나라 안에서 생산된 최종 생산물의 시장 가치를 합한 것이다.

① ㄱ, ㄴ ② ㄱ, ㄷ ③ ㄴ, ㄷ
④ ㄴ, ㄹ ⑤ ㄷ, ㄹ

02 밑줄 친 ㉠~㉤에 대한 설명으로 옳지 않은 것은?

국내 총생산(GDP)은 ㉠ 일정 기간 ㉡ 한 나라에서 ㉢ 새롭게 생산된 ㉣ 최종 생산물의 ㉤ 시장 가치를 합산한 것이다.

① ㉠ − 보통 1년을 말한다.
② ㉡ − 생산자의 국적을 기준으로 한다.
③ ㉢ − 그해에 새롭게 생산한 것의 가치만을 포함한다.
④ ㉣ − 생산 과정에서 사용된 원료나 부품 등의 가치를 제외한다.
⑤ ㉤ − 시장에서 거래된 것만을 대상으로 한다.

03 다음은 어떤 나라의 1년 동안의 경제 활동이다. 이 나라의 국내 총생산은?

- 새롭게 생산된 TV의 가치 600만 원
- 아프리카에 원조한 쌀의 가치 300만 원
- 보육원에 기부한 피자 100판의 가치 60만 원
- 자동차 생산을 위해 수입한 철강의 가치 100만 원
- 수입한 철강을 통해 생산한 자동차의 가치 400만 원

① 360만 원 ② 1,000만 원 ③ 1,060만 원
④ 1,100만 원 ⑤ 1,460만 원

04 다음은 한 나라의 경제 활동이다. 이에 대한 분석으로 옳은 것은?

> 농부가 밀을 생산하여 제분업자에게 200만 원을 받고 팔았다. 제분업자는 이를 밀가루로 만들어 700만 원에 칼국수 제조업자에게 판매하였고, 칼국수 집에서는 밀가루로 칼국수를 만들어 1,300만 원의 수익을 얻었다.

① 국내 총생산은 2,200만 원이다.
② 최종 생산물의 가치는 1,300만 원이다.
③ 농부는 부가 가치를 만들어 내지 못했다.
④ 각 생산 단계의 부가 가치의 합은 900만 원이다.
⑤ 제분업자에 의해 생산된 부가 가치는 600만 원이다.

05 다음 글이 나타내는 국내 총생산의 한계로 가장 적절한 것은?

> 주부의 가사 노동이나 지하 경제는 국내 총생산에 포함되지 않는다.

① 삶의 질을 측정하지 못한다.
② 최종 생산물의 가치의 합으로 계산한다.
③ 국적이 아닌 영토를 기준으로 계산한다.
④ 시장에서 거래되지 않는 것들은 포함하지 않는다.
⑤ 소득 불평등이나 빈부 격차에 대한 정확한 정보를 주지 못한다.

06 경제 성장의 요인에 해당하지 않는 것은?

① 정부 형태 ② 생산 기술
③ 정부 정책 ④ 기업가 정신
⑤ 천연 자원

07 경제 성장과 관련된 진술로 적절하지 않은 것은?

① 한 나라의 경제 규모가 커진다.
② 한 나라의 국내 총생산이 증가한다.
③ 한 나라의 소득 불평등 정도가 완화된다.
④ 한 나라 국민 경제의 생산 능력이 커진다.
⑤ 한 나라가 생산하는 재화 및 서비스의 총량이 증가한다.

08 다음은 어느 국가의 경제 성장률 추이를 나타낸 그래프이다. 〈보기〉에서 A 시기보다 B 시기에 그 수치가 높은 지표를 고른 것은?

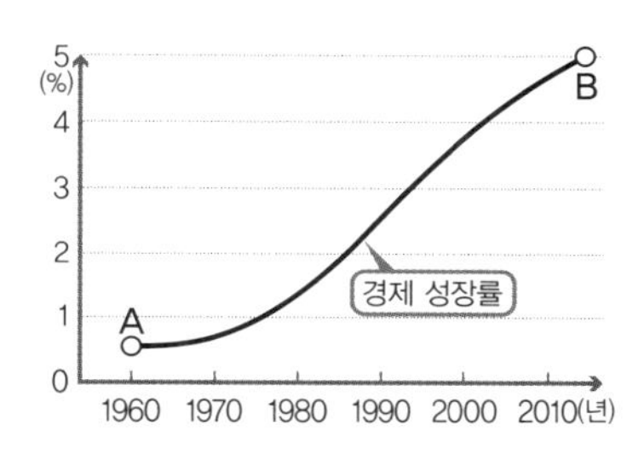

보기

> ㄱ. 문맹률
> ㄴ. 기대 수명
> ㄷ. 자동차 등록 대수
> ㄹ. 의사 천 명당 인구수

① ㄱ, ㄴ ② ㄱ, ㄷ ③ ㄴ, ㄷ
④ ㄴ, ㄹ ⑤ ㄷ, ㄹ

서술형

09 다음 자료를 통해 알 수 있는 경제 성장과 삶의 질의 관계를 서술하시오.

> 스웨덴은 1인당 국내 총생산이 방글라데시에 비해 60배 넘게 높고, 이와 더불어 기대 수명과 취학률도 훨씬 높다.

02 물가 상승과 실업

개념으로 복습하기

A 물가와 물가 상승

1. 물가: 시장에서 거래되는 상품의 가격을 종합하여 (❶)한 값

2. 물가 지수: 물가의 움직임을 한눈에 알아볼 수 있도록 숫자로 나타낸 지표

3. 물가 상승의 원인

(❷) 증가	통화량이 지나치게 많아질 경우
총수요 > 총공급	재화와 서비스에 대한 경제 전체의 수요가 증가한 경우
생산비 증가	수입 원자재 가격 상승 등으로 생산 비용이 증가한 경우

4. 물가 상승의 영향

① 화폐 가치의 (❸), 실물 자산의 가치 상승 → 화폐의 구매력 감소

② 화폐 가치 하락 → 소득 감소 효과 → 근로 의욕 상실 → 저축 감소 → 기업의 투자 감소 → 생산 감소 → 실물 자산 선호 → 부동산 투기 증가

③ 수출 상품의 가격 경쟁력 저하 → (❹) 증가, 수출 감소

B 실업의 의미와 영향

1. 실업: 일할 능력과 의사가 있으나 일자리가 없어서 일을 못하는 상태

2. 실업률: 경제 활동 인구 중에서 (❺)의 비율

3. 실업의 종류

경기적 실업	경기 침체, 불황으로 기업의 고용 감소
구조적 실업	새로운 기술 도입, (❻)의 변화
계절적 실업	계절의 영향에 따라 발생하는 실업
(❼)적 실업	현재보다 나은 일자리를 찾기 위해 직장을 탐색하는 과정에서 발생

4. 실업의 영향

① **개인적 차원**: 가계 소득 감소로 인한 경제적 어려움 초래, 좌절감과 우울증 유발 등

② **사회적 차원**: 인적 자원 낭비, 기업의 생산 위축 등

5. 실업의 해결 방안: 정부는 새로운 일자리 창출 및 직업 훈련 실시, 기업은 새로운 시장 개척을 위한 노력, 근로자는 자기 계발 및 기술 습득 등

문제로 복습하기

01 다음에서 설명하는 개념으로 옳은 것은?

> 물가의 움직임을 한눈에 알아볼 수 있도록 숫자로 나타낸 지표

① 환율
② 생산 지수
③ 소비 지수
④ 물가 지수
⑤ 경제 성장률

02 물가 상승의 영향으로 옳지 않은 것은?

① 재화와 서비스를 구입하기 위한 소비자들의 부담이 증가한다.
② 정해진 금액을 받으며 생활하는 연금 수급자의 생활이 어려워진다.
③ 수출은 감소하고 수입이 증가하여 무역 불균형이 발생할 수 있다.
④ 단기적인 투기가 줄어들고, 장기적인 안목에 기초한 투자가 늘어난다.
⑤ 실물 자산을 가진 사람들이 현금 보유자들에 비해 상대적으로 유리해진다.

03 인플레이션이 발생할 때 유리한 사람을 〈보기〉에서 고른 것은?

보기

> ㄱ. 월급을 받는 임금 근로자
> ㄴ. 돈을 빌려 투자한 사업가
> ㄷ. 은행에 거액의 돈을 예금한 사람
> ㄹ. 외국에서 물건을 수입하는 수입업자

① ㄱ, ㄴ ② ㄱ, ㄷ ③ ㄴ, ㄷ
④ ㄴ, ㄹ ⑤ ㄷ, ㄹ

✱ 정답과 해설 68쪽

04 물가 상승에 대한 정부의 대책으로 적절하지 않은 것은?

① 정부의 지출과 투자를 감축한다.
② 이자율을 낮추고 통화량을 늘린다.
③ 세금 증대를 통해 수요를 감축시킨다.
④ 재정 지출을 줄이고 공공 요금의 인상을 억제한다.
⑤ 임금, 원자재 가격 등의 안정을 위한 방안을 마련한다.

05 다음 사례와 관련 있는 주제로 옳은 것은?

- 소비가 증가하면서 통화량이 시장에서 거래되는 재화나 서비스의 양에 비해 훨씬 증가한다.
- 수입 원자재 가격이 상승하거나 임금 인상 등으로 생산 비용이 증가하여 일어난다.

① 실업 발생의 요인　② 무역 확대의 원인
③ 환율 상승의 결과　④ 물가 상승의 원인
⑤ 경제 성장의 요인

06 〈보기〉에서 실업의 유형과 그 원인이 옳게 연결된 것을 고른 것은?

보기

ㄱ. 계절적 실업 – 경기 침체로 기업이 고용을 줄이는 경우
ㄴ. 경기적 실업 – 계절의 변화에 따라 고용 기회가 줄어드는 경우
ㄷ. 구조적 실업 – 자동화나 산업 구조의 변화 등으로 관련 부문의 일자리가 사라지는 경우
ㄹ. 마찰적 실업 – 더 나은 조건의 직장을 구하기 위해 일시적으로 직장을 그만두는 경우

① ㄱ, ㄴ　② ㄱ, ㄷ　③ ㄴ, ㄷ
④ ㄴ, ㄹ　⑤ ㄷ, ㄹ

07 실업과 관련된 설명으로 옳지 않은 것은?

① 실업자란 실업 상태에 있는 사람을 의미한다.
② 실업률은 전체 인구에서 실업자가 차지하는 비율이다.
③ 개인적 측면에서 실업자는 자아실현의 기회를 잃게 된다.
④ 사회적 측면에서 실업은 인적 자원의 낭비를 가져온다.
⑤ 실업이란 일할 능력과 의사가 있는데도 일자리를 갖지 못한 상태를 의미한다.

08 실업자에 해당하는 사람을 〈보기〉에서 고른 것은?

보기

ㄱ. 직장 구하는 것을 포기한 구직 단념자
ㄴ. 육아로 인해 가사 활동에 전념하는 주부
ㄷ. 높은 연봉을 위해 어제 면접을 본 구직자
ㄹ. 비수기인 여름에 구직 활동을 하는 스키 강사

① ㄱ, ㄴ　② ㄱ, ㄷ　③ ㄱ, ㄹ
④ ㄴ, ㄹ　⑤ ㄷ, ㄹ

09 실업의 영향으로 옳은 것은?

① 노사 관계가 원만해지며 고용이 안정된다.
② 물가 상승을 유발하여 소비자 부담을 증가시킨다.
③ 경기 과열로 인한 임금 인상 요구가 커지게 된다.
④ 가계 소득 감소로 인한 소비 감소로 생산이 위축된다.
⑤ 실업은 개인적으로만 문제가 될 뿐, 사회적인 문제를 유발하지는 않는다.

서술형

10 다음과 같은 실업의 명칭과 그 해결책을 서술하시오.

좋은 일자리를 찾거나 직장을 바꾸는 과정에서 일시적으로 실업 상태에 처해 있는 경우를 의미한다.

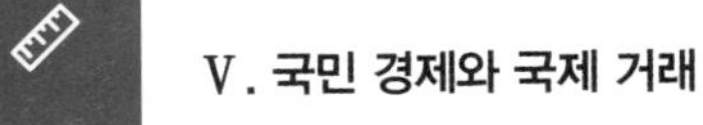

03 국제 거래와 환율

개념으로 복습하기

A 국제 거래의 발생

1. 국제 거래: (❶)을/를 초월하여 생산물이나 생산 요소의 거래가 이루어지는 것

2. 국제 거래 발생 원인: 나라마다 다른 자연환경, 부존 자원, 기술과 지식 수준 → 생산비의 차이

3. 국제 거래의 특징

(❷) 존재	관세, 수입 할당제, 통관 절차 등
생산 요소의 이동 제한	서로 다른 법과 제도의 규제
각국의 화폐 차이	환율 변동이 국제 거래에 영향
상품 생산비 및 가격 차이	동일한 상품이라도 가격 차이 발생

4. 국제 거래의 확대 배경

① (❸) 및 통신 수단의 발달
② 자유 무역주의의 확산
③ 지역 경제 통합체 구축 및 (❹) 체결 증가

5. 국제 거래의 영향

① **긍정적 영향**: 생산 규모 확대, 부존 자원 및 기술력 부족 문제 해결, 다양한 재화와 서비스의 소비 가능 등
② **부정적 영향**: 해외 의존도 심화로 국민 경제 타격

B 환율

1. 환율: 자국 화폐와 외국 화폐의 (❺)

2. 환율의 결정: (❻)에서 외화의 수요와 공급에 따라 결정

3. 환율 변동의 영향

구분	환율 상승(원화 가치 하락)	환율 하락(원화 가치 상승)
수출	수출 상품의 달러 표시 가격 하락 → 수출 (❼)	수출 상품의 달러 표시 가격 상승 → 수출 감소
수입	수입 상품의 원화 표시 가격 상승 → 수입 감소	수입 상품의 원화 표시 가격 하락 → 수입 (❽)
국내 물가	원자재 및 수입 상품 가격 상승으로 국내 물가 (❾)	원자재 및 수입 상품 가격 하락으로 국내 물가 안정
통화량	경상 수지 개선으로 인해 통화량 증가	경상 수지 악화로 인해 통화량 감소
여행	외국인의 국내 여행 증가	외국인의 국내 여행 감소
외채	외채 상환 부담 증가	외채 상환 부담 (❿)

문제로 복습하기

01 다음 글의 ㉠에 들어갈 개념으로 옳은 것은?

> 경제 활동 영역이 전 세계로 넓어지고, 한 나라의 경제 활동이 다른 나라의 경제 활동과 밀접해지면서 (㉠)이/가 확대되고 있다.

① 공공재
② 내수 시장
③ 국제 기구
④ 소득 불평등
⑤ 국제 거래

02 국제 거래가 확대되는 배경에 해당하지 않는 것은?

① 보호 무역주의 확산
② 지역 경제 통합체 구축
③ 개발 도상국의 경제 성장
④ 교통 및 통신 수단의 발달
⑤ 자유 무역 협정(FTA) 체결 증가

03 다음 자료와 관련한 국제 거래의 특징으로 적절한 것은?

> • 국내 해운 회사들에 필리핀, 미얀마, 인도네시아 등 외국인 선원의 비율이 높아지고 있다.
> • 문화 예술 산업의 수출이 늘고 있는 가운데, 방송 프로그램의 제작 기술과 설명서를 판매하는 수출이 활발하다.

① 재화의 국가 간 이동은 자유롭지 못하다.
② 국가 간 상품의 거래량이 많이 늘어났다.
③ 거래 대상 품목의 종류가 제한되어 있다.
④ 서비스 및 노동력의 국가 간 이동이 활발하다.
⑤ 각국이 경쟁력이 약한 국내 산업을 보호하려 한다.

04 국제 거래의 특징에 해당하는 것을 〈보기〉에서 고른 것은?

보기
ㄱ. 상품의 생산비가 동일하다. ㄴ. 생산 요소가 자유롭게 이동한다. ㄷ. 각국마다 사용하는 화폐가 다르다. ㄹ. 상품 거래를 제한하는 무역 장벽이 존재한다.

① ㄱ, ㄴ ② ㄱ, ㄷ ③ ㄴ, ㄷ
④ ㄴ, ㄹ ⑤ ㄷ, ㄹ

05 외화의 수요에 영향을 주는 요인이 아닌 것은?

① 해외 송금
② 외채 상환
③ 차관 도입
④ 외국 상품의 수입
⑤ 자국민의 외국 여행

06 다음과 같은 환율 변동의 요인으로 옳은 것은?

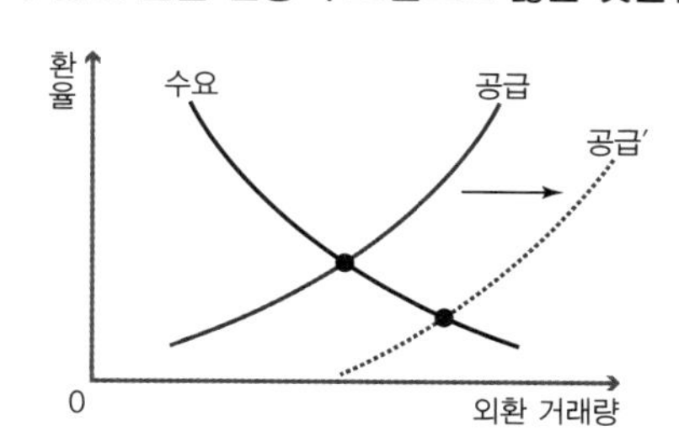

① 국산품의 수출이 감소하였다.
② 자국민의 해외 투자가 증가하였다.
③ 우리나라가 외국에서 빌렸던 돈을 갚았다.
④ 국내에 여행 온 외국인 관광객 수가 늘어났다.
⑤ 다른 나라에서 공부하는 우리나라 유학생들이 감소하였다.

07 다음의 상황이 가져올 결과로 옳은 것은?

최근 들어 국내 경기가 좋아지자, 외국인의 국내 투자가 점점 증가하고 있다.

① 외화 수요 증가 → 환율 상승
② 외화 수요 감소 → 환율 하락
③ 외화 공급 증가 → 환율 하락
④ 외화 공급 감소 → 환율 상승
⑤ 외화의 수요, 공급 모두 증가 → 환율 하락

08 ㉠~㉢에 들어갈 내용을 옳게 짝지은 것은?

환율 하락 → 원화의 가치 (㉠) → 외화로 표시되는 수출품 가격 (㉡) → 수출의 (㉢)

	㉠	㉡	㉢
①	상승	상승	감소
②	상승	상승	증가
③	상승	하락	증가
④	하락	상승	감소
⑤	하락	하락	증가

서술형
09 국제 거래가 소비자와 기업에 가져다주는 긍정적 영향에 대해 서술하시오.

01~02 국제 사회의 특성과 행위 주체 ~ 국제 사회의 모습과 공존을 위한 노력

개념으로 복습하기

A 국제 사회의 특성

1. 국제 사회의 의미: (❶)을/를 가진 여러 나라가 교류하며 공존하는 사회

2. 국제 사회의 특성: (❷)이/가 존재하지 않음, 자국의 이익 최우선, (❸) 지배, 갈등과 협력의 공존

B 국제 사회의 행위 주체

1. (❹): 국제 사회에서 가장 기본적이고 전형적인 행위 주체, 국제 사회에서 법적 지위를 가지고 외교 활동 수행

2. 국제기구

① **정부 간 국제 기구**: 정부를 회원으로 하는 국제기구

② **국제 비정부 기구**: (❺)와/과 민간단체를 회원으로 하는 국제기구

3. (❻): 세계 여러 나라에서 생산과 판매를 하며 국제적으로 경제 활동을 하는 기업

4. 영향력 있는 개인: 주요 국제기구의 대표, 강대국의 전 · 현직 국가 원수, 세계 종교 지도자 등

C 국제 사회에서 경쟁과 갈등, 협력

1. 국제 사회의 경쟁과 갈등

① **국제 행위의 유형**: 국제 사회는 자유롭게 협력하고 경쟁하지만 지나친 경쟁은 (❼)을/를 일으키고, 이것이 심해지면 분쟁 및 전쟁으로 이어지기도 함

② **국제 사회의 경쟁과 갈등의 주요 원인**

- 민족과 종교의 차이
- 가치관과 역사적 경험의 차이
- 세계 무역 시장에서 우위 확보 추구
- 제한된 (❽)와/과 영토를 둘러싼 대립

2. 국제 사회의 협력: 환경, 인권 등 국제 사회의 협력이 필요한 사안에 대해서 협력함

D 외교의 의미와 중요성

1. (❾)**의 의미**: 한 국가가 국제 사회에서 평화적인 방법으로 자국의 이익을 달성하기 위한 활동

2. 외교의 중요성: 국가의 대외 위상을 높이고 정치 · 경제적인 이익을 얻을 수 있음, 국가 간에 발생할 수 있는 갈등을 사전에 조정함

3. 오늘날의 외교: 세계화 · 개방화의 진전으로 공식 외교와 더불어 (❿)의 중요성이 커짐

문제로 복습하기

01 ㉠에 들어갈 내용으로 적절한 것은?

> 국제 사회란 (㉠)을/를 가진 여러 나라가 교류하며 공존하는 사회를 의미한다.

① 헌법　② 인권　③ 주권　④ 권력　⑤ 정치 제도

02 국제 사회가 미치는 영향으로 가장 적절한 것은?

① 국제 사회는 주변 국가들을 고립시킨다.
② 국제 사회에는 늘 평화와 협력만이 존재한다.
③ 국제 사회는 핵심 국가들에게만 영향을 끼친다.
④ 국제 사회는 주변 국가에게 부정적인 영향을 미친다.
⑤ 국제 사회는 국경을 넘어 주변 국가 전체에까지 영향을 미친다.

03 다음 글에서 알 수 있는 국제 사회의 특성으로 가장 적절한 것은?

> 최근 온실가스 배출로 인한 지구 온난화가 심해지자 이를 해결하기 위해 세계 여러 나라 정상들이 모여 온실가스 감축에 합의하였다.

① 힘의 논리가 지배한다.
② 반세계화 운동을 지향한다.
③ 자국의 이익을 최우선한다.
④ 중앙 정부가 존재하지 않는다.
⑤ 전 지구적인 문제의 해결을 위해 협력한다.

04 다음 글에서 설명하는 국제 사회의 행위 주체는?

> 국제 사회를 구성하는 기본 단위이며 핵심이 되는 행위 주체이다.

① 개인　② 국가　③ 대통령　④ 국제기구　⑤ 다국적 기업

05 다음 기사에 등장하는 국제 사회 행위 주체에 대한 설명으로 옳지 않은 것은?

> ○○신문 ○○○○년 ○월 ○일
> **칼 럼**
> 그린피스(Green Peace)는 1970년 네덜란드 암스테르담에 본부를 두고 발족했으며 원자력 발전 반대, 방사성 폐기물의 해양 투기 반대, 고래 보호 등의 활동을 전개하고 있다.

① 국제 비정부 기구 중 하나이다.
② 초국가적 행위 주체에 해당한다.
③ 개인 또는 민간단체가 가입할 수 있다.
④ 정부를 회원으로 하는 국제기구에 해당한다.
⑤ 같은 성격의 다른 예로는 국경 없는 의사회, 국제 사면 위원회 등이 있다.

06 국제 사회의 경쟁과 갈등의 주요 원인으로 옳지 않은 것은?

① 민족과 종교의 차이
② 가치관과 역사적 경험의 차이
③ 제한된 자원과 영토를 둘러싼 대립
④ 세계 무역 시장에서 우위 확보 추구
⑤ 각국마다 동일한 정치 및 경제 체제

07 다음과 같은 국제 사회의 갈등 유형으로 적절한 것은?

> 제2차 세계 대전 이후 유대인들이 팔레스타인 지역에 이스라엘을 건국하면서 시작된 유대인과 아랍인 간의 갈등이 지금도 계속되고 있다.

① 자원 확보 분쟁
② 환경 오염 분쟁
③ 시장 확보 분쟁
④ 다국적 기업 분쟁
⑤ 민족, 종교, 영토 분쟁

08 국제 사회 협력에 대한 설명으로 옳지 않은 것은?

① 특정 국가의 노력만으로도 모든 해결이 가능하다.
② 국제 사회의 행위 주체들의 상호 이해를 바탕으로 한다.
③ 인권 선언이나 국제 환경 협약 같은 결의안을 채택하기도 한다.
④ 국제 연합(UN)에 가입한 국가들이 문제 해결을 위해 노력한다.
⑤ 공적 개발 원조(ODA)를 통해 개발 도상국에게 도움을 주기도 한다.

09 다음 글에서 설명하는 개념으로 적절한 것은?

> 한 국가가 자국의 이익을 달성하기 위해 다른 나라나 국제 사회 전체를 상대로 평화적인 방법으로 펼치는 대외 활동을 의미한다.

① 전쟁 ② 경제 ③ 권력
④ 외교 ⑤ 정치

10 외교 활동을 통해 얻을 수 있는 효과를 〈보기〉에서 고른 것은?

> 보기
> ㄱ. 국제적 고립을 초래할 수 있다.
> ㄴ. 국제적 위상을 높이는 데 이바지한다.
> ㄷ. 정치적·경제적 이익을 실현할 수 있다.
> ㄹ. 국가들끼리 갈등을 유발하며 전쟁을 일으킨다.

① ㄱ, ㄴ ② ㄱ, ㄷ ③ ㄴ, ㄷ
④ ㄴ, ㄹ ⑤ ㄷ, ㄹ

서술형
11 다음 글에서 알 수 있는 국제 사회의 특성을 서술하시오.

> 국제 연합 안전 보장 이사회에서 중요 안건 의사 결정은 상임 이사국 5개국 모두를 포함한 10개국의 동의로 이루어진다. 하지만 상임 이사국은 거부권을 행사할 수 있다.

03 우리나라의 국가 간 갈등과 해결

개념으로 복습하기

A 우리나라의 국가 간 갈등

1. 우리나라와 일본의 갈등

① **일본의 (❶) 영유권 주장**: 일본이 우리나라의 영토인 독도에 대한 영유권을 주장하면서 갈등이 시작됨 → 일본은 국제 사법 재판소에 독도 문제를 회부하려고 함

② **독도에 관한 역사적 사실**

- 삼국 시대 신라 장군 이사부가 우산국(울릉도)을 정벌한 이후 줄곧 우리나라의 영토 → 1905년 일본은 독도를 강제로 침략하여 자신들의 영토인 것처럼 편입 → 제2차 세계 대전 후 연합국 최고 사령부에 의해 독도 반환
- 독도가 우리 땅임을 보여 주는 수많은 고지도와 역사책이 있으며, 심지어 과거 일본의 지도나 역사책도 독도를 우리의 영토로 표기하고 있음
- 독도는 (❷)상으로 우리나라 영토임

③ **독도 문제 이외의 갈등**: 역사 교과서 왜곡 문제, 야스쿠니 신사 참배 문제, 일본군 '위안부' 문제, 세계 지도에 (❸)을/를 표기하는 문제 등

2. 우리나라와 중국의 갈등

① **중국의 (❹)**: 중국은 동북공정 연구 결과를 바탕으로 한국의 고대 국가인 고조선, 고구려와 발해가 중국의 지방 정권 중 하나라고 역사를 왜곡하고 있음

② **중국의 동북공정 추진 이유**

- 자국 민족의 우월성 강조
- 중국이 통일 국가임을 내세워 중국 내 소수 민족의 독립을 막으려는 목적
- 우리 민족의 만주 역사를 중국 역사로 왜곡 → 한반도 통일 이후 발생할 수 있는 (❺)을/를 미연에 방지하려는 목적

③ **이 밖의 갈등**: 중국 어선의 불법 조업 문제, 봄철에 중국으로부터 불어오는 황사와 같은 환경 문제 등

B 우리나라의 국가 간 갈등 해결

1. (❻)에 따라 국가 간 협력의 중요성 증대

2. 상호 존중의 관점에서 합리적 (❼)을/를 통해 문제를 해결하려고 노력해야 함

3. 문제 해결을 위해 정부뿐만 아니라 (❽)나 개인 등의 지속적인 관심과 적극적인 자세가 필요함

문제로 복습하기

01 일본이 다음과 같은 주장을 하는 이유로 적절한 것은?

> 일본은 독도 문제를 국제 사법 재판소에 가져가려는 결의안을 채택했다. 일본 의원 연맹은 독도 영유권이 한국과 일본 중 어디에 있는지 국제 사회의 심판을 받아야 한다고 주장하고 있다.

① 일본의 고대사를 왜곡하기 위해서이다.
② 독도를 한국 영토로 인정하기 때문이다.
③ 남북의 평화적 통일을 반대하기 때문이다.
④ 위안부 문제를 유리하게 이끌기 위해서이다.
⑤ 독도를 국제 분쟁 지역으로 만들기 위해서이다.

02 일본의 독도 영유권 주장과 관련하여 사실과 <u>다른</u> 것은?

① 독도는 삼국 시대 이후 줄곧 우리나라의 영토였다.
② 독도가 우리 땅임을 보여 주는 수많은 고지도와 역사책이 존재한다.
③ 과거 일본의 지도나 역사책에서 모두 독도를 일본의 영토로 표기했다.
④ 1905년 일본은 독도를 강제로 침략하여 자신들의 영토인 것처럼 편입시켰다.
⑤ 제2차 세계 대전 후 연합국 최고 사령부에 의해 독도는 우리나라로 반환되었다.

03 ㉠에 들어갈 내용으로 적절한 것은?

> 독도는 (㉠)상으로 명백히 우리나라 영토이다.

① 헌법　② 국내법
③ 국제법　④ 자연법
⑤ 지방 자치법

04 우리나라가 일본과 겪고 있는 갈등 사례에 해당하지 않는 것은?

① 위안부 문제
② 불법 어선 조업 문제
③ 역사 교과서 왜곡 문제
④ 야스쿠니 신사 참배 문제
⑤ 세계 지도의 동해 표기 문제

05 중국이 동북공정을 통해 중국의 역사로 편입하려고 하는 우리나라의 역사만을 〈보기〉에서 있는 대로 고른 것은?

보기
• 고조선 • 고구려 • 백제 • 신라 • 발해

① 고조선, 신라
② 고구려, 백제, 신라
③ 고조선, 신라, 고구려
④ 고조선, 고구려, 발해
⑤ 고조선, 고구려, 백제, 발해

06 동북공정과 관련된 옳은 내용을 〈보기〉에서 고른 것은?

보기
ㄱ. 티베트 영토가 중국 영토라고 주장하는 것이 주된 내용이다.
ㄴ. 현재 국제 사법 재판소에서 해결하고 있는 국제 갈등 중 하나이다.
ㄷ. 중국 내 소수 민족의 독립을 막겠다는 정치적 의도가 깔려 있다.
ㄹ. 중국의 국경 안에서 이루어진 역사는 모두 중국의 역사라는 입장이다.

① ㄱ, ㄴ ② ㄱ, ㄷ ③ ㄱ, ㄹ
④ ㄴ, ㄷ ⑤ ㄷ, ㄹ

07 우리나라와 주변 국가 간 갈등의 해결과 관련된 설명으로 옳지 않은 것은?

① 상호 존중의 자세가 요구된다.
② 국제 문제에 대한 지속적인 관심이 필요하다.
③ 평화적이고 합리적인 방법으로 문제를 해결해야 한다.
④ 외교적인 노력을 통해 갈등을 해결하는 것이 바람직하다.
⑤ 대화나 협상보다는 국가 간의 관계 단절이 가장 좋은 해결책이다.

08 다음 기사에 나타난 단체의 활동 목적으로 가장 적절한 것은?

> ○○신문 ○○○○년 ○월 ○일
>
> **칼 럼**
>
> 한·중·일 세 나라의 공동 역사 편찬 위원회는 2005년 '미래를 여는 역사'라는 공동 역사 교재를 출간하였다. 이 교재에서는 평화와 인권이라는 인류 보편적 관점에서 세 나라 근현대사를 재구성하였으며, 일본 제국주의 침략에 저항한 인물과 단체의 활동을 부각하고 반성과 화해의 시각을 강조하였다.

① 국제 연합의 발전
② 국가 간 갈등 조장
③ 일본 제국주의 정당화
④ 올바른 역사 인식 공유
⑤ 동북아시아의 위상 강화

서술형
09 우리나라가 일본, 중국과 협력해야 하는 이유를 서술하시오.

Ⅶ. 인구 변화와 인구 문제

01 인구 분포

개념으로 복습하기

A 세계 인구 분포의 특징과 요인

1. 특징

① 세계 인구의 90% 이상이 (❶)에 거주, 또한 이들 대부분은 중위도에 거주

② (❷) 대륙에 전체 인구의 60%가 거주

⇒ 인구 분포가 불균등한 모습을 보이고 있음

2. 인구 분포에 영향을 미치는 요인

자연환경	• 지형, 기후, 토양 등 • 주로 (❸)에 영향을 줌
(❹) 환경	• 산업, 문화, 경제 발달 정도 등 • 주로 일자리, 소득 수준 등과 같은 경제적 상황에 영향을 줌

3. 지역별 인구 밀도

인구 밀집 지역	인구 희박 지역
• 서부 유럽, 미국 북동부, 일본의 태평양 연안: 산업 발달, 풍부한 일자리 • 동남아시아: (❺) 에 유리한 자연환경	• 사하라 사막 • 캐나다 북부 • 아마존강 유역 ⇒ 농업이 어렵고 거주하기 불편한 극한 자연환경

B 우리나라 인구 분포의 특징과 요인

1. 산업화 이전과 이후의 인구 분포 특징

산업화 이전	산업화 이후
• 전통적인 농업 사회 • 농업이 유리한 평야 지역에 인구 밀집 → 산지가 많은 북동부에 비해 (❻) 지역에 주로 많은 인구가 집중	• 산업 구조가 공업과 서비스업 중심으로 변함 → (❼) 현상 • 대도시, 공업 도시, 위성 도시가 발달 • 농어촌 지역은 (❽) 부족 문제 발생

2. 인구 분포에 영향을 미치는 요인

① 자연환경보다 인문 환경에 따라 인구 분포가 달라지는 경향이 강해지고 있음

② 대부분의 인구가 수도권에 집중되는 불균등한 인구 분포를 보이고 있음

문제로 복습하기

01 세계의 인구 분포에 대한 설명으로 옳은 것을 〈보기〉에서 고른 것은?

보기
ㄱ. 가장 많은 인구가 거주하는 대륙은 아시아이다.
ㄴ. 세계 인구의 대부분이 남반구에 거주하고 있다.
ㄷ. 육지 면적과 인구 밀도는 비례하는 경향이 있다.
ㄹ. 해안과 평야 지역은 내륙과 산지에 비해 인구 밀도가 높다.

① ㄱ, ㄴ ② ㄱ, ㄹ ③ ㄴ, ㄷ
④ ㄴ, ㄹ ⑤ ㄷ, ㄹ

02 다음은 위도대별 인구 분포의 비율을 나타낸 지도이다. 이와 같은 인구 분포가 나타나는 이유로 옳은 것은?

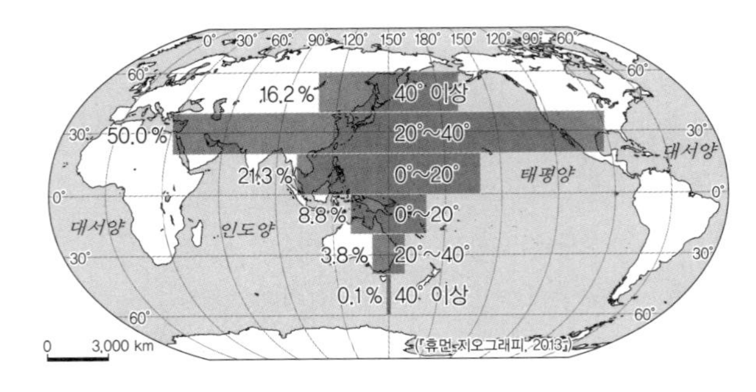

① 북반구보다 남반구에 육지가 더 많기 때문이다.
② 대체로 위도가 높아질수록 농업에 유리하기 때문이다.
③ 온화한 기후가 나타나는 지역이 거주에 유리하기 때문이다.
④ 자연환경보다 인문 환경의 영향력이 더욱 강하게 나타나기 때문이다.
⑤ 주로 열대 기후 지역에 많은 사람들이 거주하려는 경향이 있기 때문이다.

03 인구 분포에 영향을 미치는 요인 중 성격이 나머지와 다른 하나는?

① 경제 발달 ② 높은 소득
③ 넓은 평야 ④ 풍부한 일자리
⑤ 다양한 문화 시설

04 다음 지도에 대한 설명으로 옳은 것은?

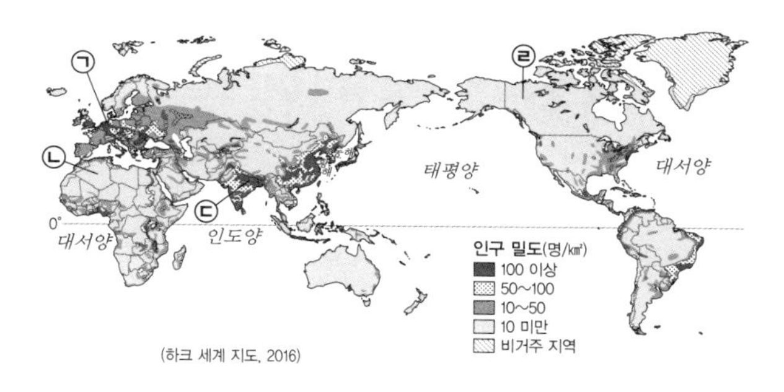

① ㉠과 ㉢의 인구 밀도가 높은 이유는 같다.
② ㉡은 매우 추운 날씨로 인해 농업에 불리하다.
③ ㉡과 ㉣은 인문 환경이 좋지 않아 인구 밀도가 낮다.
④ ㉢은 넓은 평야와 많은 강수량이 벼농사에 유리하기 때문에 인구 밀도가 높다.
⑤ ㉣은 인구 밀도가 낮을 뿐 인구수는 ㉢보다 많다.

05 다음 지역들의 공통점으로 옳은 것은?

• 서부 유럽 • 미국 북동부 • 일본의 태평양 연안

① 산업 발달로 인구가 밀집해 있다.
② 벼농사에 유리하여 인구 밀도가 높다.
③ 인구는 적지만 면적이 좁아 인구 밀도가 높다.
④ 건조 기후로 인해 농업에 불리하여 인구가 희박하다.
⑤ 인문 환경보다 자연환경의 영향으로 인구 밀집 지역이 되었다.

06 다음 설명에 해당하는 지역은?

연중 고온 다습하고 빽빽한 밀림이 있어 거주에 불리하기 때문에 인구가 희박하다.

① 서부 유럽 ② 동남아시아
③ 사하라 사막 ④ 캐나다 북부
⑤ 아마존강 유역

07 다음은 산업화 이전과 이후의 인구 분포를 나타낸 지도이다. 이에 대한 설명으로 옳은 것은?

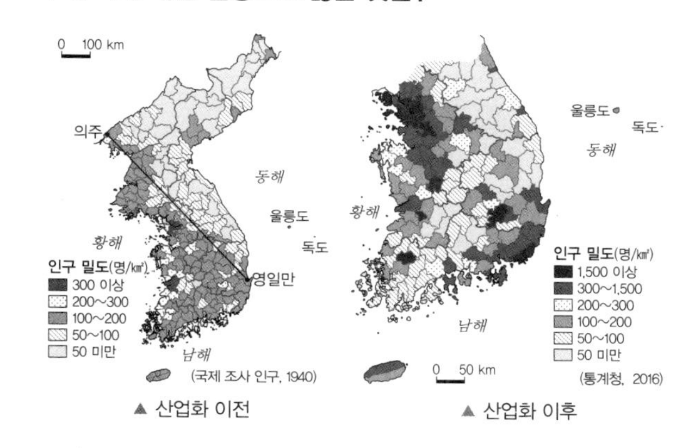

▲ 산업화 이전 ▲ 산업화 이후

① 불균등한 인구 분포가 점차 균등해지고 있다.
② 인문 환경보다 자연환경의 중요성이 커지고 있다.
③ 도시 지역에는 노동력 부족 현상이 심화되고 있다.
④ 이촌 향도 현상이 인구 분포 변화에 큰 영향을 주었다.
⑤ 평야보다 산지 지역에 인구 밀도가 높아지는 변화가 나타나고 있다.

08 다음은 수도권과 비수도권의 인구수 변화를 나타낸 그래프이다. 이에 대한 설명으로 옳지 않은 것은?

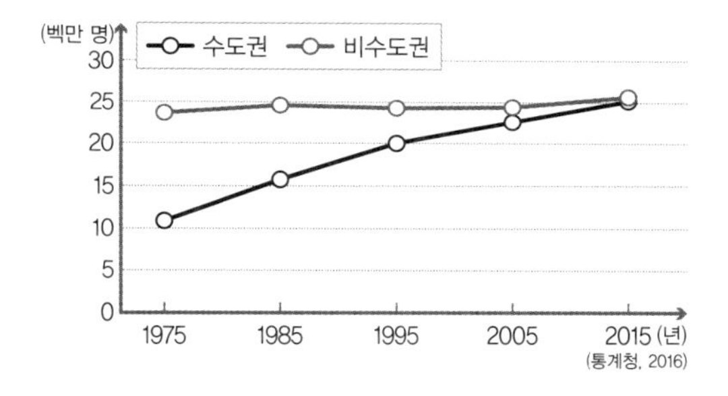

① 농업의 중요성이 점차 높아지고 있다.
② 산업 구조의 변화가 영향을 미치고 있다.
③ 수도권의 인구 밀도는 급격히 높아지고 있다.
④ 농어촌에는 노동력 부족 문제가 나타날 수 있다.
⑤ 국토 전체적으로 볼 때 매우 불균형한 인구 분포가 나타나고 있다.

서술형
09 산업화 전후의 인구 분포를 인구 분포에 영향을 주는 요인을 중심으로 서술하시오.

Ⅶ. 인구 변화와 인구 문제

02 인구 이동

개념으로 복습하기

A 세계의 인구 이동

1. 인구 이동 요인

① (❶) 요인: 인구가 유입되도록 만드는 요인
예 풍부한 일자리, 높은 임금 등

② (❷) 요인: 인구가 유출되도록 만드는 요인
예 전쟁 · 분쟁 등 정치적 불안, 높은 실업률 등

2. 인구 이동 유형: 국제 이동, 일시적 이동, 경제적 이동 등이 교통 · 통신의 발달과 더불어 증가하고 있음

범위에 따라	국내 이동, 국제 이동
기간에 따라	(❸) 이동, 영구적 이동
동기에 따라	자발적 이동, (❹) 이동
목적에 따라	정치적 이동, 경제적 이동, 종교적 이동

3. 세계의 인구 이동

국제 이동	종교적 이동	아메리카로 이주한 영국 청교도
	강제적 이동	노예 무역
	정치적 이동	난민
	경제적 이동	개발 도상국 → (❺)
	일시적 이동	해외여행, 유학, 파견 등
국내 이동	이촌 향도 현상, 역도시화 현상	

4. 우리나라의 인구 이동

국제 이동	• 1960년대 이후: 미국, 독일, 서남아시아 등으로 (❻) 이동 • 1980년대 이후: 유학, 여행, 파견 등 일시적 이동 증가 • 최근: 취업, 국제결혼 등으로 외국인 유입 증가 → (❼) 사회로 진입
국내 이동	• 1960년대 이후: 산업화로 (❽) 현상 발생 • 1990년대 이후: 교외화, 역도시화 현상 발생

B 인구 이동의 영향

인구 유입 지역	• 긍정적 영향: 노동력 증가, 경제 활성화, 문화의 다양성 증가 • 부정적 영향: 문화적 갈등, 일자리 경쟁
인구 유출 지역	• 긍정적 영향: 실업률 하락, 해외 취업자의 송금으로 인한 경제 발전 • 부정적 영향: (❾) 부족, 성비 불균형

문제로 복습하기

01 인구 유입 지역의 특징으로 옳지 않은 것은?

① 교육 및 문화 시설이 풍부하다.
② 일자리가 풍부하고 소득 수준이 높다.
③ 실업률이 주변 지역에 비해 높은 편이다.
④ 주거 환경이 잘 정비되어 있고 쾌적하다.
⑤ 정치적으로 안정되어 있고 범죄율이 낮다.

02 인구 이동의 유형에 대한 설명으로 옳은 것은?

① 이동 동기에 따라 국내 이동과 국제 이동으로 구분된다.
② 이동 범위에 따라 자발적 이동과 강제적 이동으로 구분된다.
③ 세계화와 더불어 최근 여행, 유학 등의 영구적 이동이 크게 증가하고 있다.
④ 최근 일자리를 찾기 위해 다른 나라로 이동하는 경제적 이동이 크게 증가하고 있다.
⑤ 국적을 바꾸면서 외국으로 이민을 가는 사례는 국제 이동, 일시적 이동 등에 해당한다.

03 인구 이동 사례와 이동 유형이 바르게 연결된 것을 〈보기〉에서 고른 것은?

보기
ㄱ. 노예 무역 - 강제적 이동
ㄴ. 시리아 난민 - 경제적 이동
ㄷ. 이촌 향도 현상 - 국내 이동
ㄹ. 영국 청교도들의 미국 이동 - 일시적 이동

① ㄱ, ㄴ ② ㄱ, ㄷ ③ ㄴ, ㄷ
④ ㄴ, ㄹ ⑤ ㄷ, ㄹ

04 그림 (가), (나)와 같은 인구 이동 유형을 옳게 짝지은 것은?

(가)	(나)
① 정치적 이동	강제적 이동
② 종교적 이동	경제적 이동
③ 경제적 이동	일시적 이동
④ 강제적 이동	자발적 이동
⑤ 일시적 이동	영구적 이동

05 세계의 인구 이동과 관련된 지도이다. 이에 대한 설명으로 옳지 않은 것은?

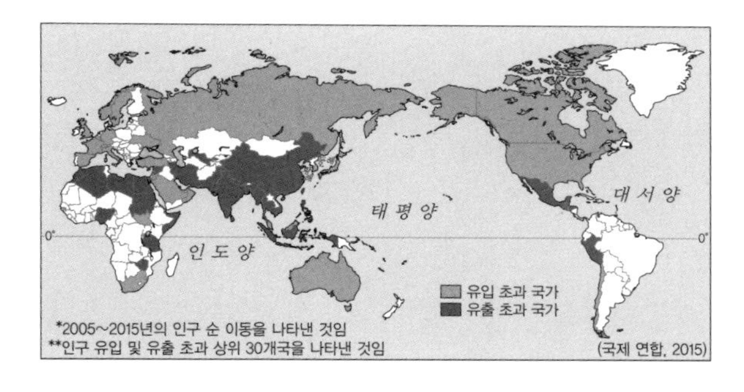

① 주로 선진국들이 유입 초과 국가이다.
② 유입이 많은 이유에는 경제적 원인이 매우 크다.
③ 북아프리카 지역에서 유럽으로 이동하는 사람이 많다.
④ 남부 아시아 사람들은 서남아시아 지역으로 종교적 이동을 한다.
⑤ 아프리카는 난민의 이동으로 유입 국가와 유출 국가가 나뉘는 경우가 많다.

06 우리나라의 인구 이동 중 다음 설명에 해당하는 시기는?

• 독일, 미국 등으로 경제적 이동을 많이 한다.
• 산업화로 인해 이촌 향도 현상이 심화되었다.

① 일제 강점기 ② 광복 직후 ③ 6·25 전쟁
④ 1960년대 이후 ⑤ 1990년대 이후

07 다음은 우리나라 등록 외국인의 주요 출신 국가를 나타낸 것이다. 이에 대한 설명으로 옳지 않은 것은?

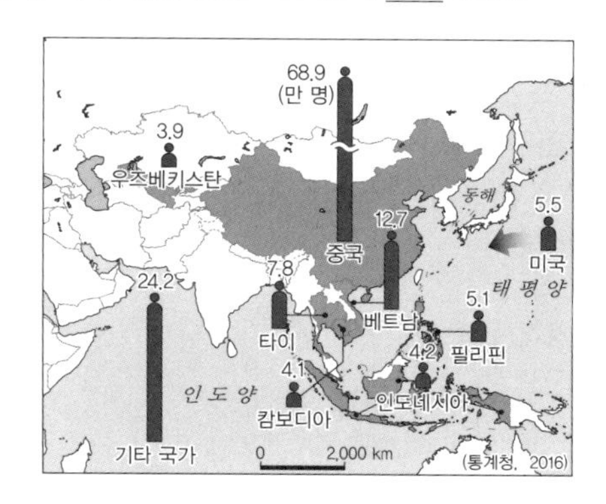

① 우리나라가 다문화 사회로 변화하고 있다.
② 우리나라 사람들의 국제결혼이 증가하였다.
③ 주로 개발 도상국으로부터 경제적 이동을 하고 있다.
④ 공장이나 농어촌의 노동력 부족 문제 해결에 큰 도움이 되고 있다.
⑤ 거리가 가깝고 종교가 같아서 문화적 부담이 적은 국가들에서 많이 유입되었다.

08 다음 글의 사례에 해당하는 국가는?

모로코, 알제리 등 북아프리카에서 온 이주자들이 증가하면서 종교적 차이로 인한 문화 갈등이 종종 발생한다. 최근 이슬람 전통 의상 착용과 관련한 갈등이 사회 문제가 되기도 했다.

① 일본 ② 중국 ③ 캐나다
④ 프랑스 ⑤ 러시아

서술형

09 다음은 미국으로의 인구 유입을 나타낸 지도이다. 이와 같은 인구 이동이 미국에 주는 긍정적인 영향을 서술하시오.

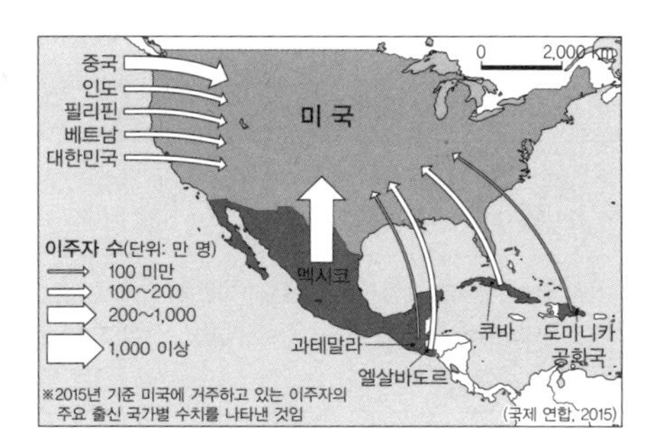

03 인구 문제

개념으로 복습하기

A 세계의 인구 문제

1. 세계의 인구 변화

① 인구 성장: 산업 혁명 이후 빠르게 증가

② 원인: (❶) 및 과학 기술의 발달, 생활 수준의 향상

2. 선진국의 인구 문제

(❷)	여성의 사회 활동 증가, 자녀에 대한 가치관 변화, 경제적 부담 증가가 원인	영향: (❹) 부족, 노인 복지 비용 증가 등
고령화	의학 기술의 발달과 생활 수준의 향상으로 (❸) 연장	

3. 개발 도상국의 인구 문제

인구 증가	인구의 급격한 증가 → 인구 (❺) 부족 → 기아, 빈곤, 실업 등의 문제 부각
급격한 도시화	급격한 이촌 향도 현상 발생 → 도시의 주택 부족, 교통 체증, 농촌의 노동력 부족
성비 불균형	(❻) 사상으로 인해 중국, 인도 등 일부 아시아 국가에서 성비 불균형 심화

4. 인구 문제에 대한 대책

선진국	• 출산 장려 정책: 출산 장려금 지급, 양육 및 보육 시설 확충 등 • 고령화 관련 대책: 일자리 창출, 정년 연장, 다양한 노인 복지 제도 도입 등 • 외국인 근로자 유입 확대 정책
개발 도상국	• (❼) 정책: 가족계획 시행 • 인구 부양력 증대 • 인구의 지방 분산 정책

B 우리나라의 인구 문제

원인	• 저출산: 여성의 사회 진출 증가, 결혼 연령 상승, 자녀 양육비 부담 증가, 가치관 변화 등 • 고령화: 평균 수명 연장
영향	• (❽) 인구 감소 • 노년층 부양 부담 증가
대책	• 저출산: 보육 시설 확충, 출산 지원금 등 • 고령화: 노인 복지 제도 확충, 정년 연장, (❾) 산업 육성 등

문제로 복습하기

01 세계 인구가 같이 증가한 이유로 옳은 것을 〈보기〉에서 고른 것은?

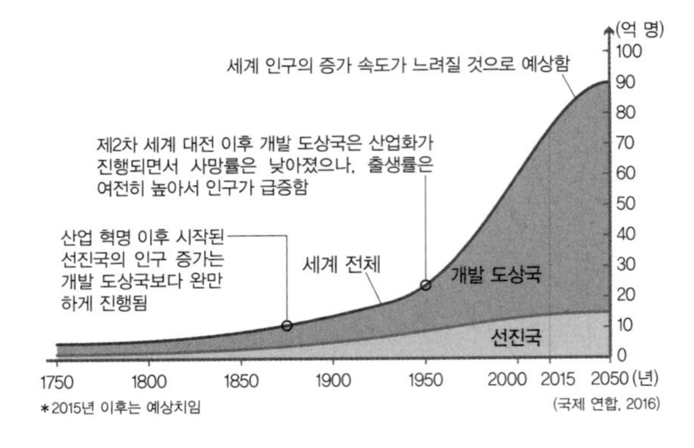

보기

ㄱ. 생활 수준의 향상

ㄴ. 여성의 사회 활동 증가

ㄷ. 의학·과학 기술의 발달

ㄹ. 자녀에 대한 가치관 변화

① ㄱ, ㄴ ② ㄱ, ㄷ ③ ㄴ, ㄷ
④ ㄴ, ㄹ ⑤ ㄷ, ㄹ

02 선진국의 인구 문제로 옳은 것은?

① 산아 제한 정책이 필요한 상황에 놓여 있다.
② 외국인을 통해 노동력을 보충해야 할 상황이다.
③ 급격한 도시화로 여러 도시 문제가 발생하였다.
④ 남아 선호 사상으로 성비 불균형이 심화되었다.
⑤ 인구 급증으로 기아, 빈곤 등의 문제가 발생하였다.

03 개발 도상국의 인구 문제에 해당하지 않는 것은?

① 인구 급증 ② 인구 부양력 부족
③ 성비 불균형 ④ 농촌의 노동력 부족
⑤ 노인 부양 부담 증가

04 다음과 같은 정책으로 중국에서 나타난 문제점을 〈보기〉에서 고른 것은?

> 중국은 1980년부터 '한 자녀 정책'을 추진하여 출산율을 낮추려 하였다.

보기

ㄱ. 고령화 현상　　ㄴ. 성비 불균형
ㄷ. 문화적 갈등　　ㄹ. 사망률 증가

① ㄱ, ㄴ　② ㄱ, ㄷ　③ ㄴ, ㄷ
④ ㄴ, ㄹ　⑤ ㄷ, ㄹ

05 다음은 개발 도상국에 속하는 몇몇 국가의 합계 출산율을 나타낸 그래프이다. 이에 대한 설명으로 옳은 것은?

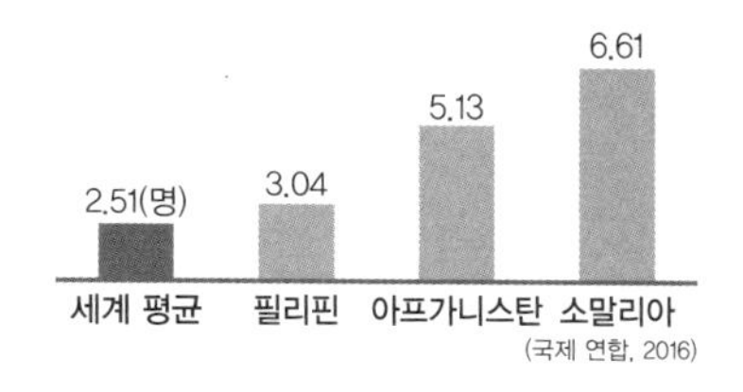

① 출산 장려 정책이 필요한 국가들이다.
② 여성들의 사회 진출이 증가한 지역들이다.
③ 고령화로 인한 사회 문제가 급증할 것이다.
④ 인구 부양력에 대한 고민이 필요할 것이다.
⑤ 노인 부양 문제에 대한 논의가 필요한 지역들이다.

06 다음과 같은 인구 피라미드 형태를 보이는 국가에 필요한 인구 대책은?

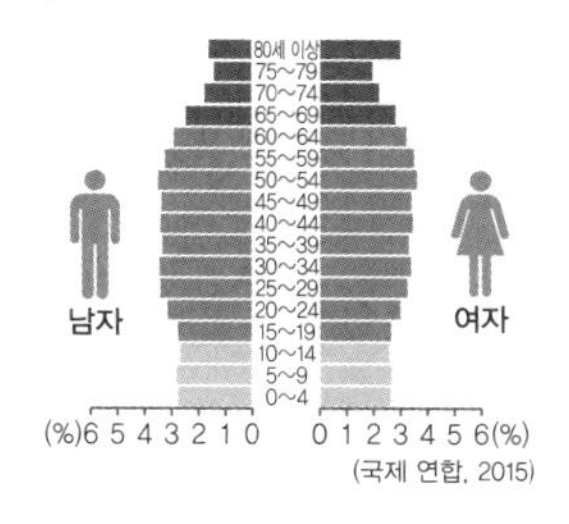

① 강력한 산업화　② 가족계획 사업
③ 인구 분산 정책　④ 출산 장려 정책
⑤ 산아 제한 정책

07 다음은 우리나라의 출산 관련 표어들이다. 시대 순으로 옳게 나열한 것은?

> (가) 둘도 많다.
> (나) 엄마! 아빠! 혼자는 싫어요.
> (다) 딸, 아들 구별 말고 둘만 낳아 잘 기르자.

① (가)-(나)-(다)　② (나)-(가)-(다)
③ (가)-(다)-(나)　④ (나)-(다)-(가)
⑤ (다)-(가)-(나)

08 다음은 우리나라의 연령별 인구 비율 변화를 나타낸 그래프이다. 이에 대한 분석으로 옳은 것은?

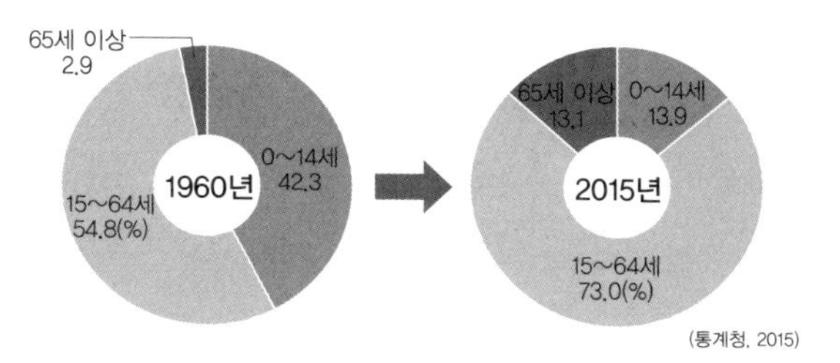

① 인구 분포가 매우 불균등함을 알 수 있다.
② 합계 출산율이 증가하고 있음을 알 수 있다.
③ 기존의 가족계획 사업을 이어갈 필요가 있다.
④ 고령화 사회를 지나 고령 사회로 향하고 있다.
⑤ 일자리 부족 문제가 점차 심화될 수밖에 없다.

서술형

09 그래프와 같이 합계 출산율의 변화가 나타난 원인을 서술하시오.

01~02 세계의 매력적인 도시 ~ 도시 내부의 다양한 경관

개념으로 복습하기

A 세계의 매력적인 도시

1. 도시: 인구가 밀집한 곳으로 사회 · 경제 · 정치 활동의 중심지

2. 특징

① 세계 인구의 절반 이상이 거주, 높은 인구 밀도, 집약적 토지 이용

② (❶) 산업 발달로 각종 업무와 상업 기능 발달 → 주변 지역에 재화와 서비스 제공

3. 세계적으로 유명한 도시

(❷)	자본 및 정보가 집중되어 세계 경제에 미치는 영향력이 큰 도시 예 뉴욕(미국), 런던(영국), 도쿄(일본) 등
(❸)	생태 환경을 잘 가꾼 도시 예 프라이부르크(독일), 쿠리치바(브라질), 고베(일본) 등
관광 도시	• 오랜 역사의 도시: 로마(이탈리아), 아테네(그리스), 이스탄불(터키), 파리(프랑스), 베이징 · 시안(중국) 등 • 매력적인 문화의 도시: 바르셀로나(에스파냐), 리우데자네이루(브라질) 등 • 아름다운 항구 도시: 나폴리(이탈리아), 시드니(오스트레일리아), 홍콩(중국) 등 • 오로라를 감상할 수 있는 도시: 레이캬비크(아이슬란드), 옐로나이프(캐나다) 등 • (❹): 키토(에콰도르), 쿠스코(페루) 등

B 도시 내부의 다양한 경관

1. 도시 내부 기능 지역 분화의 원인: 접근성과 지가의 차이

2. 도시 내부의 지역 분화

(❺)	• 접근성이 높아 지가가 높음, 고층 빌딩 밀집 • 백화점, 기업의 본사, 주요 금융 기관, 정부 기관 등 상업 및 업무 기능 집중(= 중심 업무 지구) • (❻) 현상이 나타남
부도심	도심의 기능 분담
중간 지역	오래된 주택, 상가, 공장 등이 혼재
주변 지역	학교나 공장, 주거 기능이 주로 분포
(❼)	도시의 무질서한 팽창을 막고 녹지 공간을 확보하기 위해 설정
위성 도시	대도시의 기능 일부 분담

문제로 복습하기

01 도시의 특징으로 옳은 것을 〈보기〉에서 고른 것은?

보기

ㄱ. 인구 밀도가 낮다.
ㄴ. 2·3차 산업에 종사하는 인구가 많다.
ㄷ. 촌락이 제공하는 재화와 서비스에 의존한다.
ㄹ. 주변 지역에 재화와 서비스를 제공하는 역할을 한다.

① ㄱ, ㄴ ② ㄱ, ㄹ ③ ㄴ, ㄷ
④ ㄴ, ㄹ ⑤ ㄷ, ㄹ

[02-03] 다음 글을 읽고 물음에 답하시오.

> 세계에는 유명하거나 매력적인 도시가 많다. 이 도시들은 (가) 세계 경제의 중심지 역할을 하는 도시, (나) 생태 환경이 우수한 도시, 다양한 문화와 유적을 바탕으로 관광 산업이 발달한 도시, 자연환경이 독특한 도시 등으로 분류할 수 있다.

02 (가) 도시에 대한 설명으로 옳은 것을 〈보기〉에서 고른 것은?

보기

ㄱ. 뉴욕, 런던, 도쿄 등이 대표적이다.
ㄴ. 다국적 기업의 본사가 많이 입지한다.
ㄷ. 주로 농업 발달에 유리한 곳에 입지한다.
ㄹ. 각국의 수도에 해당하며, 인구 규모가 매우 크다.

① ㄱ, ㄴ ② ㄱ, ㄹ ③ ㄴ, ㄷ
④ ㄴ, ㄹ ⑤ ㄷ, ㄹ

03 (나)에 해당하는 도시의 사례를 옳게 나열한 것은?

① 중국 베이징, 프랑스 파리
② 에콰도르 키토, 페루 쿠스코
③ 중국 홍콩, 오스트레일리아 시드니
④ 브라질 쿠리치바, 독일 프라이부르크
⑤ 캐나다 옐로나이프, 아이슬란드 레이캬비크

04 다음 설명에 해당하는 도시를 A~E에서 고른 것은?

> 세계 경제, 문화, 금융의 중심지로 국제 연합(UN) 본부가 위치하고 있어 국제 정치의 각축장이기도 하다.

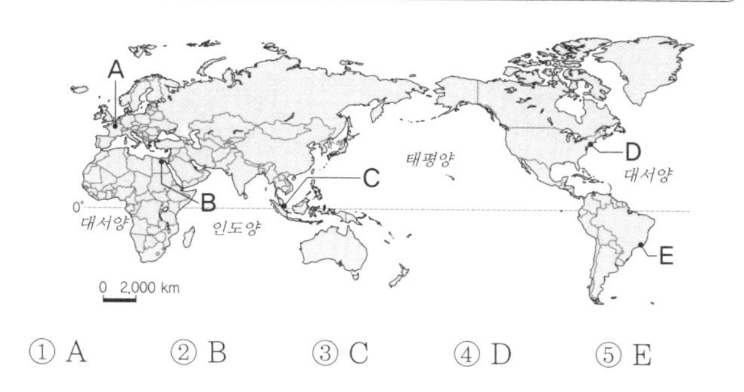

① A ② B ③ C ④ D ⑤ E

05 다음 게시물의 작성자가 여행한 '이곳'은 어디인가?

고대, 중세, 그리고 르네상스 시대의 유산을 간직한 역사 도시인 이곳은 지상과 지하에 유적이 많아 해마다 수많은 관광객이 찾아온다. 교황이 살고 있는 바티칸은 세계 가톨릭교의 중심지이기도 하다.

75

① 영국 런던 ② 프랑스 파리 ③ 이집트 카이로
④ 이탈리아 로마 ⑤ 오스트레일리아 시드니

06 도시 내부의 지역별 변화를 나타낸 그래프에서 (가)에 들어갈 내용으로 옳은 것을 <보기>에서 고른 것은?

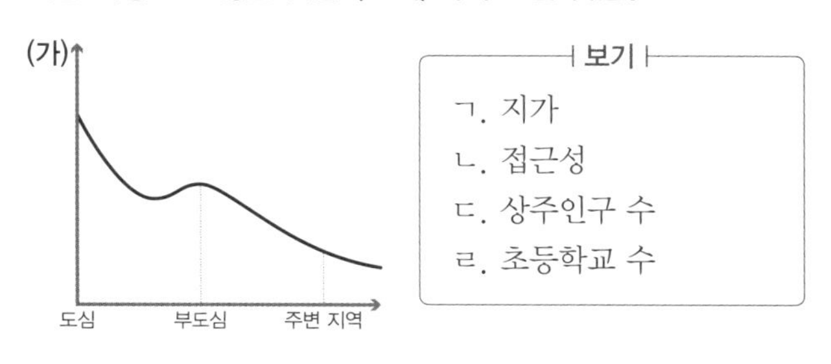

보기
ㄱ. 지가
ㄴ. 접근성
ㄷ. 상주인구 수
ㄹ. 초등학교 수

① ㄱ, ㄴ ② ㄱ, ㄹ ③ ㄴ, ㄷ ④ ㄴ, ㄹ ⑤ ㄷ, ㄹ

07 도시 내부 지역 중 다음 사진과 같은 경관이 나타나는 지역의 특징으로 옳지 않은 것은?

① 교통이 편리하고 접근성이 높다.
② 야간에 인구 공동화 현상이 나타난다.
③ 학교와 공장, 주택 등이 주로 입지한다.
④ 업무 기능과 상업 기능이 집중되어 있다.
⑤ 주변 지역에 비해 건물의 높이가 상대적으로 높다.

08 다음은 서울의 고등학교 이전을 나타낸 지도이다. 이에 대한 설명으로 옳은 것을 <보기>에서 고른 것은?

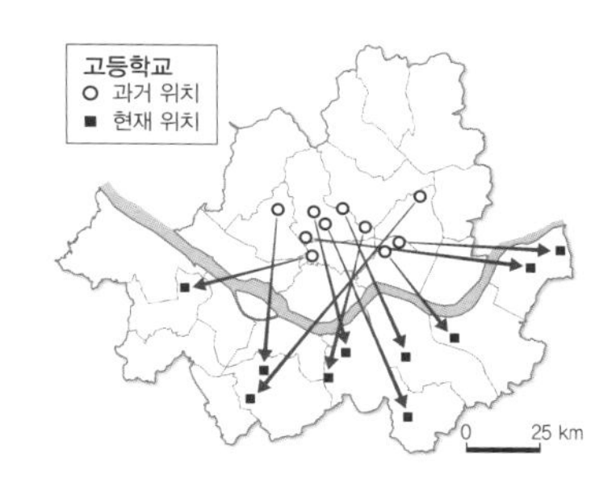

보기
ㄱ. 이심 현상의 사례에 해당한다.
ㄴ. 지가가 저렴한 지역으로 이전하였다.
ㄷ. 접근성이 더 좋은 지역으로 이전하였다.
ㄹ. 상업과 업무 기능도 이와 같이 이동한다.

① ㄱ, ㄴ ② ㄱ, ㄹ ③ ㄴ, ㄷ
④ ㄴ, ㄹ ⑤ ㄷ, ㄹ

서술형
09 다음과 같은 현상이 나타나는 이유를 서술하시오.

> 서울 종로구의 한 초등학교는 한때 전교생이 5,000명에 가까웠으나, 도심의 인구가 감소하면서 학생 수가 급감해 현재는 전교생이 120명으로 축소되었다.

03~04 선진국과 개발 도상국의 도시화 ~ 살기 좋은 도시

개념으로 복습하기

A 선진국과 개발 도상국의 도시화

1. (❶): 전체 인구 중 도시의 인구 비율이 높아지는 것, 도시적 생활 양식이 확산되는 현상

2. 도시화의 과정

초기 단계	농업 사회, 낮은 도시화율, 도시화의 진행 속도 느림
가속화 단계	산업화 사회, 도시 인구 급증, (❷) 활발
종착 단계	• 도시화의 진행 속도 느림 • 도시 간 인구 이동 활발, 역도시화 현상 발생

3. 선진국과 개발 도상국의 도시화

	선진국	개발 도상국
도시화 시기	(❸) 이후	제2차 세계 대전 이후
도시화 속도	느림	빠름
주요 분포 지역 및 특징	• 유럽, 북아메리카, 오세아니아 • 현재 대부분 국가가 (❺)에 해당함 • 인구가 도시에서 농촌으로 이동하는 (❻) 현상 발생	• (❹), 아프리카 • 대부분 가속화 단계에 해당함 • 인구의 과도한 도시 집중으로 과도시화 문제 발생

4. 선진국과 개발 도상국의 도시 문제

선진국	시설 노후화, 도심의 슬럼화 등
개발 도상국	도시 기반 시설 부족, 열악한 위생, 환경 오염

B 살기 좋은 도시

1. 도시 문제: 도시로의 인구와 기능 집중이 원인

2. 살기 좋은 도시의 조건: 아름다운 자연환경, 개성 있는 문화 공유, 여유롭고 안전한 생활, 각종 도시 기반 시설이 잘 갖추어진 도시 → (❼)이 높은 도시

3. 살기 좋은 도시를 만들기 위한 노력

도시와 문화의 조화	에스파냐의 빌바오
생태 도시	브라질의 쿠리치바, 독일의 (❽)
도시와 산업의 조화	스웨덴의 시스타, 핀란드의 오울루

문제로 복습하기

01 도시화에 대한 설명으로 옳지 않은 것은?

① 도시에 거주하는 인구의 증가가 원인이다.
② 도시화로 도시적 생활 양식이 보편화되는 현상이다.
③ 도시화의 진행 과정은 경제 발달 정도와 관계가 있다.
④ 도시화가 진행되면 농업에 종사하는 인구가 급증한다.
⑤ 일반적으로 도시화율은 개발 도상국보다 선진국에서 높게 나타난다.

02 도시화 과정의 (가) 단계의 특징으로 옳은 것은?

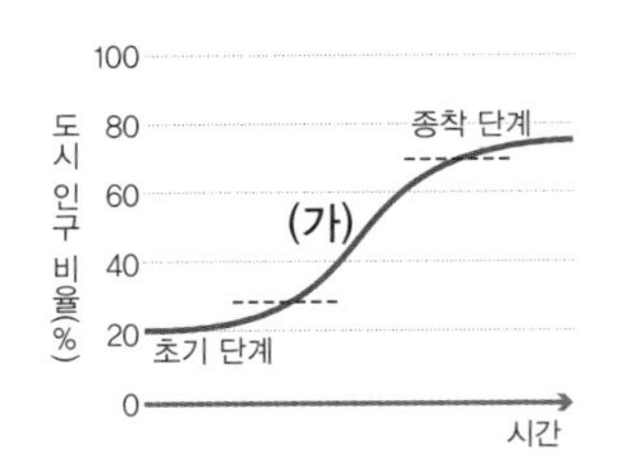

① 전통적인 농업 사회에 해당한다.
② 이촌 향도 현상이 활발하게 이루어진다.
③ 대부분의 선진국들이 속해 있는 단계이다.
④ 인구가 도시를 떠나는 역도시화가 나타난다.
⑤ 도시화의 진행 속도가 느리고 인구가 고루 분포한다.

03 (가), (나) 국가들에 대한 설명으로 옳은 것을 <보기>에서 있는 대로 고른 것은?

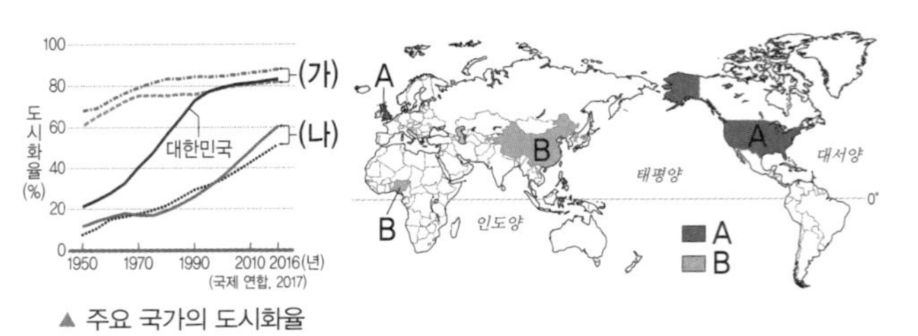

▲ 주요 국가의 도시화율

보기

ㄱ. (가)는 A, (나)는 B에 해당한다.
ㄴ. A는 선진국, B는 개발 도상국이다.
ㄷ. (가)는 (나)보다 경제 발전 수준이 높다.
ㄹ. (나)는 (가)보다 도시 간 인구 이동이 활발하다.

① ㄱ, ㄴ ② ㄱ, ㄹ ③ ㄱ, ㄴ, ㄷ
④ ㄱ, ㄴ, ㄹ ⑤ ㄴ, ㄷ, ㄹ

04 아시아와 아프리카의 도시화에 대한 설명으로 옳은 것은?

① 대부분의 국가가 종착 단계에 속한다.
② 역도시화 현상이 일반적으로 나타난다.
③ 20세기 중반 이후 도시화가 급격히 진행되었다.
④ 산업 혁명 이후 오랜 기간에 걸쳐 도시화가 이루어졌다.
⑤ 도시 과밀화로 인해 농촌 지역으로 인구가 분산되고 있다.

05 그래프를 보고 추론한 내용으로 적절한 것을 〈보기〉에서 고른 것은?

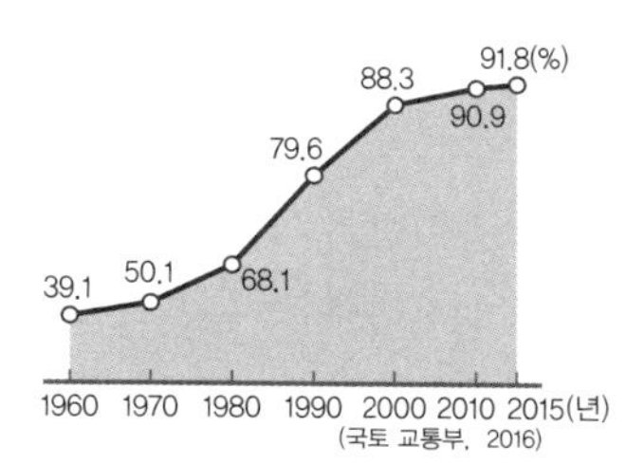

▲ 우리나라의 도시화율 변화

| 보기 |
ㄱ. 1970년대 이후 촌락 인구보다 도시 인구가 많다.
ㄴ. 현재 우리나라는 도시화의 가속화 단계에 속한다.
ㄷ. 1970~1990년대의 도시화율 변화는 이촌 향도 현상의 영향이다.
ㄹ. 1970~1990년대보다 2000~2010년대에 더 급속한 도시화가 이루어졌다.

① ㄱ, ㄴ ② ㄱ, ㄷ ③ ㄴ, ㄷ
④ ㄴ, ㄹ ⑤ ㄷ, ㄹ

06 ㉠~㉤에 대한 설명으로 옳지 않은 것은?

선진국의 도시는 ㉠ 과도한 땅값 상승, 낡고 오래된 기반 시설 등의 문제를 안고 있다. 또한 ㉡ 도심의 기능이 약해지거나 경기 침체에 따른 인구 유출로 ㉢ 슬럼이 형성된다. 일부 공업 도시에서는 ㉣ 제조업이 쇠퇴하고 ㉤ 이주민과 지역 주민 간의 갈등이 증가한다.

① ㉠ – 역도시화의 원인으로 작용하기도 한다.
② ㉡ – 도시의 급속한 팽창, 사회적 양극화가 원인이다.
③ ㉢ – 주거 환경이 열악하고 빈민이 주로 거주한다.
④ ㉣ – 첨단 산업 등 산업 구조의 개편이 필요하다.
⑤ ㉤ – 지역 주민들의 통합을 위한 노력이 필요하다.

07 다음 그래프를 보고 두 도시에 대한 설명으로 옳은 것을 〈보기〉에서 고른 것은?

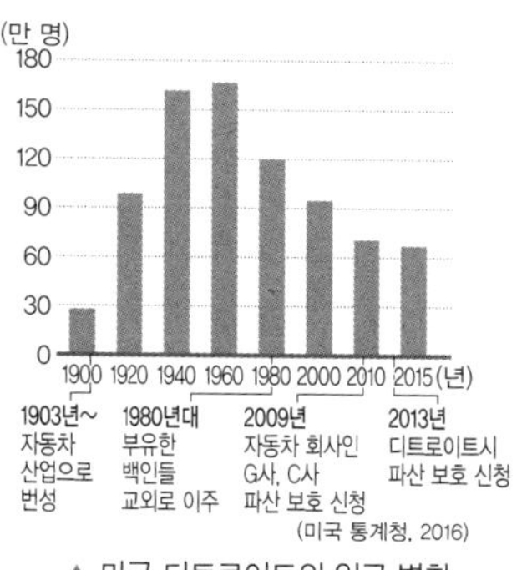

▲ 미국 디트로이트의 인구 변화

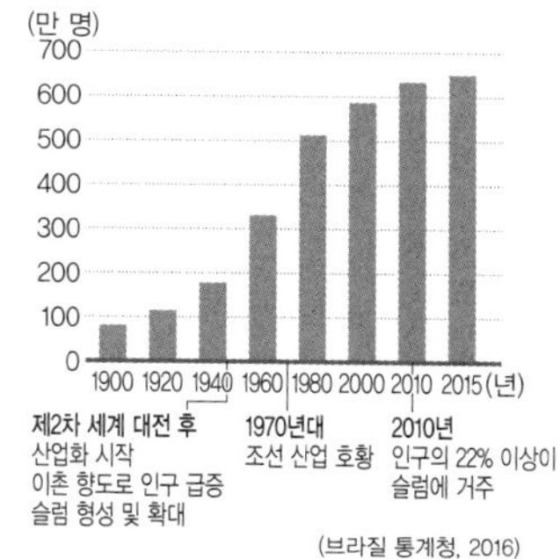

▲ 브라질 리우데자네이루의 인구 변화

| 보기 |
ㄱ. 디트로이트는 자동차 산업의 쇠퇴로 지역 경제가 침체되었다.
ㄴ. 리우데자네이루는 인구 급증으로 도시 기반 시설이 부족할 것이다.
ㄷ. 리우데자네이루의 도심 지역은 기능이 약해져 성장이 정체될 것이다.
ㄹ. 디트로이트는 과도시화로 도시 변두리에 규모가 큰 슬럼이 형성되었다.

① ㄱ, ㄴ ② ㄱ, ㄹ ③ ㄴ, ㄷ
④ ㄴ, ㄹ ⑤ ㄷ, ㄹ

08 살기 좋은 도시의 조건으로 옳은 것을 〈보기〉에서 있는 대로 고른 것은?

| 보기 |
ㄱ. 경제적으로 풍요롭다.
ㄴ. 정치적으로 자유롭고 평등하다.
ㄷ. 포장 면적이 넓고 녹지 공간이 적다.
ㄹ. 쾌적한 자연환경을 바탕으로 생태적으로 안정되어 있다.

① ㄱ, ㄴ ② ㄱ, ㄹ ③ ㄱ, ㄴ, ㄷ
④ ㄱ, ㄴ, ㄹ ⑤ ㄴ, ㄷ, ㄹ

서술형
09 개발 도상국에서 나타나는 도시 문제와 그 원인을 인구 이동과 관련하여 서술하시오.

01 농업의 세계화와 지역의 변화

개념으로 복습하기

A 농업의 세계화

1. 농업 생산의 세계화

① **의미**: 세계 여러 지역에서 농산물의 생산 및 판매가 이루어지는 현상

② **배경**

- (❶)의 발달로 지역 간 교류 증가
- 세계 무역 기구(WTO) 체제 출범 및 (❷)(FTA) 체결
- 경제 성장으로 생활 수준이 향상 → 세계 여러 곳의 농산물 수요 증가
- 세계적인 생산 네트워크와 유통 네트워크를 가진 다국적 농업 기업의 등장

2. 농업 생산의 기업화

① **배경**: 자급적 농업에서 시장 판매를 목적으로 하는 (❸) 농업 확대

② **기업적 농업의 특징**

- 이윤 극대화를 위해 많은 자본과 기술을 농업에 투입
- 대규모의 기업화된 농업 방식(넓은 토지, 대형 농기계 등)
- 다국적 농업 기업이 생산과 유통을 독점함

B 농업의 세계화로 인한 변화

1. 생산 지역에서의 변화

경영 방식	자영농, 소규모 농업 → 기업농, 대규모 농업
재배 작물	자급적 곡물 농업 → 상품 작물, 사료 작물 재배
주민 생활	• 전통 농업 종사자 수 감소 • 대규모 농업 기업 취업자 수 증가
문제점	• 경지 확보를 위한 삼림 제거, 농약 및 비료의 과다 살포 → 환경 오염, 생태계 파괴 • 상품 작물 중심의 대량 생산 → 식량 작물의 생산량 감소로 식량 자급률 하락 • 단일 작물 재배로 국제 가격 변동의 영향이 큼

2. 소비 지역에서의 변화

① **식생활의 변화**: 수입 농산물의 소비 비중 증가

② **변화에 따른 문제**

- 외국산 농산물의 의존도 증가 → 식량 (❹) 하락
- 국내 농가 소득 감소로 농산물 생산량 감소 → 국제 가격 변동에 따른 식량의 안정적 확보에 어려움

③ **대책**: 로컬 푸드 운동, 지역 우수 농산물 생산 및 홍보

문제로 복습하기

01 다음은 수업 시간에 제시된 수행 평가 내용 중 일부이다. ㉠에 들어갈 내용으로 가장 적절한 것은?

> **세계화에 따른 변화**
>
> 반 번 이름:
>
> 핵심 개념: 농업 생산의 (㈎)
> 조사 대상: 마트에서 판매되는 우리나라 라면
> 조사 내용: 주원료와 원산지
> 조사 결과: 감자 전분(독일산), 팜유(말레이시아산), 밀가루(미국산) 등 외국산 원료 사용

① 지역화 ② 기업화 ③ 다각화
④ 세계화 ⑤ 현대화

02 다음과 같은 변화의 배경으로 옳지 않은 것은?

> 푸드 마일이란 농산물이 생산지에서 소비자의 식탁에 이르는 과정에서 소요된 이동 거리(단위: t·km)를 말한다. 우리나라의 2003년 국민 1인당 푸드 마일은 3,456 t·km 이었으며 2007년에는 5,121 t·km, 2010년에는 7,085 t·km으로 지속적으로 증가하였다.

① 로컬 푸드 소비 운동의 활성화
② 국가 간 자유 무역 협정의 체결
③ 경제 성장에 따른 생활 수준의 향상
④ 교통·통신의 발달로 지역 간 교류 증가
⑤ 식생활 변화로 다양한 농산물에 대한 수요 증가

03 자급적 농업과 비교하여 기업적 농업의 특징으로 옳지 않은 것은?

① 재배 작물의 다양성이 높다.
② 대형 농기계 사용 빈도가 높다.
③ 재배 작물의 푸드 마일이 길다.
④ 농가 인구당 경지 면적이 넓다.
⑤ 자본 및 기술의 투입 규모가 크다.

서술형

04 베트남의 커피 생산 증가로 나타난 문제점을 밑줄 친 ㉠, ㉡과 관련하여 각각 서술하시오.

> 베트남은 전통적으로 벼농사가 발달한 세계적인 쌀 수출국이었다. 그러나 1990년대부터 ㉠ 벼를 재배하던 곳에 상품성이 높은 커피나무를 재배하면서 커피 생산이 증가하였다. 대규모 ㉡ 커피 농장을 만들기 위해 열대 우림을 훼손하고, 커피 재배 과정에서 화학 비료와 농약을 과다하게 사용하고 있다.

05 다음 글에 소개된 농업 기업의 생산 및 판매에 대한 설명으로 옳은 것을 〈보기〉에서 고른 것은?

> 이 기업은 미국에 본사를 둔 세계적 농업 회사로 전 세계 90여 개국에서 바나나, 파인애플 등의 과일을 생산하여 판매한다.

보기

ㄱ. 생산 지역은 주로 열대 기후 지역이다.
ㄴ. 플랜테이션의 형태로 작물을 생산한다.
ㄷ. 생산된 농작물은 주로 현지에서 소비된다.
ㄹ. 농장에서는 대체로 다양한 작물이 재배된다.

① ㄱ, ㄴ ② ㄱ, ㄷ ③ ㄴ, ㄷ
④ ㄴ, ㄹ ⑤ ㄷ, ㄹ

06 지도에 표시된 지역에서 주로 이루어지는 농업 경영 방식에 대한 설명으로 옳은 것은?

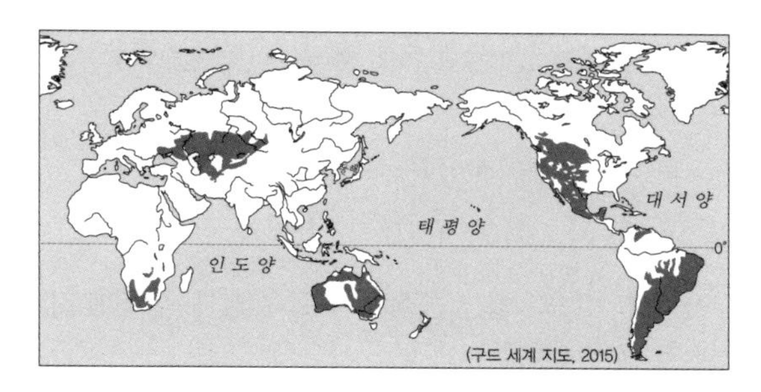

① 자영농 중심의 소규모 농업이다.
② 다양한 작물을 혼합하여 재배한다.
③ 주로 플랜테이션 형태로 이루어진다.
④ 자급을 위한 목적으로 작물을 재배한다.
⑤ 이윤 극대화를 위해 많은 자본과 기술을 투입한다.

07 우리나라의 곡물 자급률 변화를 나타낸 그래프이다. 이러한 변화의 원인에 대한 설명으로 옳은 것을 〈보기〉에서 고른 것은?

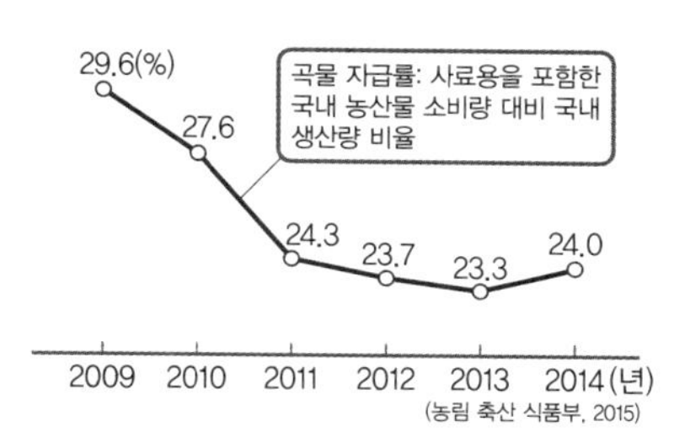

보기

ㄱ. 우리나라의 곡물 수출량 감소 때문이다.
ㄴ. 곡물의 농업 생산성이 감소했기 때문이다.
ㄷ. 해외 농산물 소비 비중이 증가했기 때문이다.
ㄹ. 육류 소비 증가에 따른 사료 수요 증가 때문이다.

① ㄱ, ㄴ ② ㄱ, ㄷ ③ ㄴ, ㄷ
④ ㄴ, ㄹ ⑤ ㄷ, ㄹ

08 다음은 사회 수업 중 실시한 형성 평가 문제이다. 문제의 정답을 ㉠~㉤에서 고른 것은?

> ※ 농업의 세계화에 대한 설명으로 옳은 것을 고르시오.
> - 플랜테이션 농장은 주로 선진국에 들어선다. ······ ㉠
> - 농업 생산의 기업화로 자영농이 줄어들고 있다. ······ ㉡
> - 농업의 세계화로 농업 생산 지역과 소비 지역에는 긍정적인 변화만 발생하였다. ······ ㉢
> - 플랜테이션으로 추위와 건조한 기후를 잘 견디는 식량 작물인 밀을 주로 재배한다. ······ ㉣
> - 농업 기업이 큰 이익을 얻으려면 소규모 농장에서 한 가지의 작물을 재배하는 것이 유리하다. ······ ㉤

① ㉠ ② ㉡ ③ ㉢ ④ ㉣ ⑤ ㉤

서술형

09 농산물의 생산과 공급이 특정 다국적 농업 기업에 집중될 경우 나타나는 문제점에 대해 서술하시오.

02 다국적 기업과 생산 지역의 변화

개념으로 복습하기

A 다국적 기업과 공간적 분업

1. 다국적 기업: 여러 국가에 연구소, 생산 공장, 판매 지점을 두고 전 세계를 대상으로 생산과 판매 활동을 하는 기업

2. 성장 배경: 교통 · 통신의 발달, 세계 무역 기구(WTO) 출범, 자유 무역 협정(FTA) 체결 등

3. 다국적 기업의 공간적 분업

(❶)	• 경영과 관련된 정보 수집과 자본 확보가 필요 • 선진국에 위치
연구소	• 고급 기술 인력 확보가 쉬운 곳 • 선진국에 위치
(❷)	• 공장 부지의 지가가 낮고 저렴한 노동력이 풍부한 곳 • 개발 도상국에 위치 • 무역 장벽을 피하고 판매 시장을 개척하기 위해 선진국에 위치하는 경우도 있음

4. 다국적 기업의 성장 단계

1단계	국내 대도시에 본사와 공장을 설립
2단계	국내 지방 도시에 영업 지점, 생산 공장을 확충(공간적 분업 시작)
3단계	해외 대도시에 지사 및 영업 지점 설치(해외 시장 개척)
4단계	해외 지방 도시에 생산 공장 건설(다국적 기업 형성)

B 다국적 기업의 이동과 생산 지역의 변화

1. 다국적 기업 본국의 변화

① 국내 생산 공장을 해외로 이전 → 생산 공장이 있던 지역의 경제 침체

② (❸) 현상 발생

2. 다국적 기업 투자 진출국의 변화

긍정적 측면	• 생산 공장 유치: 많은 일자리가 생기게 됨 • 선진 기술의 이전: 관련 산업이 발달 → 산업 발달과 경제 활성화에 도움이 됨
부정적 측면	• 경쟁력이 약한 국내 기업이 어려움을 겪음 • 생산 공장의 철수: 실업자가 발생, 지역 경제 침체(산업 공동화) • 수질 오염, 대기 오염 등 환경 문제가 발생

문제로 복습하기

01 ㉠에 대한 설명으로 옳은 것은?

> '국적이 여러 개인 기업'을 아시나요? 기업의 경우에도 세계화 추세와 함께 여러 개의 국적을 가지고 있는 경우가 많습니다. 이런 기업을 (㉠)(이)라고 하지요.

① 기업의 생산 품목은 공산품에 한정된다.
② 여러 국가에서 생산 및 판매 활동을 한다.
③ 선진국으로는 생산 공장이 진출하지 않는다.
④ 본사, 연구소, 생산 공장이 한 곳에 위치한다.
⑤ 우리나라에는 이와 같은 기업이 존재하지 않는다.

02 다음은 어느 다국적 기업 조직의 분포를 나타낸 지도이다. 이에 대한 설명으로 옳은 것을 〈보기〉에서 고른 것은?

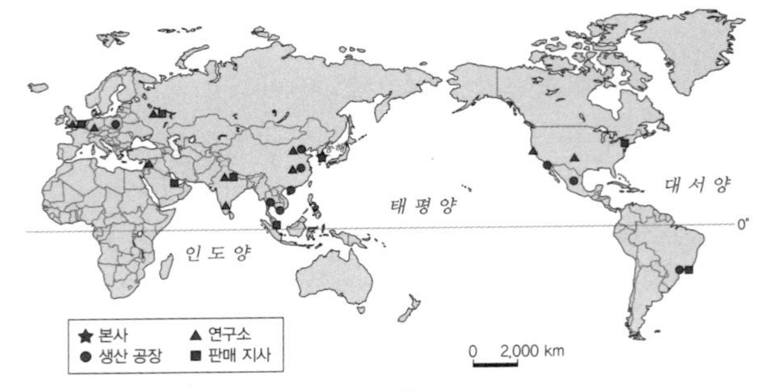

보기
> ㄱ. 연구소는 모두 남반구에 위치하고 있다.
> ㄴ. 우리나라에 본사를 둔 다국적 기업이다.
> ㄷ. 생산된 제품은 주로 아프리카에서 판매된다.
> ㄹ. 생산 공장은 주로 개발 도상국에 위치하고 있다.

① ㄱ, ㄴ ② ㄱ, ㄷ ③ ㄴ, ㄷ
④ ㄴ, ㄹ ⑤ ㄷ, ㄹ

03 다국적 기업의 생산 공장이 주로 개발 도상국에 위치하는 이유로 옳은 것은?

① 제품에 대한 수요가 많기 때문이다.
② 무역 장벽을 피할 수 있기 때문이다.
③ 고급 기술 인력이 풍부하기 때문이다.
④ 자본을 확보하는 데 유리하기 때문이다.
⑤ 인건비가 저렴한 노동력이 풍부하기 때문이다.

04 다음은 다국적 기업의 형성 과정을 정리한 표이다. 이에 대한 설명으로 옳은 것을 〈보기〉에서 고른 것은?

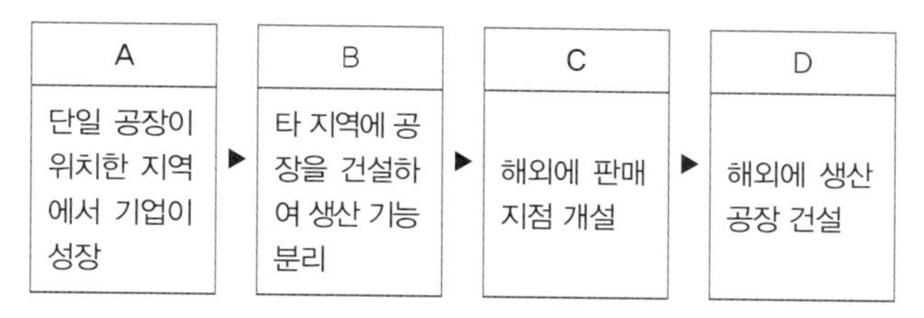

보기
ㄱ. A는 공간적 분업이 시작된 단계이다. ㄴ. B는 다국적 기업이 형성된 단계이다. ㄷ. C는 해외 시장이 새롭게 개척된 단계이다. ㄹ. D는 글로벌 생산·판매 체계가 완성된 단계이다.

① ㄱ, ㄴ ② ㄱ, ㄷ ③ ㄴ, ㄷ
④ ㄴ, ㄹ ⑤ ㄷ, ㄹ

05 다음 자료의 주제로 가장 적절한 것은?

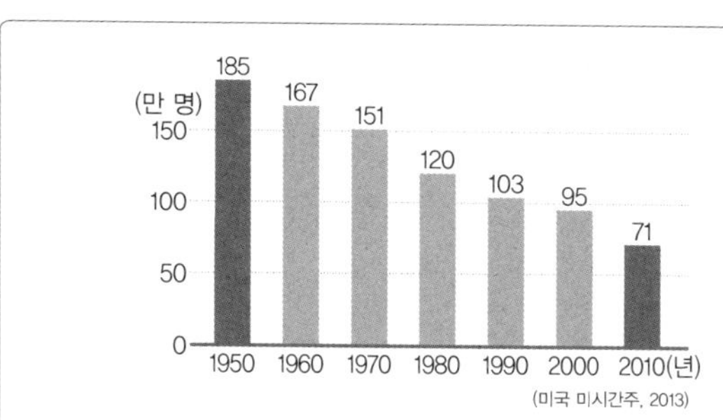

▲ 디트로이트시의 인구 변화

디트로이트는 미국 자동차 산업의 부흥에 따라 20세기 전반에 급속도로 성장, 미국에서 네 번째로 큰 대도시가 되었다. 한때 미국의 미래를 대표했던 디트로이트는 그러나 50년대에 들어오면서 쇠락의 길을 걷기 시작했다. 자동차 산업이 조금씩 쇠퇴하면서 1950년 185만 명이었던 디트로이트의 인구가 2010년에는 71만 명으로 대폭 감소하였다.

① 산업 공동화에 따른 지역의 쇠퇴
② 미국의 대표적 자동차 산업 지역
③ 1950년대 이후의 세계 경제 변화
④ 지역 경제를 이끌 새로운 산업의 도입
⑤ 인구 감소에 따른 자동차 산업의 변화

06 다국적 기업이 생산 공장을 해외로 이전하는 이유로 옳지 않은 것을 〈보기〉에서 고른 것은?

보기
ㄱ. 생산에 소요되는 인건비의 절감 ㄴ. 우수한 교육 환경과 기술 인력 확충 ㄷ. 수요가 풍부한 지역에 판매 시장 개척 ㄹ. 엄격한 환경 기준을 적용한 생산 체계 구축

① ㄱ, ㄴ ② ㄱ, ㄷ ③ ㄴ, ㄷ
④ ㄴ, ㄹ ⑤ ㄷ, ㄹ

07 밑줄 친 ㉠~㉤에 대한 설명으로 옳지 않은 것은?

- 부산은 1970년대 세계적인 신발 생산지였으나, 1980년대 후반 이후 많은 기업이 ㉠ 인도네시아, 베트남, 중국 등으로 생산 공장을 이전하면서 ㉡ 지역 경제에 큰 변화가 나타났다.
- 오스트레일리아는 세금이 매우 적어 ㉢ 세계적 자동차 회사들의 집결지였으나, ㉣ 오스트레일리아 달러 강세와 높은 임금, 정부의 노동 규제로 생산 조건이 불리해지면서 결국 ㉤ 자동차 생산 공장이 철수하고 있다.

① ㉠ – 인건비가 상대적으로 저렴한 지역이다.
② ㉡ – 일자리가 감소하고 지역 경제가 쇠퇴하였다.
③ ㉢ – 다국적 기업에 해당한다.
④ ㉣ – 자동차의 가격 경쟁력 향상에 기여하였다.
⑤ ㉤ – 자동차 부품 산업의 동반 침체를 가져왔다.

서술형
08 다국적 기업의 생산 공장이 철수한 지역에서 나타날 수 있는 문제점을 서술하시오.

IX. 글로벌 경제 활동과 지역 변화

03 서비스업의 변화와 주민 생활

개념으로 복습하기

A 서비스업의 세계화

1. 서비스업

① **의미**: 경제 활동 주체에게 필요로 하는 재화나 용역을 공급하는 산업

② **특성**: 표준화가 어려워 고용 창출 효과가 큼, 경제 성장과 함께 서비스업의 비중 증가

③ **유형**

- (❶) 서비스업: 음식, 숙박, 도 · 소매업 등
- (❷) 서비스업: 금융, 법률, 광고 등

2. 서비스업의 세계화

① **배경**: 교통 · 통신의 발달 → 경제 활동의 시 · 공간 제약 완화, 탈공업화, 소득 수준 향상 등

② **세계화에 따른 입지**

- 세계 여러 지역으로 진출(편의점, 대형 마트)
- 기업 비용 절감을 위해 업무 일부 분산(콜센터)
- 접근성이 좋고 정보가 풍부한 곳에 집중(금융 센터)

B 서비스업 변화에 따른 영향

1. 유통업의 변화와 영향

① **변화**

- 전자 상거래 활성화 → 상품 구매의 세계화
  예 (❸) 직접 구매 증가
- 다국적 유통 업체가 세계 각 지역으로 진출

② **영향**

- 국가 간 상품 교역 비중 증가, 택배 산업 발달
- 해외 수입업체, 현지 영세 유통 업체 피해

2. 관광업의 변화와 영향

① **변화**: 소득 수준 향상, 교통 발달, 인터넷 활성화 등 → 해외 관광객 수 증가

② **영향**

긍정적 측면	• 지역의 (❹) 창출로 지역 주민의 소득 증가 • 교통 및 숙박 산업과 같은 연관 산업 발전
부정적 측면	• 쇼핑 공간, 각종 편의 시설 건설, 도로 확장 등으로 (❺) 파괴 • 지나친 상업화로 지역의 고유문화 상실 → '지속 가능한 관광'의 필요성 증대 예 공정 여행

문제로 복습하기

01 빈칸에 공통으로 들어갈 산업의 특징으로 옳은 것은?

> 사회가 발달할수록 소비자의 욕구를 충족하기 위한 (   )이 성장한다. 교통과 통신이 발달하고 세계화가 진행되면서 (   )은 더 다양한 양상을 보인다. 최근에는 생산, 판매, 사후 관리 등 단계를 나누는 방식으로 (   )의 분화도 이루어지고 있다.

① 기후, 지형 등 자연환경의 영향이 크다.
② 다른 산업에 비해 고용 창출의 효과가 크다.
③ 원료가 풍부한 지역에 입지하는 것이 유리하다.
④ 자동화, 표준화를 통해 업무 효율을 높이기 쉽다.
⑤ 경제가 성장할수록 비중이 감소하는 경향이 있다.

02 서비스 산업의 유형 중 밑줄 친 (가), (나)에 해당하는 것을 〈보기〉에서 골라 옳게 짝지은 것은?

> 서비스 산업은 소비 산업이라는 인식에서 벗어날 필요가 있다. (가) 일반 소비자에게 최종 서비스를 제공하는 서비스 산업과 달리 (나) 이 서비스 산업은 다른 경제 주체인 생산자가 필요로 하는 서비스를 제공한다.

보기

ㄱ. 음식업 ㄴ. 금융업 ㄷ. 도·소매업 ㄹ. 광고업

	(가)	(나)		(가)	(나)
①	ㄱ, ㄴ	ㄷ, ㄹ	②	ㄱ, ㄷ	ㄴ, ㄹ
③	ㄴ, ㄷ	ㄱ, ㄹ	④	ㄴ, ㄹ	ㄱ, ㄷ
⑤	ㄷ, ㄹ	ㄱ, ㄴ			

03 서비스업의 최근 변화 경향으로 옳은 것은?

① 서비스업의 국제 분업이 활발하다.
② 서비스업의 종류가 단순해지고 있다.
③ 서비스업의 공간적 제약이 증가되고 있다.
④ 서비스업 종사자 수가 점차 감소하고 있다.
⑤ 서비스업 비중은 선진국에서만 높아지고 있다.

04 다음은 서비스업의 세계화와 관련된 글이다. 이에 대한 옳은 설명을 〈보기〉에서 있는 대로 고른 것은?

미국의 인터넷 여행사 E에 문의 전화를 걸면 동남아 억양의 직원이 전화를 받는다. 금융 회사인 M사에 전화를 걸어도 필리핀에서 응답한다. ○○타임스에 따르면 현재 필리핀 콜센터 인력은 약 40만 명이며 콜센터 성장률은 연간 2,430%에 달한다.

보기

ㄱ. 정보 통신의 발달이 영향을 주었다.
ㄴ. 서비스 산업의 공간적 분업과 관련된다.
ㄷ. 기업 조직이 단순화되는 과정이 나타난다.
ㄹ. 기업은 콜센터 운영으로 비용을 절감하였다.

① ㄱ, ㄴ ② ㄱ, ㄷ ③ ㄴ, ㄷ
④ ㄱ, ㄴ, ㄹ ⑤ ㄴ, ㄷ, ㄹ

05 다음과 같은 구매가 활성화될 경우 나타날 수 있는 영향으로 옳은 것을 〈보기〉에서 고른 것은?

▲ 행사를 홍보하는 A사 홈페이지

'7월의 크리스마스'라 불리는 A사의 36시간 프라임 데이 할인 행사가 시작되자마자 물건을 싸게 사려는 전 세계의 프라임 멤버십 고객들이 한꺼번에 몰리면서 A사 홈페이지에서 오류가 발생했다. 올해로 네 번째를 맞이하는 프라임 데이 행사로 A사는 34억 달러(약 3조 8,400억 원)에 달하는 매출을 올렸다.

– ○○일보, 2018. 7. 18.

보기

ㄱ. 택배 산업의 매출 증가
ㄴ. 국내 소매업자들의 매출 증가
ㄷ. 구매 대행 서비스 기업의 증가
ㄹ. 해외 상품에 대한 구매액 감소

① ㄱ, ㄴ ② ㄱ, ㄷ ③ ㄴ, ㄷ
④ ㄴ, ㄹ ⑤ ㄷ, ㄹ

06 다음은 관광의 세계화로 인해 발생하는 문제를 해결하기 위한 대안을 나타낸 것이다. 이에 대한 설명으로 옳지 않은 것은?

① 생태계 파괴를 최소화해야 한다.
② 여행지의 문화를 해치지 않아야 한다.
③ 여행지의 지역 경제에 도움이 되어야 한다.
④ 관광지의 편의 시설 확충을 요구해야 한다.
⑤ 관광객과 지역 주민의 요구를 모두 충족해야 한다.

07 다음은 국제 관광객의 변화를 나타낸 그래프이다. 이를 통해 예상할 수 있는 변화로 옳지 않은 것은?

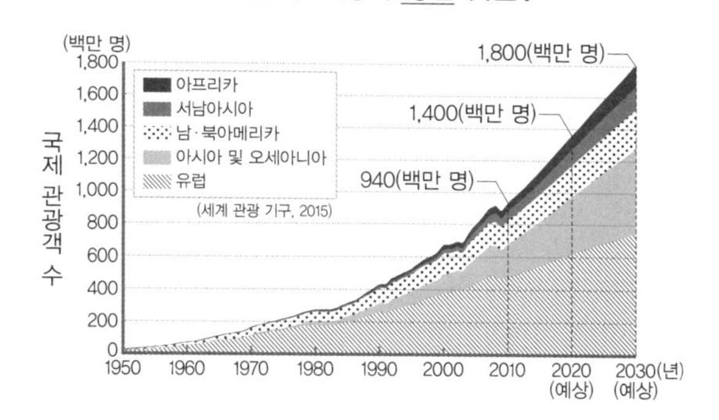

① 지역의 문화가 세계로 확산될 것이다.
② 항공 교통의 중요성이 더욱 커질 것이다.
③ 대부분 지역의 관광 수입이 증가할 것이다.
④ 관광객에게 정보를 제공하는 산업이 발달할 것이다.
⑤ 국가 간 교류 증가로 국경의 의미가 뚜렷해질 것이다.

서술형

08 미국의 다국적 기업이 해외 콜센터를 운영할 수 있게 된 배경과 콜센터를 필리핀에 둔 이유를 각각 서술하시오.

01 전 지구적 차원의 기후 변화

개념으로 복습하기

A 기후 변화의 이해

1. 기후 변화

① **의미**: 일정한 지역에서 장기간에 걸쳐 나타나는 기후의 평균적인 상태가 변하는 현상

② **원인**

자연적 요인	(❶) 요인
화산 활동에 따른 화산재 분출, 태양 활동의 변화, 태양과 지구의 상대적 위치 변화 등	도시화, 화석 연료 사용에 따른 (❷) 배출, 무분별한 토지 및 삼림 개발 등

2. 지구 온난화: 대기 중에 온실가스의 양이 많아지면서 (❸)이/가 과도하게 나타나 지구의 평균 기온이 높아지는 현상

3. 기후 변화의 영향

① **이상 기후 현상**: 태풍, 홍수, 가뭄 같은 기상 이변이 빈번해지고 지구의 평균 (❹)이/가 상승하여 폭염과 열대야가 증가함

② **빙하 감소와 (❺) 상승**: 저지대 침수(방글라데시), 해발 고도가 낮은 국토의 침수(투발루, 몰디브 등)로 기후 난민이 발생하고, (❻)의 빙하 감소로 북극 항로 개발이 기대됨

③ **(❼) 변화**: 생물의 서식 환경이 변화함

B 기후 변화에 대응하기 위한 노력

1. 전 지구적 대응의 필요성

① 온실가스의 배출량이 적은 국가에서 지구 온난화의 피해가 더 크게 나타나기도 함

② 특정 지역에 한정되지 않은 (❽) 차원의 노력이 필요한 상황임

2. 전 지구적 차원의 노력

구분	내용
개인	친환경 제품 사용, 대중교통 이용, 걷기 또는 자전거 타기, 자원 재활용, 에너지 절약 운동 참여 등
지역·국가	온실가스 배출을 줄일 수 있는 신·재생 에너지 개발, 온실가스 감축을 위한 제도 마련, 저탄소 제품에 대한 지원 정책 마련 등
국제 사회	기후 변화 협약 합의(1992), (❾)(1997), 파리 협정(2015) 채택

문제로 복습하기

01 기후 변화에 대한 옳은 설명을 <보기>에서 고른 것은?

보기

ㄱ. 주로 자연적 요인에 의한 것으로 받아들이고 있다.
ㄴ. 기온은 예상치를 벗어나지만 강수량은 그대로인 상태를 말한다.
ㄷ. 도시화와 산업화로 인한 삼림 파괴도 기후 변화를 일으킨 원인으로 보고 있다.
ㄹ. 태풍, 홍수, 가뭄 등의 자연재해가 심화되고 자주 발생하는 것도 기후 변화의 영향으로 본다.

① ㄱ, ㄴ ② ㄱ, ㄷ ③ ㄴ, ㄷ
④ ㄴ, ㄹ ⑤ ㄷ, ㄹ

02 다음 그림의 '인간 활동'에 속하는 것이 아닌 것은?

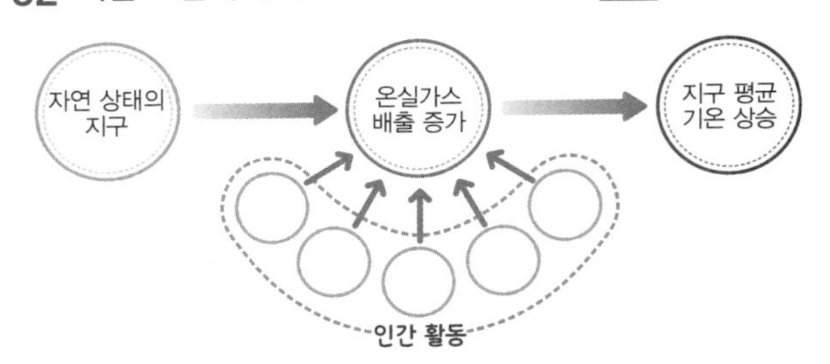

① 열대 우림의 파괴
② 가축 사육 수의 증가
③ 갑작스런 화산 활동
④ 화석 연료 사용의 급격한 증가
⑤ 농업 생산량 증가를 위한 경작지의 확대

03 지구 온난화로 인해 나타날 수 있는 변화가 아닌 것은?

① 만년설의 감소 ② 전염병의 증가
③ 북극 항로의 차단 ④ 태풍의 위력 강화
⑤ 사막화 피해 증가

★ 정답과 해설 75쪽

04 다음 지도와 같은 변화의 원인으로 가장 적절한 것은?

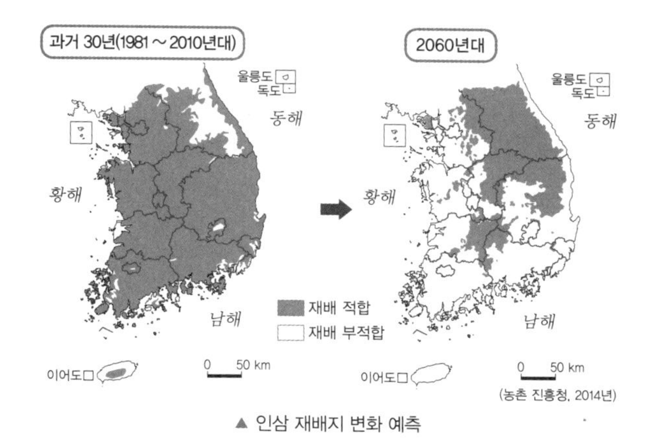

▲ 인삼 재배지 변화 예측

① 수질 오염　② 오존층 파괴
③ 지구 온난화　④ 해수면 상승
⑤ 미세 먼지 증가

05 다음 ㉠~㉢에 들어갈 말이 옳게 연결된 것은?

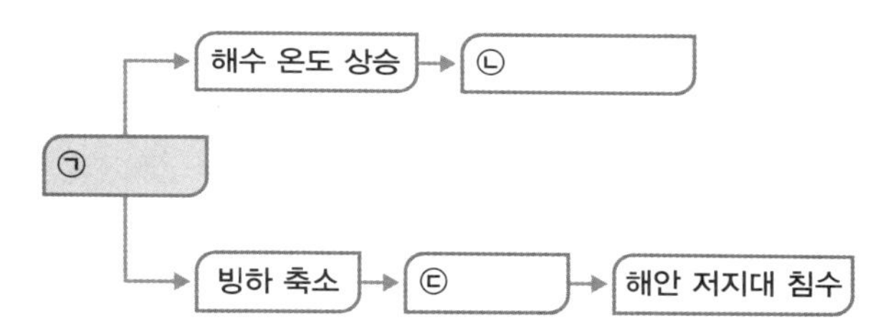

① ㉠ – 해수면 상승
② ㉡ – 지구 온난화
③ ㉡ – 산호초의 백화 현상
④ ㉢ – 투발루, 몰디브 등의 침수
⑤ ㉢ – 해충의 출현 빈도 증가와 범위 확대

06 다음 글의 밑줄 친 '이곳'의 지역으로 적절한 것은?

> 인도양에 있는 이곳은 산호초와 모래 해변으로 이루어진 섬나라이다. 관광지로 유명하지만, 지구 온난화로 인한 해수면 상승으로 2100년에 국토 전체가 물에 잠길 것으로 전망되고 있다. 이런 심각한 상황을 세계에 알리기 위해 대통령과 장관들이 바닷속에서 30분간 수중 각료 회의를 하기도 하였다.

① 필리핀　② 몰디브　③ 인도네시아
④ 방글라데시　⑤ 아이슬란드

07 다음 그래프와 관련된 설명으로 옳지 않은 것은?

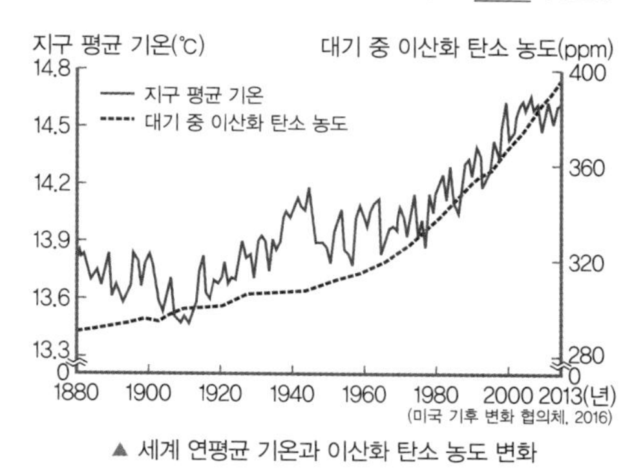

▲ 세계 연평균 기온과 이산화 탄소 농도 변화

① 이산화 탄소는 대표적인 온실가스이다.
② 저탄소 인증 제품의 사용을 늘릴 필요가 있다.
③ 지구 온난화가 자연적인 현상이 아님을 보여 준다.
④ 화석 연료를 대신할 신·재생 에너지를 개발해야 한다.
⑤ 이산화 탄소의 배출만 줄이면 지구 온난화는 해결된다.

08 기후 변화에 대한 대응 노력으로 옳지 않은 것은?

① 자원 재활용에 적극 동참한다.
② 자전거 타기와 걷기를 생활화한다.
③ 저탄소 제품에 대한 정부의 지원이 필요하다.
④ 온실가스 감축을 위한 제도를 마련하도록 한다.
⑤ 가장 책임이 큰 선진국들만 온실가스 배출량을 감축시킨다.

서술형
09 다음 두 국제 협약의 공통점과 차이점에 대하여 서술하시오.

• 교토 의정서	• 파리 협정

X. 환경 문제와 지속 가능한 환경

02 환경 문제 유발 산업의 이전

개념으로 복습하기

A 환경 문제 유발 산업의 국제적 이동

1. 환경 문제와 세계화

① 자원 소비의 증가에 따른 환경 문제

- 산업화, 도시화 → 인구 급증 및 집중 → 자원 소비 및 폐기량 증가 → 오염 발생 및 심화
- 산업화와 도시화를 겪은 (❶)은/는 환경 문제에 대한 규제를 강화함

② 세계화에 따른 국제 분업

- 교통과 통신의 발달로 인해 공장의 이동이 쉬워짐
- 환경 문제 유발 산업을 (❷)(으)로 이전함

2. 환경 문제 유발 산업의 이전

공해 유발 공장	• 환경 오염을 유발하는 오래된 제조 설비를 이전 • 환경 규제가 강한 선진국에서 상대적으로 규제가 느슨한 개발 도상국으로 이전 예 석면 공장의 이동, 방글라데시와 인도의 의류 산업 등
(❸)	• 기술 발달로 제품 (❹) 주기가 빨라짐 • 전자 쓰레기를 재사용 또는 일부 부품의 재활용을 위해 개발 도상국들이 수입 → 재활용 과정에서 중금속과 유해 화합물 발생 • 개발 도상국들은 (❺) 창출, 경제 성장 등의 목적으로 선진국들의 전자 쓰레기를 지속적으로 수입하면서 문제의 해결이 쉽지 않음
농업과 농업 기술	• 임금이 저렴하고 땅값이 싼 개발 도상국으로 농장을 이전 • 지역 경제에 도움이 되지만 화학 비료 및 농약 사용으로 인한 토양과 식수의 오염, 관개 용수 남용에 따른 (❻) 부족 문제 등이 발생

B 환경 문제의 공간적 불평등

1. 환경 문제에 대한 인식 차이: 환경보다 (❼) 을/를 우선시하는 개발 도상국에서는 오히려 환경 문제 유발 산업을 적극적으로 유치함

2. 환경 문제의 불평등을 해결하려는 노력

① 환경 오염 유발 산업 이전에 따른 문제를 선진국이 분담 → 환경 오염을 줄이는 설비에 대한 기술적 · 경제적 지원, 개발 도상국의 경제 성장 지원 등

② 불법적인 유해 폐기물, 공해 산업의 이동 방지 노력 → (❽) 협약 및 체결 이행

문제로 복습하기

01 다음 글은 환경 문제와 세계화를 한 문장으로 설명한 것이다. 이에 대한 설명으로 가장 적절한 것은?

> 세계화는 환경 문제마저 국제적으로 이동시켰다.

① 산업화가 빠르게 이루어졌기 때문이다.
② 도시화로 인한 인구 집중이 문제를 만들었다.
③ 환경 문제 유발 산업이 국제 분업의 형태로 이동했다.
④ 교통과 통신의 발달로 인해 공장의 이동이 힘들어졌다.
⑤ 개발 도상국에서 환경 관련 규제를 강화시키게 되었다.

[02-03] 다음 지도를 보고 물음에 답하시오.

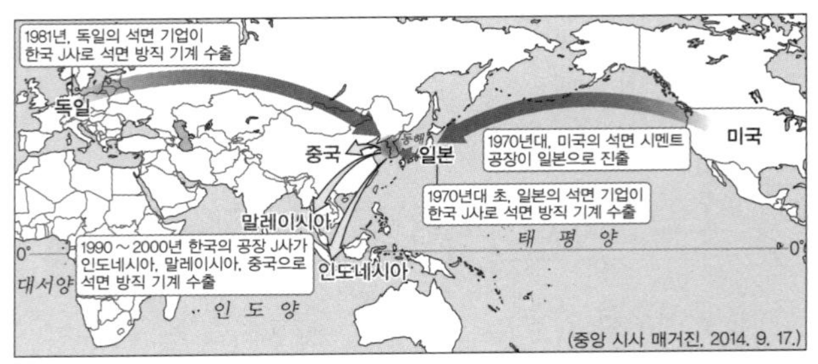

▲ 석면 공장의 이동

02 위 지도에 대한 설명으로 옳지 않은 것은?

① '공해 수출'이라 부르기도 한다.
② 주로 개발 도상국으로 이동하고 있다.
③ 환경 문제 유발 산업을 이동시킨 대표적인 사례이다.
④ 석면의 유해성에 대한 선진국의 인식 변화를 알 수 있다.
⑤ 선진국일수록 경제 성장을 더욱 중시한다는 것을 알 수 있다.

03 서술형 석면 공장이 위와 같이 이동하는 이유를 '환경 규제'와 연관지어 서술하시오.

[04-06] 다음 지도를 보고 물음에 답하시오.

04 다음 글에서 설명하는 위 지도의 (가)에 해당하는 것은?

> 사용 가치가 낮아지거나 낡고 고장 나서 버리게 된 전자 제품을 뜻한다.

① 석면　② 미세 먼지
③ 화훼 산업　④ 전자 쓰레기
⑤ 유전자 재조합 식품(GMO)

05 최근 위 지도와 같은 이동이 많아진 이유를 〈보기〉에서 있는 대로 고른 것은?

> 보기
> ㄱ. 제품의 교체 주기가 빨라졌기 때문이다.
> ㄴ. 기술 발달이 점차 느려지고 있기 때문이다.
> ㄷ. 개발 도상국에서 관련 규제가 매우 느슨하기 때문이다.
> ㄹ. 선진국에서 처리하기 어려울 정도로 양이 많아졌기 때문이다.

① ㄱ, ㄴ　② ㄱ, ㄷ　③ ㄴ, ㄷ
④ ㄱ, ㄷ, ㄹ　⑤ ㄴ, ㄷ, ㄹ

06 위 지도와 같이 (가)를 받아들여 개발 도상국에서 얻기 위한 것으로 옳은 것은?

① 경제 성장　② 일자리 부족
③ 주민 건강 증진　④ 풍부한 지하자원
⑤ 환경 보호의 가치 중시

07 다음 일들의 공통점에 대한 설명으로 옳지 <u>않은</u> 것은?

> • 폐 선박 해체 작업　• 플랜테이션　• 옷감 염색

① 주로 개발 도상국에서 이루어진다.
② 환경 기준이 느슨한 곳에서 이루어진다.
③ 주변 지역을 오염시킬 가능성이 매우 크다.
④ 저렴한 인건비를 노리고 이동하는 경우가 많다.
⑤ 이런 산업을 통해 장기적인 경제 발전을 기대할 수 있다.

08 다음의 변화가 케냐에 주는 영향으로 옳지 <u>않은</u> 것은?

> 과거 화훼 산업의 중심지는 네덜란드였다. 하지만 지금은 케냐가 화훼 산업의 중심지로 급부상하게 되었다. 이는 유럽에 있던 화훼 산업의 상당수가 탄소 배출 규제와 인건비 상승을 피하기 위해 케냐로 화훼 산업을 옮겼기 때문이다.

① 일자리가 증가하게 되었다.
② 화훼 산업과 함께 어업도 발달하였다.
③ 유럽과 연결하는 항공 노선이 발달하였다.
④ 장미로 인한 외화 수입이 증가하게 되었다.
⑤ 꽃에 쓰는 물이 증가하면서 물 부족 문제를 겪게 되었다.

09 다음 사건에 대한 설명으로 옳지 <u>않은</u> 것은?

> 1984년 12월 2일 밤, 미국 석유 화학 기업인 OO가 인도 보팔에 세운 살충제 공장에서 엄청난 양의 유해 화학물질이 쏟아져 나왔다. 이 사고로 현장에서 2,259명이 사망하고, 사고 후유증으로 2만여 명이 더 사망하였다.

① 환경 문제가 공간적으로 불평등하게 발생하고 있다.
② 선진국이 환경 오염을 개발 도상국에 떠넘긴 사례이다.
③ 이러한 문제로 파리 협정과 같은 국제 협약이 필요하다.
④ 경제적 이윤이 환경 보호나 주민 건강보다 우선시되면서 발생한 안타까운 사고이다.
⑤ 이렇게 생산된 물건을 소비하는 사람들에게도 어느 정도 책임이 있으므로 적극적인 관심을 가져야 한다.

03 생활 속의 환경 이슈

개념으로 복습하기

A 생활 속의 환경 이슈

1. 환경 이슈

① **의미:** 환경 문제 중 그 원인과 해결 방법이 입장별로 다르게 나타나는 것

② **특징:** 시대별로 다르게 나타나고, 지역적인 것에서 세계적인 것으로 규모가 다양함

2. 주요 환경 이슈

쓰레기 문제	• 자원 소비 증가, (❶) 사용 증가 • 쓰레기의 급격한 증가 → 새로운 매립지를 정하는 과정에서 각종 분쟁 발생 • 쓰레기 종량제 시행, 쓰레기 분리배출 의무화(자원 재활용과 연계) 등으로 해결 노력
(❷) 식품 (GMO)	• 식품의 영양소를 증가시키고, 생산성을 높임 → 식량 부족 문제의 해결 방안 • (❸)이/가 검증되지 않았고, 생태계를 교란시키는 경우가 다수 발생하고 있으며, 이를 공급하는 다국적 기업들이 농업과 식품 산업을 마음대로 통제하게 된다는 우려도 있음
(❹)	• 공장 지대 및 화력 발전소에서 발생하는 매연, 자동차의 배기가스 등으로 발생 • 폐로 침투하는 것은 물론, 피부를 통해서도 인체로 침투하여 각종 질환을 유발할 수 있음 • 친환경 차 보급, (❺) 연료 사용을 줄이기 위한 신·재생 에너지 개발 및 사용 확대, 저탄소 산업 육성, 미세 먼지 예보 및 경보 체계 마련, 주변국과 협력 강화 등

B 환경 이슈를 바라보는 다양한 입장

1. 환경 이슈에 대한 다양한 입장

	안전하다	안전하지 않다
유전자 재조합 식품 (GMO)	• 많은 식량 생산 • 농작물 단점 보완 • 다른 식품에 비해 위험하다는 증거가 발견되지 않음	• GMO를 재배할 때 사용하는 농약의 유해성이 매우 높음 • 유전자 변형으로 인한 생태계 (❻)

2. 환경 이슈로 인한 갈등을 해결하기 위한 노력

① 집단 간의 다른 의견을 검토하고 대안을 모색하는 토의 과정이 필요함

② 의견을 제시할 때 타당한 근거와 실천 가능한 대안을 바탕으로 해야 함

문제로 복습하기

01 다음 사진과 같은 문제가 발생한 이유를 〈보기〉에서 고른 것은?

▲ 공사 현장의 소음과 먼지

▲ 공장 매연에 의한 대기 오염

▲ 생활 쓰레기에 의한 수질 오염

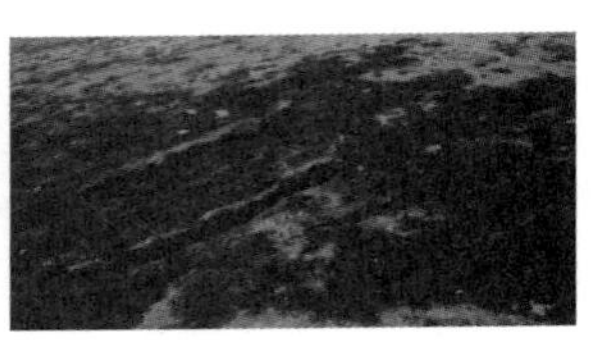
▲ 산업 폐수에 의한 토양 오염

보기

ㄱ. 쓰레기 분리배출의 생활화
ㄴ. 환경 문제에 관한 갈등의 증가
ㄷ. 산업화로 인한 자원 소비의 증가
ㄹ. 도시화로 인한 오염 물질의 증가

① ㄱ, ㄴ ② ㄱ, ㄷ ③ ㄴ, ㄷ
④ ㄴ, ㄹ ⑤ ㄷ, ㄹ

02 환경 이슈에 대한 설명으로 옳은 것은?

① 시대별로 나타나는 모습이 같다.
② 주로 지역적인 문제에서만 나타난다.
③ 최근 GMO를 둘러싼 논쟁이 대표적인 사례이다.
④ 입장이 달라도 원인에 대한 의견은 모두 똑같다.
⑤ 보통 개인과 국가만 대립하는 모습을 보이고 있다.

03 다음 설명에 해당하는 환경 이슈에 해당하는 것은?

과거 영토 확장이 중요한 시기에는 무조건 실시되어야 한다고 주장하였지만 최근 생태적 가치가 부각되면서 보존과 개발 사이에 논란이 지속되고 있다.

① 미세 먼지 ② 소음 공해 ③ 간척 사업
④ 환경 호르몬 ⑤ 유전자 재조합 식품(GMO)

★ 정답과 해설 76쪽

04 미세 먼지에 대한 설명으로 옳지 않은 것은?

① 발생 지역에 대한 논쟁이 계속 진행되고 있다.
② 공장 지대, 화력 발전소 등에서 주로 발생한다.
③ 크기가 매우 작아 뇌와 심장에도 영향을 줄 수 있다.
④ 중국과 몽골의 사막화로 인해 발생 빈도가 높아졌다.
⑤ 초미세 먼지는 사람의 눈으로 관찰할 수 없을 정도로 작다.

05 (가) 작물과 비교한 (나) 작물의 특징을 〈보기〉에서 고른 것은?

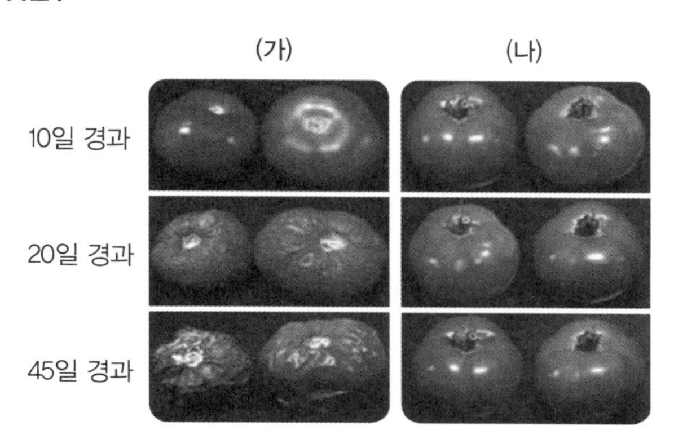

보기

ㄱ. 인체에 대한 안전성이 검증된 상태이다.
ㄴ. 유전자 재조합 식품(GMO)이라고 불린다.
ㄷ. 식량 문제의 해결에 큰 도움이 될 수 있다.
ㄹ. 생산성 증가로 모든 지역 농민들에게 큰 이익이 될 것이다.

① ㄱ, ㄴ ② ㄱ, ㄷ ③ ㄴ, ㄷ
④ ㄴ, ㄹ ⑤ ㄷ, ㄹ

06 환경 문제를 해결하기 위한 쓰레기 배출량 감소 방법으로 가장 적절한 것은?

① 에너지 절약 ② 쓰레기 분리배출
③ 자전거 타기 운동 ④ 쓰레기 매립지 확장
⑤ 일회용품 사용 권장

07 다음과 같은 고민을 하는 사람에게 해 줄 수 있는 답변으로 ㉠에 들어갈 단어를 고르면?

둘 중 (㉠)(이)가 낮은 국내산을 사야 해. 이를 통해 식품의 안전성을 높이고, 온실가스 배출량을 줄일 수 있기 때문이야.

① 미세 먼지 ② 로컬 푸드
③ 식품 가격 ④ 푸드 마일리지
⑤ 유전자 재조합 식품(GMO)

[08-09] 다음 글을 읽고 물음에 답하시오.

최근 우리 지역에서 생산되는 (㉠)을/를 먹자는 운동이 일어나고 있다. (㉠)은/는 외국산에 비해 이동 거리가 짧고, 우리가 사는 지역에서 생산되는 것이라 여러 ㉡ 장점을 지니게 된다.

08 ㉠에 들어갈 알맞은 말은?

① 로컬 푸드 ② 전통 식품
③ 패스트푸드 ④ 푸드 마일리지
⑤ 유전자 재조합 식품(GMO)

서술형
09 ㉡에 해당하는 것을 세 가지 서술하시오.

XI. 세계 속의 우리나라

01 우리나라의 영역과 독도

개념으로 복습하기

A 우리나라의 영역

1. 영역의 의미: 한 국가의 주권이 미치는 범위로 국민 생활이 이루어지는 생활 터전임

2. 영역의 구성

영토	한 국가에 속한 육지의 범위, 국토 면적과 일치
영해	영토 주변의 바다, 대부분 국가에서 (❶) (으)로부터 12해리까지로 정함
영공	영토와 영해의 수직 상공

3. 우리나라의 영역

영토	한반도와 그 부속 섬
영해	• 해안에 따라 영해의 설정 기준이 다름 • 동해, 제주도, 울릉도, 독도: (❷)(으)로부터 12해리까지 • 황 · 남해: (❸)(으)로부터 12해리까지 • (❹): 직선 기선으로부터 3해리까지
영공	최근 항공 교통, 우주 산업 발달로 중요성이 커짐

4. (❺)

범위	기선으로부터 200해리에 이르는 수역 중 영해를 제외한 수역
특징	• 연안국은 천연자원의 탐사 · 개발 · 이용 · 관리 등에 관한 경제적 권리 보장 • 연안국 외 다른 국가의 선박과 항공기 등이 자유롭게 통행 가능

B 소중한 우리 영토, 독도

1. 독도의 위치: 우리나라에서 가장 동쪽에 있는 섬

2. 독도의 지리적 특성: 동해의 해저에서 형성된 화산섬이며, 난류의 영향을 많이 받는 해양성 기후가 나타남

3. 독도의 가치

영역적 가치	• 배타적 경제 수역 설정의 기준점 • (❻)을/를 향한 해상 전진 기지 역할 • 항공 교통, 방어 기지로서 중요한 군사적 요충지
경제적 가치	• (❼) → 다양한 수산 자원 분포 • 해저에 메탄하이드레이트, 해양 심층수 풍부
환경 · 생태적 가치	• 다양한 화산 지형과 지질 경관이 나타남 • 섬 전체가 (❽)(으)로 지정됨

문제로 복습하기

[01-02] 다음 모식도를 보고 물음에 답하시오.

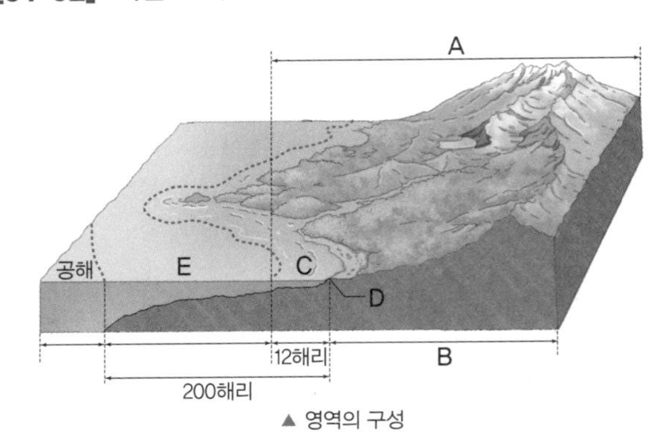

▲ 영역의 구성

01 A~E에 대한 설명으로 옳지 않은 것은?

① A는 영토와 영해의 수직 상공이다.
② 우리나라의 B는 한반도와 부속 섬으로 이루어져 있다.
③ 대부분 국가에서 C는 기선으로부터 12해리까지이다.
④ D는 조수 간만의 차로 해수면이 가장 높을 때의 해안선이다.
⑤ 다른 국가의 어선은 E에서 해당국의 허락 없이 조업을 할 수 없다.

02 C와 E에 대한 옳은 설명을 <보기>에서 고른 것은?

보기
ㄱ. C의 상공은 영역에 해당하지 않는다.
ㄴ. 서해안에서 간척을 해도 C의 범위는 변함없다.
ㄷ. 울릉도, 독도에서 C의 기준선은 직선 기선이 적용된다.
ㄹ. 우리나라, 일본, 중국은 E가 겹쳐 어업 협정을 맺었다.

① ㄱ, ㄴ ② ㄱ, ㄷ ③ ㄴ, ㄷ
④ ㄴ, ㄹ ⑤ ㄷ, ㄹ

03 다음 글과 같은 영해 설정 기준이 적용되는 지역은?

가장 외곽에 있는 섬들을 연결한 직선 기선으로부터 12해리까지를 영해로 설정한다.

① 독도 ② 울릉도 ③ 서해안
④ 동해안 ⑤ 제주특별자치도

★ 정답과 해설 76쪽

04 (가)~(다)의 영해 설정 기준을 옳게 나열한 것은?

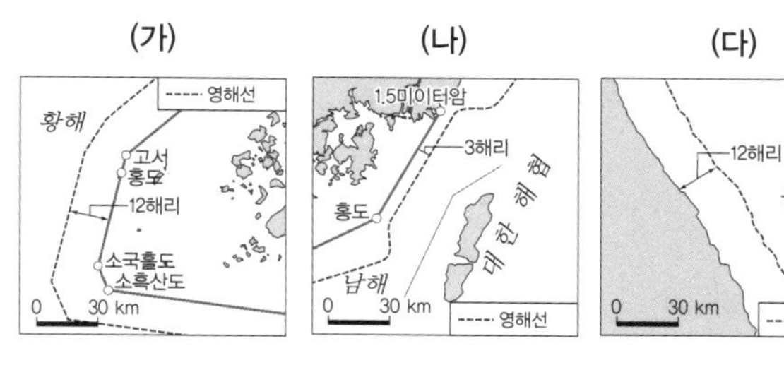

	(가)	(나)	(다)
①	직선 기선	통상 기선	통상 기선
②	직선 기선	직선 기선	통상 기선
③	직선 기선	통상 기선	통상 기선
④	통상 기선	통상 기선	직선 기선
⑤	통상 기선	직선 기선	직선 기선

05 다음 지도의 A~C 해역에서 이루어지는 행위에 대한 옳은 설명을 〈보기〉에서 고른 것은?

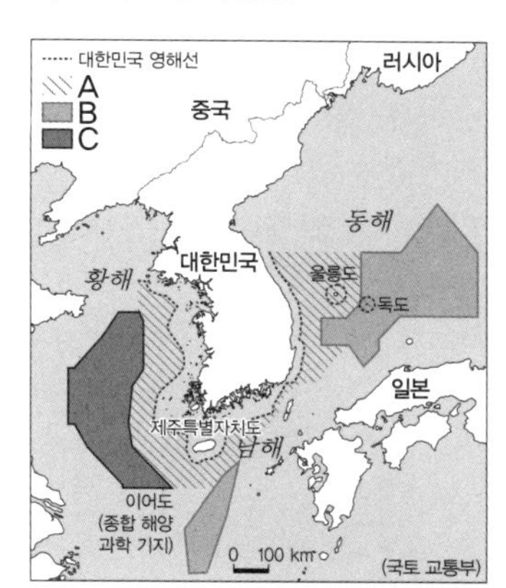

▲ 우리나라 주변 바다의 배타적 어업 수역

보기

ㄱ. A – 중국과 일본의 무역선이 자유롭게 항해한다.
ㄴ. B – 타국의 항공기가 자유롭게 통행할 수 있다.
ㄷ. B – 우리나라는 중국의 허락 없이 어업 활동을 할 수 없다.
ㄹ. C – 우리나라와 일본이 공동으로 이용한다.

① ㄱ, ㄴ　② ㄱ, ㄷ　③ ㄴ, ㄷ
④ ㄴ, ㄹ　⑤ ㄷ, ㄹ

06 다음 (가), (나) 지도의 섬에 대한 옳은 설명을 〈보기〉에서 고른 것은?

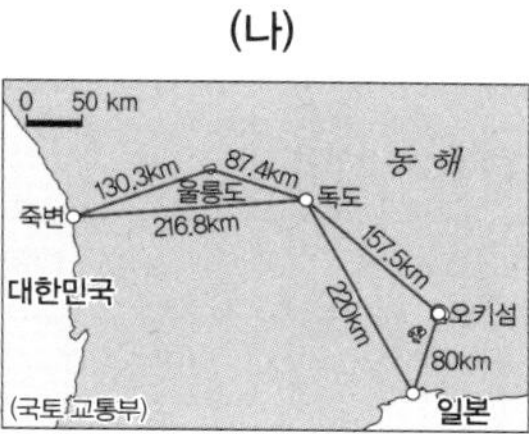

보기

ㄱ. (가)에는 종합 해양 과학 기지가 세워져 있다.
ㄴ. (나) 주변 해역의 영해 설정 기준은 직선 기선이다.
ㄷ. (가)는 (나)보다 해가 뜨는 시간이 빠르다.
ㄹ. (가), (나)는 모두 군사적·전략적 요충지 역할을 한다.

① ㄱ, ㄴ　② ㄱ, ㄹ　③ ㄴ, ㄷ
④ ㄴ, ㄹ　⑤ ㄷ, ㄹ

07 독도에 대한 옳은 설명을 〈보기〉에서 고른 것은?

보기

ㄱ. 난류의 영향으로 대륙성 기후가 나타난다.
ㄴ. 분쟁 지역으로 관광객의 방문이 불가하다.
ㄷ. 해저에서 솟아오른 용암이 굳어져 형성된 섬이다.
ㄹ. 영해와 배타적 경제 수역 설정의 중요한 기점이 된다.

① ㄱ, ㄴ　② ㄱ, ㄹ　③ ㄴ, ㄷ
④ ㄴ, ㄹ　⑤ ㄷ, ㄹ

서술형

08 다음 (가), (나) 해안의 영해 설정 방법을 비교하여 서술하시오.

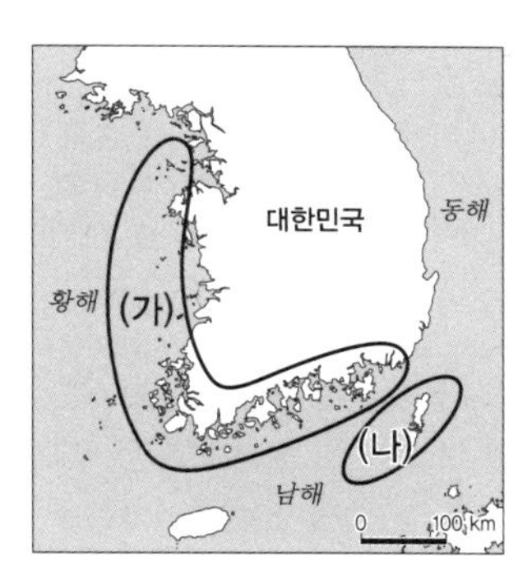

XI. 세계 속의 우리나라

02 우리나라 여러 지역의 경쟁력

개념으로 복습하기

A 세계화 시대의 지역화

1. 지역과 지역성

지역	지역성이 다른 곳과 구분되는 지표상의 범위
(❶)	지역의 자연환경과 그곳에서 거주해 온 주민이 오랜 기간에 걸쳐 상호 작용하여 형성된 것으로 다른 지역과 구별되는 특성

2. 세계화 시대의 지역화

① (❷): 특정 지역이 세계의 정치 · 경제 · 사회 · 문화의 주체로 등장하는 현상

② 지역화 전략

의미	지역의 경쟁력을 높이기 위해 경제적 · 문화적 측면에서 다른 지역과 차별화할 수 있는 계획을 마련하는 것
특징	• 주민들의 정체성을 다지고 자긍심을 높일 수 있음 • 기업 유치를 통해 일자리를 늘리고 관광 산업으로 소득을 높일 수 있음
종류	지역 브랜드, 장소 마케팅, 지리적 표시 등

B 다양한 지역화 전략

1. (❸)

① **의미**: 지역만의 독특한 이미지를 상품화하는 것

② 지역의 고유한 특성과 매력이 잘 드러나도록 로고나 슬로건, 캐릭터 등을 활용 예 (❹)의 'HAPPY 700' 미국 뉴욕의 'I♥NY', 독일 베를린의 'Be Berlin' 등

2. (❺)

① **의미**: 랜드마크와 같은 지역의 특정 장소를 상품화하여 경제적 가치를 높이는 것

② **특징**: 장소를 효율적으로 알리고 다른 지역과 차별화할 수 있는 매력적인 지역 이미지 구축 가능

③ **활용 전략**

(❻)	지역의 이미지를 대표하는 상징물
지역 축제	지역의 독특한 정체성과 이미지 창출 → 관광객, 투자자 유치 예 함평 나비 축제, (❼) 머드 축제 등

3. (❽): 상품의 품질, 명성, 특성 등이 근본적으로 해당 지역에서 비롯한 경우 지역 생산품임을 증명하고 표시하는 제도 예 보성 녹차, 순창 고추장, 의성 마늘, 영동 포도, 이천 쌀, 충주 사과, 횡성 한우 등

문제로 복습하기

01 다음 글에 해당하는 개념으로 옳은 것은?

> 교통과 통신의 발달로 인해 지역 간 교류가 증가하면서 특정 지역이 세계의 정치 · 경제 · 사회 · 문화의 주체로 등장하는 경우가 증가하고 있다.

① 세계화 ② 지역화 ③ 지역 브랜드
④ 장소 마케팅 ⑤ 지리적 표시

02 여행 중 다음과 같은 체험을 한 관광객이 방문한 지역이 아닌 곳을 A~E에서 고른 것은?

> • 갯벌을 이용한 머드 축제에 참가하였다.
> • 소설 『메밀꽃 필 무렵』의 배경이 된 곳에서 메밀로 만든 음식을 먹었다.
> • 세계 5대 습지 중 하나이자 생태계의 보고인 습지 주변을 산책하였다.
> • 우리나라 최초의 국제 영화제가 열린 곳에서 영화 시사회에 참석하였다.

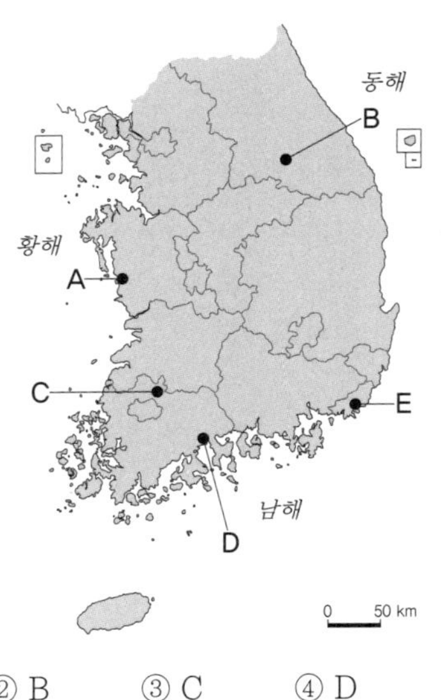

① A ② B ③ C ④ D ⑤ E

★ 정답과 해설 77쪽

03 **다음 글과 같은 지역화 전략을 〈보기〉에서 고른 것은?**

> 특정한 장소를 상품으로 인식하고 그 장소의 이미지를 개발하는 전략으로 '에펠탑'만 들어도 '프랑스 파리'라는 도시가 떠오르는 예가 대표적이다.

보기

ㄱ. 랜드마크	ㄴ. 장소 마케팅
ㄷ. 지역 브랜드	ㄹ. 지리적 표시

① ㄱ, ㄴ　　② ㄱ, ㄹ　　③ ㄴ, ㄷ
④ ㄴ, ㄹ　　⑤ ㄷ, ㄹ

04 **다음에서 설명하는 지역 브랜드로 적절한 것은?**

> 사람이 살기에 가장 쾌적하다는 평균 해발 고도 700m에 있는 지리적 특성을 살려서 만든 지역 브랜드이다.

①

②

③

④

⑤

05 **장소 마케팅 전략의 하나인 지역 축제가 나타나는 지역이 옳게 연결된 것은?**

① 부산 – 나비 축제　　② 보령– 한우 축제
③ 김제 – 머드 축제　　④ 횡성 – 국제 영화제
⑤ 화천 – 산천어 축제

06 **다음 지역화 전략의 공통점으로 가장 적절한 것은?**

① 상표 개념을 지역에 적용한 것이다.
② 지역의 역사와 문화를 소재로 한 축제이다.
③ 지역의 농산물을 축제명으로 사용하고 있다.
④ 지역의 자연환경을 소재로 축제를 개발하였다.
⑤ 관광 산업 발달로 지역 경제가 활성화될 것이다.

07 **(가), (나)에 해당하는 도시를 옳게 짝지은 것은?**

> (가) 녹차 브랜드를 활용하여 녹돈, 녹차 아이스크림 등 다양한 산업을 발달시켰다.
> (나) 습지가 많은 분지 지형으로 고추장의 발효가 활발해 다른 지역에 비해 장맛이 좋아 지리적 표시 상품으로 등록되었다.

	(가)	(나)		(가)	(나)
①	보성	횡성	②	보성	순창
③	순창	횡성	④	순창	보성
⑤	횡성	순창			

서술형
08 **우리나라 지리적 표시 상품으로 등록할 경우 각 지역이 얻을 수 있는 이점을 두 가지 서술하시오.**

03 통일 이후 국토 공간

XI. 세계 속의 우리나라

개념으로 복습하기

A 우리 국토 위치의 중요성과 통일의 필요성

1. 우리나라의 지리적 위치

① (❶   ) 대륙 동쪽의 반도국 → 대륙과 해양 진출에 유리

② 유라시아 대륙과 (❷   )을/를 연결하는 지리적 요충지

③ 중국, 일본 등 이웃 국가 및 세계 여러 국가와 활발하게 교류 → 국가 발전에 긍정적으로 기여함

④ 국토 분단으로 남한은 (❸   )(으)로 통하는 육로 단절, 북한은 해양 진출에 제약 발생

2. 국토 통일의 필요성

분단으로 인한 문제점	• 지리적 위치의 장점 활용 제한 • 남북한 대립으로 인한 국방비 지출 등의 비용 증가 • 남북 문화의 이질화, 민족 동질성 약화, 이산가족과 실향민 발생
통일의 필요성	• 국토의 균형 발전 → 반도국의 이점 회복 • 분단국가의 부정적 이미지 해소 → 우리나라의 국제적 위상이 높아짐, 세계 평화에 이바지 • (❹) 감소와 민족의 동질성 회복

B 통일 한국의 미래

1. 국토 공간의 변화

① 반도국의 지리적 이점 회복 → 동아시아의 물류 중심지로 성장

② **경제적 발전**: 남한의 (❺   )와/과 기술 + 북한의 (❻   )와/과 노동력 결합 → 국토를 효율적으로 이용

③ 북한의 역사 문화유산을 결합하여 생태 · 환경 · 문화가 어우러진 매력적인 국토 공간 조성 예 백두산, 금강산, (❼   )(DMZ) 등 개발

2. 생활 모습의 변화

① 자유 민주주의적 이념 확대

② 생활권의 확대로 새로운 직업과 일자리 창출 → 경제 발전

③ 군사비를 경제, 복지 분야에 투자하여 삶의 질이 향상될 수 있음

3. 통일을 위한 노력: 남북한 경제 협력 및 교류 확대, 단절된 교통로 연결 등

문제로 복습하기

01 다음 지도를 통해 알 수 있는 우리나라의 위치적 특징에 대한 옳은 설명을 〈보기〉에서 고른 것은?

▲ 우리나라의 위치

보기

ㄱ. 해양 진출에 유리한 반도국이다.
ㄴ. 동아시아 국가 중 가장 넓은 영토를 차지하고 있다.
ㄷ. 유라시아 대륙과 태평양을 연결하는 교통의 중심지다.
ㄹ. 대륙 한가운데에 위치하여 다양한 기후가 나타난다.

① ㄱ, ㄴ ② ㄱ, ㄷ ③ ㄴ, ㄷ
④ ㄴ, ㄹ ⑤ ㄷ, ㄹ

02 국토 통일의 필요성으로 옳지 않은 것은?

① 이산가족과 실향민의 아픔 치유
② 남북한 주민 간 문화적 이질화 해결
③ 북한 주민의 기아와 인권 문제 해결
④ 군사력 증강을 통한 국제 사회에서의 위상 향상
⑤ 남북 간 인적·물적 자원 교류 단절로 인한 경제 발전 저해 해결

03 다음 글에서 우리 민족이 해결해야 할 궁극적인 과제로 가장 적절한 것은?

군사적 긴장 상태가 지속되어 국가 신용이 낮게 평가되었고 남북한 모두 군사비 부담이 커져 경제 발전에 효율적인 투자가 어렵다. 또한 언어를 포함한 남북 문화의 이질화와 민족 동질성 약화 문제가 나타났다.

① 군비 축소 ② 경제 발전 ③ 국토 통일
④ 해외 자본 유치 ⑤ 남북 교류 확대

04 통일 이후 국토 공간의 변화에 대한 옳은 설명을 〈보기〉에서 고른 것은?

보기
ㄱ. 동아시아 정치·경제·교통·관광 중심지로의 성장 ㄴ. 생태·환경·문화가 어우러진 매력적인 국토 공간 창조 ㄷ. 남북의 문화적 차이로 인한 개성 있는 국토 공간 활성화 ㄹ. 남북 군사력 결합을 통한 군사 대국으로서의 국가 경쟁력 강화

① ㄱ, ㄴ ② ㄱ, ㄷ ③ ㄴ, ㄷ
④ ㄴ, ㄹ ⑤ ㄷ, ㄹ

[05-06] 다음 지도를 보고 물음에 답하시오.

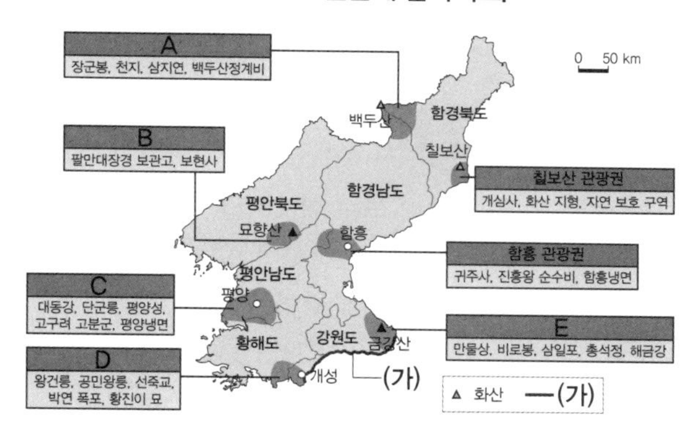

05 다음 설명에 해당하는 북한의 관광지를 A~E에서 고른 것은?

우리 민족의 성스러운 산으로 여겨진 백두산은 정상에 분화구가 무너져 형성된 호수인 천지가 있다.

① A ② B ③ C ④ D ⑤ E

06 통일 후 (가) 지역의 개발 방안에 대한 옳은 설명을 〈보기〉에서 고른 것은?

보기
ㄱ. 비무장 지대 남쪽과 북쪽의 교통로 연결 ㄴ. 잘 보존된 생태 환경을 이용한 생태 공원 조성 ㄷ. 남북한 경제 협력을 통한 대규모 공업 단지 조성 ㄹ. 고구려와 발해 유적지를 바탕으로 한 관광지 조성

① ㄱ, ㄴ ② ㄱ, ㄹ ③ ㄴ, ㄷ
④ ㄴ, ㄹ ⑤ ㄷ, ㄹ

07 다음 글의 (가)~(다)에 대한 옳은 설명을 〈보기〉에서 있는 대로 고른 것은?

> 통일이 되면 다양한 경제적 이익을 얻을 수 있다. (가) 남한의 기업이 북한의 노동력을 활용할 수 있고, (나) 북한의 풍부한 천연자원을 이용할 수 있다. 우리나라는 통일에 대비하여 비무장 지대의 생태계 보존과 (다) 철의 실크로드 완성을 위해 노력하고 있다.

보기
ㄱ. (가) – 북한의 노동력이 상대적으로 저렴하다. ㄴ. (나) – 북한에는 석탄, 철광석 등의 자원이 풍부하다. ㄷ. (다) – 반도국의 지리적 이점을 극대화할 수 있다. ㄹ. (다) – 유럽과 무역 증가로 동아시아 무역이 축소된다.

① ㄱ, ㄴ ② ㄱ, ㄷ ③ ㄱ, ㄴ, ㄷ
④ ㄱ, ㄴ, ㄹ ⑤ ㄴ, ㄷ, ㄹ

서술형
08 다음 그래프를 통해 알 수 있는 남북한의 협력 방안을 서술하시오.

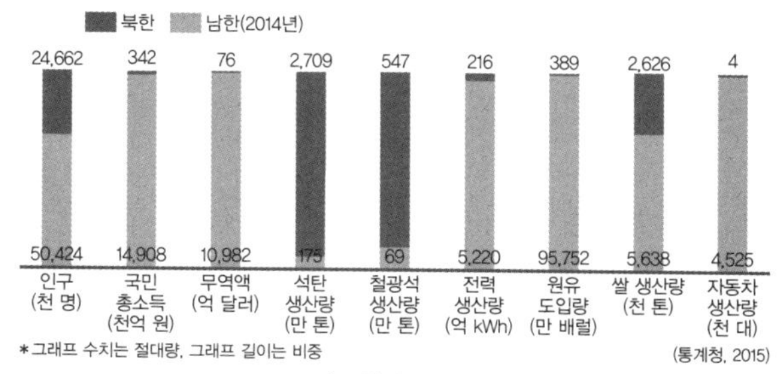

▲ 남북한의 경제 지표

01~03 지구상의 다양한 지리적 문제 ~ 지역 간 불평등 완화를 위한 노력

개념으로 복습하기

A 영역 분쟁

1. 의미: 영토 및 (❶)을/를 둘러싼 국가 간 분쟁
2. 원인: 역사적 배경, 민족 · 종교의 차이, 석유, 천연가스 등 (❷) 확보 경쟁 등
3. 주요 영역 분쟁 지역: 난사(스프래틀리) 군도, 센카쿠 열도(댜오위다오), 카스피해, 티베트, 팔레스타인 등

B 기아 문제

1. 발생 원인
① **자연적 요인**: 기후 변화로 인한 가뭄 및 홍수, 병충해로 인한 식량 생산량 감소 등
② **인위적 요인**: 급격한 인구 증가, 국제 곡물 가격 상승, 분쟁으로 인한 곡물 공급의 어려움 등
2. 기아 문제의 발생: (❸) 및 아시아의 저개발국은 경제 발전 수준이 낮으며 영양 결핍 인구 비율이 높음

C 생물 다양성의 감소

1. 생물 다양성의 중요성: 생태계가 유지되는 기본 조건, 삶의 질 개선에 중요
2. 생물 다양성 감소의 원인: 삼림 파괴, 동식물 서식지 파괴, 무분별한 남획, 환경 오염 등

D 지역별 발전 수준과 지역 간 불평등

1. (❹): 경제가 발전하여 소득 및 생활 수준이 높음
2. 개발 도상국: 경제 발전 수준이 낮고 소득이 적음
3. 빈곤 문제 해결을 위한 저개발 지역의 노력

산업 발전	관개 시설 확충 등을 통한 식량 생산량 증대, 도로 · 철도 등 (❺) 확충
인적 자원	교육 기회 확대를 통한 인적 자원 개발, 위생 및 보건 환경 개선을 통한 질병 문제 해결
사회 정의 실현	정치적 불안, 부정부패 문제의 해결, 공공 투자 및 사회적 약자를 위한 복지 정책

4. 지역 간 불평등 완화를 위한 노력
① **국가 및 국제기구의 노력**
- 공적 개발 원조(ODA): 저개발국에 재정 · 물자 등을 지원
- 국제 연합(UN): 국제 평화와 안전, 인권 확보 노력

② **비정부 기구 및 시민 차원의 노력**
- 비정부 기구(NGO): 인도적 차원에서 구호 활동 실시
- (❻): 선진국과 저개발국의 불공정한 무역 개선

문제로 복습하기

01 영역 분쟁의 원인으로 옳지 않은 것은?

① 무분별한 열대 우림의 파괴
② 국가 간 역사적 배경의 차이
③ 국가 간 민족과 종교의 차이
④ 자원을 확보하기 위한 경쟁
⑤ 군사적 요충지를 확보하려는 노력

02 다음 지도 (가) 지역에서 발생하고 있는 분쟁에 대한 설명으로 옳은 것은?

① 종교의 차이가 분쟁의 주된 원인이다.
② 분쟁 당사국에는 일본이 포함되어 있다.
③ 현재 베트남이 실효적 지배를 하고 있다.
④ 중국으로부터 분리 독립을 요구하고 있다.
⑤ 인근 해역의 자원이 분쟁의 원인이 되고 있다.

03 다음 글의 밑줄 친 내용의 원인으로 옳지 않은 것은?

> 식량 가격이 점점 비싸지면서 경제 발전 수준이 낮은 저개발국의 식량 사정이 악화되고 있으며 기아 문제는 더욱 심화되고 있다.

① 저개발국의 높은 인구 증가율
② 홍수, 가뭄, 폭염 등의 이상 기후
③ 저개발국의 농업 생산 기술 발전
④ 저개발국에서 오랫동안 지속되는 전쟁
⑤ 선진국에서 식량 작물의 가축 사료용 소비 증가

★ 정답과 해설 78쪽

04 다음 지도의 A~C에 들어갈 내용으로 옳은 것을 〈보기〉에서 골라 옳게 짝지은 것은?

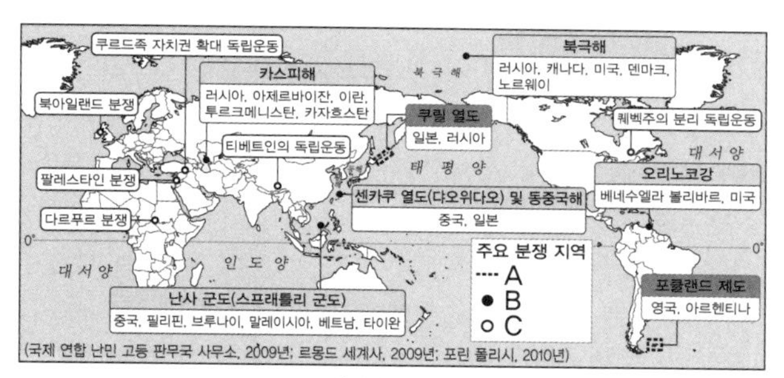

▲ 세계의 분쟁 지역

〈보기〉
ㄱ. 자원 분쟁　　ㄴ. 국경 분쟁
ㄷ. 민족·종교 분쟁

	A	B	C		A	B	C
①	ㄱ	ㄴ	ㄷ	②	ㄱ	ㄷ	ㄴ
③	ㄴ	ㄱ	ㄷ	④	ㄴ	ㄷ	ㄱ
⑤	ㄷ	ㄱ	ㄴ				

05 다음 (가), (나) 영역 분쟁의 공통된 원인으로 가장 적절한 것은?

(가) 2차 대전 이후 팔레스타인 지역에 유대교를 믿는 이스라엘이 건국되면서 이슬람교를 믿는 주변 아랍 국가들과의 갈등이 시작되었다. 네 번에 걸친 전쟁으로 이스라엘이 팔레스타인 대부분을 차지하자 그 전에 살던 팔레스타인 사람들이 영토를 회복하기 위해 저항하고 있다.
(나) 인도가 영국으로부터 독립할 때 카슈미르 지역은 주민 대부분이 이슬람교를 믿고 있기 때문에 파키스탄으로 편입될 예정이었으나 이곳을 통치하던 힌두교 지도자가 인도에 통치권을 넘기면서 파키스탄과 인도의 갈등이 시작되었다.

① 민족　② 종교　③ 수자원
④ 지하자원　⑤ 독립 투쟁

06 국가별 발전 수준을 파악할 수 있는 지표를 〈보기〉에서 고른 것은?

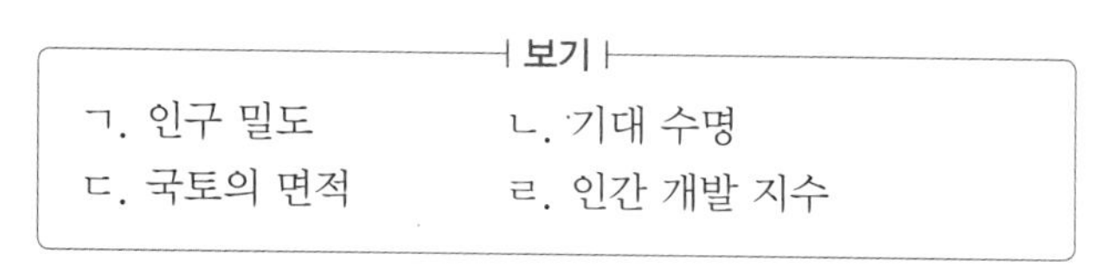
〈보기〉
ㄱ. 인구 밀도　　ㄴ. 기대 수명
ㄷ. 국토의 면적　　ㄹ. 인간 개발 지수

① ㄱ, ㄴ　② ㄱ, ㄷ　③ ㄴ, ㄷ
④ ㄴ, ㄹ　⑤ ㄷ, ㄹ

07 다음 그래프의 (가) 국가군에 대한 (나) 국가군의 상대적인 특성으로 옳지 않은 것은?

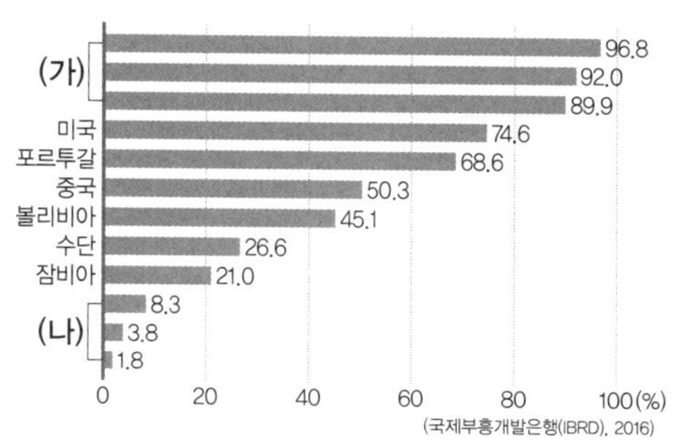

▲ 인터넷 이용 인구 비율

① 기대 수명이 짧다.
② 성 불평등 지수가 높다.
③ 영·유아 사망률이 높다.
④ 1인당 국내 총생산이 많다.
⑤ 이동 전화 가입자 비율이 적다.

서술형
08 다음 그래프를 분석하여 세계의 영양 부족 및 비만 인구에 대해 서술하시오.

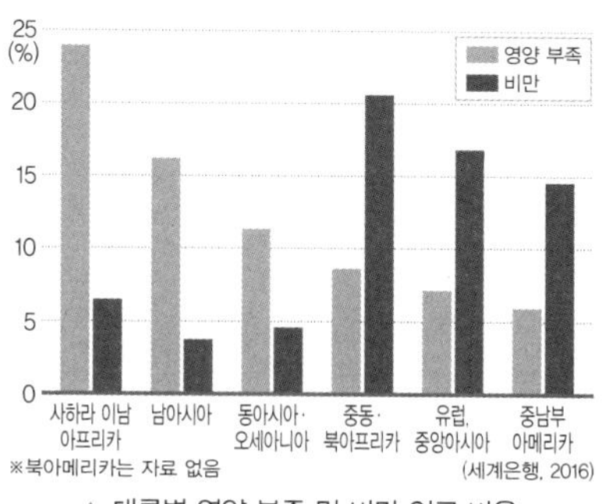

▲ 대륙별 영양 부족 및 비만 인구 비율

09 선진국에서 높게 나타나는 지표로 옳은 것은?

① 성인의 문맹률
② 성 불평등 지수
③ 영·유아 사망률
④ 1인당 에너지 소비량
⑤ 의사 1명당 평균 환자 수

10 다음 그래프를 분석한 내용으로 옳은 설명을 〈보기〉에서 고른 것은?

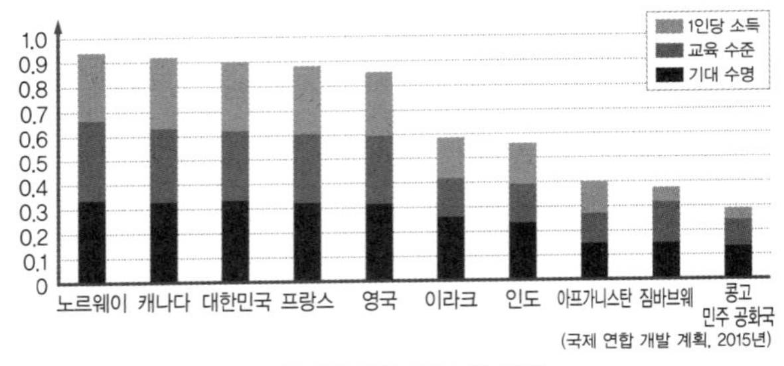

▲ 국가별 인간 개발 지수(HDI)

보기

ㄱ. 국가별 격차는 기대 수명이 1인당 소득보다 크다.
ㄴ. 인간 개발 지수 0.8 이상 국가는 주로 북아메리카에 위치하고 있다.
ㄷ. 1인당 소득이 가장 낮은 국가가 인간 개발 지수가 가장 작다.
ㄹ. 인간 개발 지수가 0.5 미만 국가는 주로 아프리카에 위치하고 있다.

① ㄱ, ㄴ ② ㄱ, ㄷ ③ ㄴ, ㄷ
④ ㄴ, ㄹ ⑤ ㄷ, ㄹ

11 다음 글의 밑줄 친 부분과 관련하여 저개발국의 빈곤 문제 해결을 위한 정책으로 옳지 않은 것은?

> 볼리비아는 천연자원이 많은 국가임에도 불구하고 남아메리카에서 빈곤한 국가 중 하나이다. 그러나 에너지 자원 주권 운동을 통해 많은 자원을 국유화하면서 그 이익을 저소득 계층에게 나눠 주었다. 이외에도 국가 사업을 통해 변화를 시도하였고, 이것이 빈곤 문제를 완화시키는 데 많은 도움이 되었다. 이러한 노력에도 불구하고 가난한 국가들은 스스로 빈곤 문제를 해결할 수 없는 경우가 많다. 따라서 해당 국가가 스스로 발전할 수 있도록 다른 여러 국가들과 조화를 이루고 협력할 필요가 있다.

① 공적 개발 원조에만 의존한 경제 개발
② 해외의 자본과 기술 투자의 유치 노력
③ 교육 기회 확대를 위한 교육 시설 확충
④ 저개발 국가들 간의 경제 협력 체제 마련
⑤ 보유 지하자원 및 관광 자원의 적극적 활용

12 다음 글의 ㉠에 대한 설명으로 옳은 것은?

> (㉠)은/는 어떠한 종류의 정부도 간섭하지 않고, 시민 개개인 또는 민간단체들에 의해 조직되는 단체를 의미한다. 이윤을 추구하는 기업과는 구분해야 한다는 생각 때문에 NPO(Non Prof Organization)라고도 부른다.

① 공적 개발 원조의 시행 주체이다.
② 국제 연합(UN)의 공식 산하 기관이다.
③ 주로 저개발국에서 조직되어 활동한다.
④ 옥스팜, 국경 없는 의사회 등이 사례이다.
⑤ 저개발국의 대규모 기반 시설 구축을 지원한다.

개념을 쉽게 풀어 주는 기본서

개념풀 특강

중학 사회②

발 행 인 권준구
발 행 처 (주)지학사 (등록번호 : 1957.3.18 제 13-11호) 04056 서울시 마포구 신촌로6길 5
발 행 일 2018년 11월 30일 [초판 1쇄] 2023년 6월 15일 [2판 1쇄]
구입 문의 TEL 02-330-5300 | FAX 02-325-8010 구입 후에는 철회되지 않으며, 잘못된 제품은 구입처에서 교환해 드립니다.
내용 문의 www.jihak.co.kr 전화번호는 홈페이지 〈고객센터 → 담당자 안내〉에 있습니다.

개념풀 특강

중학 사회②

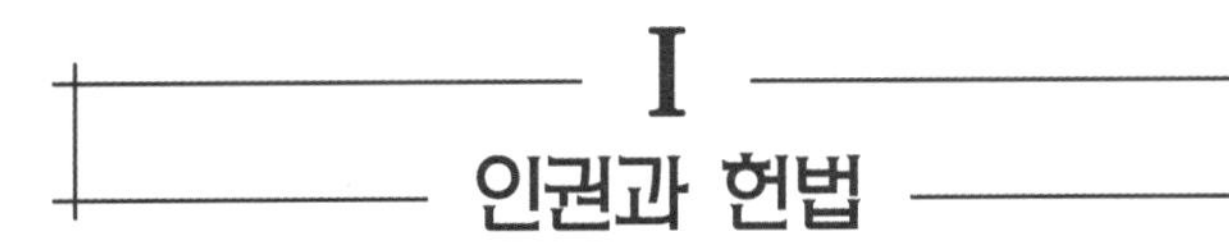

진도책 정답과 해설

I 인권과 헌법

01 인권 보장과 기본권

✓ 간단 체크 010~011쪽

❶ ㉠ – ⓒ, ㉡ – ⓐ, ㉢ – ⓑ, ㉣ – ⓔ, ㉤ – ⓓ ❷ ㉠ 참정권, ㉡ 평등권, ㉢ 자유권, ㉣ 사회권, ㉤ 청구권 ❸ 자유권
❹ 질서 유지, 공공복리

개념 다지기 1단계 011쪽

01 인간 02 천부 인권 03 행복 추구권 04 자유권
05 참정권 06 인간다운 07 기본권 08 공공복리
09 법률 10 없다

집중 공략 A 012쪽

| 기본권의 의미와 종류 |
01 평등권 02 자유권 03 참정권 04 사회권 05 청구권

01~06 기본권은 헌법이 보장하는 인간으로서의 기본적 권리를 말한다. 기본권의 종류에는 인간으로서의 존엄과 가치 및 행복 추구권, 자유권, 평등권, 참정권, 사회권, 청구권이 있다.

집중 공략 B 013쪽

| 기본권의 제한과 한계 |
01 공공복리 02 질서 유지, 공공복리 03 국가 안전 보장
04 국회가 제정한 법률에 의해서만 제한할 수 있다. 05 국회가 제정한 법률 06 본질적 내용

01~03 기본권은 국가 안전 보장, 질서 유지, 공공복리를 위해 필요한 경우에 한하여 제한할 수 있다.

04~06 기본권의 제한은 국회가 제정한 법률에 의해서만 가능하며, 이 경우에도 자유와 권리의 본질적인 내용은 침해할 수 없다.

실력 올리기 2단계 014~015쪽

01 ③ 02 ② 03 해설 참조 04 ② 05 ④ 06 ①
07 ③ 08 ④ 09 ③ 10 ① 11 ② 12 ②
13 해설 참조

01 인권 보장의 역사
시민 혁명을 거치면서 인권 사상이 성장하였고, 이를 바탕으로 민주주의 체제가 수립되었다.

02 인권의 특징
제시문은 세계 인권 선언의 일부이며, ㉠에 들어갈 용어는 인권이다.
오답 분석 ㄴ. '모든 인간은 태어날 때부터 자유로우며~'를 통해 인권은 성인뿐만 아니라 모든 인간에게 부여되는 권리임을 알 수 있다.
ㄹ. 인권은 국가가 성립되기 이전에도 당연히 보장되어야 하는 권리이다.

03 서술형 인권의 의미
모범 답안 인간이 인간답게 살아가기 위해 마땅히 누려야 할 권리이다.

채점 기준	배점
제시어를 모두 사용하여 인권의 의미를 정확하게 서술함	100%
인권의 의미를 적절하게 서술하였으나, 모든 제시어를 사용하지 않음	70%
인간이 가진 권리라고만 서술함	30%

04 인권의 특징
인권이 국적, 인종, 성별, 나이, 직업, 장애의 유무 등 개인의 차이와 상관없이 누구에게나 보장되는 것을 통해 기본적이고 보편적인 권리라는 것을 알 수 있다.

05 기본권의 의미
헌법이 보장하는 인간으로서의 기본적 권리는 기본권이다.
오답 분석 ①, ③, ⑤는 국가의 성립 이전부터 인간이 태어나면서 당연히 가지는 권리이다. 헌법은 국가의 성립을 전제 조건으로 한다.
② 주권은 국가의 최고 권력이다.

06 고난도 기본권의 특징

[자료 분석]
헌법 제10조는 인간으로서의 존엄과 가치 및 행복 추구권을 규정하고 있다.

[선택지 분석]
㉠ 우리나라 헌법의 최우선 가치이다.
➡ 인간으로서의 존엄과 가치 및 행복 추구권은 우리 헌법의 최우선 가치이다.
㉡ 헌법에 보장된 모든 기본권의 토대이다.
➡ 인간으로서의 존엄과 가치 및 행복 추구권은 헌법에 보장된 모든 기본권의 토대이다.
~~㉢~~ 국가의 정치적 의사 결정 과정에 참여할 수 있는 권리이다.
➡ 참정권의 의미이다.
~~㉣~~ 최소한의 인간다운 생활의 보장을 요구할 수 있는 권리이다.
➡ 사회권의 의미이다.

07 기본권의 종류
(가) 모든 국민이 합리적인 이유 없이 차별받지 않고 동등하게 대우받을 권리는 평등권이고, (나) 기본권이 침해되거나 침해될 우려가 있을 때 이의 구제를 요구할 수 있는 권리는 청구권이다.

08 사회권
근로의 권리, 인간다운 생활을 할 권리, 쾌적한 환경에서 살 권리는 국민이 국가에 인간다운 생활을 요구할 수 있는 권리인 사회권의 내용이다.

09 참정권
국가의 의사 결정 과정에 참여할 수 있는 권리는 참정권이다. 참정권의 내용으로는 국민의 대표를 선출하는 선거권, 공무를 담당할 수 있는 공무 담임권, 국가의 중요한 정책을 직접 결정할 수 있는 국민 투표권 등이 있다.

10 평등권
회사에서 능력을 인정받았으나 성별, 학력 등을 이유로 승진 대상자에서 제외된 것은 합리적인 이유 없이 불평등한 대우를 받지 않을 권리인 평등권을 침해당한 경우이다.

11 기본권의 제한
우리 헌법은 국가 안전 보장, 질서 유지, 공공복리를 위하여 필요한 경우에 한해서만 기본권을 제한할 수 있도록 규정하고 있다.

12 기본권 제한의 방법
우리 헌법 제37조 제2항에서는 국회가 제정한 법률에 의해서만 기본권 제한이 가능하다고 규정하고 있다.

13 서술형 기본권 제한의 한계
모범 답안 기본권을 제한하는 경우에도 자유와 권리의 본질적인 내용은 침해할 수 없다.

채점 기준	배점
제시어를 사용하여 기본권 제한의 한계를 정확하게 서술함	100%
기본권 제한의 한계를 적절하게 서술하였으나, 모든 제시어를 사용하지 않음	70%
본질적 권리를 침해할 수 없다고만 서술함	30%

02/03 인권 침해와 구제 방법 ~ 근로자의 권리와 노동권 침해의 구제

✔ 간단 체크 016~017쪽

❶ (가) 이동, (나) 인격, (다) 외모, (라) 연령 ❷ (가) 자유권, 평등권, (나) 자유권, (다) 자유권, 평등권, (라) 자유권, 평등권 ❸ (가) 부당 해고, (나) 부당 노동 행위 ❹ 노동 위원회에 구제 신청, 법원에 재판 신청

개념 다지기 1단계  017쪽

01 인간 **02** 법원 **03** 헌법 재판소 **04** 노동조합 **05** 단체 교섭권 **06** 노동 위원회

실력 올리기 2단계  018~019쪽

01 ③ **02** ④ **03** ② **04** ⑤ **05** ⑤ **06** 해설 참조
07 ④ **08** ④ **09** ④ **10** ⑤ **11** ③ **12** 해설 참조

01 인권 침해의 의미
인권 침해는 인간으로서 가지는 권리 또는 기본권을 존중받지 못하고 개인이나 국가 기관 등에 의해 인권이 침해되는 것을 말한다.

02 인권 침해의 발생 원인
인권 침해의 발생 원인으로는 사람들의 고정 관념이나 편견, 사회의 잘못된 관습이나 관행, 불합리한 법과 제도 등을 들 수 있다.
오답 분석 ㄱ. 인권 침해는 국가 권력에 의해서만 발생하는 것은 아니다. 개인이나 단체에 의한 인권 침해도 있다.
ㄷ. 인권 침해는 헌법에 보장된 기본권과 보장되지 않는 기본권을 모두 포함한다.

03 국가 기관에 의한 인권 침해
경찰이 최우승 씨의 외모를 보고 범인으로 지목한 후 영장 없이 체포한 것은 인권을 침해한 행위이다. 이는 국가 기관에 의한 인권 침해 사례이다.
오답 분석 ㄴ. 영장 없이 체포하였으므로 경찰의 정당하지 않은 공무 집행이 이루어졌다.
ㄹ. 외모를 이유로 인권 침해가 발생하였다.

04 고난도 헌법 재판소를 통한 인권 침해 구제

[자료 분석]
법률이 헌법에 어긋나는지를 판단하는 국가 기관은 헌법 재판소이다. 제시된 사례에서 헌법 재판소는 「의료법 제56조」가 표현의 자유를 침해하여 헌법에 어긋난다고 결정하였다.

[선택지 분석]
① 법원
➡ 재판을 통해 인권을 구제한다.
② 국회
➡ 법률을 제정하고 개정하는 입법부이다.
③ 대통령
➡ 행정부의 수반이자 국가 원수이다.
④ 검찰청
➡ 행정부 각부 중 하나인 법무부 산하 국가 기관으로 우리 사회의 법과 질서를 바로 세우고 국민의 안녕과 인권을 지키는 최고 법 집행 기관이다.
✔⑤ 헌법 재판소
➡ 위헌 법률 심판, 헌법 소원 심판을 통해 국민의 침해된 기본권을 구제하는 국가 기관이다.

05 국가 인권 위원회를 통한 인권 침해 구제
인권을 침해당했을 경우 법원, 헌법 재판소, 국가 인권 위원회와 같은 국가 기관을 통해 구제받을 수 있다. 제시문에서 설명하는 국가 기관은 국가 인권 위원회이다.

06 서술형 **인권 침해의 발생 원인**

모범 답안 사람들의 고정 관념이나 편견으로 인권 침해가 발생하였다.

채점 기준	배점
제시어를 모두 사용하여 인권 침해의 발생 원인을 정확하게 서술함	100%
인권 침해의 발생 원인을 적절하게 서술하였으나, 모든 제시어를 사용하지 않음	70%
장애를 이유로 인권 침해가 발생하였다고 서술함	30%

07 노동권

근로 조건이란 근로자가 노동력을 제공하는 조건으로 임금, 근로 시간, 휴일, 휴가 제도 등이 포함된다. 근로자가 인간다운 삶을 살기 위해서는 최소한의 근로 조건이 보장되어야 하며, 우리나라는 법률을 통해 근로 조건의 최저 기준을 제시하고 있다. ④ 노동 환경에서 불리한 위치를 차지하고 있는 것은 사용자가 아니라 근로자이다.

08 노동권의 침해와 구제

근로자가 부당 해고 및 부당 노동 행위로 인해 노동권이 침해된 경우 노동 위원회에 구제를 신청할 수 있고, 법원에 재판을 신청할 수 있다.

09 노동 삼권

노동 삼권은 근로자가 서로 단결하여 사용자와 대등한 위치에서 근로 조건을 협의할 수 있도록 부여된 권리이다. 단결권, 단체 교섭권, 단체 행동권이 노동 삼권이다.

오답 분석 ㄴ. 직장 폐쇄권은 근로자가 아닌 사용자에게 부여된 권리이다.

10 단체 행동권

근로자, 노동조합이 합법적인 절차를 거쳐 정당한 쟁의 행위를 할 수 있는 권리는 단체 행동권이다.

11 고난도 **단결권**

[자료 분석]

S전자 사장은 근로자들이 노동조합을 만들고 그에 가입하여 활동할 수 있는 권리인 단결권을 침해하였다.

[선택지 분석]

① 사회권

➡ 국민이 국가에 인간다운 생활의 보장을 요구할 수 있는 권리이다.

② 참정권

➡ 국가 기관의 형성과 국가의 정치적 의사 결정 과정에 참여할 수 있는 권리이다.

③ 단결권

➡ 노동조합과 같은 단체를 만들고 그에 가입하여 활동할 수 있는 권리이다.

④ 단체 교섭권

➡ 노동조합을 통해 사용자와 근로 조건을 협의할 수 있는 권리이다.

⑤ 단체 행동권

➡ 단체 교섭이 원만하게 이루어지지 않을 경우 쟁의 행위를 할 수 있는 권리이다.

12 서술형 **단체 교섭권**

모범 답안 단체 교섭권은 노동조합을 통해 사용자와 근로 조건을 협의할 수 있는 권리이다.

채점 기준	배점
제시어를 모두 포함하여 단체 교섭권의 의미를 정확하게 서술함	100%
단체 교섭권의 의미를 적절하게 서술하였으나, 모든 제시어를 포함하지 않음	70%
단체 교섭권이라고만 제시함	30%

020~023쪽

대단원 완성하기 3단계

01 ④ 02 ④ 03 ④ 04 ⑤ 05 ② 06 ④ 07 ⑤
08 ① 09 ④ 10 ① 11 ① 12 ⑤ 13 ⑤ 14 ②
15 ④ 16 ⑤ 17 ③ 18 ④

서술형

19 (1) 자유권 (2) [모범 답안] 질서 유지를 위해 기본권을 제한하였으나 자유와 권리의 본질적인 내용은 침해할 수 없다.

20 (1) 부당 해고 (2) [모범 답안] 노동 위원회에 구제 신청을 하거나 법원에 소송을 제기하여 침해당한 노동권을 구제받을 수 있다.

01 인권 보장의 의미

인권은 인간이 인간답게 살아가기 위해 마땅히 누려야 할 권리로, 인간이 태어나면서부터 당연히 가지는 권리이다. 최소한의 인간다운 삶을 살기 위해서는 인권 보장이 필요하며, 인권이 보장될 때 인간으로서의 존엄을 지키고 행복하게 살 수 있다.

오답 분석 ㄱ. 인권은 민주 국가의 국민뿐만 아니라 모든 인간에게 보장되어야 한다.

ㄷ. 인권은 어떤 상황에서도 보장되어야 하며, 국가 발전을 이유로 일시적으로 인권을 제한할 수 없다.

02 인권의 특징

인권은 국가가 성립되기 이전에 모든 인간에게 자연적으로 주어진 권리이다.

03 천부 인권

인권은 하늘이 부여한 권리라는 의미에서 천부 인권이라고 한다. 인권을 자연권이라고도 하는데 이는 인간에게 자연적으로 부여된 권리라는 의미이다.

04 인권의 특징

1950년대 미국에서 흑인은 인종을 이유로 인권을 보장받지 못했으며, 1980년대 이전에는 장애인의 화장실 접근권이 제한되었다. 인권은 누구나 가지는 기본적이고 보편적인 권리이므로 이와 같은 불합리한 측면이 개선되어 왔다.

05 기본권의 의미와 특징

헌법 제10조는 국가가 국민의 기본적 인권을 보장하고 있음을 명시한 것으로, 국민이 기본권을 침해당했을 때 구제받을 수 있는 근거가 된다.

오답 분석 ㄴ. 인권 보장을 헌법에 규정한 까닭은 인권 보장을 더 확실히 하기 위해서이다. 헌법을 통해서만 인권을 보장받을 수 있는 것은 아니다.
ㄹ. 인권은 국적에 관계없이 인간이라면 누구나 보장받아야 할 권리이다.

06 사회권
국민이 국가에 인간다운 생활을 요구할 수 있는 권리는 사회권이다. 사회권에는 근로의 권리, 교육을 받을 권리, 쾌적한 환경에서 살 권리 등이 포함된다.
오답 분석 ㄹ. 공정한 재판을 요청할 권리는 청구권에 해당한다. 청구권은 다른 기본권이 침해되었을 때 국가에 이의 구제를 요구할 수 있는 권리이다.

07 청구권
청구권은 국민이 국가에 대하여 특정한 행위를 요구하거나 침해당한 기본권의 구제를 청구할 수 있는 권리이다.

08 자유권
사례에서 김○○ 씨는 자신의 자유로운 선택에 따라서 요리사 직업을 갖게 되었다. 이는 자유권의 내용 중 직업 선택의 자유에 해당한다.

09 기본권의 종류
(가)는 국민 투표권에 해당하는데, 이는 참정권의 내용이다. (나)는 쾌적한 환경에서 살 권리인 환경권에 해당하는데, 이는 사회권의 내용이다.

10 참정권과 자유권
자료에는 누구나 능력이 되어 시험을 통과하면 공무원이 될 수 있음이 나타나 있는데, 이는 공무 담임권으로 참정권의 내용이다. 또한 공무원으로서의 직업을 선택할 자유가 있음을 알 수 있다.
오답 분석 ㄷ. 9급 공무원이 되기 위해서는 실력을 갖춰 시험에 통과해야만 한다.
ㄹ. 인간다운 생활의 보장을 국가에 요구할 수 있는 권리는 사회권이다.

11 기본권의 제한
사전 허가를 받지 않은 사람은 해당 군 시설에 출입할 수 있는 자유와 사진 촬영의 자유를 제한당하고 있다. 따라서 자유권을 제한하는 조치이다.

12 기본권 제한의 목적
기본권 제한의 목적으로는 국가 안전 보장, 질서 유지, 공공복리를 들 수 있다. 제시된 자료에서 군 시설은 국가 안전 보장을 위해 설치·운영되고 있다. 따라서 군 시설에 대한 출입과 촬영의 자유를 제한한 것은 국가 안전 보장을 위해서이다.

13 기본권의 제한
국가 안전 보장, 질서 유지, 공공복리를 위하여 기본권을 제한할 수 있으나, 국민의 자유와 권리를 보장하기 위해 우리 헌법에서는 기본권 제한의 한계를 정하고 있다.
오답 분석 ㄱ. 기본권을 제한하더라도 자유과 권리의 본질적인 내용을 침해할 수 없다.
ㄴ. 우리 헌법은 국회가 만든 법률로써만 기본권을 제한할 수 있도록 규정하고 있다.

14 인권 침해
자료에서 현아는 수진이의 동의를 받지 않고 단체 대화방에 수진이의 사진을 올려 사생활을 침해함은 물론 외모로 모욕감을 느끼게 하였다. 이로 인해 수진이는 인권을 침해당하였다.
오답 분석 ㄴ. 개인의 기본권은 타인의 인권을 침해하지 않는 범위 내에서 행사되어야 한다.
ㄹ. 온라인 공간에서도 얼마든지 인권 침해가 발생할 수 있다.

15 인권 침해의 구제
침해된 인권은 법원에 재판 청구, 헌법 재판소에 헌법 소원 심판 청구, 국가 인권 위원회에 진정을 함으로써 구제받을 수 있다. 헌법에서 보장하는 인권이 공권력에 의하여 침해된 때에는 헌법 재판소에 헌법 소원 심판을 청구하여 구제받을 수 있다.

16 단체 행동권
노동 삼권에는 단결권, 단체 교섭권, 단체 행동권이 있다. 단체 교섭이 원만하게 해결되지 않은 경우 쟁의 행위를 할 수 있는 권리는 단체 행동권이다.

17 부당 노동 행위
근로자가 노동조합에 가입하여 활동했다는 이유로 불이익을 주거나 노동조합과의 단체 교섭을 거부하는 등 정당한 노동조합 활동을 방해하는 것을 부당 노동 행위라고 한다.

18 부당 노동 행위의 구제
부당 노동 행위가 발생하면 근로자 또는 노동조합은 노동 위원회에 구제 신청을 할 수 있다.

19 서술형 기본권 제한의 사유와 한계
기본권은 국가 안전 보장, 질서 유지, 공공복지를 위하여 제한할 수 있으나, 자유와 권리의 본질적 내용은 침해할 수 없다.

채점 기준	배점
제시어를 모두 사용하여 기본권 제한의 사유와 한계를 모두 정확하게 서술함	100%
기본권 제한의 사유와 한계 중 하나만을 정확하게 서술함	70%
기본권을 제한할 수 있지만 한계가 있다고 서술함	30%

20 서술형 부당 해고와 구제 방법
노동권이 부당하게 침해받을 경우 노동 위원회에 구제 신청을 하거나 법원에 소송을 제기하여 구제를 받을 수 있다.

채점 기준	배점
제시어를 모두 사용하여 침해당한 노동권 구제 방법을 정확하게 서술함	100%
노동권 구제 방법을 적절하게 서술하였으나, 제시어를 모두 사용하지 않음	70%
법원과 노동 위원회를 통해 구제받는다고만 서술함	30%

Ⅱ 헌법과 국가 기관

01 국회의 위상과 역할

✓ 간단 체크

026~027쪽

❶ ㉠ 본회의, ㉡ 위원회 ❷ 본회의에 앞서 관련된 안건이나 법률안을 효율적이고 전문적으로 심의하기 위해서이다.
❸ (가) 입법에 관한 기능, (나) 일반 국정에 관한 기능, (다) 재정에 관한 기능

개념 다지기 1단계

027쪽

01 4년 02 간접 03 법률 04 지역구 05 득표율
06 교섭 단체 07 본회의 08 제정 09 행정부
10 국회 11 입법

실력 올리기 2단계

028~029쪽

01 ② 02 ③ 03 ① 04 ③ 05 ① 06 해설 참조
07 ① 08 ⑤ 09 ① 10 ① 11 ④ 12 해설 참조

01 국회의 권한
법률을 제정하고 개정할 수 있는 권한은 입법 기관인 국회에 있다. 국회는 국민의 의사를 반영하여 법률을 제정하는 입법 기관이며, 다른 국가 기관을 견제하고 감시하여 국민의 자유와 권리를 보장한다.

02 국회의 위상
국회는 국민이 직접 선출한 대표인 국회 의원으로 구성된 국민의 대표 기관이다.
오답 분석 ㄱ. 우리나라는 권력 분립의 원칙에 따라 입법부인 국회와 행정부가 분리되어 있다. 대통령 직속 기관은 행정부이다.
ㄹ. 법률을 만드는 국회는 사법 기관이 아니라 입법 기관이다.

03 국회의 위상
국회가 가지고 있는 법률 제정 및 개정권은 입법권이다.
오답 분석 ② 법률을 집행하는 행정권은 행정부의 권한이다.
③ 법률을 적용하는 사법권은 사법부의 권한이다.
④ 재판권은 사법권으로 사법부의 권한이다.
⑤ 사회권은 국회의 권한이 아니라 국민의 기본권 중 하나이다.

04 국회의 의미
선거를 통해 대표를 선출하고 정치를 맡기는 것은 간접 민주제이다. 국민이 선출한 대표로 구성된 국가 기관은 의회이며, 우리나라는 국회라고 부른다.

05 고난도 **국회의 지위**

[자료 분석]
국회는 국민의 대표 기관으로서 입법에 관한 기능, 재정에 관한 기능, 일반 국정에 관한 기능을 수행한다.

[선택지 분석]
㉠ 법률 제정 · 개정
➡ 입법 기관으로서의 지위에 따른 권한이다.
㉡ 헌법 개정안 제출
➡ 입법 기관으로서의 지위에 따른 권한이다.
~~㉢~~ 정부의 감시 및 통제
➡ 국정 통제 기관으로서의 지위에 따른 권한이다.
~~㉣~~ 국민의 선거로 선출된 대표로 구성
➡ 국민의 대표 기관으로서의 지위에 따른 권한이다.

06 서술형 **국회의 의미**
모범 답안 국민이 직접 선출한 대표로 구성된 국민의 대표 기관이다.

채점 기준	배점
제시어를 모두 사용하여 국회의 의미를 정확하게 서술함	100%
국회의 의미를 적절하게 서술하였으나, 모든 제시어를 사용하지 않음	70%
국회 의원들이 모여 있는 곳이라고 서술함	30%

07 국회의 조직
국회의 의사를 최종적으로 결정하는 곳은 위원회가 아닌 본회의이다. 특별 위원회는 위원회의 종류이다.

08 고난도 **국회 의원**

[자료 분석]
우리나라 국회 의원은 지역구 대표와 비례 대표로 구성됨을 알 수 있다.

[선택지 분석]
~~㉠~~ 지역구 대표의 임기와 비례 대표의 임기는 다르다.
➡ 지역구 대표와 비례 대표는 선출 방법이 다른 것이다. 임기는 4년으로 동일하다.
~~㉡~~ 지역구 대표와 달리 비례 대표는 국회 본회의에 참여할 수 없다.
➡ 지역구 대표와 비례 대표는 선출 방법에 차이가 있을 뿐 선출된 이후에는 동일한 권한을 갖는다. 국회 본회의에는 모든 국회 의원이 의결 과정에 참여한다.
㉢ 각 정당에 대한 유권자의 지지율이 국회 구성에 반영되어 있다.
➡ 비례 대표 국회 의원이 각 정당의 득표율에 비례하여 선출된다는 것은 각 정당에 대한 유권자의 지지율이 국회 구성에 반영되어 있음을 의미한다.
㉣ 우리나라 국회는 지역구 국회 의원과 비례 대표 국회 의원으로 구성되어 있다.
➡ 우리나라 국회는 국민들이 선거를 통해 지역에서 선출한 지역구 국회 의원(지역구 대표)과 각 정당의 득표율에 비례하여 선출된 비례 대표 국회 의원(비례 대표)으로 구성되어 있다.

09 국회의 기능
국회가 가지는 가장 대표적인 기능은 입법 기능이다. 민주 국가에서 국가 기관을 조직하고 국가 권력을 행사할 때는 법률에 근거해야 하므로 입법에 관한 권한을 국민의 대표 기관인 국회에 부여하고 있다.

10 국회의 기능
제시문에서 국회 본회의는 「청소년 복지 지원법」을 개정하였는데, 이는 법률 개정으로 국회의 입법 기능에 해당한다.

11 국회의 권한
대통령, 국무총리, 국무 위원 등 고위 공직자가 법률을 위반하였을 때 헌법 재판소에 심판(파면)을 요구하는 것은 탄핵 소추이다.

12 서술형 국회의 국정 통제 기능
모범 답안 국회는 국정 감사와 국정 조사를 통해 정부를 감시하고 견제한다.

채점 기준	배점
제시어를 모두 사용하여 국회의 일반 국정 기능을 정확하게 서술함	100%
국회의 일반 국정 기능을 적절하게 서술하였으나, 모든 제시어를 포함하지 않음	70%
단순히 제시어만 서술함	30%

02 대통령과 행정부의 역할

간단 체크 030~031쪽
❶ (다), (라), (마) ❷ (가), (나), (바) ❸ 감사원 ❹ 국무총리

개념 다지기 1단계 031쪽

01 직접 02 5년, 없다 03 대통령 04 있다 05 국가 원수
06 심의 07 국무총리 08 대통령 09 감사원

실력 올리기 2단계 032~033쪽

01 ⑤ 02 ⑤ 03 ① 04 ① 05 ② 06 해설 참조
07 ① 08 ③ 09 ③ 10 ④ 11 ③ 12 해설 참조

01 대통령의 지위
대통령은 국가 원수로서의 지위와 행정부 수반으로서의 지위를 갖는다.

02 고난도 대통령의 권한
[자료 분석]
대통령은 국가 원수로서의 지위에 따른 권한과 행정부 수반으로서의 지위에 따른 권한을 가진다.

[선택지 분석]
① ㉠-조약 체결권, ㉡-계엄 선포권
➡ 계엄 선포권은 국가 원수로서의 권한이다.
② ㉠-국군 통수권, ㉡-법률안 거부권
➡ 국군 통수권과 법률안 거부권은 모두 행정부 수반으로서의 권한이다.
③ ㉠-공무원 임면권, ㉡-법률안 거부권
➡ 공무원 임면권과 법률안 거부권은 모두 행정부 수반으로서의 권한이다.
④ ㉠-행정부 지휘·감독권, ㉡-대통령령 발포권
➡ 행정부 지휘·감독권과 대통령령 발포권은 모두 행정부 수반으로서의 권한이다.
⑤ ㉠-긴급 처분 및 명령권, ㉡-대통령령 발포권
➡ 긴급 처분 및 명령권은 국가 원수로서의 권한이고, 대통령령 발포권은 행정부 수반으로서의 권한이다.

03 대통령의 권한
국군 통수권은 대통령이 행정부 수반으로서 갖는 권한에 해당한다.
오답 분석 ②, ③, ④, ⑤는 대통령이 국가 원수로서 갖는 권한에 해당한다.

04 대통령의 권한
대통령이 다른 국가 정상과 정상 회담을 갖는 것은 국가 원수로서 대외적 국가 대표 권한을 행사하는 모습이다.

05 대통령의 임기 제한
대통령 중임을 허용할 경우 장기 집권으로 인해 독재 정권이 등장할 수 있기 때문에 이를 방지하기 위해서 우리 헌법은 대통령 중임을 금지하고 있다.

06 서술형 대통령의 권한
모범 답안 행정부의 공무원 임면권과 국군 통수권을 가진다.

채점 기준	배점
제시어를 모두 사용하여 행정부 수반으로서 갖는 권한을 정확하게 서술함	100%
행정부 수반으로서 갖는 권한을 적절하게 서술하였으나 모든 제시어를 사용하지 않음	70%
행정부의 대표라고만 서술함	30%

07 행정부의 역할
행정부는 법률에 따라 사회 질서를 유지하고 국민을 보호한다. 또한 각종 정책을 세우고 추진하며 공공시설을 만들고 관리한다.
오답 분석 ㄷ. 법률의 제정과 개정은 입법부의 역할이다.
ㄹ. 법률의 내용을 적용하여 재판을 진행하는 것은 사법부의 역할이다.

08 행정부의 조직
우리나라 행정부는 대통령을 중심으로 국무총리, 국무 회의, 행정 각부, 감사원 등으로 구성된다.
오답 분석 ③ 대법원은 행정부가 아닌 사법부의 조직이다.

09 국무총리의 지위와 역할
대통령을 보좌하며 행정 각부를 통할, 즉 지휘하고 조정하는 역할을 맡은 국가 기관은 국무총리이다.

10 행정과 행정부
㉠은 행정, ㉡은 행정부이다. 행정부의 최고 책임자는 대통령이다.
오답 분석 ㄱ. ㉠은 행정이다.
ㄷ. 국무총리, 감사원 모두 행정부 조직에 포함된다.

11 감사원
감사원은 대통령 직속 기관이자 행정부 조직 중 하나이다.
오답 분석 ③ 감사원은 사법 전반이 아닌 행정 전반에 대해 감시·감독한다.

12 서술형 국무 회의의 기능과 위상
모범 답안 행정부의 주요 정책을 심의하는 행정부 최고의 심의 기관이다.

채점 기준	배점
제시어를 모두 사용하여 국무 회의의 주요 기능과 위상을 정확하게 서술함	100%
국무 회의의 주요 기능과 위상을 적절하게 서술하였으나, 모든 제시어를 사용하지 않음	70%
행정부의 조직 중 하나라고만 서술함	30%

03 법원과 헌법 재판소의 역할

간단 체크 034~035쪽
❶ (가) 지방 법원, (나) 가정 법원, (다) 특허 법원, (라) 행정 법원
❷ 헌법 소원 심판 ❸ 공권력에 의해 국민의 기본권이 침해된 경우 최종적으로 이를 구제한다.

개념 다지기 1단계 035쪽

01 사법 **02** 법관 **03** 대법원 **04** 고등 법원 **05** 헌법 재판소 **06** 헌법 재판소 **07** 위헌 법률 심판 **08** 헌법 소원 심판 **09** 권한 쟁의 심판

집중 공략 A 036쪽
| 법원의 조직과 역할 |
01 대법원 02 ㉠: 고등 법원, ㉡: 대법원 03 항소 04 상고
05 ㉠: 특허 법원, ㉡: 대법원

01~04 우리나라 법원은 최고 법원인 대법원과 고등 법원, 지방 법원 등 각급 법원으로 조직되어 있다. 공정한 재판을 보장하기 위해 법원에서는 급을 두어 여러 번 재판을 받을 수 있도록 심급 제도를 운영하고 있다.

집중 공략 B 037쪽
| 헌법 재판소의 위상과 역할 |
01 위헌 법률 심판 02 헌법 소원 심판 03 ㉠: 헌법 소원 심판, ㉡: 국민 04 탄핵 심판, 국회

01~04 헌법 재판소는 헌법 수호 기관인 동시에 기본권 보장 기관이다. 헌법 재판소는 위헌 법률 심판, 헌법 소원 심판, 탄핵 심판, 권한 쟁의 심판, 정당 해산 심판을 담당한다.

실력 올리기 2단계 038~039쪽

01 ② 02 ① 03 ⑤ 04 ③ 05 ① 06 ③
07 해설 참조 08 ④ 09 ⑤ 10 ④ 11 ⑤ 12 ①
13 해설 참조

01 사법의 의미
사법은 법을 적용하고 판단하는 국가 활동이다. 사법 작용은 재판을 통해 이루어진다.
오답 분석 ① 입법은 법률을 제정하는 국가 활동이다.
② 행정은 법률을 집행하는 국가 활동이다.
④ 재판은 법률에 따른 판단을 내리는 것이다.
⑤ 권력은 다른 사람에게 무엇을 하도록 강제할 수 있는 힘이다.

02 사법권
우리나라에서 사법권은 법관으로 구성된 법원에 속해 있다. 그래서 법원을 사법부라고 한다.

03 공정한 재판
공정한 재판을 위해서는 외부 기관의 간섭과 압력으로부터 법원과 법관을 독립시키는 사법권의 독립이 이루어져야 한다. 또한 법관은 오직 헌법과 법률에 의하여 양심에 따라 판결해야 한다.
오답 분석 ㄱ. 우리나라는 공정한 재판을 위해서 특별한 사유가 없는 한 재판을 공개하고 있다.
ㄴ. 공정한 재판을 보장하기 위해서는 사법권이 독립되어야 한다. 법원의 재판 결과에 대해서 다른 국가 기관이 간섭하는 것은 금지되어 있다.

04 고등 법원
지방 법원 합의부 1심 재판에 대한 항소 사건는 2심 재판에 해당하며, 고등 법원이 담당한다. 고등 법원은 지방 법원, 가정 법원, 행정 법원의 1심 판결에 대한 항소 사건을 재판하는 법원이다.

05 대법원
대법원은 사법부 최고 법원으로 최종심인 3심을 담당하며, 대법원장 1인과 대법관 13인으로 구성된다.

06 가정 법원
가정 법원은 지방 법원과 동급 법원으로 가사 사건과 소년 보호 사건을 담당한다.
오답 분석 ㄱ. 특허권 분쟁은 특허 법원이 담당한다.
ㄹ. 지방 법원 단독 판사 판결에 대한 항소 사건은 지방 법원 본원 합의부가 담당한다.

07 서술형 고등 법원의 역할

모범 답안 지방 법원 등 1심 법원의 판결에 대한 항소 사건을 재판한다.

채점 기준	배점
제시어를 모두 사용하여 고등 법원의 역할을 정확하게 서술함	100%
고등 법원의 역할을 적절하게 서술하였으나, 제시어를 모두 사용하지 않음	70%
지방 법원의 상위 법원이라고만 서술함	30%

08 고난도 사법부의 조직

[자료 분석]

우리나라 사법부는 최고 법원인 대법원, 고등 법원, 지방 법원으로 구성되어 있다. 대법원은 최종심을 담당한다. 가정 법원과 행정 법원은 지방 법원과 동급이며, 특허 법원은 고등 법원과 동급이다.

[선택지 분석]

ㄱ. 고등 법원은 3심 재판을 담당한다.
➡ 고등 법원은 2심 재판을 담당한다.

ㄴ. 행정 법원은 지방 법원과 동급 법원이다.
➡ 행정 법원, 가정 법원은 지방 법원과 동급 법원이다.

ㄷ. 고등 법원 소속 법관은 대법원의 지시에 따라 판결해야 한다.
➡ 대법원은 고등 법원의 상급 법원이지만 법관의 독립이 보장되므로 고등 법원의 재판에 관여하거나 지시할 수 없다.

ㄹ. ㉠은 특허권 분쟁을 담당한다.
➡ 특허권 분쟁을 담당하는 특허 법원은 고등 법원과 동급 법원이다.

09 헌법 재판소의 위상

헌법 재판을 담당하는 국가 기관은 헌법 재판소이다. 헌법 재판소는 독립된 국가 기관으로 헌법 재판을 통해 헌법을 수호하고 국민의 기본권을 지키고 있다.

오답 분석 분쟁을 해결하기 위해 법을 해석하고 적용하는 일은 법원이 담당한다.

10 헌법 재판소의 조직

헌법 재판소는 헌법 수호 기관이자 기본권 보장 기관이며 9명의 헌법 재판관으로 구성된다. 헌법 재판관은 대통령이 임명한다.

11 헌법 재판소의 역할

위헌 법률 심판 제청은 법원의 역할이다. 헌법 재판소는 법원이 위헌 법률 심판 제청을 하면 이에 대한 위헌 법률 심판을 한다.

12 고난도 위헌 법률 심판

[자료 분석]

법률이 헌법에 위반되는지를 심판하는 것은 위헌 법률 심판으로, 법원이 제청하며 최종적인 심판 권한은 헌법 재판소가 가진다.

[선택지 분석]

ㄱ. ㉠은 위헌 법률 심판이다.
➡ 법률이 헌법에 위반되는지를 심판하는 것은 위헌 법률 심판이다.

ㄴ. ㉠은 헌법 재판소의 역할 중 하나이다.
➡ 위헌 법률 심판은 헌법 재판소의 역할 중 하나이다.

ㄷ. ㉡의 주체는 국회이다.
➡ 위헌 법률 심판 제청은 법원이 한다.

ㄹ. ㉡이 받아들여질 경우 해당 법률은 효력을 상실한다.
➡ 위헌 법률 심판 제청이 받아들여졌다고 해서 해당 법률의 효력이 상실되는 것은 아니다. 헌법 재판소가 최종적으로 해당 법률이 위헌이라는 결정을 내려야 효력이 상실된다.

13 서술형 탄핵 심판의 의미

모범 답안 고위 공직자가 헌법이나 법률을 위반했을 때 파면 여부를 심판한다.

채점 기준	배점
제시어를 모두 사용하여 탄핵 심판의 의미를 정확하게 서술함	100%
탄핵 심판의 의미를 적절하게 서술하였으나, 제시어를 모두 사용하지 않음	70%
탄핵을 심판하는 것이라고 서술함	30%

040~043쪽

대단원 완성하기 3단계

01 ② 02 ② 03 ⑤ 04 ③ 05 ③ 06 ② 07 ⑤
08 ① 09 ② 10 ③ 11 ② 12 ② 13 ① 14 ⑤
15 ⑤ 16 ③ 17 ②

서술형

18 (1) 국정 감사권 (2) [모범 답안] 행정부의 정책 결정과 집행을 감시하고 비판하여 행정부를 견제하기 위해서이다.

19 (1) A: 헌법 소원 심판, B: 헌법 재판소 (2) [모범 답안] 공권력에 의해 국민의 기본권이 침해된 경우 최종적으로 이를 구제하는 심판이다.

01 입법의 의미

법을 만드는 일을 입법이라고 하며, 우리나라 헌법에서는 입법권은 국회에 속한다고 규정하고 있다.

02 국회의 조직

국회는 헌법 개정안을 제안·의결한다. 국회는 각 지역구의 후보자 중 투표를 통해 선출된 지역구 국회 의원과 정당별 득표율에 비례하여 선출된 비례 대표 국회 의원으로 구성된다.

오답 분석 ㄴ. 국회가 구성되면 의장 1인과 부의장 2인을 선출한다.

ㄹ. 본회의에 앞서 관련된 안건이나 법률안을 심사하는 국회의 조직은 위원회로, 상임 위원회와 특별 위원회가 있다.

03 국회의 위상
국회가 다른 국가 기관을 비판하고 감시함으로써 국가 권력의 남용을 방지하고 국민의 기본권을 보장하는 것은 국정 통제 기관으로서의 위상에 해당한다.
오답 분석 ① 행정 기관은 행정부, ② 사법 기관은 법원과 헌법 재판소이다.
③, ④도 국회의 위상 중 하나이지만 제시문의 내용과는 관련이 없다.

04 국회의 권한
헌법 재판소장 임명권은 대통령의 권한이다. 국회는 대통령의 헌법 재판소장 임명에 대한 동의권을 갖는다.

05 국회 의원
우리나라 국회 의원은 지역 대표인 지역구 국회 의원과 각 정당의 득표율에 비례하여 의석수가 배정되는 비례 대표 국회 의원으로 구성된다. 국회 의원 선거에서 유권자는 지역구 국회 의원 선거 투표 용지 1장과 비례 대표 국회 의원 선거 투표 용지 1장으로 총 2장의 투표 용지를 받는다.
오답 분석 ㄱ. 우리나라 국회는 단원제이다.
ㄹ. 국회 의원 선거에서 유권자는 지역 대표 선거와 비례 대표 선거에 모두 참여한다.

06 국회의 역할
국회는 매년 정기적으로 국정 감사를 실시한다. 국회는 국정 감사를 통해 행정부의 정책 결정과 집행을 감시하고 비판한다.
오답 분석 ㄴ. 국회가 가지는 가장 대표적인 역할은 입법 기능이다.
ㄹ. 정부가 제출한 예산안을 심의·확정하는 국회 조직은 본회의이며, 이는 국회의 재정에 관한 기능이다.

07 국회의 법률 제정 · 개정
법률 공포 권한은 국회 의장이 아닌 대통령의 권한이다. 법률안 제출은 국회 의원 10인 이상 또는 정부가 할 수 있다. 국회의 주요 조직 중 하나인 위원회(상임 위원회)는 효율적이고 전문적인 심의를 위해 본회의에 앞서 관련된 안건이나 법률안을 심사한다. 본회의는 국회의 의사를 최종적으로 결정하는데, 본회의 의결을 위해서는 재적 의원 과반수 출석과 출석 의원 과반수 찬성이 필요하다. 본회의에서 의결된 법률안을 정부로 이송하면 대통령은 15일 이내에 공포하거나 거부권을 행사할 수 있다.

08 행정부
㉠은 행정부이며, 행정부 수반은 대통령이다. 행정부는 각종 정책을 세우고 추진하며, 법률에 따라 사회 질서를 유지하고 국민을 보호한다.
오답 분석 ㄷ. 국민이 직접 선출한 대표로 구성된 국민의 대표 기관은 국회이다.
ㄹ. 분쟁을 해결하는 과정에서 관련된 법률 내용을 해석하고 적용하는 국가 기관은 사법부(법원)이다.

09 대통령의 지위와 권한
대통령은 국가 원수이자 행정부 수반이다. 국군 통수권은 행정부 수반으로서의 권한이고, 국회의 동의를 얻어 대법원장을 임명하는 것은 국가 원수로서의 권한이다.
오답 분석 ㄴ. (나)는 헌법 기관 구성에 관한 권한이다.
ㄹ. 우리나라는 권력 분립의 원칙에 따라 입법부, 행정부, 사법부가 상호 견제와 균형을 이루면서 권한을 행사한다. 대통령이 국회의 동의를 얻어 대법원장을 임명하도록 한 것은 국회가 대통령을 견제하는 수단이 된다.

10 대통령의 지위와 권한
대통령은 국가 원수로서의 권한과 행정부 수반으로서의 권한을 갖는다. 헌법 제66조 제1항은 국가 원수로서의 권한을 규정하고 있다. 대통령령 발포권은 행정부 수반으로서의 권한 중 하나이다.

11 국가 기관 간 견제와 균형
탄핵 소추권, 국정 감사권, 대법원장 임명 동의권은 행정부를 견제하기 위한 입법부의 권한이다. 법률안 거부권은 입법부를 견제하기 위한 행정부의 권한이다. 위헌 법률 심사 제청권은 입법부를 견제하기 위한 사법부의 권한이다.

12 행정과 행정부의 조직
국무 회의의 의장은 대통령, 부의장은 국무총리이다. 국무총리는 대통령을 도와 행정 각부를 관리하고 감독한다.

13 감사원의 역할
㉠은 감사원이다. 감사원은 대통령 직속 기관이지만 독립적인 지위를 가지며 국가의 세입, 세출의 결산을 검사한다.
오답 분석 ㄷ. 구체적인 행정 사무를 집행하는 행정부 조직은 행정 각부이다.
ㄹ. 정부의 중요 정책을 심의하는 행정부의 최고 심의 기관은 국무 회의이다.

14 사법권의 독립
제시된 헌법 조항은 사법부의 독립을 보장하는 것이고, 이는 공정한 재판을 위해서이다. 즉, 법원은 다른 국가 기관의 간섭 없이 독립적으로 재판한다.
오답 분석 ㄱ. 직무상 헌법과 법률을 위배하는 등 중대한 비리를 범한 경우 법관도 탄핵 소추의 대상이 된다.
ㄴ. 법률 집행권은 행정부의 권한이며, 법원은 법률을 적용하여 재판한다.

15 법원의 조직과 역할
상고 사건은 2심 판결에 불복하여 3심을 청구하는 것이다. 상고 사건의 재판은 최종심이므로 고등 법원이 아닌 대법원이 담당한다.

16 헌법 재판소의 역할
위헌 법률 심판은 법원이 청구하는 것이다.
오답 분석 탄핵 심판은 국회가, 헌법 소원 심판은 국민이, 권한 쟁의 심판은 해당 기관이, 정당 해산 심판은 정부가 청구권자이다.

17 헌법 재판소
헌법 재판소는 헌법 수호 기관이자 기본권 보장 기관이다. 지방 법원은 1심 재판과, 지방 법원 단독 판사의 판결에 대한 항소 사건인 2심 재판을 담당한다.
오답 분석 ㄴ. 민법은 법률이며, 법률은 국회가 제정한다.
ㄹ. 호주제를 규정한 민법이 헌법에 위반된다고 심판한 것이므로 위헌 법률 심판에 해당한다.

18 서술형 **국회의 권한**

국회는 국정 감사와 국정 조사를 통해 행정부의 정책 결정과 집행을 감시하고 비판한다.

채점 기준	배점
제시어를 모두 사용하여 국회에 국정 감사권을 부여한 목적을 정확하게 서술함	100%
국회에 국정 감사권을 부여한 목적을 적절하게 서술하였으나, 제시어를 모두 사용하지 않음	70%
국회의 권한이기 때문이라고 서술함	30%

19 서술형 **헌법 소원 심판**

공권력에 의해 국민의 기본권이 침해된 경우 헌법 재판소는 헌법 소원 심판을 통해 이를 구제한다.

채점 기준	배점
제시어를 모두 사용하여 헌법 소원 심판의 의미를 정확하게 서술함	100%
헌법 소원 심판의 의미를 적절하게 서술하였으나, 제시어를 모두 사용하지 않음	70%
기본권 침해를 구제하는 심판이라고 서술함	30%

Ⅲ 경제생활과 선택

01 합리적 선택과 경제 체제

✓ 간단 체크 046~048쪽

❶ (나) ❷ (다) ❸ (가) ❹ 공기가 희소한 재화는 아니지만 환경 오염이 심각한 오늘날 맑은 공기는 희소한 재화가 될 수 있다. ❺ ②, ④ ❻ ①, ⑥ ❼ ③, ⑤ ❽ (1) ○ (2) ○

개념 다지기 1단계 048쪽

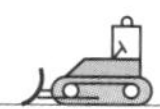

01 재화, 서비스 **02** 생산 **03** 소비 **04** 희소성 **05** 상대성 **06** 기회비용 **07** 최소, 최대 **08** 적게 **09** 생산물의 종류와 수량 **10** 시장 가격 **11** 혼합 경제 체제

집중 공략 049쪽

| 우리나라의 경제 체제 |

01 혼합 경제 체제 02 시장 경제 체제 03 환경 오염, 빈부 격차, 실업, 물가 상승 등 04 계획 경제 05 정부

01 오늘날 대부분 국가는 시장 경제 체제를 바탕으로 정부가 경제에 어느 정도 개입하는 혼합 경제 체제이다.

04 계획 경제 체제에서는 국가가 경제 활동에 대한 계획을 세우고 개인과 기업에 명령함으로써 경제 문제를 해결하여 근로자의 근로 의욕이 저하되는 문제가 나타났다.

실력 올리기 2단계 050~051쪽

01 ① **02** ① **03** ④ **04** ④ **05** ① **06** ③ **07** ④ **08** ④ **09** 해설 참조 **10** ② **11** ① **12** 해설 참조

01 경제 활동의 의미

㉠에 알맞은 말은 경제 활동이다. 재화나 서비스를 생산, 분배, 소비하는 모든 활동을 경제 활동이라고 한다.

오답 분석 ② 분배 활동은 생산 요소를 제공하고 그에 대한 대가를 받는 활동이다.

③ 생산 활동은 재화나 서비스를 만들어 내거나 가치를 증대시키는 활동이다.

④ 소비 활동은 분배를 통해 얻은 소득으로 재화나 서비스를 구매하여 사용하는 활동이다.

02 경제 활동의 종류

제시된 글은 경제 활동의 종류 중 분배에 관한 설명이다. 분배는 가계가 생산 요소를 제공하고 그에 대한 대가를 받는 것이다. ㄱ은 노동의 대가로 임금을, ㄴ은 자본의 대가로 이자를 받은 경우이다.

오답 분석 ㄷ은 서비스를 소비하는 활동, ㄹ은 재화를 소비하는 활동이다.

03 경제 활동의 구분

(가)는 의사가 환자를 진료하는 생산 활동이며, (나)는 아이스크림을 사 먹음으로써 만족감을 증대하는 소비 활동이다. 사람들은 생산 활동에 참여한 대가를 분배받은 소득으로 소비 활동을 한다.

오답 분석 ㄱ, ㄷ. (가)는 생산 활동, (나)는 소비 활동으로 모두 경제 활동이다. 간식비와 도서 구입비는 재화를 소비하는 데 지출한 항목이다.

04 재화와 서비스

제시된 용돈 사용 내역에서 치과 치료비, 교통비, 영화 관람비, 인터넷 강의 수강료가 서비스를 소비하는 데 지출한 비용이므로 총 39,000원이다.

05 고난도 경제 활동의 구분

[자료 분석]

(가)는 재화를 생산하는 활동, (나)는 재화를 소비하는 활동, (다)는 서비스를 생산하는 활동, (라)는 서비스를 소비하는 활동이다.

[선택지 분석]

ㄱ (가): 분식점에서 김밥을 만든다.
➡ 김밥은 재화이다. 따라서 분식점에서 김밥을 만드는 것은 (가)에 해당한다.

ㄴ (나): 갑이 백화점에서 티셔츠를 구입한다.
➡ 티셔츠는 재화이다. 따라서 티셔츠를 구입하는 것은 (나)에 해당한다.

ㄷ (다): 을이 인터넷으로 사회 강의를 수강한다.
➡ 인터넷 사회 강의는 서비스이고, 강의를 수강하는 것은 소비 활동이다. 따라서 인터넷으로 사회 강의를 수강하는 것은 (라)에 해당한다.

ㄹ (라): 변호사가 형사 사건의 의뢰인을 변론한다.
➡ 변호사가 의뢰인을 변론하는 것은 서비스를 생산하는 것이므로, (다)에 해당한다.

06 자원의 희소성

희소성은 선택의 문제가 발생하는 근본 원인이며, 시대와 장소에 따라 달라지는 상대성을 띤다. 또한 재화가 희소할수록 경제적 가치도 높아진다. 희소성은 자원의 절대적인 양이 많고 적음에 따라 결정되는 것이 아니라 인간의 필요와 욕구에 의해 결정된다.

07 합리적 선택

3,000원으로 얻을 수 있는 최대 만족도는 어묵의 8, 4,000원으로 얻을 수 있는 최대 만족도는 떡볶이의 10이므로, 7,000원으로 만족을 최대화하려면 어묵과 떡볶이를 선택해야 한다.

오답 분석 만족도가 ①은 8, ②는 12, ③은 14이므로 ④의 18보다 작다.
⑤는 7,000원으로 소비할 수 없는 조합이다.

08 합리적 선택

연우는 티셔츠 구입 대신 영화 관람을 선택하였으므로, 연우에게 영화 관람의 편익이 티셔츠 구입의 편익보다 더 큼을 알 수 있다.

오답 분석 ① 기회비용은 사람마다 다르다.
② 티셔츠 구입의 편익이 기회비용이 된다.
③ 연우는 편익이 더 큰 영화 관람을 선택하였다.
⑤ 합리적인 선택은 '비용-편익'을 고려하여 같은 비용이라면 더 큰 편익을 선택하는 것이다.

09 서술형 자원의 희소성

모범 답안 인간의 욕구는 무한하지만 이를 채워줄 수 있는 자원은 부족한 상태를 말한다.

채점 기준	배점
제시어를 모두 사용하여 자원의 희소성의 의미를 정확하게 서술함	100%
자원의 희소성의 의미를 적절하게 서술하였으나, 제시어를 모두 사용하지 않음	70%
자원이 희소한 것이라고 서술함	30%

10 계획 경제 체제

계획 경제 체제는 개인의 사적 이익 추구가 인정되지 않기 때문에 근로 의욕이 저하되는 문제점이 나타난다.

오답 분석 ①, ③, ④, ⑤는 시장 경제 체제의 문제점이다.

11 고난도 경제 체제의 구분

[자료 분석]

(가)는 시장의 경제 문제가 시장 가격을 통해 해결되는 시장 경제 체제이고, (나)는 국가의 계획과 명령으로 경제 문제를 해결하는 계획 경제 체제이다.

[선택지 분석]

① (가)에서는 자원이 효율적으로 배분된다.
➡ 시장 경제 체제에서는 자원의 효율적 배분을 강조한다.

② (가)는 생산성이 하락한다는 단점이 있다.
➡ 생산성이 하락하는 것은 (나) 계획 경제 체제의 단점이다.

③ (나)는 개인의 능력과 창의성을 중시한다.
➡ 개인의 능력과 창의성을 중시하는 것은 (가) 시장 경제 체제의 장점이다.

④ (나)에서는 공동체의 이익이 침해된다는 문제가 있다.
➡ 지나친 개인의 이익 추구로 공동체의 이익이 침해되는 것은 (가) 시장 경제 체제의 단점이다.

⑤ (가)는 (나)에 비하여 상대적으로 형평성을 강조한다.
➡ (가) 시장 경제 체제는 (나) 계획 경제 체제에 비해 효율성을 강조한다.

12 서술형 시장 경제 체제에서의 정부 개입

모범 답안 빈부 격차나 환경 오염과 같은 사회 문제 해결과 경제 안정을 위해 정부가 경제에 개입하고 있다.

채점 기준	배점
제시어를 모두 사용하여 시장 경제 체제에서 정부의 개입이 나타나는 까닭을 정확하게 서술함	100%
시장 경제 체제에서 정부의 개입이 나타나는 까닭을 적절하게 서술하였으나, 제시어를 모두 사용하지 않음	70%
시장 경제 체제의 문제점을 해결하기 위해 정부가 개입한다고 서술함	30%

02 기업의 역할과 사회적 책임

✓ 간단 체크 052~053쪽

❶ (가) 가계, (나) 기업, (다) 정부 ❷ 사회적 ❸ (1) ○ (2) ×

개념 다지기 1단계 053쪽

01 기업 02 이윤 03 임금 04 사회적 05 혁신
06 기업가

실력 올리기 2단계 054~055쪽

01 ② 02 ① 03 ② 04 ⑤ 05 ② 06 해설 참조
07 ⑤ 08 ③ 09 ① 10 ② 11 ③ 12 해설 참조

01 기업의 목적
제시문에서 설명하는 경제 주체는 기업이다. 기업은 이윤을 증대하기 위해 새로운 상품을 만들거나 생산 기술을 개발하는데, 이러한 노력이 기업을 발전시키고 사회 전체에 긍정적인 영향을 끼친다.

02 기업의 역할
제시문에서 ○○ 회사는 생산 과정에 필요한 노동, 토지, 자본을 제공받고 그에 대한 대가를 지급하여 가계 소득을 창출한다.

03 기업의 경제 활동
기업은 재화와 서비스를 생산하고 판매하며, 근로자를 고용하여 일자리를 제공하고 임금을 지급한다.
오답 분석 ㄴ. 자본을 제공한 대가로 이자를 받는 것은 가계이다.
ㄹ. 세금을 바탕으로 공공재를 생산하는 것은 정부이다.

04 고난도 기업의 역할

[자료 분석]
갑이 다니는 회사가 생산한 제품의 주문량이 증가하여 국내에 공장을 더 확장하면 이윤이 증가할 것이고, 이에 따라 더 많은 세금을 내 국가 재정에 이바지할 것이다.

[선택지 분석]
① 공장 주변 지역은 환경이 오염될 것이다.
➡ 공장 주변은 환경이 오염될 가능성이 크다.
② 공장 주변 지역은 매연으로 사람들이 떠날 것이다.
➡ 공장 주변의 환경 오염으로 지역을 떠나는 사람들이 늘어날 것이며, 이는 부정적 영향이다.
③ 생산 활동이 활발해져 가계 소득은 감소할 것이다.
➡ 생산 활동이 활발해져 기업의 수익이 커지면 가계 소득은 증가할 것이다.
④ 생산 시설을 확장하는 과정에서 고용이 줄어들 것이다.
➡ 생산 시설을 확장하는 과정에서 고용이 늘어날 것이다.
⑤ 이전보다 세금을 더 많이 내게 되어 국가 재정에 이바지할 것이다.
➡ 물건을 많이 생산하고 판매하면 그에 따른 세금도 더 많이 납부하게 되므로 국가 재정에 이바지하게 된다.

05 기업의 경제 활동
기업은 생산 과정에서 일자리를 만들어 사람들을 고용하고, 임금을 지급함으로써 가계에 소득을 제공한다.

06 서술형 기업의 경제 활동
모범 답안 기업이 생산 활동을 하여 벌어들인 수입 중 일부를 세금으로 납부하여 국가 재정에 이바지한다.

채점 기준	배점
제시어를 모두 사용하여 기업이 국가 재정에 이바지하는 과정을 정확하게 서술함	100%
기업이 국가 재정에 이바지하는 과정을 적절하게 서술하였으나, 제시어를 모두 사용하지 않음	70%
기업이 성장하면 국가 경제도 성장한다고 서술함	30%

07 기업가의 바람직한 자세
고가의 사은품을 제공하여 상품의 판매량을 늘리는 것은 상품의 질이나 가격을 통한 공정한 경쟁이 아니기 때문에 기업가가 가져야 할 바람직한 자세와는 거리가 멀다.

08 고난도 기업의 활동

[자료 분석]
제시문은 □□ 기업이 기부 활동을 통해 사회적 책임을 다하고 있는 사례를 보여 주고 있다.

[선택지 분석]
ㄱ. 기업의 본래 목적을 추구하기 위한 노력이다.
➡ 기업은 본래 이윤의 극대화를 추구한다.
ㄴ. 사회 전체의 복지를 증진하는 데 기여하고 있다.
➡ 제시문은 기업이 이윤을 추구하는 것 외에 사회적 책임을 수행하는 활동을 나타내고 있다.
ㄷ. 장기적 관점에서 소비자에게 좋은 인식을 심어줄 수 있다.
➡ 기업의 기부 활동은 소비자에게 좋은 인식을 심어줄 가능성이 크다.
ㄹ. 경제 환경에 신속하게 대처할 수 있는 경쟁력을 갖추는 데 도움이 된다.
➡ 경제 환경에 신속하게 대처할 수 있는 경쟁력을 갖추기 위해서는 기업가 정신을 갖추어야 한다.

09 기업가 정신
제시문은 기업가 정신을 설명하고 있다. 오래된 것을 거부하고 새로운 것을 끊임없이 만들어 내는 창조적 파괴가 기업가 정신의 핵심이다.

10 기업가 정신의 사례
기업가 정신이란 새로운 아이디어로 새로운 상품을 개발하고 새로운 시장을 개척하려는 기업가의 혁신적인 자세를 말한다. 현재 잘 팔리는 제품의 생산량을 늘리는 것은 기업가 정신을 발휘한 사례와는 거리가 멀다.

11 기업가 정신
◇◇ 기업의 설립자는 새로운 상품 개발을 강조하고 있다. 새로운 아이디어 없이 기업은 성장할 수 없다고 말하면서 신제품 개발에 힘쓰도록 하고 있다.

12 서술형 기업의 윤리적 책임
모범 답안 ◎◎ 기업은 기업의 사회적 책임으로 저소득층을 도와주는 사회 공헌 활동을 실천하고 있다.

채점 기준	배점
제시어를 모두 사용하여 기업의 활동을 윤리적 책임과 관련지어 정확하게 서술함	100%
기업의 활동을 윤리적 책임과 관련지어 적절하게 서술하였으나, 제시어를 모두 사용하지 않음	70%
기업이 윤리적 책임을 다하고 있다고 서술함	30%

03 바람직한 금융 생활

✓ 간단 체크 056~057쪽
❶ 중 · 장년기 ❷ 노년기 ❸ 주식 ❹ 예금, 적금

개념 다지기 1단계 057쪽

01 중 · 장년기 02 생애 주기 03 실물 자산, 금융 자산
04 예금 · 적금 05 수익성 06 신용

실력 올리기 2단계 058~059쪽

01 ① 02 ⑤ 03 ① 04 ③ 05 ③ 06 ⑤ 07 ④
08 ② 09 해설 참조 10 ③ 11 ④ 12 ②
13 해설 참조

01 생애 주기 곡선
(가)는 유소년기, (나)는 청년기, (다)는 중년기, (라)는 장년기, (마)는 노년기이다. 유소년기에는 부모님의 수입에 의존하여 소비 활동을 한다. 소비 활동보다 생산 활동을 많이 하는 시기는 청년기부터 시작하여 장년기, 중년기이다.

02 생애 주기의 단계
A는 노년기, B는 청년기, C는 중 · 장년기이다. 따라서 생애 주기의 단계는 B-C-A의 순서로 진행된다.
오답 분석 ① 자아 정체성을 확립하며 진로를 탐색하는 시기는 청소년기이다.
② 청년기 이전에는 주로 부모님의 수입에 의존한다.
③ 취업과 결혼을 준비하는 시기는 청년기이다.
④ 은퇴 이후의 삶은 점점 길어지고 있는 추세이다.

03 일생 동안의 경제생활
사람은 일생 동안 경제생활을 하게 되는데, 소득을 얻을 수 있는 기간은 제한되어 있지만 소비 생활은 평생에 걸쳐 이루어진다.

04 자산의 종류
기업이 사업 자금을 마련하기 위하여 투자자에게서 돈을 받고 발행한 증서는 주식이다. 주식은 수익성이 높지만 주가 하락으로 원금이 손실될 수 있는 위험이 크다.

05 자산 관리의 원칙
자산 관리의 원칙에는 안전성, 수익성, 유동성이 있으며, 현금으로 바꿀 수 있는 정도를 유동성이라고 한다.

06 고난도 금융 상품의 특징
[자료 분석]
높은 수익을 기대할 수 있는 상품은 위험이 발생할 가능성이 크고, 안정적인 상품은 수익을 기대하기 어려운 경우가 많다. 따라서 (가)는 고수익 · 고위험 상품, (나)는 저수익 · 저위험 상품이다.

[선택지 분석]
① (가)에는 주식이 속한다.
➡ 주식은 수익성이 높지만 위험 부담도 큰 편이다.
② (나)에는 정기 예금이 속한다.
➡ 정기 예금은 안전하기는 하지만 수익이 낮은 편이다.
③ (가)는 고수익 · 고위험 상품이 해당한다.
➡ (가)는 수익은 높지만 위험한 상품이 해당된다.
④ (나)는 (가)에 비해 수익성과 위험성이 낮다.
➡ (나)는 수익성과 위험성이 (가)에 속하는 상품보다 낮다.
⑤ 투자한 원금을 보장받고자 한다면 (가)에 해당하는 상품을 선택해야 한다.
➡ 투자한 원금을 보장받고자 하는 것은 안전성을 중시한다는 의미이므로 (나)에 해당하는 저수익 · 저위험 상품을 선택해야 한다.

07 고난도 자산 관리 방법
[자료 분석]
갑은 금융 자산을 분산 투자하지 않고 주식에 모두 투자하였으며, 주식 투자가 원금 손해를 가져올 수 있다는 것을 간과하였다.

[선택지 분석]
ㄱ. 자산을 단기적으로 운용하였다.
➡ 자산을 단기적으로 운용하였다는 내용은 나타나 있지 않다.
ㄴ. 주식 투자의 위험성을 간과하였다.
➡ 주식은 수익성이 높지만 원금을 손실할 위험성이 높은 상품이다.
ㄷ. 안전성이 높은 상품에 집중하여 투자하였다.
➡ 주식은 안전성보다는 수익성을 추구하는 상품이다.
ㄹ. 한 가지 자산에만 투자함으로써 위험을 분산시키지 않았다.
➡ 자산 관리는 하나의 상품에 집중 투자하는 것보다 분산 투자를 하는 것이 위험 분산에 유리하다.

08 합리적인 자산 관리 방법
노후에 대비하기 위해 연금을 활용하거나 언제 닥칠지 모르는 위험에 대비하기 위해 보험 상품에 가입하는 것은 합리적인 자산 관리 방법이다.
오답 분석 ㄴ. 부동산은 현금화할 수 있는 정도인 유동성이 낮은 자산이다.
ㄹ. 주식은 원금 손실의 위험이 있다.

09 서술형 **금융 자산의 특징**

모범 답안 정기 적금이 주식보다 안전성은 높지만, 고수익을 기대하기는 어렵다.

채점 기준	배점
제시어를 모두 사용하여 정기 적금과 주식의 특징을 정확하게 비교하여 서술함	100%
정기 적금과 주식의 특징을 적절하게 비교하였으나, 제시어를 모두 사용하지 않음	70%
정기 적금이 안전하다고만 서술함	30%

10 자산 관리 방법

일정 금액을 정해둔 기간 동안 맡기는 것은 정기 예금이고, 일정 금액을 정기적으로 납부한 후 만기에 찾는 것은 정기 적금이다.

11 신용의 의미

제시문은 신용에 관해 설명하고 있다. 신용은 금전 거래에서 약속한 금액을 갚을 수 있는 능력으로, 원활한 경제생활을 위해서 필요하다.

12 신용의 특징

경제생활을 하다 보면 소득을 잘 관리하고 합리적으로 소비하더라도 돈을 빌려야 하는 상황이 생길 수 있는데, 이때 필요한 것이 신용이다. 즉, 신용은 돈을 빌려줄 상황이 아니라 돈을 빌려야 하는 상황에서 필요하다.

13 서술형 **신용 관리의 중요성**

모범 답안 신용이 떨어지면 금융 기관에서 대출받기 어려워질 수 있으며, 대출을 받아도 높은 이자를 부담해야 하는 경우가 생긴다.

채점 기준	배점
제시어를 모두 사용하여 신용이 떨어지면 겪을 수 있는 어려움을 정확하게 서술함	100%
신용이 떨어지면 겪을 수 있는 어려움을 적절하게 서술하였으나, 제시어를 모두 사용하지 않음	70%
신용이 떨어지면 경제생활이 어렵다고만 서술함	30%

060~063쪽

대단원 완성하기 3단계

01 ③ 02 ② 03 ④ 04 ⑤ 05 ② 06 ② 07 ②
08 ⑤ 09 ④ 10 ② 11 ④ 12 ③ 13 ① 14 ④
15 ① 16 ④ 17 ① 18 ⑤ 19 ③ 20 ③

서술형

21 (1) A: 가계, B: 정부 (2) [모범 답안] 기업이 A에 ㉠ 상품을 공급하면 A는 ㉡ 상품 대금을 기업에게 지급한다.

22 (1) A: 예금, B: 주식 (2) [모범 답안] A는 B보다 안전성이 높아 원금을 보전할 가능성이 크다.

01 경제 활동

제시문은 생산 활동에 관해 설명하고 있다. 물품을 배달하는 것, 손님의 머리를 파마하는 것은 서비스를 생산하는 활동이다.

오답 분석 ㄱ. 예금 이자를 받는 것은 분배 활동이다.
ㄹ. 영화를 관람하는 것은 소비 활동이다.

02 경제 활동의 구분

(가)에서 갑은 생산 요소인 노동력을 제공하고 그에 대한 대가로 월급을 받았으므로 이는 분배 활동이다. (나)에서 을은 서비스를 제공하는 생산 활동을 하고 있다.

03 재화의 희소성

갑은 일요일에 축구도 하고 싶고, 용돈도 벌고 싶어 한다. 즉, 욕구는 무한하지만 이를 충족할 수 있는 시간이라는 자원은 한정되어 있는데, 이를 경제학적 개념으로 자원의 희소성이라고 한다.

04 합리적 선택

합리적인 선택을 하려면 어떤 것을 선택해서 얻을 수 있는 편익이 선택에 따른 기회비용보다 크도록 해야 한다. 이때 아무리 만족을 크게 가져다 주는 선택이라도 비용을 고려하여 선택하는 것이 합리적이다.

05 합리적인 의사 결정 과정

제시된 내용은 민수가 운동화를 사기 위하여 선택할 수 있는 다양한 대안을 찾아보는 것이므로, 대안 탐색 단계에 해당한다.

오답 분석 ① 문제 인식 단계에서는 해결해야 할 문제가 무엇인지 분명히 한다.
③ 대안 평가 단계에서는 비용과 편익을 포함한 평가 기준을 세워 각 대안을 평가한다.
④ 대안 선택과 실행 단계에서는 평가 기준을 잘 충족하는 최적의 대안을 선택한다.
⑤ 대안 평가 및 반성 단계에서는 결정된 대안을 평가하고 반성한다.

06 시장 경제 체제의 문제점

시장 경제 체제에서는 시장의 가격 기능만으로는 해결하기 어려운 빈부 격차나 환경 오염 등의 문제가 나타나며, 이를 해결하기 위해 정부의 개입이 필요하다.

오답 분석 ①, ③, ④, ⑤는 시장 경제 체제의 장점이다.

07 시장 경제 체제와 계획 경제 체제

시장 경제 체제에서는 경제 문제가 시장의 가격에 의해, 계획 경제 체제에서는 정부의 계획과 명령에 따라 해결된다. 따라서 ㄱ, ㄷ은 시장 경제 체제에서 이루어지는 경제 활동이다.

오답 분석 ㄴ, ㄹ은 계획 경제 체제에서 이루어지는 경제 활동이다.

08 우리나라의 경제 체제

제시된 헌법 조항은 정부가 경제의 민주화를 위해 시장 경제에 개입할 수 있는 근거를 보장하고 있다.

오답 분석 ① 국민과 국가의 이익이 항상 대립하는 것은 아니다.
② 우리나라가 계획 경제 체제를 실행하고 있다고 판단할 수 있는 근거는 아니다.
③ 제시된 헌법 조항은 형평성을 강조하고 있다.

④ 시장의 가격 기능만으로 해결하기 어려운 문제를 해결하기 위해 정부가 시장에 개입하고 있다.

09 경제 주체의 역할
ㄴ, ㄹ. 기업은 생산 활동의 주체로 다양한 재화를 만들어 가계에 제공하며, 생산 과정에서 일자리를 만들어 고용을 창출한다.
오답 분석 ㄱ. 재화와 서비스를 구매하여 시장 경제를 활성화하는 것은 가계의 활동이다.
ㄷ. 세금을 거두어 사회 구성원이 필요로 하는 재화를 제공하는 것은 정부의 경제 활동이다.

10 기업의 역할
기업은 생산 활동으로 벌어들인 수입 중 일부를 국가에 세금으로 낸다. 기업이 내는 세금은 국가 수입에서 큰 비중을 차지하며 국가의 재정 활동에 기여한다.

11 기업의 사회적 책임
제시문은 기업이 기부 활동을 통해 사회적 책임을 다하고 있는 사례를 보여 주고 있다.

12 기업가의 혁신
혁신은 새로운 제품 개발, 비용을 절감하는 새로운 생산 방식 도입, 새로운 시장 개척 등을 총칭하는 개념이다. 고가의 사은품 증정 행사는 기업의 혁신 사례로 볼 수 없다.

13 기업가 정신
제시문에는 ◇◇ 오토바이 회사 사장이 새로운 시장을 개척하고자 하는 기업가 정신이 드러나 있다. 기업가 정신이란 새로운 아이디어로 새로운 상품을 개발하고 새로운 시장을 개척하려는 기업가의 혁신적인 자세를 말한다.

14 기업의 사회적 책임
△△ 기업이 생산한 플라스틱 용기에서 기준치 이상의 환경 호르몬 물질이 검출되었다. 즉 △△ 기업은 소비자에게 안전한 제품을 생산하여 제공해야 할 사회적 책임을 다하지 못하였다.

15 생애 주기 곡선
ㄱ. A는 청년기로, 생산 활동을 하며 소득이 생기기 시작하는 단계이다. 그 이전에는 대부분 부모님이나 보호자의 도움을 받아야 생활을 할 수 있다. ㄴ. 소득이 소비보다 많이 발생하는 A ~ C 구간에서는 저축을 할 수 있다.
오답 분석 ㄷ. 저축을 할 수 있는 금액은 줄지만 저축이 꾸준히 발생하고 있으므로 저축 총액은 늘어난다.
ㄹ. 정년이 연장되면 소득이 계속 발생하므로 B와 C 간의 거리는 점점 길어진다.

16 자산 관리의 중요성
미래의 불확실한 상황이나 노후에 대비하기 위해서는 자산을 확보하고 효율적으로 관리해야 한다. ④ 소비 활동과 달리 생산 활동을 할 수 있는 기간은 제한되어 있기 때문에 자산 관리가 필요하다.

17 자산 관리 방법
제시문의 자산 관리사는 모든 자산을 한 상품에 집중하여 투자하는 것을 지양하고 분산 투자할 것을 권장하고 있다.

18 자산 관리 방법
(가)는 채권, (나)는 주식에 관한 설명이다. 회사가 발행한 주식에 투자하면 높은 수익을 기대할 수 있지만, 원금이 손실될 우려가 크다. 한편, 국가나 공공 기관, 기업 등이 발행한 채권은 주식에 비해 안전성이 높다.

19 금융 상품의 종류
제시된 자료의 내용에서 '이율을 우대', '기본 이율' 등의 표현을 통해 은행 예금을 홍보하고 있음을 알 수 있다. ③ 배당금이 지급되는 것은 주식이다.

20 신용 거래의 특징
신용이란 금전 거래에서 채무자가 약속된 날짜에 약속한 금액을 갚을 수 있는 능력이나 이에 대한 사회적 믿음을 말한다. 신용 거래를 하게 되면 상품을 먼저 받고 비용을 나중에 지불할 수 있다.

21 서술형 경제 활동 주체 간의 상호 작용
가계는 기업에 노동과 자본 등을 제공하고 그 대가로 소득을 얻어 소비한다. 기업은 제공받은 노동과 자본 등을 이용해 재화나 서비스를 생산하여 이윤을 추구한다. 그리고 정부는 가계와 기업이 낸 세금으로 국방, 치안, 도로, 교육 등을 생산하거나 기업이 생산한 재화와 서비스를 소비한다.

채점 기준	배점
제시어를 모두 사용하여 기업과 A의 상호 작용을 정확하게 서술함	100%
기업과 A의 상호 작용을 적절하게 서술하였으나, 제시어를 모두 사용하지 않음	70%
기업과 A가 서로 상호 작용한다고 적절하게 서술함	30%

22 서술형 자산 관리 방법
A는 고수익, 고위험 상품군이고, B는 저수익 저위험 상품군이다. 일반적으로 예금과 적금은 안전성은 높은 데 비해 수익성이 낮고, 주식은 수익성이 높은 데 비해 안전성이 낮다.

채점 기준	배점
제시어를 모두 사용하여 예금과 주식의 원금 보전 가능성을 정확하게 서술함	100%
예금과 주식의 원금 보전 가능성을 적절하게 서술하였으나, 제시어를 모두 사용하지 않음	70%
원금 보전 가능성은 예금이 높다고 서술함	30%

Ⅳ 시장 경제와 가격

01 시장의 의미와 종류

✓ 간단 체크 066~067쪽

❶ 자급자족 ❷ 화폐 ❸ (가) ❹ (나), (다) ❺ (나), (다), (라)

개념 다지기 1단계 067쪽

01 거래 비용 02 후에 03 화폐 04 감소 05 거래 형태
06 생산 요소 07 생산물 08 전자 상거래

실력 올리기 2단계 068~069쪽

01 ① 02 ② 03 ③ 04 ⑤ 05 ① 06 해설 참조
07 ③ 08 ③ 09 ⑤ 10 ② 11 해설 참조

01 시장의 의미
시장은 경제생활에 필요한 재화와 서비스의 수요와 공급을 연결하는 곳이다.
오답 분석 ② 눈에 보이지 않는 시장도 존재한다.
③ 우리 주변에서는 상설 시장을 더 많이 볼 수 있다.
④ 거래 상품의 종류에 따라 생산물 시장과 생산 요소 시장으로 구분된다.
⑤ 생산자가 하나만 존재하는 독점 시장, 소수인 과점 시장, 여러 개인 완전 경쟁 시장이 존재한다.

02 시장의 기능
시장은 물건을 사려는 사람과 팔려는 사람을 연결해 주어 교환에 드는 시간과 비용, 즉 거래 비용을 줄이는 기능을 한다. 또 시장에는 많은 사람과 상품이 모이기 때문에 상품에 관한 정보가 많다. 한편 시장은 분업을 촉진하여 생산성을 증대시켰다. 시장이 발달하면서 교환이 일상화되자 질 좋은 제품이 더 효율적으로 생산되었으며, 사회 전체의 생산량도 늘어나게 되었다. ② 시장에서는 교환이 이루어진다. 따라서 시장이 자급자족 경제를 유지해 준다고 보기 어렵다.

03 분업의 발달
시장 형성 이전에는 교환이 활발하지 않아 사람들이 자신에게 필요한 재화와 서비스를 스스로 생산하였지만, 시장이 형성된 이후에는 시장에서 교환이 활발하게 이루어져 분업이 발달하게 되었다.

04 고난도 **시장의 등장이 가져온 변화**

[선택지 분석]
✗ 상품을 교환하기 시작하였다.
➡ 시장이 형성되기 이전에도 사람들은 물물 교환을 하였다.
✗ 거래할 상대방을 일일이 직접 찾아다니게 되었다.
➡ 시장이 생겨나면서 거래할 상대방을 일일이 찾아다니지 않게 되었다.
ⓒ 남들보다 더 잘 하는 분야에 전문화하여 생산성을 증대시켰다.
➡ 시장이 있어서 사람들은 분업과 특화를 촉진하여 생산성을 증대시킬 수 있게 되었다.
ⓔ 하나의 상품을 여러 단계로 나누어 생산함으로써 사회 전체의 생산량이 늘어났다.
➡ 시장이 발달하여 특화와 분업이 이루어지자 질 좋은 제품이 더 효율적으로 생산되었으며, 사회 전체의 생산량도 늘어나게 되었다.

05 시장의 기능
시장은 거래 비용을 줄이고, 수요와 공급을 연결하며, 거래 참여자에게 상품에 대한 정보를 제공하며, 분업과 특화를 촉진해 생산성을 증대하는 역할을 한다.

06 서술형 **시장의 의미**
모범 답안 민수는 구체적인 장소를 가지는 보이는 시장을 시장이라고 생각하고 민수 아버지는 전자 상거래 시장처럼 보이지 않는 시장도 시장으로 보았다.

채점 기준	배점
제시어를 모두 사용하여 아버지와 민수가 각자 생각하는 시장에 관해 정확하게 서술함	100%
아버지와 민수가 각자 생각하는 시장에 관해 적절하게 서술하였으나, 제시어를 모두 사용하지 않음	70%
민수는 인터넷 쇼핑몰을 시장이라고 생각하지 않는다고 서술함	30%

07 고난도 **시장의 종류**

[자료 분석]
(가)는 거래되는 장소나 상품이 눈에 보이는 시장이면서, 생활에 필요한 물건들이 거래되는 생산물 시장이다. (나)는 거래의 모습이 눈에 보이지 않는 시장이면서, 생산에 필요한 자본이 거래되는 생산 요소 시장이다.

[선택지 분석]
✗ (가)에서는 생산 과정에 필요한 요소가 거래된다.
➡ 생산 과정에 필요한 요소가 거래되는 시장은 (나)이다.
ⓛ (가)는 거래 장소와 상품이 눈에 보이는 시장이다.
➡ (가)는 재래시장의 모습이며, 재래시장은 구체적 시장으로 구분한다.
ⓒ (나)에서는 거래의 모습이 확실히 드러나지 않는다.
➡ (나)는 주식 시장의 모습이며, 주식 시장은 추상적 시장으로 구분한다.
✗ (나)는 생활에 필요한 재화와 서비스가 거래되는 생산물 시장이다.
➡ 생활에 필요한 재화와 서비스가 거래되는 생산물 시장은 (가)이다.

08 생산물 시장과 생산 요소 시장
(가)는 생산물 시장, (나)는 생산 요소 시장이다. 생산 요소 시장에서 수요자는 기업이며 공급자는 가계이다.

09 보이는 시장과 보이지 않는 시장
시장의 종류는 거래 형태에 따라 보이는 시장과 보이지 않는 시장으로 나누어지는데, 보이지 않는 시장에서는 거래가 구체적으로 드러나지 않는다. 주식 시장, 외환 시장, 전자 상거래 시장 등이 이에 해당한다.

10 시장의 종류
시장의 종류는 거래 형태에 따라 구체적 시장과 추상적 시장으로 나누어진다. (가)는 거래 형태와 장소가 구체적으로 드러나는 구체적 시장, (나)는 드러나지 않는 추상적 시장이다. 시장은 거래되는 상품의 종류에 따라 생산물 시장과 생산 요소 시장으로 구분한다. (가)는 생산물 시장, (나)는 생산 요소 시장에 해당한다.

11 서술형 거래 형태에 따른 시장의 구분
모범 답안 인터넷 쇼핑몰은 인터넷을 통해 거래가 이루어져 거래하는 모습이 구체적으로 드러나지 않기 때문에 보이지 않는 시장에 해당한다.

채점 기준	배점
제시어를 모두 사용하여 인터넷 쇼핑몰의 시장 구분을 정확하게 서술함	100%
인터넷 쇼핑몰의 시장 구분을 적절하게 서술하였으나, 제시어를 모두 사용하지 않음	70%
인터넷 쇼핑몰은 전자 상거래 시장이라고 서술함	30%

02 수요 · 공급과 시장 가격의 결정

✓ 간단 체크 070~071쪽
❶ 반대 ❷ 같은 ❸ 시장 가격

개념 다지기 1단계 071쪽

01 수요 **02** 공급량 **03** 감소 **04** 양(+)의 관계 **05** 음(−)의 관계, 우하향 **06** 균형 가격 **07** 초과 수요 **08** 수요자 **09** 내릴

실력 올리기 2단계 072~073쪽

01 ③ **02** ③ **03** ② **04** ③ **05** ① **06** ④
07 해설 참조 **08** ③ **09** ② **10** ② **11** ②
12 해설 참조

01 가격과 수요량의 관계
수요량은 가격이 상승하면 감소하고 가격이 하락하면 증가한다. 이처럼 가격과 수요량은 반대 방향으로 움직여 수요 곡선은 우하향하는 모양이다.
오답 분석 ㄱ. 가격과 수요량은 음(−)의 관계이다.
ㄹ. 각 가격 수준에서 수요자가 사려는 구체적인 양을 수요량이라고 한다.

02 수요량의 변화
그래프에 따르면 가격이 200원일 때 수요량은 20개, 100원일 때 수요량은 40개이다. 따라서 가격이 200원에서 100원으로 하락하면 수요량은 20개 증가한다.

03 공급과 공급량
공급자는 상품의 가격이 상승하면 공급량을 늘리고, 가격이 하락하면 공급량을 줄이는 경향이 있다. 이처럼 상품의 가격과 공급량은 같은 방향으로 움직이는데, 이를 공급 법칙이라고 한다. 공급 법칙을 그래프로 나타내면 우상향하는 모양이 된다.
오답 분석 ① 가격과 공급량 사이에는 양(+)의 관계가 있다.
③ 일정 가격 수준에서 공급자가 판매하고자 하는 구체적인 양을 공급량이라고 한다.
④ 공급은 일정한 가격에 어떤 재화나 서비스를 판매하려는 욕구이다.
⑤ 가격이 상승하면 공급량은 증가하고, 가격이 하락하면 공급량은 감소한다.

04 공급량의 변동
제시된 그래프는 공급 곡선이다. 점 A에서 점 B로의 이동은 가격이 상승하여 공급량이 증가한 경우를 나타낸다.

05 공급 법칙과 공급 곡선
(가) 그래프는 가격이 올라갈수록 수량이 늘어나는 공급 법칙을 보여 주고 있다.
오답 분석 ② 가격과 공급량은 같은 방향으로 움직이므로 양(+)의 관계이다.
③ 상품을 팔고자 하는 욕구와 관련 있는 그래프이다.
④ 가격의 변화가 공급량에 미치는 영향을 보여 준다.
⑤ 가격이 올라갈수록 수량이 늘어나는 공급 법칙을 보여 주고 있다.

06 고난도 수요 법칙과 수요 곡선
[자료 분석]
(나) 그래프는 가격과 수요량의 관계를 나타내는 수요 곡선으로, 가격과 수요량은 음(−)의 관계에 있음을 보여 준다.

[선택지 분석]
① 가격과 수요량의 관계를 나타낸다.
➡ 그래프의 곡선이 우하향하는 형태를 띠고 있으므로 가격과 수요량의 관계를 나타내는 수요 곡선이다.
② 수요 법칙을 그래프로 나타낸 것이다.
➡ 수요 곡선은 수요 법칙을 그래프로 나타낸 것이다.
③ 가격이 내리면 수요량은 늘어나는 모양이다.
➡ 가격과 수요량은 음(−)의 관계에 있어, 가격이 내리면 수요량은 늘어난다.
④ 가격과 수요량은 양(+)의 관계에 있음을 보여 준다.
➡ 가격과 수요량은 음(−)의 관계이고, 가격과 공급량이 양(+)의 관계이다.
⑤ ㉠에서 ㉡으로의 이동은 가격이 내려 수요량이 늘어남을 의미한다.
➡ 가격이 내리면 수요량은 늘어난다. ㉠에서 ㉡으로의 이동은 가격이 내려 수요량이 늘어난 것을 보여 준다.

07 서술형 **공급 법칙**

모범 답안 공급 법칙을 보여 주며, 가격이 상승하면 공급량은 증가하고 가격이 하락하면 공급량은 감소한다.

채점 기준	배점
제시어를 모두 사용하여 공급 법칙의 내용을 정확하게 서술함	100%
공급 법칙의 내용을 적절하게 서술하였으나, 제시어를 모두 사용하지 않음	70%
공급 법칙이라고만 제하고 그 내용을 서술하지 못함	30%

08 균형 가격

수요량과 공급량이 일치할 때의 가격을 균형 가격이라고 한다. 균형 가격이 형성된 후 수요나 공급이 변하면 가격은 다시 변동한다.

09 균형 가격과 균형 거래량

수요 곡선과 공급 곡선이 만나는 지점에서 형성되는 가격이 균형 가격이고, 그 가격에서 거래되는 수량이 균형 거래량이다. 그래프에서 균형 가격은 2,000원, 균형 거래량은 30개이다.

10 초과 수요와 초과 공급

초과 수요는 수요량이 공급량보다 많은 상황이므로 수요자끼리 상품을 구매하기 위한 경쟁이 나타나 가격이 상승한다.

11 고난도 **시장 가격의 기능**

[자료 분석]

시장 가격은 경제 주체들의 경제적 의사 결정 방향을 알려주는 신호등 역할을 한다.

[선택지 분석]

① 소득 불균형 문제를 완화한다.

➡ 시장 가격이 소득 불균형 문제를 완화하지는 않는다.

② 경제 활동의 신호등 역할을 한다.

➡ 가격은 소비자와 생산자에게 경제 활동을 어떻게 조절해야 할지를 알려준다.

③ 희소한 자원을 효율적으로 배분한다.

➡ 시장 가격은 희소한 자원을 효율적으로 배분하는 기능을 하지만, 제시문의 내용과 관련이 없다.

④ 공익과 사익의 적절한 조화를 유도한다.

➡ 시장 가격은 시장의 상황을 적절하게 조절하는 기능을 한다.

⑤ 시장의 경제 질서를 공정하게 유지한다.

➡ 시장의 경제 질서를 공정하게 유지하는 것은 정부가 수행하는 역할이다.

12 서술형 **시장 가격의 형성**

모범 답안 균형 가격은 14,000원이며, 균형 가격에서는 수요량과 공급량이 일치하여 초과 수요량과 초과 공급량이 없다.

채점 기준	배점
균형 가격을 쓰고 제시어를 모두 사용하여 균형 가격이 왜 가장 효율적인지를 정확하게 서술함	100%
균형 가격을 쓰고 균형 가격이 왜 가장 효율적인지 적절하게 서술하였으나, 제시어를 모두 사용하지 않음	70%
균형 가격이 왜 가장 효율적인지 설명하지 못하고 균형 가격만 제시하였음	30%

03 시장 가격의 변동

✔ **간단 체크** 074~076쪽

❶ 오른쪽 ❷ 왼쪽 ❸ 오른쪽 ❹ 왼쪽 ❺ 〈상황 2〉: 오른쪽으로 이동, 〈상황 3〉: 왼쪽으로 이동 ❻ 〈상황 1〉: 오른쪽으로 이동

개념 다지기 1단계 076쪽

01 수요 **02** 보완재 **03** 대체재 **04** 왼쪽 **05** 공급 **06** 공급 **07** 공급 곡선 **08** 증가 **09** 하락 **10** 증가 **11** 상승

집중 공략 077쪽

| **균형 가격과 균형 거래량의 변동** |

01 소비자의 소득 증가, 보완재의 가격 하락, 대체재의 가격 상승, 상품에 대한 선호도 증가, 미래에 가격 상승 예측 등
02 수요가 증가하면 수요 곡선은 오른쪽으로 이동하고, 수요가 감소하면 수요 곡선은 왼쪽으로 이동한다. **03** 수요가 감소하면 균형 가격이 하락하고, 균형 거래량이 감소한다. **04** 생산 요소의 가격 상승, 공급자 수 감소, 미래에 가격 상승 예측 등
05 공급이 증가하면 공급 곡선은 오른쪽으로 이동하고, 공급이 감소하면 공급 곡선은 왼쪽으로 이동한다. **06** 공급이 증가하면 균형 가격이 하락하고, 균형 거래량이 증가한다.

01 소비자의 소득 감소, 보완재 가격 상승, 대체재의 가격 하락, 상품에 대한 선호도 감소, 미래에 가격 하락 예측 등은 수요가 감소하는 요인이다.

03 수요가 감소하면 균형 가격이 하락하고 균형 거래량이 감소한다. 반면 수요가 증가하면 균형 가격이 상승하고 균형 거래량이 증가한다.

06 공급이 증가하면 균형 가격은 하락하고, 균형 거래량은 증가한다. 반면, 공급이 감소하면 균형 가격은 상승하고, 균형 거래량은 감소한다.

실력 올리기 2단계 078~079쪽

01 ③ **02** ③ **03** ② **04** ④ **05** ① **06** ⑤
07 해설 참조 **08** ③ **09** ③ **10** ② **11** 해설 참조

01 수요와 공급의 변동

요구르트에 대한 선호도가 증가하면 요구르트 수요가 늘어나고, 수요가 증가하면 수요 곡선이 오른쪽으로 이동하게 된다.

02 수요의 변동 요인

제시된 그래프의 변화는 수요가 증가하여 수요 곡선이 오른쪽으로 이동한 경우이다. 보완재의 가격이 하락하면 수요는 증가한다.

오답 분석 ①, ② 소비자의 기호가 감소하고, 대체재의 가격이 하락하면 수요가 감소한다.
④ 가격이 하락하면 수요량이 증가하고, 수요량의 증가는 수요 곡선 상에서 이동한다.
⑤ 생산 요소 비용이 하락하면 공급이 증가한다.

03 대체재와 수요의 변동
A 상품의 가격이 하락할 때, B 상품의 수요는 감소한다. 이와 같은 관계에 있는 상품은 대체재이다. 대체재는 쓰임이 비슷하여 서로 바꾸어 쓸 수 있는 재화이다.
오답 분석 ㄴ, ㄹ. 함께 소비할 때 더 큰 만족감을 얻을 수 있어 한 재화의 소비가 늘어나면 다른 쪽 소비 역시 늘어나는 것은 보완재 관계에 있는 두 재화이다.

04 고난도 공급량의 변화
[자료 분석]
공급 곡선상에서의 점의 변화는 공급이 아니라 공급량의 변화를 나타낸다. 제시된 그래프에서와 같이 가격과 수량이 같은 방향으로 늘어난 경우는 공급량이 늘어난 때이다.

[선택지 분석]
① 돼지고기의 가격이 상승하자 닭고기의 수요가 늘었다.
➡ 수요가 변한 경우이다.
② 사과 가격이 하락하자 사과를 구입하는 손님이 증가하였다.
➡ 수요량이 늘어난 경우이다.
③ 밀가루 가격이 상승하자 제과 업체에서 과자 생산량을 줄였다.
➡ 공급이 감소한 경우이다.
④ 배추 가격이 상승하자 농가에서 배추를 시장에 더 많이 내놓았다.
➡ 공급량이 늘어난 경우이다.
⑤ 휴대 전화 가격이 하락하자 휴대 전화 회사에서 생산량을 감소시켰다.
➡ 공급량이 감소한 경우이다.

05 대체재와 보완재
피자와 햄버거는 대체재 관계이므로 피자의 가격이 상승하면 햄버거의 수요는 증가하고, 피자의 가격이 하락하면 햄버거의 수요는 감소한다. 피자와 콜라는 보완재 관계이므로 피자의 가격이 상승하면 콜라의 수요는 감소하고, 피자의 가격이 하락하면 콜라의 수요는 증가한다.

06 공급 변동 요인
생산 요소의 가격 변화는 공급의 변화에 영향을 준다. 이 외에도 생산 기술의 혁신, 공급자 수, 미래 가격에 관한 예상도 공급에 영향을 준다.
오답 분석 ①, ②, ④는 수요의 변화에 영향을 주는 요인이다. ③은 수요량 또는 공급량의 변화에 영향을 준다.

07 서술형 수요 곡선과 공급 곡선의 이동
모범 답안 (가)는 수요가 감소하여 수요 곡선이 왼쪽으로 이동하고, (나)는 공급이 증가하여 공급 곡선이 오른쪽으로 이동한다.

채점 기준	배점
제시어를 모두 사용하여 (가), (나) 각 상황에서 수요 곡선과 공급 곡선의 이동을 정확하게 서술함	100%
제시어를 모두 사용하여 (가), (나) 상황 중 하나만 수요 곡선과 공급 곡선의 이동을 정확하게 서술함	70%
(가)에서는 수요 곡선이, (나)에서는 공급 곡선이 이동하였다고 서술함	30%

08 시장 가격의 변동
부품 가격 상승은 공급 감소 요인이고, 에어컨을 사려는 사람이 증가하는 것은 수요 증가 요인이다. 에어컨의 공급이 줄어들고, 수요가 증가하면 균형 가격은 상승하게 된다.

09 시장 가격의 변동
선호도가 감소하면 수요가 감소하고, 신기술이 개발되면 공급이 증가하여 가격이 하락한다.
오답 분석 ㄱ. 소득이 증가하면 수요가 증가하여 가격이 상승한다.
ㄹ. 원자재 가격 상승이 예상되는 경우에는 공급이 감소하여 가격이 상승한다.

10 고난도 수요, 공급의 변화
[자료 분석]
(가) 최신형 휴대 전화가 출시된다는 소식에 기존 휴대 전화를 교체하려는 사람이 많아지면 수요가 증가한다. (나) 휴대 전화의 부품 가격이 오르면 휴대 전화 생산비가 상승하여 공급이 감소한다.

[선택지 분석]

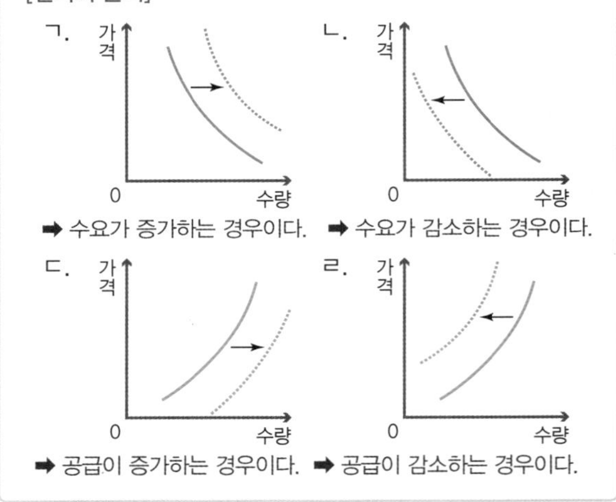

11 서술형 균형 가격의 변화
모범 답안 김밥의 수요는 증가하지만 공급이 감소하여 균형 가격은 상승한다.

채점 기준	배점
제시어를 모두 사용하여 균형 가격의 변화를 정확하게 서술함	100%
균형 가격의 변화를 적절하게 서술하였으나, 제시어를 모두 사용하지 않음	70%
균형 가격이 변화한다고 서술함	30%

080~083쪽

대단원 완성하기 3단계

01 ③ 02 ③ 03 ③ 04 ⑤ 05 ④ 06 ③ 07 ②
08 ④ 09 ③ 10 ③ 11 ② 12 ⑤ 13 ② 14 ①
15 ② 16 ③ 17 ④ 18 ③

서술형

19 [모범 답안] 노동 시장이며, 거래 형태에 따라 보이지 않는 시장, 거래 상품의 종류에 따라 생산 요소 시장으로 구분한다.
20 [모범 답안] 2,000원은 균형 가격, 80개는 균형 거래량이다. 수요자와 공급자가 모두 원하는 양의 상품을 구매하거나 판매할 수 있어 상품이 남거나 모자라는 일이 없으므로 가장 효율적인 상태이다.
21 [모범 답안] 공급이 감소하여 공급 곡선이 왼쪽으로 이동하며, 균형 가격은 상승하고 균형 거래량은 감소한다.

01 시장의 의미와 종류
시장은 물건을 사고자 하는 사람과 팔고자 하는 사람이 자발적으로 만나 거래가 이루어지는 장소이다. ③ 노동 시장, 주식 시장, 금융 시장처럼 눈에 보이는 구체적인 장소가 없는 시장도 존재한다.

02 시장의 등장이 가져온 변화
시장이 있어서 사람들은 분업과 특화를 촉진하여 생산성을 증대시킬 수 있게 되었고, 그에 따라 교환의 매개 수단인 화폐가 출현하였다.
오답 분석 ㄱ, ㄹ. 사람들은 자급자족의 불편함을 개선하고자 교환을 하게 되고, 그에 관하여 약속을 하면서 시장이 생겨났다. 시장이 생겨나면서는 거래할 상대방을 일일이 찾아다닐 필요가 없어졌다.

03 구체적 시장과 추상적 시장
㉠은 구체적 시장, ㉡은 추상적 시장을 말하며 전통 시장, 대형 마트, 농수산물 시장, 곡물 시장, 의류 시장은 구체적 시장이고, 외환 시장, 증권 시장, 금융 시장은 추상적 시장에 해당한다.

04 전자 상거래 시장
인터넷 쇼핑몰은 전자 상거래 시장으로 정보 통신 기술의 발달로 새롭게 등장한 시장이다. 홈쇼핑, 인터넷 쇼핑, 모바일 쇼핑 앱을 이용한 쇼핑 등이 이에 해당한다.

05 시장의 종류
㈎는 거래되는 장소나 상품이 눈에 보이는 시장이면서, 생활에 필요한 물건들이 거래되는 생산물 시장이다. ㈏는 거래의 모습이 눈에 보이지 않는 시장이면서 생산에 필요한 자본이 거래되는 생산 요소 시장이다.
오답 분석 ㄱ. 거래의 모습이 확실히 드러나지 않는 것은 ㈏ 시장이다.
ㄷ. 거래 장소와 상품이 눈에 보이는 시장은 ㈎ 시장이다.

06 수요와 공급
특정 가격 수준에서 수요량이 공급량보다 많은 상태를 초과 수요라고 하고, 특정 가격 수준에서 공급량이 수요량보다 많은 상태를 초과 공급이라고 한다. ③ 상품의 가격이 내려가면 수요량은 늘어나고, 공급량은 줄어든다.

07 공급 법칙과 공급 곡선
제시문은 공급 법칙을 서술한 것이다. 공급 법칙에 따라 공급 곡선은 우상향하는 형태로 나타난다.

08 수요 · 공급 법칙
ㄴ. 가격이 상승하면 수요량은 감소하고, 가격이 하락하면 수요량은 증가한다. ㄹ. 균형 가격보다 가격이 낮으면 초과 수요가 나타나 수요자 간에 경쟁이 발생하여 가격이 오른다.
오답 분석 ㄱ. 가격과 수요량은 음(−)의 관계이다.
ㄷ. 균형 가격보다 가격이 낮으면 초과 수요가 발생한다.

09 균형 가격과 균형 거래량
수요량과 공급량이 일치하는 지점에서 균형 가격과 균형 거래량이 형성된다.
오답 분석 ① 가격이 1,000원일 때 초과 수요가 나타난다.
② 가격이 1,400원일 때 초과 공급이 나타난다.
④ 가격이 1,600원일 때는 초과 공급이 발생하여 공급자 간 경쟁이 나타난다.
⑤ 아이스크림의 수요량은 가격이 오르면 감소하는 수요 법칙을 따르고 있다.

10 수요와 공급
가격의 변화에 따라 수요량과 공급량이 변동하며, 수요 곡선과 공급 곡선이 만나는 지점에서 균형 가격이 결정된다.
오답 분석 ㄱ. 상품에 대한 판매 욕구는 공급이다.
ㄹ. 수요 곡선은 우하향하는 형태이고, 공급 곡선은 우상향하는 형태이다.

11 수요 · 공급과 가격
제시된 그래프에서 튀김의 가격이 6,000원일 때 시장 수요량은 50개, 시장 공급량은 150개이므로 100개의 초과 공급이 발생하였다.
오답 분석 ① 튀김의 가격은 하락할 것이다.
③ 공급량이 수요량보다 더 많은 불균형 상태이다.
④ 튀김을 먼저 판매하기 위한 경쟁이 치열해진다.
⑤ 균형 가격일 때 공급량은 100개인데 6,000원일 때는 150개이므로 50개 더 많다.

12 초과 수요와 초과 공급
수요보다 공급이 많은 ㉠에서는 공급자 간의 경쟁, 공급보다 수요가 많은 ㉡에서는 수요자 간의 경쟁이 나타난다.

13 시장 가격의 결정
ㄱ. 시장 가격은 수요 곡선과 공급 곡선이 만나는 600원에서 결정된다. ㄷ. 초과 수요 상태에서는 수요자 간 경쟁이 나타나 가격이 오르게 된다.
오답 분석 ㄴ. 균형 거래량은 수요량과 공급량이 일치하는 200개이다.
ㄹ. 600원일 때 공급량은 200개이고, 1,200원으로 가격이 오르면 공급량은 300개가 되므로 100개 더 늘어난다.

14 수요 변동
㈎는 수요 감소, ㈏는 수요 증가를 보여 준다. ㄱ. 대체재

의 가격이 하락하면 소비자들이 대체재를 더 많이 사게 되므로 상품의 수요는 감소한다. ㄴ. 미래에 상품 가격이 상승할 것이라고 예상되면 지금 더 구매하게 되므로 상품의 수요는 증가한다.

오답 분석 ㄷ. 생산 요소의 가격이 오르면 공급이 감소한다.
ㄹ. 상품의 가격 변동에 따른 변화는 곡선상에서 점의 이동으로 나타난다.

15 수요의 변동

그래프는 수요가 감소하는 경우를 나타낸다. ② 보완재 가격이 상승하면 시장 수요가 감소하여 수요 곡선이 왼쪽으로 이동한다.

오답 분석 ① 인건비 상승은 공급 감소 요인이다.
③ 생산 기술 향상은 공급 증가 요인이다.
④ 소비자 소득 증가는 수요 증가 요인이다.
⑤ 공급자 수 증가는 공급 증가 요인이다.

16 공급 증가 요인

ㄴ은 생산 요소의 가격이 하락한 경우이고, ㄷ은 생산 기술이 향상한 경우이므로 피자 공급 증가 요인이다.

오답 분석 ㄱ. 피자 가격이 반값으로 할인되면 수요가 증가한다.
ㄹ. 피자를 먹는 중장년층 고객이 늘어나면 수요가 증가한다.

17 시장 가격의 변화

텐트에 대한 수요는 감소하고, 공급은 증가하여 당분간 가격은 하락할 것으로 예상된다.

오답 분석 ① 텐트에 대한 수요는 감소할 것이다.
② 생산 비용 감소로 텐트에 대한 공급은 증가할 것이다.
③ 소비자들의 기호가 감소하였다.
⑤ 수요 곡선은 왼쪽, 공급 곡선은 오른쪽으로 이동한다.

18 수요와 공급의 변동

수요 증가, 공급 감소 요인을 찾아야 한다. 김밥의 가격이 상승하면 학생들은 떡볶이를 더 찾게 되고, 밀가루 가격이 상승하면 떡볶이의 공급은 감소하게 된다.

오답 분석 ① 학생들 용돈 감소는 수요 감소 요인, 떡볶이 공급자 수 증가는 공급 증가 요인이다.
② 어묵의 가격 하락은 떡볶이 수요 증가 요인, 김밥 가격의 하락은 떡볶이 수요 감소 요인이다.
④ 떡볶이 선호도 상승, 어묵 가격 하락은 모두 떡볶이 수요 증가 요인이다.
⑤ 어묵 가격 상승은 떡볶이 수요 감소 요인, 밀가루 가격 하락은 떡볶이 공급 증가 요인이다.

19 서술형 시장의 종류

김◎◎씨가 거래하는 시장은 노동 시장으로, 거래하는 모습이 눈에 보이지 않는 추상적 시장이며, 노동이 거래되는 생산 요소 시장이다.

채점 기준	배점
거래 형태와 거래 상품의 종류에 따른 시장의 종류를 정확하게 서술함	100%
거래 형태와 거래 상품의 종류 중 하나의 구분에 따른 시장의 종류만 제시함	70%
노동 시장이라는 내용만 제시함	30%

20 서술형 균형 가격과 균형 거래량

제시된 표를 보면 가격이 2,000원일 때 수요량과 공급량이 각각 80개로 일치한다. 따라서 시장 가격이 2,000원이 되면 시장에 더는 모자라거나 남는 것이 없으므로 가격이 움직이지 않고 시장은 안정을 이루게 된다. 이처럼 수요량과 공급량이 일치하는 가격을 균형 가격, 이때의 거래량을 균형 거래량이라고 한다.

채점 기준	배점
균형 가격과 균형 거래량을 쓰고, 효율적인 까닭을 정확하게 서술함	100%
균형 가격과 균형 거래량을 쓰고 효율적인 까닭을 서술하였으나 그 내용이 미흡함	70%
균형 가격과 균형 거래량만 제시함	30%

21 서술형 균형 가격과 균형 거래량의 변동

밑줄 친 상황은 휴대 전화의 부품 가격이 상승하는 것인데, 이는 휴대 전화 공급의 변동에 영향을 주는 요인다. 부품 가격이 상승하면 휴대 전화의 공급이 감소하고, 공급이 감소하면 공급 곡선은 왼쪽으로 이동하며, 가격이 오르고 거래량은 줄어든다.

채점 기준	배점
공급 감소, 곡선의 이동 방향, 균형 가격, 균형 거래량의 변동을 모두 정확하게 서술함	100%
공급 감소와 곡선의 이동 방향을 제시하지 않았으나, 균형 가격과 균형 거래량의 변동을 적절하게 서술함	70%
공급 감소와 곡선의 이동 방향만 적절하게 제시하고, 균형 가격과 균형 거래량의 변동을 서술하지 않음	30%

V 국민 경제와 국제 거래

01 국내 총생산과 경제 성장

✓ 간단 체크 086~087쪽

❶ ❶, ❹ ❷ 시장에서 거래되지 않은 것을 포함하지 않는다.
❸ 성장 ❹ 삶의 질

개념 다지기 1단계  087쪽

01 국내 총생산 02 1인당 국내 총생산 03 최종 생산물
04 없다 05 증가 06 경제 성장률 07 국민 소득
08 빈부 격차 09 1960년대

집중 공략 A 088쪽

| 국내 총생산의 의미와 계산 |
01 일정 기간 한 나라 안에서 새롭게 생산된 최종 생산물의 가치를 시장 가격으로 환산한 것 02 ③ 03 24 04 10, 9, 5, 24, 24 05 53, 29, 53, 29, 24, 24

02 ①, ②, ⑤는 시장에서 거래되지 않았고, ④는 중간 생산물이라서 국내 총생산의 계산에 포함되지 않는다.

03 ☆☆국에서 생산된 것은 밀, 밀가루, 빵 세 가지인데, 이 중 최종 생산물은 빵이고 밀과 밀가루는 중간 생산물이다. 따라서 빵값인 24만 원이 국내 총생산이 된다.

집중 공략 B 089쪽

| 국내 총생산과 1인당 국내 총생산 |
01 미국, 중국, 일본 02 스위스, 오스트레일리아, 미국
03 미국, 스위스 04 인구수 05 (1) 국내 총생산, 1인당 국내 총생산, 스위스 (2) 작고, 높다 06 (1) ○ (2) ×

03 국내 총생산은 그 나라의 경제 규모를 나타내고, 1인당 국내 총생산은 한 나라 국민의 평균적인 소득 수준을 보여 준다.

실력 올리기 2단계  090~091쪽

01 ④ 02 ② 03 ④ 04 ⑤ 05 ⑤ 06 ⑤ 07 ①
08 ① 09 해설 참조 10 ④ 11 ③ 12 ④
13 해설 참조

01 국내 총생산의 의미
밑줄 친 '이것'은 국내 총생산이다.

오답 분석 ① 국민 경제란 경제 활동 전체를 국가 단위로 하여 종합적으로 파악한 것으로 가계, 기업, 정부 등 한 나라의 모든 경제 주체가 수행하는 경제 활동을 의미한다.
③ 경제 성장률은 이전 연도나 이전의 같은 시기와 비교하여 경제 규모가 얼마나 변했는지를 보여 주는 지표이다.
⑤ 1인당 국내 총생산은 국내 총생산을 그 나라의 인구수로 나눈 것이다.

02 부가 가치의 계산
제시된 사례에서 1만 원어치의 밀로 3만 원어치의 밀가루를 생산하면 2만 원의 부가 가치가 생기고, 3만 원어치의 밀가루로 7만 원어치의 빵을 생산하면 4만 원의 부가 가치가 생긴다.

03 부가 가치의 합
국내 총생산(GDP)을 계산하기 위해서는 각 생산 단계에서의 부가 가치를 알아야 하는데, 이때 부가 가치란 한 단계에서 새로운 단계로 넘어갈 때 덧붙여진 가치를 의미한다.

04 고난도 **국내 총생산에 포함되는 것**

[선택지 분석]
① 중고 스마트폰
➡ 국내 총생산은 새롭게 생산된 것만 포함하며, 그 전에 생산된 중고품은 제외한다.
② 해외 공장에서 생산한 청바지
➡ 국내 총생산은 생산자의 국적에 관계없이 그 나라 국경 안에서 생산된 것만 포함하므로, 해외 공장에서 생산한 청바지는 국내 총생산에는 포함하지 않는다.
③ 빵을 만드는 데 사용한 밀가루
➡ 국내 총생산은 최종 생산물만 합산하며 생산 과정에서 사용된 중간재는 제외하므로, 빵을 만드는 데 사용한 밀가루는 국내 총생산에 포함하지 않는다.
④ 가정주부가 가족을 위해 차린 저녁 식사
➡ 국내 총생산은 시장에서 거래되지 않은 것을 포함하지 않는다. 따라서 가정주부가 가족을 위해 차린 저녁 식사나 봉사 활동 등은 국내 총생산에 포함하지 않는다.
✓⑤ 미국 팝가수가 우리나라 공연에서 얻은 수입
➡ 국내 총생산은 생산자의 국적에 관계없이 그 나라 국경 안에서 생산된 것만 포함한다. 따라서 국내 총생산에 포함된다.

05 국내 총생산에 포함되는 것
국내 총생산은 시장에서 거래된 것만을 계산하여 (가) 봉사 활동처럼 시장에서 거래되지 않은 것을 포함하지 않는다. 또한, 그해에 새롭게 생산된 것만 포함하며 (나) 중고 자전거처럼 그 전에 생산된 상품은 계산하지 않는다.

06 1인당 국내 총생산의 의미
1인당 국내 총생산은 국민들의 삶의 질 및 생활 수준과 관련 있는 경제 지표로, 국내 총생산을 인구수로 나눈 값이다.

07 각 나라의 국내 총생산 분석
제시된 자료는 각국의 경제 규모를 나타내는 국내 총생산(GDP)을 보여 준다. 중국의 국내 총생산이 우리나라보다 크므로 중국의 경제 규모는 우리나라보다 큼을 알 수 있다.

오답 분석 ② 독일의 국내 총생산이 일본의 국내 총생산보다 낮지만 삶의 수준도 더 낮다고 단정할 수 없다.
③ 국내 총생산은 국민의 평균 소득을 알려 주지 않는다.
④ 국내 총생산을 통해 빈부 격차를 알 수 없다.
⑤ 삶의 질 수준은 국내 총생산에 비례하지 않는다.

08 국내 총생산의 한계
국내 총생산은 가사 노동, 봉사 활동 등과 같이 시장에서 거래되지 않은 것을 포함하지 않는다. 또한, 자원 고갈이나 환경 오염 등으로 인한 피해를 반영하지 않아 국민의 삶의 질 수준을 완벽히 파악하기 어려우며, 소득 분배 수준이나 빈부 격차의 정도를 알기 어렵다는 한계를 지닌다.
오답 분석 ㄷ. 불법 거래를 통해 벌어들인 소득은 국내 총생산에 포함되지 않는다. 이로 인해 국내 총생산이 한 나라의 경제 규모를 정확히 보여 주지 못하는 한계를 가진다.
ㄹ. 환경 오염에 대한 처리 비용은 국내 총생산에 포함된다. 이로 인해 국내 총생산이 삶의 질을 제대로 반영하지 못한다는 한계를 가진다.

09 서술형 국내 총생산의 한계
모범 답안 국내 총생산은 총량을 나타내는 개념이기 때문에 두 나라의 국내 총생산이 같아도 소득 분배, 생활 수준에는 차이가 날 수 있다.

채점 기준	배점
제시어를 모두 사용하여 국내 총생산의 한계를 정확하게 서술함	100%
국내 총생산의 한계를 적절하게 서술하였으나, 제시어를 모두 사용하지 않음	70%
국내 총생산은 그 나라의 삶의 질 수준을 나타내지 못하다고 서술함	30%

10 경제 성장의 영향
경제가 성장하면 평균 소득이 증가하므로 물질적으로 풍요로운 생활을 누릴 수 있으며, 질 높은 교육과 더 나은 의료 서비스를 받을 수 있다. 또한, 다양한 문화 시설이 보급되고 여가 활동을 다양하게 누릴 수 있다. 그러나 자원 고갈 및 환경 오염 심화, 빈부 격차 확대 등은 경제 성장의 부정적 영향이다.

11 경제 성장의 부정적 영향
대화에서 을은 경제가 성장하더라도 반드시 국민의 삶의 질이 향상되는 것은 아니라고 하고 있다. 따라서 빈칸에는 경제 성장의 부정적 영향이 들어갈 수 있다. ③ 경제가 성장하면 생산 능력이 향상되는데 이는 국민의 삶의 질 향상을 위한 토대가 된다. 따라서 빈칸에 들어갈 내용으로 적절하지 않다.

12 고난도 경제 성장률 분석

[자료 분석]
제시된 자료는 경제 성장률의 추이를 보여 준다. 경제 성장률이 (+)를 나타내면 경제 규모가 커짐을, (−)를 나타내면 경제 규모가 작아짐을 의미한다.

[선택지 분석]
① B 시기의 경제 규모는 A 시기보다 작다.
➡ B 시기는 여전히 (+)의 경제 성장률을 보여 주고 있기 때문에 A 시기에 비해 경제 규모가 더 커졌다.
② B 시기의 소득 분배 불평등 정도는 A 시기보다 심해졌다.
➡ 제시된 자료로 소득 분배 불평등 정도를 파악할 수 없다.
③ E 시기의 경제 규모는 D 시기보다 작다.
➡ E 시기는 (+)의 경제 성장률을 보여 주고 있기 때문에 D 시기에 비해 경제 규모가 더 크다.
④ A~E 시기 중 C 시기에 경제 규모가 가장 작다.
➡ C 시기는 다른 해와 달리 유일하게 경제 성장률이 (−)를 나타냈던 시기이므로 A~E 시기 중 경제 규모가 가장 작다고 볼 수 있다.
⑤ C~D 시기에 경제 규모가 커졌다가 D~E 시기에 경제 규모가 다시 작아진다.
➡ C 시기를 기준으로 경제 성장률은 계속 (+)를 보이기 때문에 경제 규모가 계속 커졌다고 할 수 있다.

13 서술형 우리나라 경제 성장의 특징
모범 답안 우리나라는 1960년대 경제 개발 계획을 바탕으로 비약적인 경제 성장을 이루었고, 이에 따라 국민의 생활 수준도 향상되었다.

채점 기준	배점
제시어를 모두 사용하여 우리나라 경제 성장의 특징을 정확하게 서술함	100%
우리나라 경제 성장의 특징을 적절하게 서술하였으나, 제시어를 모두 사용하지 않음	70%
단기간에 경제 성장을 이루었다고 서술함	30%

02 물가 상승과 실업

간단 체크 092~093쪽
❶ 채무자, 기업가, 수입업자 ❷ 취업자, 실업자

개념 다지기 1단계  093쪽
01 인플레이션 **02** 채무자 **03** 정부 **04** 제외 **05** 구조적 **06** 기업

실력 올리기 2단계  094~095쪽
01 ② 02 ④ 03 ② 04 ② 05 ④ 06 해설 참조
07 ② 08 ③ 09 ① 10 ② 11 ② 12 해설 참조
13 해설 참조

01 물가의 의미
물가란 시장에서 거래되는 여러 상품의 가격을 종합한 평균적인 가격 수준을 말한다. 경제 활동의 흐름을 알기 위해서는 여러 상품의 전반적인 가격 수준인 물가의 움직임을 알아보아야 한다.

02 물가의 의미

물가는 여러 상품의 평균적인 가격 수준으로, 물가 지수를 통해 전반적인 물가의 움직임을 알 수 있다. 일반적으로 물가 상승은 경기가 활성화될 때 나타나는 경우가 많다.

03 물가 상승의 원인

물가 상승의 원인으로는 통화량 증가, 생산 비용 상승, 총수요가 총공급을 초과할 때 등이 있다. (가)는 성수기 휴가철에 휴가지에서 공급하는 여러 상품에 대한 수요가 급증하기 때문에 나타나는 물가 상승이다. (나)는 원자재 가격의 상승과 근로자 임금의 상승으로 생산 비용이 상승하여 나타난 물가 상승이다.

04 고난도 인플레이션의 영향

[선택지 분석]

㉠ 지난해에 건물을 사 두었던 갑
➡ 인플레이션이 발생하면 화폐 가치가 떨어져 건물을 사 두었던 갑과 같이 실물을 보유한 사람이 유리해진다.

~~㉡~~ 매월 고정된 연금을 받아 생활하는 을
➡ 일정한 봉급을 받거나 을과 같이 연금으로 생활하는 사람은 불리해진다.

㉢ 외국에서 운동화를 수입해서 국내에서 판매하는 병
➡ 국내 물가가 상승하면 우리나라 상품의 가격이 비싸지므로, 외국 상품의 가격이 상대적으로 저렴해져 병과 같은 수입업자는 유리해진다.

~~㉣~~ 3년 전 친구에게 2백만 원을 빌려주었다가 돌려받은 정
➡ 정과 같이 다른 사람에게 돈을 빌려주었거나 저축해 둔 사람은 불리해진다.

05 고난도 인플레이션의 영향

[선택지 분석]

① 화폐 가치가 하락하여 저축이 감소한다.
➡ 인플레이션이 발생하면 화폐 가치가 하락하므로 사람들은 화폐보다 실물 자산을 보유하려고 한다.

② 기업의 투자가 위축되고 생산이 감소한다.
➡ 기업은 생산 요소의 가격이 올라 생산 비용이 상승하므로 어려움을 겪는다.

③ 실물 자산 가치 상승으로 투기 등의 불건전한 거래가 늘어난다.
➡ 화폐 가치가 하락하고 부동산과 같은 실물 자산의 가치가 높아져 부동산 투기 등의 불건전한 거래가 늘어난다.

✔④ 기업의 생산이 확대되어 경제 성장에 긍정적인 영향을 가져온다.
➡ 인플레이션이 계속되면 기업의 장기적인 생산 및 투자 계획에 어려움을 가져오므로 경제 성장에 부정적인 영향을 초래한다.

⑤ 화폐의 구매력 감소로 근로자들의 실질 소득이 감소하여 근로 의욕이 상실된다.
➡ 같은 돈으로 살 수 있는 물건이 인플레이션 이전보다 줄어들게 되므로 근로자들의 소득이 감소하는 효과가 나타난다.

06 서술형 인플레이션과 국제 수지

모범 답안 인플레이션이 발생하면 수출품의 가격 경쟁력이 낮아져 수출이 감소하고 수입은 증가하기 때문이다.

채점 기준	배점
제시어를 모두 사용하여 인플레이션으로 인해 국제 수지가 악화하는 까닭을 정확하게 서술함	100%
인플레이션으로 인해 국제 수지가 악화하는 까닭을 적절하게 서술하였으나, 제시어를 모두 사용하지 않음	70%
인플레이션의 영향을 받아 국제 수지가 악화한다고만 서술함	30%

07 실업의 의미

제시문은 실업에 관한 설명이다. 실업은 개인적으로나 사회적으로 부정적인 영향을 미친다.

08 실업자의 의미

일을 할 수 있는 능력이 있고 일을 하고자 하는 마음도 있지만, 일자리가 없어서 일을 못 하는 상태를 실업이라고 한다. 따라서 일할 능력이 없는 어린이나 노약자, 일할 의사가 없는 학생이나 전업주부, 취업하려고 했으나 뜻대로 되지 않아 일자리 구하기를 포기한 사람 등은 실업자에 포함되지 않는다.

09 고난도 경기적 실업과 마찰적 실업

[자료 분석]

갑은 경기가 좋지 않아 취업을 못하고 있으므로 경기적 실업의 사례에 해당하고, 을은 자발적으로 직장을 옮기는 과정에서 실업 상태에 있으므로 마찰적 실업의 사례이다.

[선택지 분석]

	갑	을
✔①	경기 침체	직장의 이동

➡ 경제 상황이 나빠지면 기업은 신규 채용을 줄이거나 고용 인원을 줄이는데, 갑의 실업은 이에 해당한다. 을의 실업은 더 나은 조건의 일자리를 구하기 위해 기존에 다니던 직장을 그만두고 일시적으로 실업 상태가 된 것이다.

② 경기 침체 — 산업 구조 변화
➡ 실업의 원인 중 새로운 기술의 도입으로 산업 구조가 변화하면 기존의 기술이나 생산 방법은 밀려나게 되는데, 이에 따른 실업을 구조적 실업이라고 한다.

③ 계절적 요인 — 경기 침체
➡ 실업의 원인 중 농업, 건설업, 관광업 등 계절의 영향을 많이 받는 분야에서 계절에 따라 고용 기회가 줄어들어 실업이 발생하는 것을 계절적 실업이라고 한다

④ 산업 구조 변화 — 경기 침체

⑤ 산업 구조 변화 — 직장의 이동

10 실업의 유형

구조적 실업이란 산업 구조의 변화로 기존 기술이 쓸모 없게 되면서 발생하는 실업을 말한다.

오답 분석 ① 경기적 실업은 경제 상황이 나빠져서 기업이 신규 채용을 줄이거나 고용 인원을 줄임으로써 나타난다. ③ 계절적 실업은 농업, 관광업 등 계절의 영향을 많이 받는 분야에서 계절에 따라 고용 기회가 줄어들어 발생한다. ④ 마찰적 실업은 더 나은 조건의 일자리를 구하기 위해 일시적으로 실업 상태가 된 것이다.

11 실업의 영향
실업은 개인적인 차원에서 가계 소득 감소로 경제적 어려움을 초래하며, 사회적인 차원에서 기업의 생산과 투자 위축을 불러온다.
오답 분석 ㄴ. 실업은 사회 불평등을 악화시킬 수 있다.
ㄹ. 실업으로 경제 규모가 축소되고 사회가 활력을 잃을 우려가 있다.

12 서술형 경기적 실업의 발생
모범 답안 경기가 침체되면 소비 및 생산이 감소되어 고용이 감소하고 이에 따라 실업이 발생한다.

채점 기준	배점
제시어를 모두 사용하여 경기적 실업이 발생하는 까닭을 정확하게 서술함	100%
경기적 실업이 발생하는 까닭을 적절하게 서술하였으나, 제시어를 모두 사용하지 않음	70%
경기가 나빠서 실업이 발생한다고 서술함	30%

13 서술형 실업의 유형과 대책
모범 답안 제시된 사례에 나타난 실업은 마찰적 실업이다. 마찰적 실업에는 취업 정보 제공, 취업 박람회 개최 등이 해결책이 될 수 있다.

채점 기준	배점
마찰적 실업을 제시하고, 제시어를 모두 사용하여 마찰적 실업의 대책을 정확하게 서술함	100%
마찰적 실업을 제시하고 마찰적 실업의 대책을 적절하게 제시하였으나, 제시어를 모두 사용하지 않음	70%
마찰적 실업이라고만 제시함	30%

03 국제 거래와 환율

✓ 간단 체크 096~097쪽
❶ 국제 거래 ❷ 비교 우위 ❸ 반대 ❹ ㄴ

개념 다지기 1단계

097쪽
01 생산비 **02** 세계 무역 기구(WTO) **03** 소득 **04** 환율 **05** 수요 **06** 증가

집중 공략 A 098쪽
| 국제 거래의 필요성 |
01 옷감 **02** 포도주 **03** 나라별로 자연환경, 부존 자원, 기술과 지식 수준에 차이가 있기 때문이다. **04** 옷감, 포도주, 10 **05** 포도주, 옷감, 10 **06** 양국 모두에 무역의 이익이 발생하기 때문이다.

04 A국은 옷감 1단위와 포도주 1단위를 생산하는 데 30명이 필요하다. 그러나 옷감 2단위를 생산하여 1단위를 B국의 포도주와 교환하면 20명의 노동력으로 옷감과 포도주 1단위씩을 얻을 수 있으므로 10명의 노동력이 절감된다.

05 B국은 옷감 1단위와 포도주 1단위를 생산하는 데 30명이 필요하다. 그러나 포도주 2단위를 생산하여 1단위를 A국의 옷감과 교환하면 20명의 노동력으로 옷감과 포도주 1단위씩을 얻을 수 있어 10명의 노동력이 절감된다.

집중 공략 B 099쪽
| 환율의 변동 |
01 수요 **02** 공급 **03** 우리나라 화폐와 외국 화폐의 교환 비율 **04** 상승한다 **05** 하락한다 **06** 하락한다

04 외화의 수요가 증가하면 환율이 상승하고, 외화의 공급이 증가하면 환율이 하락한다.

06 1달러가 1,000원에서 1,200원이 된 경우는 외국 화폐의 가치가 올라가고, 국내 화폐의 가치는 떨어진 것이다.

실력 올리기 2단계
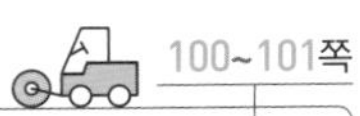
100~101쪽
01 ⑤ **02** ① **03** ③ **04** ② **05** ④ **06** ②
07 해설 참조 **08** ④ **09** ⑤ **10** ④ **11** ② **12** ①
13 해설 참조 **14** 해설 참조

01 국제 거래의 의미
국제 거래란 국가 간에 생산물이나 생산 요소 등이 국경을 넘어 거래되는 것을 의미한다.

02 국제 거래의 발생 원인
나라마다 기후, 지형 등과 같은 자연환경이 서로 다르며, 보유한 천연자원이나 노동, 자본, 기술 수준 등에도 차이가 있다. 이러한 생산 여건의 차이로 비슷한 상품을 생산하더라도 나라마다 생산비의 차이가 생기게 되며, 이로 인해 국제 거래가 발생한다. ① 국가 간에 화폐가 다른 것은 국제 거래 발생 원인과 관련이 없다.

03 특화와 비교 우위
각 나라는 생산에 유리한 품목, 즉 비교 우위에 있는 상품에 특화하여 수출한다. 특화란 가장 효율적으로 생산할 수 있는 산업을 전문적으로 육성하는 것이다.

04 국제 거래의 특징
국제 거래는 국내 거래와 달리 나라마다 서로 다른 화폐를 사용하므로 국제 거래 시 화폐의 교환이 필요하며, 재화와 서비스의 수출과 수입 과정에서 관세나 무역 장벽 등 제한이 존재한다. 또한, 나라마다 법과 제도가 다르므로 재화나 서비스의 이동이 자유롭지 않고 제한될 수 있다. ② 국내 거래와 국제 거래 모두 다양한 상품과 서비스가 거래되고 있다.

05 국제 거래의 확대
오늘날 교통 및 통신 수단의 발달에 따른 세계화와 개방화 추세에 따라 국제 거래가 늘고 있으며, 세계 무역 기구(WTO)의 출범으로 국제 거래의 대상이 확대되었다.
오답 분석 ㄷ. 나라마다 다른 자연환경은 무역이 발생하는 원인에 해당한다.

06 국제 거래에 따른 대응

중요한 원자재를 무조건 외국으로부터 수입하기보다는 기술력을 동원하여 신소재 개발에 힘써야 한다.

07 서술형 국제 거래의 영향

모범 답안 국제 거래를 통해 생산 규모가 확대되고, 부존자원과 기술력 부족 문제를 해결할 수 있다.

채점 기준	배점
제시어를 모두 사용하여 국제 거래의 긍정적 영향을 정확하게 서술함	100%
국제 거래의 긍정적 영향을 적절하게 서술하였으나, 제시어를 모두 사용하지 않음	70%
각 국가가 이익을 얻을 수 있다고 서술함	30%

08 환율의 의미

환율이란 우리 화폐와 외국 화폐의 교환 비율 또는 우리 화폐로 표시한 외국 돈의 가치이다. 세계 각국은 각기 다른 화폐를 사용하므로 국제 거래에서는 화폐를 교환하는 과정이 필요하다.

09 환율 상승의 의미와 영향

환율 상승은 외화의 가격이 높아진다는 것을 뜻한다. ⑤ 1달러에 1,200원이었던 환율이 1달러에 1,000원이 되는 것은 환율이 하락한 것이다.

10 외화 수요 증가 요인

수입 증가와 내국인의 외국 여행 증가는 외화에 대한 수요를 증가시키는 요인으로 작용한다.

오답 분석 ㄱ, ㄷ. 차관 도입과 수출 증가는 외화 공급 증가 요인이다.

11 고난도 환율 상승의 영향

[자료 분석]

환율이 1달러에 1,100원에서 1,300원으로 오른 것은 환율이 상승한 것이다.

[선택지 분석]

① 원화 가치가 상승한다.

➡ 외국 화폐 1단위를 얻기 위해 더 많은 원화가 필요하다는 것이므로, 이는 원화 가치의 하락을 뜻한다.

② 물가 상승의 원인이 될 수 있다.

➡ 환율이 상승하면 수입 원자재의 가격이 올라 국내 물가가 상승할 수 있다.

③ 해외여행을 가는 것이 쉬워진다.

➡ 해외여행 경비가 늘어나 여행을 가는 것이 어려워진다.

④ 기업의 외채 상환 부담이 낮아진다.

➡ 외화로 빚을 진 경우에는 갚아야 할 빚이 늘어나 외채 상환 부담이 커진다.

⑤ 수출이 감소하고, 수입이 증가한다.

➡ 환율이 상승하면 외화로 표시되는 우리나라 상품의 가격이 하락하여 수출이 증가하고, 상대적으로 수입품의 국내 가격이 상승하여 수입이 감소한다.

12 환율 하락의 영향

제시된 상황은 모두 외화의 공급이 증가하는 상황이다. 외화의 공급이 증가하면 환율은 하락한다. 따라서 외국에서 유학 중인 학생과 해외여행을 떠나려는 부부, 수입 가구를 판매하는 가구점 주인이 유리해진다. 우리나라 선수는 불리해진다.

13 서술형 환율 상승이 수출에 미치는 영향

모범 답안 수출 상품의 달러 표시 가격이 하락하여 수출품의 가격 경쟁력이 강화되고 수출이 증가하게 된다.

채점 기준	배점
제시어를 모두 사용하여 환율 상승이 수출에 미치는 영향을 정확하게 서술함	100%
환율 상승이 수출에 미치는 영향을 적절하게 서술하였으나, 제시어를 모두 사용하지 않음	70%
환율이 상승하면 수출이 증가한다고 서술함	30%

14 서술형 환율 하락의 영향

모범 답안 환율이 하락하면 원화 가치가 상승하면서 갚아야 할 빚이 감소하므로, 이는 외화 채무자인 갑에게 유리하다.

채점 기준	배점
제시어를 모두 사용하여 제시된 상황에서 환율 하락이 미칠 영향을 정확하게 서술함	100%
제시된 상황에서 환율 하락이 미칠 영향을 적절하게 서술하였으나, 제시어를 모두 사용하지 않음	70%
갑에게 유리하다고만 서술함	30%

102~105쪽

대단원 완성하기 3단계

01 ② 02 ⑤ 03 ④ 04 ② 05 ① 06 ④ 07 ④
08 ② 09 ⑤ 10 ① 11 ③ 12 ④ 13 ④ 14 ⑤
15 ③ 16 ② 17 ② 18 ⑤ 19 ④

서술형

20 (가)는 우리나라의 국내 총생산에 포함되고, (나)는 포함되지 않는다. 국내 총생산은 생산자의 국적을 따지지 않고, 그 나라의 영토 안에서 생산된 것을 포함하여 계산하기 때문이다.

21 [모범 답안] 국내 총생산은 시장에서 거래되지 않은 것들을 계산에 포함하지 않는다는 한계점이 있다.

22 (1) 인플레이션 (2) [모범 답안] 과소비를 억제하고 건전하고 합리적인 소비 생활을 하며, 저축을 늘린다.

23 (1) 구조적 실업 (2) [모범 답안] 구조적 실업은 생산 구조의 변화로 인해 발생하는 실업이므로 인력 개발이나 직업 훈련 프로그램을 실시하여 해결할 수 있다.

24 (1) 원화 가치는 상승하였다. (2) [모범 답안] 수출품의 가격 경쟁력이 약화되어 수출이 감소하고, 수입품의 가격 경쟁력이 강화되어 수입이 증가한다.

01 국내 총생산의 의미

국내 총생산은 일정 기간 한 나라 안에서 새롭게 생산한 모든 최종 생산물의 가치를 합한 것으로, 총량을 나타내기 때문에 소득 분배나 빈부 격차에 대한 정확한 정보를 주지 못한다.

02 1인당 국내 총생산의 의미
1인당 국내 총생산은 국내 총생산을 그 나라의 인구수로 나눈 것으로, 한 나라 국민의 평균적인 생활 수준을 파악하는 지표로 활용된다.

03 국내 총생산의 계산
국내 총생산의 계산은 최종 생산물의 시장 가치의 합계 또는 각 생산 단계의 부가 가치의 합계로 표현할 수 있다.

04 경제 성장의 긍정적 영향
경제 성장을 통해 국민 소득이 증가하면 경제적으로 풍요로운 삶을 누릴 수 있게 된다.
오답 분석 ① 한 나라의 국내 총생산을 포함한 국민 경제 규모가 커진다.
③ 경제 성장의 혜택이 골고루 분배되지 않으면 빈부 격차가 심화될 수 있다.
④ 경제 규모가 커지고 이에 따라 국민 소득도 증가한다.
⑤ 대기업 중심으로 경제 정책이 만들어져 중소기업이 후퇴하는 것은 경제 성장의 부정적 영향이다.

05 경제 성장의 요인
경제 성장의 요인으로 생산 기술, 정부 정책, 기업가 정신, 천연 자원의 보유 등을 들 수 있다. ① 영토가 크면 경제 성장에 유리할 수 있지만 영토의 크기가 경제 성장의 직접적인 요인이라고 볼 수 없다.

06 우리나라의 경제 성장
우리나라는 짧은 시간에 높은 경제 성장을 이루었으며, 이를 '한강의 기적'이라고 표현한다.

07 인플레이션 사례
제시된 사례에서 나타난 경제 문제는 물가가 지속적으로 상승하는 인플레이션이다. 1920년대 독일은 통화량이 증가하여 극심한 초인플레이션 상황을 겪었다.

08 인플레이션의 발생 원인
독일 정부가 화폐의 양을 늘리고 국채를 대거 발행하여 통화량이 늘어났기 때문에 인플레이션이 발생하였다.

09 물가 상승의 영향
물가가 상승하면 화폐 가치가 떨어지므로 실물 자산 소유자는 유리해진다.
오답 분석 ①, ②, ③, ④ 인플레이션 상황에서는 화폐 가치가 하락하므로 화폐를 소유한 사람들은 불리해진다.

10 인플레이션에 대한 정부의 대책
물가를 안정시키기 위해 정부는 재정 지출을 줄이고 공공요금의 인상을 억제한다. 또한 세금을 늘려 시중의 통화량을 축소한다.
오답 분석 ㄷ은 경제 주체 중 기업의 대책, ㄹ은 경제 주체 중 가계의 대책이다.

11 실업의 유형과 대책
제시된 사례에서 취업 박람회를 개최하여 구직자들에게 좋은 일자리를 연계하는 것은 더 나은 조건의 일자리를 구하기 위해 일시적으로 실업 상태가 된 마찰적 실업의 대책이 될 수 있다.

12 실업의 영향
실업이 발생하면 개인적 측면에서 생계유지에 어려움을 겪을 수 있고, 사회적으로 일할 능력이 있는 사람이 경제 활동에 참여하지 못하여 인적 자원이 낭비된다.
오답 분석 ㄱ. 실업 인구에 대한 부양 부담이 커져 정부의 재정 부담이 증가한다.
ㄷ. 실업으로 소득이 줄어들면 소비가 위축되고 물가는 하락한다.

13 고용 안정을 위한 노력
고용 안정을 위해 기업은 더 많은 일자리를 창출하는 방안을 모색하고, 근로자는 자기 능력을 계발해야 한다. ④ 마찰적 실업을 해결하기 위해서는 정부가 적절한 구직 정보를 제공하여 기업과 노동자가 탐색 시간과 비용을 줄일 수 있게 해야 한다.

14 국제 거래의 특징
국경을 넘어 이동하는 상품을 거래할 때 관세 또는 수입 할당제 등이 존재하는 것은 국제 거래의 경우 상품 거래를 제한하는 여러 가지 무역 장벽이 존재함을 의미한다.

15 국제 거래의 특징
국제 거래의 경우 상품의 거래가 국경의 범위 내에서뿐만 아니라 국경 밖에서도 이루어진다. 세계 각 나라는 국제 거래를 통해 서로 필요한 것을 얻을 수 있다.

16 국제 거래의 원리
국제 거래에서는 상대적으로 생산비가 적게 드는 제품을 생산하는 비교 우위에 의해 각 국가가 이득을 얻을 수 있다.

17 환율 변동
$환율_1$에서 $환율_2$로 변화된 상황은 환율이 상승한 경우로, 환율 상승은 자국 화폐 가치의 하락을 의미한다.

18 환율 변동의 원인
⑤ 외국으로부터 빌린 돈에 대한 이자를 상환하려면 외화가 필요하므로 외화에 대한 수요가 증가하여 환율이 상승한다.
오답 분석 ① 수출 증가는 외화 공급 증가 요인이다.
② 환율 상승은 환율 변동의 원인이 아니라 결과이다.
③ 환율이 하락하면 국내 물가가 안정된다.
④ 외국인의 국내 여행 감소는 외화 공급 감소 요인이다.

19 환율 상승의 영향
환율이 상승하면 원화 가치가 하락하면서 수출품의 가격 경쟁력이 강화되어 수출이 증가하고 자국민의 외국 여행 경비가 증가하게 된다.
오답 분석 ㄱ. 환율이 상승하면 외채 상환 부담이 커진다.
ㄷ. 환율이 상승하면 수입품의 가격이 올라 가격 경쟁력이 약화된다.

20 서술형 국내 총생산의 계산
국내 총생산은 한 나라의 영토 안에서 생산된 것을 포함하므로, 비록 외국인이 생산한 것이라도 우리나라 안에서 생산된 것이면 국내 총생산에 포함한다. 반면 비록 우리나라 사람이 생산한 것이라도 우리나라 밖 외국에서 생산한 것이면 국내 총생산에 포함하지 않는다.

채점 기준	배점
(가)와 (나)가 국내 총생산에 포함되는지 아닌지를 쓰고 그 까닭을 제시어를 모두 사용하여 정확하게 서술함	100%
(가)와 (나)가 국내 총생산에 포함되는지 아닌지를 쓰고 그 까닭을 적절하게 서술하였으나, 제시어를 모두 사용하지 않음	70%
(가)와 (나)가 국내 총생산에 포함되는지 아닌지를 썼으나, 그 까닭을 제시하지 않음	30%

21 서술형 **국내 총생산의 한계**

국내 총생산은 시장에서 거래되지 않은 것들은 계산에 포함하지 않는다. 주부의 가사 활동이나 봉사 활동, 지하 경제 등이 국내 총생산에 포함되지 않아 그 나라의 경제 규모를 정확하게 나타내지 못한다.

채점 기준	배점
제시어를 모두 사용하여 제시된 내용에서 추론한 국내 총생산의 한계를 정확하게 서술함	100%
제시된 내용에서 추론한 국내 총생산의 한계를 적절하게 서술하였으나, 제시어를 모두 사용하지 않음	70%
국내 총생산의 한계를 제시하였으나 제시된 내용과 관련 없는 내용임	30%

22 서술형 **인플레이션의 해결 방안**

경제 전체의 총수요가 증가하여 총공급보다 많을 때 물가가 상승한다. 특히 물가가 지속적으로 오르는 현상을 인플레이션이라고 한다.

채점 기준	배점
제시어를 모두 사용하여 소비자 측면에서 인플레이션의 대책을 정확하게 서술함	100%
소비자 측면에서 인플레이션의 대책을 적절하게 서술하였으나, 제시어를 모두 사용하지 않음	70%
소비를 줄여야 한다고만 서술함	30%

23 서술형 **실업의 유형**

제시된 사례에서처럼 새로운 기술의 도입으로 산업 구조가 변화하면 기존의 기술이나 생산 방법은 밀려나게 되는데, 이에 따른 실업을 구조적 실업이라고 한다.

채점 기준	배점
제시어를 모두 사용하여 구조적 실업의 해결 방안을 정확하게 서술함	100%
구조적 실업의 해결 방안을 적절하게 서술하였으나, 제시어를 모두 사용하지 않음	70%
새로운 직업을 가질 수 있도록 훈련을 해야 한다고 서술함	30%

24 서술형 **환율 변동의 영향**

제시된 표에 따르면 환율이 계속하여 하락하고 있다. 따라서 원화 가치는 하락한다. 환율이 상승하면 외화로 표시되는 우리나라 상품의 가격이 하락하여 수출이 증가하고, 상대적으로 수입품의 국내 가격이 상승하여 수입이 감소한다.

채점 기준	배점
제시어를 모두 사용하여 환율 하락의 영향을 정확하게 서술함	100%
환율 하락의 영향을 적절하게 서술하였으나, 제시어를 모두 사용하지 않음	70%
환율 하락으로 수입이 증가한다고만 서술함	30%

Ⅵ 국제 사회와 국제 정치

01 국제 사회의 특성과 행위 주체

간단 체크 108~109쪽

❶ 힘의 논리가 작용한다. ❷ 자국의 이익을 우선적으로 추구한다. ❸ 국제 비정부 기구 ❹ 정부 간 국제기구 ❺ 구글, 애플, 삼성 등

개념 다지기 1단계 109쪽

01 국제 사회 **02** 자국 **03** 강대국 **04** 존재하지 않는다 **05** 국가 **06** 정부 간 국제기구 **07** 개인과 민간단체 **08** 세계화

실력 올리기 2단계 110~111쪽

01 ② 02 ④ 03 ② 04 ⑤ 05 ④ 06 해설 참조
07 ④ 08 ④ 09 ④ 10 ① 11 ③ 12 해설 참조

01 국제 사회의 의미

국제 사회란 전 세계 여러 나라가 서로 밀접하게 영향을 주고 받으며, 국제적 공동 생활을 영위하는 사회이다.

02 국제 사회의 특성

국제 사회의 기본 단위인 국가는 국제 관계에서 자국의 이익을 우선으로 추구한다. 이 과정에서 국가 간에 갈등과 분쟁이 생기기도 하는데, 실제로 국제 사회에서 강대국이 힘의 논리를 앞세워 많은 영향력을 행사하고 있다. ④ 국제 사회는 강제성을 지닌 중앙 정부가 존재하지 않아 분쟁이나 갈등이 발생했을 때 조정이나 해결이 쉽지 않다.

03 국제 사회의 특성

국제 사회에서 이루어지는 정치, 경제 행위는 지구촌 전체에 영향을 미치고, 국제 사회에서는 대부분 자국의 이익을 최우선으로 한다.

오답 분석 ㄴ. 국제 사회는 경쟁과 갈등이 나타나지만, 공동의 문제 해결을 위해 협력하기도 한다.

ㄹ. 국제 사회에는 다국적 기업뿐만 아니라 국가, 국제기구 등 다양한 행위 주체가 존재한다.

04 국제 사회의 기본 요소

개인이 모여 사회를 이루듯이 주권을 가진 국가를 기본 요소로 하여 국제 사회가 구성된다.

05 국제 사회의 특성

국제 사회에서 각 국가는 이념이나 도덕보다 자국의 이익에 따라 행동한다. 제시된 사례에서 몇몇 선진국은 자국의 경제 발전을 위해 온실가스 감축 합의에 참여하지 않았다.

06 서술형 **국제 사회의 영향**

모범 답안 국제 사회에서 이루어지는 정치, 경제 행위는 한 나라를 넘어서 주변 국가 및 지구촌 전체에 큰 영향을 미친다.

채점 기준	배점
제시어를 모두 사용하여 국제 사회의 영향을 정확하게 서술함	100%
국제 사회의 영향을 적절하게 서술하였으나, 제시어를 모두 사용하지 않음	70%
세계에 큰 영향을 준다고만 서술함	30%

07 국제 사회와 국제법

국제법은 국가 간의 합의에 따라 국가 간의 관계를 규칙으로 정해 놓은 법이다. 대표적인 예로 국가 간의 조약을 들 수 있다.

08 고난도 **국제 사회의 특성**

[자료 분석]
제시된 자료는 국제 연합 안전 보장 이사회의 모습이다. 안전 보장 이사회의 상임 이사국은 거부권을 행사할 수 있으며, 이들 중 한 나라만 거부권을 행사해도 그 안건은 부결된다.

[선택지 분석]
① 자국의 이익을 최우선한다.
➡ 자국의 이익을 최우선하는 것은 국제 사회의 특성이지만 제시된 자료에서 유추할 수 없다.
② 중앙 정부가 존재하지 않는다.
➡ 중앙 정부가 존재하지 않는 것은 국제 사회의 특성이지만 제시된 자료에서 유추할 수 없다.
③ 국제법과 상관없이 의사 결정을 한다.
➡ 국제 사회도 법의 적용을 받으며, 국제법이 필요한 경우 적용된다.
④ 강대국은 힘의 논리를 앞세워 영향력을 행사한다.
➡ 상임 이사국이 거부권을 행사할 수 있다는 것은 강대국의 힘의 논리가 작용한다는 의미이다.
⑤ 분쟁이 해결되지 않으면 무조건 전쟁으로 이어진다.
➡ 국제 사회에서 분쟁이 해결되지 않는다고 무조건 전쟁으로 이어지는 것은 아니다.

09 국제 사회의 행위 주체

각 나라의 정부를 회원으로 하며 국제 평화를 유지하고 다양한 영역에서 상호 협력하는 국제 사회의 행위 주체는 국제기구이다.

10 국제 비정부 기구

개인이나 민간단체가 중심이 되어 만들어진 국제기구를 국제 비정부 기구라고 하며, 국제 사면 위원회, 국경 없는 의사회, 그린피스 등이 있다.

오답 분석 ㄷ. 국제적 규모로 상품을 생산하고 판매하는 것은 다국적 기업이다.
ㄹ. 국제 사회에서 가장 기본이 되는 행위 주체는 국가이다.

11 고난도 **다국적 기업의 특징**

[자료 분석]
다국적 기업은 해외 여러 국가에 자회사, 지점, 제조 공장을 두고 생산과 판매 활동을 한다.

[선택지 분석]
① 국제적 규모로 상품을 생산하고 판매한다.
➡ 다국적 기업은 국내뿐만 아니라 세계를 시장으로 상품을 판매한다.
② 세계화로 인해 그 규모가 점점 커지고 있다.
➡ 세계화, 정보화 등으로 국제 사회에서 다국적 기업의 영향력이 확대되고 있다.
③ 국제 사회에서 가장 기본적이고 전형적인 행위 주체이다.
➡ 국가에 관한 설명이다.
④ 전 세계에 걸쳐 자신들의 경제적 이익을 극대화하고자 한다.
➡ 기업의 목적은 이윤 추구이며, 다국적 기업도 전 세계 시장에 상품을 판매하여 이익을 얻고자 한다.
⑤ 보통 어느 한 나라에 본사를 두고 세계 여러 나라에 자회사와 공장을 설립한다.
➡ 본사는 자국에 두고 연구소는 선진국에, 공장은 노동력이 풍부한 개발 도상국에 위치하는 경우가 많다.

12 서술형 **국제 사회의 행위 주체로서 국가의 역할**

모범 답안 국제 사회에서 국가는 법적 지위를 가지고 외교 활동을 한다.

채점 기준	배점
제시어를 모두 사용하여 국제 사회의 행위 주체로서 국가의 역할을 정확하게 서술함	100%
국제 사회의 행위 주체로서 국가의 역할을 적절하게 서술하였으나, 제시어를 모두 사용하지 않음	70%
국가는 가장 기본적이고 전통적인 행위 주체라고 서술함	30%

02/03 국제 사회의 모습과 공존을 위한 노력 ~ 우리나라의 국가 간 갈등과 해결

✓ 간단 체크 112쪽

❶ 갈등 ❷ 영유권

개념 다지기 1단계 113쪽

01 분쟁 및 전쟁 **02** 상이 **03** 외교 **04** 민간 **05** 일본
06 있다 **07** 중국 **08** 존중의

실력 올리기 2단계 114~115쪽

01 ④ 02 ⑤ 03 ③ 04 ④ 05 ② 06 해설 참조
07 ③ 08 ① 09 ④ 10 ③ 11 ⑤ 12 해설 참조

01 국제 사회의 갈등
국제 사회에서 지나친 경쟁은 갈등을 일으키고, 갈등이 심해지면 분쟁이나 전쟁으로 이어진다.

02 고난도 국제 사회의 갈등 원인

[선택지 분석]
① 국제 사회에서 각 국가의 수장이 대립하기 때문이다.
➡ 국제 사회에서 각 국가의 수장은 대립만 하지 않고 서로 협력하기도 한다.
② 국제 사회에서 각 국가가 냉전 체제에 돌입했기 때문이다.
➡ 냉전 체제는 소련이 붕괴되면서 해체되었다.
③ 국제 사회에서 각 국가 간 상호 의존성이 약해지기 때문이다.
➡ 국제 사회에서 각 국가 간 상호 의존성이 강해지고 있다.
④ 국제 사회에서 각 기업이 이윤의 극대화를 추구하기 때문이다.
➡ 이윤 극대화 추구는 다국적 기업의 목적이다.
⑤ 국제 사회에서 각 국가는 자국의 이익을 최우선하기 때문이다.
➡ 국제 사회에서 경쟁과 갈등이 일어나는 주된 원인이다.

03 국제 사회 갈등 유형
국제 사회에서는 석유와 같은 자원 확보를 위한 갈등이 일어난다. 서남아시아와 북부 아프리카 국경 지대에서 일어나고 있는 분쟁이 이에 해당한다.

04 외교의 의미
제시된 글은 외교에 관한 설명이다. 외교란 한 국가가 국제 사회에서 평화적인 방법으로 자국의 이익을 달성하기 위해 행하는 활동이다.

05 우리나라의 외교
실리 외교란 말 그대로 실리를 추구하는 외교를 의미한다. 현재 우리나라는 국가 안전 보장, 평화 통일을 위한 국제적 여건 조성, 경제 발전을 위한 자원·자본 및 기술의 확보와 통상 증대, 국제 사회의 공동 문제 해결을 목적으로 활발한 외교 활동을 펼치고 있다.

06 서술형 오늘날 외교의 특징
모범 답안 세계화, 개방화의 진전으로 민간 외교의 중요성이 커지고 있다.

채점 기준	배점
제시어를 모두 사용하여 오늘날 외교의 특징을 정확하게 서술함	100%
오늘날 외교의 특징을 적절하게 서술하였으나, 제시어를 모두 사용하지 않음	70%
외교가 활발해지고 있다고 서술함	30%

07 독도 영유권 분쟁
독도 문제를 국제 사법 재판소에 회부하여 국제 분쟁 지역으로 만들려고 하는 것은 일본의 의도이다.

08 독도에 관한 역사적 사실
독도는 삼국 시대에 신라의 장군 이사부가 우산국(울릉도)을 정벌한 이후 줄곧 우리나라의 영토였다. 독도가 우리 땅임을 보여 주는 수많은 고지도와 역사책이 있으며, 심지어 과거 일본의 지도나 역사책에서도 독도를 우리의 영토로 표기하고 있다.

09 동해 표기
우리나라와 일본은 동해 표기를 둘러싸고 갈등을 겪고 있다. 동해는 우리나라에서 2천 년 이상 사용해 오고 있는 명칭인데, 일본은 세계 지도에 동해를 일본해로만 표시할 것을 주장하고 있다.

10 우리나라와 중국 간의 갈등
중국은 동북공정으로 역사를 왜곡하며 우리나라와 갈등을 빚고 있다. 동북공정이란 '동북 변경 지역의 역사와 현상에 관한 연구 과제'라는 뜻으로, 중국 동북 3성 지역의 역사 연구이다.

11 국가 간 갈등 해결 방안
주변 국가와는 오랜 역사 속에서 경제적으로나 정치적·문화적으로 긴밀한 관계를 맺고 있으므로 대화나 협상을 통해 평화적이고 합리적으로 문제를 해결해야 한다.

12 서술형 국가 간 갈등의 해결
모범 답안 세계화로 인해 국가 간에 상호 의존성이 확대되었기 때문이다.

채점 기준	배점
제시어를 모두 사용하여 우리나라가 국가 간 갈등을 해결해야 하는 까닭을 정확하게 서술함	100%
우리나라가 국가 간 갈등을 해결해야 하는 까닭을 적절하게 서술하였으나, 제시어를 모두 사용하지 않음	70%
주변 국가와 잘 지내야 하기 때문이라고 서술함	30%

116~119쪽

대단원 완성하기 3단계

01 ③ 02 ② 03 ② 04 ② 05 ① 06 ③ 07 ③
08 ② 09 ④ 10 ③ 11 ④ 12 ④ 13 ③ 14 ⑤
15 ① 16 ⑤ 17 ③ 18 ②

서술형

19 (1) 거부권 (2) [모범 답안] 국제 사회에서는 경제력과 군사력이 큰 강대국이 더 많은 영향력을 행사한다.
20 (1) (가): 국제 비정부 기구, (나): 다국적 기업 (2) [모범 답안] 국제 사회는 여러 나라가 교류하며 공존하는 사회이기 때문에 자유롭게 협력하고 경쟁하기 위해 다양한 행위 주체가 필요하다.
21 (1) 종교 · 영토 분쟁 (2) [모범 답안] 국제 평화를 정착하고 공존하기 위해 외교를 통한 문제 해결이 가장 필요하다.
22 (1) 동북공정 (2) [모범 답안] 상호 존중의 관점에서 합리적 대화를 해야 하며, 문제 해결을 위해 정부뿐만 아니라 시민 단체와 개인의 적극적인 자세도 필요하다.

01 국제 사회의 특성
국제 사회란 여러 국가가 서로 영향을 주고받으며 공존하는 사회를 말한다. 국제 사회에서는 보통 경제력과 군사력이 큰 강대국이 더 많은 영향력을 행사하고 약소국은 이를 인정한다.

02 국제 사회의 특성
우리나라는 자국의 이익을 우선적으로 추구하기 때문에 타이완과 외교 관계를 단절하고 중국과 수교하였다.
오답 분석 ①, ⑤는 오늘날 국제 사회의 특성이지만 제시된 사례에서 유추하기 어렵다.
③ 규범과 힘의 논리가 강대국으로 쏠린다.
④ 분쟁을 해결하는 중앙 정부가 존재하지 않는다.

03 국제 사회의 성립 요건
국제 사회는 주권을 가진 여러 나라가 공존하는 사회이다. 주권이란 국가의 의사를 최종적으로 결정할 수 있는 권력이다. 주권은 국가 안에서는 최고의 힘을 가지며, 국가 밖에서는 독립성을 가진다.

04 정부 간 국제기구의 특징
정부 간 국제기구는 각국 정부를 회원으로 하며, 대표적으로 국제 연합, 경제 협력 개발 기구, 국제 통화 기금 등이 있다. ② 자국의 이익을 추구하기 위해 활동하는 주체는 국가이다.

05 국제 사회 행위 주체
오늘날에는 국가뿐만 아니라 국제기구, 다국적 기업 등 다양한 행위 주체들이 국제 사회에서 활동하고 있다. ① 헌법 재판소는 국내 사회에서 헌법에 대한 분쟁을 해결하는 재판소로, 국제 사회 행위 주체가 아니다.

06 국제 사회 행위 주체
세계 종교 지도자는 국제 사회에 영향력을 끼치는 개인이라고 볼 수 있다.
오답 분석 ②는 국제 비정부 기구, ④는 다국적 기업, ⑤는 정부 간 국제기구이다.

07 국제 사회 경쟁과 갈등의 발생 원인
국제 사회에서 경쟁과 갈등이 발생하는 까닭은 각국이 자국의 이익을 최우선으로 하기 때문이다.

08 국제 사회 경쟁과 갈등 해결 방법
외교는 국제 사회의 문제를 해결하기 위한 가장 평화적인 방법이다. 외교 활동을 통해 자국의 정치적, 경제적 이익을 실현하고 자국의 위상을 높일 수 있기 때문에 외교의 중요성이 더욱 커지고 있다.

09 국제 사회의 갈등 원인
국제 사회에서 갈등이 나타나는 까닭은 결국 각 나라가 자국의 경제적 실리를 추구하기 때문이다.
오답 분석 ① 국제 사회가 다원화되고 있기 때문이다.
② 국가 간에 상호 의존성이 강화되기 때문이다.
③ 국제 사회가 자국의 이익을 최우선으로 여기기 때문이다.
⑤ 국제 사회가 자국의 이익을 먼저 추구하기 때문이다.

10 외교의 특징
외교는 한 국가가 국제 사회에서 평화적인 방법으로 자국의 이익을 달성하려는 활동으로, 오늘날 국가 간의 교류가 활발해지면서 효과적인 외교 정책의 중요성이 더욱 강조되고 있다. ③ 외교는 강대국의 힘의 논리가 아니라 주로 협상을 통해 이루어지는 것이 일반적이다.

11 최근 외교 경향의 특징
과거에는 국가를 대표하는 공식적인 외교가 주를 이루었지만, 최근에는 스포츠나 문화를 활용하는 민간 외교가 점점 증가하고 있다.
오답 분석 ① 민간 외교 형태가 보편화되었다.
② 이념보다는 실리를 추구하는 외교가 증가하고 있다.
③ 강대국의 힘의 논리에 좌우되는 경향이 증가하고 있으나 제시문을 통해 추론할 수 없다.
⑤ 외교는 기본적으로 나라 간에 대화와 타협을 바탕으로 이루어진다.

12 우리나라와 주변국과의 관계
일본과는 역사 교과서 왜곡 문제와 위안부 문제로 인한 갈등이 있고, 중국과는 동북공정으로 인한 갈등이 있다.
오답 분석 ① 역사적으로 주변국과 활발하게 교류하였다.
② 주변국은 우리나라의 주요 외교 대상이다.
③ 일본과는 동해 표기를 둘러싼 갈등을 겪고 있다.
⑤ 중국과는 서해의 배타적 경제 수역 침범 문제로 갈등 중이다.

13 우리나라와 일본의 갈등
역사 교과서 왜곡 문제의 경우 일본의 잘못된 역사 인식으로부터 비롯되었다고 할 수 있다.

14 우리나라와 일본의 갈등
일본의 야스쿠니 신사 참배 논란은 주변국들과 이해관계가 얽힌 문제이다. 이것은 일본 자국 내의 일로만 볼 수 없기 때문에 일본 군국주의로 인해 피해를 당한 당사국들이 비난과 항의를 하는 것이다.

15 국제 갈등 해결의 중요성
세계화의 진전 속에서 서로의 영향력이 더욱 커지고 있기 때문에 국가 간 협력이 필요하다.

16 우리나라와 일본의 갈등
우리나라는 독도 영유권 문제가 국제 사법 재판소에서 해결할 수 있는 법적 분쟁이라고 생각하지 않는다. 제2차 세계 대전 후 연합국 최고 사령부에 의해 독도는 한국으로 반환되었다.

17 우리나라와 중국의 갈등
제시된 자료는 중국 동북공정과 관련된 것으로 중국이 고조선, 고구려, 발해를 중국사로 편입하려고 하는 역사 왜곡 사례이다.

18 국제 갈등의 해결 방법
국가 사이의 갈등은 해결하기 위해 정부와 시민 사회는 논리적이고 객관적인 대응 근거를 마련하고, 이를 바탕으로 상호 존중의 관점에서 접근해야 한다. ② 감정적인 대응보다는 논리적인 접근 자세가 필요하다.

19 서술형 **국제 사회의 특성**

국제 연합 안전 보장 이사회 상임 이사국의 거부권 행사를 통해 국제 사회는 힘의 논리가 작용하고 있음을 알 수 있다.

채점 기준	배점
제시어를 모두 사용하여 제시된 자료를 통해 알 수 있는 국제 사회의 특성을 정확하게 서술함	100%
제시된 자료를 통해 알 수 있는 국제 사회의 특성을 적절하게 서술하였으나, 제시어를 모두 사용하지 않음	70%
강대국에 의해 좌우된다고 서술함	30%

20 서술형 **국제 사회의 행위 주체**

국제 사회는 여러 나라가 교류하며 공존하고 있고, 다양한 행위 주체가 있다.

채점 기준	배점
제시어를 모두 사용하여 국제 사회에 다양한 행위 주체가 필요한 까닭을 정확하게 서술함	100%
국제 사회에 다양한 행위 주체가 필요한 까닭을 적절하게 서술하였으나, 제시어를 모두 사용하지 않음	70%
국제 사회가 조화롭게 운영되기 위해서라고 서술함	30%

21 서술형 **국제 사회의 갈등**

국제 사회에서 나타나는 여러 가지 갈등을 평화적으로 해결하기 위해 외교적인 수단이 필요하다.

채점 기준	배점
제시어를 모두 사용하여 국제 사회의 갈등을 해결하기 위한 가장 합리적인 방법을 정확하게 서술함	100%
국제 사회의 갈등을 해결하기 위한 가장 합리적인 방법을 적절하게 서술하였으나, 제시어를 모두 사용하지 않음	70%
국제 사회의 문제를 평화적으로 해결해야 한다고 서술함	30%

22 서술형 **우리나라와 중국의 갈등**

국가 간의 갈등을 해결하기 위해서 정부 차원의 대책과 더불어 시민 단체나 개인의 참여가 필요하다.

채점 기준	배점
제시어를 모두 사용하여 우리나라와 중국의 갈등 해결 방안을 정확하게 서술함	100%
우리나라와 중국의 갈등 해결 방안을 적절하게 서술하였으나, 제시어를 모두 사용하지 않음	70%
대화와 타협을 통해 해결해야 한다고 서술함	30%

Ⅶ 인구 변화와 인구 문제

01 인구 분포

✓ 간단 체크 122~123쪽

❶ 아시아 ❷ 북위 20°~40° ❸ 수도권

개념 다지기 1단계 123쪽

01 북반구 **02** 아시아 **03** 불균등한 **04** 농업 **05** 이촌 향도

실력 올리기 2단계 124~125쪽

01 ④ 02 ④ 03 ① 04 ② 05 ⑤ 06 ④ 07 ④ 08 ⑤ 09 해설 참조 10 ⑤ 11 해설 참조

01 세계의 인구 분포

인구 밀도는 일정한 면적당 인구수를 나타낸다. 지역별 환경에 따라 인구 밀도는 큰 차이를 보인다. 중국은 세계에서 인구수가 가장 많지만 영토의 면적이 넓어서 인구 밀도까지 세계 최고 수준은 아니다.

02 세계의 인구 분포

중위도 지역은 기후가 온화하여 많은 인구가 밀집한다.

오답 분석 ① 불균등한 인구 분포를 보이고 있다.
② 주로 평야와 해안 지역에 인구가 밀집해 있다.
③ 자연환경도 인구 밀도에 영향을 미치고 있다.
⑤ 인구수와 인구 밀도 모두 아시아가 더 높다.

03 인구 밀집 지역

A는 서부 유럽으로 일찍부터 산업이 발달하여 경제적으로 풍요롭게 되면서 인구가 밀집하였다. B는 동아시아 지역으로 벼농사가 발달하기에 좋은 기후 환경의 영향으로 인구가 밀집하게 되었다.

04 인구 분포에 영향을 미치는 요인

인구 분포에 영향을 미치는 요인에는 자연적 요인(기후, 지형, 토양 등)과 인문·사회적 요인(산업, 일자리, 경제 발달, 문화 등)이 있다.

05 인구 희박 지역의 특징

사하라 사막처럼 건조하여 농업과 같은 식량 생산 활동을 거의 할 수 없거나 캐나다 북부처럼 너무 낮은 기온으로 인해 농업과 생활이 어려운 경우, 그리고 아마존강 유역처럼 빽빽한 밀림으로 인해 농업과 거주가 모두 불리한 지역들은 인구 밀도가 낮게 나타난다. 세 지역 모두 불리한 자연환경으로 인해 인구 희박 지역이 된 것이다. 대체로 인구 희박 지역들은 인문 환경보다 자연환경에 의한 경우가 많았다. 하지만 시대의 변화로 인문 환경의 중요성이 갈수록 커지고 자연환경의 불리함을 과학 기술이 극복해 내면서 점차 자연환경보다 인문 환경이 중요해지고 있다. 우리나라의 경우에도 농업에 유리한 지형과 기후를 가진 남서부 지역의 인구 밀도가 산업 시설, 일자리 부족 등으로 인해 계속 낮아지고 있다.

06 고난도 **인구 밀집 지역과 인구 희박 지역**

[자료 분석]
이 지도는 대표적인 인구 밀집 지역과 인구 희박 지역을 보여준다. A는 네덜란드, B는 방글라데시로 인구 밀집 지역에 속하고, C는 몽골, D는 캐나다로 인구 희박 지역에 속한다.

[선택지 분석]
① A~D 지역은 모두 인문 환경이 인구 밀도에 영향을 미친 지역들이다.
➡ 보통 선진국의 인구 밀집 지역은 산업, 경제 등의 인문 환경이 영향을 준 반면, 개발 도상국의 경우에는 지형, 기후 등 자연환경이 영향을 주는 경우가 많다. 네덜란드와 방글라데시가 그렇게 구분이 된다. 몽골도 건조 지역으로 농업에 적합하지 않아 유목 생활을 했던 점이 인구 밀도를 낮춘 것이다. 캐나다는 선진국이지만 인구에 비해 워낙 땅이 넓고, 그 중에서도 사람들이 적합한 기후를 갖춘 곳에만 인구가 밀집하다 보니 국토 전체로 봤을 때 인구 밀도가 낮을 수밖에 없다.
② A 지역과 D 지역의 인구 분포 차이는 경제 발달의 차이를 반영한 것이다.
➡ 두 나라 모두 선진국이다. 기후의 차이와 국토 면적의 차이가 인구 밀도를 차이 나게 했다.
③ A 지역과 B 지역 모두 높은 소득이 보장된 일자리가 풍족하다는 점 때문에 인구 밀도가 높아졌다.
➡ A는 해당하지만, B는 그렇지 않다. 방글라데시의 경제 수준은 높은 소득은 물론, 일자리 마련도 쉽지 않은 상황이다. 방글라데시는 벼농사로 인한 인구 집중으로 보고 있다.
④ B 지역과 C 지역은 농작물의 재배와 관련된 환경의 차이로 인해 인구 밀도가 서로 다르게 되었다.
➡ A는 산업 발달로 일자리가 풍부하여, B는 벼농사의 발달로 인구 밀도가 높다. C와 D는 모두 농업에 불리한 환경이라는 점이 인구 밀도에 영향을 주었다.
⑤ C 지역과 D 지역은 경제적으로 낙후된 환경이라는 점이 인구 밀도가 낮아지는 데에 큰 영향을 미쳤다.
➡ C의 경제가 아직 발전 진행 중이라 좋다고 볼 순 없지만 이것 때문에 인구 밀도가 낮다고 말하긴 어렵고 건조 기후의 영향인 것으로 보고 있다. D는 선진국이므로 설명이 적합하지 않다.

07 인구 밀집 지역의 특징
제시된 사진에서 보는 것처럼 방글라데시(가)는 벼농사가 발달했고, 독일(나)은 공업이 발달했다. 방글라데시는 계절풍의 영향을 받는 지역으로 여름철 강수량이 많고 기온이 높아 벼농사에 유리하다. 이러한 점이 인구가 밀집하는 데 영향을 끼쳤다. 한편 독일은 공업 발달이 인구 밀집에 영향을 끼친 지역이다.

08 인구 분포에 영향을 주는 요인
산업화 이후 인구 분포에 영향을 미치는 요인으로 자연환경보다 인문 환경이 중요해지게 되었다. ㄱ, ㄴ은 자연환경에 속하고 ㄷ, ㄹ은 인문 환경에 속한다.

09 서술형 **인구가 밀집하는 이유**
모범 답안 산업이 발달하여 일자리가 풍부하고 높은 소득을 얻을 기회가 많기 때문이다.

채점 기준	배점
제시어를 모두 사용하여 경제 상황이 좋은 곳임을 정확하게 서술함	100%
모든 제시어를 사용하였지만, 일부 서술이 미흡함	50%

10 고난도 **우리나라 인구 분포의 특징**

[자료 분석]
이 지도는 우리나라의 인구 밀도가 어떻게 변화했는지를 보여준다. 산업화가 본격적으로 진행된 1960년대를 기준으로 그 이전의 인구 밀집 지역인 A(군산, 김제)와 그 이후의 인구 밀집 지역인 B(울산)를 비교해 보면 인구 분포에 영향을 주는 요인이 자연적인 것에서 인문적인 것으로 변화했음을 짐작할 수 있다. 산업화 이전에는 농업이 유리한 평야 지역에 인구가 밀집하였으나 산업화 이후 농업 중심에서 공업과 서비스업 중심으로 변하면서 대도시와 공업 도시가 발달하였다.

[선택지 분석]
ㄱ. 두 지역에 인구가 밀집한 이유는 동일하다.
➡ A는 농업에 유리한 자연환경(넓은 평야, 온화한 기후) 때문에 인구가 밀집한 반면, B는 중공업 산업의 중심 지역으로 성장하면서 일자리가 풍부하여 인구가 밀집한 곳이다.
ㄴ. A 지역은 이촌 향도 현상으로 인해 인구가 증가하였다.
➡ A는 농촌 지역으로 이촌 향도 현상에 의해 인구가 감소하였다.
ㄷ. 산업 구조의 변화로 인해 B 지역에 인구가 밀집하게 되었다.
➡ 농업 중심에서 공업과 서비스업 중심으로 산업 구조가 변했기 때문에 B 지역에 인구가 밀집한 것이다.
ㄹ. A 지역 인구의 평균 연령은 지속적으로 높아지는 경향을 보일 것이다.
➡ 인구 감소, 특히 청장년층의 인구가 일자리를 찾아 도시 지역으로 떠나면서 노인 인구의 비율이 증가하여 평균 연령도 지속적으로 높아지게 된다.

11 서술형 **우리나라 인구 분포의 변화**
모범 답안 산업화 이전에는 자연환경이, 산업화 이후에는 인문 환경이 인구 분포에 더 큰 영향을 주고 있다.

채점 기준	배점
모든 제시어를 사용하여 인구 분포에 영향을 주는 요인을 정확하게 서술함	100%
인구 분포 변화에 영향을 주는 요인을 설명하였지만, 제시어를 모두 사용하지 않음	50%

02 인구 이동

127쪽

✔ 간단 체크

❶ 이촌 향도 현상 ❷ 경제적 이동

개념 다지기 1단계

127쪽

01 흡인 02 범위 03 일시적 04 강제적 05 다양성
06 갈등 07 노동력

집중 공략

128쪽

| 인구의 국제 이동 |

01 미국, 일자리를 찾기 위한 경제적 이동 02 경제적 이동
03 문화 갈등, 인종 차별 등 04 높은 임금, 풍부한 일자리, 정치적 안정 등

01 미국으로 이주한 중남미 사람들을 히스패닉이라고 부른다. 보통 일자리, 높은 소득 등을 목적으로 이동한다. 이 중 불법적인 이주도 많아 이로 인한 미국 사회의 갈등이 매우 크다. 하지만 현재 미국 노동 시장에서 히스패닉의 비율이 매우 높아 이들이 없다면 미국 사회가 붕괴될 수도 있다는 말까지 나오면서 이들에 대한 처우 개선 목소리가 한동안 높아지기도 했다.

03 유럽에서는 종교, 언어 등 이주민과 문화적 갈등을 겪고 있으며, 일자리를 둘러싼 갈등도 발생하고 있다.

실력 올리기 2단계

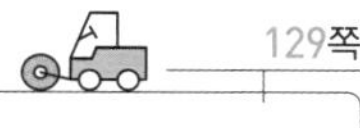

129쪽

01 ③ 02 ② 03 ④ 04 ⑤ 05 ③
06 해설 참조

01 인구 이동의 흡인 요인
ㄱ, ㄷ과 같은 경제적 이유는 물론, ㄴ과 같은 종교적 이유도 흡인 요인이 된다.
오답 분석 ㄹ. 열악한 주거 환경은 배출 요인에 해당한다.

02 인구 이동 유형
유학, 여행, 파견 등의 목적으로 이동하는 것은 일시적 이동에 해당한다.
오답 분석 ① 정치적 이동, ③ 종교적 이동, ④ 일시적 이동, ⑤ 강제적 이동에 해당한다.

03 세계 인구 이동
최근에는 일자리, 높은 소득, 투자 등의 이유로 이동하는 경제적 이동이 많아지고 있다. 기후 변화로 인한 거주지 상실로 이동하는 기후 난민도 증가하고 있다.
오답 분석 ㄱ. 여행, 유학 등의 일시적 이동이 증가하고 있다.
ㄷ. 대부분 개발 도상국에서 선진국으로 이동한다.

04 고난도 **인구의 국제 이동**

[자료 분석]
이 지도는 세계의 경제적, 정치적 이동과 이런 이동으로 인해 형성되는 주요 인구 유입 지역과 유출 지역을 보여 주고 있다. 경제적 이동은 개발 도상국에서 선진국으로 일자리를 찾는 이동이, 정치적 이동은 난민들의 이동이 대부분이다. 따라서 인구 유입 지역은 선진국이며, 인구 유출 지역은 개발 도상국 또는 정치적 불안정이 지속되는 지역들이다.

[선택지 분석]
① 아프리카 대륙에는 정치적으로 불안정한 지역이 비교적 적다.
➡ 정치적 이동이 많은 것으로 보아 이 지역에 전쟁, 분쟁 등이 많다는 것을 짐작할 수 있다.
② 멕시코에서 미국으로의 이동은 대부분 자유를 찾기 위한 정치적 이동이다.
➡ 일자리, 높은 소득 등을 목적으로 한 이동이 대부분이다. 이런 이주자들을 히스패닉이라 부른다.
③ 우리나라로 이주하는 중국인들은 대부분 종교적 자유를 찾기 위해 이동한다.
➡ 주로 우리말을 구사할 수 있는 중국인들이 우리나라로 이주하는데 이들은 대부분 일자리나 출신 지역보다 높은 소득을 목적으로 한 경제적 이동을 한다.
④ 흡인 요인보다 배출 요인이 크게 작용하는 지역은 인구 유입 지역이 될 가능성이 크다.
➡ 인구 유출 지역이 될 가능성이 크다.
✔⑤ 파키스탄 사람들은 종교적인 이유도 함께 고려하여 서남아시아로 경제적 이동을 한다.
➡ 같은 이슬람교를 믿는 국가로 많이 이동한다.

05 인구 이동에 따른 갈등
이슬람교를 믿는 지역의 사람들이 유입되면서 이로 인한 종교 갈등이 발생할 수 있다. 실제로 프랑스에서 이로 인한 갈등이 많이 발생하고 있다.

06 서술형 **인구 이동이 지역에 미치는 영향**
모범 답안 노동력이 부족해지고, 성비 불균형 문제를 겪을 수 있다.

채점 기준	배점
모든 제시어를 사용하여 인구 유출 지역의 문제점을 정확하게 서술함	100%
모든 제시어를 사용하였지만, 문제점을 한 가지만 서술함	70%
제시어를 일부만 사용하였으며, 문제점도 한 가지만 서술함	30%

03 인구 문제

✓ 간단 체크 131쪽

❶ 가족계획 사업 ❷ 출산 장려 정책

개념 다지기 1단계

131쪽

01 정체 및 감소 **02** 부족 **03** 장려 **04** 저출산
05 감소 **06** 실버

집중 공략

132쪽

| 선진국과 개발 도상국의 인구 피라미드 |

01 결혼 연령 상승, 가치관의 변화 등 02 노동력 감소, 노인 문제 등 03 출산 장려 정책, 실버산업 육성 등 04 생활 수준의 향상, 의학 기술의 발달로 출생률 증가 05 급격한 인구 증가로 빈곤, 기아, 실업 등의 문제 발생 06 산아 제한 정책, 인구 부양력 향상을 위한 노력 등

01 선진국의 유소년층 인구 비율이 낮은 것은 저출산 문제 때문이다. 여성의 지위 상승과 사회 활동 증가, 결혼 연령의 상승, 육아 비용 증가, 자녀에 대한 가치관의 변화 등으로 출산을 기피하거나 아이를 적게 낳으려는 경향이 증가하였다.

02 선진국은 인구의 감소와 고령화를 함께 고민해야 한다. 인구 감소로 경제 활동을 할 수 있는 청장년층이 줄어드는 반면, 이들이 부양해야 할 노년층은 증가하게 되어 사회 전체적으로 부양 부담이 증가하게 된다. 증가한 노인들 중에는 부양할 사람이 없거나 가족들과 멀어지게 된 독거노인의 비율도 증가하여 사회 전체적으로 노인 문제가 증가할 가능성이 커진다. 이에 대비하기 위해 노인 복지를 늘리고 노인들이 사회생활을 할 수 있도록 정년 연장, 노인 일자리 마련 등의 노력을 해야한다. 그러나 이를 위한 비용 감당은 청장년층의 경제 활동에 바탕을 두고 있어 결국 청장년층의 부담이 커진다. 근본적인 고령화 문제 해결은 저출산 문제 해결과 함께 해야만 한다.

실력 올리기 2단계

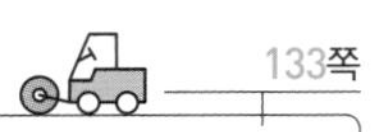

133쪽

01 ⑤ **02** ② **03** 해설 참조 **04** ② **05** ⑤ **06** ②

01 세계의 인구 문제
여성의 사회 진출 증가로 선진국에서는 출생률이 낮아지게 되었다. 즉 세계 전체적인 인구 증가와는 반대 흐름을 보이게 된 것이다.

02 선진국의 인구 문제
선진국은 저출산과 고령화 문제를 겪으면서 노동력 부족 문제에 직면하게 되었다.

03 서술형 **개발 도상국의 인구 문제**
모범 답안 증가한 인구에 비해 인구 부양력이 부족하여 빈곤, 기아, 실업 등의 문제를 겪을 수 있고, 인구가 도시로 집중하면서 각종 도시 문제를 겪을 수 있다.

채점 기준	배점
모든 제시어를 사용하여 개발 도상국의 인구 문제를 정확하게 서술함	100%
모든 제시어를 사용하였지만, 인구 문제 중 일부의 설명이 미흡함	50%

04 고난도 **세계의 인구 문제**

[자료 분석]
보통 1인당 국내 총생산이 많은 지역일수록 기대 수명이 길고 합계 출산율이 낮다. 이는 고령화와 저출산을 겪고 있는 선진국이라는 의미이다. 반면 기대 수명이 짧고 합계 출산율이 높은 국가들은 1인당 국내 총생산이 낮게 나타나는데, 이는 개발 도상국이 인구 증가에 적합한 부양력을 갖지 못해 발생하는 문제를 짐작하게 해준다.

[선택지 분석]
㉠ 핀란드는 적극적인 출산 장려 정책이 필요하다.
➡ 핀란드는 기대 수명이 긴 대신 합계 출산율은 낮다. 이 경우 저출산, 고령화 문제를 겪게 된다.
~~㉡~~ 경제적 상황이 좋은 국가의 합계 출산율이 더 높다.
➡ 경제 상황이 좋을수록 여성의 사회 진출이 많아지고 개인주의가 강해지면서 결혼과 가족에 대한 가치관이 변하여 아이를 많이 낳지 않거나 안 가지려는 성향을 보여 합계 출산율이 낮다.
~~㉢~~ 인구 증가율이 높을수록 기대 수명도 길어진다.
➡ 증가한 인구만큼 영유아 사망률도 높기 때문에 기대 수명이 선진국에 비해 짧게 나타난다.
㉣ 나이지리아는 인구 부양력 향상을 위한 정책이 필요하다.
➡ 나이지리아는 합계 출산율이 높은 나라로 인구가 급격하게 증가하고 있다. 인구 부양력을 향상시켜야 인구 증가에 따른 인구 문제를 막을 수 있다.

05 우리나라 인구 문제의 변화
제시된 표어는 저출산 문제를 해결하기 위한 출산 장려 정책을 나타내고 있다.

06 고령화 문제의 해결 방안
양육비 지급은 저출산 문제를 해결하기 위한 노력이다.

134~137쪽

대단원 완성하기 3단계

01 ④	02 ③	03 ④	04 ③	05 ④	06 ④	07 ②
08 ④	09 ④	10 ⑤	11 ④	12 ⑤	13 ⑤	14 ①
15 ⑤	16 ②	17 ③	18 ②	19 ⑤	20 ①	21 ③

서술형

22 (1) 경제적 이동 (2) [모범 답안] 문화의 다양성이 증가하고, 노동력 부족 문제가 해결되면서 경제가 활기를 찾을 수 있다.

23 (1) ㉠: 고령화, ㉡: 인구 부양력 (2) [모범 답안] 다양한 노인 복지 제도를 마련하고, 정년을 연장한다. 실버산업을 육성시킨다.

01 세계의 인구 분포
위도 20°~40°의 중위도 지역은 사계절이 뚜렷하고, 기온이 적당해 인구가 가장 많이 밀집되어 있다.
오답 분석 ① 육지가 남반구에 비해 많기 때문이다.
② 오세아니아의 인구 밀도가 가장 낮다.
③ 보통 해안 지역이 어업 발달, 교역 유리, 건조하지 않은 기후 등으로 인해 내륙 지역보다 인구가 더 밀집한다.
⑤ 벼농사의 발달을 가장 큰 이유로 여긴다. 산업 혁명은 영국을 시작으로 유럽 지역에서 진행되었다.

02 인구 분포에 영향을 미치는 요인
산업, 종교, 소득, 일자리 등은 인문 환경에, 지형, 기후, 토양 등은 자연환경에 속한다.

03 세계의 인구 분포
내륙, 산지보다 해안, 평야에 인구가 더 밀집하고 있음을 알 수 있다. ④ 지형도 인구 밀집에 큰 영향을 준다.

04 인구 분포에 영향을 미치는 요인
C는 동남아시아 지역으로, 계절풍으로 인해 벼농사가 유리하여 인구가 밀집한 지역이 되었다.
오답 분석 A: 서유럽 지역으로 산업 발달과 온화한 기후가 영향을 주었다.
B: 사하라 사막으로 건조 기후 지역이다.
D: 미국 북동부로 유럽 사람들의 이주가 주로 이루어졌던 지역이라는 역사적 이유와 더불어 산업 발달, 온화한 기후 등이 영향을 주었다.
E: 아마존강 유역으로 덥고 습한 기후, 그리고 이로 인한 밀림 형성 등으로 인해 인구 희박 지역이 되었다.

05 인구 밀집 지역과 인구 희박 지역의 비교
몽골은 방글라데시에 비해 땅은 넓지만 건조 기후 지역으로, 곡물 농업을 하기가 어렵다. 이로 인해 넓은 땅에 비해 인구수가 적어 인구 밀도가 낮게 나타난다.

06 우리나라 인구 분포의 변화
산업화 이후에는 공업과 서비스업 중심의 산업 구조가 형성되면서 자연환경보다 인문 환경에 의해 인구 분포가 달라지고 있다.
오답 분석 ① 산업화 이전에는 농업이 중시되어 넓은 평야와 기후가 온화한 남서부 지역에 인구가 집중한 반면, 산업화 이후에는 대도시와 공업 도시에 인구가 집중하고 있다.
② 이촌 향도 현상은 산업화가 진행된 이후에 심화되었다.
③ 공업과 서비스업이 더 큰 영향을 주고 있다.
⑤ 이촌 향도 현상으로 인구 밀도가 매우 낮아지게 되었다.

07 수도권과 비수도권의 인구 불균형
ㄱ. 수도권은 풍부한 일자리, 편리한 주거 환경 등으로 인해 인구가 밀집해 있고, ㄷ. 과도한 수도권 집중이 늘 문제시되고 있다.
오답 분석 ㄴ. 수도권의 인구는 증가하는 모습을 보이고 있다.
ㄹ. 일자리, 주거 시설 등과 같은 인문 환경을 보완해야 한다.

08 인구 이동의 흡인 요인
흡인 요인은 인구를 끌어들일 수 있는 요인이어야 한다. 높은 주거 비용은 경제적 부담을 주어 인구를 내보내는 요인이 될 수 있다. 실제로 이러한 점 때문에 서울 인구가 주변 지역으로 유출되면서 서울의 인구는 감소하지만 수도권 전체의 인구는 증가하는 특이한 현상이 발생하게 되었다.

09 인구 이동의 유형
과거 중국의 경제적 상황이 좋지 않았을 때는 많은 중국인들이 주변의 동남아시아 지역으로 일자리를 찾거나 사업을 하기 위해 경제적 이동을 하는 경우가 많았다. 이 당시에만 해도 동남아시아의 경제 상황이 중국에 비해 훨씬 나은 상태였기 때문이다. 이들은 동남아시아에서 경제적 성공을 이룬 후 큰 영향력을 행사하는 존재가 되기도 하였다.

10 인구 이동의 유형
난민은 정치적 이동의 대표적인 사례이다. 종교적 이동은 종교의 자유를 찾아 영국에서 미국으로 이주한 청교도들의 사례가 대표적이다.

11 인구 이동의 유형
노예 무역은 대표적인 강제적 이동의 사례이다. 거주지를 옮기지 않고 일정 기간동안 다른 지역을 다녀오는 것을 일시적 이동이라고 하며 여행, 유학, 파견 등이 대표적이다. 일시적 이동은 교통 및 통신의 발달로 최근 증가하고 있다.

12 미국으로의 인구 이동
대부분 경제적 이동에 해당한다. 특히 멕시코를 비롯한 중남미계 이주자들이 많은데, 이들을 히스패닉이라 부른다. 일자리와 높은 소득을 목적으로 이동한 경우가 많다.

13 인구 유입 지역과 인구 유출 지역
ㄷ.북아프리카에서는 일자리를 찾아 유럽으로 떠나는 사람들이 많다. ㄹ. 국제적 인구 이동이 많아지면서 다문화 사회가 되는 곳들이 급격히 증가하고 있다.
오답 분석 ㄱ. 흡인 요인보다 배출 요인이 강하기 때문에 유출 초과 국가가 된 것이다. 이런 국가들은 대체로 경제적 상황이 안 좋고 정치적으로 매우 불안정한 모습을 보인다.
ㄴ. 유입 초과 국가들은 대부분 선진국인 반면, 유출 초과 국가들은 개발 도상국인 경우가 많다.

14 인구 이동이 국가에 미치는 영향
유입 초과 국가는 인구의 유입으로 인해 노동력이 증가하고 문화가 다양해지는 반면, 문화적 갈등과 일자리 경쟁이 심화되는 상황에 놓일 수 있다. 유출 초과 국가는 노동력 감소로 실업률이 낮아지게 되지만, 특정 성별 인구의 유출 심화로 심각한 성비 불균형을 겪을 수 있다.

15 우리나라의 인구 이동
설명에 해당하는 이동을 역도시화 현상(U턴 현상)이라고 한다. 대도시의 높은 집값과 생활비, 열악해진 거주 환경, 교통 체증 등으로 인해 이곳을 떠나 주변의 중소 도시나 자신이 과거 살았던 농촌 지역 등으로 이동하는 현상을 말한다. 이런 현상은 1990년대 이후부터 나타나기 시작하였다.

16 우리나라의 인구 이동
(가)는 1960년대 이촌 향도 현상, (나)는 일제 강점기, (다)는 역도시화 현상이 나타나는 1990년대 이후의 모습이다. 순서대로 나열할 경우 (나) – (가) – (다)가 된다.

17 세계의 인구 변화
선진국의 인구 증가가 정체 수준으로 완만해지는 반면, 개발 도상국은 급격한 인구 증가를 보이면서 전 세계 인구 증가에서 선진국이 차지하는 비율이 줄어들고 있다.

18 개발 도상국의 인구 문제
ㄱ. 개발 도상국의 도시는 인구의 급격한 증가로 주택 부족 문제를 겪고 있다. ㄷ. 인구가 급증하는 반면 이를 부양할 능력이 따르지 못하면서 빈곤, 기아, 실업 등의 문제를 겪고 있다. ㄴ과 ㄹ은 선진국의 인구 문제이다.

19 선진국의 인구 문제
외국인 이주자를 통해 노동력 부족을 해결하려는 것은 저출산·고령화 현상이 심화되면서 노동 가능 인구가 줄어든 결과이지 원인은 아니다.

20 중국 인구 정책의 변화
ㄱ. 남아 선호 사상이 강한 중국에서 한 자녀 갖기 정책은 남자 아이 하나만 가지려고 하는 부작용을 낳았다. ㄴ. 출생률 감소로 노년층 인구의 비율이 급격히 높아지고 있다.

21 저출산 문제의 대책
실버산업 육성은 고령화 문제에 대한 대책이다.

22 서술형 인구 이동이 지역에 미치는 영향
인구가 유입되는 지역은 노동력의 증가로 경제가 활성화되고, 문화의 다양성이 증가하는 등의 긍정적 영향을 기대할 수 있다.

채점 기준	배점
제시어를 모두 사용하여, 두 가지 변화를 정확하게 서술함	100%
모든 제시어를 사용하였지만, 한 가지 변화만 정확하게 서술함	50%

23 서술형 인구 문제의 해결 방안
고령화 문제에 대한 대책으로 노인 복지 제도 마련, 정년 연장, 실버산업 육성 등이 있다.

채점 기준	배점
고령화 문제에 대한 대책 두 가지를 정확하게 서술함	100%
고령화 문제에 대한 대책을 한 가지만 서술함	50%

Ⅷ 사람이 만든 삶터, 도시

01/02 세계의 매력적인 도시 ~ 도시 내부의 다양한 경관

✓ 간단 체크 140~141쪽
❶ 랜드마크 ❷ 도심 ❸ 지가, 접근성, 주간 인구 밀도 ❹ ㉣

개념 다지기 1단계 141쪽
01 높고 02 고산 도시 03 인구 공동화 현상
04 개발 제한 구역

집중 공략 142쪽
| 도시 내부의 기능 지역 분화 |
01 도심 02 부도심 03 인구 공동화 현상 04 (1) (나) (2) (가) (3) (다) (4) (라)

실력 올리기 2단계  143~145쪽
01 ④ 02 ③ 03 ④ 04 ① 05 ③ 06 ① 07 해설 참조 08 ④ 09 ① 10 ⑤ 11 ① 12 ① 13 ⑤ 14 ① 15 ④ 16 ⑤ 17 ① 18 해설 참조

01 도시의 특성
도시는 2, 3차 산업이 발달하여 노년층보다는 청장년층의 인구 비중이 높다.

02 세계 도시
쿠리치바는 환경 오염을 극복하고 친환경 도시로 탈바꿈한 대표적인 생태 도시이다.

03 세계의 생태 환경 도시
브라질의 쿠리치바, 일본의 고베, 독일의 프라이부르크 등은 생태 환경을 잘 가꾸고 있는 도시로 유명하다.

04 세계의 랜드마크
제시된 스카이라인은 에펠탑의 실루엣이 보이는 것으로 보아 프랑스 파리이다.
오답 분석 B는 이집트 카이로, C는 싱가포르, D는 일본 도쿄, E는 미국 뉴욕이다.

05 세계의 랜드마크
제시된 설명은 동남아시아의 물류 중심지인 싱가포르에 대한 것이다.

06 세계 도시의 특징

세계 도시는 세계 경제, 문화, 정치의 중심지로 세계적 영향력을 가진 금융 기관, 다국적 기업의 본사, 각종 국제기구의 활동이 활발히 이루어지는 도시이다.

오답 분석 ㄷ. 뉴욕은 역사 유적보다는 현대적인 시설이나 공연 등으로 인한 관광객이 많다.

ㄹ. 자연환경으로 이름난 휴양 도시로는 인도네시아의 발리, 멕시코의 칸쿤 등이 있다.

07 도시의 특징

모범 답안 도시는 많은 인구가 거주하여 인구 밀도가 높고, 토지 이용이 집약적으로 이루어지며, 상업·업무 기능이 발달하여 중심지를 형성한다.

채점 기준	배점
제시어를 모두 사용하여 도시의 특징을 구체적이고 정확하게 서술함	100%
제시어를 모두 사용하여 도시의 특징을 서술하였지만, 일부 내용을 맞지 않게 서술함	70%
제시어 중 일부를 사용하지 않았으며, 한 가지 특징만 서술함	30%

08 도시 내부의 지역 분화

도시 규모가 작을 때는 상업, 주거, 업무 기능이 도시 중심에 섞여 있다. 산업 발달로 도시 인구가 증가하면 접근성과 지가의 영향으로 도시 내에서 이심 현상과 집심 현상이 나타나 지역 분화가 이루어진다.

오답 분석 ㄴ. 도심에 대한 설명이다.

09 도심의 특징

도심은 대체로 도시의 중심부에 위치하며 교통이 편리하기 때문에 접근성과 지가가 가장 높아 고층 빌딩이 많이 분포한다. 따라서 높은 지대를 감당할 수 있는 상업·업무 기능이 강하게 나타나며 중심 업무 지구(CBD)를 형성한다.

오답 분석 ②, ④ 주변 지역, ③ 위성 도시에 대한 설명이다.
⑤ 도시가 커지면 도심이나 부도심의 상업·업무 기능이 확대된다.

10 도시 내부의 지역 분화

도시 내의 지역 분화가 일어나는 이유는 접근성과 지가때문이다. 지가가 높은 중심부는 높은 수익을 낼 수 있는 고급 상점이나 기업의 본사 등이 입지하고, 넓은 부지를 필요로 하거나 높은 지가를 감당할 수 없는 주거 및 공업 기능은 도시 외곽으로 이전한다.

11 도시의 내부 구조

도심은 대체로 도시의 중심에 위치한다. 부도심은 여러 개가 존재하며, 위성 도시는 대도시 주변에 입지한다.

12 도심 경관의 특징

A는 도심이다. 도심은 지대가 높아 토지를 집약적으로 이용한 결과 고층 빌딩이 많이 분포한다.

오답 분석 ②·④·⑤는 주변 지역의 주택가, ③은 개발 제한 구역의 경관이다.

13 개발 제한 구역의 특징

개발 제한 구역(greenbelt)은 도시 내의 녹지 보호와 도시의 무질서한 팽창을 막기 위해 설정한다.

14 도시 내부 구조와 기능

도시에 입지하는 각각의 기능은 도시가 점점 커지면서 유사한 기능들끼리는 모이고, 서로 다른 기능들끼리는 밀어내는 과정을 겪는다. 이러한 과정을 거쳐 성격이 다른 여러 종류의 기능 지역, 즉 도심·부도심·주변 지역 등으로 구분된다. 도심(가)은 도시 내에서 접근성이 가장 높고 땅값 또한 비싸기 때문에 중심 업무 기능이 주로 입지한다. 부도심은(나) 도심의 기능을 분담해 주는 곳으로 상업 기능이 주로 입지한다. 도심에서 떨어진 주변 지역(다)은 저렴한 지가를 이용하여 주택 단지, 공장, 학교 등이 입지한다.

15 고난도 인구 공동화 현상

[자료 분석]

도심에서 나타나는 인구 공동화 현상에 대한 문제이다. 인구 공동화 현상은 도심의 상주 인구 감소가 원인이다. 주간 인구가 도심(A)에서 가장 많고, 주변으로 갈수록 적어지는 데 비해 야간 인구가 도심에서 적고, 주변 지역(B)에 많은 것은 주변 지역에 거주하는 사람들이 업무·상업 기능이 강한 도심으로 출근하거나 쇼핑 등을 위해 낮에 방문하였다가 밤에 집으로 돌아가기 때문이다.

[선택지 분석]

ㄱ A 지역은 야간에 인구 공동화 현상이 나타난다.
➡ 도심 지역은 주간에 몰려 있던 인구가 빠져 나가면서 인구 공동화 현상이 나타난다.

ㄴ A 지역은 출퇴근 시간대에 교통 체증이 심하다.
➡ 도심은 업무·상업 기능이 강한 지역으로 출퇴근 시간대에는 교통 체증이 심각하다.

ㄷ B 지역은 고층 빌딩이 밀집되어 있다.
➡ 주변 지역은 주거 기능이 강하여 주로 주택 단지가 밀집해 있다. 고층 빌딩은 도심 지역에 밀집해 있다.

ㄹ B 지역은 A 지역에 비해 주거 기능이 뚜렷하다.
➡ 도심 지역은 지가 상승으로 업무·상업 기능이 뚜렷한 반면, 주변 지역은 주거 기능이 뚜렷하다.

16 도심과 주변 지역의 특징

지도의 (가)는 주변 지역인 도봉구이고, (나)는 도심인 중구이다.

오답 분석 ① (나)에 대한 설명이다.
②, ③ 주변 지역인 (가)에 해당한다.
④ 건물의 평균 높이는 도심인 (나)가 더 높다.

17 도시의 지역 분화

(가)는 도심으로 백화점, 기업의 본사 등이 입지한다.

18 서술형 도시의 지역 분화

모범 답안 도심은 접근성이 좋기 때문에 땅값이 비싸 고층 건물이 밀집되어 있다. 또한 상업·업무 기능이 집중되어 중심 업무 지구를 이룬다.

채점 기준	배점
제시어를 모두 사용하여 도심의 특징을 구체적이고 정확하게 서술함	100%
모든 제시어를 사용하였지만, 특징에 대한 서술이 일부 미흡함	70%
일부 제시어를 사용하지 않았으며, 한 가지 특징만 서술함	30%

03/04 선진국과 개발 도상국의 도시화 ~ 살기 좋은 도시

✓ 간단 체크 146~147쪽

❶ 북아메리카 ❷ 개발 도상국 ❸ 밴쿠버 ❹ 멜버른

개념 다지기 1단계 147쪽

01 도시화 **02** 가속화 단계 **03** 종착 단계 **04** 재활용 정책 **05** 그라츠 **06** 도시 재생 사업

집중 공략 148쪽

| 선진국과 개발 도상국의 도시화 |

01 선진국 02 개발 도상국 03 이촌 향도 현상 04 역도시화 05 북아메리카 06 아프리카 07 중국 08 종착 단계

실력 올리기 2단계 149쪽

01 ④ 02 ④ 03 해설 참조 04 ① 05 ④ 06 ②

01 도시화의 단계

도시화 곡선은 도시화 과정을 나타낸 곡선으로 A는 초기 단계, B는 가속화 단계, C는 종착 단계에 해당한다. 초기 단계는 농업 중심 사회, 가속화 단계는 산업화 사회이며, 종착 단계는 선진국에 해당하는 단계이다.

오답 분석 ① 가속화 단계(B)에 대한 설명이다.
②, ③ 초기 단계(A)에 대한 설명이다.
⑤ 경제 수준은 C-B-A 순으로 높게 나타난다.

02 선진국과 개발 도상국의 도시화 과정

A는 선진국, B는 개발 도상국의 도시화 곡선이다. 선진국은 산업 혁명 이후 오랜 기간 동안 서서히 도시화가 진행된 데 비해 개발 도상국은 제2차 세계 대전(20세기 중반)에 도시화가 시작되어 빠른 속도로 진행되고 있다.

03 서술형 선진국과 개발 도상국의 도시화 특징

모범 답안 선진국은 산업 혁명 이후 천천히 도시화가 이루어진 데 비해 개발 도상국은 제2차 세계 대전 이후에 도시화가 급속히 진행되었다.

채점 기준	배점
제시어를 모두 사용하여 선진국과 개발 도상국 도시화의 특징을 정확하게 서술함	100%
모든 제시어를 사용하였지만, 두 가지 중 한 가지 내용을 맞지 않게 서술함	70%
일부 제시어를 사용하지 않았으며, 한 가지 특징만 서술함	30%

04 도시 문제

도시 문제는 좁은 지역에 너무 많은 사람들이 거주하면서 발생한다. 도시 시설이 인구를 수용할 수 있는 한계를 넘어선 인구 증가는 도시 기반 시설 부족, 환경 오염, 교통 혼잡 등의 문제를 발생시킨다.

05 도시 문제의 해결 방안

제시된 글에서는 실업, 주택 문제가 나타나고 있다.

오답 분석 ㄱ은 도시의 환경 문제를 해결하는 방안, ㄷ은 교통 문제를 해결하는 방안이다.

06 살기 좋은 도시를 만들기 위한 노력

오스트리아의 그라츠는 무어강 동서 지역의 빈부 격차를 해소하기 위해 다리를 건설하고 강에 인공 섬을 만들어 주민들이 소통할 수 있는 장소를 만들었다. 에스파냐의 빌바오는 제철 공업 쇠퇴로 인한 지역 침체를 문화와 예술을 활용한 관광 산업 육성으로 극복한 도시이다.

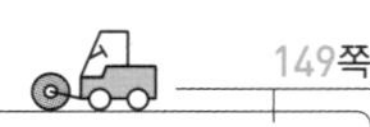

대단원 완성하기 3단계 150~153쪽

01 ② 02 ① 03 ② 04 ④ 05 ① 06 ① 07 ④
08 ① 09 ⑤ 10 ③ 11 ③ 12 ① 13 ③ 14 ②
15 ③ 16 ② 17 ① 18 ② 19 ④ 20 ⑤

서술형

21 (1) 인구 공동화 현상 (2) [모범 답안] 도심은 접근성과 지가가 높고, 고층 빌딩이 많으며, 업무·상업 기능이 집중되어 중심 업무 지구가 형성된다.

22 [모범 답안] A 단계(가속화 단계)에서는 촌락에서 도시로 인구가 이동하는 이촌 향도 현상이 뚜렷하고, B 단계(종착 단계)에서는 과밀한 도시를 떠나 촌락으로 이동하는 역도시화 현상이 나타나기도 한다.

01 도시의 토지 이용

도시는 좁은 지역에 많은 인구가 거주하기 때문에 한정된 공간을 효율적으로 이용하기 위해 토지 이용이 집약적이다.

02 바르셀로나의 랜드마크

사그라다 파밀리아 성당과 구엘 공원은 건축가 가우디의 대표작으로 에스파냐 바르셀로나의 랜드마크이기도 하다. 지도의 A는 바르셀로나, B는 이스탄불, C는 도쿄, D는 로스엔젤레스, E는 상파울루이다.

03 이스탄불의 특징

유럽과 아시아에 걸쳐 있는 터키의 이스탄불은 동서양의 역사·종교·문화 등이 어우러져 독특한 경관이 나타난다.

04 고산 도시 키토의 특징

높은 산지는 농업이나 교류에도 불리하기 때문에 인구가 희박하나 열대 지방의 고산 지대는 해발 고도가 높아짐에 따라 기온이 낮아져 연중 봄과 같은 온화한 기후가 나타나 일찍부터 사람들이 모여 살았다. 대표적인 지역은 안데스 산지의 잉카 문명 발생 지역이다.

05 세계의 생태 도시
제시된 도시들은 자연과 인간이 공존하는 방법을 찾기 위해 친환경 에너지 사용 확대, 자전거 타기 장려 등 다양한 정책에 성공한 생태 도시이다.

06 세계 도시의 경관 특징
(가)는 오로라를 볼 수 있는 극지방, (나)는 피라미드와 스핑크스로 유명한 이집트의 카이로(B)이다. 오로라를 활용하여 관광 산업을 발달시킨 대표 도시는 아이슬란드의 레이캬비크(A)와 캐나다의 옐로나이프이다.
오답 분석 C는 싱가포르, D는 미국 뉴욕, E는 페루 쿠스코이다.

07 두바이의 도시 경관
스카이라인에서 왼쪽에 따로 떨어져 있는 건축물은 두바이의 랜드마크 중 하나인 버즈 알 아랍 호텔이다.

08 도시의 지역별 지가
그래프의 A는 도심, B는 중간 지역, C는 부도심, D는 주변 지역이다.
오답 분석 ㄷ. C(부도심)는 도심의 상업·업무 기능을 분담한다.
ㄹ. D(주변 지역)는 학교나 공장, 주거 기능이 주로 분포한다.

09 주변 지역의 특징
사진은 대규모 아파트 단지이므로 주변 지역의 경관을 찍은 것이다.
오답 분석 ① 부도심에 해당한다.
②, ③ 도심에 대한 설명이다.
④ 개발 제한 구역에 대한 설명이다.

10 도시의 내부 구조
(가)는 도심에서 주변 지역으로 이동하는 것이므로 (가) 방향으로 이동하면서 접근성, 지가, 상가 건물의 평균 높이, 주간 인구 수 등이 낮아진다.
오답 분석 ㄹ. 야간에는 주거 지역이 분포하는 주변 지역의 인구 밀도가 더 높다.

11 도시의 내부 구조
도심에서 주변 지역으로 갈수록 지가가 낮아지기 때문에 넓은 부지를 필요로 하는 주택, 공장, 학교 등이 분포한다.
오답 분석 ③ 고급 상가는 유동 인구가 많은 도심에 주로 분포한다.

12 도심과 주변 지역의 특징
(가)는 역 주변에 빌딩과 은행, 서울 시청이 입지해 있는 것으로 보아 도심이고, (나)는 역 주변에 아파트, 학교 등이 많이 분포하는 것으로 보아 주변 지역이다.
오답 분석 ㄷ. (가) 도심이 업무·상업 기능이 강하다.
ㄹ. 직장이 모여 있는 도심에서 먼 (나) 지역에 사는 사람들의 통근 거리가 더 멀다.

13 도시의 내부 구조
중간 지역은 도시화 초기에 도시 중심부에 혼재되어 있었던 업무 기능과 공장, 주택이 도시가 성장한 후에도 남아 있는 곳으로 도심(A)과 주변 지역(C) 사이에 나타난다.
오답 분석 ③ C는 주거 지역이 주로 분포하는 주변 지역이다.

14 도시화의 특징
도시화의 가장 큰 원인은 산업화로 인한 도시로의 인구 집중이다. 좀 더 나은 일자리를 찾아 촌락에서 도시로 인구가 이동하는 것을 이촌 향도라고 한다.

15 도시화의 단계
A 단계는 농업 중심 사회로 도시화율이 낮고 대부분의 인구가 촌락에 거주하는 시기이고, B 단계는 산업화의 진행으로 이촌 향도 현상이 뚜렷한 시기, C 단계는 대부분의 인구가 도시에 거주하며 역도시화 현상이 나타나기도 하는 시기이다.
오답 분석 ㄱ, ㄹ은 가속화(B) 단계에 해당하는 설명이다.

16 국가별 도시화율의 변화
(가)는 도시화율이 높은 선진국이고, (나)는 급속하게 도시화가 진행되고 있는 지역으로 개발 도상국에 해당하며, (다)는 여전히 많은 인구가 촌락에 거주하는 농업 중심의 사회의 도시화 곡선이다.
오답 분석 A는 영국, B는 니제르, C는 중국이다.

17 역도시화 현상
제시된 그림은 도시를 떠나 촌락으로 인구가 이동하는 역도시화 현상으로 대체로 도시화율이 높은 선진국에서 나타난다.
오답 분석 ㄷ, ㄹ은 산업이 발달하지 않은 상태에서 도시로 인구가 집중하여 실업과 도시 기반 시설 부족 문제가 심각한 개발 도상국의 도시 문제이다.

18 도시 문제의 해결
제시된 글에서는 선진국과 개발 도상국의 도시에서 나타나는 불량 주택 지구에 대한 것이다. 열악한 주거 환경을 개선하기 위해서는 신도시를 건설하여 인구를 분산하거나 도시 재개발 사업을 통해 도심 주변의 낡은 주택 지구를 개발하여야 한다.

19 살기 좋은 도시
제시된 도시들은 녹지가 많아 환경이 깨끗하며, 문화 및 의료 시설 등 각종 도시 기반 시설이 잘 갖추어져 살기 좋은 도시로 손꼽히는 곳이다.

20 인도 벵갈루루의 도시 특성
벵갈루루는 인도 남서부의 휴양 도시로, 과거에 일자리 부족과 빈곤 문제가 심각하였다. 그러나 1980년대 중반 인도 정부는 소프트웨어 산업 육성 정책을 시행하여 글로벌 기업을 유치하고 정보 통신 산업 인재 양성을 위해 노력하였다. 그 결과 벵갈루루는 인도는 물론 세계 정보 통신 산업의 중심 도시가 되었다.

21 서술형 **인구 공동화 현상**

도시는 성장 과정에서 접근성과 지가의 차이에 의해 기능에 따라 분화된다. 도심은 도시의 중심으로 접근성과 지가가 가장 높으며, 고층 빌딩이 많고, 업무·상업 기능이 집중되는 지역이다.

채점 기준	배점
제시어를 모두 사용하여 도심의 특징을 정확하게 서술함	100%
제시어를 모두 사용하였지만, 도심의 특징에 대한 설명 일부가 미흡함	70%
제시어 중 일부를 사용하지 않았으며, 한 가지 특징만 서술함	30%

23 서술형 **도시화 단계**

도시화의 과정은 초기 단계 – 가속화 단계 – 종착 단계로 나눌 수 있다. 초기 단계에서는 도시화의 속도가 느리다가 가속화 단계에서는 진행 속도가 빨라져 도시 인구가 급증한다. 종착 단계에서는 도시화의 속도가 느려지고, 역도시화 현상이 나타나기도 한다.

채점 기준	배점
A, B 단계의 명칭과 각각의 단계에서 나타나는 인구 현상을 정확하게 서술함	100%
A, B 단계의 명칭을 제시하였지만, 각각의 단계에서 나타나는 인구 현상 중 일부를 미흡하게 서술함	70%
A, B 단계의 명칭을 제시하지 못하고, 두 가지 단계 중 한 가지 단계에 대한 내용만 서술함	30%

IX 글로벌 경제 활동과 지역 변화

01 농업의 세계화와 지역의 변화

✔ 간단 체크 156~157쪽

❶ 농업의 세계화 ❷ 플랜테이션 ❸ 감소한다. ❹ 쌀

개념 다지기 1단계 157쪽

01 세계화 **02** 플랜테이션 **03** 기업화 **04** 기업농
05 로컬 푸드 운동 **06** 자급률

집중 공략 158쪽

| 농업 생산의 세계화와 기업화의 영향 |

01 자영농이 감소하고 기업농이 증가했다.
02 지역 경제 활성화, 일자리 제공 등
03 팜유 생산을 위한 경작지
04 식량 확보에 어려움이 발생할 수 있다.

01 팜유의 세계적인 수요 증가로 인도네시아는 대규모로 팜유를 생산하고 있다. 이 과정에서 기존 자영농 중심의 소규모 농업에서 기업농 중심의 대규모 농업으로 농업 방식이 변화하였다.

02 인도네시아는 세계 1위의 팜유 생산국으로 팜유 생산이 국가 경제에 중요한 부분을 차지한다. 세계적 농업 기업들이 인도네시아에 투자를 시작하면서 팜유는 인도네시아의 경제 성장을 이끌고 있다.

03 인도네시아는 팜유 생산을 위한 경작지 확보를 위해 열대 우림에 불을 질렀고 이 과정에서 다량의 이산화 탄소와 수질 및 토양 오염이 발생하였다.

04 인도네시아 전체 농지의 약 40%가 팜유 생산을 위한 경작지로 이용되고 있다. 팜유의 수출을 통해 벌어들인 수익으로 식량을 구입한다고 생각하면 팜유의 가격이 하락하고 세계 곡물 가격이 상승하는 경우 식량을 확보하는 데 어려움이 발생할 수 있다.

실력 올리기 2단계 159쪽

01 ④ **02** ④ **03** 해설 참조 **04** ④ **05** ① **06** 해설 참조

01 농업의 세계화

정보 통신을 활용한 최첨단 농업은 자본과 기술을 투입하여 효율적으로 농업을 경영하기 위한 것으로 농업의 기업화 현상과 관련된다.

02 고난도 농업의 세계화와 푸드 마일

[자료 분석]
지도는 세계 농산물의 생산지와 소비지인 영국까지의 푸드 마일을 나타내고 있다. 세계 시장을 대상으로 판매를 목적으로 하는 상업적 농업이 발달하면서 일상생활에서 소비하는 먹거리가 변화하였다. 이처럼 우리가 먹는 음식이 세계 각지에서 재배되어 유통되는 것을 농업의 세계화라고 한다. 따라서 이 자료는 농업의 세계화와 관련된다.

[선택지 분석]
ㄱ 교통과 통신의 발달
➡ 교통과 통신의 발달로 농업의 세계화가 진전되었다.
ㄴ 다국적 농업 기업의 등장
➡ 다국적 농업 기업은 세계 각지를 무대로 농업의 생산, 유통, 판매를 담당한다.
~~ㄷ~~ 기후 변화로 인한 농업 생산력 감소
➡ 농업 생산력이 감소하게 되면 지역의 자급을 위해 농산물이 소비될 것이므로 농산물의 이동이 감소한다.
ㄹ 세계 무역 기구(WTO) 출범 및 자유 무역 협정(FTA) 체결
➡ 무역 장벽이 사라지면서 농산물의 수출입이 자유로워진다.

03 서술형 상업적 농업의 특성
모범 답안 상업적 농업은 자급적 농업보다 자본과 기술의 투입 비중이 높으며 농업의 경영 규모가 크다.

채점 기준	배점
제시어를 모두 사용하여 상업적 농업의 특성을 정확하게 서술함	100%
모든 제시어를 사용하였지만, 자본과 기술의 투입 비중과 농경의 경영 규모 중 한 가지 내용만 바르게 서술함	70%
제시어를 일부 사용하지 않았으며, 한 가지 특성만 서술함	30%

04 농업의 세계화와 생산 지역의 변화
농업의 세계화는 생산 지역 농업의 기업화를 가져오게 되고, 이윤을 극대화하기 위해 특정한 단일 작물을 재배 하는 비중이 높아지게 되므로 재배되는 작물의 다양성은 감소한다.

05 전통적 농업과 상업적 농업의 특성
자급적 농업은 가족 노동력을 활용하는 소규모의 농업이며, 상업적 농업은 판매를 목적으로 상품 작물을 재배하는 농업이다. 플랜테이션 농업은 주로 열대 기후 지역의 아시아, 아프리카와 같은 개발 도상국에서 이루어진다.

06 서술형 농업의 세계화와 생산 지역의 변화
모범 답안 식량 자급률이 낮아져 안정적인 식량 확보에 어려움을 겪을 것이다.

채점 기준	배점
제시어를 모두 사용하여 필리핀이 겪을 수 있는 문제점을 서술함	100%
제시어를 모두 사용하였으나 식량 자급률과 식량 확보 중 한 가지 내용만 바르게 서술함	70%
제시어를 일부 사용하지 않았으며, 한 가지 문제만 서술함	30%

02 다국적 기업과 생산 지역의 변화

✓ 간단 체크 160~161쪽
❶ 다국적 기업 ❷ 공간적 분업 ❸ 산업 공동화 ❹ 북아메리카 자유 무역 협정(NAFTA)

개념 다지기 1단계 161쪽

01 다국적 기업 **02** 공간적 분업 **03** 개발 도상국 **04** 무역 장벽 **05** 일자리 증가 **06** 침체

집중 공략 A 162쪽

| 다국적 기업의 성장 과정과 공간적 분업 |
01 (1) (나) → (라) → (다) → (가) (2) (라) 02 중국, 멕시코, 브라질 등 03 영국, 독일, 미국 등 04 무역 장벽을 피하고 판매 시장을 확대하기 위해서

01 다국적 기업의 성장 과정은 국내 대도시에 본사와 공장 설립 → 국내 지방 도시에 영업 지점과 생산 공장 확충 → 해외 대도시에 지사 및 영업 지점 설치 → 해외 지방 도시에 생산 공장 건설 순이다.

02 다국적 기업의 생산 공장은 지가가 낮고 저렴한 노동력이 풍부한 개발 도상국에 주로 위치한다.

03 다국적 기업의 연구소는 기업의 핵심 기술과 디자인 등을 개발하는 기능을 담당하며 고급 기술 인력의 확보가 쉬운 선진국에 주로 위치한다.

04 무역 장벽은 수입되는 제품에 관세를 매기거나 수입되는 양을 제한하는 등의 조치다. 선진국에 공장을 세우면 제품에 대한 관세를 피할 수 있고, 판매량의 제한을 받지 않기 때문에 더 많은 물건을 판매할 수 있다.

집중 공략 B 163쪽

| 다국적 기업의 생산 활동과 영향 |
01 저렴한 노동력을 구하기 위해서 02 산업 공동화 03 실업률이 증가하고 인구는 감소한다. 04 베트남 05 베트남이 중국에 비해 인건비가 저렴하기 때문이다. 06 일자리 증가, 관련 산업 발달, 경제 활성화 등

02 공장의 이전에 따른 산업 공동화는 선진국뿐만 아니라 개발 도상국에서도 나타날 수 있는 문제이다.

05 다국적 기업의 생산 공장이 중국에서 베트남으로 이동하고 있다. 중국의 인건비가 상승하여 상대적으로 베트남의 인건비가 저렴하기 때문이다.

실력 올리기 2단계

164~165쪽

01 ③ 02 ② 03 ③ 04 ④ 05 ① 06 해설 참조
07 ④ 08 ⑤ 09 해설 참조 10 ① 11 해설 참조

01 다국적 기업
최근 다국적 기업은 공산품의 생산 및 판매뿐만 아니라 농산물 및 서비스 상품에 이르기까지 그 역할과 범위를 확대하고 있다.

02 다국적 기업의 영향
세계 각지에서 제품을 생산, 판매하는 다국적 기업의 성장으로 제품을 생산하는 지역과 제품이 판매되는 지역의 범위는 확대된다.
오답 분석 ① 교역의 증가로 국가 간 교역을 둘러싼 갈등이 더 빈번해진다.
③ 이익 추구를 위한 기업 간 경쟁이 증가한다.
④ 재화, 서비스, 자본 등의 이동량이 증가한다.
⑤ 한 국가가 다른 국가에 미치는 영향이 커진다.

03 다국적 기업의 성장 과정
국내 기업이 성장하면서 해외로 진출하여 다국적 기업이 되는 과정은 다음과 같다. 먼저 국내 대도시에 본사와 공장을 세운 후, 지방 도시에 생산 공장을 세우며 공간적 분업을 시작한다. 이후 해외에 지사 및 영업 지점을 설치하여 제품을 해외에서 판매하고 마지막으로 생산 공장을 해외에 건설한다.

04 고난도 다국적 기업의 공간적 분업

[자료 분석]
지도는 우리나라에 본사가 위치한 다국적 기업으로 A는 본사, B는 연구소, C는 생산 공장이다. 본사는 기업을 경영하고 관리하는 기능을 담당하며, 연구소는 기업의 핵심 기술과 디자인을 개발한다. 생산 공장은 인건비가 저렴한 개발 도상국에 위치하며 제품을 생산한다.

[선택지 분석]
① A는 핵심 기술과 디자인을 개발한다.
➡ 핵심 기술과 디자인은 연구소에서 개발한다.
② B는 기업의 경영 및 관리 기능을 담당한다.
➡ 기업의 경영 및 관리는 본사에서 담당한다.
③ C는 고급 기술 인력의 확보가 중요하다.
➡ 생산 공장은 저렴한 노동력 확보가 중요하다.
✔ A는 C에 비해 기업 경영에 대한 권한이 크다.
⑤ B는 C에 비해 근로자 1인당 평균 임금이 적다.
➡ 연구소 근로자는 전문 기술 인력이므로 생산 공장에 비해 근로자 1인당 평균 임금이 많다.

05 다국적 기업의 입지 조건
다국적 기업의 본사는 정보 수집, 자본 확보가 중요하며 연구소는 우수한 교육 시설, 전문 기술 인력 확보가 중요하다.

06 서술형 다국적 기업 생산 공장의 선진국 입지
모범 답안 무역 장벽을 피하고 새로운 판매 시장 개척을 위하여 생산 공장이 선진국에 위치한다.

채점 기준	배점
모든 제시어를 이용하여 생산 공장이 선진국에 위치한 이유를 정확하게 서술함	100%
모든 제시어를 사용하였지만, 무역 장벽과 판매 시장 중 한 가지 내용을 틀리게 서술함	70%
제시어를 일부 사용하지 않았으며, 한 가지 이유만 서술함	30%

07 다국적 기업의 생산 공장 이전
다국적 기업이 기존의 생산 공장을 폐쇄하고 다른 지역에 생산 공장을 설립하는 경우 다국적 기업이 철수하는 지역은 산업 공동화 현상에 따른 문제점이 나타난다.

08 다국적 기업의 생산 공장 이전과 지역 변화
연구소, 생산 공장, 판매 지사 등은 세계 각지로 새롭게 진출할 수 있으나 본사는 이전되지 않는다.

09 서술형 다국적 기업의 생산 공장 이전과 지역 변화
모범 답안 생산 공장이 유출된 지역은 산업 공동화로 지역 경제가 침체되며, 생산 공장이 유입된 지역은 일자리가 확대되어 지역 경제가 활성화된다.

채점 기준	배점
모든 제시어를 이용하여 생산 공장이 유출된 지역과 유입된 지역의 변화를 잘 서술함	100%
모든 제시어를 사용하였지만, 생산 공장이 유출된 지역과 유입된 지역의 변화를 일부 틀리게 서술함	70%
제시어를 일부 사용하지 않았으며, 한 가지 변화만 서술함	30%

10 고난도 다국적 기업의 생산 공장 이전

[자료 분석]
지도는 미국을 본사로 하는 다국적 기업의 생산 공장 이전 과정을 나타낸 것이다. 생산 공장은 일본 → 우리나라, 타이완 → 중국 → 동남아시아로 이동하고 있는데 이는 생산비 중 인건비를 절약하기 위한 것이다.

[선택지 분석]
✔ 1960년대에 다국적 기업으로 성장했다.
➡ 1960년대에 일본에 생산 공장이 만들어졌다.
② 생산 공장의 이전은 판매 시장 확보 때문이다.
➡ 생산 공장 이전은 인건비 절감 때문이다.
③ 해외 지사의 수는 아시아보다 아메리카에 많다.
➡ 아메리카의 해외 지사는 지도에서 한 개뿐이다.
④ 현재 일본, 대한민국에는 생산 공장이 위치한다.
➡ 일본, 대한민국의 생산 공장은 이미 이전했다.
⑤ 생산 공장이 입지한 곳은 모두 해외 지사가 있다.
➡ 멕시코, 인도의 경우에는 생산 공장만 존재한다.

11 서술형 다국적 기업의 생산 지역 변화
모범 답안 다국적 기업의 생산 지역이 중국을 떠나 베트남으로 집중하고 있다. 베트남은 중국에 비해 저렴한 노동력이 풍부하기 때문이다.

채점 기준	배점
제시어를 모두 사용하여 다국적 기업의 생산 지역 변화와 그 이유를 정확하게 서술함	100%
제시어를 모두 사용하였지만, 변화와 이유 중 일부를 틀리게 서술함	50%

03 서비스업의 변화와 주민 생활

✓ 간단 체크 166~167쪽

❶ 서비스업 ❷ 경제 수준이 높은 지역 ❸ 유럽 ❹ 지속 가능한 관광

개념 다지기 1단계 167쪽

01 생산자 02 교통 03 탈공업화 04 감소하여 05 직접 06 공정

집중 공략 A 168쪽

| 해외 직접 구매 증가의 영향 |

01 해외 직접 구매 02 국내에서 제품을 구입하는 것보다 저렴하다. 03 배송 기간은 길고, 배송비는 비싸다. 04 화물 운송(택배)업, 구매(배송) 대행업 05 비슷한 상품을 파는 국내 기업, 해외 수입 업체 등 06 역직구

02 해외 직접 구매를 하는 이유로는 세계의 다양한 제품을 구매할 수 있고, 국내에서 구입하는 것보다 저렴하며, 국내에서 구하기 어려운 제품을 구매할 수 있기 때문이다.

03 해외 직접 구매의 단점으로는 배송이 느리고 배송비가 비싸며, 구매 제품에 문제가 생겨도 사후 서비스를 받기 어렵다.

집중 공략 B 163쪽

| 기존 상거래와 전자 상거래 유통 구조 |

01 기존 02 전자 03 기존 04 전자 05 기존 06 전자

02 전자 상거래는 온라인에서 주문과 결제를 할 수 있고 원하는 곳에서 상품을 받을 수 있어 기존 상거래와 달리 시간과 공간에 대한 제약이 적다.

실력 올리기 2단계 170~171쪽

01 ⑤ 02 ① 03 ⑤ 04 ③ 05 ① 06 ④ 07 해설 참조 08 ⑤ 09 ④ 10 ③ 11 ② 12 해설 참조

01 서비스업의 특징
경제 활동이 세계화되면서 서비스업의 활동 범위도 국경을 넘어 세계 여러 지역으로 확대되고 있다.

02 생산자 서비스업의 종류
기업 활동에 도움을 주는 서비스업을 생산자 서비스업이라고 하며 금융, 법률, 광고, 시장 조사 등이 생산자 서비스업에 해당한다.
오답 분석 ㄷ, ㄹ. 음식업, 소매업은 소비자 서비스업이다.

03 서비스업의 세계화
교통과 통신의 발달로 경제 활동의 시간적·공간적 제약이 감소하여 서비스 산업이 세계 여러 지역으로 확대되었다.

04 서비스업의 세계화
서비스업의 세계화를 파악하기 위한 자료로 적절한 것은 국가의 경계를 넘어 서비스 활동이 이루어진 사례가 적절하다.

05 콜센터의 해외 이전
콜센터는 기업의 활동을 도와주는 생산자 서비스로 저렴한 인건비와 영어 회화 능력을 갖춘 곳이 사업 지역으로 선호된다.

06 최근 서비스업의 변화
서비스업은 제조업과 달리 소비자에 따라 원하는 서비스의 형태가 다르므로 자동화가 어렵다. 따라서 수요가 많아질수록 서비스업은 복잡하고 다양해진다.

07 서술형 **서비스업 세계화의 요인**
모범 답안 교통·통신의 발달로 국가 간 교류가 활성화되었고, 탈공업화로 서비스업 종사자 비중이 증가하였으며, 소득 수준 향상으로 서비스 수요가 증가하였다.

채점 기준	배점
모든 제시어를 이용하여 서비스업의 세계화에 영향을 준 요인을 정확하게 서술함	100%
모든 제시어를 사용하였지만, 서비스업의 세계화에 영향을 준 요인을 일부 틀리게 서술함	70%
제시어를 일부 사용하지 않았으며, 한 가지 요인만 서술함	30%

08 전자 상거래의 특징
(가)는 기존 상거래, (나)는 전자 상거래이다. 기존 상거래는 소매상에 진열된 상품만을 구매할 수 있으나 전자 상거래는 전세계의 다양한 상품을 비교·선택하여 구매할 수 있다.

09 고난도 **해외 직접 구매**

[자료 분석]
우리나라의 해외 직접 구매 건수와 금액이 지속적으로 증가하고 있다. 이와 같은 변화는 관련 산업에 큰 영향을 미친다.

[선택지 분석]
① 택배 산업이 지속적으로 성장했을 것이다.
➡ 해외에서 도달한 상품을 주소지까지 배송해야 하기 때문에 택배 산업의 동반 성장이 예상된다.
② 해외 배송 업체의 매출이 증가했을 것이다.
➡ 해외에서 상품을 수령하여 국내로 배송하는 업체를 말하며 해외 직접 구매 증가로 매출이 증가했을 것이다.
③ 구매자들의 상품 선택의 폭이 넓어졌을 것이다.
➡ 세계의 다양한 온라인 쇼핑몰에 접속하여 상품을 구매할 수 있으므로 상품 선택의 폭이 넓어질 것이다.
✔④ 국내 수입 업체의 가격 경쟁력이 강화되었을 것이다.
➡ 국내 수입 업체들은 국내에서의 유통망과 사후 관리 등에 필요한 비용이 소모되므로 해외 직접 구매 제품에 비하여 가격 경쟁력이 낮다.

⑤ 온라인 결제를 통한 해외 송금액이 증가했을 것이다.
➡ 해외 직접 구매의 상품 대금은 온라인 결제의 형태로 이루어지며 해외 송금액이 증가할 것이다.

10 관광의 세계화와 지역 변화
관광 산업 발달은 주민 소득이 증가하고 숙박, 음식점 등 관련 산업이 발달하는 등의 긍정적 측면이 있으나 쇼핑 공간 및 각종 편의 시설 건설, 도로 확장 등으로 자연환경이 파괴되고 지나친 상업화로 지역 고유문화가 상실되는 등 문제점도 발생한다.

11 관광의 세계화
세계의 관광객 수는 꾸준히 증가하고 있고, 유럽 중심의 관광에서 점차적으로 관광 지역이 다변화되고 있다.
오답 분석 ② 유럽을 방문하는 관광객 수는 증가하였으나 그 비율은 감소했다.

12 서술형 해외 직접 구매
모범 답안 해외 직접 구매가 대중화 된 원인으로는 교통·통신 발달로 온라인 구매가 편리해졌기 때문이다. 그 결과 해외 배송업체의 매출은 증가하였으나 수입 업체의 매출은 감소하였다.

채점 기준	배점
모든 제시어를 이용하여 해외 직접 구매의 대중화 원인과 그 영향을 정확하게 서술함	100%
모든 제시어를 사용하였지만, 해외 직접 구매의 대중화 원인과 영향을 일부 틀리게 서술함	70%
제시어를 일부 사용하지 않았으며, 원인과 영향 중 한 가지 서술함	30%

172~175쪽

대단원 완성하기 3단계

01 ② 02 ③ 03 ④ 04 ④ 05 ④ 06 ④ 07 ①
08 ⑤ 09 ② 10 ② 11 ⑤ 12 ② 13 ⑤ 14 ③
15 ② 16 ④

서술형

17 (1) [모범 답안] 일자리 증가, 지역 경제 활성화 등 (2) [모범 답안] 근로자의 임금이 낮고, 최대 소비 시장인 미국과 인접하였으며, 북아메리카 자유 무역 협정(NAFTA)으로 관세를 면제 받을 수 있었기 때문이다.
18 (1) 해외 직접 구매 (2) 인터넷과 같은 정보 통신의 발달로 전자 상거래가 활성화되었고 국제 물류 서비스가 발달하여 상품 배송이 편리해졌기 때문이다.

01 농업의 세계화
농산물의 생산지에서 소비지까지 이동한 거리를 푸드 마일이라고 한다. 세계 여러 지역에서 농산물의 생산 및 판매가 이루어지고 있으므로 농업 생산의 세계화가 이루어졌음을 알 수 있다.

02 농업의 세계화
푸드 마일은 식료품의 무게에 이동 거리를 곱해서 계산한다. 식료품 수입 비중이 높은 나라일수록 푸드 마일이 높다. 영국은 우리나라보다 푸드 마일이 낮지만 식료품 소비량과는 무관하다.

03 농업의 세계화와 지역 변화
농업의 세계화로 우리 식탁에서 수입 농산물의 비중이 늘어나고 있다.
오답 분석 ④ 농산물 가격 안정은 농업 생산의 세계화로 인한 긍정적 측면에 해당한다.

04 농업의 세계화와 지역 변화
그래프는 필리핀이 단일 상품 작물 의존도가 높음을 의미하며, 향후 식량의 안정적 확보에 어려움이 예상된다.

05 농업의 세계화와 지역 변화
플랜테이션 농장 및 팜유를 가공·생산하는 농업 기업의 매출은 증가하고, 열대 우림 파괴로 인해 원주민의 거주지가 줄어들며 오랑우탄의 서식지도 파괴되어 개체 수가 감소한다.

06 다국적 기업의 형성 과정
(나)는 해외로 진출하기 이전 단계에 해당한다. (가)는 해외에 영업 대리점이 진출한 단계이며, (다)는 생산 공장이 해외로 진출하여 다국적 기업으로 통합된 조직이 형성된 단계이다.

07 다국적 기업의 공간적 분업
㉠은 본사, ㉡은 연구소, ㉢은 생산 공장연구소이다. 지도에서 본사는 한 개로 우리나라에 위치해 있는 A, 연구소는 B, 생산 공장은 동남아시아, 멕시코 등의 개발 도상국에 위치해 있는 C이다.

08 다국적 기업의 공간적 분업
A는 본사, B는 생산 공장, C는 연구소이다.
오답 분석 ⑤ 생산 공장이 선진국에 위치하는 경우는 무역 장벽을 피하고 시장을 개척하기 위해서이다.

09 다국적 기업의 생산 공장 이전과 지역 변화
유출 지역은 생산 공장 해외 이전으로 실업률이 증가하고, 산업 공동화 현상이 발생하여 경기가 침체한다. 반면 유입 지역은 다국적 기업에 대한 경제 의존도가 심화되어 향후 다국적 기업이 생산 공장을 폐쇄하는 경우 지역 경제가 침체될 수 있다.
오답 분석 ㉠ 실업률이 높아져 경기가 침체된다.
㉢ 다국적 기업에 대한 경제 의존도가 증가한다.

10 다국적 기업의 생산 공장 이전과 지역 변화
생산 공장의 폐쇄로 일자리의 감소 및 지역 경제 침체가 나타난다. ㄷ은 생산 공장 철수의 원인에 해당한다.

11 다국적 기업의 부정적 영향
⑤의 내용은 다국적 기업이 산업화나 경제 발전에 필요한 자본이나 기술을 제공하는 긍정적 역할에 해당한다.
오답 분석 ①~④는 다국적 기업 유입의 부정적 영향에 해당한다.

12 **기존 상거래와 전자 상거래의 비교**
기존 상거래 방식은 매장에 진열된 상품에 한해 판매가 이루어지지만 전자 상거래는 온라인 공간에 소개된 세계의 다양한 상품을 구매할 수 있다.
오답 분석 ① 상품의 유통 단계 수가 적다.
③ 온라인 결제는 주로 신용 카드를 사용한다.
④ 직원의 근무 시간에 제약 받지 않는다.
⑤ 판매자가 없어도 온라인상에서 구매가 가능하다.

13 **전자 상거래 활성화의 배경**
소매상이 온라인 쇼핑몰에 대해서 가격 경쟁력을 확보할 수 있다면 직접 제품을 살펴보고 구매하는 소비자가 증가할 것이다. 따라서 온라인 쇼핑몰을 이용하는 소비자는 오히려 감소하게 된다.

14 **서비스업의 세계화**
원격에서 이루어지는 교육 서비스가 가능하게 된 것은 정보 통신 기술의 발달 때문이다.

15 **관광의 세계화와 지역 변화**
해외 관광객의 유입은 지역의 고용을 창출하고 주민의 소득을 증가시키나, 상업화를 위해 지역의 고유문화가 상실되기도 한다.

16 **관광의 세계화와 지역 변화**
자료는 해외 온라인 이용액 비중이 높아지고 있으며 그 중에서도 온라인 쇼핑 이용 비중이 높은 것으로 보아 해외 직접 구매의 증가와 관련이 있다. 해외 직접 구매의 경우 제품이 해외에서 배송되므로 국내에서 구매한 제품에 비해 배송 기간이 길다.

17 서술형 **다국적 기업의 진출에 따른 지역 변화**
멕시코는 지리적으로 미국과 인접해 있고, 값싼 노동력이 풍부하며, 미국·캐나다 등과 자유 무역 협정을 맺는 등 다국적 기업이 진출하기에 유리한 조건을 갖추고 있었다.

채점 기준	배점
제시어를 모두 사용하여 멕시코에서 자동차 산업이 발달한 이유를 정확하게 서술함	100%
제시어를 모두 사용하였지만, 멕시코 자동차 산업 발달의 이유 중 일부 내용을 틀리게 서술함	50%

18 서술형 **서비스업의 세계화**
해외 직접 구매는 전 세계의 온라인 쇼핑몰에 직접 접속하여 상품을 구매하는 것으로, 정보 통신 기술과 국제 물류 서비스의 발달이 가장 큰 영향을 끼쳤다.

채점 기준	배점
제시어를 모두 사용하여 대중화의 원인을 정확하게 서술함	100%
제시어를 모두 사용하였지만, 대중화의 원인 중 일부를 틀리게 서술함	50%

X 환경 문제와 지속 가능한 환경

01 전 지구적 차원의 기후 변화

✓ 간단 체크 179쪽
❶ 지구 온난화 ❷ 이산화 탄소

개념 다지기 1단계 179쪽

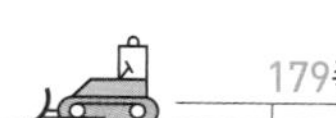

01 높아지는 **02** 인위적 **03** 상승 **04** 전 지구적 **05** 온실가스 **06** 파리

집중 공략 A 180쪽
| 기후 변화의 영향 |
01 지구 온난화 02 화석 연료의 사용, 삼림 벌채 등 03 해수면 상승 04 산호초의 백화 현상, 태풍의 대형화와 발생 빈도 증가 등 05 식물 개화 시기의 변화, 동식물의 서식지 변화 등 06 북극해

02 기후 변화의 인위적 요인에는 화석 연료의 사용 증가, 산업화와 도시화로 인한 삼림 벌채 증가, 가축 사육 수의 증가, 농경지의 증가 등을 들 수 있다.

04 해수 온도가 상승하게 되면 조류가 감소하게 되고 조류의 공생 관계에 있는 산호초가 죽어서 하얗게 변하는 백화 현상이 나타나게 된다. 또한 태풍에 공급되는 에너지가 커지면서 그 위력이 강해지고 발생 빈도도 증가하게 된다.

집중 공략 B 181쪽
| 기후 변화에 대응하기 위한 국제 사회의 노력 |
01 교토 의정서 02 파리 협정 03 온실가스 배출량 감축 04 이산화 탄소

03 기후 변화를 해결하기 위한 노력은 근본적으로 온실가스 배출량 감축에 초점이 맞춰져 있다.

실력 올리기 2단계 182~183쪽

01 ④ **02** ④ **03** ④ **04** ② **05** ⑤ **06** ④ **07** ②
08 해설 참조 **09** ④ **10** ③ **11** 해설 참조

01 **기후 변화**
기후는 지구의 역사가 시작된 이래 끊임없이 변화하고 있지만, 최근 인위적 요인에 의한 기후 변화가 심각해지고 있다.

02 온실 효과
온실 효과는 지구의 기온을 유지하기 위해 반드시 필요한 현상이다. (가)는 바로 이러한 온실 효과의 정상적인 모습을 보여 준다. 하지만 이산화 탄소, 메탄 등 온실가스의 급격한 증가로 인해 과도한 온실 효과가 나타나면서 지구 온난화 문제가 발생하게 된 것이다.

03 지구 온난화
(나)와 같이 과도한 온실 효과가 지속되면서 지구의 기온이 급격히 상승하여 각종 환경 문제가 발생하는 것을 지구 온난화라고 한다.

04 기후 변화의 인위적 요인
ㄱ. 삼림이 파괴되면 이산화 탄소를 산소로 전환하는 중요한 매개체가 사라지게 된다. 그리고 삼림이 파괴된 후 형성된 건물, 공장, 도로, 농경지 등은 모두 온실가스를 더 많이 생성하게 된다. ㄷ. 화석 연료는 석유, 석탄, 천연가스 등을 말한다. 이것은 연소 과정에서 이산화 탄소, 메탄 등의 온실가스를 발생시킨다.
오답 분석 ㄴ, ㄹ은 모두 기후 변화를 일으키는 자연적 요인에 해당한다.

05 고난도 기후 변화 그래프 읽기

[자료 분석]
이 자료는 온실가스 증가가 현재 지구의 기온 상승과 관련 있다는 증거로 자주 제시되는 그래프이다. 인간의 활동으로 이산화 탄소의 배출이 증가하면서 본격적으로 지구 온난화가 시작된 것으로 보고 있다.

[선택지 분석]
① 메탄, 아산화 질소 등도 이와 유사한 변화를 만들어낼 수 있다.
➡ 온실 효과를 오히려 더 많이 일으킬 수 있지만 그 양 자체가 이산화 탄소에 비해 매우 적어서 부각되지 않는다. 그러나 온실가스에 해당하는 것은 분명하다.
② 석유, 석탄 등의 사용 증가는 이 현상의 원인으로 지목되고 있다.
➡ 화석 연료가 연소될 때 온실가스가 많이 발생하기 때문이다.
③ 도시화와 산업화가 진행될수록 이 현상은 더욱 심화될 것으로 보인다.
➡ 도시화와 산업화 과정에서 삼림이 파괴되어 이산화 탄소를 제거할 수 있는 매개체가 사라지는 것은 물론, 그곳에 생기는 공장, 건물, 도로 등은 온실가스를 더 발생시켜서 온실 효과를 심화시킬 수 있다.
④ 최근 세계적으로 여름철 고온 현상이 심해지는 것도 이 현상의 영향을 받은 것이다.
➡ 지구 온난화에 의한 이상 기후 현상 때문이다. 앞으로 이런 고온 현상이 더욱 심해질 것으로 예상되고 있다.
✔⑤ 이산화 탄소는 온실가스 중에서 배출량이 가장 적지만, 이 현상에 가장 큰 영향을 미치고 있다.
➡ 이산화 탄소는 온실가스 중 가장 큰 비중을 차지할 정도로 배출량이 많고, 인류에 의한 배출량의 급격한 증가가 명확히 드러난다.

06 기후 변화의 영향
지구의 기온 상승으로 눈이 사라지면서 인공 눈으로만 겨우 운영하거나 폐장하는 스키장들도 생기고 있다. 이상 기후 현상으로 폭설이 내리기도 하지만 이것은 스키장을 운영할 정도로 꾸준하게 나타나는 것은 아니다.

07 북극 항로
북극해는 빙하가 많아 쇄빙선이 있어야 지나갈 수 있는 바다였다. 하지만 지구 온난화로 해수면의 온도가 상승하면서 빙하가 급격히 감소해 이동이 훨씬 유리해졌다. 이로 인해 유라시아 대륙의 동쪽 끝에 있는 우리나라가 유라시아 대륙의 서쪽에 있는 유럽 지역으로 이동할 수 있는 항로가 하나 더 확보될 수 있게 된 것이다. 또한 이 북극 항로는 인도양을 이용하던 기존 항로보다 무려 10일을 아낄 수 있어 경제적으로 매우 유용할 것으로 예상되고 있다.

08 서술형 기후 변화가 지역에 미치는 영향
모범 답안 지구 온난화로 빙하가 녹으면서 해수면이 상승하여 국토 전체가 침수 위기에 놓였기 때문이다.

채점 기준	배점
제시어를 모두 사용하여 투발루가 침수할 위기에 처한 이유를 정확하게 서술함	100%
투발루가 침수할 위기에 처한 이유를 적절하게 서술하였으나, 모든 제시어를 사용하지 않음	70%
투발루가 침수되었다는 내용만 서술함	30%

09 기후 변화에 대응하기 위한 노력
기후 변화에 대응하기 위한 개인 차원의 노력에는 친환경 제품 사용, 대중교통 이용, 걷기 또는 자전거 타기, 자원 재활용, 에너지 절약 운동 참여 등이 있다.
오답 분석 ㄱ은 국제 사회 차원, ㄷ은 국가적 차원의 노력에 해당한다.

10 기후 변화에 대응하는 국제 사회의 노력
교토 의정서는 주로 선진국에게 감축 의무를 부여한 반면, 파리 협정은 개발 도상국까지 포함하고 있다.

11 서술형 기후 변화에 대응하기 위한 노력
모범 답안 온실가스 배출량과 상관없이 전 세계 모든 지역에서 지구 온난화의 피해가 발생하기 때문이다.

채점 기준	배점
제시어를 모두 사용하여 전 지구적 대응의 필요성을 정확하게 서술함	100%
전 지구적 대응의 필요성을 적절하게 서술하였으나, 모든 제시어를 사용하지 않음	70%
지구 온난화의 피해가 발생하기 때문이라는 내용만 서술함	30%

02 환경 문제 유발 산업의 이전

185쪽

✔ 간단 체크
❶ 전자 쓰레기 ❷ 개발 도상국

개념 다지기 1단계

185쪽

01 개발 도상국 **02** 케냐 **03** 빨라지면서 **04** 선진국
05 환경 문제 **06** 전자 쓰레기

실력 올리기 2단계

186~187쪽

01 ⑤ 02 ⑤ 03 ④ 04 ④ 05 ① 06 ④
07 해설 참조 08 ③ 09 ③ 10 ① 11 ⑤

01 환경 문제가 심화되고 있는 이유

산업화를 일찍 겪은 선진국들도 과거에는 환경 보호보다는 경제 성장에 더 집중하였다. 그로 인해 산성비, 국제 하천 오염 등의 환경 문제를 겪게 되면서 환경 규제를 서서히 강화시키게 된 것이다. 현재는 그런 규제를 강화한 결과 유럽의 환경 상태가 매우 좋아진 것은 사실이지만, 이로 인해 조금이라도 유해 물질이 발생되는 산업은 모두 개발 도상국이 떠맡게 만드는 부작용도 발생하게 되었다. 생산 과정에서의 유해성은 개발 도상국으로 모두 보내고 유럽은 그 결과물인 상품만을 취하는 모습이 모순적으로 보인다는 지적도 있다.

02 세계화가 환경 문제 유발 산업의 이동에 미친 영향

교통과 통신의 발달, WTO로 인한 각국의 무역 규제 완화 등으로 다국적 기업들의 판매망과 생산 시설이 자유롭게 세계 이곳저곳에 들어설 수 있게 되었다. 특히 공장은 임금이 저렴하고 환경 관련 부담이 적은 지역에 입지시켜 전체적인 생산비를 절감시키고 있다. 이로 인해 개발 도상국에는 저임금, 노동자의 인권 탄압, 환경 오염 등의 문제가 발생하고 있다.

오답 분석 ① 선진국은 높아졌지만 개발 도상국에서는 아직도 환경에 대한 인식이 낮은 경우가 많다. 선진국은 바로 이점을 이용하고 있는 것이다.
②, ③ 개발 도상국에 해당하는 설명으로, 해당 문제와 직접적인 관련성이 적다.
④ 교통과 통신의 발달로 인해 가능해졌다.

03 전자 쓰레기의 국제적 이동

선진국에서 전자 쓰레기를 처리하려면 여러 환경 규제의 제약을 받기 때문에 절차가 복잡해지고 비용이 올라가게 된다. 이점 때문에 선진국에서는 전자 쓰레기를 개발 도상국으로 보내 버리려 한다. 하지만 유해 폐기물의 국제 거래에 대한 제약이 있기 때문에 이를 피하기 위해 '기부'의 형태로 보내고 있는 것이다.

04 석면 산업의 국제적 이동

석면은 그 유해성이 밝혀지면서 선진국에서 대부분의 공장들이 사라지게 되었다. 이 공장들은 환경에 대한 인식이 낮아 관련 규제가 거의 없는 지역으로 이동하였다.

오답 분석 ① 주로 환경 규제가 느슨하고 경제 발전이 시급한 개발 도상국으로 이동하고 있다.
② 석면은 단기적 효율성만으로 본다면 오히려 가격 대비 성능이 좋다고 볼 수 있다. 문제는 이것이 유발하는 환경 피해, 인체에 미치는 피해 등이 장기적으로 더 큰 손실을 유발할 수 있다는 점 때문에 선진국에서 폐기하기 시작한 것이다.
③ 개발 도상국에서 석면 사용을 금지하지 않기 때문에 석면 공장이 개발 도상국으로 이동하고 있다.
⑤ 환경 문제에 대한 규제가 약한 곳으로 이동하고 있다.

05 고난도 **화훼 산업의 국제적 이동**

[자료 분석]
네덜란드를 비롯한 유럽 지역에서는 탄소 배출 감소와 환경 문제 해결에 대한 사회적 요구가 커졌고 환경 규제가 상당히 강화되었다. 이로 인해 네덜란드의 대표적 산업이라고 할 수 있는 화훼 산업이 생산비 상승과 더불어 환경적 부담까지 더해지게 되어 환경 규제가 약하고 임금이 저렴하며 기후가 좋아 시설 비용이 많이 감소하게 되는 케냐로 이동하게 되었다.

[선택지 분석]
✔① 환경 문제의 공간적 불평등이 점차 약화되고 있다.
➡ 환경 문제를 유럽 지역이 아프리카로 떠넘긴 모양새를 보이고 있다. 유럽 전체의 환경 규제 강화와 인건비 상승이 아프리카를 새로운 재배지로 선정하게 만들었다. 케냐의 장미 재배 증가는 케냐에 경제적 혜택을 주고 있지만 이를 위해 호수의 물을 마구 끌어다 쓰면서 물 부족과 수질 오염 문제가 생기게 되었다.
② 케냐는 이로 인해 물 부족 문제를 겪고 있을 것이다.
➡ 인근 호수의 물을 장미 재배에 집중시키면서 물 부족은 물론, 농약과 비료 등으로 인해 물 오염까지 발생하면서 이곳의 생태계가 파괴되고 있으며, 이곳에서 어업에 종사하는 사람들에게도 피해를 주고 있다.
③ 환경 문제에 대한 인식 차이가 이런 변화에 영향을 주었다.
➡ 유럽은 환경 문제의 심각성을 깨닫고 환경 규제를 강화하면서 탄소 배출과 수질 및 토양 오염의 우려가 큰 화훼 산업이 케냐로 이동하게 된 것이다.
④ 생산비를 절감하기 위한 화훼 산업의 이동이 잘 나타나 있다.
➡ 인건비, 시설비 등을 줄일 수 있게 되어 아프리카 지역으로 이동하게 된 것이다.
⑤ 앞으로 케냐에서는 경제와 환경을 두고 많은 갈등이 생길 것이다.
➡ 케냐의 경제 성장을 위해 화훼 산업을 적극 육성하고 있지만 결국 환경 문제가 누적되면서 주민들의 생존에 큰 위협을 주게 되면서 이로 인한 갈등이 갈수록 심화될 것이다.

06 전자 쓰레기의 증가

스마트폰의 교체 주기가 빨라지면서 많은 양의 스마트폰들이 전자 쓰레기가 되는 경우가 증가하고 있다. 이것은 기술의 발달에 따라 더 뛰어난 신제품이 빨리 나오게 되기 때문이다. 환경 규제가 강한 선진국에서는 결국 이런 전자 쓰레기를 규제가 약한 개발 도상국으로 이동하게 하여 개발 도상국의 환경 문제를 악화시키게 된다.

07 서술형 **전자 쓰레기의 이동이 지역에 미치는 영향**

모범 답안 전자 쓰레기를 수입하는 개발 도상국은 이를 처리하는 과정에서 일자리가 증가하고 경제 성장이 이루어질 수 있다. 하지만 이로 인해 환경 오염이 발생하고 주민들의 건강이 악화될 수 있다.

채점 기준	배점
제시어를 모두 사용하여 전자 쓰레기 유입으로 인한 긍정적 · 부정적 변화를 정확하게 서술함	100%
전자 쓰레기 유입으로 인한 긍정적 · 부정적 변화를 적절하게 서술하였으나, 모든 제시어를 사용하지 않음	70%
전자 쓰레기 유입으로 인한 긍정적 · 부정적 변화 중 한 가지만 서술함	30%

08 환경 문제 유발 산업의 국제적 이동

유해 물질이 발생하는 산업임에도 불구하고 지역에서 경제적 이득만을 고려하여 해당 공장을 짓도록 했고, 해당 기업도 경제적 이득을 늘리기 위해 작업 환경의 안전성을 신경 쓰지 않아 발생하게 된 안타까운 사건이다.

오답 분석 ① 이와 유사한 사건은 주로 방글라데시, 인도, 에티오피아 등 아시아, 아프리카의 개발 도상국 또는 저개발국에서 발생한다.

② 이 사건에 대해 선진국에게 가장 큰 책임이 있다. 이는 단지 생산자들뿐만 아니라 소비자들에게도 해당한다.

④ 환경 규제가 약한 지역에서 발생할 수 있는 사고이다.

⑤ 이 분석에 따르면 인구 증가가 이루어진 곳은 모두 환경 문제 유발 산업을 받아들여야 하지만 반드시 그런 것은 아니다.

09 환경 문제 유발 산업의 이동

일찍 산업화를 겪은 선진국들은 환경 문제 유발 산업에 부과하는 규제가 강화되면서 관련 비용이 상승하여 이러한 산업을 개발 도상국으로 이전하고 있다.

10 유해 물질의 이동을 막으려는 국제 사회의 노력

바젤 협약은 유해 폐기물의 부적절한 국제 이동을 막기 위한 국제 협약이다.

11 기후 변화에 대응하기 위한 국제 사회의 협약

환경 문제는 전 지구적 차원에서 발생하는 경우가 많고, 지구상의 대부분 지역에 동시에 영향을 미칠 수 있기 때문에 이를 해결하기 위해 국제 사회의 광범위한 협력과 공동 노력이 필요하다.

오답 분석 ① 환경 문제는 전 지구적인 범위에서 일어나는 경우가 많은데, 특히 기후 변화로 인한 지구 온난화는 전 세계에 많은 문제를 일으키고 있다.

② 환경은 자정 능력을 갖추고 있는 것은 사실이나, 환경 관련 협약을 맺는 것과는 관련이 없다.

③ 환경 문제는 단기간에 회복되기 어려운 문제이다.

④ 환경 문제는 해당 국가뿐만 아니라 주변국과 멀리 떨어진 국가에도 영향을 미칠 수 있다.

03 생활 속의 환경 이슈

✓ 간단 체크 189쪽

❶ 푸드 마일리지 ❷ 로컬 푸드 운동

개념 다지기 1단계 189쪽

01 다르며 **02** 증가 **03** 인위적 **04** 유전자 재조합 식품(GMO) **05** 푸드 마일리지 **06** 로컬 푸드

실력 올리기 2단계 190~191쪽

01 ③ **02** ⑤ **03** ③ **04** ② **05** ⑤ **06** ⑤ **07** 해설 참조 **08** ④ **09** ⑤ **10** ③ **11** 해설 참조

01 다양한 환경 문제

ㄱ. 인구 증가는 자원의 소비 증가와 폐기물 증가로 이어지게 되었다. ㄴ. 일회용품의 사용으로 쓰레기 배출량이 증가하게 되었다. ㄷ. 산업화로 인해 자원 소비가 증가하고 오염 물질 배출 또한 증가하였다. 도시화로 인해 이런 오염이 집중되고 확대되어 환경 오염이 더 심화되었다.

오답 분석 ㄹ. 쓰레기 분리배출은 이런 환경 문제를 해결하기 위한 노력 중 하나이다.

02 환경 이슈

환경 이슈는 환경 문제 중 원인과 해결 방안에 대해 서로 다른 의견이 제시되는 것을 말한다. 환경 이슈는 시대별로 다르고, 규모면에서도 지역적인 것에서 세계적인 것으로 다양하게 나타난다.

오답 분석 ① 환경 문제 중 의견 일치가 어렵고 이로 인해 각종 논쟁과 갈등이 발생하는 것들을 말한다.

② 원인에 대한 의견이 서로 다르기 때문에 갈등이 발생한 것이고 이에 대해 서로 대안을 모색하는 과정이 필요하다.

③ 환경 문제에 대한 해결책이 서로 다르기 때문에 발생한 문제이다.

④ 환경 이슈는 지역적인 것에서 세계적인 것까지 다양한 규모로 나타나게 된다.

03 쓰레기 문제

쓰레기 문제는 한 나라 안에서만 문제가 되는 경우도 있지만, 쓰레기로 인한 바다의 오염이 여러 나라에 심각한 피해를 줄 수 있으므로, 제도 개선과 법률 개정을 통해서 해결할 수 없는 것도 있다.

04 고난도 **미세 먼지**

[자료 분석]

지름이 10μm 보다 작은 먼지를 미세 먼지라고 한다. 미세 먼지는 공장이나 건설 현장 등에서 고체 상태로 배출되기도 하고(1차적 발생), 가스 상태로 배출된 물질과 화학 반응을 일으켜 생성되기도 한다(2차적 발생).

[선택지 분석]

① 화력 발전소의 영향을 분석해 볼 필요가 있다.
➡ 화력 발전소에서 발생하는 미세 먼지의 양이 상당한 것으로 알려져 있다. 그래서 화력 발전소를 줄이자는 주장도 나타나게 되었다.

✔② 주로 자연적 요인의 영향이 크다는 것을 알 수 있다.
➡ 자연적 요인에 의해 발생할 수도 있지만 최근 문제가 되는 것은 공장, 화력 발전소, 교통량 증가 등과 같은 인위적 요인에 의해 주로 발생하며 많은 오염 물질을 포함하고 있다는 점이다.

③ 여름철에만 비가 많이 오는 것도 영향을 주었을 것이다.
➡ 비로 인해 미세 먼지 농도가 낮아질 수 있다. 실제로 미세 먼지 문제가 커지는 시기도 비가 적은 겨울~봄에 집중되어 있다.

④ 도시의 심각한 교통 체증과 경유 차 운행 비율을 따져 본다.
➡ 우리나라에서 미세 먼지를 발생시키는 원인 중 자동차를 무시할 수 없다. 특히 경유는 미세 먼지 발생량이 휘발유나 가스에 비해 훨씬 많은 것으로 나타나면서 사용을 줄이자는 사회적 요구가 높아졌다.

⑤ 중국 공장에서 발생한 미세 먼지를 원인으로 생각해 볼 수 있다.
➡ 편서풍의 영향으로 중국에서 발생한 황사의 피해를 오랫동안 겪어 왔기 때문에 경험적으로 미세 먼지의 출처로 중국을 지목할 수 있고, 실제로 그 영향이 적지 않은 것으로 보고 있다.

05 미세 먼지를 줄이기 위한 노력

경유 차에서 미세 먼지가 많이 발생하는 것으로 알려지면서 경유 차의 이용을 줄이자는 주장이 이어지고 있다.

06 로컬 푸드 운동

ㄷ. 이동 시간을 줄이면 이동 수단에 의한 이산화 탄소 배출을 줄일 수 있다. ㄹ. 운송 과정에서 이용되는 이동 수단의 화석 연료의 사용을 줄일 수 있다.

오답 분석 ㄱ. 로컬 푸드 운동은 푸드 마일리지가 낮은 음식을 먹자는 운동이기 때문에 운송 과정이 줄어들어 택배 산업의 발전을 저해할 수 있다.
ㄴ. 로컬 푸드 운동은 지역의 음식을 주로 먹자는 것이므로 다양한 음식 문화가 발전하는 데 영향을 주지는 못할 것으로 예상된다.

07 서술형 환경 이슈가 생기는 이유

모범 답안 환경 문제에 대해 개인이나 단체들의 이해관계와 가치관이 서로 다르기 때문이다.

채점 기준	배점
제시어를 모두 사용하여 갈등이 발생하는 이유를 정확하게 서술함	100%
갈등이 발생하는 이유를 적절하게 서술하였으나, 모든 제시어를 사용하지 않음	70%
환경 문제에 대한 생각이 다르기 때문이라는 내용만 서술함	30%

08 환경 이슈를 대하는 태도

현지 주민들의 생활을 무시하면서 환경 보호만을 내세우는 것은 갈등을 심화시킬 수 있다. 서로가 합의에 이를 수 있도록 실현 가능한 대안을 제시하고 의견을 나누어야 한다.

09 유전자 재조합 식품(GMO)

안전성에 대한 검증은 아직 완벽하게 이루어지지 않았다.

10 유전자 재조합 식품(GMO)에 대한 논쟁

유전자 재조합 식품(GMO)은 생산량 증가, 영양소 증가 등으로 통해 식량 문제 해결에 큰 도움이 될 수 있다. 하지만 아직까지 안전성이 검증되지 못했고, 기존의 생태계를 교란시킬 수 있으며, GMO 기술을 가진 일부 다국적 기업들에 의해 여러 지역들의 식량 문제가 좌지우지될 수 있다는 우려도 있다.

오답 분석 ㄷ. GMO 작물은 주로 국가 간 농산물의 원거리 이동으로 소비자에게 전달되기 때문에 농산물의 이동 거리가 늘어나게 된다. 이 과정에서 배출하는 온실가스는 지구 온난화 문제를 악화시킬 수 있다.

11 서술형 쓰레기 문제 해결 방안에 대한 논쟁

모범 답안 인권 침해와 개인 정보 유출 등의 문제가 발생할 수 있다.

채점 기준	배점
제시어를 모두 사용하여 제도에 대한 반대 입장을 정확하게 서술함	100%
제도에 대한 반대 입장을 적절하게 서술하였으나, 모든 제시어를 사용하지 않음	50%

192~195쪽

대단원 완성하기 3단계

01 ② 02 ② 03 ① 04 ⑤ 05 ② 06 ① 07 ③
08 ⑤ 09 ⑤ 10 ④ 11 ④ 12 ② 13 ② 14 ⑤
15 ⑤ 16 ④ 17 ① 18 ② 19 ④ 20 ⑤ 21 ⑤
22 ③

서술형

23 (1) ㉠: 교토 의정서, ㉡: 파리 협정 (2) [모범 답안] ㉠은 주로 선진국에게 온실가스 감축 의무를 부과한 반면, ㉡은 개발 도상국의 의무까지 규정하고 있다.

24 (1) 유전자 재조합 식품(GMO) (2) [모범 답안] 안전성이 검증되지 않았고 생태계를 교란시킬 수 있다.

01 온실 효과

(가)는 적당한 온실 효과, (나)는 과도한 온실 효과를 보여 준다. (나)와 같이 심화되는 것은 화석 연료의 사용 증가가 큰 원인이다.

02 과도한 온실가스 배출의 요인

과도한 온실 효과를 일으키는 인위적 요인들이 나타나 있다. 이로 인해 온실가스의 발생량이 증가하면서 지구 온난화가 나타나 여러 환경 문제가 발생하게 된다.

03 지구 온난화

ㄱ. 이산화 탄소는 대표적인 온실가스로, 산업화에 따른 이산화 탄소 배출량의 급격한 증가가 온실 효과를 지나치게 심화시켰다. ㄴ. 지구 온난화는 전체적인 강수량의 변화에 영향을 준다. 어떤 지역은 예상 수준을 벗어나는 폭

우로 피해를 주는가 하면, 어떤 지역은 지나치게 긴 기간 동안 가뭄을 유발하거나 사막 주변 지역까지 사막이 급속도로 확장되도록 만들어버린 것이다. 이를 이상 기후 현상이라고 한다.
오답 분석 ㄷ. 북극해의 빙하가 감소하면서 북극 항로의 활용 가치가 높아지고 있다.
ㄹ. 꽃의 개화 시기가 빨라지고 있다.

04 기후 변화의 원인
㉠에는 기후 변화가 들어간다. 기후 변화를 일으키는 자연적 요인은 화산재의 분출, 태양 활동 변화 등이 있다. 인위적 요인에는 화석 연료의 사용 증가, 산업화와 도시화로 인한 삼림 파괴, 농경지 증가와 가축 수의 증가 등이 있다. 최근에 인위적 요인의 영향이 더 커지고 있다.

05 기후 변화의 영향
해수 온도 상승으로 태풍에 공급되는 에너지가 커지면서 그 위력이 강해지고 발생 빈도도 증가하게 된다.
오답 분석 ① 해수 온도 상승으로 산호초와 공생 관계인 조류가 사라지면서 산호초가 하얗게 변하며 죽게 되는 백화 현상이 일어나고 있다.
③ 명태와 같은 한류성 어류의 생존 환경은 좁아지고, 난류성 어류의 생존 환경이 넓어지게 된다.
④ 지구 온난화로 인해 나타나는 현상이기는 하지만 해수 온도 상승과 직접적으로 연관되지는 않는다.
⑤ 가뭄 역시 증가하면서 사막화 현상이 나타나는 지역도 늘어나게 된다.

06 기후 변화로 인한 해수면의 상승
빙하가 녹으면서 해수면이 상승하는 현상이 나타나고 있다. 이로 인해 해안 저지대는 물론, 투발루와 같이 해발 고도가 낮은 섬들이 침수 위험에 처하게 되었다.

07 기후 변화가 지역에 미친 영향
투발루는 지구 온난화로 인해 국토가 침수하고 있는 국가로 자주 언급된다. 크고 작은 산호초 섬으로 이루어진 투발루는 바닷물이 점점 차올라 국토 전체가 물에 잠길 위기에 놓여 있다.
오답 분석 ② 몰디브도 투발루와 같이 해수면 상승에 의해 국토 전체가 침수될 위기에 있으나, 남태평양이 아니라 인도양에 위치한 섬이다.

08 기후 변화에 대한 대응 방안
탄소 배출을 줄일 수 있도록 ㄷ. 친환경 제품 사용, 자전거 타기를 생활화하고, ㄹ. 지구촌 불 끄기 행사 등을 통해 기후 변화에 관한 인식을 확산시킨다.
오답 분석 ㄱ. 신·재생 에너지 사용을 통해 화석 연료의 사용을 줄여야 한다.
ㄴ. 다른 나라에서 농산물이 수입되면 이동 거리가 길어져서 탄소 배출량이 많아지게 된다.

09 기후 변화에 대한 대응 방안
지구 온난화로 인한 피해는 온실가스 배출량에 비례하지 않는다. 실제로 개발 도상국에 피해가 더 큰 경우가 많다. 결국 전 지구적인 피해가 발생하기 때문에 전 세계가 함께 노력하지 않으면 이 문제를 해결할 수가 없게 되는 것이다.

10 기후 변화에 대한 대응 방안
기후 변화 협약 체결은 국제 사회에서 진행한 대응 노력 중 하나이다.

11 환경 문제의 증가 원인
환경 문제의 상당수는 산업화에 따른 경제 발전, 그리고 이로 인한 인구 증가가 전체적인 소비 증가로 이어지면서 자원 소비와 폐기물 발생을 증가시켜 나타나게 된 것이다. 도시화는 특정 지역에 인구와 자원 소비를 집중시켜 환경 문제를 더욱 심화시켰다.
오답 분석 ㄱ. 인구 증가로 인한 자원 소비의 증가가 환경 문제의 원인이다.
ㄷ. 환경 문제는 자연의 자정 능력을 벗어나는 환경 오염을 말한다.

12 환경 문제 유발 산업의 국제 이동
ㄱ. 석면이 유해 물질로 밝혀진 이후 이에 대한 규제가 생기면서 아직 규제가 없는 개발 도상국으로 이전하는 경우가 증가하고 있다. ㄷ. 결국 오염 물질을 수출하는 것이기 때문에 이를 '공해 수출'이라 부른다.
오답 분석 ㄴ. 일반적으로 선진국에서 개발 도상국으로 이동하는 경우가 많다.
ㄹ. 환경 규제가 강한 지역에서 느슨하거나 거의 없는 지역으로 이동한다.

13 석면 산업이 국제적으로 이동한 이유
선진국에서 환경에 대한 인식이 높아지면서 석면과 같은 유해 물질에 대한 규제가 강화되었다. 이로 인해 해당 공장들이 상대적으로 규제가 느슨한 지역으로 이동하게 된 것이다.

14 전자 쓰레기의 국제 이동
기술 발전이 빨라지면서 전자 제품의 교체 주기가 빨라졌다. 이를 처분하는 과정에서 유해 물질이 나오다 보니 환경 규제가 강한 선진국에서는 이것을 환경 규제가 약한 개발 도상국에 수출하여 처리하고자 한다. 개발 도상국은 환경 오염의 우려에도 불구하고 일자리 창출, 경제 성장 등의 이유로 이를 허락하고 있는 상황이다.

15 환경 문제의 공간적 불평등
전자 쓰레기 재활용을 통해 일자리를 창출하고 경제 성장을 이루려는 개발 도상국의 입장을 이해해야 한다. 그들 입장에서는 환경보다 당장 먹고사는 문제가 더 중요할 수 밖에 없다. 그래서 이것을 악용하는 사례가 많아진 것이다.

16 화훼 산업의 국제 이동
유럽의 환경 규제 강화, 케냐의 저렴한 인건비 등이 고려되어 화훼 산업이 이동하게 된 것이다.

17 바젤 협약
세베소 사건, 코코항 사건 등을 계기로 유해 폐기물의 국가 간 이동에 대한 관심이 높아졌고, 1989년 스위스 바젤에서 유해 폐기물의 국제적 이동을 규제하는 바젤 협약이 체결되었다.

18 환경 이슈의 특징
환경 이슈는 지역적인 것부터 세계적인 것까지 다양하게 나타난다.

19 환경 문제의 발생과 원인

환경 문제는 산업화와 도시화, 인구 증가, 일회용품 사용 등으로 인한 자원 소비와 폐기물 배출의 증가 때문이다. 자원 재활용은 이런 환경 문제를 해결하기 위한 노력이다.

20 황사와 미세 먼지

미세 먼지의 경우 공장, 화력 발전소, 자동차 등에서 발생하기 때문에 황사에 비해 중금속, 유해 화학 물질 등이 더 많이 포함되어 있다.

오답 분석 ① 황사는 봄철에 주로 나타난다.

② 황사는 건조 지역에서 만들어진 흙먼지이지만, 미세 먼지는 인간의 활동에 의해 만들어진 것이 대부분이다.

③ 미세 먼지는 입자가 작기 때문에 폐뿐만 아니라 심장, 피부, 안구 등에 광범위하게 피해를 줄 수 있다.

④ 미세 먼지 중에는 외국에서 온 것도 있지만 국내에서 발생한 것도 많이 포함되어 있다.

21 유전자 재조합 식품(GMO)에 대한 의견

찬웅, 재은, 인서, 지현은 유전자 재조합 식품(GMO)에 대해 찬성 의견을 제시하고 있고, 재혁만이 반대 의견을 제시하고 있다.

22 푸드 마일리지

ㄴ. 푸드 마일리지는 농산물의 이동 거리를 잘 보여 주는 지표로, 이것이 클수록 이동 거리가 길어지면서 살충제와 방부제가 사용될 가능성이 커져 식품의 안전성이 낮아진다. ㄷ. 이동 거리의 증가는 온실가스 배출량의 증가를 의미하기도 하므로 지구 온난화를 심화시킨다.

오답 분석 ㄱ. 푸드 마일리지가 높을수록 장거리 이동에 따른 살충제, 방부제 등의 양이 증가할 가능성이 크기 때문에 식품의 안전성을 떨어뜨리게 된다.

ㄹ. 우리나라는 GMO를 생산하지 않고 수입하는 나라이다. 즉 우리나라의 GMO는 외국에서 먼 거리를 이동해 온 것들이기 때문에 푸드 마일리지가 많이 쌓였다는 의미이다.

23 서술형 기후 변화에 대한 대응 노력

교토 의정서는 주로 선진국에게 온실가스 감축 의무를 부과한 반면, 파리 협약은 개발 도상국의 의무까지 규정하고 있다.

채점 기준	배점
제시어를 모두 사용하여 교토 의정서와 파리 협약의 차이점을 정확하게 서술함	100%
교토 의정서와 파리 협약의 차이점을 적절하게 서술하였으나, 모든 제시어를 사용하지 않음	70%
교토 의정서와 파리 협약 중 한 가지의 내용만 정확하게 서술함	30%

24 서술형 유전자 재조합 식품(GMO)에 대한 논쟁

유전자 재조합 식품은 안전성이 검증되지 않았고, 생태계를 교란시킬 수 있다.

채점 기준	배점
제시어를 모두 사용하여 유전자 재조합 식품(GMO)의 문제점을 정확하게 서술함	100%
유전자 재조합 식품(GMO)의 문제점을 적절하게 서술하였으나, 모든 제시어를 사용하지 않음	70%
안전성과 생태계 교란 중 한 가지에 대해서만 서술함	30%

XI 세계 속의 우리나라

01 우리나라의 영역과 독도

간단 체크 198~199쪽

❶ 대한 해협 ❷ 동해, 제주도, 울릉도, 독도 ❸ 독도 ❹ 메탄하이드레이트

개념 다지기 1단계 199쪽

01 영역 02 통상, 직선 03 최동단 04 메탄하이드레이트

집중 공략 A 200쪽

| 우리나라의 영역 |

01 (가) 영토, (나) 영해, (다) 영공 02 최저 조위선 03 배타적 경제 수역 04 직선 기선 05 3해리 06 통상 기선

집중 공략 B 201쪽

| 독도의 가치와 중요성 |

01 최동단 02 화산섬 03 조경 수역 04 메탄하이드레이트 05 배타적 경제 수역 06 천연 보호 구역

실력 올리기 2단계 202~203쪽

01 ① 02 ③ 03 ③ 04 ① 05 ④ 06 ③ 07 해설 참조 08 ① 09 ⑤ 10 ③

01 영역

영역은 한 국가의 주권이 미치는 범위로 영토, 영해, 영공으로 구성된다. 영공은 영토와 영해의 수직 상공이다.

02 우리나라의 영역

모식도의 A는 영토, B는 영해, C는 배타적 경제 수역이다. 일반적으로 영해는 썰물이 빠져나갔을 때의 해안선인 최저 조위선으로부터 12해리까지의 바다이다.

오답 분석 ㄱ. 우리나라의 영토는 한반도와 그 부속 섬으로 규정되어 있다.

ㄹ. 배타적 경제 수역은 영해 기선으로부터 200해리까지의 수역 중 영해를 제외한 범위이다.

03 영역의 구성

B 영해는 주권이 미치는 수역이고, C 배타적 경제 수역은 연안국의 경제적 권리만을 보장하는 수역이다.

오답 분석 ① 영해에 대한 주권은 협약과 그 밖의 국제법 규칙에 따라 행사된다.

② 영역에 대한 설명으로 영해만 해당된다.

④, ⑤ 배타적 경제 수역에 대한 설명이다.

04 우리나라의 영해 설정
영해 설정 시 통상 기선을 적용하는 영해는 동해와 독도, 울릉도, 제주도이고, 직선 기선을 적용하는 영해는 황해와 남해, 대한 해협이다.

05 고난도 **우리나라의 영해 설정**

[자료 분석]
우리나라의 영해별 설정 기준을 물어보는 문제이다.
- 황·남해: 섬이 많고 해안선이 복잡하여 통상 기선을 적용하기에 부적절하여 직선 기선을 기준으로 한다.
- 동해, 울릉도, 독도, 제주도: 일반적인 최저 조위선을 기선으로 한다.
- 대한 해협: 섬이 많아 직선 기선을 기준으로 하지만, 일본과 가까워 일본과의 사이에 공해를 규정하고 기선으로부터 3해리만을 영해로 정한다.

[선택지 분석]
ㄱ. (가)는 영해선, (나)는 직선 기선이다.
➡ (가)는 직선 기선, (나)는 영해선이다.
ㄴ. 울릉도, 독도는 통상 기선이 적용된다.
➡ 일반적으로 최저 조위선인 통상 기선이 적용된다.
ㄷ. 모든 해역에서 기선으로부터 12해리를 적용하고 있다.
➡ 대한 해협은 일본과 가까워 기선으로부터 3해리만 영해이다.
ㄹ. 황·남해는 영해 설정 시 가장 외곽의 섬을 직선으로 연결한 직선 기선이 적용된다.
➡ 황·남해는 직선 기선, 동해는 통상 기선이 적용된다.

06 배타적 경제 수역
A는 우리나라의 영해선, B는 우리나라의 배타적 경제 수역, C는 한·일 중간 수역, D는 한·중 잠정 조치 수역이다. 한·중·일은 지리적으로 인접해 있어 배타적 경제 수역이 겹치기 때문에 어업 협정을 맺어 공동 관리하는 수역을 정하였다. 한·일 중간 수역은 우리나라와 일본 간의 어업 협정으로 만들어졌다.

07 서술형 **영해의 설정**
모범 답안 동해는 해안선이 단조로워 통상 기선을 적용하고, 황·남해는 해안선이 복잡하고 섬이 많아 직선 기선을 적용한다.

채점 기준	배점
제시어를 모두 사용하여 우리나라의 동해와 황·남해의 영해 설정 기준을 정확하게 서술함	100%
우리나라 동해와 황·남해의 영해 설정 기준을 적절하게 서술하였으나, 모든 제시어를 사용하지 않음	70%
우리나라 동해와 황·남해 중 한 곳의 영해 설정 기준만 정확하게 서술함	30%

08 독도
독도는 우리나라 최동단에 위치한 화산섬으로 소중한 우리 국토이다.

09 독도의 지리적 특성
독도는 우리나라에서 가장 오래전에 형성된 화산섬으로 다양한 동식물이 서식하고 있어 섬 전체가 천연 보호 구역으로 지정되었다. ㄱ은 이어도에 대한 설명이다.

10 독도가 우리 영토인 근거
제시된 자료를 통해 알 수 있는 지역은 독도이다. 독도는 우리나라 동쪽 끝에 위치하여 일출 시간과 일몰 시간이 가장 이르다. 우리나라에서 세계 자연 유산으로 지정된 섬은 제주도로 한라산과 성산 일출봉, 거문오름 용암동굴계가 지정되었다.

02 우리나라 여러 지역의 경쟁력

✓ 간단 체크 204~205쪽
❶ 제주도 ❷ 수원 ❸ 보령시 ❹ 평창군

개념 다지기 1단계 205쪽

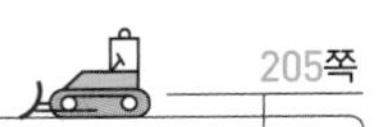

01 지역성 02 지역화 03 평창군 04 장소 마케팅

실력 올리기 2단계 206~207쪽

01 ④ 02 ② 03 해설 참조 04 ③ 05 ③ 06 ③
07 ③ 08 ⑤ 09 ② 10 ④ 11 ④ 12 해설 참조

01 지역과 지역성
지역성이란 지역의 자연환경과 오랫동안 거주해 온 주민들의 상호 작용에 의해 만들어지기 때문에 비슷한 자연환경이라 하더라도 달라질 수 있다. 우리나라의 동해안에는 모래사장과 암석 해안이 주로 나타난다.

02 고난도 **우리나라의 세계 문화유산**

[자료 분석]
우리나라의 세계 문화유산이 위치하는 지역을 묻는 문제이다. 우리나라에서 유네스코 세계 문화유산으로 지정된 문화재는 서울 종묘, 수원 화성, 경주 문화 유적 지구, 해인사 장경판전, 서울 창덕궁, 고창·화순·강화도 고인돌 유적 등이다.

[선택지 분석]
A. 수원 화성
➡ 세계 문화유산이다.
B. 보령 갯벌
➡ 세계 문화유산이 아니다.
C. 전주 한옥 마을
➡ 세계 문화유산이 아니다.
D. 단양 석회동굴
➡ 세계 문화유산이 아니다.
E. 경주 불국사
➡ 세계 문화유산이다.

03 서술형 **지역화의 의미**

모범 답안 지역화란 특정 지역이 국가를 넘어 세계 정치·경제·사회·문화의 주체로 등장하는 현상을 말한다.

채점 기준	배점
제시어를 모두 사용하여 지역화의 의미를 정확하게 서술함	100%
지역화의 의미를 적절하게 서술하였으나, 모든 제시어를 사용하지 않음	70%
지역화의 의미를 특정 지역이 주체가 된다는 내용만 서술함	30%

04 세계화 시대의 지역화

세계화 시대가 열리고 물자와 사람들의 교류가 늘면서 지역 간 경쟁이 치열해지자 지역의 특성을 발굴하여 세계 무대에서 경쟁력을 높이고자 노력하고 있다. 지역화 전략은 그 지역의 고유한 특성을 바탕으로 하기 때문에 문화 자산을 가진 지역은 그 문화를 더욱 발전시키려 노력한다.

05 성공적인 지역화 전략

지역화 전략은 지방 자치 단체와 지역 주민들이 앞장서 진행하며 지역의 특성을 반영한 지역 브랜드 개발이나 지역 축제 등의 행사를 기획·진행하기도 한다.

06 지역 브랜드

지역 브랜드란 지역 그 자체 또는 지역의 상품과 서비스 등을 소비자에게 특별한 브랜드로 인식시켜 지역의 이미지를 높이고 지역 경제를 활성화하는 모든 것을 말한다.

07 평창군의 브랜드

'HAPPY 700'은 강원도 평창군의 지역 브랜드이다. 평창군은 태백산맥에 위치하며 지대가 높아 여름에 기온이 서늘하여 고랭지 농업을 주로 한다.

오답 분석 ㄱ. 우리나라의 평야는 주로 남서부 지역에 위치한다.

ㄹ. 경기도 광명시의 지역화 전략이다.

08 다양한 지역화 전략

지역화 전략에는 지역 로고, 슬로건, 캐릭터 등을 결합하여 소비자가 지역을 특별한 이미지로 인식하게 만드는 지역 브랜드, 랜드마크, 지역 축제 등을 활용한 장소 마케팅, 지역의 상품을 인증하는 지리적 표시 등이 있다.

09 지역 축제

넓은 갯벌을 이용해 매년 머드 축제를 여는 지역은 충청남도의 보령이다. 한적한 농촌 지역이었으나 아름답고 깨끗한 자연 경관을 상징하는 나비를 활용해 성공적인 지역 축제로 명성을 얻은 지역은 전라남도 함평이다.

10 지역화 전략의 사례

문경은 과거 무연탄을 채굴하는 광산이었으나 석탄 소비 감소로 지역 경제가 쇠퇴하였다. 그러나 최근 폐광 시설을 석탄 박물관으로 만들어 새로운 이미지를 갖게 되었다. 김제는 우리나라에서 유일하게 지평선을 볼 수 있는 곡창 지대로 벼농사의 중심지라는 이미지를 이용해 농촌 축제인 지평선 축제를 연다.

11 지리적 표시

지리적 표시는 특정 상품의 품질과 특성이 생산지의 지리적 특성에서 비롯되고 그 우수성이 인정될 때, 국가가 해당 지역의 이름을 상표권으로 인정해 주는 제도이다. 지리적 표시 인증을 받은 상표는 다른 곳에서 이를 함부로 사용하지 못하게 하는 법적 권리를 가진다. 지리적 표시는 농산물뿐만 아니라 가공품에도 적용되며, 대표적인 상품이 순창 고추장이다.

12 서술형 **장소 마케팅의 의미**

모범 답안 장소 마케팅은 특정 장소가 가지고 있는 자연환경이나 역사적·문화적 특성을 드러내며 장소를 매력적인 상품으로 만들어 이를 판매하는 활동이다.

채점 기준	배점
제시어를 모두 사용하여 장소 마케팅의 의미를 정확하게 서술함	100%
장소 마케팅의 의미를 적절하게 서술하였으나, 모든 제시어를 사용하지 않음	70%
장소 마케팅의 의미를 특정 장소를 상품으로 만들어 판매한다는 내용만 서술함	30%

03 통일 이후 국토 공간

✔ 간단 체크 208~209쪽

❶ 대륙과 해양 진출에 유리 ❷ 남한 ❸ 북한 ❹ 아시안 하이웨이 ❺ 유라시아 횡단 철도

개념 다지기 1단계 209쪽

01 태평양 **02** 동아시아 **03** 심화, 증가 **04** 남한, 북한 **05** 생태계 **06** 동서

집중 공략 A 210쪽

01 (1) > (2) > (3) < (4) < (5) > (6) > **02** 분단 비용 **03** 65세 이상(노년층) **04** 0~14세(유소년층), 15~64세(청장년층) **05** 철강 기술 – 남한, 철광석 – 북한

집중 공략 B 211쪽

01 시베리아 횡단 철도 **02** 아시안 하이웨이 **03** (다) 경의선, (라) 경원선 **04** 백두산 **05** 금강산 **06** 비무장 지대(DMZ)

01 시베리아 횡단 철도는 러시아 블라디보스토크에서 모스크바까지 이어지는 세계에서 가장 긴 철도 노선이다. 유럽 철도와 만나 폴란드의 바르샤바, 독일의 베를린 등으로 이어진다.

실력 올리기 2단계

212~213쪽

01 ④ 02 ④ 03 ③ 04 ② 05 ⑤ 06 해설 참조
07 ① 08 ⑤ 09 ⑤ 10 ③ 11 ①

01 우리나라 위치
우리나라는 유라시아 대륙의 동안에 위치하며, 태평양과 인접한 곳에 자리한 반도국이다. 북쪽으로는 대륙과 남쪽으로는 바다를 통해 세계 여러 나라와 교류하기에 유리한 지리적 장점을 가지고 있다.

02 국토 통일의 필요성
제2차 세계 대전 이후 우리나라는 남북으로 분단되었고, 그 결과 대륙으로의 진출 통로가 단절되었다.

03 분단으로 인한 문제
남북 분단으로 인해 발생하는 막대한 군사비 지출, 외교 경쟁에 들어가는 비용, 이산가족과 실향민의 아픔 등 경제적·비경제적 비용을 분단 비용이라고 한다.

04 남북 분단의 영향
제시된 자료는 남북한 간에 달라진 언어를 비교한 것이다. 언어뿐만 아니라 가치관이나 생활 양식 등의 문화적 이질화가 심화되고 있다.

05 국토 통일의 장점
통일은 반도국의 이점과 국토 공간의 균형을 회복할 수 있게 한다. 또한 군사적 긴장감을 해소함으로써 정치적 발전, 경제적 이익을 극대화할 수 있다.

06 서술형 우리나라 위치의 지리적 이점
모범 답안 우리나라는 유라시아 대륙과 태평양을 연결하는 반도국으로 대륙과 해양으로 진출하기에 모두 유리하다.

채점 기준	배점
제시어를 모두 사용하여 우리나라 위치와 지리적 이점을 정확하게 서술함	100%
우리나라 위치와 지리적 이점을 적절하게 서술하였으나, 모든 제시어를 사용하지 않음	70%
반도국에 대한 내용만 서술함	30%

07 통일 이후 생활 모습의 변화
통일은 이산가족과 실향민의 아픔을 해소시킨다.

08 통일의 이점
통일이 이루어지면 남한의 기술과 북한의 지하자원 및 노동력을 결합할 수 있다. 이로 인해 남한은 제품의 생산비가 감소하여 상품의 경쟁력이 커지게 된다.

09 통일 국토의 미래
북한은 남한에 비해 철광석, 무연탄, 석회석 등의 자원이 풍부하다. 통일이 되어 북한의 자원을 이용할 수 있게 되면 우리나라는 일부라도 자원의 해외 의존도를 낮출 수 있다.

10 고난도 통일 이후 인구 구조의 변화
[자료 분석]
남북한이 통일되면 우리나라의 총인구는 증가한다. 또한 유소년층과 청장년층 비중이 높은 북한의 인구가 합쳐져 남한의 고령화 현상과 노동력 부족 문제를 해결하는 데 도움이 된다.

[선택지 분석]
~~ㄱ~~ 노동력 부족 문제가 심화될 것이다.
➡ 총인구가 늘어나기 때문에 노동력 부족 문제가 해결될 것이다.
ㄴ 생산 가능 인구가 증가하게 될 것이다.
➡ 청장년층의 수가 증가하여 생산 가능 인구도 증가하게 될 것이다.
ㄷ 남한의 고령화 현상이 완화될 것이다.
➡ 노년층 인구 비중이 통일 이전보다 줄어들어 고령화 현상이 완화될 것이다.
~~ㄹ~~ 저출산 현상으로 인구 증가율이 감소할 것이다.
➡ 통일 이후의 유소년층 비중을 보면 남한의 유소년층 비중보다 늘어난 것을 알 수 있다.

11 비무장 지대
지도의 (가)는 비무장 지대이다. 비무장 지대는 남한과 북한 간의 군사적 충돌을 방지하기 위해 군사 분계선에서 남북으로 2km를 규정하며 일반인의 출입이 엄격히 통제되기 때문에 자연 생태계가 잘 보존되어 있다.
오답 분석 ㄷ. 북한의 개방 지역은 두만강 일대의 나진-선봉 지구와 신의주, 개성 금강산 일대이다.
ㄹ. 남한과 북한 간의 경제 협력으로 조성된 공업 단지는 현재(2018년) 가동이 중단된 개성 공단이다.

대단원 완성하기 3단계

214~217쪽

01 ④ 02 ③ 03 ④ 04 ④ 05 ① 06 ② 07 ⑤
08 ④ 09 ① 10 ③ 11 ④ 12 ③ 13 ④ 14 ③
15 ③ 16 ① 17 ② 18 ③

서술형
19 (1) 통상 기선, 직선 기선 (2) [모범 답안] 섬이 많고 해안선이 복잡한 황해는 육지에서 가장 먼 섬을 직선으로 연결한 직선 기선으로 영해를 설정하고, 섬이 적고 해안선이 단조로운 동해는 통상 기선을 기선으로 영해를 설정한다.
20 (1) 갯벌 (2) [모범 답안] 보령은 넓은 갯벌을 이용해 지역 캐릭터인 '머돌이'와 '머순이'를 만들고 매년 머드 축제를 개최하며, 머드를 이용한 상품을 개발하는 등 경쟁력 있는 지역 브랜드를 구축하였다.

01 우리나라의 영토
독도는 우리나라 동쪽 끝에 위치한 섬이고, (나)는 우리나라 최남단에 위치한 섬이다.
오답 분석 ㄱ. (가)는 독도, (나)는 마라도이다.
ㄷ. 마안도는 우리나라의 극서지이다.

02 영역의 구성
A는 영공, B는 영토, C는 영해, D는 배타적 경제 수역, E는 공해이다. 황해는 육지에서 가장 먼 섬을 직선으로 연결한 직선 기선을 영해의 기준으로 삼기 때문에 영토가 넓어진다고 해서 영해 범위가 확대되지는 않는다.

03 우리나라 영해 설정의 기준

(가)는 최저 조위선이다. 최저 조위선은 썰물이 나갔을 때의 해안선으로 대부분의 국가에서 이 선을 기선으로 하기 때문에 통상 기선이라고 한다.

오답 분석 ㄴ. 황해는 섬이 많고 해안선이 복잡해 직선 기선을 기준으로 영해를 설정한다.

04 대한 해협의 영해 설정

대한 해협은 일본의 쓰시마섬과 인접하여 12해리의 영해를 고수할 수 없다. 따라서 직선 기선으로부터 3해리까지의 해역을 영해로 정하였다.

05 배타적 경제 수역

배타적 경제 수역은 연안국의 어업 활동, 자원 탐사 등 경제적 권리를 보장하는 수역으로 경제적 권리만을 인정하기 때문에 외국 선박이나 항공기의 통행이 자유롭다. 배타적 경제 수역은 영해 기선으로부터 200해리까지의 수역 중 영해를 제외한 수역이다.

06 독도

독도는 우리나라 최동단에 위치한 화산섬으로 해가 가장 먼저 뜨고 가장 먼저 진다. 난류의 영향으로 연중 기온이 온화하고 강수량이 많은 해양성 기후가 나타난다.

오답 분석 ㄴ. 우리나라에서 해가 가장 늦게 지는 곳은 극서지인 평안북도 마안도이다.

ㄷ. 해양성 기후는 연교차가 작다.

07 독도

독도는 섬 자체가 천연 보호 구역으로 지정되어 있을 정도로 다양한 동식물이 서식하고 있다.

08 지역화의 발생 원인

지역화란 특정 지역이 세계적인 정치·경제·문화 등의 중심지가 되는 현상으로 세계화로 인해 지역 간의 교류가 확대되면서 지역 경쟁력을 강화시키기 위한 방안으로 대두되었다.

오답 분석 ㄱ, ㄷ. 지역화는 각 지역의 특성을 살려 다른 지역과 차별화하는 것이다.

09 우리나라 여러 지역의 특징

제시된 사진은 갯벌에서 촬영한 것이다. 우리나라의 서해안에는 세계 5대 갯벌에 해당되는 넓은 갯벌이 분포하고 있어 이를 이용한 체험 활동이나 관광지 개발이 활발하다. 지도의 A는 보령, B는 다도해, C는 제주, D는 경주, E는 강릉이다.

10 제주도

성산 일출봉과 한라산, 거문오름 용암동굴계 등이 분포하는 지역은 제주도이다.

11 지역 브랜드

지역 브랜드는 해당 지역을 잘 나타내는 독특한 이름, 기호, 상징물 등을 의미한다. 지역 브랜드의 가치가 높아지면 지역 브랜드가 기재된 제품 판매로 수익을 얻을 수 있고, 지역을 찾는 사람들이 늘면서 관광 산업이 발전하게 된다.

12 지역 축제

전주는 한옥 밀집 지역이라는 특징에 인류 무형 문화유산으로 지정된 판소리와 오랜 세월 이어져 온 한지, 비빔밥과 한식 등을 상품화하여 국내외 관광객이 찾는 명소로 자리 잡게 되었다.

13 지역 브랜드

경남 남해군은 아름다운 자연환경을 소재로 삼고 있으며, 경주는 유구한 신라의 역사 유적을 바탕으로 지역 브랜드를 개발하였다.

14 우리나라의 위치적 특성

우리나라는 동아시아의 동쪽 끝에 위치한 반도국으로 대륙 및 해양으로 진출하기에 유리한 지리적 장점을 가지고 있다.

15 통일의 필요성

남북 종단 교통로가 대륙의 철도 및 도로와 연결되면 우리는 육로를 이용해 아시아 내륙과 유럽으로 갈 수 있게 된다. 이로 인해 물류비용이 절감되고 운송비가 저렴해져 우리나라는 동아시아의 물류 중심지로 성장할 가능성이 높아지게 된다.

16 분단으로 인한 문제

남북 분단 이후 남한과 북한의 문화적 이질화와 경제적 격차는 계속 커지고 있다.

17 통일로 인한 변화

남북 간의 경제 협력은 주로 남한의 풍부한 자본과 기술, 북한의 지하자원과 노동력의 결합으로 이루어질 것이다.

오답 분석 ㄴ. 통일 이후 북한 개발로 인한 건설업계의 호황이 나타날 수 있다.

ㄷ. 북한의 풍부한 철광석과 석회석 등 자원의 활용으로 인해 나타날 수 있다.

18 통일 국토의 미래 모습

통일이 되면 우리나라는 반도국으로서의 이점이 회복되어 육로와 해로 운송을 연결하는 물류의 중심지로 성장할 수 있다.

19 서술형 우리나라의 영해

황해는 육지에서 가장 먼 섬을 직선으로 연결한 직선 기선으로 영해를 설정하고, 동해는 통상 기선으로 영해를 설정하기 때문이다.

채점 기준	배점
제시어를 모두 사용하여 황해와 동해의 지형을 비교하여 영해 설정 방법을 정확하게 서술함	100%
황해와 동해의 영해 설정 방법을 적절하게 설명하였으나, 모든 제시어를 사용하지 않음	70%
황해와 동해의 영해 설정 방법을 기선의 이름만 사용하여 서술함	30%

20 서술형 보령의 지역화 전략

보령은 넓은 갯벌을 이용해 지역 캐릭터를 만들고 매년 머드 축제를 개최하며, 머드를 이용한 상품을 개발하는 등 경쟁력 있는 지역 브랜드를 구축하였다.

채점 기준	배점
제시어를 모두 사용하여 보령의 지역화 전략을 정확하게 서술함	100%
보령의 지역화 전략을 적절하게 설명하였으나, 모든 제시어를 사용하지 않음	50%
보령의 지역화 전략을 머드 축제에 대한 내용만 서술함	30%

XII 더불어 사는 세계

01 지구상의 다양한 지리적 문제

✓ 간단 체크 220~221쪽

❶ 일본 ❷ 아프리카 ❸ 열대 우림 지역 ❹ 남아메리카

개념 다지기 1단계 221쪽

01 영역 02 러시아 03 국경선 04 저개발 05 식량
06 인위적 07 감소, 낮아짐 08 생물 다양성

집중 공략 222쪽

| 영역 분쟁과 생물 다양성의 감소 |
01 카스피해, 센카쿠 열도(댜오위다오), 난사(스프래틀리) 군도
02 센카쿠 열도(댜오위다오), 난사(스프래틀리) 군도 03 중국
04 인도네시아, 브라질

01 카스피해, 센카쿠 열도(댜오위다오), 난사(스프래틀리) 군도 등은 해당 지역을 차지하여 자원을 확보하려는 국가들 간의 분쟁 지역이다.

02 센카쿠 열도(댜오위다오)는 일본과 중국이 영유권 주장을 하고 있고, 난사 군도(스프래틀리 군도)는 남중국해에 접해 있는 많은 국가들(중국, 필리핀, 브루나이, 말레이시아, 베트남 등)이 영역 분쟁에 연관되어 있다.

04 삼림의 순감소가 가장 크게 나타나는 국가는 인도네시아와 브라질이다. 인도네시아는 팜유 생산, 브라질은 콩 재배를 위한 경작지 확대를 위해 열대 우림이 빠르게 파괴되고 있다. 열대 우림의 감소는 생물 다양성 감소의 주요 원인으로 생물 다양성이 감소하면 인간이 이용 가능한 생물 자원의 수가 감소하고 생태계가 빠르게 파괴된다.

실력 올리기 2단계 223쪽

01 ① 02 ⑤ 03 해설 참조 04 ② 05 해설 참조
06 ③

01 영역 분쟁의 원인
영역 분쟁의 원인으로는 역사적 배경, 민족, 종교 등의 차이, 자원을 둘러싼 이권 다툼을 들 수 있다. 무분별한 열대 우림의 파괴는 적도 부근에 위치한 국가들의 경제 개발을 위해 이루어지는 것이므로 국가 간 분쟁과 직접적인 관계가 없다.

02 고난도 센카쿠 열도(댜오위다오)와 난사 군도(스프래틀리 군도)

[자료 분석]
동아시아 지역에서 발생하는 영역 분쟁을 물어보는 문제이다. (가)는 일본과 중국의 분쟁 지역인 센카쿠 열도, (나)는 남중국해에 인접한 국가들의 영역 분쟁 지역인 난사 군도이다. 최근에는 이러한 섬과 섬 주변의 바다를 둘러싼 분쟁이 늘어나고 있는데, 이는 배타적 경제 수역의 확보와 경제 및 군사적 해상 거점 확보와 관련이 깊다.

[지도 분석]
① (가)는 현재 중국이 실효적 지배를 하고 있다.
➡ 현재 일본이 실효적 지배를 하고 있다.
② (가)는 국가 간 종교의 차이가 분쟁의 원인이다.
➡ (가)의 분쟁은 자원 확보가 주요 원인이다.
③ (나)의 분쟁은 당사국 간 협상을 통해 해결되고 있다.
➡ 난사 군도의 영역 분쟁은 여전히 진행 중이다.
④ (가)는 (나)보다 분쟁 당사국의 수가 많다.
➡ (가)의 분쟁 당사국은 중국과 일본이며, (나)의 분쟁 당사국은 중국, 베트남, 브루나이, 말레이시아, 필리핀 등이다.
✔⑤ (가), (나) 모두 분쟁 당사국에 중국이 포함되어 있다.
➡ (가)는 일본과 중국, (나)는 중국, 베트남, 브루나이 등의 국가와 관련된 분쟁 지역이므로 모두 중국이 포함되어 있다.

03 서술형 센카쿠 열도(댜오위다오) 분쟁의 원인
모범 답안 센카쿠 열도(댜오위다오)는 지리적 이점과 자원 개발을 둘러싸고 중국과 일본 간에 일어난 영유권 분쟁이다.

채점 기준	배점
제시어를 모두 사용하여 분쟁 원인을 정확하게 서술함	100%
분쟁의 원인을 적절하게 서술하였으나, 모든 제시어를 사용하지 않음	70%
자원 개발 때문이라고만 서술함	30%

04 세계 기아 문제의 원인
곡물 운송비가 감소하면 식량이 이전보다 더욱 원활히 분배될 수 있으므로 기아 문제 해결에 도움이 될 것이다.

05 서술형 기아 문제의 발생 지역과 원인
모범 답안 주로 아프리카 대륙에서 나타나며 아프리카의 경제 수준이 다른 대륙에 비해 낮기 때문이다.

채점 기준	배점
대륙의 이름을 쓰고, 해당 제시어를 모두 사용하여 기아 발생 원인을 정확하게 서술함	100%
대륙의 이름만 정확하게 씀	30%

06 열대 우림의 파괴
열대 우림의 파괴는 농경지 확대, 도시 건설 등으로 인해 발생하며, 생물 다양성을 감소시킨다.

02/03 발전 수준의 지역차 ~ 지역 간 불평등 완화를 위한 노력

✓ 간단 체크 224~225쪽

❶ 유럽, 앵글로아메리카 ❷ 유럽, 북아메리카 ❸ 한국 국제 협력단(KOICA)

개념 다지기 1단계 225쪽

01 높다 **02** 높다 **03** 사회 간접 자본 **04** 공적 개발 원조 **05** 비정부 **06** 공정

집중 공략 A 226쪽

| 지역별 발전 수준 지표 |

01 아프리카, 아시아

02 인터넷 이용자 비율, 기대 교육 연한 등

03 문맹률, 교사 1인당 학생 수 등

04 (1) ↓, ↑ (2) ↑, ↓ (3) ↑, ↓ (4) ↓, ↑ (5) ↓, ↑ (6) ↑, ↓ (7) ↑, ↓ (8) ↓, ↑ (9) ↑, ↓ (10) ↓, ↑

03 지역별 발전 수준을 보여 주는 지표에는 여러 가지가 있다. 1인당 국내 총생산(GDP), 인간 개발 지수(HDI), 성인 문자 해독률, 기대 수명, 행복 지수 등은 선진국이 높게 나타나고 영 · 유아 사망률, 교사 1인당 학생 수 등은 경제 수준이 낮은 개발 도상국, 저개발국에서 높게 나타난다.

집중 공략 B 227쪽

| 지역 간 불평등 완화를 위한 노력 |

01 아프리카 02 유럽, 북아메리카 03 수여국 04 공정 무역 05 (1) 예, 아니요 (2) 아니요, 예

04 공정 무역은 생산자의 건강한 노동 환경과 경제적 독립, 환경 보전 등을 중시하며 소비자에게 어떤 환경에서 생산한 제품인지 안내하여 생산자와 소비자는 물론 환경에도 이로운 지속 가능한 발전을 추구한다.

실력 올리기 2단계 228~229쪽

01 ① **02** ④ **03** ③ **04** ④ **05** 해설 참조 **06** ② **07** ② **08** 해설 참조 **09** ⑤ **10** ② **11** 해설 참조

01 발전 수준을 파악할 수 있는 지표

인구 밀도는 단위 면적당 인구수를 의미한다. 인구 밀도가 높은 국가라고 하더라도 발전 수준이 낮은 국가의 사례가 많으므로 인구 밀도는 발전 수준을 파악하는 지표로 적절하지 않다.

02 고난도 **선진국과 개발 도상국의 상대적 특성 비교**

[자료 분석]

발전 수준의 차이를 보여 주는 지표를 통해 선진국과 개발 도상국의 특성을 묻는 문제이다. 기대 교육 연한은 어린이들이 교육 받을 것으로 예상되는 기간으로 짧을수록 개발 도상국에 해당한다. 따라서 (가)는 개발 도상국, (나)는 선진국이다.

[지도 분석]

① 기대 수명이 짧다.
➡ 선진국은 개발 도상국에 비해 기대 수명이 길다.

② 영아 사망률이 높다.
➡ 선진국은 개발 도상국에 비해 영아 사망률이 낮다.

③ 성 불평등 지수가 높다.
➡ 선진국은 개발 도상국에 비해 성 불평등 지수가 낮다.

✓④ 1인당 국내 총생산이 많다.
➡ 선진국은 개발 도상국보다 1인당 국내 총생산이 많다.

⑤ 인터넷 이용자 비율이 낮다.
➡ 선진국은 개발 도상국에 비해 인터넷 이용자 비율이 높다.

03 선진국과 개발 도상국의 상대적 특성 비교

㉠은 선진국, ㉡은 개발 도상국 또는 저개발국이다. 여성의 사회 참여율은 남녀 불평등 지수가 낮은 선진국이 높게 나타난다.

04 선진국과 개발 도상국 비교

(가)는 유럽, (나)는 중남부 아메리카이다. 유럽은 선진국, 중남부 아메리카는 개발 도상국 또는 저개발국에 해당한다. 개발 도상국은 선진국에 비해 문맹률이 높게 나타난다.

05 서술형 **개발 도상국의 특성**

모범 답안 개발 도상국은 주로 아프리카, 남부 아시아 등에 위치한다. 개발 도상국은 소득 수준이 낮으며 학교나 의료 시설 등이 부족하여 삶의 질이 낮다.

채점 기준	배점
대륙의 이름을 쓰고, 제시어를 모두 사용하여 저개발국의 특징을 정확하게 서술함	100%
대륙의 이름을 쓰고, 한 가지 제시어만 사용하여 서술함	70%
대륙의 이름만 정확하게 씀	30%

06 빈곤 문제 해결을 위한 저개발국의 노력

저개발국은 과거에는 빈곤 문제를 해결하기 위해 선진국의 원조에 의존하는 경향이 강했으나 최근에는 자체적인 경제 개혁을 통해 빈곤 문제를 해결하려는 노력이 활발히 이루어지고 있다. 특히 농업과 교육 부문, 도로 · 항만 · 전력망 구축 등에 국가의 공공 지출을 꾸준히 늘려가고 있으며 식량 생산량을 늘리기 위해 관개 시설을 확충하고 수확량이 많은 품종을 개발하고 있다.

07 빈곤 문제 해결을 위한 저개발국의 노력

저개발국의 발전을 위해서는 그들 국가가 가진 정치적 후진성을 극복하고 부정부패 문제를 해결해야 한다. 아울러 선진국의 원조에 의존하지 않고 스스로 빈곤 문제를 해결하려는 노력이 필요하다.

오답 분석 준호 – 일당 독재 체제는 부정부패를 유발하고 정치적 불안정을 가져와 국민들의 삶이 더 어려워진다.
민아 – 저개발국은 선진국의 공적 개발 원조 의존도를 줄이고 스스로 빈곤 문제를 해결하려는 노력이 필요하다.

08 서술형 **저개발국의 지속 가능한 발전을 위한 정책**
모범 답안 인적 자원 확보를 위한 정책으로는 교육 기회 확대 등이 있으며, 사회 정의 실현의 측면에서는 민주화를 통한 정치 개혁과 부정부패의 척결 등이 필요하다.

채점 기준	배점
제시어를 모두 사용하여 필요한 정책을 인적 자원 확보와 사회 정의 실현의 측면에서 정확하게 서술함	100%
필요한 정책을 인적 자원 확보와 사회 정의 실현의 측면에서 적절하게 서술하였으나, 모든 제시어를 사용하지 않음	50%
필요한 정책을 인적 자원 확보와 사회 정의 실현의 측면 중 한 가지만 정확하게 서술함	30%

09 **공적 개발 원조와 비정부 기구**
(가)는 공적 개발 원조(ODA), (나)는 비정부 기구(NGO)에 대한 설명이다.
오답 분석 ①, ②, ④ (가)의 주체는 경제 협력 개발 기구(OECD) 산하 개발 원조 위원회(DAC)이며, (나)의 주체는 비정부 기구(NGO)이다.
③ 정부 간의 조직인 (가)가 비정부 조직인 (나)에 비해 원조 규모가 크다.

10 **공정 무역**
공정 무역은 생산자들에게 무역의 혜택이 돌아갈 수 있도록 가급적 중간 유통 과정을 거치지 않는다.

11 서술형 **바람직한 국제 원조 방법**
모범 답안 (가)는 물품 제공에 그치는 일회성 원조임에 비해 (나)는 기술 이전으로 이후의 유지 관리가 이루어지고 있다. (나)와 같은 지속 가능한 원조가 더욱 바람직하다.

채점 기준	배점
제시어를 모두 사용하여 (가), (나) 원조 방법을 비교하고 바람직한 원조 방법을 정확하게 서술함	100%
(가), (나)의 원조 방법을 비교하고 바람직한 원조 방법을 적절하게 서술하였으나, 모든 제시어를 포함하지 않음	70%
(가), (나)의 원조 방법 중 한 가지에 대해서만 정확하게 서술함	30%

230~232쪽

대단원 완성하기 3단계

01 ⑤ 02 ④ 03 ② 04 ③ 05 ③ 06 ② 07 ⑤
08 ③ 09 ① 10 ① 11 ③ 12 ①

서술형
13 (1) (가): 센카쿠 열도(댜오위다오) (나): 난사 군도(스프래틀리 군도) (2) [모범 답안] (가), (나) 영역 분쟁에 공통적으로 해당하는 국가는 중국이며, 자원 확보와 관련된 분쟁이다.
14 (1) (나), 농민의 수익이 (가)에 비해 많기 때문이다.
(2) [모범 답안] 생산자는 이익이 보장되어 삶의 질이 향상되며 소비자는 믿을 수 있는 제품을 소비할 수 있다.

01 **아프리카 분쟁의 원인**
현재 아프리카의 국경선은 직선으로 구성된 곳이 많은데 이는 국경선이 산, 강과 같은 지리적 요소에 의해 설정된 것이 아니라 유럽 열강에 의해 인위적으로 설정되었음을 알 수 있다. 이와 같은 인위적 국경선은 부족 경계와 일치하지 않으므로 많은 분쟁의 원인이 되고 있다.

02 **동아시아의 영역 분쟁**
각 지역의 명칭은 실효적 지배 국가의 언어를 따르므로 쿠릴(Кури́льские)은 러시아, 센카쿠(尖閣, せんかく)는 일본, 시사 군도(西沙群島)는 중국이 실효 지배하고 있다고 파악할 수 있다.

03 **기아 문제의 원인**
제시된 자료는 『굶주리는 세계』라는 책의 내용이다. 이 책에서 저자는 굶주림의 원인을 인구 증가, 토지 감소와 같은 수요, 공급의 측면으로 접근하기보다는 굶주리는 사람들에 게 발생하는 식량의 불균등한 분배 측면에서 접근하고 있다.

04 **기아 문제의 해결 방법**
식량 과잉으로 골머리를 앓는 부국과 식량 부족으로 시름에 잠긴 빈곤국이라는 부조리한 현실은 전 세계의 식량 분배가 불공평하기 때문에 발생한다. 따라서 더 많은 식량 생산으로는 굶주림의 문제를 해결할 수 없다.

05 **열대 우림 파괴와 생물 다양성의 감소**
지도는 열대 우림이 파괴되고 있는 지역을 나타낸 것이다. 열대 우림 파괴는 농경지 확보, 목축, 벌목 등으로 인해 나타난다. 열대 우림이 존재하는 지역은 사막화가 진행되는 지역과 관련이 적다.

06 **열대 우림 분포 지역의 지리적 문제**
열대 우림의 감소는 생물 다양성 감소의 주요 원인으로 생물 다양성이 감소하면 인간이 이용 가능한 생물 자원의 수가 감소하게 되고 생태계가 빠르게 파괴된다.
오답 분석 ㄴ. 가뭄 피해가 주로 나타나는 지역은 사막 주변의 지역이다.
ㄹ. 오존층 파괴는 주로 남극 주변에서 일어나므로 이 지도에 표시된 지역과는 관계가 적다.

07 **발전 수준을 구분할 수 있는 지표**
인구 밀도는 발전 수준을 파악하는 지표로 적당하지 않으며, 성인의 문맹률, 성 불평등 지수, 영·유아 사망률은 선진국에서 낮게 나타난다.

08 **발전 수준을 구분할 수 있는 지표 파악**
1인당 국내 총생산이 높은 곳은 선진국이고, 낮은 곳은 저개발국이다. 저개발국은 성 평등 지수, 기대 교육 연한, 성인 문자 해독률, 인터넷 이용자 비율이 더 낮게 나타난다.
오답 분석 ① 성 평등 지수가 낮을 것이다.
② 기대 교육 연한이 짧을 것이다.
④ 성인 문자 해독률이 낮을 것이다.
⑤ 인터넷 이용자 비율이 낮을 것이다.

09 **선진국과 개발 도상국의 상대적 차이**
㉠은 도시화가 먼저 시작된 선진국이며 ㉡은 선진국에 비해 뒤늦게 도시화가 시작된 개발 도상국이다. 선진국은 개발 도상국에 비해 성 평등 지수가 높다.

10 **저개발국의 빈곤 해결을 위한 노력**
보츠와나와 볼리비아의 사례는 저개발국이 스스로 빈곤 해결을 위해 노력하여 성공한 사례에 해당한다.

11 **공적 개발 원조**
㉠은 공적 개발 원조이다. 공적 개발 원조는 경제 협력 개발 기구 산하의 개발 원조 위원회에서 주관한다. 현재 우리나라도 참여하고 있다.

12 **공정 무역**
공정 무역은 선진국과 저개발국 사이의 불공정한 무역을 개선하여 저개발국 생산자에게 정당한 가격을 지급하는 무역으로 생산 지역 빈곤 완화에 도움을 준다. 공정 무역은 주로 커피, 카카오, 과일 등 농산물이 거래되고 있다.

13 서술형 **동아시아의 주요 영역 분쟁 지역**
일본과 중국의 분쟁 지역인 센카쿠 열도(댜오위다오)와 중국, 베트남, 브루나이, 말레이시아, 필리핀의 분쟁 지역인 난사 군도(스프래틀리 군도)이다. 영역 분쟁에 중국이 관련되어 있으며, 두 지역은 모두 자원 확보와 관련된 분쟁이다.

채점 기준	배점
해당 국가를 쓰고, 영역 분쟁의 원인을 정확하게 서술함	100%
해당 국가만 정확하게 씀	30%

14 서술형 **공정 무역**
공정 무역은 저개발국의 생산자에게 정당한 가격을 지급할 수 있도록 하며, 생산 지역의 빈곤 완화에 도움을 줄 수 있다.

채점 기준	배점
제시어를 모두 사용하여 공정 무역의 긍정적인 측면을 정확하게 서술함	100%
공정 무역의 긍정적인 측면을 적절하게 서술하였으나, 모든 제시어를 사용하지 않음	70%
생산자에게 도움이 된다는 내용만 서술함	30%

복습책 정답과 해설

I 인권과 헌법

01 인권 보장과 기본권

개념으로 복습하기 02쪽

❶ 천부 인권 ❷ 자연권 ❸ 시민 혁명 ❹ 헌법 ❺ 행복 추구권 ❻ 참정권 ❼ 청구권 ❽ 질서 유지 ❾ 법률 ❿ 본질적 내용

문제로 복습하기 02쪽 ~ 03쪽

01 ③ 02 ⑤ 03 ② 04 ③ 05 ③ 06 ③ 07 ② 08 ③ 09 해설 참조

01 인권은 국가의 법이나 제도로 보장되기 전부터 인간에게 자연적으로 부여된 권리이다.

02 인권은 인간이 태어나면서부터 당연히 가지는 권리로, 하늘이 준 권리라는 천부 인권으로서의 특징을 갖고 있다.

03 인권은 인간이 태어나면서부터 당연히 가지는 권리이다. 시민 혁명을 거치거나 문서로 작성해야 보장받을 수 있는 것이 아니다.

04 참정권은 국가 기관의 형성과 국가의 정치적 의사 결정에 참여할 수 있는 권리이다.

05 제시된 그림에 나타난 권리는 사회권이다. 사회권은 국민이 국가에 인간다운 생활의 보장을 요구할 수 있는 적극적 권리이다.
오답 분석 ㄱ. 자유권에 대한 설명이다. ㄹ. 평등권에 대한 설명이다.

06 참정권은 국가 기관의 형성과 국가의 정치적 의사 결정 과정에 참여할 수 있는 권리로 선거권, 공무 담임권, 국민 투표권을 예로 들 수 있다.

07 제시된 사례에 나타난 개발 제한 구역은 환경 보호라는 공공복리를 위해 자유권을 제한한 것이다.

08 ㉠은 참정권, ㉡은 청구권으로 모두 적극적 권리이다. 청구권의 내용으로는 청원권, 재판 청구권, 국가 배상 청구권 등이 있다.

09 **모범 답안** 기본권의 제한은 국회가 제정한 법률에 의해서만 가능하다.

채점 기준	배점
기본권의 제한 형식을 정확하게 서술함	100%
기본권의 제한 형식을 서술하였으나, 법률에 의한 제한이라는 내용을 서술하지 못함	50%

02 인권 침해와 구제 방법 ~ 03 근로자의 권리와 노동권 침해의 구제

개념으로 복습하기 04쪽

❶ 헌법 재판소 ❷ 국가 인권 위원회 ❸ 근로자 ❹ 근로 기준법 ❺ 단결권 ❻ 단체 교섭권 ❼ 단체 행동권 ❽ 부당 해고 ❾ 노동 위원회

문제로 복습하기 04쪽 ~ 05쪽

01 ④ 02 ⑤ 03 ④ 04 ③ 05 ② 06 ⑤ 07 ② 08 ① 09 해설 참조

01 인권 침해는 국가 기관에 의한 침해, 개인이나 단체에 의한 침해 등이 있다. ④ 민주 국가에서도 국가 기관에 의한 인권 침해가 발생할 수 있다.

02 인권 침해란 인간으로서 가지는 권리나 법으로 보장되는 기본권을 존중받지 못하는 것이다.
오답 분석 ①, ②, ③ 제시된 두 가지 사례 모두 인권 침해에 해당된다.
④ 인권 침해에 대한 구제 방법은 한 가지만 있는 것이 아니다. 법원을 통한 구제, 헌법 재판소를 통한 구제, 국가 인권 위원회를 통한 구제가 있다.

03 헌법 재판소는 위헌 법률 심판, 헌법 소원 심판을 통해 인권 침해를 구제한다.

04 근로 조건은 근로자가 노동력을 제공하는 조건으로 임금, 근로 시간, 휴가 등이 포함된다.

05 단결권은 노동조합과 같은 단체를 만들고 그에 가입하여 활동할 수 있는 권리이고, 단체 행동권은 단체 교섭이 이루어지지 않을 경우 쟁의 행위를 할 수 있는 권리이다.

06 단체 교섭이 원만하게 이루어지지 않을 경우 쟁의 행위를 할 수 있는 권리는 단체 행동권이다.

07 ㉠은 부당 해고이며, 부당 해고를 당한 근로자는 노동 위원회에 구제 신청을 하거나 법원에 재판을 신청해서 구제받을 수 있다. 정당 해고의 요건을 갖추려면 반드시 문서를 통해 해고 사유와 시기를 알려야 한다.

08 갑 사장은 노동조합 활동을 방해했으므로 부당 노동 행위를 하였고, 근로자들은 노동조합을 만들고 그에 가입하여 활동할 수 있는 권리인 단결권을 침해당하였다.
오답 분석 ㄷ. 부당 해고를 한 것은 아니다.
ㄹ. 노동권 침해가 발생하면 노동 위원회에 구제를 신청하거나 법원에 재판을 신청하여 구제받을 수 있다.

09 **모범 답안** 노동조합을 통해 사용자와 근로 조건을 협의할 수 있는 권리이다.

채점 기준	배점
단체 교섭권의 의미를 정확하게 서술함	100%
단체 교섭권의 의미를 서술하였으나, 노동조합을 통한 협의라는 내용을 서술하지 못함	50%

Ⅱ 헌법과 국가 기관

01 국회의 위상과 역할

개념으로 복습하기 06쪽

❶ 4년 ❷ 비례 대표 ❸ 입법 기관 ❹ 본회의
❺ 위원회 ❻ 재정 ❼ 국정 통제 ❽ 동의권
❾ 탄핵 소추권

문제로 복습하기 06쪽 ~ 07쪽

01 ④ **02** ② **03** ① **04** ③ **05** ⑤ **06** ⑤ **07** ②
08 ③ **09** 해설 참조

01 국회 의원은 국민들의 직접 선거로 선출되며, 임기는 4년이고 연임이 가능하다.

02 비례 대표 의원은 각 정당의 득표율에 비례하여 선출한다. 본회의에 앞서 관련된 안건이나 법률안을 심사하는 기관은 위원회(상임 위원회, 특별 위원회)이다.

03 교섭 단체는 국회 의사 진행에 필요한 중요 안건을 협의하는데, 20인 이상의 국회 의원이 모여 하나의 교섭 단체를 구성할 수 있다.

04 예산 결산 특별 위원회는 교섭 단체가 아니라 국회 조직인 위원회 중 특별 위원회에 해당한다.

05 국회는 대통령의 대법원장 임명에 대한 동의권을 행사하였는데, 이는 국가 기관 구성 기능에 해당한다.

06 국회의 국정 통제 기능으로는 국정 감사권 및 국정 조사권, 대통령의 권한 행사에 대한 동의권 등이 있다.

07 국정 조사는 국회의 국정 통제 기능이고, 입법은 국회가 가지는 가장 대표적인 기능이다.
오답 분석 ㄴ. 국정 감사는 국회가 매년 정기적으로 국정 전반을 감사하는 권한이고, 국정 조사는 필요한 경우에 특정한 사안을 조사할 수 있는 권한이다.
ㄹ. 국회 본회의를 통과한 법률안은 정부로 이송된 후 대통령이 공포해야 법률로 확정된다.

08 상임 위원회를 통과한 법률안은 본회의를 거쳐 재적 의원 과반수 출석과 출석 의원 과반수 찬성으로 의결된다.

09 **모범 답안** 국회의 입법 기능으로는 법률의 제정 및 개정권, 헌법 개정안 제출, 조약의 체결에 관한 동의권이 있다.

채점 기준	배점
국회의 입법 기능을 세 가지 서술함	100%
국회의 입법 기능을 두 가지 서술함	70%
국회의 입법 기능을 한 가지만 서술함	30%

02 대통령과 행정부의 역할

개념으로 복습하기 08쪽

❶ 국가 원수 ❷ 대법원장 ❸ 행정부 수반 ❹ 국군 통수권 ❺ 대통령령 발포권 ❻ 법률안 거부권 ❼ 국무총리 ❽ 심의 기관 ❾ 감사원

문제로 복습하기 08쪽 ~ 09쪽

01 ③ **02** ⑤ **03** ① **04** ④ **05** ② **06** ③ **07** ②
08 해설 참조

01 국회에서 만든 법률을 집행하고 여러 가지 정책을 만들어 실행하는 것을 행정이라고 하며, 행정을 담당하는 국가 기관은 행정부이다.

02 ㉠은 대통령이며, 임기는 5년 단임제이므로 중임이 금지된다. 국민의 직접 선거로 선출되는 대통령은 대외적으로 국민을 대표한다.

03 대통령이 신임 헌법 재판소장을 지명한 것은 국가 원수로서 헌법 기관 구성 권한을 행사한 것이다. 국회가 대통령의 헌법 재판소장 임명 동의안을 처리한 것은 입법부인 국회가 행정부를 견제할 수 있는 권한이 있음을 보여 주는 사례이다.

04 국무 회의는 행정부 최고 심의 기관이며, 행정부의 주요 정책에 대한 최종적인 결정권은 대통령이 행사한다.

05 대통령의 권한 중 행정부 수반으로서의 권한은 국정 조정권, 행정부 구성 및 지휘·감독권, 국군 통수권, 행정부의 공무원 임면권, 대통령령 발포권 등이다. ② 계엄 선포권은 국가 원수로서의 권한 중 하나이다.

06 국회가 제정한 법률과 관련한 정책을 실행하기 위해 국무위원들이 모여 회의를 하고 있으므로 이 회의는 행정부 국무 회의이다.
오답 분석 ㄱ. 법률을 만드는 것은 국회의 권한이다.
ㄹ. 국무 회의는 국회의 동의와 상관없이 필요시 언제든지 개최할 수 있다.

07 ㉠은 대통령 직속의 헌법 기관인 감사원 국가의 모든 수입과 지출을 검사한다. 또한 행정 기관과 공무원의 직무를 감찰한다.
오답 분석 ㄴ. 구체적인 행정 사무의 집행은 행정 각부에서 시행한다.
ㄹ. 예산안 심의·의결은 국회의 권한이다.

08 **모범 답안** 행정부의 주요 정책을 심의하는 행정부 최고의 심의 기관이다.

채점 기준	배점
국무 회의의 기능을 정확하게 서술함	100%
국무 회의의 기능을 서술하였으나, 표현이 미흡함	50%

03 법원과 헌법 재판소의 역할

개념으로 복습하기 10쪽

❶ 공정한 재판 ❷ 대법원 ❸ 고등 법원 ❹ 지방 법원 ❺ 기본권 보장 ❻ 위헌 법률 ❼ 헌법 소원 ❽ 국회 ❾ 권한 쟁의 ❿ 정당 해산

문제로 복습하기 10쪽 ~ 11쪽

01 ① 02 ② 03 ① 04 ⑤ 05 ④ 06 ③ 07 ③
08 해설 참조

01 제시된 헌법 조항에 따라 공정한 재판을 하기 위한 사법권의 독립이 보장된다.
오답 분석 ㄷ. 법관도 탄핵 소추 대상이 될 수 있다.
ㄹ. 법률 제정은 국회의 권한이다.

02 ㉠은 고등 법원, ㉡은 지방 법원이다. 지방 법원은 1심 사건과 지방 법원 단독 판사의 판결에 대한 항소 사건(2심)을 재판한다.
오답 분석 ㄴ. 2심 판결에 불복하여 3심 재판을 청구하는 상고 사건 재판은 최종심이므로 대법원이 담당한다.
ㄹ. 가사 사건과 소년 보호 사건은 가정 법원이 담당한다.

03 명령·규칙 또는 처분이 헌법이나 법률에 위반되는지를 최종적으로 심사하는 곳은 대법원이다. 대법원은 사법부의 최고 법원으로, 최종심(3심)을 담당한다.

04 이혼 소송은 가사 사건이다. 가정 법원은 가사 사건과 소년 보호 사건을 담당한다.

05 헌법 재판소는 헌법 재판을 담당하는 기관으로서 재판을 통해 헌법 질서를 보호하고 국민의 기본권을 보장한다. 법률이 헌법에 위배되는지를 결정하는 위헌 법률 심판은 헌법 재판소의 권한이다.

06 탄핵 소추안 가결은 국회의 권한에 해당한다. 국회가 탄핵 소추하면 헌법 재판소가 탄핵 심판을 한다.
오답 분석 ㄱ. A는 국회, B는 헌법 재판소이다.
ㄹ. ㉡은 헌법 재판관으로 국회의 동의를 얻어 대통령이 임명한다.

07 공권력에 의해 국민의 기본권이 침해된 경우, 당사자인 국민이 직접 헌법 재판소에 헌법 소원을 요청할 수 있다. 헌법 소원을 통해 위헌 결정이 내려지면 해당 법률은 효력을 상실하게 된다.
오답 분석 ㄱ. A는 헌법 소원 심판이며, 기본권이 침해된 국민이 직접 헌법 재판소에 청구한다.
ㄹ. ㉡에 해당하는 기본권은 자유권이다.

08 **모범 답안** 국가 기관이나 지방 자치 단체 간의 권한 분쟁을 해결하는 심판이다.

채점 기준	배점
권한 쟁의 심판의 의미를 정확하게 서술함	100%
단순하게 권한 분쟁을 해결한다는 의미만을 서술함	50%

Ⅲ 경제생활과 선택

01 합리적 선택과 경제 체제

개념으로 복습하기 12쪽

❶ 생산 ❷ 생산 요소 ❸ 희소성 ❹ 기회비용 ❺ 편익 ❻ 생산 방법 ❼ 시장 경제 체제 ❽ 혼합 경제 체제

문제로 복습하기 12쪽 ~ 13쪽

01 ④ 02 ② 03 ③ 04 ② 05 ③ 06 ④ 07 ②
08 해설 참조

01 소비 활동은 생활에 필요한 재화나 서비스를 구매하여 사용하는 활동이다. ㄴ, ㄹ은 소비 활동에 포함된다.
오답 분석 ㄱ. 의사의 환자 진료 활동은 생산, ㄷ. 배당금을 받는 것은 분배 활동이다.

02 (가)는 생산 활동, (나)는 분배 활동이다.

03 사례의 에어컨과 같이 욕구에 비해 이를 충족할 수 있는 자원이 부족한 상태를 희소성이 있다고 한다.

04 희소성은 시대와 장소가 달라지면서 변하는 인간의 필요와 욕구에 따라 달라질 수 있다.

05 (가)는 자원의 희소성, (나)는 생산물의 종류와 수량, (다)는 생산 방법, (라)는 분배의 문제이다.
오답 분석 ① 희소성은 자원이 인간의 욕구에 비해 부족한 상태이다.
② (나)는 생산 품목과 수량을 결정하는 문제이다.
④ 사업 품목 결정은 (나)와 관련된다.
⑤ 모든 경제 문제는 효율성을 고려하여 해결한다.

06 기회비용은 어떤 것을 선택함으로써 포기하게 되는 여러 대안이 갖는 가치 중 가장 큰 것이다.

07 A는 계획 경제 체제, B는 시장 경제 체제이다. 시장 경제 체제는 계획 경제 체제보다 자원 배분의 효율성이 높고 시장 기구의 역할을 중시하지만 개인 간 소득 불평등 문제, 환경 오염, 실업 문제가 발생할 가능성이 더 크다.

08 **모범 답안** 오늘날은 대부분 국가들이 시장 경제 체제와 계획 경제 체제를 혼합한 혼합 경제 체제를 채택하고 있다.

채점 기준	배점
시장 경제 체제, 계획 경제 체제, 혼합 경제 체제를 사용하여 매끄러운 문장으로 표현함	100%
시장 경제 체제, 계획 경제 체제, 혼합 경제 체제를 사용하였지만 의미가 정확하게 전달되지 않음	70%
혼합 경제 체제만 언급하였고, 경제 체제에 대한 설명이 없음	30%

02 기업의 역할과 사회적 책임

개념으로 복습하기 14쪽

❶ 생산 ❷ 이윤 ❸ 소득 ❹ 윤리적 ❺ 환경
❻ 노동자 ❼ 혁신

문제로 복습하기 14쪽 ~ 15쪽

01 ⑤ 02 ② 03 ① 04 ④ 05 ② 06 ③ 07 ①
08 ⑤ 09 해설 참조

01 기업은 생산 활동의 주체로, 기술 혁신을 위한 연구 개발에 투자함으로써 경제 성장을 촉진하며, 근로자를 고용하고 일한 대가로 임금을 지급한다.
오답 분석 ⑤ 세금으로 재화를 공급하는 주체는 정부이다.

02 임금, 이자, 지대가 ㉡에서 ㉠으로 흘러가는 것으로 보아 ㉠은 가계, ㉡은 기업이다. 가계는 재화와 서비스를 소비하는 경제 주체이다.
오답 분석 ① 이윤 극대화를 추구하는 것은 ㉡ 기업이다.
③ 가계와 기업 모두 효율성을 고려한다.
④ 기업이 가계에 일자리를 제공하고 임금을 지급하여 소득을 창출한다.
⑤ 가계와 기업 모두 희소성 때문에 선택의 문제에 직면하게 된다.

03 A는 가계에서 기업에 제공하는 것이므로, 노동, 토지, 자본이 들어갈 수 있고, B는 기업에서 가계로 제공되는 것이므로, 재화와 서비스가 해당된다.

04 기업의 사회적 책임을 설명하고 있다. 기업의 사회적 책임은 기업이 기업 관련 이해 관계자와 사회 전반에 걸쳐 져야 할 법적·윤리적·자선적 책임을 말한다.

05 제시문은 △△사의 현지 공장이 들어선 지역에는 고용 창출이 이루어져 지역 경제가 활성화되었다는 내용이다. 고용과 소득을 창출하는 기업의 역할이 강조되고 있다.

06 '이것'은 혁신을 말하며 혁신은 새로운 제품의 개발, 비용을 절감하는 새로운 생산 방식의 도입, 새로운 시장 개척 등을 총칭하는 개념이다.

07 제시문은 기업이 소비자를 위해 안전한 제품을 만들어 소비자의 권익을 보호하는 사례이다.

08 △△ 기업은 생산 과정에서 정당한 임금과 안전한 작업 환경을 제공해야 하는 사회적 책임을 다하지 못하였다.

09 **모범 답안** □□ 기업은 '혁신'을 추구하여 새로운 상품을 개발함으로써 기업의 성장을 끌어냈다.

채점 기준	배점
혁신과 새로운 상품 개발을 사용하여 매끄러운 문장으로 표현함	100%
혁신을 썼지만 기업이 성공한 이유 설명이 충분하지 못하였음	70%
혁신만 언급하고 성공한 이유 설명이 없음	30%

03 바람직한 금융 생활

개념으로 복습하기 16쪽

❶ 소득 ❷ 소비 ❸ 주식 ❹ 채권 ❺ 안전성
❻ 유동성 ❼ 신용

문제로 복습하기 16쪽 ~ 17쪽

01 ③ 02 ⑤ 03 ① 04 ⑤ 05 ② 06 ① 07 ③
08 ⑤ 09 해설 참조

01 중·장년기는 소득이 가장 높은 시기이지만 자녀 교육과 주택 마련, 자녀 결혼 등으로 소비도 많은 시기이다.
오답 분석 ①, ② 결혼 전 청년기과 은퇴 이후에는 거의 대부분 소비가 소득보다 많다.
⑤ 소득이 발생하는 기간은 제한적이지만 소비는 꾸준히 발생한다.

02 자산 관리는 일생 동안 중요하게 생각해야 하며, 현재의 만족만 추구하다 보면 노후 생활이 어려워질 수 있다.

03 합리적인 자산 관리를 위해서는 수익성, 안전성, 유동성을 고려해야 한다.

04 은행 예금은 유동성이 높은 편이며 이자 수익을 기대할 수 있고, 안전성이 높은 상품이다.
오답 분석 ②, ③, ④ 배당금이 지급되는 것은 주식이며, 주식 투자는 시세 차익을 누릴 수 있지만 자산 가치의 변동이 비교적 심한 편이다.

05 A는 채권, B는 주식, C는 예금이다. 주식의 소유자는 주주이다.
오답 분석 ① 채권은 국가와 지방 자치 단체, 기업 등이 발행할 수 있다.
③, ④ 은행 예금은 유동성이 높은 금융 상품이며 주식과 달리 원칙적으로 만기가 있는 상품이다.
⑤ 채권과 은행 예금 모두 이자가 지급된다.

06 '100−나이의 원칙'은 나이가 들수록 안전성이 높은 자산에 투자해야 함을 의미한다. 주식은 안전성이 낮은 금융상품이므로 나이가 들수록 투자 비중을 줄여야 한다.

07 미래의 소비에 대비한 저축의 필요성을 보여 주는 우화이다. 생애 주기를 고려한 자산 관리의 필요성을 시사한다고 볼 수 있다.

08 신용은 돈을 빌리는 상황에서 필요하다.

09 **모범 답안** 갑은 수익성은 높으나 원금 손실의 위험성이 큰 주식에 퇴직금을 전부 투자하였기 때문이다.

채점 기준	배점
주식과 원금 손실의 위험성을 넣어서 매끄럽게 설명함	100%
주식은 썼지만 위험성의 이유는 설명하지 않았음	70%
주식만 언급하였음	30%

Ⅳ 시장 경제와 가격

01 시장의 의미와 역할

개념으로 복습하기 18쪽

❶ 교환 ❷ 화폐 ❸ 수요자 ❹ 거래 비용 ❺ 거래 형태 ❻ 생산물 ❼ 생산 요소 ❽ 전자 상거래

문제로 복습하기 18쪽 ~ 19쪽

01 ④ 02 ① 03 ⑤ 04 ③ 05 ③ 06 ① 07 ② 08 ⑤ 09 해설 참조

01 시장은 수요자와 공급자가 거래하는 곳이다. 상품이 거래되는 구체적인 장소뿐 아니라, 수요자와 공급자 간의 거래 활동을 통해 가격이 형성되고 교환이 이루어지는 모든 곳을 시장이라고 한다.

02 (가)는 분업, (나)는 특화에 대한 설명이다.

03 시장의 종류는 거래 형태에 따라 보이는 시장과 보이지 않는 시장으로 나누어지는데 보이지 않는 시장에서는 거래가 구체적으로 드러나지 않는다. 인터넷 쇼핑몰, 게임 아이템 거래 시장은 보이지 않는 시장에 해당된다.
오답 분석 ㄱ, ㄴ은 보이는 시장이다.

04 제시된 사진은 노동 시장의 모습이다. 노동 시장에서는 노동력이라는 생산 요소가 거래되며, 노동력을 제공하는 주체는 가계이고, 사고자 하는 주체는 기업이다.

05 생산물 시장은 생활에 필요한 재화나 서비스가 거래되는 시장이다. ㄱ, ㄹ은 생산 요소 시장으로 토지, 노동력 같은 생산 요소가 거래되고 있다.

06 A는 보이는 시장, B는 보이지 않는 시장이다. 대형마트와 편의점은 보이는 시장이다. 보이지 않는 시장은 인터넷 쇼핑몰, 전자 상거래 등을 포함하는데 정보 통신 기술이 발달하면서 증가 추세에 있다. 전통사회의 구성원들은 보이는 시장에서 주로 활동하였다. 재화와 서비스는 보이는 시장, 보이지 않는 시장 모두에서 거래된다.

07 외환 시장과 인터넷 쇼핑몰은 구체적인 장소가 없는 보이지 않는 시장이다.
오답 분석 ㄴ. 보이지 않는 시장에서도 재화가 거래된다.
ㄹ. 시장은 수요자와 공급자를 연결하여 일일이 거래할 상대방을 직접 찾아다니지 않아도 된다.

08 제시된 그림에서는 스마트폰에서 모바일 쇼핑 앱에 접속하여 서적을 구매하고 있다. 이처럼 인터넷 등 정보 통신망을 이용하는 거래를 전자 상거래라고 한다. 전자 상거래 시장은 인터넷 등 정보 통신망을 이용하여 거래하므로, 수요자와 공급자가 직접 대면하지 않고 거래가 이루어진다.

09 **모범 답안** 주식 시장이며, 거래 형태에 따라 거래 모습이 드러나지 않는 보이지 않는 시장, 거래 상품의 종류에 따라 자본인 주식이 거래되는 생산 요소 시장이다.

채점 기준	배점
주식 시장, 보이지 않는 시장, 생산 요소 시장을 모두 사용하여 정확하게 설명하였음	100%
주식 시장은 썼지만 보이지 않는 시장과 생산 요소 시장 중 하나만 맞게 설명하였음	50%
주식 시장만 썼음	30%

02 수요 · 공급과 시장 가격의 결정

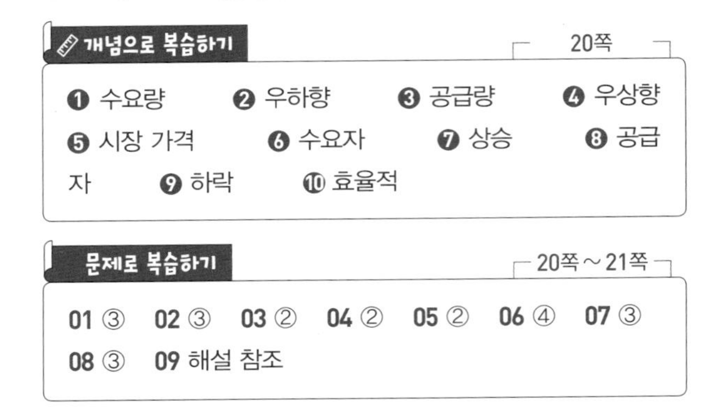

개념으로 복습하기 20쪽

❶ 수요량 ❷ 우하향 ❸ 공급량 ❹ 우상향 ❺ 시장 가격 ❻ 수요자 ❼ 상승 ❽ 공급자 ❾ 하락 ❿ 효율적

문제로 복습하기 20쪽 ~ 21쪽

01 ③ 02 ③ 03 ② 04 ② 05 ② 06 ④ 07 ③ 08 ③ 09 해설 참조

01 ㉠에는 수요, ㉡에는 수요량이 들어갈 수 있다.

02 제시된 그래프는 수요 곡선으로 ㉠은 수요량이다. 수요 곡선은 가격의 변동에 따른 수요량의 변동을 나타내며, 가격과 수요량이 음(−)의 관계를 그래프로 나타낸 것이다.

03 수요 법칙에 따르면 가격이 상승하면 수요량이 감소한다.
오답 분석 ① 가격과 공급량은 양(+)의 관계이다.
③ 가격이 내리면 공급량은 감소한다.
④, ⑤ 수요 곡선은 우하향, 공급 곡선은 우상향한다.

04 표에는 가격이 오르면 수요량이 감소하는 수요 법칙이 나타나 있으며, 수요 법칙을 나타낸 수요 곡선은 우하향하는 모양이다.
오답 분석 ㄴ. 가격과 수요량 사이에는 음(−)의 관계가 나타난다. ㄹ. 표의 내용과 관련 없다.

05 시장에서 어떤 상품의 가격이 오르면 그 재화의 수요량은 감소하고 공급량은 감소한다.
오답 분석 ㄴ, ㄹ. 가격이 오르면 수요량이 감소하거나 공급량이 증가한다.

06 그래프는 공급 곡선으로 ㉠은 공급량이다. 공급 곡선은 가격의 변동에 따른 공급량의 변동을 보여 주며, 가격과 공급량 간 양(+)의 관계를 그래프로 나타낸 것이다. ⑤ 일정한 가격 수준에서 어떤 상품을 판매하고자 하는 욕구는 공급이다. 공급량은 어떤 가격에서 공급자가 판매하려는 상품의 구체적인 양이다.

07 초과 수요 상태에서는 수요자들 간의 경쟁으로 상품의 가격이 상승한다.

08 수요 곡선과 공급 곡선이 만나는 20,000원이 균형 가격, 5,000개가 균형 거래량이다. 가격이 30,000원일 때 초과 공급이 발생한다.
오답 분석 ㄱ. 가격이 10,000원일 때 수요량이 공급량보다 많다.
ㄹ. 가격이 40,000원이라면 초과 공급으로 공급자간 경쟁이 발생하여 가격은 내려간다.

09 **모범 답안** 가격이 오르면 수요량이 감소하고 가격이 내리면 수요량이 증가하여 가격과 수요량은 음(−)의 관계이다. 반면 가격이 오르면 공급량이 증가하고 가격이 내리면 공급량이 감소하여 가격과 공급량은 양(−)의 관계이다.

채점 기준	배점
가격과 수요량의 관계, 가격과 공급량의 관계를 모두 정확하게 설명하였음	100%
가격과 수요량의 관계, 가격과 공급량의 관계를 모두 설명하였으나 그 내용이 부족함	70%
가격과 수요량의 관계, 가격과 공급량의 관계 중 한 가지만 정확하게 설명하였음	30%

03 시장 가격의 변동

개념으로 복습하기 22쪽

❶ 가격 ❷ 증가 ❸ 감소 ❹ 상승 ❺ 상승
❻ 증가 ❼ 하락 ❽ 생산 기술 ❾ 감소 ❿ 상승
⓫ 하락 ⓬ 하락 ⓭ 상승

문제로 복습하기 22쪽 ~ 23쪽

01 ① 02 ② 03 ⑤ 04 ③ 05 ④ 06 ⑤ 07 ⑤
08 ③ 09 해설 참조

01 제시된 그래프는 수요가 증가하여 수요 곡선이 오른쪽으로 이동하였으므로, ① 소비자의 기호 증가가 원인이 될 수 있다.
오답 분석 ②, ③, ⑤는 수요가 감소하여 수요 곡선이 왼쪽으로 이동하는 원인이 된다.
④ 가격은 수요 곡선상에서의 이동 원인이다.

02 제시된 상황에 따르면 햄버거는 피자의 대체재이다. 대체재인 햄버거 가격이 하락하면 피자 대신 햄버거를 소비하려 하여 피자의 수요가 감소한다.

03 팥은 단팥빵의 생산 요소이다.

04 보완재의 가격이 상승하면 해당 상품의 수요가 감소하여 균형 가격이 하락한다.
오답 분석 ① 수요가 증가하면 균형 가격은 상승한다.
② 수요가 감소하면 균형 거래량도 감소한다.
④ 대체재의 가격이 하락하면 그 상품은 수요가 감소하여 균형 거래량이 감소한다.
⑤ 공급이 증가하면 균형 가격은 하락한다.

05 수요 곡선이 왼쪽으로 이동한 것은 수요 감소를 의미한다. 대체재의 가격이 하락하면 해당 재화의 수요는 감소한다.
오답 분석 ① 설탕 가격의 하락, ③ 커피 수요자 수의 증가는 수요 증가를 가져와 수요 곡선이 오른쪽으로 이동한다.
② 커피 가격 상승은 수요 곡선상의 이동으로 나타난다.
⑤ 커피를 재배하는 나라가 늘어나는 것은 공급의 변동을 가져온다.

06 제시된 사례에서 자전거의 가격이 올라 롤러브레이드 수요가 증가하고 자전거 수요량은 감소하였다. 자전거와 롤러브레이드는 대체재 관계에 있으며 자전거 대신 롤러브레이드를 구입하면 롤러브레이드의 수요 곡선은 오른쪽으로 이동하게 된다.

07 사과의 수확량이 줄어든 것은 공급 감소 요인이므로 공급 곡선은 왼쪽으로 이동한다. 추석 명절을 맞아 사과를 찾는 사람들이 늘어난 것은 수요 증가 요인으로 수요 곡선은 오른쪽으로 이동한다.

08 사과의 수요가 늘고 공급이 줄어 가격은 상승한다. 수요 증가 폭이 공급 증가 폭보다 커 균형 거래량은 증가한다.

09 **모범 답안** 두 변화는 모두 삼겹살 수요 증가 요인이다. 따라서 삼겹살의 균형 가격은 상승하고, 균형 거래량은 증가할 것이다.

채점 기준	배점
수요 증가, 균형 가격 상승, 균형 거래량 증가 등의 시장 변화를 모두 정확하게 설명하였음	100%
수요, 균형 가격, 균형 거래량은 모두 언급했으나 변화 과정이 정확하게 전달되지 않았음	70%
수요, 균형 가격, 균형 거래량 중 빠트린 부분이 있음	30%

V 국민 경제와 국제 거래

01 국내 총생산과 경제 성장

개념으로 복습하기 24쪽

❶ 최종 시장 가치 ❷ 부가 가치 ❸ 빈부 격차
❹ 시장 ❺ 경제 규모 ❻ 국민 소득 ❼ 빈부 격차 ❽ 경제 개발 계획

문제로 복습하기 24쪽 ~ 25쪽

01 ⑤ 02 ② 03 ② 04 ② 05 ④ 06 ① 07 ③
08 ③ 09 해설 참조

01 국내 총생산은 재화와 서비스의 가치를 모두 포함한다. 또한, 국적에 상관없이 국내에서 생산된 부가 가치를 모두 더한 것이다.

02 국내 총생산은 생산자의 국적이 아니라 국경을 기준으로 하여 생산물들의 가치를 더한 지표이다.
오답 분석 ① 보통 1년을 기준으로 한다.
④ 중간 생산물은 포함하지 않으며 최종 생산물의 합이다.
⑤ 시장에서 거래된 것만 포함한다.

03 국내 총생산은 최종 생산물의 가치만을 포함하기 때문에 TV와 자동차의 가치를 합한 1,000만 원이 국내 총생산이다. 자동차 생산을 위해 수입한 철강은 중간 생산물이므로 국내 총생산에 포함하지 않는다. 아프리카에 원조한 쌀과 보육원에 기부한 피자는 시장을 거치지 않은 것이므로 국내 총생산에 포함하지 않는다.

04 최종 생산물이란 중간 생산물을 거쳐 최종적으로 만들어진 생산물이다. 사례에서는 칼국수가 최종 생산물이기 때문에 1,300만 원이 국내 총생산이다.
오답 분석 ① 국내 총생산은 1,300만 원이다.
③ 농부가 생산한 부가 가치는 200만 원이다.
④ 각 생산 단계의 부가 가치의 합은 최종 생산물의 가치이므로 1,300만 원이다.
⑤ 제분업자에 의해 생산된 부가 가치는 500만 원(700만 원−200만 원)이다.

05 주부의 가사 노동, 봉사 활동, 지하 경제처럼 시장에서 거래되지 않는 것은 국내 총생산에 포함하지 않는다. 따라서 국내 총생산은 한 나라의 경제 활동 규모를 정확히 반영하지 못한다는 한계를 가진다.

06 천연 자원, 생산 기술, 정부 정책, 기업가 정신은 경제 성장 요인이지만, ① 정부 형태는 경제 성장의 요인과 직접적인 관련이 없다.

07 한 나라의 경제가 성장한다고 하여 반드시 소득 불평등 정도가 완화되는 것은 아니다.

08 제시된 그래프를 보면 지속하여 경제가 성장하고 있다. 경제가 성장하면 기대 수명이 길어지고 자동차 등록 대수가 많아진다. 반면 문맹률은 낮아지고 의사 천 명당 인구수는 줄어든다.

09 **모범 답안** 경제가 성장하면 1인당 국내 총생산이 증가하게 되고 국민의 소득 수준이 높아지면서 건강, 교육 등과 관련된 삶의 질이 같이 개선된다.

채점 기준	배점
국내 총생산이 증가하면 경제가 성장하고, 경제가 성장하면 삶의 질이 개선됨을 정확하게 서술하였음	100%
경제가 성장하면 삶의 질이 개선된다는 점을 설명과 함께 정확하게 서술하였음	50%
경제가 성장하면 삶의 질이 개선된다고만 서술하였음	30%

02 물가 상승과 실업

개념으로 복습하기 26쪽

❶ 평균 ❷ 통화량 ❸ 하락 ❹ 수입 ❺ 실업자
❻ 생산 구조 ❼ 마찰

문제로 복습하기 26쪽 ~ 27쪽

01 ④ 02 ④ 03 ④ 04 ② 05 ④ 06 ⑤ 07 ②
08 ⑤ 09 ④ 10 해설 참조

01 물가 지수란 물가의 움직임을 한눈에 알아볼 수 있도록 숫자로 나타낸 지표이다.

02 물가가 상승하면 건전한 투자보다는 단기간의 차익을 노리는 투기가 성행하는 경향이 있다.

03 인플레이션이 발생하면 돈의 가치가 떨어져 상대적으로 돈을 빌린 사람이 유리하다. 또한 외국 상품이 상대적으로 싸져 수입이 늘어나 수입업자가 유리하다.
오답 분석 ㄱ. 임금 근로자와 ㄷ. 은행에 돈을 예금한 사람은 돈의 가치가 떨어지므로 불리하다.

04 물가 상승은 총수요가 총공급보다 많을 때, 생산 비용이 상승할 때, 통화량이 많을 때 발생한다. 따라서 물가가 상승하면 정부는 통화량을 줄이기 위해 이자율을 올려 저축을 유도하는 대책을 실시해야 한다. ② 통화량을 늘리면 물가가 더욱 상승한다.

05 제시된 사례들은 통화량의 증가, 생산 비용의 증가이다. 이는 모두 물가 상승의 원인과 관련된다.

06 ㄱ. 계절적 실업은 계절의 변화에 따라 고용 기회가 줄어드는 경우이고, ㄴ. 경기적 실업은 경기 침체로 기업이 고용을 줄이는 경우이다.

07 실업률은 전체 인구가 아닌 취업자와 실업자로 구성된 '경제 활동 인구'에서 실업자가 차지하는 비율을 의미한다.

08 실업자는 일할 능력과 의사가 있으나 일자리가 없어서 일을 못하는 사람들이다. ㄷ은 마찰적 실업으로 인한 실업자, ㄹ은 계절적 실업으로 인한 실업자에 해당한다.
오답 분석 ㄱ. 구직 단념자는 일할 의사가 없으므로 실업자에 해당하지 않는다.
ㄴ. 일할 의사가 없는 주부는 실업자에 해당하지 않는다.

09 실업은 가계 소득의 감소로 인한 소비 위축을 가져오고, 이는 경제 전반에 걸쳐 부정적인 영향을 끼친다.

10 **모범 답안** 마찰적 실업이며, 이를 해결하기 위해서는 맞춤형 취업 정보를 제공해야 한다.

채점 기준	배점
마찰적 실업을 언급하고 해결책을 정확하게 제시함	100%
마찰적 실업을 언급하고 해결책을 제시하였으나 설명이 부족함	70%
마찰적 실업만 언급하고 해결책을 제시하지 않음.	30%

03 국제 거래와 환율

개념으로 복습하기 28쪽

❶ 국경 ❷ 무역 장벽 ❸ 교통 ❹ 자유 무역 협정
❺ 교환 비율 ❻ 외환 시장 ❼ 증가 ❽ 증가
❾ 상승 ❿ 감소

문제로 복습하기 28쪽~29쪽

01 ⑤ 02 ① 03 ④ 04 ⑤ 05 ③ 06 ④ 07 ③
08 ① 09 해설 참조

01 ㉠에 알맞은 말은 국제 거래이다.

02 국제 거래가 확대된 배경에는 교통 및 통신의 발달, 세계화와 개방화의 흐름, 자유 무역주의의 확산이 있다. ① 보호 무역주의란 국내 산업 보호를 위해 무역을 제한하는 것을 의미한다.

03 제시된 두 상황에서 서비스나 노동, 자본 등 생산 요소의 국가 간 이동이 활발하다는 것을 알 수 있다. 오늘날에는 재화뿐 아니라 서비스 및 노동과 자본 등 생산 요소의 국가 간 이동도 활발하다.

04 국제 거래는 재화와 서비스의 수출과 수입 과정에서 관세나 무역 장벽 등 제한이 존재한다. 또한, 나라마다 법과 제도가 다르므로 재화나 서비스의 이동이 자유롭지 않고 제한될 수 있다.
오답 분석 ㄱ. 나라마다 다른 생산비는 국제 무역이 발생하는 원인이다.
ㄴ. 국제 거래에서 생산 요소의 이동에는 서로 다른 법과 제도의 규제로 인하여 제한이 따른다.

05 외화의 수요는 외화가 외국으로 나갈 때 생긴다. 따라서 외국 상품의 수입, 자국민의 해외 여행, 해외 투자와 유학 등은 외화의 수요에 영향을 주는 요인이다. ③ 차관은 외국에서 돈을 빌리는 경우를 의미하기 때문에 이는 외화의 공급과 관련된 요인이다.

06 그래프에서 외화의 공급 곡선이 오른쪽으로 이동하였으므로 이는 외화 공급의 증가를 나타낸다. ④ 국내에 여행 온 외국인 관광객들은 외화를 공급한다.

07 외국인의 국내 투자가 증가하면 외화의 공급이 증가하여 환율이 하락한다.

08 환율이 하락하면 원화의 가치는 상승하고, 외화로 표시되는 우리나라 상품의 가격이 상승하여 수출이 감소한다.

09 **모범 답안** 소비자의 경우 질 좋고 저렴한 제품을 선택할 수 있고, 기업은 외국 기업과의 경쟁으로 효율성과 생산성을 향상할 수 있다.

채점 기준	배점
소비자와 기업에 미치는 영향을 모두 정확하게 서술하였음	100%
소비자와 기업에 미치는 영향을 모두 서술하였으나, 그 내용이 부족함	70%
소비자와 기업에 미치는 영향 중 한 가지만 서술하였음	30%

Ⅵ 국제 사회와 국제 정치

01 국제 사회의 특성과 행위 주체 ~ 02 국제 사회의 모습과 공존을 위한 노력

개념으로 복습하기 30쪽

❶ 주권 ❷ 중앙 정부 ❸ 힘의 논리 ❹ 국가
❺ 개인 ❻ 다국적 기업 ❼ 갈등 ❽ 자원
❾ 외교 ❿ 민간 외교

문제로 복습하기 30쪽~31쪽

01 ③ 02 ⑤ 03 ⑤ 04 ② 05 ④ 06 ⑤ 07 ⑤
08 ① 09 ④ 10 ③ 11 해설 참조

01 국제 사회란 독립된 주권을 가진 국가가 상호 교류하는 사회를 의미한다.

02 국제 사회에서 이루어지는 정치 행위나 경제 행위는 한 나라를 넘어서 주변 국가 및 지구촌 전체에 영향을 미친다.

03 국제 사회에서 환경과 같은 국제 문제가 발생하면 이를 해결하기 위해 국가들 간에 서로 협력한다.

04 국가는 일정한 영토와 국민을 바탕으로 주권을 가지며, 국제 사회의 가장 기본 단위이자 핵심이 되는 행위 주체이다.

05 그린피스와 같은 국제 비정부 기구는 개인 또는 민간단체로 구성된다.

06 각국마다 정치 및 경제 체제는 동일하지 않으며, 이는 경쟁과 갈등의 주요 원인이라고 볼 수 없다.

07 팔레스타인과 이스라엘 분쟁은 대표적인 민족, 종교, 영토 분쟁이다. 처음에 영토 분쟁으로 시작하여 종교, 민족적 분쟁으로 확산된 사례이다.

08 국제 사회의 협력은 특정 국가의 노력만으로는 해결이 불가능하다.

09 외교는 한 국가가 국제 사회에서 평화적인 방법으로 자국의 이익을 달성하기 위해 하는 활동을 의미한다.

10 외교 활동은 정치적·경제적 이익을 실현하고 국제적 위상을 높이는 데 이바지한다.
오답 분석 ㄱ. 외교 활동을 통해 국제적 협력이 가능하다.
ㄹ. 갈등을 평화적으로 해결하는 것이 외교의 역할이다.

11 **모범 답안** 국제 사회에는 힘의 논리가 적용되기 때문에 강대국이 더 큰 영향력을 행사한다.

채점 기준	배점
국제 사회의 여러 가지 특성 중 힘의 논리를 정확하게 서술함	100%
단순하게 강대국의 영향력이 더 크다라고만 서술함	50%

03 우리나라의 국가 간 갈등과 해결

개념으로 복습하기 32쪽

❶ 독도 ❷ 국제법 ❸ 동해 ❹ 동북공정
❺ 영토 분쟁 ❻ 세계화 ❼ 대화 ❽ 시민 단체

문제로 복습하기 32쪽 ~ 33쪽

01 ⑤ 02 ③ 03 ③ 04 ② 05 ④ 06 ⑤ 07 ⑤
08 ④ 09 해설 참조

01 일본이 독도를 국제 사법 재판소에 회부하려는 이유는 독도를 국제 분쟁 지역으로 만들기 위해서이다.

02 과거 일본의 지도나 역사책에서도 독도를 우리의 영토로 표기하고 있다.

03 독도는 국제법상으로 명백히 우리나라 영토이다.

04 불법 어선 조업 문제는 우리나라가 중국과 겪는 갈등 사례에 해당한다.
오답 분석 ①, ③, ④, ⑤는 우리나라와 일본이 겪는 갈등에 해당한다.

05 동북공정은 중국의 국경 안에서 전개된 모든 역사를 중국의 역사로 편입하려는 연구로 고조선, 고구려, 발해가 독립된 국가가 아니라 중국의 지방 정권이었다고 역사를 왜곡하고 있다.

06 동북공정은 중국의 국경 안에서 전개된 모든 역사를 중국의 역사로 편입하려는 연구이다.
오답 분석 ㄱ. 동북공정은 만주 지역의 고대 국가였던 고조선, 고구려, 발해가 중국의 지방 정권이었다고 왜곡을 하는 것이다.
ㄴ. 동북공정과 국제 사법 재판소의 해결과는 관련이 없다.

07 주변 국가와는 오랜 역사 속에서 경제적·정치적·문화적으로 긴밀한 관계를 맺고 있으므로 대화나 협상을 통해 평화적이고 합리적으로 문제를 해결해야 한다. ⑤ 국가 간의 관계 단절은 갈등을 해결하는 것이 아니라 갈등을 악화시키는 결과를 가져올 수 있다.

08 한·중·일 세 나라 공동 역사 편찬 위원회의 '공동 역사 교과서' 출간은 세 나라가 자국만의 시각에서 벗어나 서로를 존중하며 올바른 역사 인식을 공유하는 데 목적과 의의가 있다.

09 **모범 답안** 세계화가 진전되면서 국가 간의 상호 의존성이 높아지고 있다. 특히 일본과 중국은 우리나라와 정치·경제적으로 서로에게 미치는 영향이 크기 때문에 서로 간의 협력이 매우 중요하다.

채점 기준	배점
국가 간 협력의 이유를 세계화 및 상호 의존성 증가라는 측면에서 정확하게 서술함	100%
단순하게 국가 간 협력이 필요하다고 서술함	50%

Ⅶ 인구 변화와 인구 문제

01 인구 분포

개념으로 복습하기 34쪽

❶ 북반구 ❷ 아시아 ❸ 농업 ❹ 인문 ❺ 벼농사
❻ 남서부 ❼ 이촌 향도 ❽ 노동력

문제로 복습하기 34쪽 ~ 35쪽

01 ② 02 ③ 03 ③ 04 ④ 05 ① 06 ⑤ 07 ④
08 ① 09 해설 참조

01 ㄱ. 세계 인구의 약 60%가 아시아에 살고 있다. ㄹ. 어업과 농업으로 인한 식량 확보가 가능하고, 내륙이나 산지에 비해 교통이 편리하기 때문이다.
오답 분석 ㄴ. 세계 인구의 대부분은 북반구에 살고 있다. ㄷ. 육지 면적과 인구 밀도는 비례하지 않는다. 예를들어 육지 면적이 좁고 인구가 많은 경우에는 인구 밀도가 높아지게 된다.

02 온화한 기후가 나타나는 중위도 지역에 많은 인구가 밀집하는 모습을 보이고 있다.
오답 분석 ① 북반구의 육지 면적이 더 넓어서 인구가 남반구에 비해 많이 분포한다.
② 위도가 높아질수록 기온이 낮아져 농업에 불리해진다.
④ 중위도 지역에 인구가 집중된 이유는 온화한 기후가 나타나기 때문이다. 기후는 자연환경에 해당한다.
⑤ 주로 온대와 냉대 기후가 나타나는 지역에 인구가 밀집해 있다.

03 나머지는 모두 인문 환경에 속하는 반면, 넓은 평야는 자연환경에 속한다.

04 ㉠은 서부 유럽으로 산업 발달, 높은 경제 수준 등으로 인해 인구 밀도가 높다. ㉢은 방글라데시로 벼농사에 유리한 자연환경으로 인해 인구 밀도가 높다. ㉡은 사하라 사막으로 건조 기후로 인해, ㉣은 캐나다 북부로 매우 추운 기후로 인해 거주가 매우 불리하여 인구 밀도가 낮다.

05 해당 지역들은 산업이 발달하면서 일자리가 증가하고 소득이 높아져 사람들이 모여들게 된 곳이다.

06 아마존강 유역은 열대 우림 기후로 인해 덥고 습하며 밀림이 형성된 지역으로, 대표적인 인구 희박 지역이다.

07 산업화 이후 일자리, 소득, 편의 시설 등 인문 환경이 중요해졌다. 이로 인해 농촌의 인구가 도시로 이동하는 이촌 향도 현상이 심화되면서 인구 분포가 도시 위주의 불균등한 상태를 보이게 되었다. 이로 인해 농촌의 노동력 부족이 매우 심각한 상태다.

08 공업과 서비스업의 비중이 높아지면서 관련 산업이 발달

한 수도권에 인구가 밀집하고 있다.

09 **모범 답안** 산업화 이전 농업 사회에서는 주로 자연환경의 영향을 받아 평야 지역에 인구가 밀집했지만, 산업화 이후에는 산업·경제·일자리 등 인문 환경이 유리한 지역에 인구가 밀집하게 되었다.

채점 기준	배점
인구 분포에 영향을 끼친 요인을 두 시기 모두 정확하게 서술함	100%
한 시기는 정확하게 서술하였지만, 다른 한 시기는 정확히 설명하지 못함	70%
인구 분포에 영향을 끼친 요인을 두 시기 중 한 시기만 서술함	30%

02 인구 이동

개념으로 복습하기 36쪽

❶ 흡인 ❷ 배출 ❸ 일시적 ❹ 강제적 ❺ 선진국 ❻ 경제적 ❼ 다문화 ❽ 이촌 향도 ❾ 노동력

문제로 복습하기 36쪽 ~ 37쪽

01 ③ 02 ④ 03 ② 04 ③ 05 ④ 06 ④ 07 ⑤ 08 ④ 09 해설 참조

01 실업률이 높다는 것은 일자리가 부족하다는 의미이다. 이것은 배출 요인으로 인구 유출 지역에서 볼 수 있는 특징이다.

02 교통 및 통신의 발달로 외국에서도 본국에 있는 가족들과 연락이 쉽게 닿고, 노동력이 부족한 선진국들이 증가하면서 일자리를 찾으러 외국으로 나가는 개발 도상국 출신의 사람들이 증가하고 있다.
오답 분석 ① 이동 범위에 따른 구분이다.
② 이동 동기에 따른 구분이다.
③ 일시적 이동에 해당하는 설명이다.
⑤ 영구적 이동에 해당한다.

03 노예 무역은 강제적 이동의 대표적인 사례이고, 이촌 향도 현상은 국내의 농촌 지역에서 도시 지역으로의 이동이므로 국내 이동이다. 더불어 일자리를 찾는 이동이라 볼 경우 경제적 이동으로도 분류될 수 있다.
오답 분석 ㄴ. 난민은 정치적 이동에 해당한다.
ㄹ. 종교적 이동으로 분류하며, 대부분 미국에서 정착해서 살아갔기에 영구적 이동으로 분류한다.

04 (가)는 일자리와 높은 소득을 위한 경제적 이동이고, (나)는 공부를 위한 일시적 이동에 해당한다.

05 산유국들이 많은 서남아시아로 일자리를 구하러 경제적 이동을 한다. 종교가 같거나 비슷한 점이 고려되기는 하지만 이동의 궁극적 이유는 경제적인 것이다.

06 1960년대 이후 인구 이동을 보여준다.

07 이주 외국인들의 국적을 보면 대부분 아시아 지역으로, 유럽이나 아메리카보다 거리가 가까운 것은 맞다. 하지만 문화적인 면에서 보면, 종교도 다양하고 문화적으로도 우리나라와 다른 부분이 많아, 종종 문화 갈등이 나타나기도 한다.

08 프랑스가 겪고 있는 사회 문제를 다루고 있다. 과거 프랑스의 식민지였던 아프리카 일부 국가들에서는 이미 프랑스어를 사용하기 때문에, 그리고 이미 자신들의 친척이나 친구들이 살고 있기 때문에 프랑스로의 이동을 선택하는 경우가 많다. 하지만 이슬람교를 믿고 이를 생활 방식에 드러내려는 이들의 모습이 종교적 중립을 추구하는 프랑스의 정책이나 문화와 갈등을 빚는 경우가 종종 발생하면서 사회 문제가 되고 있다.

09 **모범 답안** 노동력이 증가하고 경제가 활성화된다. 또한 다양한 문화권의 사람들이 증가하면서 문화의 다양성이 높아진다.

채점 기준	배점
긍정적인 영향을 두 가지 이상 정확하게 서술함	100%
긍정적인 영향을 두 가지 이상 서술하였지만, 배경 설명을 미흡하게 서술함	70%
긍정적인 영향을 한 가지만 서술함	30%

03 인구 문제

개념으로 복습하기 38쪽

❶ 의학 ❷ 저출산 ❸ 평균 수명 ❹ 노동력 ❺ 부양력 ❻ 남아 선호 ❼ 산아 제한 ❽ 경제 활동 ❾ 실버

문제로 복습하기 38쪽 ~ 39쪽

01 ② 02 ② 03 ⑤ 04 ① 05 ④ 06 ④ 07 ⑤ 08 ④ 09 해설 참조

01 ㄱ, ㄷ의 이유로 출생률이 높아지고, 사망률이 낮아지면서 인구가 증가하였다.
오답 분석 ㄴ, ㄹ은 선진국에서 저출산 현상이 나타난 이유이다.

02 선진국은 저출산·고령화로 인해 노동력 부족 문제가 발생하였으며, 이를 해결하기 위해 외국인 이주자를 받아들이기도 한다.
오답 분석 ① 산아 제한 정책은 출산율이 부양할 수 있는 수준을 넘어서는 지역에서 실시하는 인구 정책이다. 보통 인구가 너무나 빠르게 증가하는 개발 도상국들에서 실시하고 있다.
③, ④, ⑤ 모두 개발 도상국의 인구 문제에 해당한다.

03 노인 부양 부담 증가는 저출산과 고령화를 겪고 있는 선진국의 인구 문제이다.

04 중국은 인구 증가를 막기 위해 한 자녀 정책을 실시하였다. 하지만 이것이 남아 선호 사상과 맞물리면서 남자가 여자보다 많아지는 ㄴ.성비 불균형에 시달리게 되었고, 출생률 감소로 ㄱ.고령화 문제까지 나타나게 되었다.
오답 분석 ㄷ. 문화적 갈등은 미국, 프랑스 등 선진국에서 이민자의 유입으로 나타나는 문제이다.
ㄹ. 의학 기술의 발달로 사망률은 감소하고 있다.

05 개발 도상국은 급격한 인구 증가로 인해 식량 부족, 일자리 부족 등의 문제를 겪고 있다. 즉 인구 부양력이 인구 증가를 따르지 못하는 점에 대한 고민이 필요하다.
오답 분석 ①, ②, ③, ⑤는 선진국에 해당하는 설명이다.

06 제시된 인구 피라미드는 저출산·고령화 구조를 보이는 선진국의 모습이다. 인구 감소를 겪고 있는 선진국은 출산 장려 정책이 필요한 상황이다.
오답 분석 ②, ⑤는 인구가 급증하는 개발 도상국의 인구 문제 대책이다.

07 (다)는 1970년대에 인구 증가와 성비 불균형을 해결하기 위해 제시한 표어이고, (가)는 1980년대에 인구가 계속 증가하자 한 자녀만 낳자는 의미로 제시한 것이다. 그러나 2000년대에는 저출산 현상이 심화되면서 (나)처럼 출산을 장려하는 방향으로 정책을 바꾸게 되었다.

08 65세 이상 인구 비율이 7% 이상이면 고령화 사회, 14% 이상이면 고령 사회에 속한다. 우리나라는 이미 고령화 사회를 지나 고령 사회, 그 이상의 초고령 사회까지 고민해야 하는 상황이다.
오답 분석 ① 해당 자료는 연령별 인구 비율만 보여주는 것으로 이를 통해 인구 분포를 알 수는 없다.
② 합계 출산율이 나타나 있지 않지만 전체적으로 0~14세 인구 비율이 감소하는 것으로 보아 합계 출산율이 감소했음을 짐작할 수 있다.
③ 기존 우리나라의 가족계획 사업은 인구 증가를 막으려는 출산 억제 방식이었다. 현재는 출산 장려를 통해 인구 감소를 막아야 하는 상황이다.
⑤ 연령 구조만으로 일자리의 변화를 정확하게 예측하긴 어렵다. 다만 이런 상황이 지속될 경우 경제 활동 인구가 감소하면서 일할 사람이 부족해지는 현상은 예상해 볼 수 있다. 현재 일본도 저출산 현상이 오래 지속되어 회사 신입 사원 선발에 어려움을 겪으면서 우리나라를 비롯한 외국인의 채용 비율을 늘려가고 있는 상황이다.

09 **모범 답안** 여성의 사회 진출 증가, 자녀 양육비 부담 증가, 결혼 연령 상승, 결혼 및 가족에 대한 가치관 변화 등이 원인이다.

채점 기준	배점
변화의 원인을 두 가지 이상 정확하게 서술함	100%
변화의 원인을 두 가지 이상 서술하였지만, 인과 관계가 잘 드러나지 않음	70%
변화의 원인을 한 가지만 서술함	30%

Ⅷ 사람이 만든 삶터, 도시

01 세계의 매력적인 도시 ~ 02 도시 내부의 다양한 경관

개념으로 복습하기 40쪽

❶ 2·3차 ❷ 세계 도시 ❸ 생태 도시 ❹ 고산 도시
❺ 도심 ❻ 인구 공동화 ❼ 개발 제한 구역

문제로 복습하기 40쪽~41쪽

01 ④ 02 ① 03 ④ 04 ④ 05 ④ 06 ① 07 ③
08 ① 09 해설 참조

01 도시는 주변 지역에 재화와 서비스를 제공하는 중심지 역할을 한다.

02 (가)는 세계 도시이다. 세계 도시는 다국적 기업의 본사, 국제기구 본부, 국제적 금융 기관 등이 위치하여 세계적인 영향력을 행사하는 도시를 말한다.

03 (나)는 생태 도시이다.
오답 분석 ① 오랜 역사와 문화를 간직한 도시이다.
② 열대 고산 기후 지역에 발달한 고산 도시, ③ 아름다운 항구 도시이다.
⑤ 오로라를 볼 수 있는 고위도의 도시이다.

04 국제 연합(UN) 본부는 미국의 뉴욕에 위치한다. A는 파리, B는 카이로, C는 싱가포르, D는 뉴욕, E는 리우데자네이루이다.

05 르네상스의 중심 도시이자 바티칸이 위치한 도시는 이탈리아의 로마이다.

06 도심에서 수치가 높게 나타나는 것은 지가, 접근성, 건물의 높이, 주간 인구 밀도 등이다.

07 제시된 사진은 고층 빌딩이 밀집한 도심이다.
오답 분석 ③ 주변 지역에 대한 설명이다.

08 지도는 도심에서 주변 지역으로 학교가 이전한 모습인데, 도심 지역의 주거 기능이 약해지면서 도심 학교의 학생 수가 감소하여 나타난 현상이다.
오답 분석 ㄷ. 주거 지역은 도심에 비해 접근성이 낮다.
ㄹ. 상업과 업무 기능은 도심으로 집중하는 집심 현상이 나타난다.

09 **모범 답안** 도심의 땅값(지가)이 높아져 주거 기능이 도심에서 주변 지역으로 이동하면서 도심의 초등학교 학생 수가 급감하게 되었다.

채점 기준	배점
도심의 지가 변화와 주거 기능의 이전을 들어 서술함	100%
주거 기능이 이전한 내용만 서술함	50%

03 선진국과 개발 도상국의 도시화 ~ 04 살기 좋은 도시

개념으로 복습하기 42쪽

❶ 도시화 ❷ 이촌 향도 ❸ 산업 혁명 ❹ 아시아
❺ 종착 단계 ❻ 역도시화 ❼ 삶의 질 ❽ 프라이부르크

문제로 복습하기 42쪽~43쪽

01 ④ 02 ② 03 ③ 04 ③ 05 ② 06 ② 07 ①
08 ④ 09 해설 참조

01 도시화는 산업화와 관련이 깊고 도시화율이 낮은 초기 단계에서 1차 산업 종사자의 비율이 높게 나타난다.

02 (가) 단계는 도시화의 가속화 단계이다.
오답 분석 ①, ⑤ 초기 단계에 해당한다.
③, ④ 종착 단계에 해당하는 설명이다.

03 (가)는 현재 도시화율이 매우 높은 선진국이고, (나)는 도시화가 급격히 진행 중인 개발 도상국의 그래프이다. A는 영국과 미국이므로 선진국, B는 나이지리아와 중국이므로 개발 도상국에 해당한다.

04 아시아와 아프리카에는 많은 개발 도상국이 분포하고 있어 우리나라, 일본 등 일부 국가를 제외하고는 대부분의 국가가 가속화 단계에 속한다.

05 우리나라는 1960년대 산업화와 함께 급격한 이촌 향도가 시작되어 1990년대에 종착 단계에 이를 정도로 빠르게 도시화가 진행되었다.

06 선진국은 도시화가 오랜 기간에 걸쳐 서서히 진행되었기 때문에 도심 부근에 오래되어 낙후된 지역이 나타나고 이곳에 슬럼이 형성되는 경우가 많다. 반면에 개발 도상국의 불량 주택 지구는 급격한 인구 집중으로 인해 주택이 부족하여 무허가 주택과 빈민촌이 만들어지면서 형성된다.

07 디트로이트는 과거 자동차 도시로 유명하였으나, 자동차 산업의 쇠퇴로 지역 경제가 침체되어 빈 건물이 증가하는 등의 도시 문제가 나타났다. 리우데자네이루는 급격한 인구 증가로 도시 기반 시설의 부족 문제가 심각하다.

08 살기 좋은 도시는 자연환경이 아름답고, 편의 시설, 문화·의료 시설 등이 잘 갖추어져 있으며, 사회적으로 안정되어 그곳에 거주하는 사람들의 삶의 질이 높은 곳이다

09 **모범 답안** 개발 도상국은 이촌 향도 현상이 급격히 진행되어 도시로 인구가 집중하면서 주택, 교통, 상하수도 시설 등 도시 기반 시설이 부족해진다.

채점 기준	배점
도시 문제와 원인을 정확하게 서술함	100%
문제와 원인 중 한 가지만 서술함	70%

IX 글로벌 경제 활동과 지역 변화

01 농업의 세계화와 지역의 변화

개념으로 복습하기 44쪽

❶ 교통 · 통신 ❷ 자유 무역 협정 ❸ 상업적 ❸ 자급률

문제로 복습하기 44쪽~45쪽

01 ④ 02 ① 03 ① 04 해설 참조 05 ① 06 ⑤
07 ⑤ 08 ② 09 해설 참조

01 우리나라에서 판매되는 가공 식품의 원료가 해외에서 생산된 농산물을 원료로 사용하고 있다는 것이 조사의 주된 내용이므로 '농업 생산의 세계화'의 개념에 해당한다.

02 제시된 글에 따르면 농산물의 생산지에서 소비지까지 이동되는 거리가 증가하였으므로 외국산 농산물의 소비 비중이 높아졌음을 알 수 있다. 로컬 푸드 운동은 농업의 세계화로 인한 문제에 대한 대책에 해당한다.

03 기업적 농업은 기업 중심의 대규모 농업으로, 판매를 목적으로 하는 상품 작물을 재배한다. 이윤을 극대화하기 위해 많은 자본과 기술을 농업에 투입하며 단일 작물을 특화하여 재배한다.

04 **모범 답안** ㉠ 논이 커피 농장으로 이용되면서 쌀 생산량이 감소하였고 이에 따라 식량 자급률이 감소하였다. ㉡ 생태계 파괴, 환경 오염 등의 문제가 발생하였다.

채점 기준	배점
㉠과 ㉡의 문제점을 모두 정확하게 서술함	100%
㉠과 ㉡의 문제점 중 한 가지만 맞게 서술함	50%

05 생산된 농작물은 세계 여러 지역으로 수출되어 소비된다. 농장은 이윤 극대화를 위해 단일 작물을 대규모로 재배한다.

06 지도에 표시된 지역은 대규모로 가축을 기르거나 곡물을 재배하는 기업적 농업이 발달한 지역이다. 기업적 농업은 기업 중심의 대규모 농업으로 판매를 목적으로 하는 상품 작물을 재배한다.

07 우리나라의 곡물 자급률은 100% 이하로 해외에서 곡물을 수입하는 나라이다. 따라서 곡물 수출량의 감소는 옳지 않은 진술이다. 품종 개량, 농기계 보급 등을 통해 농업 생산성은 지속적으로 높아지고 있다.

08 농업 기업은 이윤을 얻기 위해 대규모의 농장을 경영한다. 플랜테이션 농장은 주로 열대 기후 지역의 개발 도상국에 위치하며 커피, 차, 카카오와 같은 기호 작물을 주로 재배한다. 농업의 세계화는 긍정적인 측면도 있으나 환경 오염, 생태계 파괴, 식량 자급률 감소 등 부정적 측면도 있다.

09 **모범 답안** 특정 기업이 농산물의 생산과 공급을 독점하는 경우 기업의 이윤 추구만을 위해 농산물의 유통에 영향력을 행사하게 되고 농산물의 가격이 상승할 수 있다.

채점 기준	배점
다국적 기업의 독점과 이에 따른 문제점에 대해 정확하게 서술함	100%
다국적 기업의 독점과 이에 따른 문제점 중 한 가지만 서술함	50%

02 다국적 기업과 생산 지역의 변화

개념으로 복습하기 46쪽

❶ 본사 ❷ 생산 공장 ❸ 산업 공동화

문제로 복습하기 46쪽 ~ 47쪽

01 ② 02 ④ 03 ⑤ 04 ⑤ 05 ① 06 ④ 07 ④
08 해설 참조

01 기업의 생산 품목은 공산품뿐만 아니라 농산물, 금융 서비스 등으로 다양하다. 무역 장벽을 피하기 위해 선진국에 생산 공장이 위치하는 경우도 있다.

02 아프리카에 판매 지사가 없는 것으로 보아 아프리카에서의 판매량이 적음을 알 수 있다.

03 다국적 기업의 생산 공장이 개발 도상국으로 이전하는 이유는 땅값(지가)과 노동력이 저렴하기 때문이다.

04 공간적 분업의 시작 단계는 B이며, 다국적 기업의 형성 단계는 D이다.

05 미국 북동부의 제조업이 쇠퇴하면서 자동차 생산 공장이 다른 지역으로 이전되었고, 디트로이트의 지역 경제는 극심한 침체를 겪었다.

06 우수한 교육 환경 및 기술 인력 확보는 연구소와 관련이 있다. 기업은 지역의 환경 규제를 피해 생산 공장을 이전하기도 한다. 엄격한 환경 기준을 적용하는 경우 제품의 생산비가 증가하므로 기업의 이윤이 감소하기 때문이다.

07 오스트레일리아 자동차 생산 공장의 철수는 높은 인건비로 인한 가격 경쟁력 약화에서 비롯된 것이다.

08 **모범 답안** 산업 공동화로 인하여 일자리가 대폭 감소하게 되어 지역 경제가 침체하고 인구가 감소하면서 도시가 쇠퇴한다.

채점 기준	배점
지역의 변화를 원인과 함께 정확하게 서술함	100%
지역 변화의 원인과 문제점 중 한 가지 서술이 미흡함	50%

03 서비스업의 변화와 주민 생활

개념으로 복습하기 48쪽

❶ 소비자 ❷ 생산자 ❸ 해외 ❹ 고용 ❺ 자연 환경

문제로 복습하기 48쪽 ~ 49쪽

01 ② 02 ② 03 ① 04 ④ 05 ② 06 ④ 07 ⑤
08 해설 참조

01 서비스업은 소비자의 다양한 요구를 충족해야 하므로 표준화가 어렵다. 따라서 다른 산업에 비해 고용 창출 효과가 크다.

02 ㉠은 소비자 서비스업에 대한 설명이며, ㉡은 생산자 서비스업이다. 음식업과 도·소매업은 소비자 서비스업, 금융업과 광고업은 생산자 서비스업에 해당한다.

03 다국적 기업의 비용 절감을 위해 소비자 전화 상담 서비스(콜센터)와 같은 기능을 개발 도상국으로 분산 운영하는 등 국제 분업이 활발하게 이루어지고 있다.
오답 분석 ② 서비스업의 종류는 더욱 다양해지고 있다.
③ 교통·통신의 발달로 서비스업의 공간적 제약이 감소되었다.
④ 서비스업의 종사자 수는 증가하고 있다.
⑤ 서비스업의 비중은 전 세계적으로 증가하고 있다.

04 콜센터는 기업의 서비스 기능을 다른 국가로 분산 운영하는 것으로 기업 조직 중 일부 기능을 외부에 맡긴 다는 점에서 기업 조직이 단순화되는 과정이라고 할 수 없다.

05 해외 직접 구매로 해외 상품에 대한 구매액이 증가하며, 국내 소매업자들의 매출은 감소한다.
오답 분석 ㄴ. 국내 소매업자들의 매출은 감소한다.
ㄹ. 해외 상품에 대한 구매액은 증가할 것이다.

06 숙박, 음식점 등 편의 시설 등의 개발은 관광지 소음과 쓰레기 발생, 관광지 근처의 건물 임대료 상승으로 지역 주민들에게 어려움을 준다.

07 관광객의 수가 증가하면서 국가 간 상호 의존도가 높아지고 국경의 의미가 점차적으로 약화될 것이다.

08 **모범 답안** 정보 통신 기술의 발달로 해외에서도 고객 서비스를 수행할 수 있기 때문이다. 특히 필리핀은 미국식 영어를 구사하며, 노동비가 저렴하기 때문에 콜센터 입지에 유리하다.

채점 기준	배점
해외 콜센터 운영의 배경과 필리핀의 입지 조건을 정확하게 서술함	100%
해외 콜센터 운영의 배경, 필리핀의 입지 조건 중 하나만 정확하게 서술함	50%

X 환경 문제와 지속 가능한 환경

01 전 지구적 차원의 기후 변화

개념으로 복습하기

50쪽

❶ 인위적 ❷ 온실가스 ❸ 온실 효과 ❹ 기온
❺ 해수면 ❻ 북극해 ❼ 생태계 ❽ 전 지구적
❾ 교토 의정서

문제로 복습하기

50쪽 ~ 51쪽

01 ⑤ 02 ③ 03 ③ 04 ③ 05 ③ 06 ② 07 ⑤
08 ⑤ 09 해설 참조

01 ㄷ. 삼림 파괴는 이산화 탄소를 산소로 바꿔 줄 나무가 줄어드는 것을 의미하며 온실가스 배출이 더 심화된다는 문제를 함께 지니게 된다.
ㄹ. 지구 온난화로 인해 이상 기후 현상이 급격히 증가하고 있다.
오답 분석 ㄱ. 주로 인간의 활동에 의한 것으로 보고 있다.
ㄴ. 기온은 물론, 강수량도 기후 변화로 인해 예상치를 크게 벗어나는 경우가 많아지고 있다.

02 갑작스런 화산 활동은 온실 효과를 일으키는 자연적 요인이다.

03 북극해 지역은 빙하가 녹으면서 오히려 항로의 이용이 더욱 쉬워질 것으로 전망되고 있다.

04 지구 온난화로 인해 인삼의 재배 가능 면적이 감소할 것으로 전망되고 있다.

05 ㉠은 지구 온난화, ㉡은 산호초가 죽는 백화 현상, 태풍의 위력 상승, 난류성 어류의 생존 범위 확대 등이 있다. ㉢은 해수면 상승이다.

06 몰디브는 해수면 상승으로 국토가 사라질 위기에 처해 있다.

07 온실가스에는 메탄, 아산화 질소 등도 있다. 이산화 탄소의 영향이 가장 큰 것은 사실이지만 이런 온실가스의 발생도 줄이려는 노력이 필요하다.

08 온실가스의 배출량이 적은 국가에서 지구 온난화의 피해가 더 크게 나타나기도 한다. 특정 지역에 한정되지 않은 전 지구적 차원의 노력이 필요한 상황이다.

09 **모범 답안** 두 협약 모두 온실가스 배출량 감축을 통해 기후 변화에 대응한다는 목표를 세우고 있다. 교토 의정서는 주요 선진국들의 의무를 강조한 반면, 파리 협정에서는 개발 도상국에게도 해당 의무를 부여하고 있다.

채점 기준	배점
두 협약의 공통점과 차이점을 정확하게 서술함	100%
공통점과 차이점 중 한 가지만 적절하게 서술함	50%

02 환경 문제 유발 산업의 이전

개념으로 복습하기

52쪽

❶ 선진국 ❷ 개발 도상국 ❸ 전자 쓰레기 ❹ 교체
❺ 일자리 ❻ 물 ❼ 경제 성장 ❽ 바젤

문제로 복습하기

52쪽 ~ 53쪽

01 ③ 02 ⑤ 03 해설 참조 04 ④ 05 ④ 06 ①
07 ⑤ 08 ② 09 ③

01 세계화로 인해 교통과 통신이 발달하면서 공장의 국제적 이동이 쉬워졌다. 이 과정에서 환경 문제 유발 산업이 개발 도상국으로 이동하게 되었다.
오답 분석 ① 산업화가 이루어진 시기가 국가별로 다르기 때문에 이런 이동이 발생한 것이다. 우선 산업화를 이룬 선진국에서는 경제 성장보다 환경 보호가 더 중요해졌고, 아직 산업화가 진행 중인 국가들은 이런 산업을 받아들여서라도 경제 성장을 이루려고 한다.
② 개발 도상국에 해당하는 내용이다.
④ 교통과 통신의 발달은 환경 유발 산업의 이전을 더욱 활발해지도록 만들었다.
⑤ 오히려 환경 문제 유발 산업을 받아들이기 위해 관련 규제를 만들지 않는 지역도 있다. 환경 보호보다 경제 성장을 더 중요시하기 때문이다.

02 선진국일수록 환경 보호의 가치를 경제 성장보다 우선시하면서 환경 규제를 강화한 것이 석면 공장의 국제적 이동을 가능하게 했다.

03 **모범 답안** 선진국의 환경 규제가 강화되면서 상대적으로 환경 규제가 느슨하거나 환경에 대한 인식이 낮은 개발 도상국으로 석면 공장이 이동하게 되었다.

채점 기준	배점
석면 공장의 이동 이유를 환경 규제 측면에서 정확하게 서술함	100%
석면 공장의 이동 이유를 노동력 절감 측면에서 서술함	70%
석면 공장이 개발 도상국으로 이동하였다는 내용만 서술함	30%

04 전자 쓰레기는 기술 발달로 제품 교체 주기가 빨라지면서 급격하게 늘어나게 되었다.

05 제품의 교환 주기가 빨라지면서 쓸모가 없어지거나 유행이 지난 전자 제품이 쓰레기로 변하는 경우가 많아졌다. 그 양이 워낙 많아 선진국에서 합법적으로 처리하기가 어려워지면서 상대적으로 환경 규제가 약한 개발 도상국에 보내기 시작한 것이다.

06 개발 도상국은 환경 오염과 주민 건강에 미치는 영향을 알지만, 일자리 창출과 경제 성장을 위해 전자 쓰레기를 받아들이게 된 것이다.

07 제시된 산업은 고도의 기술이 필요한 것이 아닌 단순 작업이 필요한 일들로 환경을 오염시키고 저임금과 열악한 작업 환경으로 인한 인권 문제가 제기될 수 있는 것들이다. 장기적 발전보다 현재의 일자리 마련을 위해 어쩔 수 없이 받아들이게 된다.

08 장미 재배로 인해 케냐 나이바샤 호수의 물이 줄어들고 오염도가 올라가면서 이곳에서 어업을 하던 사람들의 생활이 어려워지게 되었다.

09 파리 협정은 온실가스 배출을 줄이기 위한 협정이다. 유해 물질의 국제적 이동을 규제하는 국제 협약에는 '바젤 협약'이 있다.

03 생활 속의 환경 이슈

개념으로 복습하기 54쪽

❶ 일회용품 ❷ 유전자 재조합 ❸ 안전성 ❹ 미세 먼지 ❺ 화석 ❻ 교란

문제로 복습하기 54쪽 ~ 55쪽

01 ⑤ 02 ③ 03 ③ 04 ④ 05 ③ 06 ② 07 ④ 08 ① 09 해설 참조

01 ㄷ, ㄹ로 인해 환경 오염이 증가하고 악화되었다.
오답 분석 ㄱ은 쓰레기 문제의 해결 방안이고, ㄴ은 환경 문제의 증가로 인한 결과이다.

02 환경 이슈는 환경 문제 중 원인과 해결 방안에 대한 의견이 입장에 따라 다양해지는 것을 말한다. 여기에는 개인, 지역, 국가, 시민 단체 등 다양한 입장이 반영되고, 시대와 규모가 매우 다양하게 나타난다. 미세 먼지, 쓰레기 문제 등이 대표적인 환경 이슈이다.

03 간척 사업에 대한 설명이다. 간척 사업은 갯벌을 일반적인 육지 상태로 만들어 농경지, 공업 단지 등을 확보하는 것이다. 이에 대해 개발과 보존으로 입장을 달리하는 집단들이 갈등을 빚기도 했다.

04 미세 먼지가 황사와 섞여 들어오기도 하지만 주요 발생 지역은 건조 지역보다 공업 지대, 도시 등과 같이 사람들의 활동이 많은 곳이다.

05 유전자 재조합 식품(GMO)를 통해 식량의 생산량을 증가시키고 포함된 영양분도 증가하게 만들어 식량 문제 해결에 기여할 것으로 기대하고 있다. 또한 다른 생물의 유전자를 통해 단점을 보완하고 장점을 극대화하는 방식으로 생물의 특성을 바꾸게 된다.
오답 분석 ㄱ. 인체에 대한 안전성은 아직 충분한 검증이 이루어지지 못했다.
ㄹ. 생산성 증가는 맞지만 종자와 재배 방법의 특수성 때문에 다국적 기업의 지배력이 더욱 강해지게 된다. 이는 지역 농민들에게 불리하게 작용할 가능성이 크다.

06 쓰레기 분리 배출로 재활용품을 늘리게 되면 쓰레기를 줄일 수 있다.
오답 분석 ④ 쓰레기 매립지를 늘리는 것은 쓰레기를 줄이기 위한 방법이라기보다 늘어난 쓰레기를 처리하기 위한 방법 중 하나이다.

07 푸드 마일리지는 식품의 이동 거리를 나타내는 지표로, 이것이 낮을수록 장거리 이동이 이루어지지 않았다는 것을 의미한다. 이는 곧 장거리 이동을 위해 살충제와 방부제가 들어갈 가능성이 낮으며, 이동 중 온실가스 배출량이 많지 않았을 것이라는 의미이다.

08 로컬 푸드 운동에 대한 설명이다. 로컬 푸드는 외국에서 수입된 식품들에 비해 안전성이 높고, 온실가스 배출이 적으며, 우리 지역 경제에 직접적인 도움을 줄 수 있다.

09 **모범 답안** 식품의 안전성이 높아진다. 온실가스 배출량이 감소한다. 지역 농민과 경제에 도움이 된다.

채점 기준	배점
로컬 푸드의 장점 세 가지를 정확하게 서술함	100%
로컬 푸드의 장점을 두 가지의 내용만 정확하게 서술함	70%
로컬 푸드의 장점을 한 가지의 내용만 정확하게 서술함	30%

XI 세계 속의 우리나라

01 우리나라의 영역과 독도

개념으로 복습하기 56쪽

❶ 최저 조위선 ❷ 통상 기선 ❸ 직선 기선 ❹ 대한 해협 ❺ 배타적 경제 수역 ❻ 태평양 ❼ 조경 수역 ❽ 천연 보호 구역

문제로 복습하기 56쪽 ~ 57쪽

01 ④ 02 ④ 03 ③ 04 ② 05 ① 06 ② 07 ⑤ 08 해설 참조

01 영해의 기준선은 썰물이 나갔을 때 가장 낮아진 해안선으로 최저 조위선이라고 한다. A는 영공, B는 영토, C는 영해, D는 최저 조위선, E는 배타적 경제 수역이다.

02 C는 영해, E는 배타적 경제 수역이다. 울릉도와 독도는 영해 설정 시 통상 기선을 적용한다.

03 제시된 설명은 우리나라의 서해안과 남해안, 대한 해협에 적용되는 영해 설정 방법이다. 울릉도와 독도, 제주도, 동해안은 통상 기선을 적용한다.

04 지도의 (가)는 우리나라 황·남해, (나)는 대한 해협, (다)는 동해이다.

05 A는 우리나라의 배타적 경제 수역, B는 한·일 중간 수역, C는 한·중 잠정 조치 수역이다. 배타적 경제 수역에서는 연안국의 경제적 권리가 보장되기 때문에 연안국 외 국가의 어로 행위나 자원 탐사, 인공 섬 건설 등의 행위가 제한된다. 그러나 경제 행위 이외에 교통수단의 운항은 자유롭게 이루어진다.
오답 분석 ㄴ. A는 우리나라의 배타적 경제 수역이므로 중국 어선은 조업을 할 수 없다.
ㄹ. 한·중 잠정 조치 수역은 우리나라와 중국이 어업 협정을 맺어 어족 자원을 공동 관리하는 곳이다.

06 지도의 (가)는 이어도, (나)는 독도이다. 이어도는 마라도 서남부 먼 바다에 위치한 수중 암초로 우리나라의 영토는 아니지만 종합 해양 과학 기지를 세워 주변의 기후 등을 연구하는 데 활용하고 있다. 이어도와 독도는 모두 우리 국토의 최외곽 지역에 위치하여 군사적·영역적 측면에서 매우 중요하다.
오답 분석 ㄴ. 독도 주변 해역의 영해 기선은 통상 기선을 적용한다.
ㄷ. 독도가 더 동쪽에 있기 때문에 해 뜨는 시각이 이어도보다 이르다.

07 독도는 해양성 기후가 나타나며, 분쟁 지역이 아닌 우리나라의 분명한 영토이다.

08 **모범 답안** 해안선이 복잡하고 섬이 많은 (가) 해안은 가장 외곽에 있는 섬을 직선으로 연결한 직선 기선으로부터 12해리까지를 영해로 정하고 일본과 가까운 (나) 대한 해협은 직선 기선으로부터 3해리를 영해로 설정한다.

채점 기준	배점
서·남해안과 대한 해협의 영해 설정 방법을 모두 정확하게 서술함	100%
서·남해안과 대한 해협의 영해 설정 방법을 적절하게 서술하였지만, 일부 내용을 미흡하게 서술함	70%
서·남해안과 대한 해협의 영해 설정 방법 중 한 가지만 정확하게 서술함	30%

02 우리나라 여러 지역의 경쟁력

개념으로 복습하기 58쪽

❶ 지역성 ❷ 지역화 ❸ 지역 브랜드 ❹ 평창
❺ 장소 마케팅 ❻ 랜드마크 ❼ 보령 ❽ 지리적 표시

문제로 복습하기 58쪽~59쪽

01 ② 02 ③ 03 ① 04 ⑤ 05 ⑤ 06 ⑤ 07 ②
08 해설 참조

01 지역화란 특정 지역하면 떠오르는 이미지나 상품, 랜드마크 등으로 각 지역의 특성이 국가의 경계를 넘어 세계적으로 널리 알려지는 현상이다.

02 지도의 A는 보령, B는 평창, C는 담양, D는 순천, E는 부산이다. 머드 축제는 충청남도 보령에서 개최되고 있으며 『메밀꽃 필 무렵』의 배경은 강원도 평창이고, 우리나라 최초의 국제 영화제는 부산에서 열렸다. 습지를 보존하고 최근 생태 도시로 주목 받고 있는 도시는 순천이다.
오답 분석 C 담양은 대나무와 메타세쿼이아 가로수 길로 유명한 곳이다.

03 랜드마크는 지역의 이미지를 대표하는 상징물로 서울의 N 서울 타워, 프랑스 파리의 에펠탑, 뉴욕의 자유의 여신상 등이 대표적이다. 랜드마크와 같은 지역의 특정 장소를 상품화하여 경제적 가치를 높이는 지역화 전략을 장소 마케팅이라고 한다.

04 제시된 글은 강원도 평창에 대한 것이다. 평창은 사람들이 살기에 가장 쾌적하다는 해발 고도 700m에 있는 지리적 장점을 살려 지역 브랜드를 만들었다.
오답 분석 ① 전라북도 전주의 지역 브랜드이다.
② 경상남도 남해의 지역 브랜드이다.
③ 전라남도 나주의 지역 브랜드이다.
④ 제주도의 지역 브랜드이다.

05 ① 부산은 국제 영화제, ② 보령은 머드 축제, ③ 김제는 지평선 축제, ④ 횡성은 한우 축제가 열리고 있다.

06 지역 축제는 장소 마케팅의 대표적인 방법이다. 김제 지평선 축제는 곡창 지대인 김제의 특성을 살려 만든 축제이고, 진주 남강 유등 축제는 임진왜란 당시 진주성에서 유등을 이용했던 역사적 배경을 축제로 승화시킨 것이다. 지역 축제가 성공하면 많은 관광객이 방문하기 때문에 지역 경제 활성화에 도움이 된다.
오답 분석 ① 지역 브랜드에 대한 설명이다.
② 진주 남강 유등 축제가 해당된다.
③ 영동 포도 축제가 대표적이다.
④ 대관령 눈꽃 축제, 진도 바닷길 축제가 대표적이다.

07 보성 녹차는 우리나라 지리적 표시 제1호로 등록된 농산물이고, 순창 고추장, 횡성 한우, 한산 모시, 여주 쌀 등 약 100개의 상품이 등록되어 있다.

08 **모범 답안** 상품의 브랜드가 지역을 홍보하고, 지역의 이미지를 개선해 주기 때문에 지역 경제 발전에 이바지할 수 있다.

채점 기준	배점
지리적 표시의 이점 두 가지를 정확하게 서술함	100%
지리적 표시의 이점 두 가지를 적절하게 서술하였으나, 지역의 경제 발전에 대한 내용은 서술하지 않음	70%
지리적 표시의 이점을 한 가지만 서술함	30%

03 통일 이후 국토 공간

개념으로 복습하기 60쪽

❶ 유라시아 ❷ 태평양 ❸ 대륙 ❹ 분단 비용 ❺ 자본 ❻ 지하자원 ❼ 비무장 지대

문제로 복습하기 60쪽 ~ 61쪽

01 ② 02 ④ 03 ③ 04 ① 05 ① 06 ① 07 ③ 08 해설 참조

01 우리나라는 유라시아 대륙 동쪽에 있는 반도국으로 북으로는 유라시아 대륙에 진출할 수 있고, 남쪽으로는 태평양으로 진출할 수 있는 동아시아 교통의 중심지에 위치한다. 또한 일본, 중국, 미국 등 경제 대국과 교역이 많고 최근 동아시아 지역 경제가 세계 경제에서 차지하는 비중이 증가하면서 그 위치적 중요성이 커지고 있다.

02 우리나라는 남북이 분단되어 있어 반도국으로서의 지리적 장점을 살리지 못하고 있으며 국토 공간을 효율적으로 이용하지 못하고, 이산가족과 실향민의 고통을 해소하지 못하고 있다. 또한 북한의 인권, 기아 문제는 국제 사회에서도 우려할 정도로 심각하다.

03 남북 간의 과도한 군사비 지출과 군사적 긴장감을 해소하고 민족의 동질성을 회복하기 위해서는 통일이 필요하다.

04 미래의 통일 한국은 분단으로 활용하지 못했던 반도국의 이점을 회복하여 유라시아 대륙과 태평양을 연결하는 물류의 중심지로 성장하게 될 것이다. 또한 백두산, 금강산과 비무장 지대 등을 새로운 관광지로 개발하는 등 국토의 효율적 이용이 가능해진다.

05 제시된 설명은 백두산에 관한 것이다. 지도의 A는 백두산, B는 묘향산, C는 평양, D는 개성, E는 금강산 관광권이다.

06 (가) 비무장 지대는 분단 이후 군사 지역으로 일반인의 출입이 통제되어 자연 생태계가 잘 보존되어 있다. 통일 이후에는 이러한 생태 환경을 활용한 개발 방안과 남북한의 연결 통로가 될 것이다.

07 철의 실크로드는 우리나라 종단 철도와 대륙 횡단 철도를 연결하는 사업으로 '실크로드 익스프레스'라고도 한다. 이 철도가 완성되면 우리나라는 태평양을 통한 해상 무역과 대륙 횡단 철도를 통한 육상 무역을 중계하는 중계 무역 중심지로 성장할 수 있다.

08 **모범 답안** 남한의 자본·기술과 북한의 천연자원, 저렴한 노동력이 결합하여 상호 보완성이 증대되고 국토의 균형 발전이 가능해진다.

채점 기준	배점
남한의 자본, 기술과 북한의 자원, 노동력을 정확하게 서술함	100%
남한의 자본, 기술과 북한의 자원, 노동력 중 세 가지만 포함하여 서술함	70%
남한의 자본, 기술과 북한의 자원, 노동력 중 두 가지만 포함하여 서술함	30%

XII 더불어 사는 세계

01 지구상의 다양한 지리적 문제 ~ 03 지역 간 불평등 완화를 위한 노력

개념으로 복습하기 62쪽

❶ 영해 ❷ 자원 ❸ 아프리카 ❹ 선진국 ❺ 사회 간접 자본 ❻ 공정 무역

문제로 복습하기 62쪽 ~ 64쪽

01 ① 02 ⑤ 03 ③ 04 ③ 05 ② 06 ④ 07 ④ 08 해설 참조 09 ④ 10 ⑤ 11 ① 12 ④

01 무분별한 열대 우림의 파괴는 적도 부근에 위치한 국가들이 경제 성장을 위해 하는 것으로 국가 간 분쟁과 직접적인 관계가 없다.

02 제시된 지도는 난사 군도에 대한 영역 분쟁과 관련된 지도이다. 난사 군도 인근은 해상 교통과 어업의 요충지이며 인근 해역에 매장된 대량의 석유와 천연가스는 분쟁의 원인이 되었다.

03 농업 생산 기술이 발전하면 농업 생산량이 증가하게 되면서 저개발국의 식량 문제를 해결하는 데 큰 도움이 될 것이다.

오답 분석 ⑤ 선진국에서는 육류 섭취를 위해 식량 작물을 가축 사육용 사료로 활용하거나 바이오 에너지 생산을 위한 원료로 활용하고 있다. 다른 용도로의 식량 작물 소비는 곡물 가격을 상승시켜 기아 문제를 심화시킬 수 있다.

04 쿠릴 열도는 국경 분쟁(A)에 해당되며, 센카쿠 열도(댜오위다오)는 자원 분쟁(B)에 해당된다. 따라서 팔레스타인, 티베트 등에서 나타나는 분쟁인 C는 민족·종교 분쟁이다.

개념을 쉽게 풀어 주는 기본서

개념풀 특강

중학 사회②

발 행 인 권준구
발 행 처 (주)지학사 (등록번호 : 1957.3.18 제 13-11호) 04056 서울시 마포구 신촌로6길 5
발 행 일 2018년 11월 30일 [초판 1쇄] 2023년 6월 15일 [2판 1쇄]
구입 문의 TEL 02-330-5300 | FAX 02-325-8010 구입 후에는 철회되지 않으며, 잘못된 제품은 구입처에서 교환해 드립니다.
내용 문의 www.jihak.co.kr 전화번호는 홈페이지 〈고객센터 → 담당자 안내〉에 있습니다.

흔들리지 않는
개념의 뿌리를
개념풀 특강이
잡아 주겠습니다!

개념을 쉽게 풀어 주는 기본서

개념풀 특강

중학 사회②

ISBN 978-89-05-04827-3

지은이 김희정 안효익 윤민주 최윤경 홍철희
개발 책임 구경임 | **편집** 김수형 노관호 정영경 | **마케팅** 김남우 남성희 이상헌 최빈나
디자인 책임 김의수 | **표지 디자인** 김소민 김혜령 엄혜임 | **본문 디자인** 김혜령 정경화 | **컷** 김상준 이도훈 정현욱 | **조제판** 보문 기획 | **인쇄 제본** 벽호

발행인 권준구 | **발행처** (주)지학사 (등록번호 : 1957.3.18 제 13-11호) 04056 서울시 마포구 신촌로6길 5
발행일 2018년 11월 30일 [초판 1쇄] 2023년 6월 15일 [2판 1쇄]
구입 문의 TEL 02-330-5300 | FAX 02-325-8010 구입 후에는 철회되지 않으며, 잘못된 제품은 구입처에서 교환해 드립니다.
내용 문의 www.jihak.co.kr 전화번호는 홈페이지 〈고객센터 → 담당자 안내〉에 있습니다.

05 ㈎의 팔레스타인 분쟁은 유대교를 믿는 이스라엘과 이슬람교를 믿는 아랍 국가와의 갈등이며, ㈏의 카슈미르 지역 분쟁은 이슬람교를 믿는 파키스탄과 힌두교를 믿는 인도 사이의 갈등이다.

06 노르웨이와 같이 인구 밀도가 낮으면서도 선진국에 해당하는 국가들이 많으며, 콩고 민주 공화국과 같이 국토의 면적이 넓으면서도 저개발국인 나라들도 많다. 따라서 인구 밀도와 국토 면적은 발전 수준을 파악하는 지표로 적절하지 않다.

07 인터넷 이용 인구 비율은 선진국이 저개발국에 비해 많다. 따라서 그래프의 ㈎는 선진국, ㈏는 저개발국에 해당한다. 선진국은 1인당 국내 총생산이 저개발국에 비해 많다.

08 **모범 답안** 경제 수준이 높은 유럽 등의 지역은 비만 인구 비율이 높은데 비해 사하라 이남 아프리카 등 경제 수준이 낮은 지역은 영양 부족 인구 비율이 높게 나타난다.

채점 기준	배점
세계의 영양 부족 및 비만 인구에 대해 경제 수준이 높은 지역과 낮은 지역을 비교하여 정확하게 서술함	100%
세계의 영양 부족 및 비만 인구에 대해 경제 수준이 높은 지역과 낮은 지역을 비교하여 서술하였지만, 일부 내용을 미흡하게 서술함	70%
세계의 영양 부족 및 비만 인구에 대해 단순히 그래프 수치만 이용하여 서술함	30%

09 경제가 발전하여 소득 및 생활 수준이 높은 선진국은 개발도상국에 비해 1인당 에너지 소비량이 많다.

10 인간 개발 지수가 높은 국가들은 주로 유럽에 분포하고 있다. 1인당 소득이 높은 국가일수록 의료 및 영양 수준이 높아 기대 수명이 높지만 소득의 격차만큼 기대 수명의 격차가 나타나지는 않는다.

11 공적 개발 원조에 의존한 경제 개발은 저개발국의 대외 의존도를 높여 자립적인 경제 발전을 어렵게 하는 요인이 된다. 저개발국의 발전이 지속되기 위해서는 선진국의 원조에 의존하지 않고 스스로 빈곤 문제를 해결하기 위한 노력이 필요하다.

12 제시된 글은 비정부 기구(NGO)에 대한 설명이다. 비정부 기구는 인도주의적 차원에서 구호 활동을 실시하고 있다. 공적 개발 원조에 비해서 구호 금액의 규모는 상대적으로 작다.